DICTIONNAIRE
DES
SYNONYMES

DICTIONNAIRE DES SYNONYMES DE LA LANGUE FRANÇAISE

par

RENÉ BAILLY

du Syndicat des Écrivains

Sociétaire de la Société des Gens de lettres

sous la direction de

MICHEL DE TORO

docteur ès lettres

OUVRAGE COURONNÉ PAR L'ACADÉMIE FRANÇAISE

LIBRAIRIE LAROUSSE • PARIS-VI

Librairie Larousse (Canada) limitée, propriétaire pour le Canada des droits d'auteur et des marques de commerce Larousse. — Distributeur exclusif au Canada : les Editions Françaises Inc., licencié quant aux droits d'auteur et usager inscrit des marques pour le Canada.

ISBN 2-03-029304-0

PRÉFACE

Entre toutes les différentes expressions qui peuvent rendre une seule de nos pensées, il n'y en a qu'une qui soit la bonne; on ne la rencontre pas toujours en parlant ou en écrivant. Il est vrai néanmoins qu'elle existe, que tout ce qui ne l'est point est faible et ne satisfait point un homme d'esprit qui veut se faire entendre.

LA BRUYÈRE.
(*Les Caractères,* « Des ouvrages de l'Esprit ».)

LES *dictionnaires ordinaires ont pour but immédiat de nous expliquer les mots dont nous ignorons le sens, de nous renseigner sur leur rôle grammatical, sur leurs particularités morphologiques, de les classer et de les qualifier du point de vue de leur pureté et de leur élégance en tant qu'éléments de la langue.*

Ils comprennent souvent une partie historique : étymologie, variations sémantiques, chronologie de l'apparition des mots et de leurs acceptions diverses dans la langue.

On trouve enfin dans certains de ces ouvrages des renseignements accessoires : indication de synonymes, d'antonymes, familles analogiques de mots, traductions en d'autres langues, développements encyclopédiques, etc. Le type le plus achevé de ces dictionnaires est en France le Larousse, *dont les diverses éditions de tous formats y ont acquis une popularité méritée, et ont été imitées à l'étranger, notamment dans les pays de langue espagnole et portugaise.*

Essentiellement ces dictionnaires se contentent de définir et d'expliquer les mots. Historiquement d'ailleurs, les lexiques modernes ont d'abord été des auxiliaires pour l'étude des langues classiques, puis des langues étrangères. Ce n'est que plus tard qu'on a songé à répertorier les mots d'une langue vivante en les expliquant dans cette même langue. Le Thrésor de la langue françoise tant ancienne que moderne *de Nicot, paru en 1606, qui est le premier en date des dictionnaires français, n'est qu'un démarquage, — copie littérale pour des pages entières, — du* Dictionnaire français-latin *que Robert Estienne publia en 1539.*

L'idée qui a présidé à la naissance de ces ouvrages en explique les qualités comme les défauts. Le dictionnaire a été conçu d'abord comme un outil de traduction ou de consultation rapide. Les mots, en laissant de côté leurs affinités d'origine ou de sens, leur date d'apparition dans la langue, sont rangés dans l'ordre purement alphabétique, le plus commode pour la consultation. Les définitions sont établies avec un souci de service immédiat. Prises séparément, elles sont en général exactes et suffisantes, surtout quand elles sont éclairées par des exemples.

Mais il n'est pas toujours aussi facile qu'on pourrait le penser de donner des définitions irréprochables et surtout d'éviter les cercles vicieux, c'est-à-dire la définition de plusieurs mots les uns par les autres, quand ceux-ci désignent des idées analogues. C'est ainsi qu'à peu près tous les dictionnaires définiront approximativement l'un par l'autre des mots comme ÉCONOMIE *et* ÉPARGNE, *comme* ÉTONNÉ *et* SURPRIS, *etc.*

Il y a plus d'un siècle que Villemain, dans sa préface au Dictionnaire de l'Académie française *de 1835, s'excusait de ce défaut en avouant qu'il lui semblait impossible de l'éviter.*

La chose est en effet difficile lorsqu'on rédige un dictionnaire article par article, en suivant l'ordre alphabétique.

Beaucoup de mots admettent des définitions précises par le genre et la différence spécifique. Tels sont CHEVAL, POMME, FAUTEUIL. *Il en est d'autres qui expriment des idées* sui generis, *qui sont elles-mêmes leur genre et que nous ne pouvons comprendre que par intuition immédiate. C'est le cas pour des mots comme* ESPACE, ÉTENDUE, *idées que nous distinguons dans notre esprit, mais pour lesquelles nous manquons de moyens d'expression. Il est enfin des mots qui signifient à peu près la même chose, avec des variations de sens parfois presque imperceptibles. Tels sont* SE MOQUER, RAILLER, PLAISANTER, BAFOUER, SE GAUSSER, PERSIFLER, *lesquels impliquent tous une idée de moquerie en y apportant chacun une nuance spéciale ou un degré différent d'intensité. Ces mots sont les Synonymes ou mots de sens analogue, groupe très nombreux dont on peut mesurer l'importance numérique par l'étendue du présent ouvrage.*

Il n'est point aisé, dans un dictionnaire par ordre alphabétique, de donner à chacun de ces mots, pris isolément, une définition suffisamment différenciée. Ce n'est qu'en réunissant tous les synonymes relatifs à une même idée qu'on arrive à les classer de manière satisfaisante et à les expliquer avec une certaine précision, due autant aux définitions elles-mêmes qu'à la gradation qu'on aura pu établir entre les divers mots.

Voici par exemple un groupe de dix synonymes rattachés à l'idée de « chose sans importance » : RIEN, BAGATELLE, BABIOLE, MINUTIE, MISÈRE, VÉTILLE, NIAISERIE, BROUTILLE, BIBUS, FICHAISE. *Ces mots désignent tous à peu près la même chose, mais chacun d'eux comporte une idée particulière qui fait que nous ne les employons guère les uns pour les autres indifféremment. Si nous demandons, à dix personnes séparément, de nous en définir chacune un, il y a bien des chances pour que nous obtenions des réponses à peu près identiques pour tous. Mais si nous leur présentons la série complète, une discrimination se fera immédiatement dans leur esprit. Elles trouveront entre ces mots des gradations, des nuances qui les distingueront à leurs yeux les uns des autres. C'est à cette constatation que l'on doit l'idée des dictionnaires de synonymes.*

Les synonymes constituent un élément essentiel de la langue, qu'ils enrichissent par la précision et la variété qu'ils apportent à l'expression.

C'est surtout quand on écrit que l'on éprouve à chaque instant le désir de trouver le terme qui exprimera avec le plus d'énergie ou d'exactitude telle ou telle idée, le besoin d'éviter la répétition d'un mot qui, employé deux fois de suite à peu de distance, perdra tout son charme. Notre mémoire, quelle que soit la richesse de son vocabulaire, nous fait souvent défaut. Le dictionnaire de synonymes vient alors à notre secours en nous offrant un ensemble de formes parmi lesquelles nous n'avons qu'à choisir.

Les petits vocabulaires de synonymes se contentent de nous donner sans nul commentaire ces listes de mots de sens voisins. La connaissance intuitive que nous avons de la langue nous permet dans beaucoup de cas de choisir sans effort le mot précis. Mais il est des cas infiniment nombreux où nous ne connaissons pas parfaitement le sens de tous ces synonymes, où nous sommes induits en erreur par l'habitude d'en voir certains pris dans un sens dénaturé. Voilà pourquoi un bon dictionnaire de synonymes doit présenter tous les mots avec des définitions qui seront d'autant plus exactes qu'elles auront été rédigées en même temps et en présence de toutes les gradations d'une même idée.

Si, par la même occasion, ce dictionnaire donne par ordre alphabétique tous les mots qu'il définit, en renvoyant pour leur définition au groupe dans lequel chacun d'eux s'intègre, le dictionnaire de synonymes retrouve, en la perfectionnant, la conception du dictionnaire alphabétique. Quel que soit le mot cherché, il nous en donnera une définition sûre en y ajoutant la notion si importante de la valeur relative de ce mot dans le groupe auquel il appartient.

La nécessité de cette sorte de dictionnaires a été reconnue depuis longtemps. Dès 1718, l'ouvrage de l'abbé Girard : la Justesse de la langue française ou les Différentes Significations des mots qui passent pour être synonymes, *avait obtenu les éloges de Voltaire. En 1767, le P. Livoy faisait paraître un autre dictionnaire de synonymes où, sans analyser la signification des mots, il fournissait, pour chacun d'eux, une série d'équivalents. En 1769, le grammairien Beauzée publiait une refonte du dictionnaire de Girard, qu'il améliorait encore dans une édition de 1788. En 1785, Roubaud présentait ses* Nouveaux Synonymes français. *En 1801, B. Morin offrait une compilation des travaux de ses devanciers. En 1809, François Guizot composait un* Nouveau Dictionnaire des Synonymes *établi d'après ceux de Girard, Beauzée, Roubaud, etc. En 1826, apparaissait le* Dictionnaire synonymique de la langue française *du lexicographe Laveaux et, en 1828, M. Lépan publiait encore un remaniement de l'ouvrage du P. Livoy. Mais la base de ces dictionnaires restait toujours celui de Girard, lequel datait déjà d'un siècle. Il fallut attendre encore longtemps pour voir paraître, en 1858, le* Dictionnaire des Synonymes de la langue française *de Lafaye (que Henri Bénac devait reprendre et réviser en 1956). Cet ouvrage réellement nouveau obtint un succès des plus mérités. Depuis on n'a guère publié que quelques répertoires trop concis.*

Tous ces recueils ont d'ailleurs vieilli. En effet, le domaine de la langue écrite s'est considérablement étendu depuis une quarantaine d'années, empiétant largement sur celui de la langue parlée, voire sur le français populaire, l'argot, ainsi que sur les vocabulaires techniques les plus divers. Nous avons donc jugé que le moment était venu de rédiger un nouveau Dictionnaire des Synonymes, *mieux en rapport avec le français actuel, infiniment plus riche que tous ceux qui l'ont précédé, et en même temps plus pratique.*

MICHEL DE TORO.

INTRODUCTION

En rédigeant ce *Dictionnaire des Synonymes de la Langue française,* nous avons tenu essentiellement à apporter à tous ceux qui écrivent un manuel pratique, facile à consulter et aussi clair et complet que possible. Son but est de leur permettre de trouver aisément et promptement, suffisamment définis et distingués pour n'être pas confondus, les mots de notre langue qui, s'ils n'ont pas exactement le même sens, ont cependant entre eux des rapports assez étroits pour que seules des différences légères, quoique réelles, les diversifient et fassent qu'on puisse ou non les employer les uns pour les autres.

C'est ainsi que nous avons plus cherché à satisfaire, dans ce dictionnaire, le lecteur lettré ou curieux que le lexicologue ou le philosophe. Nous contentant de définitions générales et de brèves mais précises distinctions, nous n'avons jamais voulu approfondir celles-ci à l'extrême, afin de ne pas alourdir ou obscurcir notre sujet. Les exemples tirés de nos plus grands auteurs n'ont pas été non plus multipliés ici. Ceux-ci se seraient trop souvent contredits. Tant il est vrai qu'avec le temps et l'évolution continuelle de la langue, due à des facteurs divers et preuve de sa vitalité, le sens des mots se modifie sans cesse. Nos écrivains contemporains ne s'expriment pas tout à fait comme Fénelon ou Montesquieu, ni même comme Chateaubriand. Bien des termes, s'éloignant de leur étymologie au cours des âges, ont accru ou perdu leur force, quand ils n'ont pas presque complètement changé de sens. Rappelons à ce propos le cas de LIBERTIN qui, venant du latin *libertinus,* proprement « esclave affranchi », dut simplement désigner d'abord celui qui faisait usage de sa liberté, puis s'appliqua, sous Louis XIV, d'après un passage mal interprété des Actes des Apôtres (VI, 9) où il est question d'une secte juive de ce nom, à celui qui s'affranchissait de l'autorité de la religion, des croyances, de la discipline, en un mot au *libre penseur,* pour prendre enfin, au XVIIIe siècle, l'acception que nous lui connaissons aujourd'hui de *débauché,* cela par un glissement de sens qui fit qu'en pleine corruption des mœurs sous la Régence, on appela libertin non plus le libre penseur, mais celui qui faisait preuve à l'égard des femmes d'une liberté dans les mœurs allant jusqu'à la licence (1).

Par cet exemple, on voit que chaque siècle a besoin de ses dictionnaires de synonymes. Le nôtre s'est donc efforcé d'être le dictionnaire des synonymes du XXe siècle, pour lequel la langue française est la langue actuelle de France, langue écrite et langue parlée, avec ses solides et riches termes classiques, vieux de plusieurs siècles et formant l'armature même de notre langage, mais aussi ses mots jeunes, nouveaux, techniques ou étrangers, familiers ou populaires, voire son argot, lorsque celui-ci est d'un usage courant. On y trouvera ainsi :

1° les SYNONYMES A MÊME RADICAL, du type : *déraisonnable, irraisonnable; — ridicule, risible;*

2° les SYNONYMES A RADICAUX DIFFÉRENTS, du type : *commencement, début; — craindre, redouter;*

3° les SYNONYMES SE DISTINGUANT PAR UN DEGRÉ D'INTENSITÉ DE SENS, du type : *bassesse, abjection; — nuisible, pernicieux; — protéger, défendre;*

4° les SYNONYMES SE DISTINGUANT PAR UNE DIFFÉRENCE D'AFFECTATION, du type : *concierge, portier; — majuscule, capitale;*

5° les SYNONYMES SOCIALEMENT DIVERS : *a*) langage usuel et langage didactique ou technique, du type : *amaigrissement, étisie; — fondre, fuser; — imprimer, tirer; — b*) langage correct et langage familier, populaire ou argotique, du type : *laisser, plaquer; — ventre, bedaine, bidon;*

6° les SYNONYMES CHRONOLOGIQUEMENT DIVERS (archaïsmes et néologismes), du type : *chevalier, preux, paladin; — défaveur, décri; — distinguer, discriminer; — gêner, handicaper;*

7° les SYNONYMES GÉOGRAPHIQUEMENT DIFFÉRENTS (mots dialectaux et étrangers), dans la mesure où ces termes sont entrés dans le français courant, du type : *fête, assemblée, kermesse; — goûter, lunch;*

8° les SYNONYMES ANALOGIQUES, groupés autour d'un terme général commun, du type : *cours d'eau, ruisseau, rivière, fleuve; — vent, brise, bise, zéphir;*

---

(1) A côté d'une telle évolution de sens, il y a aussi le cas plus rare où un mot finit par avoir une acception absolument contradictoire avec son étymologie. Tel est *tuer* qui, venant littéralement du latin *tutari*, protéger, dit exactement le contraire, sans doute par son passage au sens d' « étouffer » dans des locutions comme *tutari focum*, étouffer le feu. Quant à *cadran* (emprunté au latin *quadrum*, carré), si l'on comprend qu'il ait servi à désigner le cadran solaire ou lunaire, plan quadrilatère permettant de mesurer le temps par l'ombre d'un style, il paraît plus curieux, par contre, de l'appliquer, en étendant son sens, au ... *cercle* divisé d'une montre, d'une horloge, d'un compteur, comme nous le faisons couramment et sans hésitation aujourd'hui.

9° les SYNONYMES DISCUTÉS POUR UNE RAISON ÉTYMOLOGIQUE OU GRAMMATICALE (barbarismes), du type : *mésaventure, avatar; — parler, causer; — résoudre, solutionner;*

10° les FAUX SYNONYMES (comme mise en garde), du type : *métis, créole; — pire, pis.*

Comme on peut en juger, cette classification empiète, dans bien des cas, sur le *Dictionnaire analogique*. A ceux qui nous le reprocheraient, nous répondrons que nous avons préféré adopter une formule empirique et expliquer avec précision tous les mots qui offrent dans le dictionnaire ordinaire le défaut d'une définition presque identique, ou qui, dans le langage courant, provoquent des confusions de sens amenant une fausse synonymie, plutôt que d'appauvrir notre domaine en nous limitant au cadre étroit des indiscutables synonymes. Allant même plus loin, nous avons complété certains de nos articles par des renvois analogiques, grâce auxquels il nous a été possible soit de diviser en plusieurs groupes les trop nombreux termes exprimant une idée très générale, soit de signaler un sujet voisin, quoique différent. L'idée d'AVARE et celle, plus faible, de CHICHE ont été, de la sorte, traitées en deux articles, se renvoyant l'un l'autre; quant à l'article BROCHURE, avec ses synonymes : *opuscule, pamphlet,* il renvoie, pour sa part, à l'article étudiant l'objet que la brochure rappelle le plus, c'est-à-dire à LIVRE et ses synonymes : *volume, tome, ouvrage.* Dans le même esprit, DISCOURS renvoie à CONFÉRENCE et SERMON, SERVILE à ABJECT et SOUMIS, etc., etc.

Autre observation : il va de soi que chaque fois que le sens du verbe ou de l'adjectif suit sensiblement celui du substantif correspondant, ou vice versa, nous n'avons traité que l'un ou l'autre de ces termes. Etudiant, par exemple, INAPTITUDE et INCAPACITÉ, nous n'allions pas répéter la même idée à *inapte* et *incapable;* il nous a semblé, de même, complètement inutile de consacrer un article à *omettre* et *oublier,* alors que nous mettions OMISSION et OUBLI. Nous avons préféré faire confiance à l'intelligence de nos lecteurs, en pensant que ce qu'ils chercheraient avant tout dans cet ouvrage serait plus les expressions diverses des idées que celles des mots.

Voici d'ailleurs quelle est notre marche :

Nous établissons, pour chaque mot exprimant une idée déterminée, l'ensemble de ses synonymes dans ses principales acceptions. Dans chaque groupe de sens, nous donnons généralement les définitions au terme le plus couramment employé ou à celui autour duquel peuvent se joindre le plus grand nombre de synonymes (substantif, verbe ou adjectif), puis nous renvoyons les autres mots à celui-là. Nous notons ensuite, dans chaque groupe de synonymes, la gradation de sens et nous indiquons ce qui différencie chaque terme, en complétant nos observations par des exemples seulement lorsque ceux-ci enrichissent celles-là. Il est évident qu'à l'exception des distinctions inspirées par les travaux de nos prédécesseurs, entre autres ceux de Laveaux et de Lafaye, auxquels nous tenons à rendre un particulier hommage, l'abondance même de notre vocabulaire nous oblige souvent à faire œuvre personnelle — et nous reconnaissons alors bien volontiers tout ce qu'il peut y avoir d'arbitraire dans notre discrimination. Pour notre défense, nous assurerons seulement que nous n'avons jamais négligé la règle lexicographique qui veut que pour déterminer le sens d'un mot, il faille considérer ce dernier sous deux aspects : le premier grammatical, où appel est fait, autant qu'il se peut, à l'étymologie; le second logique, où l'idée exprimée par le mot étudié est définie de manière que celui-ci soit nettement différencié d'autres termes congénères.

Mais nous en avons assez dit. Il nous reste à livrer ce nouveau *Dictionnaire des Synonymes de la Langue française* aux écrivains, aux journalistes, aux traducteurs, aux secrétaires, aux étudiants, à tous ceux qui n'ignorent rien de la difficulté que l'on rencontre souvent pour trouver le mot juste pouvant le mieux exprimer sa pensée. Notre plus grande récompense sera dès lors que ce travail de plusieurs années leur apporte l'aide qu'ils y chercheront.

René BAILLY.

PRINCIPALES ABRÉVIATIONS

adj., adjectif.
adv., adverbe, adverbial.
allem., allemand.
anal., analogie.
anat., anatomie, anatomique.
anc., ancien.
angl., anglais.
ant., *antiq.*, antiquité.
arch., archaïque.
archit., architecture.
art., article.
astron., astronomie, astronomique.
biol., biologie, biologique.
bot., botanique.
cf., conférer (comparer).
class., classique.
comm., commerce, commercial.
comp., comparatif.
cond., conditionnel.
cour., courant.
dénigr., dénigrement.
dér., *dériv.*, dérivé.
dial., dialectal.
dimin., diminutif.
dr., droit.
écon., économie.
édit., édition.
empl., employé.
empr., emprunté.
esp., *espagn.*, espagnol.
ext., extension.
fam., familier.
fém., féminin.
fig., figuré.
fin., finance.
fut., futur.
généal., généalogie, généalogique.
géom., géométrie.
germ., germanique.
gr., grec.
hist., histoire, historique.
holl., hollandais.
impér., impératif.
impr., imprimerie.
ind., indicatif.
inf., infinitif.
iron., ironie, ironique.
ital., italien.
judic., judiciaire.
lang., langage.
lat., latin.
littér., littéraire, littérature.
loc., locution.
mar., marine.
marit., maritime.
masc., masculin.
méd., médecine, médical.
mod., moderne.
mus., musical, musique.
n., nom.
nat., naturelle.
ord., *ordin.*, ordinaire.
orth., orthographe.
part., participe.
partic., particulier.
péj., péjoratif.
pers., personne.
phys., physique.
physiol., physiologie, physiologique.
plur., pluriel.
poét., poétique.
pop., populaire.
préf., préfixe.
prép., préposition.
prés., présent.
priv., privatif.
procéd., procédure.
rac., racine.
rad., radical.
rhét., rhétorique.
rom., romain.
rur., rurale.
s., siècle.
scol., scolaire.
sing., singulier.
subj., subjonctif.
syn., synonyme.
techn., technique, technologie, technologique.
triv., trivial.
us., usage, usité, usuel.
V., voir (indication de renvoi).
vulg., vulgaire.
vx, vieux.

DICTIONNAIRE DES SYNONYMES

A

abaissement est un terme très général qui désigne aussi bien l'action de faire descendre que l'état de ce qui est descendu à un niveau plus bas ; il suppose une diminution qui est souvent le fait d'une influence extérieure adverse: *Louis XI travailla à l'abaissement de la féodalité.* **Affaiblissement** convient bien en parlant surtout d'une diminution de force naturelle ou provoquée : *L'affaiblissement de l'Etat est souvent cause de troubles.* **Déclin** suppose un abaissement qui tend vers l'extinction ; c'est l'état de ce qui s'affaiblit, comme l'action de ce qui va naturellement vers sa fin, après avoir atteint le point culminant de sa course. **Décadence** enchérit sur *déclin;* il exprime un changement plus complet, et se dit bien de ce qui tombe ou de ce qui, par la rapidité avec laquelle il décline, semble menacé d'une chute prochaine : *Le déclin mène à l'expiration et à la fin; la décadence amène la chute et la ruine.* **Déchéance** implique surtout une disgrâce, la perte d'un droit : *La déchéance des dieux, des grands.* **Dégradation** suppose l'abandon d'un rang supérieur ; il implique généralement une punition infligée et emporte alors l'idée d'infamie ou d'ignominie : *Les passions mènent l'homme à la dégradation.* **Abâtardissement,** comme **dégénérescence,** est dominé par l'idée d'altération, de corruption : *L'abâtardissement, la dégénérescence d'une nation.* **Déliquescence,** terme de chimie, se dit de la propriété qu'ont certains corps de se désagréger en absorbant l'humidité de l'air ; il désigne aussi, par extension, l'état de décadence, de corruption, de décomposition, d'une société ou d'une littérature, caractérisé, comme le note le « Dictionnaire de l'Académie française », à la fois par l'excès de la recherche et du mauvais goût et par la mollesse et la tendance à l'immoralité : *La déliquescence du style résulte de la violation de toutes les règles précédemment reçues.* (V. CHUTE.)

V. aussi BAISSE, BASSESSE, DIMINUTION et HUMILIATION.

abaisser marque une dépression modérée : *On abaisse les puissants.* **Rabaisser,** c'est abaisser beaucoup ce qui est élevé et qu'on veut déprécier : *On rabaisse la gloire d'un vainqueur.* **Rabattre,** c'est rabaisser vivement, en s'attaquant à un défaut ou à un vice : *On rabat l'orgueil d'un présomptueux.* **Ravaler,** c'est mettre très bas — dans la « vallée » — ce qui devrait être haut: *On ravale le mérite de ceux qu'on redoute.* (V. DÉPRÉCIER et HUMILIER.)

V. aussi BAISSER.

S'abaisser. V. DESCENDRE.

abandon. V. NÉGLIGENCE et RENONCEMENT.

abandonner, c'est ne pas garder ce que l'on a : *On abandonne ses biens, ses droits.* **Lâcher,** c'est laisser échapper, volontairement ou involontairement : *On lâche les rênes, la proie pour l'ombre.*

Abandonner, c'est aussi ne plus fréquenter, ne plus aider ou protéger : *On abandonne ses alliés.* **Délaisser,** c'est laisser sans assistance, sans secours, sans témoignage d'affection ou d'intérêt; il suppose généralement un abandon progressif : *On délaisse ses amis.* **Déserter,** c'est abandonner un lieu, délaisser ce qu'on avait le devoir de conserver, ce qu'on s'était engagé à garder : *On déserte sa maison, une société, son service.* **Lâcher,** qui est fam., témoigne d'un abandon peu élégant : *On lâche malhonnêtement ses invités.* **Laisser tomber, planter là** et **plaquer,** syn. de *lâcher,* sont empreints de vulgarité. (V. LAISSER et RECULER.)

V. aussi CONFIER, LIVRER, QUITTER et RENONCER.

abasourdi. V. ÉBAHI.

abâtardir. V. ALTÉRER.

abâtardissement suppose biologiquement un métissage, alors que **dégénérescence** s'applique à une altération qui peut se produire même dans une race pure. **Dégénération** dit moins; c'est simplement le passage d'une nature meilleure à une autre pire : *La dégénérescence est un état avancé de dégénération continue.* (A noter encore, pour mieux distinguer *dégénérescence* de *dégénération,* que si le premier est un processus morbide qui aboutit à des troubles graves et à la mort, le second est un processus normal qui s'observe à un moment donné, chez tous les êtres vivants.)

V. aussi ABAISSEMENT.

abattement désigne un affaissement, un affaiblissement de la volonté, de l'activité surtout morale, qui, s'il se prolonge, conduit au **découragement,** puis à l'**accablement** et même à l'**anéantissement,** état d'abattement extrême qui va jusqu'à la privation de toute force et de l'exercice des facultés.

V. aussi DÉPRESSION.

abattre, c'est faire tomber, en donnant un ou plusieurs coups, quelque chose qui est debout et le plus souvent élevé : *On abat de grands arbres.* **Démolir,** c'est abattre ce qui est construit; il implique une masse (lat. *moles*) : *On démolit un mur.* **Ruiner,** c'est démolir en faisant tomber en morceaux, en dégradant; il suppose généralement une action assez lente, mais tenace : *Le temps et les éléments ruinent les édifices les plus solides.* **Détruire** enchérit sur ces termes, en impliquant la disparition de l'ordre et même de l'apparence des choses : *On détruit un pont en le bombardant.* (V. DÉMANTELER.)

V. aussi RENVERSER et TUER.

S'abattre. V. TOMBER.

abbaye. V. CLOÎTRE.

abbé. V. CURÉ.

a b c. V. ALPHABET.

abcès est un terme de méd. désignant une accumulation de pus qui, à sa maturité, « abcède », c'est-à-dire s'ouvre et se vide. **Pustule** dit moins, c'est simplement un gros bouton, une petite tumeur qui suppure. **Phlegmon,** en revanche, enchérit sur *abcès;* il implique une inflammation des tissus plus profonde, laquelle nécessite souvent une intervention chirurgicale. **Panaris** désigne une inflammation phlegmoneuse située près de l'ongle. (V. FURONCLE et TUMEUR.)

abdiquer, c'est renoncer volontairement et publiquement à une autorité souveraine. **Se démettre,** c'est abandonner, généralement de son plein gré, une charge élevée, **démissionner** convenant mieux à une charge, une fonction ordinaires. **Résigner,** qui peut se dire en parlant de l'abandon d'une charge, s'applique mieux toutefois à l'abandon d'une dignité.

V. aussi RENONCER.

abdomen. V. VENTRE.

abécédaire. V. ALPHABET.

abeille est le nom courant que l'on donne à l'insecte hyménoptère porte-aiguillon, qui produit le miel et la cire. **Apis** est le terme scientifique. **Mouche à miel** est du langage populaire. **Avette** est vieilli ou dialectal.

aberrant. V. ABSURDE.

aberration. V. ERREUR.

aberrer. V. TROMPER (SE).

abêtir. V. ABRUTIR.

abhorrer. V. DÉTESTER.

abîme (du lat. chrét. *abyssus,* empr. au grec *abussos,* sans fond) désigne une cavité naturelle, d'une profondeur ou d'une capacité supposée incommensurable, et ne s'emploie guère qu'en style soutenu. **Gouffre** (du gr. *kolpon,* sein, golfe) est un terme du lang. cour.; il suppose une profondeur qui attire, engloutit, absorbe tout ce qui en approche de trop près. **Précipice** (du lat. *praecipitare,* tomber la tête en avant) n'emporte pas comme *gouffre,* l'idée d'engloutissement; c'est seulement un escarpement à pic qui s'ouvre sous les pas, et d'où il arrive qu'on se sorte. **Abysse** (lat. *abyssus,* dérivé du grec *a,* priv., et *bussos,* fond) s'applique seulement à une grande profondeur sous-marine. **Aven** est le nom donné à un gouffre ou puits naturel, dans les plateaux calcaires de la région des Causses. **Cloup** et **igue** sont syn. d'*aven* dans le Quercy. — Au fig., ABÎME se dit de quelque chose sans fond où l'on se perd : *Un abîme de pensées.* GOUFFRE s'applique à ce qui absorbe ou engloutit : *Paris est un véritable gouffre.*

abîmer. V. DÉTÉRIORER.

S'abîmer, c'est être jeté dans une profondeur dont on ne peut mesurer le fond : *Une maison qui s'écroule ne s'abîme pas pour cela, quoiqu'on puisse dire que dans un tremblement de terre elle s'abîme; dans un incendie, elle s'abîme dans les flammes; Le Lusitania, torpillé, s'abîma dans les flots.* **S'engloutir,** c'est s'abîmer, disparaître soudainement, aussi bien dans l'eau que dans un abîme, un gouffre : *C'est dans un grand remous qu'un bâtiment s'engloutit dans les flots.* **Couler** et **sombrer** ne se rapportent qu'à l'eau et supposent une disparition graduelle : *Il faut parfois plusieurs heures à un navire pour couler ou sombrer.*

S'abîmer, c'est aussi, au fig., se livrer, s'abandonner à une chose au point de ne plus songer à aucun autre objet. **S'absorber** dit moins; il suppose simplement attention et application. **Se plonger,** c'est s'absorber entièrement. **S'enfoncer** convient parfaitement en parlant de l'âme et de ses états. **Sombrer** (dans le désespoir, etc.) suppose un état indépendant de la volonté. **Se vautrer** est péjoratif, c'est proprement, se rouler dans la boue, et, au moral, se plonger volontairement dans ce qui est mauvais, en s'abandonnant à tout ce qui ne peut que nous abaisser, la débauche, particulièrement.

abject, bas, méprisable, misérable, sale, sordide, vil suppose un extrême degré d'abaissement moral; dominé par l'idée de dégoût et de mépris; ce groupe pourrait avoir comme gradation : MISÉRABLE, SALE, MÉPRISABLE, BAS, SORDIDE, VIL et ABJECT; si l'on y ajoutait l'idée de *flétrissure,* on aurait par ordre : **ignoble** et **infâme.**

abjection. V. BASSESSE.

abjurer. V. RENIER.

ablation. V. AMPUTATION.

ablution. V. LAVAGE.

abnégation. V. SACRIFICE.

aboiement est le terme courant qui sert à désigner le cri du chien, et plus spécialement des gros chiens. **Aboi** est vieilli. (ABOI se dit particulièrement en parlant de la qualité naturelle du cri du chien, écrivait au commencement du XIXe siècle le lexicographe Laveaux : *Un chien qui a l'aboi rude, aigre, perçant; un aboi effrayant.* ABOIEMENT se dit plutôt des cris mêmes : *De longs aboiements; des aboiements continuels.* On dit : *Faites cesser les aboiements de ce chien,* et non pas : *Faites cesser son aboi* ou *ses abois.*) **Jappement** désigne un aboiement plus aigu que fort, généralement propre aux petits chiens. (A noter que *jappement* est plus spécialement le cri du chacal.)

abolir. V. ANÉANTIR et ANNULER.

abolition. V. PARDON.

abominable se dit de ce qui excite l'aversion ou la haine : *Un abominable maître.* **Détestable** suppose plutôt du mépris, de l'animadversion : *De détestables fadaises.* **Exécrable** implique indignation, malédiction, horreur : *Un forfait exécrable.* — Dans un sens moins rigoureux, ces adjectifs peuvent marquer les degrés d'excès de **mauvais,** dont DÉTESTABLE serait le premier superlatif, ABOMINABLE disant plus que *détestable,* EXÉCRABLE plus qu'*abominable.* **Damné,** comme **maudit,** s'emploie aussi parfois, par exagération et en parlant des personnes ou des choses, comme syn. de ces termes; il suppose alors impatience et colère chez celui qui en fait usage.

abominer. V. DÉTESTER.

abondamment. V. BEAUCOUP.

abondance (du lat. *abundare,* déborder) marque plus que la suffisance : *L'abondance des récoltes réjouit le laboureur.* **Profusion** désigne une grande abondance : *Une profusion de gâteaux, de fleurs.* **Surabondance** implique aussi une grande abondance, laquelle va même au-delà du nécessaire : *La surabondance de blé, de vin.* **Affluence**

renchérit sur *abondance* pour la quantité et aussi pour la qualité; se disant proprem. des eaux qui se réunissent et se précipitent ensemble sur un même point, ce terme ne signifie par ext. grande abondance de choses que si l'on y ajoute d'autres mots : *Une affluence de biens, de délices.* **Exubérance** s'emploie parfois comme syn. d'*abondance;* il implique alors intensité, production excessive : *L'exubérance du sang, de la sève.* **Pléthore,** terme de pathologie qui indique une surabondance et une richesse du sang, s'emploie aussi figurément pour désigner l'abondance un peu excessive d'une chose quelconque : *Epoque où il y a pléthore d'oisifs.* **Plénitude,** abondance extrême, état de ce qui est très ou trop plein, ne se dit guère, dans ce sens, que des humeurs : *Plénitude d'humeurs.* **Pluie** se dit parfois, figurément, d'une grande abondance; il est familier : *Pluie d'or, d'outrages, de calomnies.* **Foison,** dans le sens d'abondance très grande, ne prend jamais l'article et n'a point de pluriel : *Il y aura foison de fruits cette année.*

V. aussi RICHESSE.

abondance (en). V. BEAUCOUP.

abonder, c'est avoir ou être en grande quantité dans un sens général : *La vigne abonde en France.* **Fourmiller** se rapporte à ce qui est comparable aux « fourmis », à une multitude qui peut se compter et non à une masse : *Les lapins fourmillent en Australie.* **Grouiller,** c'est fourmiller, s'agiter ensemble et en grand nombre; il est familier : *Le peuple grouille dans les rues.* **Regorger** indique un reflux, un débordement : *L'argent regorge sur le marché.* **Pulluler** (du lat. *pullulus,* dimin. de *pullus,* petit d'un animal, rejeton) nécessite une possibilité de reproduction : *Les rats pullulent dans cette ville.* **Foisonner,** terme familier, implique l'idée d'extrême abondance : *Le blé foisonne en Beauce.*

abord. V. ACCUEIL.

Abords. V. ENVIRONS.

abordable. V. ACCÈS et ACCESSIBLE.

aborder marque un fait, **approcher** une habitude, **accéder** ou **avoir accès** une possibilité : *On aborde celui à qui l'on veut parler; on approche quelqu'un que l'on voit habituellement, un familier; on accède ou on a accès où l'on entre.* — **Accoster, joindre.** Cependant que l'on ABORDE, dans une assemblée, un salon, une personne de connaissance, on ACCOSTE, dans la rue, sur le chemin, un passant, un voyageur : *On accoste un promeneur pour lui demander son chemin.* Pour JOINDRE une personne, il faut aller la trouver, parvenir jusqu'à elle : *On joint un ami chez lui.* **Racoler,** c'est seulement, dans ce sens, accoster les passants, en parlant surtout des prostituées. — **Toucher** est syn. d'*aborder* dans le langage maritime : *Toucher le port, le rivage.*

V. aussi ATTAQUER.

aboucher. V. JOINDRE.

S'aboucher. V. METTRE EN RAPPORT (SE).

aboulique. V. MOU.

abouter. V. JOINDRE.

aboutir. V. TERMINER (SE).

aboutissement. V. RÉSULTAT.

abracadabrant. V. BIZARRE.

abraquer. V. RAIDIR.

abrégé désigne un ouvrage qui en reproduit un autre dans de moindres dimensions. **Sommaire** (du lat. *summum,* le haut, le sommet, la tête) se dit de l'abrégé des principales choses traitées dans un livre, dans un chapitre, en tête duquel il se place. **Résumé** désigne au contraire un abrégé placé à la fin du volume lui-même, en guise de conclusion. **Raccourci** suppose imitation ou réduction d'un ouvrage plus étendu. **Précis** (du lat. *praecidere,* couper, supprimer) désigne un abrégé dans lequel ne se trouve rien de superflu. **Extrait** s'applique à un morceau ou à une suite de morceaux détachés, dont le but est partiel, car il ne fait que choisir et citer. **Analyse** se dit de l'exposition raisonnée de l'objet, du plan, de l'ordonnance, de la méthode d'un écrit ou d'un discours. **Notice** désigne soit un écrit succinct sur un sujet particulier, soit encore l'analyse succincte d'un ouvrage. **Condensé** et **digest,** syn. d'*abrégé,* sont des néol. — **Compendium, épitomé, somme,** sont des termes d'érudition qui, le plus souvent, désignent respectivement des abrégés de philosophie, d'histoire, de théologie.

V. aussi COURT.

abréger. V. DIMINUER.

abreuver (s'). V. BOIRE.

abri est le terme général qui sert à désigner tout lieu à couvert des vents, du soleil, du froid, etc., et, au fig., ce qui sert à mettre à l'abri, à garantir de quelque mal : *On cherche un abri contre la pluie; la solitude est un abri contre les embarras du monde.* **Asile** se dit d'un abri où l'on se met hors d'atteinte d'un risque, d'un danger, d'une persécution; il emporte une idée de repos, de tranquillité : *On se réfugie dans un asile.* (Ce terme s'emploie aussi pour désigner simplement une habitation, une demeure, un séjour où l'on trouve la quiétude : *Asile champêtre;* et, au fig., une sauvegarde, une protection, un rempart : *L'asile des vertus, de la paix.*) **Refuge** (du lat. *fugere,* fuir) indique une idée de fuite et même, parfois, de poursuite : *On cherche un refuge contre un péril, contre les inondations.* **Retraite** suppose essentiellement un lieu de repos, où l'on se retire : *Une retraite pour ses vieux jours;* et ce n'est que par ext. qu'il désigne un endroit où l'on se cache, où l'on se dérobe : *Caverne qui sert de retraite aux bêtes sauvages.* **Cagna** est un terme d'argot militaire qui désigne l'abri du soldat sur terre ou sous terre. **Guitoune** se dit d'un abri dans les tranchées. **Casemate** s'applique, en termes militaires, à un abri bétonné, à l'épreuve du canon, destiné à loger des troupes.

abri (à l'), à couvert. On se met A L'ABRI de quelque chose qui tend à nous atteindre, de quelque façon que ce soit; A COUVERT seulement contre ce qui tombe et veut nous accabler. — Au fig., on est A L'ABRI du besoin, de la persécution, de tous les coups qui ont pour but de nous abattre, et A COUVERT de tout ce qui voudrait nous écraser : haine, vengeance, soupçon, moquerie, etc.

abroger. V. ANNULER.

abrupt. V. ESCARPÉ et REVÊCHE.

abruti. V. STUPIDE.

abrutir, c'est rendre semblable à la brute, en altérant l'intelligence : *L'ivrognerie abrutit lentement l'homme.* **Hébéter,** c'est rendre stupide, émousser la vivacité de l'esprit : *La douleur excessive hébète nos facultés.* **Abêtir,** c'est rendre ou devenir bête, stupide, lentement, graduellement, par une action insensible : *Le paresseux abêtit* (ou *s'abêtit*) *de jour en jour.* **Bêtifier,** syn. peu us. d'*abrutir,* est un néologisme : *Genre d'éducation qui bêtifie les enfants.*

abscission. V. AMPUTATION.

absence implique simplement le fait de n'être pas dans un lieu où on pourrait, où on devrait être. **Eloignement** ajoute à l'idée d'absence celle de distance : *Il suffit de ne plus être là pour qu'il y ait absence, alors qu'il ne peut y avoir éloignement que si l'on est loin de là.* **Disparition** implique généralement ignorance du lieu où se trouve la personne ou l'objet absent : *La disparition d'un banquier, d'un portefeuille.*
V. aussi DISTRACTION et MANQUE.

absenter (s'), c'est quitter momentanément l'endroit où l'on est ordinairement : *On s'absente de son pays, de sa maison.* **Disparaître,** c'est s'absenter sans raison, sans dire où l'on va, en secret : *On disparaît de son domicile.* **Manquer,** c'est ne pas se rendre où l'on doit aller : *On manque l'école, un spectacle.* **Faire défaut,** c'est manquer, être absent, avec idée de privation, de gêne : *Ce livre me fait défaut;* en terme de procédure, c'est ne pas comparaître devant le tribunal, manquer à une assignation donnée : *Le prévenu fait défaut.*

absolu (du lat. *absolutus,* dégagé, libre) suppose l'indépendance complète, l'exemption de tout contrôle pour l'autorité qui commande. **Omnipotent,** qui implique la toute-puissance et convient parfaitement en parlant de Dieu, est un syn. moins usité d'*absolu* dans le langage courant. **Autocratique** enchérit sur *absolu* et est péjorative. **Autoritaire** désigne, dans un sens général, celui qui aime commander, qui use volontiers et avec vigueur de l'autorité; il se dit aussi, dans un sens plus particulier, de tout système qui admet la nécessité d'un recours fréquent à l'autorité, même si celle-ci s'exerce parfois d'une façon arbitraire. **Dictatorial,** syn. d'*absolu,* s'applique auj., dans un sens plus restreint, au pouvoir à peu près absolu que certains hommes d'Etat se sont arrogé ou ont reçu de leurs compatriotes. **Totalitaire** se dit seulement d'un système politique qui exige le rassemblement en bloc unique de tous les citoyens au service de l'Etat, sans admettre aucune forme légale d'opposition. (V. DESPOTIQUE.)

V. aussi IDÉAL, IMPÉRIEUX, INFINI et SOUVERAIN.

absolument, qui suppose l'absence complète de restrictions, s'emploie à propos de points de vue, de rapports : *Nous y sommes absolument obligés.* **A fond,** qui emporte l'idée de profondeur, s'applique à la manière de connaître les choses, ou de les faire connaître : *Traiter un sujet à fond.* **Complètement** et **entièrement,** antonymes de « partiellement », « en partie », indiquent que rien ne manque, qu'aucune partie ne pourrait être ajoutée : *Un ouvrage complètement, entièrement achevé.* **Radicalement** enchérit sur *complètement* et *entièrement,* en impliquant que l'on est remonté jusqu'au principe, jusqu'à la source, et cela d'une façon généralement nette ou énergique : *On guérit radicalement une maladie lorsqu'on y met fin rapidement et définitivement.* **Parfaitement** est propre au bien ou à ce qui lui est relatif : *Etre parfaitement d'accord.* **Pleinement** s'applique surtout aux adhésions de l'esprit ou aux satisfactions du cœur qui ne peuvent être augmentées : *Etre pleinement convaincu.* **Totalement,** le plus souvent négatif ou privatif, indique d'ordinaire une dispersion, un manque, un anéantissement, une destruction : *Etre totalement ruiné.* **Tout à fait** est adverbe de quantité dans la qualité : *Vous êtes tout à fait obligeant.* **Diamétralement** est dominé par l'idée d'opposition ; il se dit de choses en opposition absolue : *L'avarice et la prodigalité sont diamétralement opposées.*

V. aussi INDISPENSABLEMENT.

absolution. V. PARDON.

absorber, terme général, implique l'idée de pénétration successive et intime, automatique même, de deux substances : *Les racines des plantes absorbent les sucs nutritifs du sol.* **Pomper,** c'est absorber par aspiration ou par imprégnation : *On pompe l'humidité.* **S'imbiber** indique la pénétration par capillarité d'un liquide dans une matière solide, poreuse ou en poudre : *La terre s'imbibe d'eau.* **Se détremper,** c'est se délayer lentement dans un liquide : *Les couleurs se détrempent à l'eau tiède.* **Se pénétrer,** c'est se mêler, devenir combiné : *Substances qui se pénètrent intimement.*

V. aussi AVALER et BOIRE.

S'absorber. V. ABÎMER (S').

absoudre. V. PARDONNER.

abstenir (s'), c'est se tenir éloigné (lat. *abstinere*) de choses non indispensables, relativement indifférentes : *S'abstenir de certains plats.* **Se priver** entraîne un manque de jouissance, la privation d'une chose agréable ou utile : *Se priver de tout secours.* **Se passer,** c'est renoncer volontairement au nécessaire ou au superflu : *Se passer de dîner, de dessert.* **Se brosser, se l'accrocher, se mettre la tringle, la ceinture,** sont populaires.

abstinence. V. JEÛNE.

abstrait. V. PROFOND.

abstrus. V. OBSCUR et PROFOND.

absurde désigne ce qui est éloigné du sens commun, ce qui n'est ni sage ni juste. **Déraisonnable** marque un défaut, momentané et partiel, de raison. **Aberrant** indique un écart, une déviation : l'égarement. **Extravagant** (du lat. *extra,* au-dehors, et *vagari,* errer) est beaucoup plus fort ; il implique un dérèglement, un vagabondage de l'esprit qui semble inspiré par le délire. **Fou** suppose une impulsion intérieure qui prive de la raison. **Insensé** implique l'absence de jugement, l'impossibilité de discerner les conséquences des choses, le plus souvent par la faute d'une violente passion. **Saugrenu,** qui se dit surtout des choses, ajoute souvent à *absurde* l'idée d'une étrangeté plus ou moins choquante. **Ridicule,** pris à tort dans le sens de ces termes, est familier. (V. BALOURD, NIAIS, SOT et STUPIDE.)

abus, usage mauvais ou excessif qui s'introduit et qui tend à subsister : *Réprimer les abus ; Abus du tabac, des épithètes.* **Excès,** ce qui dépasse la mesure, la limite ordinaire, et qui nuit : *Excès de travail, de plaisirs.* **Surabondance,** abondance qui va au-delà du nécessaire, mais qui ne nuit pas : *Surabondance de biens, de nourriture.* **Superfétation,** chose qui s'ajoute inutilement à une autre : *Ce chapitre est une superfétation.* **Redondance,** superfluité de mots, d'ornements, dans le discours : *La redondance affaiblit le style.*

abuser. V. TROMPER.

abusif. V. EXCESSIF.

abysse. V. ABÎME.

acabit. V. ESPÈCE et QUALITÉ.

académie. V. ÉCOLE.

acariâtre exprime le défaut de celui qui est d'une humeur difficile, morose, qui aime à crier, à contrarier, à disputer, et cela à tout moment : *Un caractère acariâtre.* **Grincheux** implique une mauvaise humeur, qui se manifeste dans le besoin d'être désagréable : *Un fonctionnaire grincheux.* **Hargneux** se dit de l'acariâtre, du grognon qui, par occasion, peut aller jusqu'au rudoiement : *Un naturel hargneux.* **Acrimonieux** suppose une mauvaise humeur constante, un caractère que rien ne satisfait. **Atrabilaire, bilieux** et **hypocondriaque** conviennent bien en parlant de celui qui passe volontiers sa mauvaise humeur sur autrui, surtout parce qu'il est dans un état continuel d'irascibilité. **Acerbe** suppose surtout l'absence de ménagements envers autrui ; il s'emploie bien en parlant d'un ton, de paroles qu'il serait nécessaire d'adoucir: *Mieux vaut être aimable qu'acerbe.* **Revêche** suppose un caractère entier et difficile à amadouer : *Femme revêche.* **Rébarbatif** se dit de celui qui a des manières rudes et repoussantes, qui relance les autres en face et à leur « barbe » : *Humeur rébarbative.* **Rogue** implique une affectation de supériorité qui rend arrogant, avec une nuance désagréable de raideur et de rudesse : *Un ton rogue.* **Quinteux** est fam. ; il suppose une certaine méchanceté due le plus souvent à un sentiment d'ombrage : *Vieillard quinteux.* **Harpie,** qui ne s'emploie que substantivem., désigne uniquement, dans le langage courant, une femme acariâtre et aussi méchante. **Rébecca** est un terme d'argot. (V. BOUGON, BOURRU et MAUSSADE.)

accablement. V. ABATTEMENT.

accabler, c'est, d'une façon générale, faire succomber sous le poids, au propre comme au figuré : *Accabler sous le faix; Accabler d'ennuis.* **Surcharger** s'emploie principalement pour les travaux, les affaires, ce dont on a charge ou que l'on est chargé de faire : *Etre surchargé de travail.* **Ecraser** enchérit sur ces termes ; c'est accabler, surcharger à l'extrême : *Etre écrasé d'impôts.*

V. aussi COMBLER et OPPRIMER.

accaparer, monopoliser, truster, rafler. L'idée commune à ces termes est celle de raréfaction provoquée. ACCAPARER, c'est acheter une marchandise quelconque en grande quantité pour en produire la rareté, et la revendre ensuite fort cher : *Accaparer des blés, des fruits, des laines.* MONOPOLISER, c'est mettre à sa disposition exclusive: *Monopoliser une industrie.* TRUSTER (néol. ; de l'angl. *trust*) se dit souvent pour accaparer complètement, et surtout pour monopoliser : *Truster les blés; truster une fabrication.* RAFLER, c'est emporter promptement, sans rien laisser, tout ce que l'on trouve sous sa main ; il est familier : *Quelques acheteurs ont tout raflé.*

V. aussi APPROPRIER (s').

accéder. V. ABORDER et CONSENTIR.

accélérer s'applique à une action déjà commencée et indique une augmentation de sa « célérité », afin qu'elle aille plus vite : *Accélérer un travail.* **Hâter** marque une diligence plus ou moins rapide : *Hâter son retour.* **Presser** implique une vivacité continue, animée par une forte impulsion : *Presser le pas.* (Ces deux derniers termes se disent souvent d'un projet qu'il s'agit de mettre en train, le second s'appliquant plutôt aux personnes et donnant une idée d'exécution plus rapide que le premier qui s'emploie pour les choses, les événements.) **Dépêcher** et **expédier** indiquent une précipitation, un empressement souvent inquiet : *On dépêche, on expédie une chose lorsqu'il ne s'agit que de la finir et de s'en débarrasser.* (A noter que si l'on peut **se dépêcher,** comme aussi **se hâter** et **se presser,** on ne peut jamais S'EXPÉDIER ou S'ACCÉLÉRER, *hâter* et *presser* étant relatifs au sujet de l'action, *expédier* et *accélérer* à la personne ou à la chose sur qui tombe l'action.) **Activer,** c'est presser l'exécution d'une chose, donner de l'activité à : *Activer les répétitions d'une pièce; Activer la diges-*

tion. **Faire diligence,** c'est faire une chose promptement, surtout en parlant de courses, de voyages : *Faites diligence pour arriver à l'heure.* **Précipiter** marque une célérité subite et désordonnée : *Précipiter sa fuite.* **Faire ficelle, se grouiller** et **se magner** sont des termes d'argot, syn. de *se dépêcher.* (V. COURIR et EMPRESSER [s'].)

accepter, c'est prendre ce qui nous est offert, parce que nous y consentons, et même si cela nous coûte : *Accepter une condition.* **Admettre,** c'est accepter ce que l'on ne peut ou l'on ne veut pas refuser ou discuter : *J'admets cette requête; J'admets vos raisons.* **Agréer,** c'est accepter des choses qui sont de notre goût : *Agréer des offrandes.* **Recevoir,** c'est prendre ce qui nous est présenté, donné ou envoyé : *Recevoir un paquet.* (V. SOUFFRIR.)

V. aussi CONSENTIR.

acception. V. PRÉFÉRENCE et SIGNIFICATION.

accès. V. CRISE.

accès (avoir). V. ABORDER.

accessible, lorsqu'il entend l'accès de ce qui peut être atteint, est très général; il concerne aussi bien, en effet, ce qui est en profondeur qu'à la surface ou élevé : *Souterrain, forêt, cime accessible.* **Abordable** n'implique que des accès sur un plan horizontal : *Les écueils rendent ce rivage difficilement abordable.*

V. aussi COMPRÉHENSIBLE.

accession. V. ARRIVÉE.

accessoire. V. SECONDAIRE.

accident. V. AVENTURE.

accidentellement se dit de ce qui est amené par des causes étrangères à la chose elle-même, de ce qui n'est pas prévu : *Les Islandais découvrirent accidentellement l'Amérique du Nord.* **Par hasard** se dit lorsque la volonté n'influe pas sur l'événement : *Un mot échappé par hasard.* **Fortuitement** convient bien en parlant aussi de ce qui tient au hasard, ou tout au moins à des causes inconnues : *Nous l'avons rencontré fortuitement.*

acclamer, c'est — à plusieurs et dans n'importe quel endroit — saluer quelqu'un par des clameurs, des cris d'enthousiasme : *Acclamer le chef de l'Etat.* **Ovationner,** qui a le même sens qu'*acclamer,* est un néol. inutile; on dit mieux : **Faire une ovation à :** *Faire une ovation à un champion.* **Applaudir,** c'est — seul ou à plusieurs, et principalement au théâtre ou dans une réunion publique — battre des mains en signe d'approbation, de satisfaction: *Applaudir un acteur, un conférencier.* **Bisser,** c'est acclamer un acteur, un chanteur, un danseur, pour lui faire répéter une tirade, un morceau de chant, une danse.

acclimatation. V. NATURALISATION.

accoler. V. EMBRASSER et JOINDRE.

accommodant. V. CONCILIANT.

accommodement, accord, et, par ext., moyens, expédients pour régler un différend, une querelle : *Un mauvais accommodement vaut mieux qu'un bon procès.* **Arrangement,** transaction, conciliation amiable : *Proposer un arrangement.* **Capitulation** se dit d'un accommodement accepté devant une force ou un devoir supérieur : *En venir à bout par capitulation.* (V. ARBITRAGE.)

V. aussi ASSAISONNEMENT.

accommoder. V. APPRÊTER et ARRANGER.

accompagner. V. SUIVRE.

accompli s'emploie surtout en parlant de l'homme, de ses qualités, de son œuvre lorsqu'on peut les considérer comme ayant atteint la perfection dans leur genre : *Homme, mérite accompli.* **Parfait,** qui emporte une idée d'unité et de simplicité, qualifie plutôt les noms de choses abstraites qui sont accomplies, irrépréhensibles, admirables : *Ces vins ont un parfait degré de maturité;* il peut aussi indiquer dans les personnes une qualité particulière ou unique, une spécialité : *Cette femme est une beauté parfaite.* (PARFAIT se prend parfois en mauvaise part, mais jamais ACCOMPLI : *Cet homme est un parfait imbécile;* à noter aussi qu'il faut qu'une chose existe pour être « accomplie », alors qu'elle peut être « parfaite » en étant simplement idéale et purement conçue.) **Idéal,** c'est ce qui possède la suprême perfection, ou une beauté supérieure à celle des objets réels : *Une perfection, une vertu idéale.* **Consommé** suppose à la fois de la science et de l'expérience, l'une et l'autre atteignant presque la perfection : *Tacticien consommé.* **Achevé** et **fini** indiquent la perfection de la main-d'œuvre : *Un travail achevé, fini.* (Ces termes s'emploient aussi, quelquefois, en mauv. part, et qualifient alors un individu ou une action : *Un coquin achevé, fini.*)

accomplir, c'est faire qu'une chose soit telle exactement qu'on voulait qu'elle fût : *Accomplir un dessein.* **Exécuter,** c'est accomplir une chose conformément à un plan, une direction : *On exécute un travail déterminé, des ordres.* **Réaliser,** c'est matérialiser, en rendant réel, effectif, un projet qui n'existait jusqu'alors que dans l'esprit : *Réaliser des réformes.* **Effectuer,** c'est en venir à l'exécution, à l'effet, c'est agir pour que la chose se passe, se fasse: *Effectuer une modification.* Les deux premiers de ces termes regardent plus spécialement la volonté, les deux autres l'entendement. **Procéder,** qui signifie proprement « se mettre à une besogne », veut dire aussi, très souvent en langage de droit, accomplir un acte : *Procéder à la levée des scellés.*

V. aussi OBSERVER.

accord. V. APPROBATION, CONVENTION et UNION.

accorder, qui se dit principalement des personnes, suppose une contestation, un débat, une opposition et exprime un rapprochement complet, une entière harmonie : *Accorder deux adversaires.* **Concilier,** qui implique une contradiction, un désaccord, appelle une idée de rapprochement entre des personnes divisées d'opinion, d'intérêt, ou des choses qui sont ou qui semblent être contraires : *Concilier les partis, les esprits.* **Harmoniser,** c'est accorder de la façon la plus parfaite, concilier au mieux plusieurs parties : *On harmonise des intérêts opposés.*

V. aussi CONCÉDER et RÉCONCILIER.

S'accorder. V. CONCORDER et ENTENDRE (S').

accorer. V. SOUTENIR.

accort. V. AIMABLE.

accoster. V. ABORDER.

accoter. V. APPUYER.

accouchement. V. ENFANTEMENT et MISE BAS.

accoucher a uniquement rapport à la femme et marque l'action particulière de mettre au monde un ou plusieurs enfants. **Enfanter** a une signification générale, sans idée accessoire, et ne s'emploie que rarement, étant plutôt réservé pour le style soutenu: *La Vierge enfanta un fils que l'on nomma Jésus.*

V. aussi CRÉER.

accoucheuse. V. SAGE-FEMME.

accoupler, c'est joindre ou attacher deux choses ensemble, mettre deux à deux, le plus souvent des animaux : *Accoupler des bœufs.* **Apparier,** c'est assortir, unir par couples, par paires : *Apparier des gants.* (En termes de physiol. ces mots entendent la réunion du mâle et de la femelle de certains animaux, principalement des oiseaux : *Accoupler, apparier des pigeons.*) **Appareiller,** c'est réunir des animaux domestiques d'après leur couleur, leur conformation, leur force, pour leur faire faire un même travail : *Appareiller des chevaux pour le labourage.* (C'est aussi accoupler des animaux pour la reproduction ou l'amélioration de l'espèce : *Appareiller une vache flamande avec un taureau anglais.*) **Assortir** implique des rapports de convenance, d'esthétique même, entre choses dont le nombre n'est pas limité : *Assortir des fleurs, des couleurs.*

V. aussi JOINDRE.

S'accoupler, c'est, en parlant des animaux, s'unir pour la génération. **Couvrir** fait essentiellement penser à l'acte de l'animal mâle. **Saillir** et **monter** sont des termes d'élevage, syn. de *couvrir,* s'appliquant aux espèces chevaline, asine, bovine et porcine, **lutter** étant réservé à l'espèce ovine et **cocher** aux oiseaux de basse-cour.

accoutrement. V. VÊTEMENT.

accoutrer. V. VÊTIR.

accoutumance. V. HABITUDE.

accoutumé. V. ORDINAIRE.

accroc. V. COMPLICATION et DÉCHIRURE.

accrocher, c'est attacher quelque chose à un crochet, à un clou : *Accrocher un tableau.* **Agrafer,** c'est attacher avec une agrafe : *Agrafer un manteau.* **Cramponner,** c'est attacher ave un crampon : *Cramponner des pierres, les pièces d'une charpente.*

Pendre, c'est attacher par en haut et par un point de suspension mobile : *Pendre un lièvre par les pattes de derrière.* (*Pendre* a parfois aussi le sens même d'*accrocher : Pendre son manteau à une patère; une penderie.*) **Appendre,** c'est pendre des ex-voto, des drapeaux, etc., en signe de gratitude envers Dieu, ou pour témoigner de la part qu'on prend à une fête : *Appendre des étendards aux voûtes d'un temple.* **Suspendre,** c'est élever quelque chose en l'air, une chose pesante en général, de telle sorte qu'elle pende en ne portant sur rien : *Suspendre une poutre à un câble; Une locomotive suspendue par une grue.* (A noter qu'une chose qui pend peut traîner, pas une chose suspendue.)

S'accrocher. V. ATTACHER (S').
V. aussi HEURTER et OBTENIR.

accroissement. V. AUGMENTATION.

accroître. V. AUGMENTER.

accroupir (s'). V. BLOTTIR (SE).

accueil, réception, abord, bienvenue. ACCUEIL et RÉCEPTION s'appliquent au traitement que réserve à son hôte la personne qui reçoit, étant entendu que *réception* entraîne une idée de cérémonie qui n'est pas dans *accueil.* ABORD désigne aussi bien le traitement fait par la personne qui reçoit que par celle qui arrive : la manière de recevoir que la manière d'aborder. BIENVENUE ne peut concerner qu'un bon accueil.

accueillir. V. RECEVOIR.

accumuler. V. ENTASSER.

accusateur, celui qui fait connaître à la justice, qu'il y soit intéressé comme partie ou non, quelqu'un auquel il impute une action condamnable : *Un accusateur prend toujours la responsabilité de sa dénonciation.* **Plaignant,** celui qui accuse et porte plainte en justice pour un préjudice qui lui a été causé. **Dénonciateur,** celui qui, guidé par l'intérêt général, met sur la trace d'un coupable. **Délateur,** celui qui dénonce en secret, par haine, par intérêt, souvent faussement : *Les délateurs sont méprisables.* **Sycophante,** nom donné en Grèce, dans l'antiquité, aux dénonciateurs de profession, est un syn. auj. peu usité de *mouchard* (v. ce mot à ESPION).

accusation. V. REPROCHE.

accusé. V. INCULPÉ.

accuser implique l'imputation directe et formelle d'une faute, d'un délit, à quelqu'un : *Accuser un domestique d'un vol.* **Incriminer,** dans ce sens, est un terme très fort; c'est accuser quelqu'un d'un crime, imputer une chose à crime. **Inculper,** c'est mettre seulement en cause, par insinuation, par des imputations hasardées : *Inculper quelqu'un sans preuves.* **Dénoncer,** c'est signaler quelqu'un ou révéler quelque chose que l'on juge répréhensible, soit à la justice, soit à un supérieur : *Dénoncer un coupable.* **Déférer,** c'est, en terme de droit, dénoncer devant un juge, un tribunal : *Déférer un livre à la cour de Rome.* **Arguer,** syn. d'*accuser,* est un terme de pratique, qui n'est guère us. que dans la phrase : *Arguer une pièce, un acte de faux.* (Il se prend souvent en mauv. part.) **Porter plainte,** c'est exposer un grief en justice : *Porter plainte contre un banquier indélicat.*

V. aussi INDIQUER et REPROCHER.
S'accuser. V. AVOUER.

acerbe. V. ACARIÂTRE et AIGRE.

acéré. V. MORDANT, POINTU et TRANCHANT.

acharné. V. TÊTU.

acharnement. V. ARDEUR et FUREUR.

achat se dit à la fois des choses considérables que l'on achète, et des choses de moindre importance : *L'achat d'une propriété, d'un tableau.* **Emplette** s'applique aux objets d'un usage courant achetés à un marchand : *Montrer ses emplettes.* **Acquisition,** plus général, concerne tout ce dont on devient propriétaire, par achat ou par échange, et s'applique proprement à des choses d'une certaine valeur : *L'acquisition d'un cheval, d'une maison.* (Aujourd'hui on emploie fréquemment *acquisition* pour *achat, emplette : Voici mes acquisitions de ce matin;* ces trois termes s'emploient alors pour désigner aussi bien l'action d'acquérir que la chose acquise.) **Acquêt,** syn. d'*acquisition,* est vx.

acheminer (s'). V. ALLER.

acheter, c'est obtenir une chose à prix d'argent, en la payant. **Acquérir,** c'est obtenir une chose par achat ou par d'autres moyens : échange, héritage, etc. **Faire emplette** se dit des petites choses. **Se payer, s'offrir,** sont familiers. **Brocanter, chiner,** c'est acheter des marchandises d'occasion. **Importer,** c'est acheter à l'étranger.

V. aussi CORROMPRE et RAILLER.

acheteur, celui qui se rend possesseur d'une chose quelconque à prix d'argent. **Acquéreur,** celui qui obtient une chose par achat ou de toute autre manière, en général une chose d'une certaine importance : immeuble, droit quelconque, etc. **Client,** acheteur qui se sert habituellement chez un même fournisseur. **Chaland,** syn. de *client,* est peu usité, ainsi que **marchand,** nom donné à celui qui achète pour son usage : *Bonne marchandise trouve toujours marchand.* (Ce dernier terme s'emploie surtout dans les ventes aux enchères : *Il y a marchand à...*) **Pratique** se dit d'un client habituel. **Importateur** désigne uniquement celui qui achète à l'étranger.

achevé. V. ACCOMPLI.

achever. V. FINIR et TUER.

achopper. V. BUTTER.

acide, acidulé. V. AIGRE.

acolyte. V. AIDE, COMPAGNON et COMPLICE.

acompte est le terme général qui désigne tout paiement partiel, à valoir sur une somme due. **Provision** se dit de la somme versée par avance à une personne, à valoir sur la somme à payer au moment du règlement définitif : *Un débiteur verse un acompte à son créancier; On remet une provision à un avocat pour les premiers frais d'un procès.* (V. ARRHES.)

à-côté. V. DIGRESSION.

acquéreur. V. ACHETEUR.

acquérir. V. ACHETER et OBTENIR.

acquêt. V. ACHAT et BIEN.

acquiescement. V. APPROBATION.

acquiescer. V. CÉDER et CONSENTIR.

acquisition. V. ACHAT.

acquit. V. REÇU.

acquitté, quitte. ACQUITTÉ est un acte; QUITTE un état. Pour s'être *acquitté,* il suffit d'avoir payé ce que l'on doit pour le moment, mais on n'est *quitte* que lorsqu'on ne doit plus rien du tout: *On a acquitté différents billets à terme, au fur et à mesure de leur échéance, mais on n'en sera quitte qu'après le règlement du dernier.*

acquitter. V. PARDONNER et PAYER. ***S'acquitter.*** V. LIBÉRER (SE).

âcre, âcreté. V. AIGRE.

acrimonieux. V. ACARIÂTRE.

acte. V. ACTION.

acteur, celui qui joue dans une pièce de théâtre ou un film de cinéma, qu'il soit professionnel ou amateur. **Comédien** ne se dit que d'un acteur professionnel : *Le bon acteur impose le plus souvent sa personnalité à son personnage, alors que le comédien, dans la composition de son rôle, la fait plutôt oublier.* **Artiste,** celui qui joue, qui chante ou qui danse sur une scène de théâtre, ou pour le cinéma. **Interprète,** acteur considéré par rapport à la pièce ou au film dans lesquels il joue, qu'il « interprète ». **Pantomime,** comme **mime** (plus us. auj.), est plus particulier; il se dit seulement d'un acteur qui, sans recourir à la parole mais simplement au moyen de gestes et d'attitudes, exprime des idées, des passions. **Protagoniste** est un terme didact. qui sert à désigner l'acteur principal. **Vedette** est le nom donné couramment aujourd'hui en termes de théâtre comme de cinéma, à l'artiste dont le nom occupe sur l'affiche la place la plus apparente. **Etoile** désigne plutôt une vedette de cinéma ou de music-hall. **Star** ne se dit que d'une vedette de cinéma. **Cabot** ou **cabotin,** syn. d'*acteur,* sont pop. et très péj.; ils se disent d'un acteur sans talent, ainsi que **baladin** ou **histrion,** péjor. aussi et moins us. auj. **M'as-tu-vu** (de la formule qu'emploient les acteurs en rappelant leurs succès : « M'as-tu-vu dans tel rôle? ») est le sobriquet que l'on donne parfois aux comédiens.

actif, agissant, efficace, efficient. Ce qui est ACTIF peut agir, car telle est sa disposition naturelle et habituelle; ce qui est AGISSANT agit effectivement au moment où on l'examine : *Un homme, si actif qu'on le suppose, n'est pas agissant quand il dort.* Ce qui est EFFICACE peut agir et produit toujours alors l'effet désiré : *Remède efficace.* Ce qui est EFFICIENT agit effectivement, produit réellement un effet : *Le soleil est la cause efficiente de la chaleur.*

V. aussi AVOIR.

action, acte, fait. L'ACTION, c'est la

manifestation d'une volonté, d'une force; l'ACTE le résultat de cette manifestation. L'*action,* qui implique la volonté d'agir, un raisonnement, est susceptible de gradation, elle peut être lente ou vive. Il n'en est pas de même de l'*acte* qui est uniquement l'effet produit, et qui, par ailleurs, peut être irréfléchi. — Au moral, *action* et *acte* sont vraiment synonymes : *Bonne action; Acte généreux;* mais *action* ne se dit jamais des inspirations intérieures de l'âme. — Dans le langage ordinaire, *action* se dit de ce que l'on fait habituellement, *acte* de ce qui est exceptionnel. — En style judiciaire, l'*acte* est une pièce, un écrit, constatant un fait, une convention; l'*action* une instance, une poursuite, un procès. — Au théâtre, l'*action* est la marche des événements dans le drame, la comédie, alors que l'*acte* désigne une des parties de la pièce. — Le FAIT est la chose faite, réellement existante; il demande un résultat.

V. aussi COMBAT.

actionner. V. MOUVOIR.

activer. V. ACCÉLÉRER.

activité. V. ANIMATION.

actuel, c'est ce qui existe ou est usité au moment où l'on parle : *Le langage actuel; la mode actuelle.* **Présent** est d'une proximité encore plus immédiate; c'est ce qui est devant nous : *Les circonstances présentes.* **Contemporain,** c'est ce qui est du même temps, de la même époque : *Corneille et Milton étaient contemporains.* **Courant** est syn. d'*actuel,* de *présent,* en parlant des divisions du temps; il se dit de la période de temps dans laquelle on se trouve, qui n'est pas encore terminée : *L'année courante, le mois courant.*

actuellement, c'est le moment même, l'instant précis où l'on parle, où l'on agit : *Cette réunion a lieu actuellement.* **Aujourd'hui, de nos jours, de notre temps,** opposent le jour ou le temps actuel à ceux qui l'ont précédé ou le suivront : *Ne remettez pas à demain ce que vous pouvez faire aujourd'hui; De nos jours l'électricité est le mode d'éclairage le plus courant; Cette mode est bien de notre temps.* **A présent,** comme **présentement** (terme vieilli), marque plutôt un rapport avec un temps antérieur : *A présent, j'ai oublié tout le mal que vous m'avez fait.* **Maintenant** exprime une suite ou une continuation : *J'ai terminé la lecture de cet ouvrage; que vais-je lire maintenant?*

acuité. V. CLAIRVOYANCE.

adage. V. PENSÉE.

adapter, c'est faire que deux choses aillent ensemble : *Adapter un couvercle sur un bocal.* **Ajuster** (de *à* et *juste*), c'est faire qu'une chose s'adapte exactement à une autre, avec « justesse » : *Ajuster un châssis à une fenêtre.*

V. aussi ARRANGER et RÉUNIR.

S'adapter, c'est être ajusté, et, au fig., s'appliquer, se rattacher : *Un robinet qui s'adapte bien; Une épigraphe doit toujours s'adapter parfaitement au sujet de l'ouvrage.* **Aller** est un synonyme familier de *s'adapter : Clef qui va à une serrure.* **Cadrer,** c'est s'adapter, s'ajuster comme dans un « cadre », être en rapport, au propre comme au figuré : *Sa façon de vivre cadre mal avec ses moyens d'existence.*

addition. V. AUGMENTATION et COMPTE.

additionner. V. AJOUTER.

adepte. V. PARTISAN.

adéquat. V. APPROPRIÉ, SEMBLABLE et SYNONYME.

adhérence, état d'une chose qui, mise en contact avec une autre, s'unit, se joint fortement à cette dernière : *L'adhérence de deux morceaux de cire.* **Adhésion,** force qui produit l'adhérence : *Vaincre l'adhésion de deux corps adhérents.* **Cohérence** exprime l'union, la connexion entre les parties d'un même tout : *La ferme cohérence des pierres.* **Cohésion** désigne la propriété, la force qui fait la cohérence : *L'immersion augmente la cohésion du ciment hydraulique.* **Inhérence** exprime l'union d'une qualité à une substance : *L'inhérence de la pesanteur à la matière.* **Collement,** adhérence de deux objets entre eux, par l'interposition d'une matière gluante : *Le collement des paupières dans une ophtalmie.*

adhérent, ce qu'unit une jonction naturelle, la continuité ou la soudure de parties contiguës : *Les branches sont adhérentes au tronc de l'arbre.* **Attaché,** ce qui tient à la place qu'on lui a fixée, le plus souvent par des liens artificiels : *Vigne attachée aux échalas.* **Collé,** ce qui adhère au moyen d'une matière gluante (colle, etc.) : *Des timbres collés sur les feuilles d'un album.* **Fixé** a le même sens qu'*attaché* et *collé,* mais est plus général : *Des gravures fixées avec des punaises, de la colle, etc.*

V. aussi MEMBRE et PARTISAN.

adhérer. V. CONSENTIR.

adhésion. V. ADHÉRENCE et APPROBATION.

adieu est un terme de civilité que l'on emploie surtout lorsqu'on prend congé de quelqu'un, pour toujours ou pour un temps assez long. (Dans certaines contrées, telles le Midi et la Suisse romande, *adieu* équivaut abusivement à *bonjour.*) **Au revoir** se dit à celui que l'on quitte pour peu de temps, que l'on va bientôt « revoir ». **Bonjour** s'emploie de préférence pour saluer une personne que l'on aborde dans la journée, et **bonsoir** une personne que l'on aborde dans la soirée. (Ce dernier terme équivaut aussi à *au revoir,* et est employé souvent ironiquement; il signifie alors qu'une affaire est finie, qu'il n'y a plus rien à espérer.) **Bonne nuit** a gardé sa valeur étymologique : *Souhaiter bonne nuit à qui va se coucher.*

adjacent. V. PROCHE.

adjectif désigne d'une façon générale le mot qui sert à qualifier ou à déterminer le substantif ou le pronom : *L'homme sage* (adj.) *est libre dans les fers.* **Qualificatif** est le nom d'un adjectif qui indique une qualité du sujet : *Un grand* (qualif.) *cheval.* **Attribut** se dit d'un adjectif — parfois un nom, un adverbe, etc. — qui qualifie le sujet par l'intermédiaire d'un verbe : *Cette femme est belle* (attr.) ; *Cet enfant est un ange* (attr.). **Epithète** désigne un adjectif qualificatif joint directement au nom : *Pauvre* (épith.) *homme.* **Appositif** se dit d'une épithète jointe au nom et ne désignant avec lui qu'une seule et même chose : *Jean lapin* (appos.) ; *Sire* (appos.) *Grégoire.* **Prédicat,** syn. d'*attribut,* est peu usité.

adjoindre. V. ASSOCIER.

adjoint. V. AIDE.

adjuger. V. ATTRIBUER.

S'adjuger. V. APPROPRIER (S').

adjuration. V. EXORCISME.

adjurer. V. PRIER.

admettre, appliqué aux choses, a le sens d'être susceptible de, et s'emploie surtout négativement : *Le paiement d'une dette d'honneur n'admet pas de retard.* **Souffrir** est du langage relevé et emporte l'idée de quelque chose de plus catégorique qu'*admettre : Il est bien peu de règles qui ne souffrent une exception.* **Permettre** se dit de ce qui est susceptible d'une chose parce que laissant toute liberté pour la faire : *Il est agréable de traiter un sujet qui permet d'intéressants développements.* **Comporter** s'emploie surtout en parlant d'une chose appropriée à une autre : *Son revenu comporte un train de vie considérable.*

V. aussi ACCEPTER et RECONNAÎTRE.

administration. V. GOUVERNEMENT.

administrer. V. DIRIGER.

admirable emporte l'idée de perfection, dans la beauté, la grandeur ou le bien : *La nature est admirable dans ses plus frêles productions.* **Extraordinaire** est ce qui sort de l'ordinaire, ce qui est rare, singulier, en dehors de l'ordre commun : *Une tempête de neige extraordinaire.* **Merveilleux** renchérit sur *extraordinaire;* il suppose l'intervention du surnaturel : *Histoire merveilleuse.* **Magnifique** (lat. *magnificus;* de *magnus,* grand, et *facere,* faire) donne l'idée de grandeur, de beauté, et souvent d'opulence : *Un prince magnifique; Un tapis magnifique.* **Mirifique,** syn. d'*admirable,* de *merveilleux,* ne s'emploie que familièrem. et par ironie. **Superbe** se dit de ce qui est imposant par sa magnificence et cela tout en conservant des proportions parfaites : *Vêtement, parc superbe.* **Prodigieux** est ce qui, en bien et parfois en mal, sort du cours ordinaire des choses, de ce qui donne une idée de contradiction avec les lois de la nature : *Une prodigieuse pluie de sang étonna les Egyptiens au temps de Moïse.* **Fabuleux** se dit, dans ce sens, de ce qui, ayant le caractère d'une « fable », est prodigieux, passe même toute croyance, tout en étant pourtant réel : *Evénements, circonstances fabuleuses.* **Splendide** (lat. *splendidus;* de *splendere,* briller) demande un grand éclat, de la luminosité : *Un soleil splendide;* et, par ext., de la pompe, de la magnificence, une grande somptuosité : *Repas, table splendide.* **Sublime** est propre aux choses esthétiques, morales, intellectuelles; il se dit de ce qu'il y a de plus élevé, de plus haut dans celles-ci : *Abnégation, éloquence sublime.* **Supercoquentieux** est pop. (V. BEAU.)

admiration. V. ENTHOUSIASME.

admirer. V. REGARDER.

admission est un terme général sans nuance qui désigne l'action par laquelle une personne est agréée, reçue dans un milieu, dans un corps, à une fonction : *Admission dans une société.* **Initiation,** c'est l'admission d'un nouveau membre d'une société à la connaissance de certaines choses inconnues de ceux qui ne font pas partie de cette société : *Initiation aux mystères de la franc-maçonnerie.* **Affiliation** se dit surtout de l'admission impliquant une initiation : *Affiliation à une société secrète.*

admonester. V. RÉPRIMANDER.

adolescence. V. JEUNESSE.

adolescent désigne tout jeune garçon à l'âge qui suit l'enfance (V. JEUNESSE) ; On dit plus communément **jeune homme,** qui comporte souvent une nuance de protection. **Ephèbe,** nom donné dans l'antiquité à l'adolescent, s'emploie parfois dans le langage poétique ou précieux. **Jouvenceau** ne s'emploie plus que par plaisanterie. **Damoiseau,** jadis jeune gentilhomme qui n'était pas encore chevalier, s'emploie encore familièrement, ainsi que **godelureau,** pour désigner un adolescent qui ne s'occupe qu'à courtiser les dames. (V. GALANT.) **Bachelier** dans le sens de jeune garçon, est vx. **Blanc-bec** désigne péjorativement un jeune homme sans expérience. **Béjaune,** également péjoratif, se dit d'un adolescent, d'un jeune garçon ignorant et sot. (V. NOVICE.)

adonner (s'), c'est s'attacher avec ardeur et habituellement à une chose, bonne ou mauvaise, qui vous plaît : *S'adonner au jeu.* **Se donner** est plus fort que *s'adonner;* c'est s'absorber complètement, tout entier, dans une occupation : *Se donner à l'étude.* **Se livrer,** c'est se donner sans mesure, avec excès même, sans se ménager, en faisant complet abandon de soi : *Se livrer à la pratique d'un art.* **S'appliquer** est propre surtout à l'étude, aux travaux de l'esprit, que l'on traite avec le désir de bien faire : *S'appliquer à ses devoirs.* **Se consacrer,** c'est s'appliquer exclusivement à une chose : *Se consacrer aux devoirs de sa charge.*

adopter. V. CHOISIR.

adoration, hommage public ou privé rendu à Dieu avec humilité; et, au fig., amour excessif : *Aimer à l'adoration.* **Idolâtrie,** adoration des faux dieux, des « idoles », d'images : *L'idolâtrie régna dans l'antiquité;* et, par ext., amour excessif : *Aimer les fleurs jusqu'à l'idolâtrie.* **Culte** (lat. *cultus,* de *colere,* cultiver, soigner, s'occuper de), hommage que l'on rend à une divinité par des actes extérieurs, des honneurs. (Se dit aussi en parlant de l'IDOLÂTRIE.) **Religion,** croyance et adhésion de l'esprit à une doctrine religieuse aux préceptes de laquelle on se soumet : *Les obligations de l'homme envers Dieu constituent la religion.*

adorer. V. AIMER et HONORER.

adosser. V. APPUYER.

adoucir est un terme générique; c'est rendre plus doux ce qui est âpre, rude, sévère : *Adoucir une expression.* **Affaiblir,** c'est rendre plus « faible », diminuer : *Affaiblir une inimitié.* **Edulcorer,** c'est adoucir à l'extrême : *Edulcorer son langage.* **Dulcifier** est un syn. peu usité d'*adoucir* et d'*édulcorer.* **Lénifier,** c'est adoucir une chose en lui ôtant tout intérêt, en la rendant insipide : *Lénifier son style.* **Mitiger** (du lat. *mitis,* doux), c'est adoucir la sévérité d'une chose : *Mitiger un règlement.* (V. MODÉRER.) — Au sens propre **adoucir,** c'est rendre plus doux, moins âpre : *Adoucir l'amertume d'un breuvage.* **Edulcorer,** c'est adoucir au moyen de sucre, de miel, etc : *Edulcorer une tisane.* **Lénifier,** c'est adoucir au moyen d'un électuaire : *Lénifier une potion avec du miel.* **Dulcifier,** c'est atténuer l'âcreté, la violence d'une substance : *Dulcifier un acide au moyen d'alcool.* **Sucrer,** c'est rendre doux en ajoutant une substance sucrée : *Sucrer une tasse de café.*

V. aussi POLIR et SOULAGER.

adresse, qualité naturelle ou acquise

qui permet de mener à bien ce que l'on fait, grâce à une facilité d'exécution due à une grande justesse dans les mouvements : *Peindre avec adresse;* ce terme s'emploie aussi au fig., en parlant de l'esprit : *Se débattre avec adresse parmi les objections.* **Dextérité,** adresse de la main « droite », et par ext., des deux mains : *La dextérité d'un ciseleur;* et, au fig., adresse de l'esprit qui implique beaucoup d'aisance dans l'exécution : *Conduire une affaire avec dextérité.* **Habileté,** caractère de celui qui sait faire, qui fait avec une adresse particulière : *L'habileté d'un pilote;* c'est aussi la facilité, le tact, la finesse qu'on apporte dans la conduite et dans la direction d'une affaire, et qui suppose une grande capacité et de l'intelligence : *Résoudre un différend avec habileté.* **Maîtrise,** qui marque non seulement l'habileté mais encore la supériorité dans un art ou dans une science, suppose une grande expérience et une complète sûreté de soi : *La maîtrise d'un orateur, d'un pilote d'avion.* **Maestria,** mot empr. de l'ital., ajoute souvent à l'idée de maîtrise celle d'allant, d'entrain : *La maestria d'un musicien, d'une équipe sportive.* **Art,** adresse, habileté acquise par l'étude ou due à la connaissance de certaines règles et même à un certain talent : *Tailler un crayon avec art; L'art de plaire.* (Il semble que dans l'*adresse* il y a une part plus grande d'automatisme que dans l'*habileté,* et que dans l'*art* il y a surtout de l'étude et du talent.) **Ingéniosité,** adresse, habileté, qui témoigne sinon du génie, du moins de l'intelligence, de l'esprit, de l'invention, de la sagacité : *L'ingéniosité d'un ouvrier, d'un procédé.* **Industrie,** habileté, souvent fertile en expédients, qui suppose de l'invention dans les moyens : *Vivre de son industrie.* **Savoir-faire,** habileté, industrie, qui permet de réussir ce qu'on entreprend, ou de se tirer d'embarras, plutôt parce que l'on a l'habitude, l'expérience de ce que l'on fait, que par ingéniosité : *User de tout son savoir-faire.* **Doigté** se dit, au fig., de l'habileté, du savoir-faire dans le règlement d'une affaire : *Diplomate plein de doigté.* **Chic,** qui désigne un grand savoir-faire, particulièrem. dans la peinture, se dit aussi, dans un sens plus restreint, de l'habileté manuelle de l'artiste, de la facilité mécanique de son travail : *Avoir le chic; Manquer de chic.* **Patte** se dit parfois familièrement d'une grande habileté manuelle, due le plus souvent à la science du métier, cela en parlant surtout d'un artiste. **Entregent** (de *entre* et *gens*), adresse à se conduire, à se faire valoir dans le monde : *Manquer d'entregent.*

V. aussi DEMEURE et DISCOURS.

adresser. V. ENVOYER.

adroit se dit de celui qui a de la facilité, de l'adresse dans un acte simple ou particulier : *Bayard était adroit à tous les exercices.* **Habile** est supérieur à *adroit;* il caractérise la conduite, en général habituelle, dans toute affaire compliquée ou dans tout un ordre d'affaires : *Un avocat habile.* **Capable** s'applique à celui qui, par ses aptitudes, ses connaissances, peut faire bien : *Le capable peut et l'habile exécute, a dit Voltaire.* **Expérimenté** se dit de celui qui possède la pratique d'un art, d'un métier, d'une opération quelconque : *Un médecin expérimenté.* **Expert** se dit de celui qui connaît parfaitement une question, s'en occupe depuis lontemps et sait l'apprécier : *Ouvrier expert.* **Ingénieux** s'applique à celui qui témoigne d'un esprit inventif pour de petites choses : *Un mécanicien ingénieux.* **Industrieux** est plus fort qu'*ingénieux;* il implique à la fois de l'invention et surtout de l'adresse : *L'industrieuse abeille.* **Intelligent** se dit de celui qui est capable de raisonner et de concevoir facilement : *Un intelligent sous-ordre.* **Entendu** est celui qui est devenu adroit, habile, propre à un service, à force de leçons ou d'expérience : *Un économiste entendu.* **Emérite** se dit de celui qui est versé dans un art, une science, qui en a une longue pratique : *Un calculateur émérite.* (V. DISTINGUÉ.)

aduler. V. FLATTER.

adultération. V. FALSIFICATION.

adultérer. V. ALTÉRER et FALSIFIER.

adversaire. V. ENNEMI.

adverse. V. OPPOSÉ.

adversité. V. MALHEUR.

aéronef. V. BALLON.

aéroplane. V. AVION.

aérostat. V. BALLON.

affabilité, qualité de celui qui met de la douceur et de la bienveillance dans ses relations avec autrui : *Concilier la grandeur avec l'affabilité.* **Civilité,** affabilité conventionnelle dont fait montre celui qui observe les convenances, les égards, en usage chez les gens qui vivent en société : *On doit traiter chacun avec civilité.* **Politesse,** civilité qui consiste non seulement à ne rien faire et à ne rien dire qui puisse déplaire aux autres, mais encore à faire et à dire ce qui peut leur plaire : *La politesse est le charme des relations sociales.* **Aménité** se dit d'une politesse qui charme : *L'aménité fait souhaiter de vivre avec celui qui en est doué.* **Courtoisie,** politesse affinée de ceux qui ont fréquenté les « cours », et, par ext., civilité gracieuse : *Etre traité avec beaucoup de courtoisie.* **Urbanité,** civilité formée par l'usage du monde : *L'urbanité n'est qu'une civilité élégante.* **Honnêteté,** syn. de *civilité,* est peu usité aujourd'hui : *L'honnêteté des manières est désirable chez tous.* **Amabilité,** s'il n'implique pas une politesse conventionnelle, suppose le désir évident de plaire, d'être agréable, et fait essentiellement penser à l'effort qu'on fait pour cela : *L'amabilité est la première des qualités d'un bon commerçant.*

affable se dit de celui qui accueille avec douceur et bonté, mais sans familiarité, ceux qui viennent à lui : *L'homme affable attend qu'on vienne à lui pour manifester sa bienveillance.* **Sociable** désigne celui avec qui il est aisé de vivre, parce que d'un commerce facile, compréhensif; il implique plus spécialement la vie en société et des rapports constants avec les autres hommes : *On peut être affable exceptionnellement, dans un but déterminé; on est naturellement et toujours sociable : c'est une qualité innée.* **Engageant** implique une idée d'invitation; il se dit de celui qui, par ses manières, ses paroles, parfois même ses flatteries, témoigne du désir d'attirer, de séduire, de charmer: *Femme engageante.* **Liant** se dit de celui qui est toujours prêt à entrer en relations avec son prochain, qui est propre à former des « liaisons » : *Avoir le caractère, l'esprit liant.*

V. aussi AIMABLE et POLI.

affabulation. V. TRAME.

affaibli. V. FAIBLE.

affaiblir, c'est diminuer la force, au propre et au figuré : *Personne affaiblie par la maladie; Affaiblir la vérité.* **Enerver,** c'est enlever l'ardeur, le courage, le « nerf » : *L'abus des plaisirs énerve.* (AFFAIBLIR marque le résultat, et peut être dû à l'âge ou à une cause extérieure; ÉNERVER indique la cause, et est accidentel : *On affaiblit en énervant.* Ces deux termes se rapportent plus particulièrement au corps, à une action physique. ENERVER est d'ailleurs vieilli dans ce sens. Abusivement on l'emploie le plus souvent auj. dans le sens d'agacer, en irritant le système nerveux.) **Amollir,** c'est faire perdre l'énergie, l'activité : *Les plaisirs amollissent l'âme.* **Efféminer,** c'est rendre faible et délicat comme une « femme »: *Le luxe effémine une nation.* (AMOLLIR et EFFÉMINER se rapportent le plus souvent à l'âme, à une action morale; le premier implique l'idée de relâchement, le second un état de dégradation et de honte.) **Ebranler,** c'est affaiblir, en rendant moins solide, moins sûr : *Ebranler l'organisme; Ebranler le crédit de quelqu'un.* **Débiliter,** c'est affaiblir la constitution physique par une action prolongée : *Régime qui débilite l'estomac.* **Exténuer** (en dehors de son sens étymol. où il est identique à *débiliter*) peut marquer le résultat d'un effort excessif de peu de durée : *Cette marche m'a exténué.* **Epuiser** surenchérit sur tous ces termes; c'est affaiblir au dernier degré, en parlant du sang et de tout ce qui contribue à l'entretien des forces du corps ou de la vigueur de l'esprit : *Epuiser le sang par des saignées; Des débauches qui épuisent les forces.* **Aveulir,** c'est affaiblir l'âme, enlever toute volonté, toute énergie : *L'oisiveté aveulit l'homme.*

V. aussi ADOUCIR.

affaiblissement. V. ABAISSEMENT.

affaire. V. COMBAT, DUEL, ÉVÉNEMENT, PROCÈS, TRANSACTION, TRAVAIL et VÊTEMENT.

affairement. V. ANIMATION.

affairer (s'). V. EMPRESSER (s').

affaisser (s'). V. TOMBER.

affaîter. V. APPRIVOISER.

affaler (s'). V. TOMBER.

affamé est le terme du langage ordinaire qui sert à désigner celui qui a faim de quelque façon que ce soit. **Famélique** qui est d'un langage plus recherché, se dit de celui qui non seulement a faim, mais encore n'a pas de quoi manger. **Meurt-de-faim** s'emploie substantivement dans le sens de *famélique* comme **crève-la-faim,** qui est populaire. (V. MISÉRABLE.)

affectation, manière d'être, de parler ou d'agir qui s'éloigne du naturel, cela dans l'intention de faire parade de certains sentiments, goûts et pensées : *Toute affectation est ridicule et manque souvent de sincérité.* **Afféterie,** sorte de mignardise qui se manifeste par une recherche prétentieuse dans le langage, les manières, le style : *L'afféterie est toujours opposée à la simplicité.* (L'AFFECTATION est plutôt un défaut masculin; l'AFFÉTERIE un défaut féminin.) **Mièvrerie** ajoute à l'idée d'*affectation* celle de puérilité dans la manière de parler, d'écrire, de peindre: *La mièvrerie d'un enfant, d'un art.* **Singularité,** affectation native, que l'on ne contracte pas : *Toute singularité est une niche à orgueil, a dit saint Vincent de Paul.* **Recherche,** qui concerne le soin, l'art, le raffinement qu'on met dans certaines choses, se rapproche d'*affectation* en ce qu'il emporte une idée de blâme : *Les bons poètes doivent éviter l'affectation et la recherche.* **Gongorisme** est très partic.; terme littéraire, il désigne la sorte d'affectation et de recherche qui s'introduisit dans la littérature espagnole par l'imitation du style de Gongora, et qui passa de là dans la littérature française, au début du XVIIe s. (Le *gongorisme* espagnol, appelé aussi **cultisme,** a pour synonyme la **préciosité** en France, le **marinisme** [de Marini, auteur d' « Adonis »] en Italie, l'**euphuisme** [d' « Euphuès », roman de John Lyly] en Angleterre.)

affecté exprime l'état d'une personne qui étudie à dessein ses manières et son langage : *Un comédien affecté.* **Apprêté** ajoute à l'idée d'*affecté* une idée de roideur, de contrainte, dont l'excès est donné par le mot **guindé,** qui indique aussi l'air contraint du parvenu qui n'a pas le laisser-aller de l'homme du monde : *Style apprêté; Personnage guindé.* **Composé** se dit du pédant ou de l'hypocrite qui affecte dans son maintien de la gravité, de la retenue : *Se donner un air composé afin de passer pour un homme d'importance.* **Compassé** se dit de ce qui est d'une régularité affectée, exagérée, d'une symétrie minutieuse : *Démarche compassée.* **Maniéré** exprime l'affectation, la prétention ridicule que certaines personnes mettent dans leurs gestes ou dans leurs paroles : *Une femme maniérée.* **Recherché** indique que l'on pousse le bon goût et la distinction jusqu'à la minutie, presque même jusqu'à l'exagération : *Parure recherchée.* **Etudié,** qui exprime la recherche dans les plus petits détails, renferme une idée de pédantisme ou d'astuce : *Gestes, soupirs étudiés.* **Précieux** implique essentiellement une délicatesse raffinée jusqu'au ridicule et l'absence de toute simplicité : *Manières précieuses.* **Prétentieux** suppose un manque de naturel dû à l'orgueil ou à la vanité. **Tarabiscoté,** employé figurément, est fam. et suppose une affectation précieuse; il se dit bien de ce que l'on charge d'ornements affectés : *Une phrase tarabiscotée.* **Gourmé** suppose non seulement un air affecté, mais aussi un maintien composé et trop grave; il emporte l'idée de raideur dans les manières : *Diplomate gourmé.* **Chichiteux,** syn. de *maniéré,* est fam. (V. AMPOULÉ.)

affecter, c'est manifester une prétention, une vertu que l'on ne possède pas: *Affecter de paraître savant.* **Afficher,** c'est faire montre, faire parade d'une qualité ou d'un défaut, le publier hautement, même si l'on doit braver l'opinion publique : *Afficher un grand luxe, des opinions extrémistes.* **Se piquer,** c'est avoir de soi-même une certaine opinion, sans pour cela le faire toujours paraître : *Se piquer de savoir écrire.*

Affecter, c'est aussi destiner à un usage, sans idée accessoire. **Assigner,** pris dans le sens d'*affecter,* emporte l'idée d'une attribution plus ferme, plus déterminée, fixée généralement avec autorité : *Après avoir affecté quelqu'un à un emploi on lui assigne une tâche.* (V. ATTRIBUER.)

V. aussi ATTRISTER et FEINDRE.

affection, sentiment d'attachement qui naît d'une manière douce et tranquille et qui exprime toutes les émotions que l'homme éprouve pour les êtres qu'il chérit : *Affection fraternelle.* **Tendresse,** affection pure et profonde : *Tendresse d'une mère pour sa fille.* **Inclination,** penchant irrésistible, le plus souvent vague et indéterminé, qui nous pousse vers quelqu'un : *Combattre une inclination naissante.* **Attachement,** affectation durable mise en valeur par les liens qui nous attachent à une personne, à un animal ou à une chose, et qui font que ceux-ci ne nous sont pas indifférents : *L'attachement d'un cavalier pour son cheval.* **Amitié,** affection la plus noble et la plus durable que l'homme éprouve pour l'homme; due le plus souvent à une certaine conformité d'idées et de goûts, elle exige d'ordinaire réciprocité : *Se lier d'amitié avec quelqu'un.* **Amour,** affection, élan du cœur ou penchant de l'âme, dont la force domine la volonté et l'intelligence humaines : *Amour filial; Amour de la patrie, de la gloire.* (Plus particulièrement, AMOUR est le sentiment passionné qui porte un sexe vers l'autre : *Se marier par amour.*) **Dilection** se dit d'un amour tendre et pieux: *La seule dilection nous fait agir naturellement, par inclination, a dit Bossuet.* **Coup de foudre** se dit d'un amour soudain et violent. **Passion** implique, dans ce sens, une affection quelconque poussée à l'excès : *Etre esclave de ses passions.* **Béguin, pépin,** affection généralement passagère, sont du lang. pop. : *Avoir un béguin, un pépin pour quelqu'un.* — **Amativité,** nom que les phrénologues donnent à l'instinct qui porte les individus de sexe différent à s'unir pour propager l'espèce, se dit aussi parfois, par ext., dans le langage recherché ou littéraire, simplement de l'impulsion qui porte les individus à aimer : *Faut-il mettre au rang des symptômes qu'un psychologue pourrait découvrir dans l'espèce une tendance à l'amativité que j'avais dès lors?* (*Verlaine*).

V. aussi MALADIE.

affectionner. V. AIMER.

affectueux. V. AIMANT.

affermer. V. LOUER.

affermir, c'est rendre plus assuré, plus fort, plus difficile à ébranler : *Affermir l'âme, la santé.* **Raffermir,** ce peut être affermir ce qui chancelle : *Raffermir le courage d'une troupe;* ou bien affermir de plus en plus : *Raffermir quelqu'un dans son projet.* **Fortifier** (lat. *fortificare;* de *fortis,* fort, et *facere,* faire), c'est donner plus de force, plus de puissance, et s'emploie au moral comme au physique : *Le temps fortifie les amitiés; L'exercice fortifie les organes.* **Renforcer** (du préf. *re,* de *en,* et de *forcer*), c'est rendre plus fort, donner plus d'énergie, et s'emploie plutôt au physique : *Renforcer la voix.* **Corroborer** ne se dit au sens propre que des aliments, des boissons, des remèdes susceptibles de donner de nouvelles forces; au fig. et au sens moral, il suppose une confirmation : *Le vin corrobore l'estomac; Vos paroles corroborent mon opinion.* **Conforter,** fortifier, soutenir en donnant de la force ou du courage, vieillit : *Un doigt de vin conforte l'estomac, comme une bonne parole conforte le cœur.* **Tremper,** proprement et particulièrement, plonger l'acier, le fer rouge dans un liquide froid, pour le durcir, s'emploie aussi figurém. dans le sens de rendre ferme, fort, en donnant de l'énergie, du caractère : *On trempe son âme dans les épreuves.* (V. REMONTER.)

V. aussi ASSURER.

afféterie. V. AFFECTATION.

affiche est le nom donné à toute feuille, de petit ou grand format, écrite ou imprimée, illustrée ou non, que l'on applique contre les murs pour donner connaissance de quelque chose au public. **Placard** se dit d'une grande affiche, qui ne comprend en général que du texte, souvent administratif, quelquefois publicitaire, parfois séditieux.

afficher. V. AFFECTER.

affidé. V. ESPION.

affilé. V. TRANCHANT.

affiler, c'est enlever le morfil d'un instrument tranchant neuf, donc lui donner du « fil ». **Aiguiser,** c'est rendre aigu, pointu, tranchant, ou plus aigu, plus pointu, plus tranchant. **Affûter,** c'est seulement, pour un outil, lui donner ou réparer son tranchant. **Emoudre,** c'est donner le tranchant aux instruments de fer ou d'acier, à l'aide d'une meule tournante. **Repasser,** c'est donner de nouveau le taillant et le fil à des instruments coupants ayant déjà servi, en les passant sur la meule, sur la pierre.

affiliation. V. ADMISSION.

affilié. V. PARTISAN.

affinage. V. ÉPURATION.

affinité. V. ANALOGIE et LIAISON.

affirmation, action d'affirmer, de soutenir qu'une chose est vraie : *Une affirmation précise.* **Affirmative,** proposition qui a la propriété, la vertu d'assurer qu'une chose est vraie : *Soutenir l'affirmative.* **Assertion,** proposition qu'on avance et qu'on donne comme vraie, mais qui est plus personnelle que formelle : *Nos publicistes sont plus féconds en assertions qu'abondants en preuves, a dit Mirabeau.* **Allégation,** simple proposition d'un fait mis en avant verbalement ou par écrit, n'implique pas, comme *assertion,* de raisonnements : *Nier les allégations de ses adversaires.*

affirmer (lat. *affirmare;* de *ad,* à, et *firmare,* rendre ferme), c'est déclarer, soutenir « fermement » qu'une chose est vraie, parce que l'on en est convaincu ou que l'on veut convaincre : *Affirmer avec autorité, avec chaleur.* **Assurer,** c'est donner pour sûr quelque chose de plausible ou de spécieux dont on est persuadé ou dont on veut persuader : *Etre bien capable d'assurer un mensonge.* **Attester** (lat. *attestari;* de *ad,* à et *testis,* témoin) signifie qu'on a été témoin, et emporte donc l'idée de choses qu'on a vues soi-même et dont on peut affirmer ou assurer l'authenticité, verbalement ou par écrit : *Evénement attesté par plusieurs personnes.* **Certifier,** c'est donner la certitude des choses qui sont arrivées à notre connaissance, c'est ajouter tout ce qui peut faire croire qu'on les tient pour certaines : *Je vous certifie que cela est.* **Prétendre** marque ce que l'on se propose de défendre, ce que l'on soutient affirmativement : *Prétendre qu'on a un droit incontestable.* **Avancer** exprime ce que l'on propose pour défendre son affirmation : *Le sage n'avance rien qu'il ne puisse prouver.* **Soutenir** marque ce que l'on défend actuellement : *Il soutient qu'il est innocent.* **Garantir,** comme **répondre,** c'est assurer une chose en engageant sa responsabilité : *On garantit les qualités; On répond des événements.* **Promettre,** c'est s'engager pour l'avenir en répondant d'un événement que l'on peut faire arriver : *Promettre que l'on fera tout son possible.* **Protester,** c'est promettre formellement et généralem. publiquement : *Protester à quelqu'un qu'on ne l'abandonnera pas.* **Jurer,** c'est promettre fortement, par un serment ou comme par une espèce de serment : *On jure fidélité, obéissance, le secret à quelqu'un.* (V. CONFIRMER.)

affleurer. V. SORTIR.

affliction. V. PEINE.

affliger. V. ATTRISTER.

affluence. V. ABONDANCE et MULTITUDE.

affluent. V. COURS D'EAU.

affolé. V. ALARMÉ.

affolement. V. ÉMOTION et ÉPOUVANTE.

affoler (s'), c'est se troubler follement, se mettre dans un état qui rend comme fou. **Perdre la tête** emporte moins l'idée d'agitation extérieure; c'est simplement ne plus savoir ce que l'on fait. **Perdre la boule, la boussole, le nord, la tramontane,** sont familiers. (V. DÉRAISONNER.)

affranchir signifie donner la franchise, la liberté : *On affranchit une terre de la servitude qui la grevait; Affranchir un esclave, c'est lui donner la liberté.* **Délivrer,** c'est tirer d'une sujétion, d'une situation gênante, rendre la liberté à celui qui l'avait perdue, le plus souvent par la manière forte ou des moyens plus ou moins irréguliers : *On délivre un pays des brigands qui l'avaient envahi; Délivrer un prisonnier, c'est lui rendre la liberté.* **Libérer,** c'est affranchir de quelque chose qui est incommode, d'une obligation qu'on avait généralem. imposée soi-même, ou d'une servitude imposée par d'autres : *Un juge d'instruction libère un prisonnier reconnu par lui non coupable; Jeanne d'Arc libéra Orléans.* **Racheter,** c'est délivrer à prix d'argent : *Les pères de la Merci rachetaient les esclaves chrétiens qui servaient chez les Maures.* **Rédimer** est un syn. peu us. de *racheter.* **Emanciper,** c'est, dans le lang. jurid., affranchir par un acte légal une personne qui est sous la puissance paternelle ou sous l'autorité d'un tuteur, et, par ext., rendre libre, affranchir de quelque entrave : *On émancipe un mineur; Il faut instruire le peuple avant de l'émanciper.*

affres. V. ANGOISSE.

affréter. V. FRÉTER.

affreux. V. EFFROYABLE et VILAIN.

affriandant, affriolant. V. APPÉTISSANT.

affront. V. OFFENSE.

affronter. V. BRAVER.

S'affronter. V. HEURTER.

affubler. V. VÊTIR.

affusion. V. DOUCHE.

affûter. V. AFFILER.

affûtiau. V. BABIOLE.

afin de, afin que. V. POUR.

agacer. V. ÉNERVER, EXCITER et TAQUINER.

agapes. V. REPAS.

âgé a particulièrement rapport à l' « âge » de celui qui n'est plus jeune, qui est avancé en âge : *On est d'abord enfant, puis jeune, et enfin âgé.* **Vieux** est quelque peu péjoratif, et rappelle les effets produits par l'âge : *Se faire vieux.* **Vieillot** indique surtout une vieillesse d'aspect, de caractère : *Une femme vieillotte.* **Sénile** se dit de ce qui est propre aux personnes âgées, de ce qui tient à la vieillesse; il suggère souvent une idée de diminution mentale et est plutôt du langage didactique : *On peut être très âgé sans devenir sénile.* (V. GÂTEUX et VIEILLARD.)

agencer. V. ARRANGER.

agenda. V. CALENDRIER.

agenouiller (s'), se mettre à genoux, se prosterner. Les deux premières formes expriment la même idée et s'emploient généralement l'une pour l'autre. Notons cependant qu'on dit plutôt S'AGENOUILLER en parlant des animaux : *Les chameaux s'agenouillent pour qu'on les charge;* en ce qui concerne les personnes, ce terme semble marquer plus particulièrement un sentiment d'humilité ou d'adoration, que n'implique nullement *se mettre à genoux : On s'agenouille à l'église, et l'on se met à genoux pour laver par terre.* SE PROSTERNER indique une « prostration » complète de tout le corps et suppose essentiellement qu'on s'abaisse jusqu'à terre en signe de respect : *Se prosterner au pied de l'autel.*

agent. V. EMPLOYÉ.

agent de police (ou absolument **agent**) désigne, d'une façon générale, l'employé subalterne, en uniforme, chargé de faire la police sur la voie publique. **Sergent de ville** est le nom donné à l'agent de police, plus spécialement chargé de la police municipale et du maintien de l'ordre dans les villes, que l'on appelle aussi, à Paris, **gardien de la paix. Argousin,** syn. d'*agent de police,* vieillit et ne s'emploie que par dénigrement. **Flic** et **sergot** (moins us.) sont des termes d'argot. (V. GENDARME et POLICIER.)

agent secret. V. ESPION

agglomération. V. GROUPEMENT.

aggrave. V. ANATHÈME.

agile (lat. *agilis;* d'*agere,* agir) se dit de ce qui a une grande facilité pour « agir », se mouvoir, quel que soit le sens dans lequel doivent avoir lieu les mouvements du corps : *Le chat, le singe, le tigre, sont des animaux très agiles.* **Souple,** qui attire l'attention sur la condition de l'agilité qui fait que les membres ne sont pas raides, se met souvent avant *agile : Un corps souple et agile.* **Léger** est propre à ce qui pèse peu, et n'a rapport qu'à un mouvement de bas en haut : *Danse légère; Marcher d'un pas léger.* **Vif** indique la vigueur du principe qui dirige et soutient l'agilité : *Un animal très vif.* **Sémillant** suppose une extrême vivacité, qu'il s'agisse du corps ou de l'esprit, en parlant seulement des personnes. **Leste** implique de la légèreté, de la facilité, et même de la grâce, dans les mouvements : *Vieillard encore fort leste.* **Preste** exige un mouvement prompt et de peu de durée, semblable à ceux des « prestidigitateurs » : *Un chirurgien doit avoir la main preste.* **Ingambe** (de l'ital. *in gamba,* en jambe) ne se dit que des personnes et suppose que celles-ci se meuvent facilement, qu'elles sont agiles ou légères, parce qu'elles ont de bonnes « jambes » : *Un vieillard encore ingambe.* **Allègre,** de la même famille qu'*allégresse,* joint à l'idée de légèreté, de vivacité, celle de la joie, de l'entrain : *La santé, le succès rendent allègre.* **Alerte** implique de la vivacité de mouvement ou d'esprit : *Etre alerte à la course; Etre alerte à saisir les occasions.* **Fringant,** qui se dit proprement d'un cheval très vif, s'emploie aussi, par ext., en parlant d'une personne alerte, éveillée, d'allure vive et élégante : *Jeune homme fringant.*

agiotage. V. SPÉCULATION.

agir est un terme très général; il signifie faire quelque chose, être en action, et se dit de toute cause qui tend à produire un effet : *L'homme est libre d'agir ou de ne pas agir, a dit Pascal.* **Opérer,** qui appartient au style didactique, c'est produire quelque effet en agissant : *Eloquence qui opère sur le peuple.* **Fonctionner,** c'est agir en « fonction » de sa destination, dans le but pour lequel on a été fait : *Tout fonctionne, dans la nature, dans un but d'ensemble.* **Travailler,** c'est agir en faisant un ouvrage : *On peut agir sans travailler, tel est le cas des désœuvrés.*

V. aussi CONDUIRE (SE).

agissant. V. ACTIF.

agissements, ensemble des actes accomplis dans un cas donné, se prend presque toujours en mauvaise part : *On surveille les agissements d'un conspirateur.* **Menées** suppose des agissements nuisibles et secrets pour faire réussir quelque dessein : *Dangereuses, sourdes menées.* **Pratiques,** agissements bas, déloyaux ou criminels : *Des pratiques basses et honteuses.* **Machinations,** agissements pervers, astucieux, qui emportent une idée de vengeance et impliquent une longue préméditation : *Etre victime d'effroyables machinations.* **Manœuvres,** agissements adroits et prémédités qui s'attachent aux petits moyens, et auxquels on se livre surtout pour réussir dans le monde ou dans les affaires: *Manœuvres de bourse.* (Ce terme a parfois un sens plus étendu et peut désigner des agissements criminels : *Manœuvres abortives.*) **Manèges,** agissements artificieux pour parvenir à une chose : *Des manèges qui n'abusent personne.* **Intrigues,** agissements détournés, souvent compliqués, mais pas forcément odieux, qui ont pour but de faire intervenir plusieurs personnes, soit en sollicitant leur appui, soit en les poussant à faire certains actes, dont on espère tirer parti d'une manière ou d'une autre : *Les intrigues parlementaires.* **Manigances,** mauvaises petites intrigues qui ne méritent que le mépris : *Une affaire pleine de manigances.* **Micmacs,** intrigues embrouillées et suspectes : *Nous ne comprenons rien à tous vos micmacs.* (Ces deux derniers termes : *manigances* et *micmacs,* sont familiers.) **Combines,** syn. de ces termes, est populaire. **Tractations,** proprement manière de négocier une affaire, un marché, s'emploie souvent dans un sens péj., voisin d'*intrigues : Se livrer à de louches tractations.* **Tripotages,** fam. et très péj., se dit des manœuvres qui tendent à brouiller une affaire, à semer la discorde, à faire des gains illicites : *Les tripotages de la politique, de la Bourse.* (On dit souvent auj., dans ce sens, **cuisine,** qui est encore plus familier : *Cuisine électorale.*)

agitateur. V. RÉVOLUTIONNAIRE.

agitation. V. ÉMEUTE, ÉMOTION et NERVOSITÉ.

agité. V. ÉMU.

agiter, c'est mouvoir, changer de place une chose légère ou fluide, et cela en divers sens : *Agiter un liquide.* **Secouer,** c'est agiter fortement une chose légère, fluide, ou même lourde et solide, et cela à plusieurs reprises : *Secouer une branche pour en abattre les fruits.* **Ebranler,** c'est donner des secousses à une chose difficile à remuer, afin de diminuer sa solidité : *Ebranler un mur.* **Remuer,** c'est mettre une chose légère ou lourde à une autre place : *Remuer de la terre, une grosse pierre, un meuble.* **Brasser,** c'est remuer avec les bras, à force de bras, ou, par ext., par un moyen quelconque, une ou plusieurs matières ayant quelque fluidité ou en fusion : *Brasser de la pâte, du bitume.* **Touiller** est fam., c'est agiter, remuer en mêlant : *Touiller des dominos, la soupe.*

V. aussi ÉMOUVOIR et SOULEVER.

agnelage. V. MISE BAS.

agonie (du grec *agônia,* lutte), dernière lutte de l'organisme avant la mort : *Une longue agonie.* **Extrémité, dernière heure, derniers moments,**

indiquent les tout derniers moments, le terme de la vie : *Etre à toute extrémité.*

agonir. V. INSULTE.

agrafer. V. ACCROCHER et PRENDRE.

agraire. V. AGRICOLE.

agrandir. V. AUGMENTER.

agrandissement. V. AUGMENTATION.

agréable est un terme général qui se dit de ce qui agrée, de ce qui plaît : *Une agréable odeur; Musique agréable.* **Doux** s'applique proprem. aux sensations du goût, à ce qui a une saveur agréable et analogue à celle du lait, du miel, du sucre, et, par anal., à tout ce qui fait une impression agréable sur les autres sens, sans y causer une sensation vive : *Des fruits doux; Une lumière douce.* **Suave** se dit de ce qui est d'une douceur agréable aux sens, et surtout à l'odorat : *Mélodie, coloris suave; Parfum suave.* **Délicieux** se dit de ce qui est agréable à l'extrême, plein de « délices » : *Vin délicieux.* **Exquis** renchérit sur *délicieux;* il se dit de ce qu'il y a de meilleur, de plus choisi parmi ce qui est délicieux : *Des friandises exquises.* **Friand,** qui désigne proprem. la personne qui aime la chère fine et délicate, et qui s'y connaît (v. GOURMAND), se dit aussi parfois, par ext., de ce qui est agréable à manger, de ce qui flatte le palais d'une manière délicate. **Savoureux** se dit de ce qui a beaucoup de saveur, de ce qui flatte le goût agréablement. **Succulent,** qui a essentiellement rapport à la nutrition, s'applique uniquement à ce qui a beaucoup de suc, à ce qui n'est pas sec et fournit un aliment très nourrissant, — ce que n'impliquent pas forcément les termes précédents : *Artaxerxès, réduit à manger, dans sa fuite, du pain d'orge et des figues sèches, dit qu'il n'avait rien goûté jusqu'alors de si savoureux, et ce repas était loin d'être succulent.* V. aussi AIMABLE et BON.

agréer. V. ACCEPTER et PLAIRE.

agréger. V. ASSOCIER.

agrément. V. APPROBATION et PLAISIR.

agrémenter. V. ORNER.

agrès a un sens plus général que **gréement;** alors que le *gréement* ne se compose que des objets qui servent à « gréer » un navire à voiles : voiles, poulies, cordages, etc., les *agrès* comprennent non seulement ce gréement, mais encore les avirons, les ancres, la barre, etc.

agressif. V. COMBATIF.

agression. V. ATTAQUE.

agreste. V. CHAMPÊTRE.

agricole se dit de ce qui se rapporte à la culture du sol et à l'élevage du bétail : *Enseignement agricole.* **Agraire** se dit de ce qui concerne les champs, et aussi la propriété de ceux-ci ; il n'implique pas l'idée de culture, mais seulement celle de champ : *Mesure, loi agraire.* **Cultural** est un néologisme peu usité ; il se dit essentiellement de ce qui a trait à la culture : *Etudes culturales.*

agriculteur est un terme relevé qui désigne celui qui s'adonne, surtout en grand, à la culture de la terre : *Pour être agriculteur, il faut exercer soi-même l'art agricole, en diriger constamment les travaux qu'il exige.* **Cultivateur** est le nom que l'on donne à celui qui dirige ou exécute des travaux agricoles sur une échelle moindre que l'*agriculteur,* et cela le plus souvent pour le compte d'un propriétaire : *Employer un grand nombre de cultivateurs.* **Laboureur** désigne celui qui « laboure », qui travaille la terre à la charrue (par opposition à *maraîcher, jardinier, vigneron,* etc.) : *On ne peut se passer du laboureur.* **Areur** est un syn. vieilli de *laboureur.* — **Agronome** est plus particulier; c'est le technicien qui étudie la théorie de l'agriculture, en vue d'en perfectionner la pratique : *Un habile agronome.* (V. FERMIER et PAYSAN.)

agriffer (s'). V. ATTACHER (s').

agripper. V. ATTRAPER.

S'agripper. V. ATTACHER (s').

agronome. V. AGRICULTEUR.

aguicher. V. EXCITER.

ahaner. V. FATIGUER (SE).

ahuri. V. ÉBAHI.

ahurissant. V. ÉTONNANT.

aiche. V. APPÂT.

aide désigne celui qui assiste ou supplée quelqu'un dans une fonction, un travail, une opération, et implique le plus souvent une idée de subordination complète ou momentanée : *Cette garde-malade est une aide adroite.*

(*Aide* s'applique généralem. à toutes les personnes qui en secondent une autre dans une fonction, un travail, etc., et le mot complémentaire en détermine suffisamment alors le sens particulier : *Aide-médecin, aide-cuisinier, aide-maçon,* etc.). **Adjoint** désigne la personne associée à une autre pour l'aider dans son travail, dans ses fonctions, et, si besoin est, la remplacer : *Adjoint au maire, à un directeur d'école.* **Second,** syn. d'*adjoint,* désigne celui qui en aide un autre et peut au besoin le remplacer non seulement dans son emploi, mais aussi dans une affaire : *Vous pouvez réussir dans cette entreprise, car vous avez un bon second.* **Sous-verge** est fam.; il se dit parfois de l'adjoint immédiat d'un chef quelconque. **Assistant,** syn. d'*aide,* s'emploie surtout dans les milieux scientifiques, médicaux et ecclésiastiques : *Médecin, prêtre assistant.* **Coadjuteur** désigne spécialement un prélat adjoint à un autre pour l'aider dans ses fonctions, avec ou sans future succession : *Le coadjuteur d'un archevêque;* on l'emploie aussi parfois, par ext. et ironiquement, comme syn. d'*adjoint.* **Auxiliaire,** aide dont les services sont utilisés temporairement : *Engager des auxiliaires dans une administration.* **Acolyte,** proprement clerc chargé dans l'église des bas offices, s'emploie parfois, dans le langage familier, au sens d'aide subalterne, presque toujours avec une nuance défavorable : *Le bourreau et ses acolytes.* (V. COMPLICE.)

V. aussi APPUI.

aider indique une peine réclamant une « aide », un appui, et implique qu'on agit conformément au sentiment du devoir : *On aide dans l'infortune.* **Assister** emporte une idée de besoin, de nécessité, et est marqué par un sentiment de compassion : *On assiste ses amis de sa bourse.* **Secourir** implique une idée de danger et suppose qu'il y a urgence, cependant qu'il marque l'élan du dévouement : *Secourir une personne malade.* **Soutenir,** c'est aider à ne pas défaillir, physiquement ou moralement : *Soutenir quelqu'un de ses subsides; Etre soutenu par sa foi.* **Favoriser,** c'est aider, appuyer de son crédit ce qui a notre préférence, que cela soit équitable ou non : *Favoriser un ami.* **Epauler,** c'est aider, surtout par son crédit, son influence : *Epauler quelqu'un auprès d'un ministre.*

V. aussi SECONDER.

aïeuls. V. AÏEUX.

aïeux, pères, ancêtres. Ces termes, employés au plur., désignent d'une manière générale les hommes qui ont vécu dans notre nation à des époques antérieures à la nôtre. Ils ne diffèrent que par une gradation d'ancienneté, dans laquelle PÈRES marque le point le plus rapproché, et ANCÊTRES le point le plus reculé : *Le siècle de nos pères a touché au nôtre, nos aïeux les ont devancés, et nos ancêtres sont les plus reculés de tous.* PÈRES désigne aussi les aïeux d'une famille : *Il avait apporté en naissant l'indomptable ténacité de ses pères.* **Ascendants,** c'est, en droit, la série des parents dont on descend : père, aïeul, bisaïeul; mère, aïeule, bisaïeule, etc. *Les ascendants d'un mineur font de droit partie du conseil de famille.* **Prédécesseurs** est beaucoup plus vague; ne s'employant dans ce sens qu'au pluriel, il désigne tous ceux qui ont vécu avant nous dans le même pays, cela aussi bien dans un temps proche que dans les temps éloignés : *L'homme, a dit Pascal, tire avantage non seulement de sa propre expérience, mais encore de celle de ses prédécesseurs.* **Aïeuls,** doublet d'*aïeux* a un sens très restreint, c'est le nom donné seulement aux grands-parents. (V. PARENT.)

aigle, dans son acception fig., désigne un homme transcendant, soit par son génie, soit par son esprit, soit encore par ses talents : *Saint Augustin est l'aigle des docteurs, a dit Bossuet.* (Ce terme ne s'emploie guère en parlant des femmes.) **Phénix,** dans la même acception, se dit d'un homme ou d'une femme unique ou rare dans son espèce : *Pic de La Mirandole fut le phénix de son siècle; Cette femme est un véritable phénix.* **As** est populaire; il désigne celui qui excelle en quelque chose, un homme de premier ordre : *Un as de l'aviation.* (V. VIRTUOSE.)

aigre se dit proprem. des choses qui font éprouver à l'organe du goût une sensation piquante, analogue à celle que produisent les acides, mais qui peuvent avoir été douces originairement : *Vin aigre.* **Acide** est un mot de formation savante qui désigne ce qui est aigre originairement : *Le prunellier a des fruits acides.* **Acidulé,** également savant, se dit de ce qui est légèrement acide ou aigre-doux : *Les oranges, les grenades, les groseilles sont acidulées.* **Acre** se dit de ce qui a une saveur forte et irritante, presque brûlante, dont l'impression se fixe surtout à la gorge : *La chaux est âcre sur la langue et brûlante à la gorge.* **Acerbe** se dit de ce qui n'est pas encore doux, surtout en parlant des fruits qui ne sont pas encore arrivés à maturité : *Les raisins verts sont acerbes.* **Acrimonieux,** peu us. dans ce sens propre, suppose une disposition constante à l'âcreté. **Sur** se dit de certains produits alimentaires d'une saveur piquante, soit naturellement, soit parce qu'ils n'ont pas atteint leur maturation ou bien qu'ils ont tourné : *Oseille, pomme, vin surs.* **Tourné** se dit de ce qui devient aigre en s'altérant : *Lait, bouillon tourné.* **Vert** concerne surtout l'acidité d'un fruit qui n'est pas mûr, d'un vin qui n'est pas assez fait. (V. RUDE.)

V. aussi CRIARD, REVÊCHE et VIF.

aigrefin. V. ESCROC.

aigrette. V. TOUFFE.

aigrir. V. IRRITER.

aigu. V. CRIARD et POINTU.

aiguille. V. SOMMET.

aiguillonner. V. ENCOURAGER.

aiguisé. V. TRANCHANT.

aiguiser. V. AFFILER.

ailleurs (d') sert à marquer l'addition d'une autre raison, de quelque chose d'une espèce différente, et emporte une idée de diversité : *Ces raisonnements, fort justes d'ailleurs, ne nous touchent guère.* **De plus** n'a rapport qu'au nombre et sert uniquement à ajouter des raisons, des détails : *Voler quelqu'un, et de plus, le maltraiter.* **En outre** ou **outre cela** indique une raison qui augmente la force de celles qui suffisaient déjà à elles seules, et emporte une idée d'abondance : *Etre payé, et en outre* (ou *outre cela*), *logé et nourri.* **Au reste** annonce quelque chose qui fait suite à ce qui précède et qui est du même genre : *Cette action est sage; au reste, elle est juste.* **Du reste** se dit plutôt quand ce qui suit n'est pas du même genre que ce qui précède, et qu'il n'y a pas une relation essentielle : *Il est adroit, habile, ingénieux; du reste sans scrupules.* **Au demeurant** implique une circonstance caractéristique qui rend inutile toute autre détermination : *Au demeurant, c'est un excellent garçon.* **Au surplus** ajoute quelque chose à ce que l'on apprécie ou à ce que l'on compte : *Etre courageux, et, au surplus, honnête.* **Et puis,** qui signifie proprem. *après cela,* s'emploie parfois aussi, par ext., dans le sens de *d'ailleurs* ou d'*en outre.* **D'autre part** indique quelque chose de distinct que l'on ajoute et qui est généralement dans un autre lieu ou un autre temps. **Par ailleurs,** condamné par les puristes comme syn. de *d'autre part,* devient cependant d'un usage de plus en plus courant.

aimable se dit de ce qui plaît par son abord, son langage, ses manières : *Commerçant, femme aimable.* **Agréable** se dit de ce qui plaît au goût et à l'intelligence : *Caractère agréable.* **Avenant** emporte l'idée de bonne grâce naturelle : *L'homme avenant plaît par l'amabilité des manières, par un abord agréable.* **Amène** se dit aussi parfois de ce qui est aimable, agréable, au sens moral : *Caractère, paroles amènes.* **Gentil** s'emploie souvent familièrement en parlant de ce qui est aimable et, par ce fait, agréable : *Une personne gentille n'hésite pas à rendre service.* **Joli** s'est employé autref. (XVIIe s.) comme syn. d'*agréable,* de *gentil,* sans allusion évidemment à l'agrément de la physionomie : *Une conversation jolie et spirituelle.* **Plaisant** se dit de ce qui plaît par son caractère enjoué : *Convive plaisant.* **Riant** se dit de ce qui annonce la joie, la gaieté : *Visage riant.* **Gracieux** caractérise plutôt ce qui flatte l'œil, ce qui est plein de « grâces » et d'agréments : *Gracieuse jeune fille.* **Affable** fait penser à l'amabilité de l'accueil : *Etre affable avec les enfants.* **Accort,** syn. d'*aimable,* de *gracieux,* ne s'emploie guère qu'au féminin : *Une femme douce et accorte; Soubrette accorte.* (V. COMPLAISANT et POLI.)

aimant se dit de celui qui, spontanément, parce que cela est dans sa nature, est porté à aimer : *Une personne aimante.* **Affectueux** se dit de celui qui témoigne visiblement d'un sentiment d'attachement : *Enfant affectueux.* **Tendre** se dit de celui qui va au-devant de l'affection, qui cherche même à la faire naître, parce qu'il ne saurait vivre sans : *Une tendre femme.* **Caressant** désigne celui qui témoigne son affection, sa tendresse, en gestes, c'est-à-dire en touchant, en flattant doucement avec les mains, les lèvres, ou bien en paroles. **Câlin,** syn. de *caressant,* se dit surtout des enfants. (V. FLATTER.)

aimer exprime tous les sentiments, les plus forts et les plus vifs comme les plus doux et les plus faibles, par lesquels on s'attache à un objet quelconque; il suppose beaucoup de diversité dans la manière : *Nous aimons généralement ce qui nous plaît, soit les personnes, soit les choses.* (Il s'applique même aux choses désagréables : *Aimer les querelles, les procès.*) **Chérir** emporte à la fois l'idée de prédilection et celle de tendresse; de ce fait, il s'applique surtout aux personnes ou aux choses inhérentes aux personnes mêmes: *Chérir sa mère; Chérir une opinion.* (*On aime les fleurs, on ne les chérit pas. La violette aime l'ombre, mais elle ne la chérit pas.*) **Affectionner** exprime un sentiment plus modéré que *chérir* et même qu'*aimer;* il implique seulement l'attachement ou l'intérêt que l'habitude nous fait prendre pour certaines personnes ou certaines choses: *On n'affectionne que ses égaux ou ses inférieurs.* **S'éprendre, être épris,** c'est aimer avec violence, et souvent d'une façon déraisonnable, une personne ou une chose : *Pygmalion s'éprit de la statue de Galatée.* **Etre féru d'amour** qui est du langage recherché ou littér. est une tournure synonyme d'*être épris.* **Adorer,** c'est aimer avec passion ce qui nous est cher entre tout, ce que l'on admire : *Adorer ses parents.* **Idolâtrer,** c'est aimer éperdument, avec excès : *Idolâtrer ses enfants.* **Gober,** syn. d'*aimer,* est pop., ainsi qu'**avoir le béguin** ou **en pincer pour** qui ne s'appliquent qu'aux personnes. (V. S'AMOURACHER.)

V. aussi GOÛTER.

aimer mieux. V. PRÉFÉRER.

ainsi ne renferme qu'un rapport de prémisses et de conséquences; c'est une expression faible et vague qui implique une simple conclusion plutôt qu'une solution : *Il fait beau; ainsi nous pourrons sortir.* **Donc** renchérit sur *ainsi;* il marque la conclusion d'un raisonnement : *Je pense, donc je suis, a dit Descartes.* (En alliant ces deux termes, dont le second ajoute une idée au premier, pour former la loc. conj. **ainsi donc,** on a créé une expression qui a pour caractère de conclure avec force et de résoudre : *Ainsi donc il nous fallut déchanter.*) **Par conséquent** sert à énoncer une « conséquence », une suite naturelle et nécessaire; il signifie « il suit de là » : *Le soleil est levé, par conséquent il fait jour.* **Partant,** qui signifie « par tout cela », est vieilli : *Vous avez signé au contrat, et, partant, vous êtes obligé.* **C'est pourquoi** renferme un rapport de cause et d'effet; il signifie « pour ce fait » : *Il n'a pas reçu votre lettre; c'est pourquoi il n'y a pas répondu.* **Aussi** exprime un rapport de comparaison entre le fait et sa conséquence naturelle : *Cette femme est belle, aussi est-elle admirée.*

ainsi que marque une comparaison, en général assez vague, entre des choses qui arrivent ou se font : *L'homme, ainsi que la vigne, a besoin de support.* **De même que** sert à comparer des faits ou des actions qui ont lieu de la même manière : *Il fondit sur lui, de même que l'épervier sur sa proie.* **Comme** annonce une comparaison qui tombe sur la qualité d'une personne ou d'une chose : *Etre hardi comme un lion.*

air se dit de la manière d'être extérieure d'une personne et concerne aussi bien le visage que la taille, le maintien ou l'action : *Avoir l'air malade.* **Mine** dépend presque toujours du visage, quelquefois du maintien : *Avoir une mine joyeuse; Un cavalier de belle mine.* **Visage** se dit de l'expression des traits de la face qui se révèle au premier coup d'œil, et qui peut être passagère : *Faire bon visage à quelqu'un.* **Physionomie** s'entend de l'expression particulière et permanente du visage qui résulte de l'ensemble des traits : *Physionomie ouverte, sournoise.* (V. ALLURE, ATTITUDE et MAINTIEN.)

V. aussi ATMOSPHÈRE et CHANT.

air (avoir l'). V. SEMBLER.

airain. V. BRONZE.

aire. V. NID et SURFACE.

aisance, comme **aise,** signifie « absence de gêne », le premier étant passif et exprimant un état, le second actif et exprimant la facilité à faire une chose : *On est à l'aise partout où l'on se trouve lorsqu'on a de l'aisance dans ses manières.*

V. aussi AISE, RICHESSE et SIMPLICITÉ.

aise indique un état passager de fortune suffisant pour se procurer les commodités de la vie, et **aisance** le même état, mais lorsqu'il est permanent : *Ce qui suffit pour mettre quelqu'un à l'aise ne suffirait pas pour le mettre dans l'aisance.*

V. aussi CONTENT et EUPHORIE.

Aises se rapporte à l'état de celui qui jouit d'un bien-être agréable : *Les aises de la vie sont toutes les choses sans lesquelles l'existence serait insipide ou sans charmes.* **Commodités** est plutôt relatif à l'utile, à ce qui est pratique, qu'à l'agréable : *Les commodités sont les biens, les avantages dont le défaut rend pauvre.* **Confort,** dont le sens initial est celui de « secours, assistance » (*Vain et triste confort, soulagement léger, a écrit Corneille*), après nous avoir été emprunté par les Anglais, nous est revenu avec le sens affaibli de « ensemble des moyens qui procurent le bien-être matériel » : *N'aimer ni le luxe ni les plaisirs du monde, mais tenir au confort.*

aise (à l'). V. AISÉMENT.

aisé se rapporte à l'état des choses en elles-mêmes, lorsque celles-ci n'offrent dans leur nature aucune opposition, aucun obstacle sérieux : *Une lettre aisée à lire parce que bien écrite.* **Facile** se rapporte plutôt à la position de ce qui n'oppose pas ou peu d'obstacles : *L'entrée d'un port est facile lorsqu'elle n'offre aucun obstacle à la navigation.* (Pour le style, AISÉ indique le naturel, cependant que FACILE marque plutôt le relâchement.) **Pratique** convient bien en parlant de ce qui est conseillé par l'expérience comme plus efficace, plus rapide : *Avec des instruments pratiques, on est presque toujours assuré d'atteindre le résultat recherché.* **Commode** se dit de ce qui étant aisé est à la fois utile et pratique : *Habit commode; Accès commode.*

V. aussi RICHE.

aisément indique l'absence de peine et concerne l'action : *On fait quelque chose aisément.* **A l'aise** se dit de l'état : *On se repose à l'aise dans un fauteuil.* **Facilement** exclut la peine qui naît de l'état même de la chose : *Ecrire facilement.* **Commodément** indique l'absence de peine, de contrainte dans l'exécution d'une chose pratique, utile : *Il faut faire commodément ce qu'on veut faire tous les jours, a dit Mme Geoffrin.* (Ce terme implique parfois aussi une idée d'opportunité : *Se retirer à l'écart pour pouvoir parler plus commodément.*) **Couramment** indique une rapidité provenant de la facilité : *Lire couramment une langue étrangère.*

ajointer. V. JOINDRE.

ajourner. V. RETARDER.

ajouter, c'est mettre en plus : *Ajouter des condiments à une sauce.* **Additionner,** outre son sens de faire la somme, a celui d'*ajouter,* et implique alors l'idée de mélange : *Additionner de sucre un sirop.* **Allonger** emporte l'idée d'augmentation de quantité, souvent en affaiblissant la qualité : *Allonger une sauce avec de l'eau.* **Etendre,** c'est ajouter en atténuant : *Acide étendu d'eau.* (V. JOINDRE.)

V. aussi AUGMENTER.

ajustage. V. ASSEMBLAGE.

ajustement. V. PARURE.

ajuster. V. ADAPTER, RÉUNIR et VISER.

alacrité. V. GAIETÉ.

alanguissement. V. DÉPRESSION.

alarme (de l'ital. *all'arme,* aux armes) renferme l'idée, par son étymologie même, de se mettre en garde contre une surprise, un danger : *Donner l'alarme.* **Alerte** (de l'ital. *all'erta,* sur la hauteur, sur un lieu élevé, d'où l'on peut observer) implique seulement, par son étymologie aussi, l'idée de faire attention, de se garer, parce qu'on est sous le coup d'un danger imminent; normalement l'*alerte* est moins grave que l'*alarme* et peut précéder celle-ci : *Cri d'alerte; Fausse alerte.*

V. aussi CRAINTE.

alarmé implique la crainte d'un danger : *Etre alarmé par le bruit du canon.* **Effrayé** emporte l'idée plus forte d' « effroi », c'est-à-dire de crainte mêlée de peur : *Enfant effrayé par un* *chien.* **Apeuré** et surtout **épeuré,** syn. d'*effrayé,* sont moins usités. **Affolé** et plus encore **épouvanté** enchérissent à leur tour sur *effrayé,* puisque, avec l'idée de crainte et de peur, ils témoignent aussi d'un désordre et d'un bouleversement de l'esprit, qui bien souvent tend à faire éviter le danger par la fuite : *Populations fuyant affolées à l'approche de l'ennemi.* **Terrorisé** (du lat. *terrere,* faire trembler) est, de tous ces termes, celui qui implique la plus grande crainte, un effroi extraordinaire causé par la présence ou par l'annonce d'un objet redoutable : *Une région terrorisée par de fréquents attentats.* **Terrifié,** syn. de *terrorisé,* s'applique surtout aux personnes : *Vieillard terrifié par l'approche de la mort.* (V. EFFRAYER et TOURMENTER.)

alarmiste. V. PESSIMISTE.

alcoolique. V. IVROGNE.

aléatoire. V. DOUTEUX.

alentour. V. AUTOUR.

alentours. V. ENVIRONS.

alerte. V. AGILE et ALARME.

alevin. V. FRETIN.

algarade. V. INCARTADE.

algue est un terme de botanique qui désigne une classe de plantes cryptogames, vivant au fond ou à la surface des eaux douces ou salées. **Varech** est le nom vulg. des algues en lanières (fucus, laminaires, etc.) qui croissent sur les roches d'un rivage marin. **Goémon** est le nom générique donné aux herbes marines de toutes sortes, que la mer rejette sur le rivage.

aliéné. V. FOU.

aliéner. V. VENDRE.

aligner. V. RANGER.

aliment se dit de toute substance introduite dans l'appareil digestif pour réparer les pertes des corps organisés, en favoriser le développement, y entretenir la vie; en résumé, c'est la chose qu'on mange : *Le pain est le premier des aliments.* **Nourriture** désigne l'action générale dont l'aliment est ou fournit la matière particulière; c'est l'ensemble des aliments : *Une nourriture saine.* (On dit aussi parfois, dans ce sens, *alimentation.*) **Subsistance** est plus général; il se dit de tout ce qui est nécessaire aux besoins de la vie : *Pourvoir à la subsistance de sa famille.* **Pâture,** qui se dit proprem. de la nourriture des animaux en général, s'emploie aussi parfois, très familièrement et avec une nuance péj. ou iron., en parlant de la nourriture de l'homme. **Pitance,** vieilli dans son sens propre de portion de pain, de vin, de viande, etc., qu'on donne à chaque repas dans les communautés, se dit auj., par ext., familièrem. et avec une nuance de plaisanterie, de ce qu'il faut pour la subsistance d'une personne. **Avoine, bectance, boustifaille, mangeaille,** sont argot. (V. CUISINE, METS et PROVISIONS.)

alimenter. V. NOURRIR.

aliter (s'). V. COUCHER (SE).

alizé. V. VENT.

allant. V. ENTRAIN.

alléchant. V. APPÉTISSANT.

allécher. V. TENTER.

allée. V. CHEMIN.

allégation. V. AFFIRMATION.

alléger, c'est rendre plus « léger », diminuer le poids excessif d'un fardeau, d'une souffrance en quantité pour ainsi dire déterminée et avec un effet localisé: *Alléger la charge d'une voiture; Alléger le chagrin d'autrui.* **Délester,** initialem. terme de marine signifiant ôter le lest, est un syn. familier d'*alléger : Délester quelqu'un de son fardeau.* **Décharger,** c'est ôter, enlever la charge, le fardeau, au propre comme au figuré, où il est dominé par l'idée de soulagement : *Décharger un bateau; Décharger son cœur.*

V. aussi SOULAGER.

allégir. V. AMINCIR.

allégorie, manière de parler figurée qui sous un sens propre en suggère un autre assez clairement : *La comparaison de la république avec un vaisseau battu par les vents, que fait Horace dans une de ses* « *Odes* » (I, XIV), *est une allégorie.* **Allusion,** façon de parler qui fait penser à une personne ou à une chose sans les nommer expressément : *L'allusion de Charlemagne était nette lorsque, scellant un traité avec le pommeau de son épée, il disait :* « *Je le ferai tenir par la pointe.* **Métaphore,** figure de rhétorique qui consiste à transporter un mot de l'objet qu'il désigne d'ordinaire à un autre auquel il convient par une comparaison sous-entendue; continuée, la métaphore devient l'*allégorie : C'est par métaphore qu'on appelle un homme courageux un lion.* **Image,** terme de littérature désignant une métaphore rendant une idée plus sensible en prêtant à l'objet dont on parle des formes, des apparences empruntées à d'autres objets : *C'est dans la poésie surtout que la pensée se revêt d'images qui lui donnent leur forme, leur couleur et leur relief.* (On dit aussi **figure** dans le sens de *métaphore* ou d'*image.*) [V. FABLE.]

allègre. V. AGILE.

allégresse. V. JOIE.

alléguer. V. CITER et PRÉTEXTER.

aller, c'est se mouvoir d'un lieu vers un autre : *Aller à pied, aller à la campagne.* (Dans ce sens, il est opposé à « venir » et marque un mouvement pour s'éloigner du lieu où l'on est, ou du lieu où l'on se transporte par la pensée : *Je ne fais qu'aller et venir.*) **Se rendre,** c'est se transporter en quelque endroit, aller à ou aller chez : *Se rendre chez ses parents.* **Se diriger,** c'est aller dans une direction : *Se diriger vers la ville.* **S'acheminer,** c'est se rendre, se diriger vers un lieu, généralement par degrés.

V. aussi ADAPTER (S') et MARCHER.

S'en aller. V. PARTIR.

alliage. V. MÉLANGE.

alliance. V. ANNEAU, CONVENTION, MARIAGE et UNION.

allié se dit de celui qui est joint à un autre par affinité, ou — en parlant des Etats et de leurs chefs — de celui qu'un traité d'alliance unit à un autre : *Cet homme est mon allié; Le moyen d'avoir des alliés, c'est de vaincre.* **Confédéré** implique plusieurs alliés (Etats, villes ou chefs d'Etat) unis dans une « confédération » par un pacte commun pour toutes les mesures d'intérêt général, mais qui conservent chacun leur indépendance propre pour tout ce qui regarde leur gouvernement intérieur : *Trahir ses confédérés.* **Fédéré** se dit de celui qui participe à une « fédération », c'est-à-dire à une alliance, à une union politique de plusieurs Etats particuliers en un Etat collectif. **Partenaire,** qui se dit au jeu de l'associé avec lequel on joue, et, d'autre part, de la personne qui figure avec une autre dans un bal, désigne aujourd'hui aussi, et par ext., un allié politique : *Les partenaires de l'Axe.*

allier. V. UNIR.

allitération. V. RÉPÉTITION.

allocation. V. SUBSIDE.

allocution. V. DISCOURS.

allonger, c'est augmenter la longueur d'un objet quelles que soient ses dimensions : *Allonger une robe.* **Prolonger** ne peut s'employer qu'en parlant de choses qui ont déjà une certaine longueur, et se dit plutôt de l'étendue que des objets : *Prolonger une avenue, une ligne.* **Rallonger,** c'est mettre une chose à la suite d'une autre pour augmenter la longueur de la première : *On rallonge une table en y mettant une allonge.*

V. aussi ÉTENDRE et PROLONGER.

S'allonger. V. COUCHER (SE).

allouer. V. ATTRIBUER.

allure se dit de la manière de porter son corps en marchant, de la manière d' « aller » : *L'allure est constante, elle vient de la nature ou de l'habitude.* **Démarche** est d'un style plus relevé qu'*allure;* de plus il s'emploie soit en parlant de la manière habituelle, soit en parlant de la manière accidentelle de marcher : *Une démarche assurée, fière, noble.* (A noter qu'*allure* se dit de l'homme et des animaux; *démarche,* de l'homme seulement.) **Marche** se dit de l'action dont *allure* et *démarche* dépeignent la manière : *Ralentir, précipiter sa marche.* **Pas** se dit du mouvement des jambes qui engendre la marche; il est normalement lent : *Aller au pas;* mais il peut être aussi rapide : *Aller bon pas; Un pas de course.* **Train** emporte une idée de vitesse : *Cyclistes qui roulent grand train.* **Dégaine,** qui est familier, se dit de la manière ridicule et maladroite de se présenter, de marcher, de l'ensemble disgracieux des mouvements du corps : *Voilà un homme d'une pauvre dégaine.* (V. AIR, ATTITUDE et MAINTIEN.)

allusion. V. ALLÉGORIE.

alluvion se dit de la formation successive et imperceptible d'un dépôt argileux ou sableux, formant une terre nouvelle, que les eaux laissent sur le rivage en se retirant : *Les alluvions de la Basse-Egypte, des Pays-Bas, des vallées du Pô et de l'Arno, etc.* **Atterrissement** est un syn. archaïque d'*alluvion;* il désigne aussi parfois la formation d'une terre nouvelle produite par des causes souvent rapides et violentes, telles qu'un tremblement de terre, le déchaînement des vents ou de la mer, de grandes crues, etc. : *Les terrains d'atterrissement se produisent surtout sur les côtes de la mer où ils constituent les deltas, les cordons littoraux et les barres.* **Lais** et **laisse** se disent des alluvions que forment la mer, les fleuves et les rivières, aux propriétés riveraines: *Les lais appartiennent aux propriétaires riverains, à charge de la servitude de chemin de halage.*

almanach. V. CALENDRIER.

alouette, désigne un petit oiseau de l'ordre des passereaux, de couleur grisâtre, qui fait son nid dans les plaines et anime les campagnes. **Mauviette** est le nom commercial de l'alouette commune engraissée et considérée du point de vue culinaire.

alpage. V. PÂTURAGE.

alphabet (dérivé de *alpha* et *bêta,* noms des deux premières lettres de l'alphabet grec) est un terme ancien et savant qui désigne la réunion des signes d'écriture de n'importe quelle langue, que celle-ci soit ancienne ou moderne : *L'alphabet grec, latin, espagnol, russe, allemand,* etc. **Abécédaire,** comme **abécédé,** se dit du livre dans lequel on apprend l'alphabet et les premiers éléments de la lecture : *Il faut donner un abécédaire* (ou *un abécédé*) *à cet enfant.* (*Alphabet,* quoique étymologiquement ancien et savant, ainsi que nous l'avons vu, est cependant plus usité aujourd'hui qu'*abécédaire.*) **A b c** est une expression moderne composée des trois premières lettres de l'alphabet français, qui ne peut guère s'employer qu'en parlant de notre langue : *Enfant qui apprend son abc.* **Croix de par Dieu** est un syn. vieilli d'*alphabet;* il se disait autrefois de celui-ci à cause de la croix dont on faisait alors précéder son titre: *Savoir sa croix de par Dieu.* (Ce terme est encore employé dans certaines régions.)

altération. V. CHANGEMENT, FALSIFICATION et SOIF.

altercation. V. DISPUTE.

altérer, c'est rendre autre, ordinairement en mal; ce terme emporte toujours avec lui une idée de détérioration au propre comme au figuré : *Le soleil altère les couleurs.* (A noter que lorsque l'altération est due à l'action d'une personne, elle n'est pas forcément volontaire : *Une dactylographe peut altérer une copie par erreur, par suite d'une faute d'attention.*) **Abâtardir** emporte une idée de dégénérescence définitive : *Une longue servitude abâtardit le courage.* **Adultérer** est un terme employé surtout en pharmacie; il implique alors l'altération d'une substance active par le mélange d'une ou plusieurs substances moins actives et moins chères : *Adultérer un médicament.* (Il se dit aussi en parlant des monnaies, lorsqu'on altère celles-ci en y introduisant plus d'alliage que la loi ne le permet.) **Dénaturer,** c'est changer la « nature » d'une chose originairement bonne, lui faire perdre ses caractères essentiels, et cela à un point tel qu'on la rend en général méconnaissable ou impropre à certains usages : *Dénaturer un objet volé; Dénaturer du vin en le changeant en vinaigre.* **Vicier,** c'est altérer en rendant mauvais, nocif : *Air vicié.* (V. AVARIER, DÉTÉRIORER, FALSIFIER et POURRIR.)

V. aussi ASSOIFFER.

alternativement implique une action continue qui permet à deux choses de se faire successivement : *Pleurer et rire alternativement.* **Tour à tour** exprime un état qui fait que plusieurs choses se recommencent à diverses reprises : *Essayer tour à tour la violence et la douceur.* **L'un après l'autre** n'entraînent pas forcément plusieurs répétitions : *On peut ne faire qu'une fois plusieurs choses l'une après l'autre.* **Successivement** implique une énumération, mais n'emporte pas l'idée de répétition : *Nous avons successivement mangé, bu et dormi.*

altier. V. FIER.

altitude. V. HAUTEUR.

altruisme. V. CHARITÉ.

amabilité. V. AFFABILITÉ.

amadouer. V. FLATTER.

amaigrir. V. AMINCIR.

amaigrissement se dit de la diminution graduelle du volume général du corps due à la résorption de la graisse et à l'affaissement consécutif des tissus: *L'amaigrissement est toujours un fâcheux présage chez les vieillards.* **Maigreur** se dit de l'effet stationnaire de l'amaigrissement, à moins qu'il n'indique l'état naturel de l'homme, des animaux dont le corps a peu de graisse : *La maigreur n'exclut pas forcément la santé.* **Emaciation** est un terme savant qui désigne une maigreur extrême, laquelle est accompagnée d'une notable diminution de force : *Certaines maladies produisent une émaciation caractéristique.* **Dépérissement** se dit d'un amaigrissement lent et continu du corps qui épuise les forces vitales : *Le dépérissement, dans le cours d'une maladie chronique, fait craindre une issue funeste.* **Atrophie** concerne seulement le dépérissement d'une partie du corps ou d'un organe qui, ne fonctionnant pas, cesse d'être alimenté par la circulation sanguine : *L'atrophie est le plus souvent congénitale.* **Desséchement** se dit de l'état pathologique d'un ou plusieurs organes considérablement amaigris, le plus souvent parce qu'ils se déshydratent : *On a vu le foie, les poumons, dans l'état de desséchement, se casser comme des substances calcinées, si nous en croyons Fournier.* **Consomption,** amaigrissement et perte des forces progressifs, qu'on observe dans les maladies prolongées, et qui précède en général la mort : *La tuberculose pulmonaire amène rapidement la consomption.* **Marasme,** syn. de *consomption,* est du lang. médical. **Asarcie** (du gr. *a,* priv., et *sarx,* chair) est un terme de pathologie qui désigne une grande maigreur. **Etisie,** peu usité, se dit d'un amaigrissement extrême et lent qui survient dans les maladies chroniques des organes de la respiration et de la nutrition : *Tomber en étisie.* **Cachexie** est le nom donné à un état morbide caractérisé par un dépérissement général : *La cachexie constitue la phase terminale de certaines maladies chroniques.*

amalgame. V. MÉLANGE.

amant, qui se dit surtout auj. de celui qui a les faveurs d'une femme avec laquelle il n'est pas marié, s'appliquait simplement autrefois à celui qui manifestait son amour pour une femme. **Amoureux** désigne celui qui éprouve une passion véritable, mais qui est quelquefois trop timide pour l'exprimer ouvertement : *Il suffit d'aimer pour être amoureux, mais il faut témoigner son amour pour être amant.* **Galant** se rapproche plus d'*amant* que d'*amoureux;* bien que vieilli, il se dit encore quelquefois de l'homme qui courtise une femme et s'en fait écouter : *Ecrire à son galant.* **Ami** s'emploie parfois, aujourd'hui, et par euphémisme, au sens d'*amant.* **Bien-aimé,** syn. d'*amant,* est plutôt du lang. littéraire. **Berger** est syn. d'*amant* dans les œuvres pastorales. **Soupirant,** syn. d'*amoureux* est fam. et souvent ironique. **Tourtereau** se dit familièrement au fig. d'un amant ou d'un mari jeune et affectueux; au pl. il s'applique à de jeunes amoureux qui s'aiment tendrement. **Céladon** désigne ironiquement un amoureux délicat et passionné, tel le berger de ce nom dans « l'Astrée ». **Greluchon** désigne l'amant de cœur d'une femme entretenue. **Gigolo** est un syn. pop. de *greluchon,* alors que **copain** l'est d'*amant* avec une forte nuance de vulgarité. **Béguin** désigne populairement une personne qui est l'objet d'une passion amoureuse passagère.

Amante est un terme noble qui s'emploie pour désigner une femme qui aime et est aimée. **Amoureuse** et **amie,** v. art. précéd. **Maîtresse,** plus commun, se dit de l'amante comme de la femme qui est aimée, sans pour cela aimer elle-même. **Concubine** désigne celle qui, n'étant pas mariée avec un homme, vit avec lui comme si elle était sa femme; c'est plutôt un terme de jurisprud. ou de morale chrétienne. **Favorite** est très partic.; il ne se dit que de la maîtresse d'un souverain. **Dulcinée** s'emploie parfois plaisamment comme syn. d'*amante* et de *maîtresse;* c'est la dame des pensées de quelqu'un. **Connaissance** est pop.; **copine, gosse** et **môme** sont très pop. et vulg.; **poule** est un terme d'argot.

amarrer. V. ATTACHER.

amas emporte l'idée d'accumulation, de formation successive : *Amas de neige, de sable, de pierres.* **Bloc** se dit d'un amas de différentes choses, principalement de différentes marchandises, qui sont considérées toutes ensemble : *Faites un bloc de toutes ces marchandises.* **Ramas,** dans ce sens, se dit d'un amas fait un peu au hasard de choses qui n'ont pas une grande valeur : *Un ramas de vieux livres, de sottises.* **Ramassis** enchérit sur *ramas;* tout y est mauvais, parce que, même s'il y a eu choix, il n'y a eu aucun discernement dans celui-ci : *Un ramassis de ferraille, de vieux papiers.* **Fatras** est aussi péj.; il se dit d'un amas confus de plusieurs choses et emporte toujours une idée de grand désordre, de fouillis : *Un fatras de paperasses.* **Masse** suppose un amas de plusieurs parties, ou de choses diverses, qui font corps ensemble : *Construction qui n'est qu'une grosse masse de pierres.* **Tas** est le plus souvent un amas fait exprès et, de ce fait, rangé avec une certaine symétrie; il est en général peu considérable et composé de choses dont chacune présente une existence à part : *Les cailloux sont amassés en tas le long des routes; Un tas de paquets.* **Monceau** est un mot plus littéraire que *tas;* par ailleurs il exclut toute espèce d'arrangement et implique l'idée d'un amas assez considérable où l'individu disparaît : *Un monceau de cendres, de ruines.* **Amoncellement** se dit de l'action d' « amonceler » comme de son résultat, et suppose en général un tas ou un monceau d'un assez gros volume : *L'amoncellement des neiges.* **Pile** se dit d'un tas symétrique, cylindrique ou prismatique, qui est beaucoup plus haut que large; il exclut, à l'inverse des termes précédents, l'idée de confusion : *Une pile de fagots, d'assiettes.*

amasser indique simplement l'idée d' « amas », c'est-à-dire d'accumulation : *On amasse de l'argent quand on en acquiert successivement.* **Ramasser** marque le soin qu'on a pris, la peine qu'on a eue pour rassembler des choses éparses ou diverses : *On ramasse de tout côté de l'argent, dans un besoin pressant, et pour une affaire qui en exige.* **Thésauriser** est généralement péjoratif; c'est amasser de l'argent pour le conserver : *L'avare thésaurise pour ses héritiers.*

V. aussi ENTASSER.

amateur se dit de celui qui a un goût marqué, une prédilection particulière pour une chose, qu'elle le mérite ou non; il emporte une idée d'enthousiasme. **Connaisseur** implique une parfaite « connaissance » de ce que l'on goûte et aussi un discernement exquis et délicat que n'exprime pas forcément *amateur.* **Curieux** se dit d'un amateur de nouveautés, de celui qui est surtout attiré par l'originalité ou la rareté d'une chose. **Dilettante** est un mot italien qui signifie *amateur,* et qui a été adopté en France pour désigner un amateur passionné de musique, et, par ext., d'un art quelconque, ou des arts en général. — AMATEUR et DILETTANTE s'appliquent aussi couramment et assez péjorativement à celui qui manque de zèle, qui fait une chose seulement quand cela lui plaît.

amativité. V. AFFECTION.

ambassadeur. V. ENVOYÉ.

ambiance. V. MILIEU.

ambigu s'applique aux pensées et aux discours aussi bien qu'aux actions et aux démarches, lorsque ceux-ci ne sont pas clairs et nous laissent dans le doute, cela parce qu'ils présentent différents sens susceptibles de plusieurs interprétations : *Les oracles étaient souvent rédigés en termes ambigus.* **Equivoque** se prend le plus souvent en mauv. part; il implique même parfois une idée de tromperie volontaire : *Ce qui est équivoque suggère une idée ou une interprétation autre que celle qui résulte naturellement de la phrase ou de la situation.* **Louche** est du langage commun; il se dit de ce qui n'est pas juste ou conforme au vrai : *Ce qui est louche montre une singularité ou une déviation de la normale qui suggère une erreur ou un piège.* **Amphibologique** est savant et relatif au sens grammatical; il se dit soit d'une construction vicieuse, soit de l'homonymie des mots, soit enfin du double sens que présentent quelques-uns d'entre eux : « *Je porte des bonbons à mes enfants, qui sont dans* *la poche de mon veston», est une phrase amphibologique.* (V. DOUTEUX.)

ambition, désir excessif et immodéré de gloire, d'honneurs, de puissance, de fortune, etc. : *L'ambition dénature le cœur.* (Avec un modificatif, ce terme est quelquefois pris en bonne part : *Avoir la noble ambition de servir son pays.*) **Prétention** désigne le droit qu'on a ou qu'on croit avoir d'ambitionner quelque chose ; il implique l'idée de confiance en une capacité personnelle : *Prétention juste, excessive.* **Convoitise,** ambition qui porte à tâcher de saisir ce qui appartient à autrui : *Convoitise déréglée, effrénée.* **Appétit,** ambition qui fait rechercher avec avidité l'argent et les places : *L'ambition est un appétit désordonné des charges et des grandeurs.* **Cupidité,** désir ardent et immodéré, passionné même, qui porte à ambitionner la possession et la jouissance des plaisirs et des biens terrestres, particulièrement de l'argent : *Mettre des bornes à sa cupidité.* (V. ORGUEIL.)

ambitionner, c'est rechercher avec empressement quelque chose qui dépasse ce que l'on est en droit d'espérer : *Ambitionner d'être ministre ; Ambitionner la puissance.* **Aspirer à,** c'est rechercher avec ardeur, s'efforcer d'atteindre : *Aspirer aux honneurs, à la tranquillité.* **Prétendre,** c'est aspirer à quelque chose à laquelle on croit avoir droit : *Prétendre à la couronne ; Prétendre d'être obéi.* **Briguer** emporte l'idée d'intrigue : *Les courtisans briguent les faveurs du maître.* (V. BRÛLER DE et CONVOITER.)

ambulant. V. NOMADE.

âme se dit, en dehors de toute considération religieuse ou philosophique, de l'ensemble des facultés intellectuelles et surtout morales de l'homme : *Une âme élevée, droite, vile.* **Esprit** se dit plutôt de l'ensemble des facultés intellectuelles de l'homme : *Un esprit lucide, scientifique.*

Ame se dit aussi de l'âme considérée comme séparée du corps après la mort. **Esprit** désigne l'âme d'un mort en tant qu'il fut, vivant, un être pensant, raisonnable : *On peut parler de l'âme d'un nouveau-né, mais non pas de son esprit.* **Mânes,** nom que les anciens Romains donnaient aux âmes, aux esprits des morts, considérés comme des divinités, et plus spécialement aux esprits bienveillants et favorables, désigne aussi poétiquement, dans le langage actuel, l'âme, l'esprit des morts.

V. aussi MOTEUR.

améliorer, c'est rendre meilleur, surtout ce qui n'est pas très bon : *La culture améliore les plantes sauvages ; Régime qui améliore la santé.* **Bonifier,** c'est rendre « bon », et surtout rendre meilleur ce qui est déjà bon : *Bonifier des terres en les fumant, en les marnant ; Les années bonifient certains vins.* **Perfectionner** renchérit sur *bonifier ;* il comporte une idée d'excellence : *Perfectionner de jour en jour son travail.* (Il a souvent un sens moral : *Perfectionner l'esprit, les mœurs.*) **Rabonnir,** rendre meilleur, ne s'emploie — si nous en croyons le « Dictionnaire de l'Académie » — qu'en parlant de certaines choses qui, n'étant guère bonnes d'elles-mêmes, ou qui, ayant été gâtées, deviennent ensuite meilleures : *Les bonnes caves rabonnissent le vin.*

V. aussi CORRIGER.

aménager. V. ARRANGER.

amender. V. CORRIGER.

amène. V. AIMABLE.

amener, c'est faire venir avec soi au lieu où l'on doit se trouver au moment où l'action sera accomplie : *Je vous amène mon ami, il dînera avec nous.* **Ramener,** c'est amener une seconde fois au lieu où l'on est : *Il m'a amené aujourd'hui son fils, et il me le ramènera demain.* **Mener** emporte l'idée d'autorité, de direction : *On mène celui qui résiste au mouvement ou qui ne connaît pas même le but.* **Remener,** c'est mener une seconde fois au même lieu : *Remenez ce voyageur où vous l'avez pris.* **Emmener,** c'est mener en quelque lieu, que l'on ne nomme pas toujours, en éloignant d'un autre lieu : *Emmenez-moi d'ici ; Pourquoi les gendarmes emmènent-ils cet homme ?* (La différence entre AMENER et EMMENER consiste donc en ce que dans *amener* on considère le point d'arrivée, et dans *emmener* le point de départ.) **Remme-**

ner, c'est emmener une seconde fois où l'on avait pris : *Remmener un enfant chez ses parents.* **Conduire** est à peu près syn. de *mener;* il y ajoute toutefois une idée d'habileté, d'intelligence : *On conduit une voiture, un cheval; On mène des vaches aux champs.*

V. aussi OCCASIONNER.

S'amener. V. VENIR.

aménité. V. AFFABILITÉ.

amenuiser. V. AMINCIR.

amer. V. BILE.

amertume. V. PEINE.

ameuter. V. ATTROUPER et SOULEVER.

ami, personne avec qui l'on est lié d'une affection réciproque : *Qu'un ami véritable est une douce chose, a dit La Fontaine.* **Connaissance** se dit d'une personne que l'on voit habituellement, sans pour cela être lié véritablement d'amitié avec elle : *Ce n'est pas un ami, c'est simplement une connaissance.* **Relations** (qui, dans ce sens, s'emploie toujours au pluriel) désigne les personnes avec lesquelles on est lié, le plus souvent par des rapports d'affaires ou des rapports mondains, politiques, littéraires, etc. : *Se servir de ses relations pour obtenir un poste important.* **Camarade** dit moins qu'*ami;* il désigne un compagnon de chambre, d'études, de travail, qui, participant à notre vie, est dans notre intimité et nous connaît bien comme nous le connaissons bien, sans que nous soyons forcément liés pour cela d'affection avec lui : *Deux jeunes gens qui sont camarades de pension.* (Ce terme s'emploie principalement entre écoliers, soldats, ouvriers, comédiens.) **Copain** est un syn. populaire d'*ami* et de *camarade.* **Aminche, poteau** et **pote** sont des termes d'argot.

V. aussi AMANT.

Amie. V. AMANTE.

amiable (à l') implique une idée de conciliation qui fait que l'on arrange les affaires de gré à gré, sans intervention judiciaire ou armée. **Amiablement** emporte non seulement l'idée de conciliation, mais aussi celle de bienveillance, et dénote un fond de douceur dans la personne qui agit de la sorte.

amincir, c'est diminuer l'épaisseur d'une chose par aplatissement ou retranchement d'une partie : *Amincir des tôles au laminoir.* **Amenuiser** (de *à* et *menu*) s'emploie en parlant des corps peu volumineux qu'on veut rendre encore plus menus : *Amenuiser une cheville.* **Allégir,** c'est diminuer d'une façon quelconque le poids ou le volume d'objets importants : *Allégir une poutre en en creusant une partie.* **Amaigrir** est un syn. technique d'*amincir.*

amitié. V. AFFECTION et SERVICE.

amnistie se dit d'un acte du pouvoir législatif qui a pour but d'effacer un fait punissable, soit en empêchant ou en arrêtant les poursuites, soit en annulant les condamnations : *L'amnistie est toujours collective.* **Grâce,** remise de peine accordée par le chef de l'Etat après la condamnation prononcée, et qui laisse subsister la flétrissure morale du jugement dont elle arrête seulement les effets : *La grâce est spéciale et individuelle.*

amoindrir. V. DIMINUER et RÉDUIRE.

amollir, c'est rendre mou ce qui est dur : *La chaleur amollit la cire.* **Ramollir,** c'est rendre mou ce qui est trop ou très dur : *Le feu ramollit le fer.* **Attendrir,** c'est rendre plus « tendre », et, partant, moins dur, moins coriace; il ne se dit guère que des aliments : *Le vinaigre attendrit la viande.*

V. aussi AFFAIBLIR.

amonceler. V. ENTASSER.

amoncellement. V. AMAS.

amoral, qui est un terme relativement récent (fin du XIXe siècle), se dit de ce qui, n'ayant pas la notion de morale, reste complètement en dehors de celle-ci. **Immoral** implique la connaissance de la morale, mais pour en nier la valeur, indiquant ainsi quelque chose de déshonnête en soi : *L'homme amoral ignore la règle des mœurs; l'homme immoral la transgresse.* **Antimoral** s'applique aux systèmes, aux théories tendant à écarter la morale comme inutile : *Principes antimoraux.*

amorce. V. APPÂT.

amorcer. V. COMMENCER.

amorphe. V. MOU.

amortir. V. MODÉRER.

amour se dit du sentiment passionné qui porte un sexe vers l'autre, et que guide le cœur : *L'amour, si nous en croyons Corneille, est un tyran qui n'épargne personne.* **Galanterie** implique plutôt la recherche de bonnes fortunes que celle d'un véritable amour, et emporte l'idée de libertinage : *La galanterie, a dit Montesquieu, est un perpétuel mensonge de l'amour.* **Coquetterie** se dit de la disposition de qui cherche à inspirer de l'amour sans en ressentir soi-même, cela par vanité et dans le désir d'asservir : *Le plus grand miracle de l'amour, a dit La Rochefoucauld, est de guérir de la coquetterie.*

V. aussi AFFECTION.

amouracher (s'), c'est s'éprendre d'une passion soudaine et passagère pour une personne ou pour un objet qui ne semblait pas devoir attirer ou retenir cette passion : *S'amouracher de la première venue; S'amouracher des sciences occultes.* **S'enamourer** est un syn. plus noble, mais un peu vieilli, de *s'amouracher : S'enamourer d'une coquette.* **S'enticher,** c'est s'amouracher à l'excès : *S'enticher d'une comédienne, d'une opinion.* **Se coiffer, s'embéguiner** sont des syn. familiers peu usités de *s'amouracher.* **Se toquer** est plus familier encore. (V. AIMER.)

amourette. V. CAPRICE.

amoureuse. V. AMANTE.

amoureux. V. AMANT.

amour-propre. V. ORGUEIL.

amphibologie. V. AMBIGU.

amphigouri. V. GALIMATIAS.

amphigourique. V. OBSCUR.

amphitryon. V. HÔTE.

ample se dit de ce qui dépasse la mesure habituelle, mais sans excès : *Un vêtement ample n'est pas un vêtement trop large; Une ample récolte de documents.* **Spacieux** a rapport à l'espace considéré comme pouvant contenir à l'aise tout ce qu'on peut avoir besoin d'y mettre : *Appartement spacieux.* **Etendu** emporte une idée de mesure : *Une ville, une forêt très étendue.* **Large** se dit de ce qui n'est pas enfermé dans d'étroites limites; il peut se borner à une des trois dimensions : *Une large base.* **Grand** est très général; il se dit de tout ce qui passe les dimensions ordinaires, de tout ce qui a beaucoup de longueur, de largeur, de hauteur, de profondeur, de volume ou de capacité : *Une grande rivière; Une grande ville.* **Vaste** (du lat. *vastus,* dévasté, désert, vaste) surenchérit sur tous ces termes et emporte l'idée d'une grandeur souvent indéfinie : *La vaste mer; Vastes prairies.*

amplement. V. BEAUCOUP.

ampliatif, ampliation. V. COPIE.

amplifier. V. AUGMENTER.

ampoule désigne une petite tumeur constituée par une accumulation de sérosité, de sang ou de pus, entre le derme et l'épiderme soulevé. **Cloque,** qui se dit en général d'une bouffissure de la peau causée le plus souvent par une brûlure, est aussi, ainsi que **cloche,** un syn. populaire d'*ampoule.*

ampoulé se dit du style, lorsque celui-ci exprime des pensées communes avec de grands mots. **Boursouflé** se dit plutôt de la contexture des phrases, quand ces dernières sont redondantes, guindées et prétentieuses. **Emphatique** se dit principalement de l'abus que l'on fait des figures de rhétorique et du discours, ainsi que des efforts impuissants que l'on tente pour donner plus d'élévation à la pensée. (Il se dit aussi, mais pas *ampoulé* et *boursouflé,* du ton et du débit de l'orateur.) **Enflé** se dit du style qui veut aller au-delà du grand et tombe dans l'emphase. **Pompeux** emporte l'idée d'éclat et de faste; il se dit d'un style recherché et solennel. **Grandiloquent,** syn. de *pompeux,* ne se dit que du style oratoire, comme **déclamatoire,** qui convient en parlant de ce dont le fond est banal et la forme emphatique. **Sonore** et **ronflant** supposent plus d'éclat que de sens. **Pindarique** (du poète grec Pindare) est un syn. peu employé d'*ampoulé.* (V. AFFECTÉ.)

amputation, opération chirurgicale par laquelle on enlève, à l'aide d'instruments tranchants, un membre en tout ou en partie : *L'amputation est l'extrême ressource du chirurgien.* **Autotomie** (du gr. *autos,* soi-même, et *tomê,* action de couper), ou **auto-amputation,** désigne une amputation faite par soi-même : *L'autotomie est pratiquée par un chirurgien qui s'opère lui-même; L'autotomie a été constatée* *aussi bien chez les invertébrés que chez les vertébrés.* **Résection** se dit de l'intervention chirurgicale qui a pour but d'enlever, de retrancher une partie malade d'un organe, en conservant les parties saines : *La résection d'un nerf.* **Ablation** est un terme générique qui désigne l'opération chirurgicale par laquelle on retranche une partie malade, particulièrement un tissu anormal : *L'ablation d'une tumeur.* **Excision** (du lat. *excidere,* couper), ablation opérée à l'aide d'un instrument tranchant d'une partie peu volumineuse : *Faire l'excision d'une verrue, d'un polype.* **Abscission** (du lat. *abscissus,* coupé) désigne l'action de couper, de retrancher une partie du corps, et surtout une partie molle : *L'abscission d'une loupe.* **Rescision** ne s'applique absolument qu'à l'ablation d'une partie molle : *Rescision des amygdales.* **Mutilation** suppose le retranchement d'un membre ou de quelque autre partie extérieure du corps, qu'il soit dû ou non à une opération chirurgicale.

amputer. V. MUTILER.

amulette est un terme générique qui s'applique à tous les objets que l'on porte sur soi et auxquels on attribue superstitieusement la vertu de préserver de certains maux réels ou imaginaires, et même d'éloigner la mort de ses heureux possesseurs. **Talisman** se dit d'un objet marqué de signes cabalistiques — que l'on ne porte pas nécessairement, comme l'*amulette,* attaché à sa personne — et auquel on attribue une vertu plus étendue, puisqu'il permet non seulement de protéger, mais encore d'attaquer les autres. **Gri-gri** est le nom africain des amulettes, talismans, etc.; c'est aussi un syn. péj. ironique de ces termes. **Fétiche,** pris au sens propre, se dit de tout objet naturel ou artificiel dont les peuplades sauvages se servent pour des pratiques superstitieuses, et auquel elles décernent des hommages divins.

amusant est un terme très général; il se dit de tout ce qui est propre à récréer par des choses agréables qui, bien que le plus souvent légères et de peu d'importance, plaisent ou tout au moins chassent l'ennui. **Divertissant** dit plus; il suppose un plaisir plus vif, plus étendu que celui procuré par ce qui est seulement amusant. **Plaisant** ajoute à *divertissant* l'idée de rire. **Spirituel** se dit de ce qui est amusant parce que fait avec esprit et finesse. (V. COMIQUE.)

amusement. V. RÉCRÉATION.

amuser, c'est occuper l'esprit par des choses agréables ou simplement drôles. **Distraire,** c'est amuser dans l'intention de faire oublier les soucis de la vie quotidienne. **Récréer,** c'est amuser surtout avec l'intention de reposer, de délasser. **Dérider,** c'est distraire un court instant quelqu'un qui, jusqu'alors, avait l'air sévère ou soucieux. **Egayer,** c'est éveiller la « gaieté », la bonne humeur, amuser par son entrain. **Ebaudir,** syn. d'*amuser,* d'*égayer,* est familier; il a pour syn. archaïque, pris dans sa forme pronominale, **s'esbaudir,** souvent employé par ironie. **Divertir,** c'est amener une gaieté vive, provoquer le rire par un récit ou un spectacle. **Réjouir,** c'est donner de la joie, du plaisir, à l'occasion d'un événement heureux ou cru tel; il peut supposer une joie tranquille, douce. **Régaler,** proprem. offrir un plaisir de la table, s'emploie aussi, par anal., en parlant des choses qu'on fait pour divertir, réjouir quelqu'un; c'est donner un plaisir, un agrément comparable à un divertissement. (V. RIRE.)

V. aussi TROMPER.

amusette. V. BAGATELLE.

an exprime une durée indivisible, une simple unité de temps, abstraction faite des divisions qu'on a établies dans l'année; on l'emploie en général pour compter ou pour marquer une époque — et il admet rarement d'épithètes : *L'an 1237, la France fut désolée par la famine.* **Année,** qui reçoit presque toujours un qualificatif, s'emploie quand on considère la période annuelle relativement à ses divisions, aux événements qui se sont succédé dans cette période, aux résultats qui l'ont signalée : *L'année bissextile se compose de 366 jours; Nous avons eu une mauvaise année.* (A noter qu'on se sert quelquefois du mot *année* dans le même sens que le mot *an : L'année prochaine ou l'an prochain; Gagner cent mille francs par année (ou par an).* **Printemps** est syn. d'*an* dans le style poét. et seulement en parlant de l'âge des personnes jeunes : *Compter à peine quinze printemps.* **Pige,** terme d'argot, s'emploie uniquement aussi en parlant de l'âge des personnes jeunes ou vieilles : *Avoir cinquante piges.*

ana. V. ANTHOLOGIE.

anachorète. V. ERMITE.

anachronisme (du gr. *ana,* en arrière, et *khronos,* temps) se dit de toute faute contre la chronologie, contre la véritable époque d'un fait, d'un événement : *Rendre contemporains des auteurs de deux siècles différents, c'est commettre un grossier anachronisme.* (A noter que, d'après son étymologie même, ce mot ne devrait s'appliquer qu'à la faute qui consiste à placer un événement « avant » sa date.) **Prochronisme** (*pro,* avant) est un syn. à tort peu us. d'*anachronisme* pris dans son sens étymol. **Parachronisme** (*para,* après), très peu usité aussi, est l'opposé de *prochronisme,* en ce sens qu'il désigne une erreur de date qui consiste à placer un fait à une époque postérieure à celle où il a eu lieu réellement. **Métachronisme** est syn. de *parachronisme, méta* marquant simplement l'idée de changement, de déplacement; il est très peu employé lui aussi.

anagnoste. V. LECTEUR.

anagogie. V. EXÉGÈSE.

analecta. V. ANTHOLOGIE.

analogie (du gr. *analogia,* rapport) implique un grand rapport entre deux êtres ou deux choses qui offrent des traits communs; ce terme est le plus souvent relatif au raisonnement et a trait alors à certains rapports observés, dont on tire des inductions : *Il y a de l'analogie entre l'homme et l'animal, parce que tous deux ont le mouvement et la vie.* **Ressemblance** regarde l'extérieur ou la forme; il se dit aussi du caractère : *Une ressemblance peut être superficielle ou peu profonde.* **Similitude** se dit d'une ressemblance de contours, de cadres, qui a plutôt lieu entre des objets corporels ou physiques : *Une exacte similitude de conformation entre deux espèces d'animaux.* **Conformité** suppose une ressemblance intérieure existant entre des choses abstraites, intellectuelles ou morales : *Conformité de goûts, de sentiments.* **Affinité** est une analogie due tantôt à une ressemblance, tantôt à une parenté : *Le chat a de l'affinité avec le tigre;* il se dit aussi parfois, ainsi que **parenté,** pour *analogie,* en parlant des choses : *Il y a une affinité, une parenté, entre certaines sciences, certains arts.*
V. aussi RAPPORT.

analogue se dit d'une chose qui offre un rapport quelconque de similitude avec une autre : *Les phénomènes nerveux paraissent analogues aux phénomènes électriques.* **Analogique** s'emploie uniquement en parlant des opérations intellectuelles par lesquelles nous établissons une similitude, une « analogie » : *La métaphore doit être analogique.*
V. aussi SEMBLABLE.

analphabète. V. IGNORANT.

analyse. V. ABRÉGÉ.

analyser implique une désagrégation voulue, accomplie dans le but d'étudier séparément chacune des parties d'un tout et de tirer de cette étude des déductions rigoureuses et scientifiques : *Analyser l'eau d'une source; Analyser un état d'âme.* **Décomposer** dit moins qu'*analyser;* il n'implique que la séparation des parties d'un tout, quelle qu'en soit la cause : *Décomposer les rayons solaires; Décomposer une phrase, une idée.*
V. aussi RÉSUMER.

anarchiste, partisan d'un système politique d'après lequel la société pourrait se gouverner sans gouvernement établi, ou du moins sans gouvernement central. **Libertaire** s'oppose à « autoritaire »; il désigne celui qui est partisan de la liberté absolue, de l'abolition de toute loi, de tout gouvernement : *L'anarchiste est un homme d'action; le libertaire est surtout un idéaliste.*

anathématiser. V. CONDAMNER.

anathème (du grec *anathêma,* offrande votive, devenu péj. en grec chrétien au sens d'objet maudit, de malédiction) se dit le plus souvent d'une sentence qui rejette hors d'une société religieuse ceux contre lesquels elle est portée; c'est proprem. une malédiction qui voue à l'exécration des autres fidèles : *L'anathème est ordinairement porté contre les hérétiques qui combattent les dogmes ou l'autorité de l'Eglise.* **Excommunication** se dit du retranchement de la communauté des fidèles, d'une expulsion qui peut cesser avec la disparition de sa cause : *L'excommunication est moins grave que l'anathème; elle a pour but de corriger le coupable et n'est pas définitive, le pécheur repentant pouvant toujours être absous.* **Interdit** se dit de la sentence ecclésiastique qui « interdit » l'exercice du culte dans un lieu déterminé : *Lancer l'interdit contre un Etat, une ville, une personne.* **Aggrave** est vx; il se disait autrefois de l'anathème prononcé par l'official contre celui que l'excommunication n'avait pas amené à soumission : *L'aggrave privait l'excommunié de tout usage de la société religieuse.*

anatomie (du grec *anatemnein,* disséquer; ou encore de *ana,* à travers, et *tomê,* section) est savant; c'est un terme de théorie qui désigne la science qui a pour objet de connaître la structure des êtres organisés et les rapports des différents organes qui les constituent : *L'anatomie comprend non seulement l'art de séparer mécaniquement, d'isoler les différents tissus des hommes, des animaux ou des végétaux, en les disséquant, mais aussi l'étude des conditions organiques de la vie.* **Autopsie** (du grec *autos,* soi-même, et *opsis,* vue) désigne l'anatomie pathologique; il se dit de l'ouverture et de l'examen d'un cadavre pour se rendre compte de l'état des organes et des causes de la mort : *La loi ordonne l'autopsie dans certains cas de mort suspecte.* **Dissection** (du lat. *dissecare,* de *dis,* préf. séparat., et *secare,* couper) est un terme de pratique; il désigne l'opération manuelle qui consiste à ouvrir un corps organisé pour en étudier l'organisme : *Disséquer un corps, un bras, une tête, une fleur.* **Anthropotomie** (du grec *anthrôpos,* homme, et *tomê,* section) se dit seulement de la dissection humaine, et est peu usité. **Vivisection** (du lat. *vivus,* vivant, et *secare,* couper) désigne la dissection d'un animal vivant, dans le but d'études physiologiques, pathologiques et thérapeutiques : *La vivisection ne doit être pratiquée que dans un dessein rigoureusement scientifique, et seulement sur des animaux profondément anesthésiés.*

ancêtres. V. AÏEUX.

ancien se rapporte au temps et s'oppose à « moderne » et à « nouveau ». **Vieux** a rapport à l'âge et s'oppose à « jeune » : *On appelle vieux des hommes ou des objets qui existent encore, depuis longtemps d'ailleurs, et anciennes des choses qui existaient avant l'époque présente.* **Vieillot** se dit de ce qui est quelque peu vieux ou de ce qui paraît tel. **Séculaire** se dit de ce qui est ancien, vieux d'au moins un siècle, en parlant évidemment des choses seulement; il est avant tout dominé par l'idée de durée : *Un chêne, un préjugé séculaire.* **Antique,** qui enchérit sur ces termes, implique une très grande ancienneté : *Peuples, statues, mœurs antiques.* (Ajoutons qu'*antique,* se dit parfois, et par exagération, d'une personne ou d'une chose très vieille, ou même qui n'est plus de mode ou de saison : *Une beauté, un habit antique.*) **Vétuste** ne se dit que des choses et emporte l'idée de désuétude, quand ce n'est pas celle plus forte de détérioration due au temps: *Costume, terme, usage vétuste; Maison, meuble vétuste.* **Archaïque** est surtout propre au langage; il se dit d'une tournure de phrase, d'une expression vieillie, que l'on emploie par négligence, affectation ou calcul : *Mot, style archaïque.* (Terme de bx-arts, il se dit de ce qui a rapport à la haute antiquité : *Recherches archaïques.*) **Antédiluvien,** qui s'applique proprement à ce qui a précédé le déluge, s'emploie aussi, par ext. et ironiquement, en parlant de ce qui est très ancien et généralement passé de mode : *Voiture antédiluvienne.* (V. ÂGÉ et DÉSUET.)

Ancien, employé substantivement et appliqué aux personnes, se dit de celui qui nous a précédé dans un travail, une charge, une fonction ou qui est entré avant nous dans un service, une école. **Vétéran,** qui désigne un vieux ou un ancien soldat, se dit aussi, par ext., d'un homme qui a vieilli dans une profession ou dans quelque pratique : *On est l'ancien de quelqu'un, et le vétéran de quelque chose.*

anciennement se dit d'une époque très éloignée, d'un passé qui semble n'avoir aucune attache avec le présent: *Anciennement on vivait d'une autre manière.* **Jadis** s'applique à un temps plus rapproché, moins avant dans les siècles : *Le Louvre fut jadis la demeure des rois.* **Autrefois** s'emploie lorsqu'on veut marquer un contraste entre le passé et le présent, et désigne une époque relativement voisine de nous : *L'aujourd'hui des pères devient l'autrefois de leurs enfants.* (A noter qu'*anciennement* est usité surtout dans la conversation ou le style familier; *jadis* dans la légende et la poésie; *autrefois* dans la narration sérieuse et dans l'histoire.) **Antan** (du lat. *ante,* avant, et *annum*, année) est un mot de la vieille langue signif. « l'année d'avant, l'année dernière » (*Mais où sont les neiges d'antan ?* chantait Villon au XVe siècle), auquel on donne souvent auj., abusivem., le sens de « temps passé », avec la nuance mélancolique d'une époque qui ne reviendra plus. **Naguère,** employé auj. abusivem. aussi dans le sens de *jadis,* signif. littéralement [il] n'[y] a guère, et ne devrait s'appliquer qu'à un passé récent : *Je l'ai connu jadis et je l'ai revu naguère.*

andouiller. V. CORNE.

androgyne. V. HERMAPHRODITE.

âne, qui désigne un mammifère solipède domestique plus petit que le cheval et à longues oreilles, est le terme qui convient dans le sens le plus général, c'est-à-dire lorsqu'on veut parler de la bête de somme. **Baudet** est employé plutôt lorsqu'on veut mettre en relief une circonstance comique ou un côté ridicule; il se dit aussi, mais plus particulièrement, de l'âne mâle, de l'étalon destiné à la reproduction. **Aliboron,** qui est le nom donné par le fabuliste La Fontaine à l'âne, s'emploie aussi parfois dans le langage courant par plaisanterie. **Bourrique,** qui se dit proprement de la femelle de l'âne, sert parfois aussi pour désigner l'âne en général; ce terme emporte presque toujours une idée de stupidité risible, qui le rend impropre aux descriptions de l'histoire naturelle. **Bourricot,** comme **bourriquet,** désigne un âne de petite taille. **Bourri** est dialectal.

V. aussi IGNORANT.

anéantir. V. DÉTRUIRE et VAINCRE.

anéantissement. V. ABATTEMENT.

anecdote (du grec *anekdotos,* non publié) se dit d'un récit succinct, ordinairement satirique, d'un fait particulier, pas ou peu connu, qui peut servir à faire juger le vrai caractère d'une personne, d'une époque, d'une certaine classe d'hommes : *Procope est le plus grand écrivain qui ait publié un livre d'anecdotes.* **Histoire,** pris dans son sens fam., s'entend d'un récit complet, vrai ou imagé, qui embrasse souvent une longue suite de faits accomplis par un nombre plus ou moins grand de personnages; ce peut être quelquefois le récit d'un fait particulier, mais il faut toujours que ce fait embrasse une suite de détails liés les uns aux autres : *Les enfants aiment les histoires.* **Historiette,** diminutif d'*histoire,* en a la même signification, mais il se dit surtout d'une histoire gaie, amusante, légère : *Les nouvellistes de Paris étaient de plaisants faiseurs d'historiettes.* **Echo** est un syn. d'*anecdote* employé surtout auj. en termes de journalisme : *Il est des revues satiriques qui ne sont guère composées que d'échos.*

anémié, anémique. V. FAIBLE.

ânerie. V. BÊTISE.

anfractuosité. V. CAVITÉ.

ange (du grec *aggelos,* messager) désigne un être purement spirituel, intermédiaire entre l'homme et Dieu, et qui tient le premier rang parmi les créatures divines : *On représente les anges avec des ailes et un vêtement blanc pour exprimer leur essence immatérielle et la pureté de leur nature.* **Séraphin** (de l'hébr. *saraph,* brûler, briller comme le feu) se dit de l'esprit céleste de la première hiérarchie des anges : *Isaïe représente les séraphins avec six ailes, au-dessus du trône de Dieu.* **Chérubin** (de l'hébr. *cherubim,* plur. de *cherub,* nom d'un ange et des figures du Temple) est le nom donné, dans l'Ancien Testament, à des anges que les théologiens catholiques ont placé au second rang de la première hiérarchie : *Les anges, les séraphins, les chérubins n'ont de diversité que dans leurs noms.* **Archange** (du grec *arkhê*), commandement, et *aggelos,* messager) enchérit sur *ange;* il désigne un ange d'un ordre supérieur : *L'Ecriture semble insi-*

nuer qu'il y a sept archanges, mais elle n'en nomme que trois : Gabriel, Raphaël et Michel.

angle est abstrait et précis; il se dit du saillant ou du rentrant formé par deux lignes, deux ou plusieurs surfaces qui se coupent : *Les angles d'un triangle; Les angles des maisons.* **Coin** est concret; il ne s'emploie que dans le langage commun : *Les coins d'un mouchoir; Le coin de la rue.* **Encoignure** ne se dit que d'un angle intérieur : *Encoignure d'un salon, d'une cour.* **Coude** ne s'applique qu'à un angle saillant : *Le coude d'un mur, d'une rue.* **Arête** est le mot usuel qui désigne l'angle saillant formé par deux plans : *L'arête d'un toit, d'une montagne.*

angoisse se dit d'une inquiétude excessive qu'accompagnent un découragement et un abattement complets; il se rapporte généralement à l'état et fait abstraction de l'objet, lequel est au reste le plus souvent mal défini : *L'angoisse suppose de l'oppression, de la suffocation due au resserrement de la région épigastrique.* **Anxiété** se dit d'une inquiétude due à l'incertitude; il dit moins qu'*angoisse : L'anxiété est un trouble de l'esprit qui se manifeste souvent par une certaine agitation.* **Transe** emporte l'idée de crainte, d'appréhension d'un mal qu'on croit prochain : *Dans les transes, l'âme est saisie d'une grande peur qui l'engourdit, qui émousse ses sensations.* (Il s'emploie presque toujours au pluriel.) **Affres,** qui est peu usité, renchérit sur les termes précédents; il emporte l'idée d'épouvante et d'horreur : *Les affres sont caractérisées par des frissons, des gestes égarés, le désordre et l'anéantissement des sens et des idées.* (V. CRAINTE et ÉPOUVANTE.)

anicroche. V. COMPLICATION.

animadversion. V. RESSENTIMENT.

animal est un terme général qui s'applique même à l'homme, puisqu'il se dit de tout être organisé et doué de mouvements et de sensibilité : *L'homme est un animal raisonnable.* **Bête** est propre au style familier; il se dit de tous les animaux, l'homme excepté : *La bête est privée de raison.* **Brute** désigne la bête dans ce qu'elle a de plus grossier et de plus inintelligent, de plus éloigné de l'homme : *L'instinct tient lieu de raison aux brutes.* **Bestiole** ne se dit que d'une petite bête. **Pécore,** syn. d'*animal,* de *bête,* est vx. — Au fig., ANIMAL, BÊTE et BRUTE s'appliquent injurieusement à l'homme, *animal* emportant l'idée de grossièreté, de rudesse ou de brusquerie; *bête* celle d'incapacité, d'ineptie, de maladresse; *brute* celle de stupidité, de dépravation, jointe à une féroce impétuosité.

animateur. V. PROTAGONISTE.

animation, état, qualité de ce qui vit, de ce qui n'est pas inerte : *L'animation d'un port.* **Activité** implique une disposition naturelle vers l'action, une animation habituellement agissante : *Faire preuve d'activité.* **Mouvement** se dit, dans ce sens, d'une animation de gens, de véhicules, etc., qui se déplacent, qui circulent : *Le mouvement de la rue.* **Affairement** emporte l'idée d'empressement, d'agitation : *Un départ inopiné qui cause de l'affairement.*

V. aussi ÉLAN.

animer. V. ENCOURAGER et MOUVOIR.

animosité. V. RESSENTIMENT.

annales, ouvrage qui se borne à une sèche énumération des faits rangés année par année dans l'ordre chronologique, sans aucune vue d'ensemble ni couleur de style, et sans que la narration enchaîne les unes aux autres ces périodes successives de temps. **Chronologie** est un syn. aujourd'hui plus usité d'*annales,* auquel il ajoute une idée d'extrême brièveté. **Chronique** se distingue d'*annales* en ce qu'on entrevoit la personnalité de l'auteur; c'est un terme érudit qui s'applique le plus souvent aux histoires écrites au Moyen Age (récits de détail, anecdotes, bruits populaires), et dans lesquelles l'auteur raconte ce qui est arrivé de son temps. (Il se dit aussi des premières traditions écrites d'un peuple.) **Fastes** s'applique toujours à des faits glorieux, rappelés dans un ordre purement chronologique, et qui ont frappé l'imagination des peuples. **Archives** désigne proprem. des titres anciens, des chartes, et, quand il devient syn. des termes qui lui sont joints ici, il présente les récits comme pouvant tôt ou tard être invoqués à l'appui de certaines thèses; de plus, il diffère de *fastes* en ce qu'il s'applique souvent à des faits bas, odieux, criminels. **Ephéméride** se dit d'un livre qui indique les événements arrivés le même jour de l'année, à différentes époques. (V. HISTOIRE et MÉMOIRES.)

anneau, petit cercle, le plus souvent de métal précieux, qu'on porte à l'un des doigts, est vx; il se dit surtout en parlant de l'antiquité grecque ou latine, et spécialement auj. dans les loc. « anneau épiscopal » et « anneau nuptial ». **Bague,** qui ne marque jamais dignité ou état, convient aux temps modernes, mais est moins noble qu'*anneau.* **Alliance** ne se dit que de l'anneau nuptial. **Jonc** désigne une bague dont le cercle est partout de la même grosseur et ne porte pas de chaton. **Chevalière** est au contraire une bague à large chaton.

année. V. AN.

anneler. V. FRISER.

annexe. V. DÉPENDANCE et SUCCURSALE.

annexer. V. JOINDRE.

annihiler. V. DÉTRUIRE.

annonce. V. AVIS et SIGNE.

annoncer, c'est communiquer quelque chose de nouveau, quelque chose qui n'est pas encore connu : *Annoncer une bonne, une mauvaise nouvelle.* **Déclarer,** c'est faire connaître quelque chose d'une manière nette et hardie; il implique une certaine autorité et l'absence de toute hésitation : *Déclarer ses intentions, son amour.* **Proclamer,** c'est déclarer hautement et généralem. publiquement, voire solennellement : *On proclame devant tous sa bonne foi.* **Manifester,** c'est montrer avec éclat, par des signes non équivoques, mettre au grand jour : *Manifester son effroi, sa joie, sa volonté.* **Exposer** emporte l'idée d'explications : *Exposer une doctrine, un système, une théorie, un fait.*

V. aussi PRÉDIRE.

annotation. V. NOTE.

annuler est un terme général qui signif. frapper de nullité ce qu'ont fait d'autres ou soi-même, et que l'on trouve mauvais : *On annule un marché, un testament.* **Abroger** est un terme techn. qui indique l'annulation de lois, édits, décrets, arrêts, ordonnances, etc. : *On abroge un règlement.* **Abolir** s'applique plutôt aux coutumes, aux religions, aux institutions : *On abolit un usage.* **Révoquer,** c'est annuler ce qui a été précédemment accordé, parce qu'on n'est plus dans les mêmes dispositions qu'au temps où l'on a donné, établi la chose : *On révoque une donation.* **Infirmer** implique une autorité supérieure et étrangère à celle qui a fait la chose : *On infirme un jugement.* (Ce terme convient particulièrement bien en parlant des cours d'appel qui réforment les jugements des tribunaux inférieurs.) **Casser** est plus fort qu'*infirmer;* il suppose généralement un pouvoir absolu : *La Cour de cassation casse les décisions judiciaires rendues en dernier ressort.* **Invalider, résilier, résoudre rescinder,** syn. d'*annuler,* sont des termes de jurisprudence. **Rapporter** est syn. d'*annuler* en termes de législation et d'administration. **Supprimer,** proprement, faire disparaître, particulièrem. en empêchant de se manifester, s'emploie parfois aussi, par ext., dans le sens d'*annuler,* d'*abolir : Supprimer la pension de quelqu'un, un impôt.*

anoblir constitue un changement d'état social, constaté par des lettres de noblesse, et ne se dit que des personnes. **Ennoblir** constitue un changement d'état moral; il marque la considération que le mérite ou la vertu peuvent faire acquérir, et se dit des personnes et surtout des choses : *Un roi peut nous anoblir; nos vertus seules nous ennobliront.*

anodin. V. INOFFENSIF.

anomal, anormal. V. IRRÉGULIER.

anse. V. GOLFE.

antagoniste. V. ENNEMI.

antan. V. ANCIENNEMENT.

antécédent, antérieur. V. PRÉCÉDENT.

antéchrist. V. IRRÉLIGIEUX.

antédiluvien. V. ANCIEN et DÉSUET.

antérieurement. V. AVANT.

anthologie (du grec *anthos,* fleur, et *legein,* choisir), recueil de morceaux choisis dans les œuvres des poètes, des prosateurs, des musiciens. **Ana** (prép. grecque signifiant en remontant, dans, parmi, à travers, etc.), recueil d'anecdotes, de dits plaisants, d'historiettes. **Analecta** (du grec *analektos,* recueilli), recueil de morceaux en prose ou en vers, choisis dans les ouvrages d'un ou de plusieurs auteurs; c'est un terme vieilli. **Chrestomathie** (du gr. *khrêstos,* bon, utile, et *mathein,* apprendre), recueil de morceaux choisis de prose ou de vers, propre à l'enseignement. **Florilège** (du lat. *florilegus,* qui cueille des fleurs; de *flos, floris,* fleur, et *legere,* choisir), recueil de poésies, de prières, de réflexions. **Spicilège** (du lat. *spicilegium,* action de glaner; de *spica,* épi, et *legere,* choisir), qui est peu usité, se dit soit d'un recueil d'actes, de pièces, de traités, soit d'un choix de pensées, d'observations. (V. COLLECTION et MÉLANGES.)

anthrax. V. FURONCLE.

anthropophage (du grec *anthrôpos,* homme, et *phagein,* manger) désigne celui qui se nourrit de chair humaine. **Cannibale** (esp. *canibal,* de Canîbi, un des noms des Caraïbes, où les habitants étaient anthropophages) emporte non seulement l'idée d'anthropophagie, mais encore celle de cruauté, d'inhumanité, de férocité : *Les cannibales peuvent ne pas être anthropophages entre eux, et ne l'être qu'envers leurs ennemis vaincus.* **Ogre,** dans ce sens, est du langage des contes de fées; il se dit d'un géant à la voix formidable, lequel se nourrit de chair fraîche, et particulièrement de chair d'enfant : *L'ogre et le Petit Poucet.*

anthropotomie. V. ANATOMIE.

antichambre. V. VESTIBULE.

anticiper. V. DEVANCER et USURPER.

antidate, qui se dit d'une date antérieure à la date véritable, suppose volonté qu'il en soit ainsi de la part de celui qui date. **Fausse date** se dit d'une date inexacte due à une erreur, et n'implique pas forcément la mauvaise foi.

antidote. V. CONTREPOISON et REMÈDE.

antienne. V. CANTIQUE et RÉPÉTITION.

antilogie. V. CONTRADICTION.

antimétabole. V. TRANSPOSITION.

antimoral. V. AMORAL.

antinomie. V. CONTRADICTION.

antipathie. V. RÉPUGNANCE.

antipathique. V. DÉTESTABLE.

antiphrase. V. EUPHÉMISME.

antiquaire. V. BROCANTEUR.

antique. V. ANCIEN.

antireligieux. V. IRRÉLIGIEUX.

antisepsie. V. ASSAINISSEMENT.

antithèse se dit d'une figure de rhétorique qui consiste dans l'opposition des pensées, des membres de phrases, ou des mots séparément : *La licence a vaincu la pudeur, l'audace la crainte, la démence la raison.* **Chiasme,** qui est peu us., implique une double antithèse dont les termes se croisent : *Il faut manger pour vivre, et non pas vivre pour manger.* **Antonymie** ne suppose qu'une opposition de noms ou de mots qui offrent un sens contraire : *Un honnête fripon.*

V. aussi OPPOSITION.

antonyme (du gr. *anti,* contre, et *onoma,* nom) est le terme de grammaire qui sert à désigner un mot qui a un sens opposé à un autre, et que l'on appelle aussi parfois, plus communément, **contraire.**

antonymie. V. ANTITHÈSE.

antre. V. CAVERNE.

anus est le nom donné à l'orifice extérieur du rectum, qui donne issue aux matières fécales, et que l'on appelle plus communément **fondement. Trou du cul, trou de balle** sont populaires, **figne, fignard, troufignard** et **troufignon** des termes d'argot. (V. DERRIÈRE.)

anxiété. V. ANGOISSE.

apache. V. MALFAITEUR.

apaiser, c'est supprimer par degrés et complètement toute agitation, en rétablissant l'ordre, l'harmonie : *On apaise une querelle, des troubles.* **Calmer,** c'est produire l'adoucissement d'un trouble, en en tempérant l'excès, la violence : *On calme l'emportement, la fureur.* (CALMER dit moins qu'APAISER : *Quand la tempête se calme, elle n'est pas encore apaisée; Le temps seul peut apaiser une douleur que les soins ne font que calmer.*) **Rasséréner,** au propre comme au fig., enchérit sur *calmer;* il implique le retour à une parfaite tranquillité, l'absence de toute agitation, de tout trouble, après la tempête : *Ce qui est rasséréné retrouve le calme et la quiétude.* **Pacifier,** c'est faire cesser des troubles, des différends, par voie de négociation et d'accommodement : *Pacifier les esprits.* (V. ASSOUVIR, RASSURER et SATISFAIRE.)

V. aussi SOULAGER.

aparté. V. MONOLOGUE.

apathie se dit d'un état de l'âme et

même du corps qui fait qu'on est lent à recevoir les impressions, et par suite à agir; il emporte l'idée d'inaction, et est presque toujours employé, dans le langage courant, en mauv. part : *Sortir de son apathie habituelle.* **Indolence** dit moins qu'*apathie;* c'est simplement une sorte de paresse dans laquelle on se complaît, parce qu'on y trouve du plaisir; il implique une idée d'indifférence : *L'indolence fait qu'on n'agit pas.* **Insensibilité** comporte l'absence de sensibilité physique ou morale pour tout ce qui devrait normalement nous affecter : *L'insensibilité n'est pas exclusive; c'est ainsi qu'on peut avoir de l'insensibilité pour l'amour, sans en avoir pour la gloire.* **Nonchalance** emporte l'idée non seulement de lenteur naturelle, mais encore celle de négligence, de manque de soin : *On laisse ses affaires en désordre par nonchalance.* **Nonchaloir,** syn. de *nonchalance,* est plutôt du langage poétique. **Mollesse** implique l'absence de vigueur, d'énergie, de volonté : *Un esprit languissant de mollesse.* **Indifférence** emporte une idée de dédain à l'égard de tout ce qui pourrait intéresser, sans que l'on reste toutefois inactif pour cela : *L'indifférence ne poursuit aucun objet ni ne s'en éloigne, et n'est pas plus affectée d'une jouissance que d'une privation.* **Inertie** se dit d'une indolence allant jusqu'à l'inaction complète : *La bureaucratie est le despotisme de l'inertie, a dit Gérard de Nerval.* **Langueur** est surtout dominé par l'idée d'un grand abattement, lequel est le plus souvent maladif; il implique surtout une diminution des forces physiques qui fait que le corps est peu propre au mouvement et à l'action : *Etre dans un état de langueur dont rien ne peut nous tirer.* **Marasme,** proprem. syn. de maigreur extrême, se dit plus ordinairem. de l'apathie, de la langueur qui accompagne la consomption. **Atonie** suppose essentiellement un manque d'énergie et implique absence de vigueur, de vitalité : *Assemblée qui paraît atteinte d'atonie.* (V. ENDORMI.)

apatride. V. SANS-PATRIE.

apercevable. V. VISIBLE.

apercevoir. V. VOIR.

apert. V. ÉVIDENT.

à peu près. V. PRESQUE.

apeuré. V. ALARMÉ.

aphorisme. V. PENSÉE.

apis. V. ABEILLE.

apitoyer (s'), c'est s'émouvoir devant les souffrances et les infortunes d'autrui ou même de soi-même : *Il est plus facile de s'apitoyer que de secourir.* **Compatir** dit plus que s'*apitoyer;* c'est non seulement s'apitoyer sur les maux d'autrui, mais encore y prendre part : *On apprend souvent par ses propres malheurs à compatir à ceux des autres.* **S'attendrir,** c'est être particulièrement touché, ému, devant un spectacle : *Il y a peu de parents qui ne s'attendrissent en voyant le repentir de leur enfant.* **Plaindre** n'implique ni émotion ni intervention; c'est seulement prendre en pitié : *Il ne suffit pas de plaindre les malheureux, il faut aussi leur venir en aide.* (V. ATTRISTER et ÉMOUVOIR.)

aplati. V. CAMUS.

aplatissement. V. BASSESSE.

aplomb. V. ASSURANCE et ÉQUILIBRE.

apocryphe. V. SUPPOSÉ.

apogée. V. COMBLE.

apologie se dit d'un discours par écrit ou de vive voix pour défendre, justifier une personne, une action, un ouvrage, cela en admirant et louant l'objet de l'attaque. **Justification** se dit du but même de l'apologie; c'est la preuve ou la manifestation de l'innocence d'un accusé. **Plaidoyer** désigne spécialement un discours d'avocat, prononcé en audience solennelle, pour défendre une cause, et, par ext., une thèse en faveur d'une idée, d'un système. **Défense** dit moins que *plaidoyer;* il implique une accusation, une attaque repoussée soit par l'accusé lui-même, soit par son « défenseur » : *Le plaidoyer comme la défense s'adresse le plus souvent à des juges, l'apologie et la justification au public.* **Plaidoirie,** qui désigne proprement le discours prononcé à l'audience pour défendre le droit d'une partie, se dit parfois aussi, par ext., d'une défense écrite ou orale quelconque, prononcée en faveur d'une personne, d'une opinion, d'une cause. **Plaid,** syn. de *plaidoyer,* est vieux.

apologue. V. FABLE.

apophtegme. V. PENSÉE.

apoplexie. V. CONGESTION.

apostasier. V. RENIER.

apostat (du grec *apostatês,* déserteur) se dit en général de celui qui abandonne publiquement sa religion pour embrasser une autre croyance; il s'applique plus particulièrement à celui qui renonce au christianisme. **Renégat** (du lat. *renegare,* renier sa religion), au sens propre, est usité de préférence en parlant d'un chrétien qui se fait mahométan, mais peut s'employer à propos de toute religion. (V., d'autre part, DÉLOYAL.) **Hérétique** (du gr. *hairesis,* choix) n'implique pas, comme *apostat,* l'abandon complet de la foi, mais seulement celle d'une partie du dogme catholique. **Hérésiarque** (grec *hairésiarkhès;* de *hairésis,* hérésie, et *arkhos,* chef) désigne l'auteur d'une hérésie. **Hétérodoxe** (du grec chrétien *hetero,* autre, et *doxa,* opinion) s'applique aussi bien aux chrétiens qu'à ceux qui professent une autre religion; il se dit de celui qui s'écarte de la foi commune sur certains points. (Il est à noter que, entre eux, les hétérodoxes se considèrent souvent comme des orthodoxes; tel est le cas de l'Eglise orthodoxe russe.) **Schismatique** (du lat. ecclés. *schismaticus,* séparation) se dit de celui qui se sépare de la communion d'une Eglise; il s'applique surtout aujourd'hui aux Grecs hétérodoxes. **Laps** (du lat. *lapsus,* tombé) désigne celui qui, ayant embrassé la religion catholique, tombe dans l'hérésie. **Relaps** (du lat. *relapsus,* retombé) se dit de celui qui, ayant abjuré une hérésie, y retombe.

aposter. V. POSTER.

apostille. V. NOTE.

apostolat. V. MISSION.

apostropher. V. INTERPELLER.

apothéoser. V. GLORIFIER.

apothicaire. V. PHARMACIEN.

apparaître. V. PARAÎTRE.

apparat (du lat. *apparatus,* préparatifs) emporte avec l'idée de magnificence celle de préparation; il implique un luxe prémédité que l'on est souvent disposé à blâmer, à trouver exagéré. **Appareil** dit moins qu'*apparat;* il désigne surtout un assemblage de choses utiles pour un but déterminé : *Un festin d'apparat, c'est un festin où l'on déploie sa magnificence; l'appareil d'un festin, c'est la disposition d'un grand festin.* **Pompe** (du grec *pompê,* procession publique, cortège triomphal) annonce quelque chose de solennel, quelque chose qui ressemble à une fête organisée d'avance; c'est un appareil magnifique : *Les pompes du catholicisme.* **Cérémonial** (du lat. *caerimonialis,* adj. relatif aux cérémonies religieuses) se dit d'un apparat réglé par l'usage et qu'observent entre eux les pays ou les particuliers, soit par devoir, soit par politesse : *Le cérémonial varie selon les pays.* (V. LUXE.)

appareil. V. APPARAT, MACHINE et PRÉPARATIFS.

appareiller. V. ACCOUPLER et ASSORTIR.

apparence indique la plus faible crédibilité : *Il n'y a pas même d'apparence à ce que vous dites.* **Vraisemblance** implique plus de vérité qu'*apparence;* c'est en effet la qualité de ce qui est conforme à la marche ordinaire des choses : *Cela choque la vraisemblance.* **Probabilité** dit plus que *vraisemblance;* il emporte presque l'idée de certitude, une certitude fondée sur des raisons positives : *Il y a toute probabilité que vous réussirez dans cette entreprise.* **Plausibilité** implique une idée d'agrément, d'approbation; il est peu usité : *Admettre la plausibilité d'une assertion.*

V. aussi ASPECT et SEMBLANT.

apparent se dit de ce qui n'est pas ce qu'il paraît être réellement, de ce qui n'a que des dehors sans fondement : *Vertu, droit apparent.* **Spécieux,** qui ne s'applique qu'aux choses de l'esprit, renchérit sur *apparent,* en y ajoutant l'idée d'artifice : *Ce qui est spécieux s'efforce de donner l'apparence de la vérité, de la justice.* (V. TROMPEUR.)

V. aussi APPARENCE et VISIBLE.

apparier. V. ACCOUPLER.

appariteur. V. HUISSIER.

apparition. V. FANTÔME, PUBLICATION, VISION et VUE.

appartement désigne une série de pièces se faisant suite, de plain-pied, dépendantes, et combinées de façon à former un ensemble habitable. **Logement** se dit d'une seule chambre ou d'un fort petit nombre de pièces; il est bien moins spacieux et toujours plus modeste d'aspect que l'appartement. **Studio** (mot angl. empr. à l'ital. *studio,* proprem. étude) se dit d'un atelier d'artiste, et, par ext., d'un logement confortable composé d'une grande pièce à destinations multiples, puisqu'elle peut être à la fois chambre à coucher, salle-à-manger, salon, cabinet de travail, d'une salle de bains ou d'un cabinet de toilette, d'une cuisine et d'une entrée. **Garçonnière** se dit d'un appartement ou d'un studio de garçon. **Pied-à-terre** désigne un appartement, un logement, ou même un studio, dans lequel on ne vient qu'en passant. **Logis** est un terme général; il désigne aussi bien l'endroit où l'on habite habituellement que celui que l'on occupe seulement en passant. **Taudis** est péj.; il ne se dit que d'un logement misérable ou mal tenu et sale. **Bauge** et **bouge** sont des syn. moins usités de *taudis.* (V. PIÈCE.)

appartenance. V. DÉPENDANCE.

appartenir, qui est absolu, emporte une idée d'obligation, de droit, de devoir : *Il appartient aux pères de châtier leurs enfants.* **Convenir** est moins impératif; il est relatif et n'implique qu'une idée de « convenance » : *Style qui convient parfaitement au sujet.*

appas. V. ATTRAITS.

appât se dit de toute pâture dont on se sert pour attirer un animal. **Amorce** s'emploie surtout pour les poissons. **Aiche, èche** ou **esche** (du lat. *esca,* aliment), qui est le nom donné par les pêcheurs au ver de terre, se dit aussi, par ext., de divers appâts que l'on accroche à l'hameçon d'une ligne. **Boitte** est le nom donné par les pêcheurs en mer à tout appât qui se fixe à l'hameçon. **Rogue** désigne des œufs de poissons salés, de morue principalement, que l'on emploie comme appât dans la pêche de la sardine. **Leurre** est peu us.; il se disait autrefois d'un appât spécial à la fauconnerie qui consistait en un mannequin garni de plumes, lequel imitait la forme d'un oiseau; il désigne surtout aujourd'hui un appât factice attaché à l'hameçon et employé dans la pêche au lancer. **Abet** (ou ABAIT), appât de pêche, est vx. (V. FILET et PIÈGE.)

appel, terme de jurisprudence, désigne la voie de recours qui a pour objet de faire réformer, par une juridiction supérieure, un jugement rendu en premier ressort. **Pourvoi** se dit de l'action par laquelle on défère à une juridiction supérieure (Cour de cassation, Conseil d'Etat) un jugement ou arrêt rendu en dernier ressort : *Par l'appel on défère une décision à une juridiction supérieure pour la faire « réformer »; par le pourvoi on soumet cette décision à la plus haute des juridictions pour la faire « casser ».* **Recours** est plus général; il désigne aussi bien l'acte qui consiste à demander la réformation d'une décision judiciaire que celui qui tend à en obtenir l'annulation : *L'appel et le pourvoi sont des recours.*

V. aussi CONVOQUER et INTERPELLER.

appeler, c'est désigner une personne ou une chose par un nom, un signe ou une qualification distincte : *On appelle souvent Rousseau simplement Jean-Jacques; Appeler un chat un chat.* **Nommer** est plus littéraire et s'emploie de préférence en parlant de personnes que l'on désigne par leur nom propre : *Comment vous nommez-vous?* **Dénommer,** c'est désigner par son nom ou assigner un nom : *Dénommer une personne dans un acte; Dénommer un nouveau minéral.* **Surnommer,** c'est ajouter au nom de quelqu'un un autre nom, appelé « surnom », tiré soit du métier, soit d'un trait caractéristique de la personne « surnommée »; le surnom remplace parfois même le nom : *Louis XIV fut surnommé le Grand.* **Baptiser,** c'est donner un nom en conférant le baptême, ou même simplement *dénommer,* et aussi, mais familièrement et abusivement, *surnommer* en donnant un surnom, un sobriquet : *Baptiser un cheval du nom de Bucéphale.* — **Qualifier** est du lang. didact. et plus partic.; c'est seulement appeler en caractérisant par une qualité, un titre : *Qualifier une personne d'imbécile; La soustraction frauduleuse est qualifiée vol.* **Traiter de,** c'est qualifier d'une façon catégorique, sans appel : *Traiter quelqu'un de fou, d'imposteur; Traiter une action de pure bagatelle.*

V. aussi CONVOQUER et INTERPELLER.

appendre. V. ACCROCHER.

appétence. V. APPÉTIT.

appétissant désigne, au propre, ce qui excite l'appétit, et, au figuré et familièrement, ce qui réveille le désir : *Plat appétissant; Une femme fraîche et bien en chair est appétissante.* **Alléchant** emporte l'idée d'appât : *Le plaisir alléchant d'un bon dîner; Des promesses alléchantes.* **Affriolant** est un syn. fam. d'*appétissant* et d'*alléchant,* sur lesquels il renchérit quelque peu. **Affriandant** est un syn. peu usité d'*appétissant.* **Ragoûtant** ne s'emploie guère que négativement : *Mets peu ragoûtant; Un homme d'une propreté peu ragoûtante.* (V. ATTRAYANT.)

appétit (du lat. *appetitus,* désir) est du langage courant; il se dit particulièrem. du désir, du besoin de manger, et implique une idée de plaisir : *Exciter, aiguiser l'appétit.* **Appétence** est un terme de physiologie; il désigne le désir instinctif qui porte vers tout objet propre à satisfaire un besoin naturel : *L'appétence est le premier degré de l'appétit.* (V. FAIM.)

V. aussi AMBITION.

applaudir. V. ACCLAMER et APPROUVER.

application. V. ATTENTION et SOIN.

appliquer, c'est, d'une façon générale, mettre une chose sur une autre, de manière à former un seul tout, mais sans autre idée accessoire. **Apposer** est plus partic. et emporte l'idée d'un acte en quelque sorte officiel; c'est spécialem. appliquer sur une chose une marque qui la rend authentique. **Plaquer,** proprem. appliquer quelque chose sous la forme de « plaque », et, par ext., appliquer étroitement en aplatissant, s'emploie aussi figurém. dans le sens d'appliquer avec énergie.

S'appliquer. V. ADONNER (S'), APPROPRIER (S') et OCCUPER DE (S').

appointements. V. RÉTRIBUTION.

apporter renferme l'idée de fardeau, et celle du lieu où l'on doit le porter, lequel est toujours celui où est la personne qui parle, ou dont on parle : *Apporter des présents, des marchandises.* **Rapporter,** c'est apporter une chose du lieu où elle est au lieu où elle était auparavant; ce peut être aussi simplement apporter une chose d'un lieu, à son retour, sans pour cela l'avoir portée auparavant : *Rapporter un plat, du vin; Rapporter des fruits de la campagne.* **Importer,** c'est apporter dans son pays des produits d'autres pays : *Importer en France des produits d'Amérique.* (V. ENVOYER et PORTER.)

apposer. V. APPLIQUER.

appositif. V. ADJECTIF.

apprécier. V. ESTIMER.

appréhender. V. CRAINDRE et PRENDRE.

appréhension. V. CRAINTE.

apprendre, c'est communiquer des connaissances à quelqu'un qui ne les possédait pas auparavant; il s'emploie le plus souvent lorsqu'il s'agit d'art consistant dans la pratique : *On apprend un métier à quelqu'un, à coudre à une jeune fille.* **Enseigner,** c'est donner des leçons d'une science spéculative, d'un art : *On enseigne la philosophie, la musique.* **Professer,** c'est enseigner publiquement, et surtout dans une université : *L'habitude de professer donne une attitude solennelle, note Taine.* **Montrer,** c'est apprendre, enseigner, surtout par l'exemple : *Montrer à faire quelque chose; Montrer un point de tricot.* **Instruire,** c'est donner l'instruction, rendre instruit, préparer, dresser quelqu'un à ce qu'il doit faire, et le mettre en état d'agir : *On instruit quelqu'un de son devoir, en le lui exposant.* (V. RENSEIGNER.)

V. aussi ÉTUDIER et SAVOIR (FAIRE).

apprenti ne se dit au propre qu'en parlant des arts mécaniques, des professions qui ne demandent qu'une simple habitude. **Elève** se dit en parlant des arts libéraux, des professions qui exigent de l'imagination, du talent : *Un cordonnier a des apprentis; un peintre, des élèves.*

apprêté. V. AFFECTÉ.

apprêter, en parlant des mets, est général; il se dit de tout ce qu'il faut faire pour donner à manger, qu'il s'agisse du repas entier ou seulement d'un plat : *Apprêter le dîner; Apprêter un rôti.* **Accommoder** concerne seulement la préparation des aliments, et implique presque toujours plusieurs opérations : vidage ou épluchage, nettoyage, assaisonnement, cuisson, etc. : *Accommoder du gibier, du poisson, des légumes.* **Assaisonner** dit moins qu'*ac-*

commoder; c'est simplement ajouter à ce que l'on « accommode » des ingrédients propres à en accroître le goût : sel, poivre, huile, vinaigre, moutarde, citron, muscade, ail, oignon, échalote, etc. : *Assaisonner un ragoût, une salade, une sauce.* **Relever,** c'est assaisonner beaucoup pour donner un goût plus piquant, un plus haut goût.

V. aussi PRÉPARER.

apprêts. V. PRÉPARATIFS.

apprivoiser, c'est faire perdre à un animal, le plus souvent par la douceur, son caractère sauvage, et le rendre plus traitable : *Quand un animal est apprivoisé, il ne fuit plus la présence de l'homme, mais il éprouve parfois encore à son approche une certaine appréhension.* **Priver** est un syn. vieilli d'*apprivoiser,* auquel il ajoute l'idée d'un état ancien et devenu si naturel à l'animal qu'on oublie l'action dont il est le résultat : *Un animal que l'on a privé recherche la société de son maître, et il vient à lui au moindre appel.* **Domestiquer,** c'est soumettre à l'usage de l'homme un animal sauvage : *Un animal que l'on a domestiqué se reproduit, se multiplie, fait race à l'état privé.* **Dompter,** c'est réduire par la force un animal sauvage à l'obéissance : *Dompter un lion, un tigre, un cheval farouche.* **Dresser,** c'est instruire, former des animaux sauvages ou non dans un but déterminé : *Dresser un faucon; Dresser un cheval pour le manège, un chien pour la chasse.* **Charmer** implique l'idée d'une influence magique : *Certains bergers s'attribuent le don de charmer les loups.* **Affaiter,** vx et spécial, est un terme de fauconnerie signif. apprivoiser un oiseau de proie, le dresser à revenir sur le poing.

approbation est un terme général qui s'applique indifféremment à un fait consommé, à une chose en voie d'exécution, à un projet formé; il emporte le plus souvent l'idée de louange. **Acquiescement** dit moins qu'*approbation;* il emporte l'idée de soumission et n'implique nullement l'approbation d'un avis auquel on se rend souvent par importunité. **Suffrage** désigne l'appréciation par laquelle on se montre favorable à quelqu'un ou à quelque chose. **Adhésion** implique un acte par lequel on se joint formellement à des opinions, à des doctrines, etc. — et emporte l'idée d'intérêt : *Donner publiquement son adhésion à un pacte, à la doctrine de Luther.* **Accession** se dit d'une adhésion, d'un consentement à une chose, à un acte, à un contrat quelconque : *Accession d'un pays à un traité.* **Consentement** suppose un acte formel et nécessaire dans certains cas, lequel indique qu'on ne s'oppose pas à la chose, cela parce qu'elle nous intéresse : *Il y a consentement quand on autorise à agir.* **Agrément** est une expression spéciale qui ne s'emploie que de supérieur à inférieur; il suppose autorité de la part de celui qui l'accorde, soumission ou déférence de la part de celui qui le reçoit : *L'agrément est un consentement que l'on demande même si l'on pouvait s'en passer, par simple égard ou respect.* **Aveu** désigne l'agrément que l'on donne à quelqu'un pour l'autoriser à faire quelque chose que l'on reconnaît à l'avance comme valable : *Obtenir l'aveu de son père pour se marier.* (On dit aussi dans ce sens, **accord.**). **Assentiment** implique identité dans une manière de voir ou de faire : *On donne son assentiment à une chose faite, établie, existant déjà indépendamment de notre voix que nous ajoutons.* **Ratification** se dit d'une approbation donnée à ce qu'un autre a fait en notre nom : *Ratification verbale, par écrit.* **Confirmation** suppose une approbation, une ratification qui rend plus ferme, plus stable, ce qui a déjà été fait : *La confirmation d'un privilège, d'un acte.* **Sanction** implique une approbation, une confirmation considérée comme nécessaire, indispensable à la mise en application, à l'exécution d'une chose : *Une loi revêtue de la sanction royale; Certains mots, qui seraient fort utiles, n'ont pas reçu la sanction de l'usage.* (V. PERMISSION.)

approcher, c'est diminuer la distance qu'il y a entre une chose et une autre : *Approcher d'une table une chaise qui en est trop éloignée.* **Mettre auprès,** c'est placer une chose auprès d'une autre, abstraction faite de toute distance qui existait ou pouvait exister entre ces deux choses : *Mettre une chaise auprès de soi pour pouvoir s'asseoir.*

V. aussi ABORDER.

approches. V. TRANCHÉE.

approfondir, c'est rendre plus profond ce qui l'était déjà : *Approfondir un canal.* **Creuser,** c'est pratiquer un trou, une excavation où il n'y en avait pas : *On creuse la terre, un puits.* **Caver,** c'est creuser en dessous : *La mer cave les rochers.* **Fouir,** c'est creuser, mais seulement en parlant du sol : *Certains animaux fouissent la terre pour y chercher des aliments ou pour se faire un abri.* — Au fig., la différence est analogue entre APPROFONDIR et CREUSER, qui se disent alors de matières abstraites que l'on veut étudier dans ce qu'elles ont de plus compliqué, afin d'en posséder la plus grande connaissance possible : *Quand on a creusé une science, on la connaît, mais on ne la possède pas à fond; par contre, celui qui l'a approfondie en a pénétré tous les secrets : elle n'a plus rien de caché pour lui.* CAVER, c'est creuser profondément : *Caver dans le cœur humain.*

approprié se dit de ce qui est bien adapté à sa destination. **Convenable** s'applique à ce qui est approprié, à ce qui convient à quelqu'un ou à quelque chose; il emporte essentiellement une idée de convenance, d'utilité. **Pertinent** désigne ce qui est tel qu'il convient parfaitement; c'est un terme didact. qui ne s'emploie que lorsqu'il s'agit d'une question et de ce qui s'y rapporte bien. **Adéquat** se dit de ce qui est approprié, parce que correspondant, adapté à l'objet, surtout en parlant de la pensée, de la science. **Idoine,** dans le sens d'*approprié,* ne s'emploie plus guère auj. que plaisamment. **Congruent,** appliqué à ce qui convient, à qui s'ajuste bien à quelque chose, est vx, ainsi que **congru,** qui se disait bien autref. de ce qui était approprié, de ce qui s'adaptait particulièrement à une situation donnée.

approprier. V. NETTOYER.

S'approprier, c'est se mettre indûment en possession d'une chose : *On s'approprie un héritage.* **S'attribuer,** c'est prétendre à une chose, la revendiquer, généralement sans y avoir droit : *On s'attribue une victoire, l'œuvre d'un autre.* **Usurper** emporte l'idée de violence et de ruse; c'est, surtout dans le langage didactique, s'approprier sans droit, un domaine, un pouvoir, un titre : *La force nous est donnée pour conserver notre bien et non pas pour usurper celui d'autrui, a dit Bossuet.* **S'arroger,** c'est s'attribuer ce qui n'est pas dû; il emporte l'idée d'arrogance, de prétention : *On s'arroge des prérogatives auxquelles on n'a pas droit.* **S'appliquer,** c'est s'approprier en rapportant à soi : *On s'applique un éloge, une épigramme.* — **S'emparer,** c'est s'approprier une chose par force ou par adresse, s'en rendre maître en prévenant des concurrents, en écartant ceux qui ont quelque droit à y prétendre : *On s'empare du pouvoir, de ce qui ne vous appartient pas.* **Accaparer,** c'est s'emparer de quelqu'un ou de quelque chose à son propre profit et généralement au détriment des autres : *On accapare ce que l'on ne veut pas que d'autres personnes aient.* **Ravir,** c'est s'approprier en enlevant de force, en emportant avec violence ce qui est à un autre; il est plutôt du style relevé, et se rapproche beaucoup de VOLER : *On ravit le bien d'autrui, la maîtresse d'un ami.* **Emprunter,** lorsqu'il s'emploie comme syn. de *s'approprier,* emporte un sens ironique et familier. **S'adjuger,** c'est familièrement aussi, s'approprier, se mettre en possession d'une chose avec une certaine désinvolture : *S'adjuger un titre de noblesse.* — **Prendre,** terme très général, n'ajoute, dans le sens de *s'approprier,* de *s'emparer,* aucune idée particulière à l'idée d'appropriation qu'il exprime alors : *On prend ce que l'on veut avoir.* **Souffler** est plutôt fam.; c'est prendre à quelqu'un ce à quoi il prétendait, ce sur quoi il comptait : *On souffle une place, une affaire à quelqu'un.* **Rafler,** c'est prendre promptement et emporter sans rien laisser : *On rafle tout ce qui reste.* **Ratiboiser,** comme **ratisser,** syn. de *prendre* et de *rafler,* est très familier. (V. DÉROBER, DÉTOURNER, ENLEVER et VOLER.)

approuver, c'est partager un avis, trouver bon; il s'oppose à « blâmer » et implique un jugement, une appréciation sérieuse, réfléchie, que l'on peut d'ailleurs garder par-devers soi : *On peut approuver non seulement ce qui est fait, mais aussi ce qui est à faire.* **Goûter** exprime essentiellement un sentiment plus ou moins instinctif, bien plus qu'une action raisonnée : *On goûte ce qui nous plaît simplement.* **Applaudir** implique une approbation démonstrative, un témoignage apparent de satisfaction dû souvent à plusieurs personnes : *Il est rare que le plus grand nombre n'applaudisse pas à ce qui est juste.* **Faire chorus** est familier; c'est approuver bruyamment, en surenchérissant : *On fait chorus pour marquer sa complète approbation.* (V. CONSENTIR et PERMETTRE.)

V. aussi SANCTIONNER.

approvisionnement. V. PROVISION.

approvisionner, c'est munir de provisions, c'est-à-dire, d'une façon générale, de toutes les choses nécessaires ou utiles à la vie, et, plus spécialement, de produits propres à la consommation alimentaire. **Ravitailler,** c'est munir de vivres ou de munitions : *Le monde entier concourt à approvisionner Paris en tout ce dont il a besoin; On ravitaille une ville assiégée en armes et en vivres.* (V. NOURRIR et PROCURER.)

appui, dans son sens fig., se dit principalement de celui qui apporte à quelqu'un l'aide de son influence, de son crédit, de son autorité : *Etre l'appui du faible; Avoir l'appui d'un haut fonctionnaire.* **Soutien** s'emploie de préférence en parlant d'assistance matérielle : *Etre l'unique soutien de sa famille, des pauvres de son village.* **Aide** implique l'action et se dit des êtres agissants : *On apporte son aide à quelqu'un quand on lui rend le service dont il a besoin.* **Protection** désigne toujours l'appui, l'aide apporté par une personne plus puissante : *Les petits et les faibles ont besoin de protection.* **Assistance** se rapproche beaucoup d'*aide,* auquel il ajoute toutefois une idée de générosité : *On doit assistance aux malheureux.* **Secours** est plus particulier; il implique non seulement l'idée d'aide, mais aussi celle de péril, de danger, de situation critique, difficile : *Mourir faute de secours.* **Rescousse,** syn. vieilli d'*aide,* d'*appui,* ne s'emploie plus auj. que dans les expressions : *Aller, venir à la rescousse,* aller, venir aider, secourir, surtout dans une lutte, un combat, un différend. (V. AUSPICES et RECOMMANDATION.)

V. aussi SOUTIEN.

appuyer est un terme général qui signif. soutenir par le moyen d'un appui : *Appuyer des terrains par des murs, pour les empêcher de s'ébouler.* **Accoter,** c'est appuyer sur le côté : *Accoter un tonneau.* **Adosser,** c'est appuyer le dos contre quelque chose, et surtout appuyer contre : *Adosser une cabane à un rocher.* **Arc-bouter,** c'est soutenir au moyen d'un arc-boutant, et, par ext., appuyer avec force, en se raidissant : *Arc-bouter une voûte; Arc-bouter ses pieds contre une porte.*

V. aussi INSISTER.

âpre. V. RIGOUREUX, RUDE et VIF.

après. V. PUIS.

après (d'). V. SELON.

après-dîner. V. SOIRÉE.

après-midi, qui désigne le temps qui s'écoule depuis le midi jusqu'au soir, a pour syn. **tantôt** employé avec le futur ou avec le passé, et surtout par rapport au matin. **Relevée,** plus spécial, est un terme de procédure qui s'applique seulement au temps de l'après-midi : *A deux heures de relevée; Audiences de relevée.*

après-souper. V. SOIRÉE.

aptitude. V. CAPACITÉ et PENCHANT.

aquatile. V. AQUATIQUE.

aquatique a un sens étendu; il se dit aussi bien des plantes qui vivent dans l'eau, sur le bord des ruisseaux, des rivières, ou même simplement dans les lieux humides ou inondés, que des animaux qui vivent dans l'eau ou sur ses bords : *Le chanvre, le riz, le roseau sont des plantes aquatiques : Oiseaux, insectes aquatiques.* **Aquatile** est plus particulier et s'emploie rarement; il ne se dit que des plantes qui naissent, se développent, exécutent leurs différentes fonctions au fond de l'eau, ou dont les fleurs flottent et s'étendent à la surface des eaux : *Le nymphéa, la lentille d'eau, le lotus, le nénufar sont des plantes aquatiles.*

aquilon. V. VENT.

arbitrage se dit du droit donné par chacun des particuliers en litige, ou par la loi, de juger avec ou sans appel une contestation existante entre eux, et cela sans qu'ils aient voix au chapitre : *Se soumettre, s'en tenir à l'arbitrage.* **Conciliation** emporte une idée de rapprochement entre les personnes précédemment divisées, que n'implique pas forcément *arbitrage;* il y ajoute aussi le fait que les personnes en litige sont appelées à participer à ce rapprochement : *On fait toujours une sottise, a dit Rivarol, en rejetant les moyens de conciliation.* **Compromis** désigne l'acte par lequel on promet de s'en rapporter à un arbitrage, et, dans le langage ordinaire, un simple accommodement, par suite de transaction : *Accepter un compromis; La vie n'est presque faite que de compromis.* (V. ACCOMMODEMENT.)

arbitraire. V. DESPOTIQUE.

arbitre désigne celui qui est choisi par un tribunal ou par des parties intéressées pour donner son avis sur une contestation, ou pour la terminer : *L'arbitre est tenu de procéder conformément à la loi ou à des règlements* **Amiable compositeur** désigne celui qui consulte plutôt l'équité et la convenance que la loi ou les règlements écrits : *C'est en les amenant à composer ensemble qu'un amiable compositeur doit terminer un différend entre deux personnes.* **Arbitrateur,** terme de l'anc. droit, est un syn. vieilli d'*amiable compositeur.* **Départiteur** est très particulier; c'est un terme de droit qui désigne celui qui départage, lorsqu'il s'agit de compter une majorité douteuse : *Juges départiteurs.*

arbitrer. V. JUGER.

arborer. V. ÉLEVER et PORTER.

arboriculteur. V. PÉPINIÉRISTE.

arbre. V. AXE.

arcade. V. VOÛTE.

arcane. V. SECRET.

arc-boutant. V. ÉTAI.

arc-bouter. V. APPUYER.

archaïque. V. DÉSUET.

archange. V. ANGE.

architecte désigne celui qui dresse les plans et le devis d'un édifice : *Un bon architecte est un artiste dont les connaissances doivent être très variées, car il lui faut posséder des notions théoriques de tous les arts, de toutes les sciences qui ont un rapport quelconque avec l'architecture.* **Entrepreneur** désigne celui qui bâtit l'édifice d'après les plans de l'architecte : *La loi range l'entrepreneur dans la catégorie des commerçants.* **Bâtisseur** est du langage relevé; il se dit bien de celui qui aime non seulement bâtir, mais aussi fonder des villes, des ports, etc. : *Lyautey fut un grand bâtisseur.*

architectonique. V. ARCHITECTURAL.

architectural est général; il se dit de tout ce qui concerne l'architecture : *Beauté, formes architecturales.* **Architectonique** se dit seulement des procédés, des découvertes, des dissertations qui appartiennent à l'architecture : *Règles, méthodes architectoniques.*

archives. V. ANNALES.

ardélion. V. COMPLAISANT.

ardemment. V. VIVEMENT.

ardent. V. CHAUD et VIOLENT.

ardeur implique une grande activité mêlée le plus souvent d'empressement; c'est la vivacité avec laquelle on se porte à quelque chose : *Calmer l'ardeur de quelqu'un.* **Chaleur** emporte l'idée d'enthousiasme, de véhémence; il se dit des passions, des sentiments, ou de ce qui sert à les manifester : *Défendre une personne avec chaleur.* **Feu** ajoute à *ardeur* et à *chaleur* l'idée d'une vivacité pouvant aller jusqu'à la violence : *Un orateur, un écrit plein de feu; Le feu de la colère.* **Flamme** implique beaucoup de passion : *Discours plein de flamme.* **Acharnement** suppose une ardeur, une activité qui ne se soucie ni de la fatigue, ni du danger : *On travaille avec acharnement pour atteindre le but recherché.* (V. ÉLAN, ENTRAIN, FORCE et FOUGUE.)

ardu. V. DIFFICILE.

aréopage. V. COMPAGNIE.

arête. V. ANGLE.

areur. V. AGRICULTEUR.

argent, pris au fig. et dans son sens le plus général, s'applique aussi bien à des pièces de métal frappées qu'à des billets émis par l'autorité souveraine pour servir aux échanges : *Avez-vous de l'argent sur vous?* **Monnaie,** dans le même sens, se dit de pièces de métal ou même de billets de banque, que l'on donne en échange d'une pièce ou d'un billet plus fort, comme différence entre le prix d'un objet et la somme versée : *Rendre la monnaie sur un billet de mille francs.* **Espèces,** employé au pluriel dans ce sens, est un terme de finance qui désigne les pièces métalliques

ayant cours et aussi, maintenant, les billets de banque : *Effectuer un paiement en espèces.* **Numéraire** se dit de l'argent monnayé, et, plus spécialem., des espèces sonnantes : *Payé moitié en numéraire, moitié en billets.* **Pécune,** appliqué aussi à l'argent monnayé, est vx. **Fonds** est un syn. fam. d'*argent : Etre en fonds.* **Sous, galette, pépettes** (ou PÉPÈTES), **pognon, quibus, radis, rond, picaillon** sont populaires; **menouille,** pop. aussi, est VX; **braise, fric, oseille, pèze, douille, flouss, grisbi** sont argotiques. (V. BILLET.)
V. aussi RICHESSE.

argot. V. JARGON.

argousin. V. AGENT DE POLICE.

arguer. V. ACCUSER et CONCLURE.

argument. V. PREUVE et RAISONNEMENT.

argutie. V. SUBTILITÉ.

aria. V. DIFFICULTÉ et SOUCI.

aride se dit de ce qui manque naturellement et habituellement d'humidité; il emporte l'idée de stérilité : *Sol, rocher, désert aride.* **Sec** n'implique qu'un manque d'humidité accidentel; c'est un commencement d'aridité momentanée : *La terre est sèche à l'époque des chaleurs.* — Au fig., ARIDE concerne le fond, et SEC la forme : *Un sujet est aride quand on n'en peut rien tirer, parce qu'il offre peu de ressource et aussi peu d'agrément; il est sec lorsque les idées qui pourraient ou devraient l'embellir en sont absentes.* (V. STÉRILE.)

ariette. V. MÉLODIE.

aristarque. V. CRITIQUE.

aristocrate (du grec *aristos,* excellent, et *kratos,* pouvoir) est un terme relevé et général qui désigne aussi bien le membre d'une classe privilégiée ou le partisan d'un gouvernement où le pouvoir souverain est exercé par un certain nombre d'hommes considérables, que celui qui appartient à une famille noble. **Noble** (du lat. *nobilis,* illustre) est, dans ce sens, plus partic.; il désigne celui qui, par droit de naissance ou par suite d'une faveur spéciale, appartient à une classe de personnes qui jouissent de certains privilèges, ou qui se distinguent simplement des autres par leurs titres : *Etre noble de naissance, de race, de fraîche date.* **Seigneur** désignait autref. un propriétaire féodal, et, par ext., un noble, possesseur d'un fief : *Seigneur d'une ville, d'une terre.* **Gentilhomme** ne s'emploie plus guère aujourd'hui; avant la révolution de 1789, il se disait seulement d'un homme noble d'extraction, à la différence de celui qui était anobli par charge ou par lettres du prince, lequel était *noble* sans être *gentilhomme,* mais communiquait la noblesse à ses enfants, qui devenaient alors gentilshommes. **Patricien,** nom donné aux citoyens romains faisant partie de la classe privilégiée appelée « patriciat », se dit parfois aussi, par ext., des nobles, de quelque pays que ce soit, et cela toujours en bonne part. **Hobereau** est le nom que l'on donne parfois par dénigr. à un aristocrate campagnard, de petite noblesse, prétentieux et dur. **Gentillâtre,** péj. aussi, se dit d'un gentilhomme de petite noblesse ou de piètre fortune. **Ci-devant** s'est dit par dénigrement, à l'époque de la Révolution française, des nobles, des personnes attachées à l'Ancien Régime par leur position, et dépossédées de leurs titres. **Aristo** est un syn. pop. et fam. d'*aristocrate,* dont il est l'abrév.; il s'emploie péj. ou par ironie. **Noblaillon** et **nobliau,** fam. aussi, se disent par dénigrement d'un homme de petite noblesse ou de noblesse douteuse.

arme, en termes d'art milit., se rapporte aux engins dont l'ensemble constitue l'**armement** et qui servent à attaquer comme à défendre. **Armure** est plus partic.; c'est seulement l'ensemble des armes défensives métalliques (cuirasse, casque, etc.) qui protégeaient autref. le corps de l'homme de guerre.

Armes, au plur., est le nom donné, dans le langage héraldique, aux figures représentées sur l'écu. **Armoiries** dit plus; il désigne l'ensemble des signes, devises et ornements intérieurs et extérieurs de l'écu. **Blason** se dit de la science des armoiries et de tout ce qui se rapporte à l'art héraldique; c'est aussi un syn. d'*armoiries.*

armée. V. MULTITUDE et TROUPE.

armement. V. ARME.

armoire désigne un meuble ordinairem. de bois, plus haut que large, fermé par une ou deux portes pleines ou garnies de glaces, pourvu intérieurement de rayons ou de tiroirs, et servant à renfermer du linge, des vêtements, etc.

Buffet se dit d'une sorte d'armoire de salle à manger, composée le plus souvent d'un corps inférieur dont le dessus forme crédence, et d'un corps supérieur, parfois vitré, ou bien d'étagères. **Bahut** désigne souvent auj. soit une armoire ancienne ou d'apparence ancienne, en bois et à portes pleines, soit un buffet long et bas. (V. COFFRE et COMMODE.)

armoiries. V. ARMES.

armure. V. ARME.

aromate. V. ASSAISONNEMENT et PARFUM.

arôme. V. PARFUM.

arpenter. V. MARCHER.

arrachement est un terme très général qui désigne l'action de détacher, de tirer avec effort ce qui tient à quelque chose. **Déracinement,** qui se dit proprem. de l'action d'arracher de terre un arbre, une plante avec ses racines, n'est syn. d'*arrachement* que par ext. **Extraction,** c'est l'action de tirer une chose du lieu dans lequel elle s'est formée ou introduite profondément. **Extirpation** ajoute à l'idée d'arrachement celles de rapidité et de destruction. **Eradication** est un terme didact. qui désigne l'action d'arracher, de déraciner quelque chose par la racine. **Avulsion,** syn. d'*arrachement,* ne s'emploie qu'en termes de chirurgie.

arracher. V. ENLEVER.

arrangeant. V. CONCILIANT.

arrangement. V. ACCOMMODEMENT et ORDONNANCE.

arranger, c'est mettre en ordre; il implique généralement une idée d'embellissement, de parure : *Il a bien arrangé sa maison.* **Aménager,** c'est organiser, modifier méthodiquement, en vue d'un certain but : *Aménager un appartement, un jardin.* **Agencer,** qui a eu primitivement le sens d'orner, d'embellir, a pris plus tard le sens prédominant d'*aménager;* il sous-entend une idée d'utilisation : *Agencer un local commercial.* **Disposer,** c'est, d'abord, tout simplement placer; c'est parfois aussi *aménager,* souvent de façon approximative ou provisoire : *Disposer un théâtre en salle de bal.* **Accommoder** renferme l'idée d'utilité, de commodité : *Accommoder une chambre pour y recevoir un ami.* **Adapter** emporte plutôt l'idée d'application que celle d'ordre ou de commodité : *Adapter un local à un bal; Adapter un ouvrage, une pièce de théâtre.*

V. aussi PARER, RANGER et RÉPARER.

arrenter. V. LOUER.

arrérages. V. INTÉRÊT.

arrêt. V. JUGEMENT et PAUSE.

arrêté. V. RÈGLEMENT.

arrêter, c'est empêcher la continuation d'un mouvement : *Arrêter un cheval emporté.* **Immobiliser** dit plus qu'*arrêter;* c'est empêcher complètement d'agir, en supprimant non pas un, mais tous les mouvements : *Immobiliser une armée.* **Paralyser** surenchérit à son tour sur *arrêter* et *immobiliser;* il emporte l'idée d'impuissance, d'inertie absolue et durable : *L'incertitude paralyse les affaires.* **Stopper,** v. l'art. suiv. (V. ENRAYER.)

V. aussi ASSURER, DÉCIDER, INTERROMPRE, PRENDRE et RETENIR.

S'arrêter est un terme général; c'est faire halte, rester quelque temps dans un endroit, s'interrompre dans une course, dans un voyage : *S'arrêter en chemin, à toutes les boutiques, partout.* **Stationner,** c'est simplement s'arrêter un moment, faire une « station », le plus souvent dans un but déterminé : *Voitures qui stationnent sur la voie publique.* **Séjourner,** c'est s'arrêter et se fixer un assez long temps dans un endroit : *Séjourner à Paris, sur la Côte d'Azur.* **Demeurer,** c'est s'arrêter où l'on est et y rester : *Demeurez où vous êtes, et attendez-moi.* **Stopper,** qui est un anglicisme (de *to stop,* arrêter), est un syn. d'ARRÊTER et de *s'arrêter* dans le langage des marins et des mécaniciens, et par ext., dans le langage familier : *Stopper un navire; Voiture qui stoppe devant un immeuble.*

arrhes (du grec *arrhabôn,* gages) se dit de l'argent qu'un acquéreur ou un locataire donne pour assurance de l'exécution d'un marché verbal : *Les arrhes servent d'acompte sur le prix convenu, si le marché s'exécute; elles sont perdues par l'acquéreur si le marché est rompu.* **Clause pénale** désigne la clause par laquelle on s'engage à payer une somme déterminée en cas de non-exécution d'un marché ou de retard dans l'exécution. **Dédit** se dit de la somme convenue en faisant un marché, et moyennant le paiement de laquelle chacune des parties, ou l'une d'elles, peut se dispenser d'exécuter son obligation : *La stipulation d'une clause pénale n'empêche pas de pouvoir réclamer, si on le préfère, l'exécution du marché, tandis que la stipulation d'un dédit dispense définitivement celui qui ne veut pas exécuter la convention, de remplir son obligation, en payant la somme convenue.* (V. ACOMPTE et CAUTION.)

arrière-train. V. DERRIÈRE.

arrivage. V. ARRIVÉE.

arrivée (de *à* et *rive*) implique un fait, celui de toucher à la « rive », d'être rendu au terme de sa route, qui est l'accomplissement d'un dessein; il se dit surtout de ce qui est mobile par lui-même : *Saluer l'arrivée de quelqu'un; L'arrivée d'un train, d'une course de chevaux.* **Arrivage** ne s'applique qu'aux choses, principalement aux marchandises : *L'arrivage des grains, du poisson.* (Appliqué aux personnes, il est à la fois familier, péjoratif et ironique.) **Survenance** désigne une arrivée accidentelle, qui n'a point été prévue : *Une donation est révoquée de droit par survenance d'enfant.* **Venue** emporte seulement l'idée de présence, et n'est pas forcément le but d'un voyage ou d'un trajet : *Les Juifs attendent encore la venue du Messie.* **Avènement** se dit d'une venue extraordinaire, et ne s'emploie guère que dans le langage religieux ou dans le sens d'élévation au pouvoir suprême : *L'avènement du Christ; Avènement à l'empire, à la papauté.* **Accession** se dit aussi parfois pour *avènement : L'accession au trône.*

arriver est général; il exprime la venue à un point quelconque, qui est souvent le terme de sa route : *Etre arrivé à Paris; Arriver à bon port.* **Parvenir** ajoute à l'idée de venue celle d'effort prolongé qui permet d'arriver au but que l'on s'est fixé : *Parvenir au sommet d'une montagne; Parvenir à la gloire.* **Atteindre** emporte l'idée d'éloignement, d'effort, de difficulté qu'on réussit à vaincre : *Atteindre le rivage après des heures de marche; Atteindre enfin son but.*

V. aussi RÉUSSIR et VENIR.

arriviste. V. INTRIGANT.

arrogant. V. INSOLENT.

arroger (s'). V. APPROPRIER (S').

arrosage désigne l'action qui consiste à conduire, à diriger de l'eau ou un liquide quelconque sur quelque chose pour l'humecter ou la mouiller : *L'arrosage est toujours artificiel et dû à l'homme.* **Arrosement,** qui est peu us. au sens propre, se dit aussi bien d'un arrosement naturel que d'un arrosement artificiel : *L'arrosement de l'Egypte par le Nil; L'arrosement des fleurs.* (Ce terme s'emploie plutôt au fig. : *L'arrosement céleste des âmes.*) **Irrigation** est un mot technique qui, dans le langage usuel, remplace généralement *arrosement* pris dans son sens propre; il désigne l'arrosement des prés, des terres, à l'aide de rigoles ou de saignées : *L'irrigation enrichit les pays arides.* **Aspersion** se dit d'un arrosage très léger : *Une aspersion de parfum.*

arrosement. V. ARROSAGE.

arroser (du lat. *ros, roris,* rosée), c'est répandre peu ou beaucoup de liquide, le plus souvent de l'eau, soit par aspersion, soit par irrigation : *Arroser des fleurs, une rue; Arroser de sauce un rôti.* **Asperger,** c'est arroser légèrement et par gouttes, en secouant quelque chose que l'on a trempé dans l'eau ou dans quelque autre liquide : *Asperger du linge; Asperger d'eau bénite.* **Humecter,** c'est imprégner d'un liquide, rendre « humide » : *Humecter des grains, la terre.* **Mouiller** surenchérit sur *arroser* et *humecter;* c'est rendre très humide : *Mouiller un linge dans l'eau; La pluie mouille les prés, les chemins.* **Bassiner** est un terme d'horticulture signifiant arroser légèrement : *On bassine principalement les cultures sur couches ou sous châssis.*

Arroser, couler à travers ou dans le voisinage, s'applique surtout aux rivières et aux canaux : *La Seine arrose Paris.* **Irriguer,** c'est arroser artificiellement une terre au moyen d'un courant d'eau (rivière, ruisseau, etc.) qu'on y amène à l'aide de diverses dispositions : *Irriguer une prairie.* **Baigner** se dit plutôt des mers et des lacs, et emporte l'idée de contiguïté : *La mer du Nord, la Manche, l'Océan et la Méditerranée baignent les côtes de la France.* **Mouiller** est moins us. et s'emploie dans le sens de *baigner : L'océan*

Atlantique mouille les côtes de la Bretagne.

V. aussi TREMPER.

arsouille. V. VAURIEN.

art. V. ADRESSE et PROFESSION.

artère. V. VOIE.

article, dans le langage littéraire, se dit d'une partie formant un tout distinct et n'ayant, le plus souvent, aucun rapport avec ce qui précède ou ce qui suit, dans un journal, un ouvrage de littérature, etc. : *Article de journal, de revue, de dictionnaire.* **Papier,** terme journalistique, s'applique à un article donné ou à donner à la composition : *Faire un papier sur le remaniement ministériel.* **Editorial** désigne l'article de première page qui émane de la direction d'un journal ou d'une revue, ou même simplement l'**article de fond,** c'est-à-dire celui qui discute une question en présentant le point de vue du journal, ou parfois seulement celui du rédacteur de l'article : *Lire tout d'abord l'éditorial, l'article de fond.* **Leader** est un mot anglais signifiant chef, conducteur, meneur; par ext. il se dit quelquefois en France, dans le langage de la presse, de l'*éditorial,* de l'*article de fond.* **Chronique** se dit de l'article d'un journal, d'une revue, qui est quotidiennement ou périodiquement consacré à un ordre particulier de nouvelles ou de choses : *Chronique politique, économique, financière, mondaine, littéraire, dramatique, cinématographique, etc.* **Etude** désigne, dans ce sens, un article assez long publié dans une revue; il implique un sujet spécial, sérieusement approfondi : *Etude historique, philosophique.* **Feuilleton** est le nom donné plus spécialement à l'article, à la chronique littéraire, scientifique, de critique, etc., qui occupe dans un journal la partie inférieure d'une page, sous un filet, et qui est appelé aussi, dans le lang. des typographes et des journalistes, **rez-de-chaussée** : *Etre chargé du feuilleton, du rez-de-chaussée dramatique.*

V. aussi ARTICULATION et MATIÈRE.

articulation est un terme d'anatomie qui désigne, chez l'homme et les animaux vertébrés, l'assemblage des os les uns avec les autres, leur mode d'union, quel qu'il soit : *Il existe trois variétés d'articulations : les articulations immobiles ou synarthroses (os du crâne), les articulations semi-mobiles ou amphiarthroses (os du bassin), et les articulations mobiles ou diarthroses (os des membres).* **Jointure** est le nom usuel des articulations mobiles : *La jointure du genou.* **Article** en est le syn. vieilli : *Les doigts sont divisés en plusieurs articles.* (Aujourd'hui ce terme désigne surtout les segments du corps de divers invertébrés appelés aussi, de ce fait, « articulés » : *Les articles des insectes, des arachnides, des crustacés*).

articuler. V. PRONONCER.

artifice. V. RUSE.

artificiel. V. FACTICE.

artisan désigne celui qui exerce un travail manuel et particulier, cela pour son propre compte : *Un serrurier, un cordonnier sont des artisans.* (A noter que ce mot était autrefois syn. d'*artiste : On exposait une peinture, — Où l'artisan avait tracé — Un lion d'immense stature, — Par un seul homme terrassé, nous conte La Fontaine.*) **Artiste** se dit de celui qui, pour son compte ou pour celui d'autrui, travaille dans un art où le génie et la main doivent concourir, qui cultive les beaux-arts : *Un peintre, un musicien, un sculpteur sont des artistes.* (Il se dit aussi, par ext., de celui qui excelle dans un métier manuel demandant de l'intelligence : *Un joaillier, un ébéniste peuvent être des artistes dans leur métier.*) **Ouvrier** se dit seulement du travailleur salarié qui, sous la direction d'un patron, concourt à l'exercice d'une profession manuelle — et, dans un sens plus large, de tous ceux (à l'exception des domestiques) qui, moyennant un salaire, se livrent à un travail manuel : *Occuper un grand nombre d'ouvriers; Des ouvriers maçons; Des ouvriers d'usine.*

artiste. V. ACTEUR et ARTISAN.

as. V. AIGLE et VIRTUOSE.

asarcie. V. AMAIGRISSEMENT.

ascendant. V. AÏEUX et INFLUENCE.

ascétique. V. AUSTÈRE.

asepsie. V. ASSAINISSEMENT.

asile. V. ABRI.

aspect (du lat. *aspectus,* vue, regard) est un terme général qui se dit de la manière dont une personne, un objet s'offre à la vue : *Aspect affreux, triste, romantique.* **Apparence** (du lat. *apparere,* paraître) désigne l'effet que la vue d'une chose produit sur nous : *Une maison de belle apparence;* au fig., il concerne surtout la conduite : *Il ne faut pas se fier à l'apparence, aux apparences.* **Dehors** se dit plutôt de ce qui environne la chose vue, de sa partie extérieure : *Le dedans et le dehors d'une maison;* au fig., il s'entend des manières : *Il faut se défier des faux dehors d'amitié.* **Extérieur** ne désigne que la partie d'une chose que l'on voit, apparente : *L'extérieur de cet édifice est magnifique;* il se dit au fig., de l'apparence physique des personnes : *Extérieur négligé.* **Semblant** implique une idée de feinte, de trompeuse apparence, au fig. seulement : *Beau semblant; Semblant d'amitié.* **Paraître** s'emploie parfois aussi substantivement et au masculin comme syn. d'*apparence* pris dans son sens figuré : *Tous mettent leur être dans le paraître* (*J.-J. Rousseau*).

V. aussi VUE.

asperger. V. ARROSER.

aspersion. V. ARROSAGE.

asphalte. V. BITUME.

asphyxier. V. ÉTOUFFER.

aspirer (du lat. *aspirare,* souffler vers), c'est attirer un fluide extérieur dans ses propres poumons; il est l'opposé d' « expirer ». **Inspirer** (du lat. *inspirare,* souffler dans), c'est faire pénétrer un fluide extérieur soit dans ses voies respiratoires, quand on agit soi-même (c'est le sens même d'*aspirer*), soit dans celles d'une personne étrangère, dans le cas d'une insufflation artificielle; on dit aussi d'ailleurs, dans cette seconde acception, **insuffler.** **Renifler** (du préfixe *re,* et du vx franç. *nifler,* aspirer par le nez), c'est aspirer, par le nez, l'air ou l'humeur, fortement et bruyamment : *Un enfant qui renifle.* **Renâcler** (de l'anc. fr. *renasquer,* renifler), c'est renifler bruyamment en signe de répugnance : *Un cheval qui souffle et renâcle.* (V. EXPIRER et RESPIRER.)

V. aussi AMBITIONNER.

assaillir. V. ATTAQUER.

assainir. V. PURIFIER.

assainissement est un terme général qui signif. rendre sain, préventivement ou curativement : *L'assainissement d'un hôpital.* **Désinfection** se dit des méthodes employées pour débarrasser un local, des vêtements, une plaie, etc., des microbes pathogènes. **Stérilisation** suppose la destruction des organismes vivants qui se trouvent sur un objet, un instrument, ou dans un liquide, une substance, une plaie : *La désinfection détruit seulement les germes nocifs et pathogènes, alors que la stérilisation les détruit tous d'une manière absolue, qu'ils soient pathogènes ou non.* **Asepsie** (du grec *a* priv., et *sêpsis,* putréfaction) emporte l'idée de protection; il désigne une méthode thérapeutique récente qui consiste à empêcher les microbes de parvenir jusqu'à nous, et, par conséquent, de nous infecter. **Antisepsie** (du grec *anti,* contre, et *sêpsis,* putréfaction) implique une idée de destruction; il se dit de l'ensemble des méthodes employées pour détruire les microbes qui existent en nous et sur nous, et qui y déterminent des infections : *La protection contre les virus pathogènes est réalisée par l'asepsie et la désinfection préalables, surtout quand il s'agit d'intervention chirurgicale ou obstétricale; la destruction au moins partielle, par l'antisepsie proprement dite.*

assaisonnement est un terme général; il désigne toute substance qui sert d'accompagnement aux aliments et en relève la saveur : *Le poivre, le sel, le vinaigre sont les assaisonnements les plus ordinaires.* **Accommodement** désigne la manière d'apprêter, d'accommoder un mets (V. APPRÊTER). **Epice** se dit d'une substance végétale, en général exotique, d'une saveur aromatique ou piquante, servant à l'assaisonnement des mets : *Ce qui caractérise les épices, c'est l'arôme.* **Condiment** se dit des assaisonnements à odeur ou saveur très marquée : *Les condiments se composent, en plus des épices, du sel, du vinaigre, de la moutarde, du sucre,* etc. **Aromate** se dit de toute substance végétale qui répand une odeur suave ou pénétrante : *La muscade, la girofle, la vanille, etc., sont des aromates employés dans l'art culinaire.* (A noter que ce terme ne s'emploie plus beaucoup aujourd'hui.)

assaisonner. V. APPRÊTER.

assassin. V. MEURTRIER.

assassiner. V. TUER.

assaut (du lat. *ad,* vers, et *saltus,* saut), terme d'art militaire, désigne l'opération finale qui a pour but d'emporter de vive force une position ennemie. **Attaque** dit moins qu'*assaut;* c'est seulement le commencement du combat, alors que l'assaut en est la fin. **Coup de main** se dit d'une attaque faite à l'improviste, et sans l'emploi des moyens nécessaires pour une attaque en règle. **Engagement** désigne une petite attaque isolée, le plus souvent sans suite et entre avant-postes. **Escarmouche** suppose un léger engagement entre tirailleurs de deux armées. **Offensive** enchérit sur tous ces termes, en désignant une attaque d'une assez grande envergure, préparée à l'avance et déclenchée au point et à l'heure choisie par l'assaillant; il est dominé par l'idée de stratégie et suppose la mise en œuvre de moyens matériels importants. (V. COMBAT et ÉCHAUFFOURÉE.)

assemblage, terme de techn., se dit de la manière de réunir, de joindre ensemble différentes pièces pour qu'elles ne fassent qu'un seul corps d'ouvrage : *L'assemblage des pièces d'une machine, d'une charpente.* **Montage** dit plus qu'*assemblage;* c'est non seulement réunir, joindre des pièces, mais encore les disposer de telle sorte qu'elles constituent un objet qui soit en état de faire le travail ou de servir à l'usage auquel il est destiné : *Montage d'un mécanisme, d'une horloge.* **Ajustage** implique une retouche des pièces à assembler, de manière à obtenir une union parfaite : *L'ajustage d'une clef à une serrure.*
V. aussi GROUPEMENT.

assemblée. V. COMPAGNIE, FÊTE et RÉUNION.

assembler, c'est mettre ensemble des personnes, des objets qui étaient auparavant dispersés, pour un but déterminé : *Assembler des troupes, des livres; Le tailleur assemble les pièces d'un vêtement avant de les coudre.* **Rassembler,** c'est assembler de nouveau; c'est aussi réunir des personnes ou des choses qui étaient séparées à tort, ou qui perdaient leur valeur dans cet état : *Rassembler ses amis autour de soi; Rassembler ses idées, des preuves.* **Rallier** renchérit sur *rassembler;* c'est réunir avec autorité ceux qui étaient dispersés : *Rallier ses partisans, des fuyards.* **Joindre** dit plus qu'*assembler;* c'est mettre des choses en contact, faire qu'elles se touchent: *Joindre deux morceaux d'étoffe en les cousant ensemble.* **Unir** surenchérit à son tour sur *joindre,* et se dit aussi des personnes; c'est joindre intimement, au point que, en ce qui concerne les objets, ceux-ci ne peuvent plus se séparer et même n'en forment parfois qu'un seul : *Unir par les liens du mariage; Unir deux communes, deux pays.* **Réunir,** c'est unir à nouveau ce qui était séparé; c'est aussi rassembler : *Réunir des fragments; Réunir des documents.* **Recueillir,** c'est chercher et réunir des choses avec un soin attentif, après un effort : *Recueillir des renseignements.* **Ramasser,** c'est réunir sans grand effort de discrimination : *Ramasser tous les ragots;* c'est aussi grouper : *Ramasser ses troupes.* **Grouper,** c'est réunir en « groupe », assembler en vertu d'un lien commun : *Grouper des soldats; Grouper des mots, des idées, des faits.* **Concentrer,** c'est rassembler, réunir en un même point : *Concentrer des troupes sur un point du territoire; Concentrer ses idées sur un même sujet.*

assentiment. V. APPROBATION.

assertion. V. AFFIRMATION.

asservir. V. OPPRIMER.

assez marque que ce que l'on a, non seulement suffit, mais encore satisfait amplement : *Lorsque l'on a assez d'une chose, toute addition peut être considérée comme un excédent.* **Suffisamment** dit moins qu'*assez;* il exprime que ce que l'on a suffit, mais sans plus : *On peut avoir suffisamment de bien pour vivre, mais y ajouter ne nuirait pas.*

assiduité. V. EXACTITUDE.

assidûment. V. TOUJOURS.

assiéger. V. CERNER et TOURMENTER.

assiette est le terme du lang. cour. qui sert à désigner une pièce de vaisselle ronde, plate ou creuse, le plus souvent en porcelaine ou en faïence, sur laquelle chacun met ou reçoit ses aliments. **Ecuelle,** nom donné à un petit récipient rond et creux, de bois, de terre, de métal, etc., dans lequel on servait autrefois les aliments liquides, n'est plus employé auj., dans le sens d'*assiette*, que populairement et, en général, péjorativement.

V. aussi POSITION.

assignat. V. BILLET.

assigner. V. AFFECTER et CONVOQUER.

assimiler, c'est convertir en sa propre substance, en termes de physiologie : *L'organisme humain assimile ou rejette tour à tour les matériaux utiles ou nuisibles.* **Elaborer** s'applique au long travail qui précède l'assimilation; il se dit surtout des opérations cachées qui ont lieu dans les corps organiques et par lesquelles les substances assimilables subissent les changements nécessaires pour la nutrition : *L'estomac élabore les aliments; Le foie élabore la bile.* **Digérer** est du langage courant; c'est uniquement élaborer dans l'estomac ce qu'on a mangé pour le transformer en chyme : *On ne vit pas de ce qu'on mange, mais de ce qu'on digère, a dit Brillat-Savarin.* — Au fig., ASSIMILER, c'est intégrer une connaissance à son fonds personnel. DIGÉRER, c'est attendre que l'assimilation se soit produite.

assise. V. BASE et FONDEMENT.

assistance. V. APPUI et AUDITOIRE.

assistant. V. AIDE.

assister. V. AIDER, PRÉSENT (ÊTRE) et SECONDER.

association désigne une réunion d'individus constituée en vue de la réalisation d'une idée commune aux personnes, mais spéciale quant à son objet; il suppose le concours de volontés individuelles qui se proposent de satisfaire à un besoin général et déterminé. **Société** présente une idée plus générale qu'*association;* il en est le résultat et implique une association constituée soit par la nature, soit par des lois : *Quand la société générale est bien gouvernée, a dit Voltaire, on ne fait guère d'associations particulières.* (V. COMPAGNIE, CORPORATION, FÉDÉRATION, SOCIÉTÉ et SYNDICAT.)

associé désigne celui qui s'unit avec un ou plusieurs autres dans un but commun, et qui accepte à l'avance les avantages comme les désavantages de cette association, laquelle est le plus souvent commerciale ou industrielle : *Les bénéfices sont partagés entre tous les associés.* **Coopérateur** suppose un travail, une action; il se dit de celui qui travaille ou agit conjointement avec d'autres personnes : *Il trouva pour son entreprise de zélés coopérateurs.* **Collaborateur** désigne celui qui, de concert avec un ou plusieurs autres, travaille à un ouvrage quelconque, et plus particulièrement à une œuvre de l'esprit : *Lulli fut le collaborateur de Quinault.*

associer (du lat. *ad*, à, et *sociare*, unir, joindre), qui signif. mettre de compagnie, est un terme très général; il implique une incorporation complète : *On associe à toutes sortes de choses, à des travaux, à une entreprise, à un commerce.* **Agréger** (du lat. *ad*, et *grex, gregis*, troupeau), qui est peu us., suppose simplement l'admission dans un corps, une association : *Agréger un païen au christianisme.* **Adjoindre,** c'est associer une personne ou une chose à une autre, mais seulement comme auxiliaire ou accessoire : *Adjoindre un auxiliaire à un commis; Adjoindre un dispositif de sécurité à un appareil de manœuvre.*

V. aussi UNIR.

assoiffer, qui signifie donner soif, ne s'emploie guère qu'au part. passé, et, le plus souvent, au fig. : *Tigre assoiffé de sang; Assoiffé de richesses.* **Altérer** (du lat. *alitare*, haleter, être essoufflé) est plus us. qu'*assoiffer*, au propre comme au fig. : *Il n'y a rien qui altère plus que de boire; Etre altéré du sang de son ennemi.* **Avoir la pépie** est un syn. fam. d'*être assoiffé* et d'*être altéré*, au sens propre, ainsi d'ailleurs que : **Avoir le bec salé,** loc. pop. qui ajoute à l'idée de soif celle d'intempérance.

assommer. V. BATTRE, ENNUYER et TUER.

assonance. V. CONSONANCE.

assortiment. V. CHOIX.

assortir, c'est mettre ensemble deux ou plusieurs choses qui ont seulement entre elles des rapports de convenance : *Assortir des fleurs, des couleurs.* **Appareiller,** c'est mettre ensemble des choses semblables : *Appareiller des vases, des tableaux.*

V. aussi ACCOUPLER.

assoupir (s'). V. DORMIR.

assoupissement désigne un sommeil léger et de courte durée : *Chaleur* *qui procure un court assoupissement.* **Engourdissement** dit moins qu'*assoupissement;* il n'implique pas forcément un arrêt complet de l'activité physique et mentale, mais simplement un sérieux ralentissement de celle-ci : *Tirer quelqu'un de son engourdissement.* **Torpeur** se dit d'un engourdissement profond et insolite qui rend presque incapable de sentir et de se mouvoir : *La torpeur est due le plus souvent à une cause somatique ou psychique.* **Somnolence** implique une disposition naturelle à dormir : *La somnolence est un sommeil invincible, mais peu profond, qui se manifeste souvent en dehors des heures habituelles chez certains malades.* **Léthargie** (du grec *lêthê,* oubli, et *argia,* paresse) enchérit sur *assoupissement;* il se dit d'un sommeil profond et prolongé qui entraîne cessation de toute activité physique et mentale. **Narcose** (du grec *narkôsis,* assoupissement) s'applique en médecine à un assoupissement provoqué artificiellement par l'emploi d'un narcotique, et en pathologie à un état de profonde torpeur. **Coma** désigne médicalement l'état morbide caractérisé par l'assoupissement profond, la perte totale ou partielle de l'intelligence, de la sensibilité et de la motilité volontaire, avec conservation des fonctions respiratoires et circulatoires. **Sopor** se dit parfois, en médecine aussi, d'un sommeil lourd dans lequel l'engourdissement intellectuel est cependant moins prononcé que dans le *coma.* (V. DÉPRESSION et SOMMEIL.)

assouvir, c'est apaiser une faim vorace ou une grande soif : *Assouvir un loup, un chien affamé ou assoiffé.* **Rassasier,** c'est satisfaire la faim jusqu'à satiété, parfois même jusqu'au dégoût : *Mangeur que rien ne peut rassasier; Rassasier un enfant de gâteaux.* **Etancher** s'emploie seulement en parlant de la soif qu'on apaise en buvant. — Au fig., ASSOUVIR et RASSASIER emportent les mêmes nuances : *On assouvit un désir désordonné, une passion; On rassasie quelqu'un de fêtes en lui en offrant jusqu'à satiété, jusqu'à ce qu'il en ait assez.* (V. APAISER et SATISFAIRE.)

assujettir. V. ASSURER et OPPRIMER.

assujettissement. V. SUBORDINATION.

assurance est dominé par l'idée d'un sentiment de sécurité qui fait que l'on ne craint ni ne redoute rien : *Parler, agir avec assurance.* **Hardiesse** emporte l'idée de courage, de témérité : *Inspirer de la hardiesse à quelqu'un.* **Aplomb** se dit de l'assurance que rien ne réussit à déconcerter; il est généralem. péj. : *L'aplomb d'un charlatan.* **Confiance** désigne une assurance motivée par la certitude que l'on a d'être servi et aidé par quelque chose de défini ou non; il suppose une grande tranquillité d'esprit : *Faire face à tous les obstacles avec confiance.* **Fermeté** se dit de l'assurance de la contenance, de la voix, du regard, du geste : *Répondre avec fermeté.* **Sûreté** se dit bien de l'assurance, de la fermeté d'un membre, d'un sens, d'une faculté, etc. : *On marche, on opère avec sûreté; On a une grande sûreté de goût, de coup d'œil, de jugement.* **Caractère** implique de l'assurance, de la fermeté dans l'action : *C'est le caractère qui domine en lui.* **Sang-froid** emporte l'idée de calme, de complète maîtrise de soi : *Garder son sang-froid dans une situation difficile et imprévue.* **Cran** est familier; il implique une assurance, une fermeté énergique, voire du courage. **Toupet,** familier aussi, et **culot,** populaire, ajoutent à *aplomb* l'idée d'effronterie.
V. aussi GARANTIE.

assurément suppose une certitude étayée le plus souvent par une garantie, un témoignage : *Assurément cela est vrai.* **Sûrement** indique une certitude appuyée sur la confiance ou sur un raisonnement : *Vous serez sûrement récompensé; Cela est sûrement faisable.* **A coup sûr, infailliblement, immanquablement** enchérissent sur *sûrement* en indiquant une certitude encore plus absolue. **Certainement** suppose une preuve possible, la connaissance de ce qui a été fait, résolu : *Je serai certainement là; Vous recevrez certainement une lettre.* **Certes** est un syn. peu us. et quelque peu pédant de *certainement.* **Evidemment** signif., proprem., de manière visible; il rend inutile toute discussion : *Evidemment vous avez raison.* **Sans doute** appelle la discussion ou, pour le moins, la réserve : *Sans doute vous viendrez, mais quand?* **Sans aucun doute** et **indu-**

bitablement supposent une absence complète de doute. **Sans conteste, incontestablement, manifestement, sans contredit,** ne laissent guère de place à la discussion. **De certitude,** syn. d'*assurément* et de *certainement,* est une loc. adv. vieillie : *C'est moi qui suis Sosie enfin, de certitude.* (*Molière.*)

assurer, c'est mettre à l'abri de certains risques, de certains accidents, en rendant fixe, stable : *On assure par la consistance de la position ou par des liens qui assujettissent; On assure sa conduite sur l'équité et les lois.* **Affermir,** c'est asseoir sur de solides fondements ce qui chancelle; il emporte l'idée d'appui et concerne presque toujours une chose simple : *Affermir un pont, une voûte, une muraille; Affermir son esprit par l'évidence des preuves.* **Consolider,** c'est redonner de la solidité à ce qui tend à se rompre, à se désunir; il suppose le plus souvent une chose composée : *On consolide un édifice, une alliance.* **Arrêter** ne se dit que de choses mobiles ou qui ont tendance à se détacher : *Arrêter ses regards sur l'abîme; Arrêter une couture.* **Fixer,** c'est arrêter d'une manière prolongée ou définitive ce qui serait susceptible de se mettre en mouvement ou de tomber : *Fixer un tableau, un volet; Fixer son attention sur quelqu'un.* **Assujettir,** c'est fixer fortement; il ne se dit que des choses : *Assujettir une poutre.* **Accorer,** c'est assujettir pour empêcher de vaciller, surtout sur un bateau : *On accore dans une cale des tonneaux, des malles.*

V. aussi AFFIRMER.

asthénique. V. FAIBLE.

asticoter. V. EXCITER et TOURMENTER.

astiquer. V. FROTTER.

astre. V. ÉTOILE.

astreindre. V. OBLIGER.

astrologue. V. DEVIN.

astuce. V. RUSE.

atavisme. V. HÉRÉDITÉ.

atelier est un terme général qui désigne le local où les artisans, les ouvriers travaillent ensemble au même ouvrage ou pour la même personne. **Chantier** est le nom que l'on donne à un atelier à l'air libre, clôturé ou non, où l'on travaille des matériaux de construction (bois, pierre, fer, etc.) ; c'est aussi, plus spécialem., le lieu de construction pour les navires. **Ouvroir** (de *ouvrer*) qui désignait autref. le local où, dans les communautés de femmes, les religieuses s'assemblaient pour se livrer aux travaux de lingerie, se dit auj. de l'atelier où, à Paris et dans certaines grandes villes, des institutions religieuses ou philanthropiques emploient des jeunes filles et même des femmes indigentes à des travaux de lingerie ou de confection. **Couture** se dit de l'atelier où travaillent les ouvrières d'une maison de couture. (V. USINE.)

V. aussi APPARTEMENT.

atermoiement. V. DÉLAI.

atermoyer. V. RETARDER.

athée. V. IRRÉLIGIEUX.

atmosphère (du grec *atmos,* vapeur, et *sphaira,* sphère) désigne la couche de fluide gazeux, de vapeurs, qui enveloppe le globe terrestre ou un corps céleste quelconque : *L'atmosphère se compose de deux fluides élastiques dont l'un est l'air pur ou gaz oxygène et l'autre le gaz azote.* **Air** dit moins qu'*atmosphère;* il désigne simplement le fluide élastique dont la masse forme l'atmosphère qui enveloppe la Terre : *L'air est pesant, compressible, inodore à l'état pur, incolore pris en petite quantité.* (A noter qu'au plur. ce terme est syn. d'*atmosphère : L'immensité des airs;* ainsi d'ailleurs qu'au singulier et au pluriel avec les verbes : battre, fendre, frapper, percer, traverser, etc. *Une flèche, un cri qui fend l'air ou les airs.*)

V. aussi MILIEU.

atome. V. PARTICULE.

atonie. V. APATHIE.

atour. V. PARURE.

atrabilaire. V. ACARIÂTRE.

âtre. V. FOYER.

atroce. V. EFFROYABLE.

atrocité. V. BRUTALITÉ.

atrophie. V. AMAIGRISSEMENT.

attabler (s'). V. TABLE (SE METTRE À).

attachant. V. ATTRAYANT.

attaché. V. ADHÉRENT.

attachement. V. AFFECTION.

attacher est un terme général; c'est

fixer de n'importe quelle manière une chose à une autre, afin qu'elle demeure dans la place ou la situation voulue : *On attache avec une corde, une chaîne, un clou, une agrafe, etc.* **Lier,** c'est attacher, serrer, mais toujours avec un lien : *Lier un fagot; Lier les mains d'un captif.* **Enchaîner,** c'est attacher avec une chaîne, et, par ext., avec un lien quelconque : *Enchaîner un dogue.* (Au fig., LIER et ENCHAÎNER impliquent une idée d'autorité, de puissance d'obligation, qui s'impose, mais pas ATTACHER : *On est lié, enchaîné par un contrat, un engagement, et l'on ne peut rompre ce lien; On est attaché par un intérêt, par une affection quelconque, mais on peut briser cette attache.*) **Ficeler,** c'est attacher avec des ficelles ou des cordes : *Ficeler un paquet, une malle.* **Ligoter,** c'est attacher étroitement et solidement avec une corde : *Ligoter un malfaiteur.* **Garrotter** est un syn. auj. peu us. de *ligoter;* il impliquait autref. l'usage d'un « garrot », c'est-à-dire d'un morceau de bois plus ou moins gros passé dans une corde, un lien quelconque, pour le serrer par une série de mouvements de torsion. **Amarrer** est un terme de marine; c'est maintenir un bateau attaché au moyen d'amarres, de câbles ou de chaînes : *Amarrer une embarcation à un ponton.*

V. aussi ATTIRANT.

S'attacher, c'est s'unir, se lier à quelqu'un, à quelque chose au moyen d'un lien quelconque : *S'attacher à un câble pour descendre dans un puits.* **S'accrocher,** c'est soit être retenu involontairement par quelque chose de pointu ou un objet qui forme saillie, soit saisir avec force, s'attacher ou s'arrêter volontairement à quelque chose que ce soit : *On s'accroche à des ronces; Quand on tombe, on s'accroche où l'on peut.* **Se suspendre,** c'est s'attacher, se soutenir en l'air, au moyen d'un lien, d'un support : *Se suspendre à une corde, à une branche.* **S'agriffer,** c'est se suspendre avec les griffes : *Un chat qui s'agriffe à la tapisserie.* **S'agripper** est un syn. pop. de *s'attacher* comme de *s'accrocher.*

attaque est un terme général qui désigne l'action d'assaillir, laquelle peut être lente; il emporte l'idée de combat, de lutte qui commence d'un côté seulement : *L'attaque, qui est l'acte, le fait, vient presque toujours d'un ennemi, d'un adversaire dont on se défie.* **Agression** porte l'idée sur l'acte premier qui est la cause du conflit, et qui n'est pas forcément une attaque : *L'agression qui est l'acte, le fait considéré moralement, comme indiquant celui qui a le premier tort, est toujours inattendue et non provoquée.*

V. aussi ASSAUT et CRISE.

attaquer, c'est commencer la lutte contre quelqu'un ou quelque chose : *Attaquer un passant, une armée, un navire.* **Aborder** est syn. d'*attaquer* dans le lang. milit. : *Aborder l'ennemi à la baïonnette.* **Assaillir,** c'est attaquer vivement et vigoureusement, le plus souvent par surprise, à l'improviste : *Assaillir les ennemis dans leurs retranchements.* **Provoquer,** c'est appeler au combat, en irritant ou en excitant quelqu'un de manière à lui faire produire un acte violent : *Provoquer un voisin en l'injuriant.* **Agresser** est un syn. peu us. d'*attaquer.* **Attenter à** enchérit sur *attaquer;* c'est se livrer à une entreprise criminelle ou illégale contre les personnes ou contre les choses : *Attenter à l'honneur, à la dignité, à la vie de quelqu'un.*

V. aussi COMMENCER.

atteindre. V. ARRIVER, REJOINDRE et TOUCHER.

atteinte. V. CRISE.

attenance. V. DÉPENDANCE.

attenant. V. PROCHE.

attendre. V. ESPÉRER.

attendrir. V. AMOLLIR et ÉMOUVOIR.

S'attendrir. V. APITOYER (S').

attendu que. V. PARCE QUE.

attentat. V. FORFAIT.

attente désigne aussi bien l'action de compter sur la réalisation prochaine ou lointaine d'un fait, que le temps pendant lequel on est dans l'état d'attente. **Expectative** se dit d'une attente fondée sur des promesses, des probabilités; il emporte généralement l'idée d'espérance. **Expectation** est vx dans ce sens et ne s'emploie plus guère qu'en termes de méd. pour désigner la méthode qui consiste à observer la marche de la maladie, en n'utilisant contre elle que des moyens hygiéniques.

attenter à. V. ATTAQUER.

attention est un terme générique ; il se dit de la tension de l'esprit, de sa concentration volontaire sur un objet déterminé : *L'attention double les forces de l'esprit.* **Application** désigne une attention suivie, soutenue, persévérante : *Bien qu'elle puisse n'avoir point de succès, l'application suppose toujours la volonté de savoir.* **Tension d'esprit** désigne un effort continu de l'esprit ; c'est une grande application mentale : *La tension d'esprit use plus promptement le corps que la tension des nerfs.* **Réflexion** se dit d'une attention, que l'on pourrait qualifier d'intérieure, par laquelle l'esprit prend ses idées et se prend lui-même pour objet : *La réflexion, a dit Vauvenargues, est la puissance de se replier sur ses idées, de les examiner, de les modifier.* **Méditation** désigne une réflexion profonde et longtemps prolongée : *La méditation suppose le désir d'approfondir et une action réfléchie, qui a toujours un résultat plus ou moins utile.* **Contention** se dit d'une attention pénible que l'on donne aux choses compliquées ou embrouillées, et qui suppose ou des difficultés dans la matière étudiée, ou de la faiblesse d'esprit : *La contention exige la résolution ferme de ne rien ignorer et de vaincre les difficultés qui peuvent se présenter.*

V. aussi CURIOSITÉ, ÉGARD et SOIN.

attentionné. V. COMPLAISANT.

atténuer. V. MODÉRER.

atterrissement. V. ALLUVION.

attestation est le nom donné à toute déclaration, à toute affirmation verbale ou écrite. **Certificat** ne se dit que d'une attestation écrite, officielle ou dûment signée d'une personne autorisée qui affirme un fait.

attester. V. AFFIRMER.

attiédir. V. REFROIDIR.

attiédissement marque un changement de température vers le tiède, par échauffement ou par refroidissement au sens propre : *L'attiédissement de la température ;* cependant qu'il implique manque d'ardeur, de ferveur, au sens figuré : *Amitié qui ne souffre aucun attiédissement.* **Tiédeur** se dit de l'état plus ou moins permanent de ce qui est déjà tiède, c'est-à-dire entre le chaud et le froid : *Climat qui se caractérise par sa tiédeur ; Amitié empreinte de tiédeur, sans jamais avoir subi pour cela d'attiédissement.* **Tépidité,** qui ne s'emploie qu'au propre, est peu us. ; il fait surtout penser au corps lui-même auquel la qualité de tiédeur est inhérente, beaucoup plus qu'à l'impression produite sur nous par le même cas, comme le fait *tiédeur.*

attifer. V. PARER.

attirance. V. ATTRACTION.

attirant se dit de ce qui fait venir à soi ; il s'emploie au propre comme au fig. : *La force attirante de l'aimant ; Une douceur attirante.* **Attractif** est didact. ; il ne s'emploie qu'en physique et au propre : *Propriété, force attractive d'un corps.*

V. aussi ATTRAYANT et ENGAGEANT.

attirer. V. ATTRAYANT, OCCASIONNER et TENTER.

S'attirer se dit de l'action d'appeler sur soi, le bon comme le mauvais : *On peut s'attirer aussi bien l'affection, l'estime, l'amitié de quelqu'un, que sa haine, son aversion, son mépris.* **Encourir** implique toujours des choses désagréables, fâcheuses : *Encourir une amende, une peine de prison, l'indignation publique.*

attiser. V. EXCITER.

attitude (de l'ital. *attitudine,* habileté, position convenable), qui a d'abord été employé exclusivement comme terme d'art, est devenu d'usage dans tous les styles ; il se prend ordinairement en bonne part, et se dit d'une manière de tenir le corps plus ou moins convenable à la circonstance présente : *Attitude élégante, gracieuse, gauche.* **Posture** exprime quelque chose de forcé, d'inusité, et est souvent pris en mauv. part ; il désigne la situation où se tient le corps lorsque celui-ci est dans une **pose,** une **position** (v. ce mot) plus ou moins éloignée de son habitude : *Posture commode, incommode ; Etre dans une plaisante posture, une posture peu convenable.* (A noter, par ailleurs, qu'ATTITUDE peut signifier aussi, au fig., la manifestation extérieure d'un sentiment, chose que ne fait pas POSTURE : *Attitude bienveillante.*) [V. AIR, ALLURE et MAINTIEN.]

attouchement. V. TACT.

attractif. V. ATTIRANT.

attraction (du lat. *ad,* vers, et *trahere,* traîner) désigne, au propre, la force qui attire, et, au fig., l'action d'attirer, et emporte alors l'idée de charme, de séduction : *L'attraction de la Terre sur la Lune; Paris exerce une puissante attraction sur les étrangers.* **Attirance** ne s'emploie qu'au fig. et emporte soit l'idée de vertige, soit, comme *attraction,* celle de charme, de séduction : *L'attirance du gouffre; L'attirance de la gaieté.* **Gravitation** ne s'emploie au contraire qu'au sens propre; c'est le terme de physique qui désigne la force en vertu de laquelle un corps abandonné à lui-même se précipite vers la terre, et, dans un sens plus étendu, de l'attraction qui s'exerce entre tous les corps de la nature : *Newton formula le premier la loi de la gravitation universelle.*

attraits, employé au pluriel, se dit des agréments extérieurs d'une femme, tels l'animation des yeux, du teint, de la physionomie. **Charmes** désigne la régularité des traits et les proportions heureuses du corps unies à la grâce de la forme, c'est-à-dire d'un ensemble de qualités physiques qui plaît au regard. **Appas** s'applique plus particulièrement à la gorge, aux seins, à l'embonpoint : *On est attiré par les attraits d'une femme, captivé par ses charmes, séduit par ses appas.* (V. SEIN.) — Au fig., ces mots sont syn. ; néanmoins, il n'est pas inutile avant de les employer de se rappeler leur étymologie : ATTRAIT venant du lat. *attrahere,* attirer, CHARMES du lat. *carmen,* chant, primitivement chant magique, et APPAS de *a* pour *ad,* vers, et *pastus,* nourriture : *La gloire a des attraits irrésistibles pour un esprit ambitieux; La vertu a des charmes invincibles pour les âmes élevées; La fortune a de puissants appas pour tous les hommes.*

attrape se dit d'une plaisanterie sans méchanceté que l'on fait dans le seul but de s'amuser, et qui consiste à induire quelqu'un en erreur par des apparences trompeuses : *Attrape de poisson d'avril.* **Tromperie** désigne une action que l'on fait dans le mauvais dessein de duper, d'abuser de la bonne foi et de la confiance de celui qui en est la victime : *La tromperie est le propre des gens de mauvaise foi.* **Leurre** est un syn. vx et peu us. de *tromperie : On vous promet cet emploi, mais c'est un leurre.* **Mystification** implique beaucoup de crédulité chez celui que l'on abuse, ainsi que le désir de se divertir à ses dépens : *Une mystification est souvent une méchanceté.* (Ce mot se dit aussi d'une chose vaine, trompeuse : *Toute révolution politique, a dit Proudhon, est une mystification.*) **Tour** emporte plus l'idée de malice que de véritable méchanceté : *Jouer un bon, un mauvais tour à quelqu'un.* **Farce** emporte l'idée de bouffonnerie; c'est un tour plaisant et burlesque : *C'est faire une farce que de remplacer le sucre par du sel.* **Niche** se dit d'une petite attrape, et implique malice, espièglerie : *Les enfants aiment à faire des niches à leurs camarades.* **Blague** est un syn. fam. de *farce.* **Fumisterie** se dit figurém. et familièrem. d'une mauvaise farce, souvent grotesque. **Bateau,** qui est fam., se dit d'une histoire forgée de toutes pièces à l'intention d'un naïf que l'on veut abuser : *Monter un bateau à quelqu'un.* **Bourde,** syn. de *bateau,* est péjoratif : *Faire avaler des bourdes.* (V. PLAISANTERIE.)

attraper (de *à* et *trappe*), c'est prendre à un piège ou à quelque chose de semblable; c'est aussi s'emparer de ce qu'on poursuit ou de ce qu'on guette : *Attraper des oiseaux avec de la glu; Attraper un papillon, un voleur.* **Saisir,** c'est attraper avec vigueur ou avec rapidité : *Saisir quelqu'un au collet, un papillon qui vole.* **Happer** onom. d'origine germ. (cf. néerl. *happen,* mordre), c'est attraper brusquement et avidement, avec la gueule, le bec, et, aussi, par ext., saisir à l'improviste : *L'hirondelle happe les mouches au vol; Gendarmes qui happent un malfaiteur.* **Gripper,** c'est saisir lestement avec les griffes : *Le chat grippe une souris.* **Agripper** est familier; il emporte l'idée de vivacité : *Agripper une place.* (V. PRENDRE.)

V. aussi CONTRACTER, RÉPRIMANDER et TROMPER.

attrayant se dit de ce qui attire, en général par la douceur, le charme ou le plaisir : *Manières, beauté, roman attrayants.* **Plaisant** désigne ce qui plaît, ce qui est agréable, et, le plus souvent, amusant : *Tout ce qui est plaisant, a* *dit Montesquieu, ne nous est pas toujours salutaire; Une comédie plaisante.* **Attirant** a toujours rapport aux personnes, lorsque celles-ci plaisent, souvent d'ailleurs plus par artifice que par charme naturel : *Marchande adroite et attirante; Esprit insinuant et attirant.* **Attachant** implique non seulement de l'attrait, mais encore de l'intérêt : *Auteur, lecture, spectacle attachant.* **Séduisant** enchérit sur tous ces termes; il se dit de ce qui attire d'une façon irrésistible et, souvent, malgré que nous nous en défendions : *Femme, conversation, proposition séduisante.* (V. APPÉTISSANT, CHARMANT, INTÉRESSANT et SÉDUCTEUR.)

attribuer, c'est conférer quelque avantage, quelque prérogative : *Attribuer des émoluments à un emploi.* **Allouer** ne se dit qu'en matière d'argent : *Allouer une indemnité, une gratification, un supplément de traitement.* **Décerner** (du lat. *decernere,* accorder, ordonner juridiquement, en parlant primitivement des récompenses et des peines), c'est attribuer par autorité publique, lorsqu'il s'agit de récompenses, d'honneurs; il se dit aussi, par ext., des prix que donnent solennellement certaines compagnies : *Décerner des récompenses à la valeur; Décerner un prix d'éloquence, de poésie.* **Adjuger,** proprem. attribuer par jugement à qui de droit, ou bien, dans une vente, attribuer au plus offrant, s'emploie aussi dans le sens général d'*attribuer,* de *décerner : Adjuger des meubles; Adjuger une récompense.* (V. AFFECTER et CONFÉRER.)

V. aussi IMPUTER.

S'attribuer. V. APPROPRIER (S').

attribut. V. ADJECTIF, QUALITÉ et SYMBOLE.

attribution. V. EMPLOI.

attrister indique quelque chose de général; il emporte l'idée d'un déplaisir léger et passager, plus apparent que profond, causé parfois par un mal qui ne nous touche pas directement et qui s'oppose simplement à notre joie, à notre gaieté : *On est attristé par tout ce qui cause de la mélancolie, aussi bien par des événements malheureux que par des modifications intérieures de l'âme.* **Contrister** implique une douleur plus vive, plus profonde, souvent aussi plus proche, qu'*attrister;* il indique en outre la plénitude, l'étendue du sentiment : *Etre contristé par l'échec de tous ses projets.* **Peiner** est propre à la tristesse morale, et emporte souvent une idée d'inquiétude : *Les enfants peinent souvent leurs parents; La position de cette personne nous peine vivement.* **Chagriner** dit moins que *peiner;* c'est causer du déplaisir, soit par une affliction naturelle, soit par une humeur habituelle : *Sa maladie le chagrine; Trouver plaisir à chagriner son entourage.* **Affliger,** comme **frapper,** suppose une très grande douleur, causée par un mal considérable qui, nous touchant de près, nous abat et nous accable : *On est affligé de la perte d'un être cher, d'un bouleversement de fortune.* **Navrer,** c'est affliger profondément : *Le spectacle des misères humaines navre l'âme, a dit Guizot.* **Désoler** enchérit sur *navrer;* il suppose une affliction extrême : *Cette mort tragique me désole.* **Endolorir** est un syn. peu us. d'*affliger : Nouvelle qui endolorit le cœur.* **Affecter** emporte, avec l'idée d'affliction, celle d'intense et durable émotion, plutôt que de douleur : *La mort de Turenne affecta beaucoup l'armée.* **Consterner** suppose de l'abattement et une stupeur douloureuse qui font que l'on est dans l'impossibilité de réagir contre une affliction : *Cette perte les a tous consternés.* — A ces termes, il convient d'ajouter **éploré** qui ne s'emploie qu'adjectivement et a le sens de *désolé,* figurém. du moins, puisque proprement il implique des « pleurs », des larmes : *Arriver avec une mine éplorée; Femme éplorée.* (V. APITOYER, ÉMOUVOIR et FÂCHER.)

attrition. V. REPENTIR.

attroupement. V. RASSEMBLEMENT.

attrouper, c'est réunir en « troupe », former une « troupe », c'est-à-dire une réunion de gens, dans un but quelconque : *Attrouper des oisifs; Chanteur des rues, camelot qui attroupe les badauds autour de lui.* **Ameuter** (de *à* et *meute*), qui signifiait à l'origine « assembler des chiens courants pour la chasse », emporte l'idée d' « émeute »; il implique le désir d'émouvoir plusieurs personnes dans un but hostile ou séditieux, pour les porter contre quelqu'un: *Ameuter tous les ouvriers d'une ville.*

aubade. V. CONCERT.

aubain. V. ÉTRANGER.

aubaine. V. CHANCE et PROFIT.

aube (du lat. *albus,* blanc), ou plus rarem. **crépuscule** (v. ce mot), désigne la clarté douteuse, blanchâtre, qui suit la nuit et précède l'*aurore.* **Aurore** (du lat. *aurea,* heure dorée) se dit de la lueur brillante et rosée qui paraît à l'horizon un peu avant le lever du jour. **Point du jour,** ou **dilucule** (vx), se dit de la première partie du temps que dure le jour : *Seuls les astronomes peuvent dire d'avance l'heure qu'on appelle le point du jour.* **Pointe du jour** désigne la première apparition de la lumière qui vient de chasser la nuit : *Ce sont nos yeux qui nous font reconnaître la pointe du jour.* **Avant-jour** est un syn. auj. peu us. d'*aurore.*

auberge. V. HÔTEL.

aucun. V. NUL.

aucuns (d'). V. PLUSIEURS.

audace. V. HARDIESSE.

audition. V. CONCERT.

auditoire (du lat. *audire,* entendre) désigne tous ceux qui écoutent une personne parlant ou lisant en public, un concert, etc. : *Professeur qui a un bel auditoire; Les parleurs de la radio ont un immense auditoire.* **Assistance** (du lat. *ad,* auprès, et *sistere,* se tenir) implique la présence, mais pas forcément une audition; il se dit de ceux qui assistent à une réunion, à une cérémonie, que l'on y discoure ou non : *Manifestation sportive qui attire une nombreuse assistance; Emouvoir l'assistance par de tristes récits.* **Public** est très général; il désigne l'ensemble des personnes qui se réunissent dans un lieu où tout le monde peut aller, que ce soit pour entendre, voir, ou juger : *Le public d'un théâtre, des courses.* **Spectateurs** suppose la vue de quelque chose qui s'impose à l'attention, à la réflexion, à l'esprit, le plus souvent une cérémonie publique, une représentation théâtrale ou cinématographique, un exercice sportif : *Soulever l'enthousiasme des spectateurs.* **Salle** désigne le public qui remplit un lieu de réunion, de spectacle : *Salle qui applaudit à tout rompre.* **Galerie** est un syn. fam. et péj. de *public;* il ne s'emploie que dans des loc. comme : *Poser pour la galerie; Eblouir la galerie.*

auge (du lat. *alveus,* bassin) désigne un bloc de pierre creusé ou un récipient de bois, de ciment, de fonte, etc., servant à donner à manger et à boire aux animaux domestiques, particulièrement aux porcs. **Mangeoire** se dit plus spécialem. de l'auge qui est placée au-dessous du râtelier (avec lequel il ne faut pas la confondre) dans les écuries des chevaux et l'étable des bœufs; il désigne aussi la petite auge réservée à la nourriture des chiens, des lapins, de certains oiseaux de basse-cour ou en cage. **Binée** se dit d'une auge qui sert à donner à manger aux bêtes à cornes. **Crèche** désigne plus spécialem. l'auge des moutons réunie avec le râtelier en un même appareil. **Auget** se dit de la petite auge, en général en zinc ou en verre, où l'on met la nourriture des oiseaux élevés en cage ou en parquet.

augmentation a plutôt rapport au volume, et suppose que les choses qui s'ajoutent sont absolument semblables, ou tout au moins de même nature : *Augmentation de poids, de traitement.* **Addition** a toujours rapport au nombre et peut être le fait du mélange ou de l'adjonction les unes aux autres de plusieurs choses différentes : *Addition d'un chapitre à un livre, d'un paragraphe à un mémoire.* **Accroissement** suppose une augmentation graduelle considérée en elle-même : *Accroissement lent mais régulier de la fortune.* **Agrandissement** se dit, au propre, de l'accroissement en étendue : *L'agrandissement d'une ville;* et, au fig., d'une augmentation en dignité, en fortune, en puissance : *Tout sacrifier à l'agrandissement de sa famille, de son pays.* **Rallonge,** pris dans son sens fig., est un syn. peu usité d'*augmentation : Il faut toujours qu'une bonne parole serve de rallonge à une bonne action.*

augmenter indique que l'on rend la chose ou plus grande, ou plus abondante, de manière que l'addition ne fasse avec elle qu'un tout; il emporte une idée d'incorporation complète. **Croître** marque un développement successif qui fait grandir ou s'élever progressivement, par une addition intérieure : *Une famille augmente, un enfant croît.* **Agrandir,** c'est donner plus d'extension, plus de développement à une chose: *On agrandit les possessions d'un empire, des domaines.* **Accroître** est un terme général qui peut s'employer à la place d'*augmenter* comme à celle d'*agrandir,* le premier étant développer, accroître en nombre, le second développer, accroître en étendue : *Tout accroît mes ennuis; Accroître son jardin.* **Redoubler,** proprem. augmenter du double, s'emploie parfois aussi comme syn. d'*augmenter,* d'*accroître,* sans précisément doubler; il implique toujours alors une augmentation, un accroissement sensible : *Un mot élogieux du chef redouble le zèle du soldat.* **Ajouter,** c'est mettre en plus des choses différentes, ou qui, si elles sont de la même espèce, ne peuvent pas se confondre ensemble; il implique juxtaposition : *On ajoute quelque chose en laissant le reste tel quel.* **Amplifier,** c'est augmenter en remaniant une ou plusieurs parties du tout; il emporte l'idée de développement : *On amplifie une pensée.* **Etendre,** c'est augmenter en donnant plus d'étendue : *On étend ses connaissances, ses relations.* **Intensifier,** syn. d'*augmenter,* de *redoubler,* suppose que l'on fournit un effort, que l'on fait preuve d'une activité plus grande : *Intensifier son action, une attaque.*

V. aussi MAJORER.

augure. V. DEVIN et PRÉSAGE.

augurer se dit seulement en parlant des choses à venir, qu'il faut considérer comme devant être bonnes ou mauvaises, heureuses ou malheureuses : *La campagne d'Italie permit d'augurer ce que serait Bonaparte.* **Conjecturer,** c'est imaginer ou se représenter les choses par raisonnement ou supposition; il suppose une inclination à croire d'après les apparences : *On ne conjecture jamais que là où les preuves démonstratives font défaut.* **Présumer,** c'est se former d'avance un avis, une opinion, en s'appuyant sur des faits certains, des vérités connues, des commencements de preuves; il est dominé par l'idée d'une croyance incomplète qui s'impose à nous par la force des choses : *Il faut présumer le mal, afin de le prévenir.* **Présager,** c'est, en parlant des personnes, conjecturer ce qui doit arriver : *L'homme sage et prudent ne présage rien, mais il s'attend à tout.* (V. PRÉDIRE et SUPPOSER.)

auguste. V. CLOWN et IMPOSANT.

aujourd'hui. V. ACTUELLEMENT.

aumône (du grec *éleêmosunê,* pitié) désigne tout don en argent fait pour le soulagement des indigents. **Obole** se dit d'une petite aumône; il emporte abusiv. l'idée de participation. **Charité** dit plus qu'*aumône;* il désigne plutôt la distribution et l'application de ces dons aux malheureux, avec tous les accessoires qui peuvent en augmenter le prix. **Secours** est très général; il se dit de toute chose qui sert à aider quelqu'un dans le besoin, dans la nécessité, qu'il s'agisse de dons en espèces ou en nature. (V. DON et LIBÉRALITÉ.)

aumônier désigne un ecclésiastique dont la fonction ordinaire est de distribuer les aumônes de ceux à qui il est attaché pour faire auprès d'eux le service divin; il se dit aussi auj. d'un prêtre attaché à un corps militaire ou à un établissement public ou privé (collège, école, etc.) pour y remplir toutes les fonctions ecclésiastiques. **Chapelain** dit moins qu'*aumônier;* il désigne seulement un prêtre chargé de dire la messe dans une chapelle particulière. (V. PRÊTRE.)

auparavant. V. AVANT.

auprès. V. COMPARAISON (EN) et PROCHE.

auréole. V. NIMBE.

auréoler. V. GLORIFIER.

aurore. V. AUBE et COMMENCEMENT.

auspice. V. DEVIN.

Auspices, employé figurément, réclame le pluriel et est toujours précédé de *sous les;* il suppose alors une marque de faveur, un appui : *Entreprendre une affaire sous les auspices d'un homme compétent.* (A noter que, dans ce sens, quelques auteurs ont employé ce terme au sing., entre autres Racine : *Jamais hymen formé sous le plus noir auspice,* — et dans J.-B. Rousseau : *Le ciel me créa sous le plus noir auspice.*) **Protection** dit plus qu'*auspices;* il implique un secours, une défense contre un danger : *Les petits et les faibles ont besoin de protection.* **Sauvegarde** enchérit à son tour sur *protection;* il se dit de la protection accordée par une autorité quelconque dans un grand danger : *Se mettre sous la sauvegarde de* *la police.* **Tutelle,** syn. de *protection,* de *sauvegarde,* emporte souvent aussi une idée de dépendance : *On se met sous la tutelle des lois.* **Patronage,** plus partic., désigne soit la protection d'un saint ou d'une sainte, soit simplement celle qu'un patron ou un homme puissant accorde à un homme d'une condition inférieure : *Eglise placée sous le patronage de sainte Odile; Concert de bienfaisance placé sous le patronage d'un ministre, du chef de l'Etat.* **Egide** s'emploie parfois au fig. dans le style relevé, par allusion au bouclier de la déesse Pallas, comme syn. de *patronage.* (V. APPUI et RECOMMANDATION.)

V. aussi DEVIN.

aussi tient surtout de la similitude et de la comparaison; il implique, par ailleurs, une idée de diversité : *Il a donné telle chose, et cela aussi; Lorsque le corps est malade, l'esprit l'est aussi.* **Encore** marque addition ou énumération : *Outre son travail ordinaire, on le chargea encore de différentes recherches.*

V. aussi AINSI.

aussitôt. V. IMMÉDIATEMENT.

austère se rapporte à la conduite, aux règles, aux principes stricts qu'on se fait : *L'homme austère se prive de tout ce qui peut flatter ses penchants, quels qu'ils soient.* **Sévère** se rapporte surtout au caractère : *Celui qui est sévère ne montre aucune indulgence pour les vices et même pour les imperfections de ses semblables ou de lui-même.* **Dur** se dit de celui qui est sévère jusqu'à l'inhumanité : *L'homme dur est insensible aux misères d'autrui.* **Rude** implique une absence complète de douceur dans les manières, due le plus souvent à un défaut d'intelligence : *Celui qui est rude ne l'est que pour les autres.* **Rigoureux** se dit des principes, de la morale, plus que des personnes; il emporte l'idée de sévérité exagérée, allant jusqu'à la dureté : *Ce qui est rigoureux ne cherche ni à excuser, ni à pardonner.* **Raide** (ou ROIDE) exprime moins la sévérité que la hauteur, l'obstination, l'âpreté de caractère; il suppose une réserve froide : *C'est dans les relations du monde qu'on se montre raide.* **Rigide** se dit des principes, de la morale, ainsi que de la conduite et des personnes elles-mêmes, lorsque celles-ci voudraient que tout le monde fût austère, sans pour cela l'être forcément elles aussi : *L'homme rigide n'admet aucune indulgence.* **Rigoriste** se dit plutôt de l'attachement à une morale, à des principes rigides : *L'homme rigoriste pousse à l'excès la sévérité des principes.* **Spartiate,** syn. d'*austère,* emporte l'idée d'une grande fermeté dans les sentiments, par allusion aux mœurs des anciens Spartiates; il est plutôt du style littér. : *L'homme spartiate est toujours austère dans ses mœurs.* **Stoïque** se dit d'un homme austère, dur pour lui-même, et qui, de ce fait, supporte impassiblement la souffrance physique comme morale : *L'homme stoïque est insensible à ses propres misères.* **Ascétique** (d'*ascète,* nom donné, avant l'institution des monastères, à ceux qui, pour se livrer exclusivement à la piété, menaient une vie d'oraison et de mortification) qualifie aussi parfois auj., dans le lang. recherché, ce qui témoigne d'une extrême austérité : *L'homme qui mène une vie ascétique se refuse tout plaisir, toute jouissance.* (V. DÉCENT et PRUDE.)

austral. V. SUD.

auteur désigne celui qui a composé un livre, une brochure ou un article, et que l'on considère indépendamment de toute valeur littéraire. **Ecrivain** dit plus qu'*auteur;* il suppose chez ce dernier du style, du talent, des dons littéraires, et convient bien en parlant surtout de celui qui a pour métier d'écrire des livres : *Il suffit du fait d'avoir produit un ouvrage pour être auteur, alors qu'il faut en outre déployer des qualités de style pour être écrivain.* **Prosateur** est plus partic.; c'est le nom que l'on donne, généralement par opposition à **poète,** à l'écrivain qui écrit en prose, forme de langage non assujettie, comme la poésie, aux lois d'une mesure et d'un rythme fixes, réguliers. **Homme de lettres,** comme **homme de plume** (qui est vx), désigne l'écrivain qui vit de la vente de ses livres. **Gendelettre** (contraction de *gens de lettres*) est un syn. fam. et plutôt ironique d'*homme de lettres.* **Plume,** qui désigne parfois la composition des ouvrages de l'esprit, le style, la manière d'écrire d'un auteur, se dit aussi de l'auteur lui-même, considéré par rapport à son style ; il est cependant plutôt vieilli dans ce sens : *Une plume exercée.* **Littérateur** et plus encore **plumitif** sont péj., ainsi qu'**écrivailleur** et **écrivassier** qui se disent familièrement d'un auteur fécond, mais sans talent. **Chieur d'encre** est un syn. grossier d'*écrivain.* **Bas-bleu** se dit seulement, et par dénigrement, d'une femme auteur. — **Auteur dramatique,** comme **dramaturge,** est très particulier ; il désigne uniquement un auteur de pièces de théâtre et spécialement d'œuvres qui tiennent à la fois de la comédie et de la tragédie.

authentique. V. OFFICIEL et VRAI.

autobiographie. V. MÉMOIRES.

autochtone. V. INDIGÈNE.

autocrate. V. MONARQUE.

autocratique. V. ABSOLU.

automate (du grec *autos,* soi-même, et *maomai,* je me meus) se dit de tout ouvrage de mécanique qui porte en soi le principe de son mouvement, et qui imite la spontanéité des êtres animés. **Androïde** (du grec *andros,* homme, et *eidos,* aspect) désigne un automate ayant une apparence humaine ; il est peu usité : on dit plutôt auj., dans ce sens, **robot** (du tchèque *robota,* travail, corvée). **Machine,** plus général, désigne tout ouvrage de mécanique qui peut être mis en mouvement d'une façon ou d'une autre.

automatique. V. MACHINAL.

automédon. V. COCHER.

automotrice est le nom donné, dans un chemin de fer électrique, à la voiture où se trouve le mécanisme, et à laquelle peuvent être et sont généralement accrochés des wagons. **Autorail** se dit plus spécialement d'une voiture automobile sur rails servant au transport des voyageurs. **Micheline** désigne un autorail sur pneus spéciaux.

autonome. V. LIBRE.

autopsie. V. ANATOMIE.

autorail. V. AUTOMOTRICE.

autorisation. V. PERMISSION.

autoriser. V. PERMETTRE.

autoritaire. V. ABSOLU et IMPÉRIEUX.

autorité désigne le droit, le pouvoir de commander, de se faire obéir, que nous donne le rang ou simplement un ascendant naturel : *L'autorité que l'on a sur les autres vient de la supériorité que donnent les lois ou de celle du mérite.* **Puissance** se dit d'une autorité de fait, indépendamment de toute considération de justice ou de mérite : *La puissance est l'autorité dans son principe, qu'elle repose sur le consentement des peuples ou sur la force.* **Pouvoir** désigne l'avoir, la possession, la faculté actuelle de faire, et emporte toujours une idée particulière d'efficacité : *Le pouvoir est quelque chose de délégué ou de communiqué, par quoi s'exerce ou se manifeste l'autorité ou la puissance.* **Empire** emporte l'idée d'un pouvoir et d'un ascendant absolus : *L'empire naît de l'art de trouver et de saisir le faible des hommes.* **Domination** implique l'idée d'un ascendant naturel joint à beaucoup de fierté et de hauteur : *La domination exprime la façon dont on use de l'autorité.* **Loi,** syn. de ces termes, est plutôt du style relevé : *Les conducteurs d'hommes rangent les peuples sous leur loi.* **Férule** s'emploie parfois aussi dans le langage recherché et figurément en parlant d'une autorité sévère : *Etre sous la férule de quelqu'un.* **Toute-puissance,** terme de théol. qui désigne le pouvoir infini de Dieu, s'emploie dans le langage ordinaire en parlant soit d'une puissance politique sans bornes, soit d'une autorité souveraine : *La toute-puissance est sans limites et absolue.* **Prépotence** est généralement péjoratif ; il suppose une autorité excessive, un pouvoir supérieur, dominant, dont trop souvent on abuse : *Dans l'empire romain, il n'y avait aucune institution pour contrebalancer la prépotence de l'empereur.*

autour marque une sorte de rapprochement ; il se dit de ce qui va contre ou tout près. **Alentour** (ou **à l'entour,** qui se rencontre dans plusieurs des grands écrivains du XVIIe siècle, mais ne s'emploie plus guère auj., sauf quand il n'est pas précédé de la préposition « de ») suppose un certain éloignement ; il se dit de ce qui se trouve dans les environs : *Les convives sont autour de la table, et les serviteurs tournent alentour* (ou *à l'entour*).

autrefois. V. ANCIENNEMENT.

autres. V. AUTRUI.

autrui s'emploie pour désigner tous les

hommes autres que soi-même, le plus souvent dans le style religieux ou dans la langue sentencieuse des maximes : *Il ne faut pas désirer le bien d'autrui.* **Autres,** qui, dans ce sens, s'emploie toujours au plur., est plus général qu'*autrui;* il désigne, dans le langage courant, tout le monde par rapport à celui ou à ceux dont on vient de parler : *Il ne faut pas ravir le bien des uns pour le donner aux autres.* **Prochain** désigne chaque homme en particulier, et tous les hommes en général, cela par rapport à soi-même; dans ce sens, il s'emploie surtout dans le langage de la morale chrétienne : *L'Evangile nous ordonne d'aimer notre prochain comme nous-même.*

auxiliaire. V. AIDE.

avachi. V. DÉFORMÉ.

avaler (du lat. *ad,* à, vers, en, et *vallis,* vallée, bas), c'est faire aller en aval, faire descendre (vx), et, spécialement, faire descendre dans le gosier jusque dans l'estomac : *Avaler un bateau* (vx) ; *Avaler une huître, un verre d'eau, un cachet.* **Absorber,** c'est faire entrer lentement, successivement en soi, en général un liquide; c'est aussi, familièrem., manger et principalement boire en grande quantité : *Le sable absorbe l'eau; On absorbe des aliments, plusieurs litres de vin à son repas.* **Humer,** c'est, dans son premier sens, auj. vieilli, avaler en aspirant : *Humer un bouillon, un œuf;* il s'emploie maintenant dans le sens d'absorber en respirant, et surtout en flairant : *Humer l'air frais, un verre de liqueur.* **Engloutir** implique une action prompte, instantanée et complète qui fait que tout disparaît en un instant : *La mer engloutit de nombreuses proies; Engloutir des morceaux de viande sans même les mâcher.* **Ingurgiter,** c'est avaler non seulement avidement, mais encore en quantité (surtout, au sens propre, en parlant des liquides) ; il est fam. : *Ingurgiter de nombreuses chopes de bière; Ingurgiter du latin.* **Gober,** c'est avaler d'un seul coup, sans savourer, sans mâcher. **Déglutir** fait essentiellement penser au mouvement par lequel le bol alimentaire passe de l'arrière-bouche dans l'œsophage puis dans l'estomac; c'est un terme de physiol., comme **ingérer,** introduire dans l'estomac. (V. BOIRE.) V. aussi CROIRE.

avance. V. TENTATIVE.

avancement ne s'emploie dans ce sens qu'au singulier et implique un mouvement en avant, une augmentation en bien ou en mal, dus à une action lente ou rapide qui est en train de s'opérer : *L'avancement d'un édifice en construction, d'un travail; Mécène qui contribue à l'avancement des lettres, des sciences et des arts.* **Progrès,** qui est plutôt un terme didact. et s'emploie au sing. et au plur., enchérit sur *avancement;* il suppose que le mouvement a lieu par degrés, en suivant une marche naturelle et régulière : *Le progrès du soleil dans l'écliptique; Les progrès d'une maladie, de la civilisation.* **Progression** désigne une marche en avant, ou une suite ininterrompue de termes variant régulièrement et par degrés; c'est l'action dont le résultat est le progrès : *La progression des troupes; Une progression géométrique; On suit une maladie dans sa progression et on en constate le progrès.* **Développement** suppose une extension progressive et souvent rationnelle : *Le développement d'une maladie; Le développement des arts, de l'industrie.* **Déroulement** donne l'idée d'un avancement automatique : *Le déroulement d'un film; Le déroulement des événements.* **Evolution** emporte, avec l'idée de progrès, celle de changement : *L'évolution de la situation, des genres littéraires.* **Marche** se dit d'une évolution, d'un développement graduels : *La marche de la nature; La marche de l'action dans un récit.* **Cours,** dans le sens de *développement,* de *marche,* implique une suite continue dans le temps : *Le cours de la vie; Interrompre le cours de la justice.* **Processus,** terme de pathol. qui désigne l'ensemble des phénomènes évolutifs d'un état morbide, fonctionnel ou lésionnel, s'emploie aussi comme syn. de *progression,* de *développement,* en parlant des phénomènes psychologiques, politiques, sociaux. **Procès,** syn. de *progrès,* est vx. (V. PROPAGATION.)

avancer. V. AFFIRMER.

avanie. V. OFFENSE.

avant marque priorité de temps : *Si vous voulez partir, dites-nous avant ce qu'il nous faudra faire; Le jour, la nuit d'avant.* **Auparavant** est syn. d'*avant,* mais, contenant déjà les prépositions

« à » et « par », ne peut être suivi de la préposition « de », ni de la conjonction « que », à moins que l'une ou l'autre ne soit appelée par un autre mot déjà exprimé : *Etre averti longtemps auparavant; Nous avions besoin auparavant d'un avis.* **Préalablement,** syn. d'*auparavant,* entraîne les mêmes remarques. **Précédemment** implique une priorité proche : *Nous avons dit précédemment les motifs de cette sanction.* **Antérieurement** suppose une priorité vague, un intervalle assez long entre les deux temps considérés : *Avoir fait une chose antérieurement.*

avantage se dit de quelque chose d'utile, de favorable, qu'on a de plus qu'un autre, et qui fait qu'on est en avant : *L'avantage du nombre, de l'âge.* **Dessus** désigne l'avantage qu'on obtient dans un combat, dans une dispute; il implique une supériorité physique ou une influence intellectuelle marquée : *Avoir, prendre le dessus sur son adversaire.* (V. SUPÉRIORITÉ.)

V. aussi PROFIT et SUCCÈS.

avantager. V. FAVORISER.

avantageux. V. VANITEUX.

avant-dernier, qui désigne ce qui est immédiatement avant le dernier, se dit des personnes et des choses : *L'avant-dernier maire; L'avant-dernière bouteille.* **Pénultième,** terme didact., ne se dit que des choses : *Le pénultième jour du mois; La pénultième syllabe d'un mot.*

avant-jour. V. AURORE.

avant-propos. V. PRÉFACE.

avare (du lat. *avere,* désirer avec ardeur) désigne celui qui possède sans vouloir faire usage de son bien, et qui, dans toutes les actions de sa vie, laisse percer la passion qui le domine : *L'homme avare se prive de tout.* **Avaricieux** se dit de celui qui manque à donner lorsqu'il le pourrait, ou qui donne trop peu, de celui qui, dans certaines circonstances particulières, se montre d'une parcimonie sordide : *Peste soit de l'avarice et des avaricieux! disait Molière.* (A noter qu'*avaricieux* s'emploie toujours en mauv. part et dans son sens littéral, tandis qu'*avare* se prend quelquefois en bonne part, dans le sens fig. : *Turenne était avare du sang de ses soldats.*) **Intéressé,** comme *avare* et *avaricieux,* emporte l'idée d'âpreté au gain, mais, ainsi que l'indique son radical, l'intérêt personnel est la première loi de celui qu'on désigne de la sorte : *L'homme intéressé peut être prodigue, s'il considère qu'il peut tirer profit de ses largesses d'un moment.* **Thésauriseur** (du lat. *thesaurus,* trésor) désigne celui qui amasse de l'argent, par prudence, par besoin ou par avarice : *Les thésauriseurs abondent dans les périodes de crise économique.* **Harpagon** (du grec *harpagê,* pillage), que Molière a fait entrer dans la langue, est un syn. métonymique d'*avare.* **Grippe-sou, pince-maille** (lequel est peu us.) et **pouacre** sont fam., et se disent plutôt de l'avare qui se contente de petits gains sordides. **Grigou, pignouf** et **pisse-vinaigre** (celui-ci peu us.) sont pop. **Fesse-mathieu** et **racle-denier** sont VX. (V. CHICHE.)

avarie. V. DOMMAGE.

avarier, c'est altérer en modifiant dans la nature, surtout en parlant de produits périssables. **Gâter,** c'est avarier en pourrissant. **Tarer,** c'est altérer, gâter, en causant du déchet; il fait essentiellement penser à la perte de valeur. (V. ALTÉRER, DÉTÉRIORER, MEURTRIR et POURRIR.)

avatar. V. MÉTAMORPHOSE (et MÉSAVENTURE).

aveindre. V. PRENDRE.

aven. V. ABÎME.

avenant. V. AIMABLE.

avènement. V. ARRIVÉE.

avenir est un terme très général; il se dit de ce qui adviendra et a surtout rapport aux révolutions des événements : *Rien de plus incertain que l'avenir.* **Lendemain** est parfois employé, par ext., dans le sens d'*avenir : Les paradoxes de la veille, a dit Laboulaye, sont les vérités du lendemain.* **Futur** s'applique à ce qui sera et est relatif à l'existence des êtres : *S'inquiéter du futur.* **Postérité** est plus partic.; il désigne la suite des générations futures : *La postérité vous jugera.* **Eternité** désigne la suite des temps jusqu'à l'infini; dans ce sens, il est surtout du langage religieux : *L'éternité bienheureuse.*

avenir (à l'), qui signifie dans le temps futur, n'implique pas forcément une liaison entre ce qui est et ce qui sera : *A l'avenir, je refuserai de le recevoir.* **Dans** (ou **par**) **la suite** suppose un enchaînement, une continuation : *Il devint par la suite un excellent élève.* **Dorénavant** est généralement affirmatif et emporte l'idée de promesse : *Dorénavant nous arriverons tous à l'heure.* **Désormais,** beaucoup plus absolu et catégorique que *dorénavant,* est souvent négatif : *Désormais nous ne le recevrons plus.*

aventure s'emploie familièrement en parlant de faits imprévus, surprenants ou extraordinaires, qui arrivent à une personne, et qui présentent souvent quelque chose de romanesque ou parfois de comique : *Aventure étrange, heureuse, malheureuse.* **Accident** désigne presque toujours un malheur, à moins qu'il ne soit accompagné d'une épithète qui le modifie; par ailleurs, il se dit principalement d'un fait d'une importance secondaire, et exprime toujours que celui-ci est arrivé par hasard, d'une façon inattendue : *Accident fâcheux, affreux, tragique; Heureux accident; Accident de la circulation.* **Revers** est plus partic.; il marque toujours un retour de fortune, un changement en pis : *Un revers est un accident qui change une bonne situation en une mauvaise.* **Incident** dit moins qu'*accident;* ce n'est pas un bonheur ou un malheur, mais simplement un fait accessoire et particulier, heureux ou fâcheux, qui survient au cours d'un fait principal, d'une entreprise, d'une affaire : *Incident qui interrompt un instant le travail.* **Evénement** est plus général; il se dit de tout ce qui arrive dans le monde et qui a un intérêt quelconque, que le fait soit prévu ou imprévu, heureux ou malheureux : *Les petits et les grands événements de la vie.* **Episode** qui désigne plus spécialem. une action incidente liée à l'action principale dans un poème, un roman, etc., se dit par ext. d'un incident appartenant à une série d'événements formant un tout : *Un épisode de la Révolution française.* **Péripétie** désigne un épisode subit et imprévu qui entraîne un changement d'état ou modifie l'évolution d'un fait : *Avoir gain de cause après bien des péripéties.* **Affaire,** syn. d'*aventure,* est familier : *Vous parlez d'une affaire!* (V. MÉSAVENTURE.)

aventurer. V. HASARDER.

aventurier. V. INTRIGANT.

avenue (du lat. *advenire,* arriver), qui désigne une allée plantée d'arbres conduisant à une habitation, se dit plus particulièrement, dans les grandes villes, d'une large voie bordée d'arbres : *Avenue Foch, à Paris.* **Boulevard** (de l'all. *Bollwerk,* fortification), qui désigne une voie spacieuse établie, dans une grande ville, sur l'emplacement des anciens remparts, se dit plus généralement, dans les agglomérations importantes, d'une large voie de communication, presque toujours plantée d'arbres : *Boulevard Raspail, à Paris.* (V. PROMENADE, RUE et VOIE.)

V. aussi CHEMIN.

avéré. V. VRAI.

avérer. V. VÉRIFIER.

averse. V. PLUIE.

aversion. V. RÉPUGNANCE.

avertir, c'est appeler l'attention de quelqu'un sur quelque chose, le plus souvent en le mettant en garde contre un danger quelconque, imminent ou possible; il suppose presque toujours un événement futur : *On peut être averti aussi bien par des choses que par des personnes.* **Donner avis,** c'est renseigner brièvement une personne absente ou éloignée sur ce qu'elle ne peut savoir par elle-même; il implique la pensée que la personne prendra intérêt à ce qu'on lui apprend : *Seules les personnes peuvent donner avis.* **Informer,** c'est compléter les connaissances de quelqu'un sur quelque chose, en lui communiquant des renseignements, en rendant compte : *On informe quelqu'un de tout ce qui arrive.* **Aviser,** c'est avertir en dirigeant à propos l'intérêt de quelqu'un sur quelque chose : *On avise son correspondant qu'un envoi lui a été fait.* **Prévenir,** c'est toujours avertir quelqu'un d'avance : *On prévient des écoliers que l'inspecteur viendra le lendemain.*

avertissement désigne la connaissance que l'on donne à quelqu'un d'une chose qu'on ne veut pas qu'il ignore, et sur laquelle on éveille son attention; il implique le désir d'éclairer, de prémunir : *On donne un avertissement à quelqu'un pour qu'il se tienne sur ses gardes, pour qu'il porte son attention* *sur une certaine chose.* **Avis** se dit de l'indication qu'on donne à quelqu'un pour le décider à agir dans un sens ou dans un autre; il suppose le besoin de faire connaître : *On donne un avis à quelqu'un pour lui annoncer simplement que tel fait, telle chose existe.* **Conseil** ajoute à *avis* une idée de supériorité, soit d'état, soit de lumière; il implique le désir de diriger : *On aide quelqu'un de ses conseils dans le but de lui indiquer la voie à suivre, le parti à prendre.* **Monition** est très partic.; c'est un terme propre au droit can. qui désigne l'avertissement juridique que doit faire tout supérieur ecclésiastique avant d'infliger une censure : *Les canonistes distinguent deux sortes de monitions : la monition de charité et la monition de justice.*

V. aussi AVIS et PRÉFACE.

avette. V. ABEILLE.

aveu désigne la déclaration verbale ou écrite par laquelle on reconnaît avoir fait ou dit une chose plutôt blâmable, ou dont on est confus pour un motif quelconque; il suppose la contrainte ou tout au moins l'existence d'une influence qui détermine le coupable à répondre à l'interrogation qu'on lui pose : *L'aveu d'une faute en diminue le poids.* **Confession** emporte l'idée d'un mouvement spontané; il se dit d'une révélation faite de plein gré : *La confession généreuse et libre, a dit Montaigne, énerve le reproche et désarme l'injure.* (Ce terme se dit surtout de l'aveu des péchés fait aux prêtres catholiques pour en obtenir l'absolution : *Le tribunal de la confession.*) **Mea-culpa** (mots lat. tirés du « Confiteor » et qui signif. *par ma faute*) se dit, dans le langage familier, de l'aveu de la faute commise : *Neuf malheureux sur dix peuvent faire leur mea-culpa.*

V. aussi APPROBATION.

aveuglement, qui se dit de la privation de la vue, est plus couramment employé dans son sens fig. de trouble, obscurcissement de l'esprit, de la raison. **Cécité,** par contre, s'emploie surtout au sens propre et très rarement au sens figuré.

aveugler. V. BOUCHER et ÉBLOUIR.

aveulir. V. AFFAIBLIR.

avide. V. GLOUTON.

avidité. V. CONVOITISE.

avili se dit de celui qui est déchu, discrédité; il suppose que l'avilissement n'a pas existé de tout temps, qu'il est survenu à la suite de quelque circonstance particulière. **Vil** exprime une qualité inhérente à l'objet, laquelle marque un état habituel d'abjection, de bassesse : *L'homme avili l'est devenu en se dégradant; l'homme vil a toujours été méprisable.* (V. ABJECT.)

avilir. V. DÉPRÉCIER et HUMILIER.

avilissement. V. BASSESSE.

avion (du lat. *avis,* oiseau) est le nom donné à tout appareil de locomotion aérienne, plus lourd que l'air, capable de se déplacer dans l'atmosphère grâce à la rotation d'une hélice ou à la détente d'un gaz. **Aéroplane** (du grec *aéros,* air, et de *planer*), qui demeure l'appellation générique des appareils aériens plus lourds que l'air, est auj. peu à peu abandonné et remplacé par son syn. *avion.* **Coucou, taxi** et **zinc** sont de l'argot des aviateurs.

avis désigne une communication ordinairement imprimée, et le plus souvent placardée, qui tend non seulement à faire connaître quelque chose au public, mais encore à lui faire considérer celle-ci sous un point de vue qui doit l'intéresser. **Avertissement** se dit d'un avis qui vise à rappeler à la mémoire une chose dont la négligence ou l'oubli peut être préjudiciable. **Annonce** implique l'avis d'un fait quelconque, supposé ignoré jusque-là : *L'annonce d'une victoire, d'une défaite;* il désigne aussi un avis imprimé ou verbal, et, plus particul., un avis de ce genre inséré dans les journaux : *L'annonce d'une vente; Annonce au prône; Les annonces dans les journaux sont souvent nombreuses.* **Communiqué** se dit d'un avis officiel transmis par le gouvernement, par le parquet, etc., à un journal, avec ordre de l'insérer.

V. aussi AVERTISSEMENT, OPINION et PRÉFACE.

avis contraire. V. CONTRE-AVIS.

avis (donner). V. AVERTIR.

avisé. V. PRUDENT.

aviser. V. AVERTIR et VOIR.

avocat. V. DÉFENSEUR.

avoir, dans le langage commercial,

désigne la partie d'un compte où l'on porte les sommes dues à quelqu'un : *Etablir un compte par doit et avoir.* **Actif** se dit de tout ce que l'on possède en argent et en biens, en créances, etc. : *La fortune d'un commerçant se compose de l'excédent de l'actif sur le passif.* **Crédit** est un terme de comptabilité qui désigne tout ce qui constitue l'avoir d'un compte : *Le crédit est le côté droit d'un compte, où s'inscrivent les sommes dues au titulaire par le commerçant.* **Compte** ou **solde créditeur** se dit du compte ou du solde dans lequel le crédit dépasse le débit.

V. aussi POSSÉDER et RICHESSE.

avoisinant. V. PROCHE.

avortement désigne, dans le lang. techn., l'expulsion spontanée du produit de la conception avant le moment où il devient viable; dans le lang. courant, et lorsqu'il s'agit des femmes, ce terme sous-entend que cette expulsion est provoquée par des manœuvres criminelles. **Fausse couche,** qui n'appartient qu'au langage courant, se dit d'un avortement spontané, et seulement en parlant des femmes.

avorter. V. ÉCHOUER.

avorton. V. EMBRYON et FAIBLE.

avouer, c'est dire, convenir, ordinairement en réponse à une question, que l'on a fait une chose qu'on avait le dessein de cacher; il se prend en bonne ou en mauvaise part : *Avouer que l'on est l'auteur d'un ouvrage anonyme; Avouer un crime.* **Confesser** se prend toujours en mauv. part et implique qu'on a eu tort d'agir comme on l'a fait; l'aveu volontaire qu'il suppose emporte naturellement quelque honte ou quelque repentir : *Confesser sa faute, son ignorance.* **Reconnaître** présente l'action d'*avouer,* de *confesser* comme volontaire et s'exprimant de la façon la plus simple : *On reconnaît que l'on a eu tort.* **S'accuser,** c'est s'avouer coupable : *S'accuser des pires méfaits.* **Accoucher** est pop. et très fam.; c'est avouer une chose qu'on ne voulait ou qu'on n'osait pas dire : *Parlez, accouchez enfin!* **Se mettre à table** comme **manger le morceau** sont du langage argotique; c'est avouer une mauvaise action, en dénonçant ses complices.

avulsion. V. DÉRACINEMENT.

axe désigne toute pièce solide fixe, ordinairem. cylindrique, qui traverse un corps et autour de laquelle ce corps doit tourner. **Pivot** dit plus; il s'applique à une pièce cylindrique qui s'enfonce dans une autre pièce, soit pour tourner dans celle-ci, soit pour lui servir de soutien lorsque cette deuxième pièce est destinée à tourner. **Arbre** est essentiellement un terme de mécanique ou d'horlogerie, qui implique la transmission d'un mouvement. **Essieu** se dit uniquement de l'axe d'une roue, généralement de voiture.

axiome. V. PENSÉE ET VÉRITÉ.

azur. V. BLEU.

B

babillard désigne celui qui n'évite aucune occasion de parler, même pour ne dire que des futilités, cela par légèreté ou enfantillage. **Bavard** ajoute à *babillard* l'idée d'absence de jugement, de bon sens; il suppose indiscrétion et impertinence : *Le babillard éprouve le besoin de parler, le bavard celui de dire des sottises.* **Causeur** se dit simplement de celui qui aime à s'entretenir familièrement avec quelqu'un, mais il a désigné aussi, comme *bavard,* une personne indiscrète ou même médisante : *Efforçons-nous de vivre avec toute innocence, et laissons aux causeurs une pleine licence, a dit Molière.* **Phraseur** est fam.; il se dit du bavard qui parle d'une manière affectée, recherchée, mais vide : *Maints politiciens ne sont que des phraseurs.* **Perroquet.** fam. aussi, est le nom que l'on donne à celui qui parle et surtout qui répète ce qu'il a entendu, sans réfléchir, souvent sans savoir ce qu'il dit. **Commère** se dit familièrement d'une femme qui veut savoir toutes les nouvelles, et qui en jase à tort et à travers; il est dominé par l'idée de curiosité et d'indiscrétion : *Les commères du quartier.* **Pie** et **jacasse** se disent familièrement d'une femme bavarde. **Jaspineur,** syn. de *bavard,* est un terme d'argot. (V. ÉLOQUENT.)

babiller. V. BAVARDER.

babine. V. LÈVRE.

babiole se dit des hochets, des jouets pour amuser les enfants, et, par ext., et plus souvent, de toute chose puérile qui a peu de valeur. **Colifichet** se dit surtout des petits objets de fantaisie servant à la parure, des ornements puérils et recherchés. **Affiquet,** syn. de *colifichet,* est peu us. **Breloque** se dit des menus bijoux de petite valeur qu'on attache à une chaîne de montre, à un sautoir, à un bracelet. **Brimborion** est fam. et quelque peu péj.; il se dit des objets dont on veut signaler non seulement le peu de valeur, mais encore la petitesse. **Affûtiau** est un syn. pop. et vieilli de *brimborion.*

V. aussi RIEN.

bâbord. V. GAUCHE.

babouche. V. CHAUSSON.

babylonien. V. COLOSSAL.

bac désigne un grand bateau plat, en forme d'auge, qui sert à passer des voyageurs, des marchandises, des animaux, des voitures, d'un bord à l'autre d'une rivière. **Bachet** est vx; il se disait autref. d'un petit bac. **Bachot** désigne un petit bateau plat qui sert à passer les piétons d'une rive à l'autre. **Toue,** syn. de *bachot,* est dial. **Traille,** qui désigne la chaîne du bac, se dit aussi du bac lui-même. **Va-et-vient** désigne un petit bac tiré alternativement d'une rive à l'autre au moyen d'un cordage ou d'une chaîne. **Ferry-boat** est un mot anglais qui désigne un bac transbordeur de trains.

V. aussi CUVE.

bacchanal. V. CHAHUT.

bacchanales. V. DÉBAUCHE.

bacchante. V. MÉGÈRE.

bâche se dit d'une toile recouvrant une voiture, un bateau, etc. **Banne** désigne une toile tendue au-dessus d'un étalage pour garantir les marchandises des intempéries. **Prélart,** syn. de *bâche,* est un terme de marine.

bachot. V. BAC et EMBARCATION.

bacille. V. MICROBE.

bâcler. V. FERMER, FINIR et GÂCHER.

bacon. V. LARD.

bactérie. V. MICROBE.

badaud. V. FLÂNEUR et NIAIS.

badauder. V. FLÂNER.

baderne. V. VIEILLARD.

badigeonneur. V. PEINTRE.

badin s'applique surtout à l'esprit et aux productions de l'esprit; il suppose enfantillage et puérilité, et s'oppose à « sérieux » : *On est badin par le discours quand on dit des choses légères, malicieuses, pour s'amuser et amuser les autres.* **Léger,** dans ce sens, ajoute à *badin* une idée de grivoiserie : *Anecdotes, contes légers.* **Folâtre** se rapporte plutôt au caractère et aux manières, et s'oppose à « posé » : *On est folâtre par les actions quand on fait en jouant de petites folies, des niches innocentes, toujours dans le seul but de s'amuser.* (A noter que si l'on peut être *badin* à tout âge, la jeunesse seule a le droit d'être *folâtre,* à cause même de la pétulance propre à son âge.) **Folichon** est un syn. fam. de *folâtre,* sur lequel il enchérit quelque peu; il suppose une gaieté un peu folle qui souvent n'est pas exempte d'inconvenance. (V. ESPIÈGLE et GAI.)

badinage. V. PLAISANTERIE.

badine. V. BAGUETTE.

badinerie. V. PLAISANTERIE.

bafouer. V. RAILLER.

bafouiller. V. BALBUTIER.

bâfre. V. GIFLE.

bâfreur. V. GLOUTON.

bagage (du vx franç. *bagues,* paquets) est général et désigne aussi bien des effets que tous les objets qu'emportent avec eux, pour leur usage personnel, les particuliers en voyage ou les soldats en campagne. **Equipage** se dit proprem. de tout ce qui est nécessaire pour exécuter certaines entreprises ou opérations, telles qu'une partie de chasse ou de pêche, une expédition militaire : *Une armée qui perdrait ses équipages ne pourrait plus continuer à se battre, alors* *qu'elle le pourrait peut-être encore si elle n'avait dû abandonner que ses bagages.* **Arroi** est un syn. d'*équipage* qui ne s'emploie guère que dans la loc. : *En mauvais arroi,* c'est-à-dire « en piteux équipage ». **Train** désigne à la fois des hommes et des choses qui accompagnent un grand personnage, considérés surtout sous le rapport du nombre, de l'encombrement : *Avoir un train magnifique.* **Equipement** est un terme d'admin. milit.; il se dit de l'ensemble des objets distribués aux hommes de troupes, qui ne font partie ni de l'habillement proprement dit, ni de l'armement (havresacs, brosses, etc.). **Paquetage** désigne l'ensemble des effets appartenant à un soldat, et groupés de façons diverses sur les planches de la chambrée, ou dans le havresac. **Barda** est un syn. fam. de *paquetage,* et aussi, par ext., de *bagage.* **Attirail** désigne, familièrement aussi, un bagage superflu ou embarrassant. **Bagot** est un terme d'argot.

bagarre se dit d'un tumulte causé par plusieurs personnes qui se battent, le plus souvent à la suite d'une discussion: *Une violente bagarre.* **Bataille,** dans ce sens, est un syn. peu us. de *bagarre,* et semble dire moins : *Bataille de gamins, d'ivrognes.* **Batterie** aussi est peu us.; il se dit d'un échange de horions au cours d'une dispute : *Une batterie de cabaret.* **Rixe** suppose une dispute accompagnée de coups et même de blessures : *Une rixe sanglante.* (V. DISPUTE.)

bagatelle, qui est très général, désigne toute chose frivole, futile, sans importance, dont on ne s'occupe qu'un instant ou qui ne mérite pas qu'on l'estime: *L'homme est si vain et si léger, a dit Pascal, que la moindre bagatelle suffit pour le divertir.* **Amusette,** qui est fam., se dit d'une petite bagatelle qui amuse : *Les poupées sont des amusettes d'enfants.* **Bimbelot** est un syn. peu us. d'*amusette.* **Bricole** est fam., et ne se dit que d'un objet très accessoire et de peu de valeur : *Ça, c'est une bricole.* V. aussi RIEN.

bagne désigne le lieu où sont renfermés les forçats. **Galères** se disait autref. de la peine des criminels condamnés à ramer sur les galères. **Travaux forcés** est l'appellation moderne de la peine afflictive et infamante consistant en une détention avec travail forcé qui, subie longtemps aux colonies, s'accomplit maintenant dans les maisons centrales de force du territoire métropolitain. (*Bagne* et *galères* sont employés parfois encore par le public pour désigner les établissements où se subit la peine des travaux forcés.) **Préside** est partic.; il désigne les lieux d'Afrique où le gouvernement espagnol envoie les forçats. **Pénitencier,** syn. de *bagne,* est vieux.

bagout. V. ÉLOQUENCE.

bague. V. ANNEAU.

baguette désigne un bâton petit et mince, ordinairement flexible : *Baguette de houx; Frapper avec une baguette.* **Verge** est moins fam. et aussi moins us. que *baguette;* on l'emploie peu dans le langage moderne : *Les théurgites et les anciens sages avaient une verge, les sourciers et les escamoteurs n'ont qu'une baguette.* (Au plur., ce mot désigne un instrument de correction formé d'une baguette flexible, ou plus ordinairement d'une poignée de brindilles : *Etre battu de verges.*) **Houssine** se dit d'une baguette flexible de houx ou d'autre bois, destinée à frapper, le plus souvent assez doucement, un cheval que l'on veut faire aller plus vite, ou même simplement des habits. **Badine** ne se dit que d'une baguette flexible, toujours légère, que l'on porte à la main en guise de canne, ou qui sert à battre les habits. **Jonc** désigne une baguette assez forte de jonc ou de rotin qui sert de canne. **Stick** est un mot angl. qui sert parfois à désigner en France une badine, une petite canne flexible. **Cravache** est le nom de la badine flexible qui sert de fouet au cavalier. (V. BÂTON.)

bahut. V. ARMOIRE et COFFRE.

baie. V. FENÊTRE et GOLFE.

baignade. V. BAIN.

baigner. V. ARROSER et TREMPER.
Se baigner. V. LAVER (SE).

bain se dit à la fois de l'action de plonger le corps dans l'eau, du liquide même, et aussi de l'endroit disposé dans la mer, dans une rivière, par la nature ou par la main de l'homme, pour qu'on y prenne des bains. **Baignade** est moins général; il se dit simplement de l'endroit d'une rivière où l'on peut se baigner et nager. **Piscine** désigne un établissement de bains publics, dû à la main de l'homme, où l'on peut non seulement se baigner, mais aussi apprendre ou pratiquer la natation. **Thermes** ne se dit que d'un établissement de bains thérapeutiques où l'on fait usage d'eaux médicinales chaudes. **Eaux,** qui est du lang. courant, désigne tout établissement balnéaire médicinal, qu'il s'agisse d'eaux chaudes ou froides.

baïonnette. V. POIGNARD.

baiser. V. EMBRASSER.

baisse suppose descente de niveau ou diminution; il implique presque toujours un fait naturel, un résultat : *La baisse des eaux; La baisse des prix.* **Abaissement** se dit d'une diminution de hauteur, de niveau; il suppose l'action de faire descendre : *L'abaissement des paupières, de la température.* (C'est aussi la diminution, l'amoindrissement: *L'abaissement des prix.*) **Rabaissement** est un syn. peu us. d'*abaissement.*

V. aussi DIMINUTION.

baisser, comme **abaisser,** c'est faire descendre, faire aller de haut en bas, mais *baisser* est absolu, alors qu'*abaisser* est généralement relatif : *On baisse la tête, les épaules, la voix, les yeux, le prix; On abaisse ses regards sur; On baisse ou on abaisse une glace, un rideau.* **Descendre,** c'est mettre ou porter plus bas : *On descend du bois à la cave; On descend un tableau accroché trop haut.* (A noter que *baisser* et *descendre* s'emploient aussi comme v. i. : *Sa vue baisse; La température baisse ou descend.*) **Se baisser,** c'est s'incliner, se pencher : *On se baisse vers le sol.* **S'abaisser,** c'est devenir plus bas : *Terrain qui s'abaisse.* **Rabaisser,** c'est mettre, porter plus bas : *On rabaisse une glace.* **Surbaisser** est un terme d'architecture qui se dit de l'arc dont la montée est moindre que la moitié de l'ouverture : *Fenêtre, arc surbaissé;* il s'emploie parfois auj. dans le sens de notablement abaissé, surtout en construction automobile : *Carrosserie surbaissée.* (A noter qu'*abaisser* tend à céder la place à *baisser* dans le sens absolu, cependant qu'au sens propre *rabaisser* est vieilli et cède la place à *baisser* et à *descendre.*)

V. aussi DÉCLINER.

bal se dit de tout lieu public ou privé où l'on danse au son d'un ou de plusieurs instruments : *Bal costumé, champêtre, d'enfants.* **Dancing** est un mot anglais qui, en France, désigne un établissement public, souvent élégant, où l'on danse. **Redoute** se disait autref., dans certaines villes, de l'endroit public où l'on s'assemblait pour s'amuser et danser; il ne s'applique guère auj. qu'à la fête elle-même, laquelle est souvent masquée ou costumée. **Musette** se dit d'un bal populaire où l'on danse au son de l'accordéon. **Guinguette** désigne un cabaret de banlieue, où le peuple va boire, manger et danser le dimanche et les jours de fête. **Bastringue** est un syn. pop. et péj. de *guinguette,* lorsque celle-ci est de dernier ordre. **Guinche** est un terme d'argot qui désigne un bal public.

V. aussi DANSE.

baladeur. V. PROMENEUR.

baladin. V. ACTEUR, BOUFFON et SALTIMBANQUE.

balafre. V. CICATRICE.

balance désigne tout instrument destiné à déterminer, par équilibre, le poids des corps, qu'ils soient légers ou lourds. **Bascule** se dit d'une balance dont l'inégalité des bras permet de mettre en équilibre un corps très pesant avec une petite puissance placée, elle, à l'extrémité du bras le plus long : *La bascule présente un avantage réel sur la balance pour le pesage de gros objets, mais pour celui de corps peu lourds, la balance, moins coûteuse et plus juste, est préférable.* **Trébuchet** désigne une petite balance très sensible servant à peser les monnaies et les objets de poids léger; ce terme est auj. peu us.

balancer, c'est, transitivem. et d'une façon générale, agiter un corps de manière qu'il penche, lentement ou rapidement, tantôt d'un côté, tantôt de l'autre; il implique un mouvement alternatif, un va-et-vient. **Bercer** est beaucoup plus partic.; c'est balancer doucement (proprem. un enfant dans son berceau) pour endormir, calmer. **Dodeliner,** comme **dodiner** (moins us.), c'est balancer, bercer lentement et régulièrement : *Dodeliner la tête en écoutant; Dodeliner un enfant.* **Branler** ne s'emploie guère, dans ce sens, qu'en parlant de la tête que l'on balance doucement en la faisant aller d'avant en arrière ou d'un côté à l'autre. **Brandiller,** agiter alternativement en sens opposés, emporte souvent une idée péjorative : *Brandiller sans cesse la tête, les jambes.* (V. SECOUER.)

Balancer, employé intransitivement dans le sens de se mouvoir tantôt d'un côté, tantôt de l'autre d'un point fixe, est peu us. auj., alors que la forme réfléchie **se balancer** est d'un emploi courant : *Lampe qui se balance au plafond.* **Osciller** est plus un terme didactique et suppose toujours un mouvement lent et régulier; c'est exactement s'écarter de son centre de gravité et y revenir par un mouvement alternatif régulier : *Galilée avait observé que le pendule oscille en temps égaux.* **Tanguer** se dit proprement d'un bateau qui éprouve le balancement du « tangage », mouvement d'oscillation dans le sens de la longueur, soit d'avant en arrière, alors que **rouler** implique au contraire un « roulis », mouvement d'oscillation dans le sens de la largeur, soit d'un bord sur l'autre. (A noter que *tanguer* s'emploie parfois, figurément et familièrement, en parlant d'une personne, d'un véhicule qui oscille dans sa marche. **Branler** est plus partic. encore; c'est seulement commencer à osciller : *Plancher, dent qui branle.* **Dodiner,** syn. d'*osciller,* est vx. — **Dodeliner,** c'est, intransitivem., se balancer tout doucement (du corps, de la tête). **Dandiner,** et surtout **se dandiner,** c'est donner à son corps un mouvement gauche et nonchalant : *Le canard se dandine en marchant.* **Se brandiller,** dans le sens de *se balancer,* emporte souvent une idée de plaisanterie, d'ironie, ou bien de dénigrement, d'agacement : *Il est énervant de voir quelqu'un se brandiller sans cesse sur sa chaise.* **Brimbaler,** comme **bringuebaler,** est fam.; il suppose le plus souvent une oscillation, un balancement saccadé et continu : *Breloques qui brimbalent.*

V. aussi CONGÉDIER, HÉSITER, JETER et TROMPER.

balancier suppose un mécanisme qui provoque l'oscillation. **Pendule** se dit simplement d'un instrument mû par l'action directe de la pesanteur et qui se compose d'un corps pesant suspendu à l'extrémité d'un fil flexible.

balançoire se dit d'une pièce de bois mise en équilibre sur un point d'appui plus élevé, sur les extrémités de laquelle se placent deux personnes qui lui impriment alternativement des mouvements d'ascension et de descente. **Escarpolette** désigne une planchette suspendue à deux cordes, sur laquelle on se balance. (A noter qu'on appelle aussi *balançoire* une *escarpolette.*) **Bascule** se dit d'une poutre légère ou d'une forte planche, posée en équilibre sur un chevalet, aux extrémités de laquelle se placent deux personnes, assises ou à cheval, dont, l'appareil mis en marche, l'une monte lorsque l'autre descend.

V. aussi SORNETTE.

balayer. V. NETTOYER.

balayure. V. ORDURE.

balbutier se dit des petits enfants et des vieillards qui ne peuvent prononcer que certaines syllabes, et, par anal., des personnes qui, sous le coup d'une émotion, ne peuvent articuler les mots. **Bégayer** suppose un vice de la parole qui tient à l'inhabileté ou à l'immobilité de la langue, et fait articuler mal les mots, en répétant plusieurs fois la même syllabe; c'est aussi, par anal., parler avec un embarras momentané qui ressemble au bégayement. **Bredouiller,** c'est parler avec précipitation, au point de ne faire entendre que des sons confus et indistincts. **Baragouiner** est péj.; c'est parler de façon incompréhensible par suite d'une prononciation incorrecte on indistincte, ou d'une mauvaise connaissance de la langue. **Bafouiller,** syn. de *bredouiller,* est familier; il suppose souvent émoi, confusion, chez celui qui bredouille. **Merdoyer,** bafouiller dans une réponse, est de l'argot des écoles.

baldaquin. V. DAIS.

balise. V. BOUÉE.

baliverne. V. SORNETTE.

balle désigne un corps sphérique et élastique qui est destiné à être lancé. **Ballon** se dit d'une grosse balle creuse gonflée d'air. **Eteuf** désigne la balle rembourrée dont on se sert pour jouer à la longue paume.

V. aussi PAQUET et PROJECTILE.

ballerine. V. DANSEUSE.

ballon se dit d'un grand corps sphérique gonflé d'un gaz plus léger que l'air, et qui, abandonné à lui-même sans aucun moyen de propulsion, tend à s'élever dans l'atmosphère. **Aérostat** désigne aussi bien les ballons libres ou captifs que les ballons-sondes et les dirigeables. **Aéronef** se dit de tous les ballons, captifs ou libres, mais plus spécialem. des dirigeables. **Montgolfière** se disait autref. d'un aérostat rempli d'air chauffé par un foyer placé en dessous.

V. aussi BALLE.

ballot. V. PAQUET.

ballotter. V. SECOUER.

balourd se rapporte surtout à la manière d'agir, lorsque celle-ci est grossière et maladroite ; il se dit d'une personne qui, ayant l'esprit épais et obtus, ne prévoit pas les conséquences de ce qu'elle fait : *Se conduire en balourd.* **Lourdaud** dit moins que *balourd;* il suppose simplement lenteur et maladresse dans les mouvements : *Marcher comme un lourdaud.* **Lourd,** dans ce sens, ne s'emploie qu'adjectivem. et implique surtout l'absence de pénétration, de finesse : *Personne lourde; Esprit lourd.* **Obtus,** syn. de *lourd* en parlant de l'esprit, est plus du lang. recherché; il suppose un manque de pénétration propre surtout à celui qui comprend peu et lentement. **Fruste,** qui se dit proprem. d'une médaille ou d'une sculpture usée par le temps, s'applique parfois aussi auj., dans le lang. courant et fort incorrectement d'ailleurs, dans un sens voisin de *lourd;* il laisse entendre à la fois l'absence de toute finesse et un abord rude, presque grossier. **Cruche,** qui est très fam., implique l'absence de toute espèce d'entendement ou de qualité mentale : *Etre trop cruche pour comprendre.* **Ballot, baluche** et **baluchon,** syn. de *lourdaud,* sont des termes d'argot. (V. ABSURDE, GROSSIER, NIAIS, SOT et STUPIDE.)

baluchon. V. PAQUET.

balustrade, rangée de balustres unis par une tablette, se dit couramment, par ext., de toute clôture à jour et à hauteur d'appui établie le long d'une galerie ou d'une terrasse. **Garde-corps,** comme **garde-fou,** se dit d'une balustrade établie le long du tablier d'un pont ou le long d'une terrasse élevée, pour empêcher les passants de tomber. **Parapet** désigne un mur qui est élevé à hauteur d'appui pour servir de garde-fou. **Rambarde** est plus partic. ; c'est un terme de marine moderne qui se dit du garde-corps placé autour des gaillards et des passerelles d'un navire.

bambin. V. ENFANT.

banal. V. COMMUN.

bancal. V. BOITEUX.

bandage. V. BANDE.

bande est général et du lang. ord. ; il se dit de tout lien plat et large qui sert à envelopper ou à serrer quelque chose. **Bandage,** dans ce sens, est un terme de l'art chirurgical; il implique un arrrangement compliqué et suppose l'application raisonnée à une partie malade du corps d'une ou plusieurs bandes. **Bandeau** se dit plus particulièr. d'une bande d'étoffe qui ceint la tête, le front, les yeux. **Sangle** désigne une bande, ordinairement de cuir ou de tissu, qui sert à ceindre ou à serrer, mais le plus souvent aussi à lier, à soutenir.

V. aussi COTERIE et TROUPE.

bandeau. V. BANDE.

bander. V. RAIDIR.

banderole. V. DRAPEAU.

bandit se dit d'un individu en révolte ouverte contre les lois et qui vit d'attaques à main armée. **Brigand** se dit surtout d'un bandit qui vole, pille en compagnie d'autres individus de son espèce. **Malandrin** s'est dit au Moyen Age, comme **routier,** des aventuriers armés qui ravageaient le pays; il se dit auj. d'un bandit de petite envergure. **Bandoulier** et **coupe-jarret** sont des syn. auj. vieillis de *bandit* et de *brigand.* **Terreur** est un terme d'argot qui désigne un bandit dangereux, « terreur » du lieu où il agit : *La terreur des faubourgs.* (V. MALFAITEUR et PIRATE, sens fig.)

banlieue est le terme du lang. courant qui sert à désigner le territoire entourant une grande ville à laquelle des relations journalières rattachent étroitement ses habitants. (On étend parfois la limite de ce territoire, quand on parle de la **grande banlieue.**) **Périphérie** désigne la banlieue immédiate ; c'est la ceinture d'une ville et ses faubourgs, c'est-à-dire la partie habitée située aussitôt après son enceinte actuelle ou ancienne. (V. ENVIRONS.)

banne. V. BÂCHE et RIDEAU.

bannir suppose une condamnation régulière prononcée contre un coupable qui contraint celui-ci à quitter son pays ou un lieu quelconque, avec interdiction d'y reparaître; il implique une idée d'ignominie. **Exiler** exprime simplement l'action, souvent arbitraire, de faire sortir d'un pays, ou celle de s'en aller soi-même; il emporte une idée de disgrâce encourue sans déshonneur, pour avoir seulement déplu : *On ne se bannit pas, car on ne se chasse pas honteusement, mais on s'exile soi-même, quand on s'éloigne volontairement.* **Proscrire,** qui, chez les Romains, impliquait condamnation à mort sans formes judiciaires, par simple inscription sur une affiche publique, enchérit sur *bannir* et *exiler;* il suppose auj. abus de puissance d'un ennemi ou d'un tyran qui veut écraser ceux qui lui font ombrage : *On proscrit un parti, ses adversaires politiques.* **Ostraciser,** au sens propre et en termes d'ant. grecque, s'applique au bannissement de dix ans dont certaines démocraties grecques frappaient les citoyens devenus suspects par leur crédit, leur puissance dans la cité : *Aristide fut ostracisé.* (V. CHASSER et DÉPORTER.)

V. aussi REPOUSSER.

banqueroute. V. FAILLITE.

banquet. V. REPAS.

banquiste. V. SALTIMBANQUE.

baptiser, c'est, en termes de religion, rendre chrétien par le baptême : sacrement destiné à effacer le péché originel, qui consiste à verser de l'eau sur la tête en prononçant des paroles sacramentelles. **Ondoyer** dit moins; il suppose un baptême administré d'une manière sommaire quand l'enfant est en danger de mort, ou en attendant la célébration solennelle.

V. aussi APPELER et BÉNIR.

baquet. V. CUVE.

bar. V. BUVETTE.

baragouin. V. GALIMATIAS.

baragouiner. V. BALBUTIER.

baraque désigne une construction légère en planches, et, par ext., une maison mal bâtie ou mal organisée, où l'on est fort mal. **Baraquement** se dit surtout d'un ensemble de baraques destinées à loger des soldats. **Cabane** et **bicoque** désignent une maison chétive et mal tenue. **Masure** se dit d'une maison délabrée. **Cassine,** syn. de *baraque* et de *bicoque,* est familier et peu usité. (V. HABITATION.)

baraquement. V. BARAQUE.

barbarie est un terme très général; il se dit de tout ce qui témoigne d'un défaut de civilisation ou d'une civilisation incomplète : *Peuple encore plongé dans la barbarie.* **Vandalisme** est plus partic. et dit moins que *barbarie;* il désigne un état d'esprit qui porte à détruire les belles choses, principalement les œuvres d'art : *Le vandalisme, a dit Montesquieu, ne s'arrête que lorsqu'il n'y a plus rien à pulvériser.* (V. BRUTALITÉ.)

barbarisme se dit d'une faute de langage qui consiste à se servir de mots altérés ou de mots ayant un sens autre que celui qu'on leur donne : *C'est commettre un barbarisme que de dire « Je suis allé dans le* COLLIDOR ». **Solécisme** désigne une faute contre la construction de la langue, c'est-à-dire une faute de syntaxe : *Dire « Je* SUIS ÉTÉ *dans le corridor », c'est faire un solécisme.*

barbier. V. COIFFEUR.

barbon. V. VIEILLARD.

barboter. V. PATAUGER.

barbouillage se dit d'une écriture, d'un dessin ou d'une peinture informe, le plus souvent par ignorance : *Un enfant s'amuse à faire des barbouillages.* **Griffonnage,** qui est fam., ne se dit que de l'écriture, lorsque celle-ci est désordonnée, confuse, illisible pour une raison quelconque (négligence, hâte, etc.), mais non pas parce que l'on ne sait pas écrire: *Griffonnage que personne ne peut lire.* **Graffito** (au plur. GRAFFITI), mot ital. désignant ce qu'on trouve écrit ou dessiné sur les murs des monuments antiques, s'emploie aussi familièrem. auj. en parlant des inscriptions, des dessins généralement hâtivement griffonnés qu'à tort certains de nos contemporains se plaisent à tracer sur les monuments ou dans les lieux publics, pour exprimer leurs sentiments ou leurs opinions. **Grimoire,** qui désignait primitiv. une espèce de formulaire de sorcellerie qui servait à l'évocation des morts et des esprits, se dit familièr. auj. non seulement d'un écrit, mais aussi d'un livre ou d'un discours inintelligible : *Cette lettre est un grimoire que je ne peux déchiffrer.* **Gribouillage** et **gribouillis** sont populaires et souvent péjoratifs. **Pattes de mouche** est une locution familière qui suppose une écriture difficilement lisible parce que trop fine et mal formée.

barbouiller. V. SALIR.

barbouilleur. V. PEINTRE.

barbu. V. POILU.

barcarolle. V. MÉLODIE.

barde. V. POÈTE.

baril. V. TONNEAU.

barioler, c'est marquer par bandes de différentes couleurs, presque toujours criardes et mal assorties, qui produisent un effet de contraste plus bizarre qu'agréable. **Bigarrer,** c'est rapprocher sur un objet, sans ordre et sans régularité, deux ou plusieurs couleurs tranchantes ou des dessins variés, dont l'ensemble n'est pas forcément désagréable. **Chamarrer,** c'est ajouter à une chose des ornements éclatants et disparates qui, presque toujours, la rendent ridicule. **Chiner** est un terme de tissage; c'est donner des couleurs différentes aux fils d'un tissu. **Panacher,** c'est orner de couleurs diverses avec une certaine harmonie, en laissant dominer généralement une couleur. **Jasper,** c'est bigarrer de diverses couleurs en imitant le jaspe, pierre dure et opaque de la nature de l'agate, colorée par bandes ou par taches. **Veiner,** c'est bigarrer en imitant par des couleurs les veines, les marques sinueuses, longues et étroites, du bois ou du marbre; on dit d'ailleurs aussi, dans ce dernier cas, **marbrer.** (V. MARQUETER.)

baroque. V. BIZARRE.

baroud. V. COMBAT.

barque. V. EMBARCATION.

barrage. V. OBSTACLE.

barre est un terme général qui désigne toute pièce de fer, de bois, etc., longue et étroite. **Barreau,** qui en est le diminutif, est plus particulier; il se dit d'une barre de petite dimension qui sert soit de soutien, soit de fermeture : *Barreaux de chaise, de fenêtre, de prison.*
V. aussi TRAIT.

barre. V. GOUVERNAIL.

barrer. V. BOUCHER, EFFACER et FERMER.

barrette. V. BONNET.

barricade. V. OBSTACLE.

barrière. V. CLÔTURE, EMPÊCHEMENT et OBSTACLE.

barrique. V. TONNEAU.

bas est un terme général qui marque ce qui est en dessous, dans une situation peu élevée : *Bas prix; Bas emplois.* **Inférieur** suppose comparaison; il se dit de ce qui est plus bas qu'autre chose : *Marchand dont les prix sont inférieurs à ceux de ses confrères; L'emploi de chef de service est inférieur à celui de directeur, mais ce n'est pas pour cela un bas emploi.* **Infime,** appliqué à ce qui est au plus bas degré, est étymologiquement (lat. *infimus,* superlatif de *inferus,* placé en dessous) le superlatif d'*inférieur,* aussi ne doit-on jamais dire « plus infime » ou « moins infime » : *Prix, rang, condition infime.*
V. aussi ABJECT et VULGAIRE.

bascule. V. BALANCE et BALANÇOIRE.

basculer. V. CULBUTER.

base, pris dans son sens fig., désigne la proposition principale d'un système, d'un raisonnement, sur laquelle toutes les autres propositions sont établies. **Fondement** enchérit sur *base;* il se dit de l'appui même de celle-ci, et emporte l'idée de solidité due aux vérités incontestables qu'il comporte : *Une fausse nouvelle est dénuée de fondement, même lorsqu'elle a pour base l'affirmation d'une personne digne de foi.* **Assise** dit moins que *base;* il désigne chacun des éléments d'un tout considéré comme un édifice, et dont l'ensemble constitue la base : *La famille est une des assises de la Société.* **Pivot,** qui a proprement le sens d'axe, emporte figurément l'idée d'action ou de mouvement autour de ce qui sert de base : *L'agriculture et l'industrie sont les pivots de la richesse d'une nation.*
V. aussi FONDEMENT.

baser. V. ÉTABLIR.

basilique. V. ÉGLISE.

basse-fosse. V. CELLULE.

bassesse implique un état permanent d'infériorité qui exclut la considération, soit qu'il puisse être attribué à la naissance ou à la condition, soit qu'on l'impute à une dégradation morale contraire à la dignité de l'homme : *La bassesse de la naissance; Réponse qui trahit la bassesse du caractère.* **Abaissement** dit moins que *bassesse;* c'est le résultat d'une action, d'un accident, qui est relatif à un état précédent, et qui peut s'appliquer à des choses différentes, tels l'esprit, le caractère, le goût, la condition, la fortune : *Un abaissement moral prélude souvent à un abaissement politique.* (A noter que ce terme peut se prendre en bonne part; c'est ainsi que l'humilité chrétienne recherche certains abaissements, lesquels n'ont rien de déshonorant.) **Aplatissement** est syn. d'*abaissement* en parlant des choses morales : *L'aplatissement des mœurs.* **Abjection,** qui enchérit sur *bassesse,* suppose presque toujours l'immoralité et appelle le dégoût : *Vivre dans l'abjection n'est pas vivre.* **Vilenie** se dit d'une action dont la bassesse est telle qu'elle engendre le mépris : *Je connais de lui cent vilenies qui me font l'éviter.* **Avilissement** désigne l'état de ce qui est devenu bas; il emporte l'idée de déconsidération : *Vivre dans l'avilissement et la honte.* **Platitude** ajoute à l'idée de bassesse celle d'obséquiosité : *Faire des platitudes pour arriver.*

bastonnade. V. VOLÉE.

bastonner. V. BATTRE.

bataille. V. BAGARRE et COMBAT.

bataillon. V. TROUPE.

bâtard. V. MÉTIS.

bateau est le nom générique que l'on donne aux ouvrages de toute dimension faits par l'homme pour voguer sur l'eau. **Bâtiment** ne se dit que des constructions navales de grande dimension. **Navire** désigne un bâtiment quelconque de commerce ou de guerre, en général d'un assez fort tonnage et destiné à la navigation en haute mer. **Vaisseau** se dit d'un bâtiment quelconque de grande dimension, et plus particulièrement d'un navire de guerre. (A noter que *navire* et *vaisseau* se confondent dans le lang. cour., alors qu'étymologiquement, comme le note Littré, *bâtiment* se rapporte à la construction, *navire* à l'acte d'aller sur mer, et *vaisseau* à la contenance, à la capacité.) **Paquebot** (angl. *packet-boat,* de *packet,* paquet de dépêches, et *boat,* bateau) est le nom donné à un navire de commerce à vapeur, aménagé pour le transport des correspondances et surtout des passagers. **Transatlantique** est assez partic.; il désigne uniquement un grand paquebot faisant le service entre l'Europe et l'Amérique. **Steamer** (de l'angl. *steam,* vapeur) et **steamboat** (de l'angl. *steam,* vapeur, et *boat,* bateau) ne sont plus guère usités auj. en France. — **Yacht** (néerlandais *jact*) désigne uniquement un petit navire de plaisance, à voiles ou à vapeur, dont l'usage est venu de Hollande.

bateleur. V. SALTIMBANQUE.

batelier. V. MARINIER et PASSEUR.

batifoler. V. FOLÂTRER.

bâtiment, qui s'applique étymologiquement à tout ce qui est bâti, se dit, dans l'usage ordinaire, de toute construction qui sert à l'habitation ou à l'industrie. **Construction** se dit des bâtiments mêmes que l'on construit; il emporte l'idée d'architecture. **Bâtisse,** qui désigne proprement la partie en maçonnerie d'un bâtiment, se dit aussi familièrement et péjorativement d'une construction faite sans art. **Edifice** emporte avec lui une idée de grandeur, d'importance, qui fait qu'il convient mieux aux bâtiments publics. (A noter toutefois que, sous l'Ancien Régime, on comprenait sous le nom de « *bâtiments* du roi » tous les *édifices* dépendant de la Couronne.) **Monument,** dans ce sens, se dit d'un édifice considérable par sa masse, sa magnificence, et qui est propre à transmettre à la postérité, par son architecture ou sa sculpture, quelque chose de mémorable.

V. aussi BATEAU.

bâtir désigne l'action d'élever sur le sol, à l'aide d'un assemblage de matériaux, une maison, un pont, une digue ou autre ouvrage semblable, et n'a rapport qu'à la maçonnerie du bâtiment. **Construire** est plus général; il implique l'idée de l'ordre dans lequel sont disposés les matériaux, de l'art avec lequel on distribue les diverses parties — et se dit aussi bien d'un bâtiment en maçonnerie que d'une machine. (Au fig., ce terme s'emploie pour marquer l'ordre dans lequel on assemble les mots quand on veut composer des phrases.) **Architecturer** est un syn. vieilli de *construire* pris dans un sens burlesque. **Edifier** suppose la construction d'un édifice considérable. (Au fig., il s'emploie presque toujours d'une manière absolue, par opposition à l'idée de destruction.) **Eriger,** c'est construire, dans une intention solennelle, un monument, un temple, etc.

V. aussi FAUFILER.

bâtisse. V. BÂTIMENT.

bâtisseur. V. ARCHITECTE.

bâton, terme très général, se dit de tout morceau de bois plein et assez long, généralem. grossier, dont on se sert comme appui en marchant, et aussi comme moyen d'attaque ou de défense. **Gourdin** désigne un gros bâton souvent noueux, dont on se munit le plus souvent dans un but offensif ou défensif. **Trique,** syn. de *gourdin* est fam. **Canne** est plus particulier; il désigne un jonc, un bambou, une branche d'arbre, plus ou moins ouvragé, souvent vide ou creux, donc léger, dont on se sert surtout pour s'appuyer en marchant. (V. BAGUETTE.)

bâtonner. V. BATTRE.

batterie. V. BAGARRE.

battologie. V. PLÉONASME.

battre, c'est donner des coups en grand nombre, avec l'intention de faire mal; il emporte souvent l'idée d'être le plus fort, de remporter la victoire. **Frapper** peut se dire quand on ne porte qu'un seul coup, et même lorsqu'il n'y a aucune volonté de faire mal : *Avec battre on n'indique pas ordinairement la place où tombent les coups, alors que l'on dit frapper à la joue, au visage, dans le dos.* **Cingler,** c'est frapper d'un coup enveloppant, avec quelque chose de délié et de pliant : *On cingle un cheval d'un coup de houssine.* **Fouetter,** c'est battre avec un fouet, et, par ext., avec des verges : *Fouetter un chien, un enfant.* **Flageller** suppose l'emploi d'un fouet — et emporte plus particulièrem. l'idée de pénitence volontaire. **Fustiger** fait penser plutôt à l'usage d'un bâton — et est généralem. dominé par l'idée de correction. (A noter toutefois que, dans le langage courant, ces deux mots s'emploient indifféremment.) **Fouailler,** c'est fouetter de coups répétés. **Taper** est fam.; c'est donner un ou plusieurs coups de la main ouverte. **Fesser,** c'est taper sur les fesses. **Cogner,** c'est taper, battre, en général avec le poing; il est familier. **Rosser,** comme **rouster** (moins us.), **rouer** et **tambouriner,** c'est, familièrement aussi, battre violemment. **Bâtonner,** comme **triquer,** c'est battre à coups de bâton ou de trique (v. *bâton*). **Bastonner,** syn. de *bâtonner,* est archaïque. **Gourmer,** c'est battre, frapper à poing fermé sur la figure; il n'est guère us. auj. **Bûcher, talmouser, tamponner, tanner le cuir** (ou simplement TANNER), **tarauder** et **tatouiller,** syn. de *battre,* de *rosser,* sont pop., comme **dauber,** battre à coups de poing. **Attiger, bigorner, passer à tabac** et **tabacer** sont des termes d'argot. **Testonner,** frapper sur la tête, est vx. — **Assommer** enchérit sur tous ces termes; c'est battre à coups de poings ou avec quelque chose de rigide, jusqu'à laisser à peu près inanimé. **Estourbir** et **sonner,** syn. d'*assommer,* sont des termes d'argot. (V. GIFLE et MALMENER.)

V. aussi VAINCRE.

battre en retraite V. RECULER.

battre la breloque, la campagne. V. DÉRAISONNER.

battu. V. REFUSÉ.

baudet. V. ÂNE et SOT.

bauge. V. APPARTEMENT et GÎTE.

baume. V. RÉSINE.

bavard. V. BABILLARD.

bavarder, c'est parler hors de propos, sans mesure, sans retenue, de choses vaines et frivoles, souvent indiscrètement; il se dit fréquemment en mauv. part. **Papoter** est familier. **Babiller,** c'est parler beaucoup, un peu à tort et à travers, en disant des choses inutiles, mais qui parfois cependant amusent; il peut être employé en bonne part, surtout lorsqu'il s'agit des enfants. **Jaboter,** c'est parler doucement, sans bruit, en petit comité, de choses de peu d'intérêt. **Jaser,** c'est parler longuement, avec complaisance, comme si l'on n'avait que cela à faire; il emporte souvent une idée de médisance. **Caqueter,** c'est parler haut, avec jactance, sans ménagement pour les autres, comme les commères qui se plaisent à colporter les cancans. **Jacasser,** c'est parler bruyamment et avec volubilité. **Cailleter,** c'est bavarder comme une caillette, c'est-à-dire comme une femme bavarde qui cause à tort et à travers. **Bavasser,** c'est parler en articulant mal, d'une façon fatigante, sans penser à ce qu'on dit. **Dégoiser** est familier, c'est bavarder en débitant plus de paroles qu'il ne faut et cela avec volubilité; il implique souvent aussi que l'on dit ce qu'on devrait, ce qu'on aurait intérêt à cacher : *Dégoiser un compliment; Savoir adroitement faire dégoiser un prisonnier.* **Tailler une bavette,** familier aussi, c'est seulement bavarder avec volubilité ou d'abondance. **Jacter, jaspiner** et **bagouler** (moins us.), syn. de *bavarder,* sont des termes d'argot. (V. PARLER.)

bave. V. SALIVE.

baver. V. COULER.

bavure. V. TACHE.

bazar. V. BOUTIQUE, DÉSORDRE et MARCHÉ.

béant. V. OUVERT.

béat. V. BIGOT et CONTENT.

béatification désigne l'acte solennel, prononcé par le pape agissant en son nom particulier, qui met au rang des bienheureux un personnage dont la vie et la mort ont été édifiantes. **Canonisation** dit plus que *béatification;* il désigne la déclaration solennelle par laquelle le pape, agissant cette fois comme juge et après une longue et minutieuse procédure, ordonne l'inscription d'un nouveau nom dans le « canon » ou catalogue des saints reconnus par l'Eglise : *Le procès de canonisation s'ouvre un certain temps après la béatification, et comporte l'examen des écrits du bienheureux, la critique de sa vie et de ses vertus, ainsi que la discussion approfondie des miracles obtenus par son intercession.*

béatitude. V. BONHEUR.

beau implique des proportions, des formes et des couleurs qui plaisent aux yeux et font naître l'admiration; par le fait qu'il suppose grandeur, noblesse et régularité, il s'adresse plus directement à l'âme. **Joli** emporte l'idée de séduction et agit surtout sur le goût, les sens, et même le cœur; il se dit de ce qui est délicat, fin, charmant : *Il y a des choses qui peuvent êtres jolies ou belles, telle est la comédie; il y en a d'autres qui ne peuvent être que belles, telle est la tragédie.* **Gentil** diffère de *joli* en ce qu'il se rapporte plutôt aux mouvements, aux gestes, à la grâce extérieure, qu'aux formes mêmes; il implique une grâce délicate qui convient mieux aux petits objets qu'aux grands : *Une gentille fillette; Une gentille petite ville.* **Bellâtre,** qui s'emploie surtout substantivement et ne s'applique qu'aux personnes, est péjoratif; il désigne celui dont la beauté est fade, sans expression, ou celui qui a la prétention à la beauté, qui cherche trop visiblement à passer pour beau. **Bath** et **chouette,** qui se disent aussi des choses, sont populaires. **Girond** ne se dit que des personnes et ajoute le plus souvent à l'idée de beau celle de bien fait. (V. ADMIRABLE.)

beau (faire le). V. POSER.

beaucoup a rapport à la quantité lorsque celle-ci est considérable, et que l'on peut ou non la déterminer : *Il pleut beaucoup quand il tombe une grande quantité d'eau.* **Fort** exprime l'intensité, l'énergie : *Il pleut fort quand l'action de pleuvoir se fait sentir avec force.* **Bien** ajoute à *fort* une marque d'approbation, d'admiration ou de surprise : *Etre bien surpris par un événement.* **Considérablement** annonce une grande quantité en choses de conséquence : *Gagner considérablement dans une affaire.* **Abondamment** exprime une quantité relative excédant celle que réclame l'usage des choses; il est à noter que cet adverbe modifie l'action en rapport avec le sujet, et énonce le fait simplement et sans le décrire. **En abondance,** qui modifie l'action en rapport avec l'objet, offre un sens plus limité qu'*abondamment,* et convient surtout pour déterminer ce qui est : *A moins d'être pourvu abondamment d'une chose, on ne peut la donner en abondance.* **Copieusement** ne se dit guère qu'en parlant de certaines fonctions animales; il a presque toujours rapport à la consommation, et s'emploie souvent par plaisanterie : *On boit copieusement.* **Plantureusement,** syn. de *copieusement,* enchérit plutôt sur ce terme; il emporte l'idée de plénitude et fait penser surtout à des choses substantielles : *On mange plantureusement.* **Largement** regarde les choses données ou fournies avec libéralité, sans aucun sentiment d'épargne ou d'avarice : *Payer largement son personnel.* **Amplement** a presque toujours rapport à l'étendue ou à la durée; il fait penser à l'application ou à l'usage des choses, et emporte une idée d'aisance : *Avoir amplement le temps d'arriver à un rendez-vous; Gagner amplement sa vie.* **A foison** suppose une multitude de choses de même espèce qui semblent fourmiller : *Il y a de tout à foison.* **Bésef,** syn. de *beaucoup,* est argotique. **Moult,** syn. de *beaucoup,* est vieux; il ne s'emploie guère auj. que lorsqu'on veut imiter le style ancien. **Prou,** vx aussi, est employé seulement dans les locutions : *Peu ou prou; Ni peu ni prou.*

V. aussi PLUSIEURS.

beauté suppose la réunion de formes, de proportions et de couleurs qui plaît aux yeux, et qui fait naître l'admiration. **Esthétique,** qui désigne la science ayant pour objet de rechercher et de déterminer les caractères du beau dans les productions de la nature et de l'art, est abusivement employé parfois auj. comme syn. de *beauté* dans le lang. cour.

bébé se dit d'un tout jeune enfant. **Nourrisson** s'emploie par rapport à la mère, à la nourrice. **Poupard** désigne un enfant au maillot. **Poupon** est un terme d'amitié tendre et familière. **Baby** (mot angl. dont nous avons fait *bébé*) se dit en France d'un bébé qui, par son costume et les soins qu'on lui prodigue, appartient visiblement à une famille riche ou élégante; son emploi accuse une recherche d'anglicisme quelque peu prétentieuse. **Loupiot** est populaire et rarement péjoratif. **Mioche** est très familier et assez vulgaire. **Chiard, lardon, môme, moutard, moutatchou, petit salé, têtard** sont populaires et peuvent s'employer par plaisanterie ou péjorativement. (V. ENFANT.)

bec. V. BOUCHE et CAP.

bêche. V. PELLE.

bécoter. V. EMBRASSER.

bedaine. V. VENTRE.

bedon. V. GROS et VENTRE.

beffroi. V. CLOCHER.

bégayer. V. BALBUTIER.

bégueule. V. DÉCENT.

beigne. V. COUP.

béjaune. V. ADOLESCENT, NOVICE et SOT.

bellâtre. V. BEAU.

belles-lettres. V. LITTÉRATURE.

belliciste, belliqueux. V. GUERRIER.

belvédère. V. PAVILLON.

bénéfice. V. GAIN.

benêt. V. NIAIS.

bénévolement. V. VOLONTAIREMENT.

bénignité. V. BONTÉ.

bénin. V. CALME, INDULGENT et INOFFENSIF.

bénir est un terme du langage ordinaire; c'est mettre quelqu'un ou quelque chose sous la protection spéciale de Dieu. **Sacrer** est moins commun, plus noble que *bénir,* et dit plus; il suppose une cérémonie religieuse que n'implique pas forcément *bénir : Ce qui est sacré appartient à Dieu, est quelque chose de Dieu; ce qui est béni est simplement recommandé à sa protection.* **Baptiser,** dans ce sens, est très partic.; c'est bénir seulement en parlant d'une cloche, d'un navire.

benjamin. V. CADET.

benoît. V. DOUCEREUX.

bercail. V. BERGERIE.

berceau désigne un petit lit d'enfant, disposé généralement de manière à pouvoir être balancé. **Bercelonnette** est le nom donné à un berceau léger et suspendu, le plus souvent en osier. **Moïse** se dit d'une petite corbeille capitonnée, garnie de mousseline et de dentelle, servant de lit aux nouveau-nés. **Ber** est un syn. vieilli de *berceau* employé parfois encore auj. dialectalement.

V. aussi TONNELLE.

bercelonnette. V. BERCEAU.

bercer. V. BALANCER.

béret. V. TOQUE.

berge. V. BORD.

berger désigne proprement celui qui conduit et garde un troupeau de moutons, et, par ext., celui qui mène paître les bestiaux en général; il éveille l'idée d'une occupation douce, champêtre, et convient particulièrement à la poésie pastorale; au fig., on l'applique parfois au chef, au conducteur d'une nation. **Pasteur** est un terme beaucoup plus noble qui ne s'emploie guère, au propre, que dans la haute poésie et en parlant des peuples anciens; au fig., il désigne souvent ceux qui sont chargés de diriger les âmes dans la voie du salut. **Pâtre** se dit de celui qui garde le petit comme le gros bétail ; il ne s'emploie pas au fig. **Pastoureau,** qui désigne un petit berger, est un terme du langage littéraire, particulièrement employé dans la poésie légère.

V. aussi AMANT.

bergerie désigne, au sens propre, le lieu où l'on garde et où reposent les moutons ; il ne s'emploie guère au fig. que dans la loc. prov. : *Enfermer le loup dans la bergerie.* **Bercail** se dit de la bergerie vue de l'extérieur : *Les moutons sont dans la bergerie, mais ils sont de retour au bercail.* (A noter que peu us. dans ce sens propre, *bercail,* qui n'a pas de plur., s'emploie surtout au fig., et désigne alors le foyer domestique ou l'orthodoxie religieuse : *Ramener l'enfant prodigue, un hérétique au bercail.*)

V. aussi ÉTABLE et PASTORALE.

berner. V. TROMPER.

besace. V. SAC.

besogne. V. TRAVAIL.

besogneux. V. MISÉRABLE.

besoin. V. NÉCESSITÉ et PAUVRETÉ.

besson. V. JUMEAU.

bestial. V. BRUTE.

bestiaux. V. BÉTAIL.

bestiole. V. ANIMAL.

bêta. V. SOT.

bétail est la dénomination générale sous laquelle on comprend toutes les bêtes à quatre pieds qui servent à la culture des terres et à la nourriture de l'homme ; c'est le nom collectif qui désigne l'espèce. **Bestiaux** se dit des individus dans l'espèce ; il désigne les animaux non plus considérés ensemble, mais pris distributivement ou successivement : *Les sorciers avaient, dit-on, le pouvoir de faire mourir les bestiaux, et il fallait opposer sortilège à sortilège pour garantir son bétail, a écrit Voltaire.* (A noter que *bestiaux* n'a pas de singulier correct ; un *bestiau* appartient au parler paysan.) **Cheptel** désigne le bétail qu'une partie donne à une autre pour le garder, le nourrir et le soigner sous des conditions convenues entre elles ; il se dit aussi, par ext., de l'ensemble des bestiaux d'un pays : *Le preneur doit les soins d'un bon père de famille à la conservation du cheptel ; Le cheptel national.*

bêtasse. V. SOT.

bête. V. ANIMAL et SOT.

bêtifier. V. ABRUTIR.

bêtise suppose soit un manque d'intelligence, soit de l'ignorance : *La bêtise peut s'allier à la bonté, dont elle est la conséquence lorsque celle-ci est excessive.* **Anerie** emporte surtout l'idée d'ignorance complète de ce que l'on devrait pourtant savoir : *On voyait autrefois des médecins d'une parfaite ânerie.* **Sottise** implique non seulement un défaut d'intelligence, mais aussi un défaut de jugement, un travers de l'esprit fréquemment accompagné de présomption : *La sottise ennuie et est toujours insupportable.* **Stupidité** exprime la bêtise portée à son comble ; elle emporte l'idée d'une inertie presque complète de l'esprit : *On regarde avec dédain celui qui fait montre de stupidité, alors qu'on ferait peut-être mieux de le plaindre.* **Niaiserie** ajoute à l'idée de bêtise celle d'une grande simplicité d'esprit, due souvent à la méconnaissance du monde : *Etre d'une niaiserie ridicule.* — Lorsque, familièrement, ces termes sont appliqués à des actions ou à des propos, ils ont pour syn. **bourde,** qui se dit d'une bêtise, d'une ânerie grossière faite ou dite souvent avec la conviction de bien faire : *Accumuler bourde sur bourde.* (V. FADAISE et SORNETTE.)

beuglant. V. CAFÉ-CONCERT.

beugler. V. CRIER.

beurrée. V. TARTINE.

beuverie. V. FESTIN.

bévue. V. ERREUR.

biais. V. DÉTOUR.

biaiser, qui signifie proprement être ou aller en oblique par rapport à la direction principale, implique au fig. l'usage de moyens indirects, détournés ; il suppose de la dissimulation et montre le sujet en pleine action, s'efforçant de ne pas aller droit au but qu'il poursuit : *Parlez-lui franchement, car il vaut mieux ne pas biaiser avec un tel homme.* **Tergiverser** représente le sujet avant l'action et emporte plutôt l'idée de reculade que celle de dissimulation : *Tergiverser est souvent le* *propre des peureux, des craintifs ou des lâches.* **Louvoyer** ajoute à *biaiser* une idée d'adresse; c'est prendre des détours pour arriver à un but que l'on désire atteindre, mais où l'on ne peut aller directement : *Ce n'est qu'en louvoyant que vous pourrez réussir cette affaire difficile.* **Tournoyer,** qui vieillit dans ce sens, s'emploie parfois encore cependant, familièrement, comme syn. de *biaiser* pris au figuré : *En tout, il vaut mieux aller droit au but plutôt que de tournoyer.*

bibliophile (du grec *biblion,* livre, et *philos,* ami) se dit de celui qui aime les livres non seulement pour leur rareté, leur belle impression, leur belle reliure, mais aussi pour les matières qu'ils traitent. **Bibliomane** (du grec *biblion,* livre, et *mania,* folie) est péj.; il se dit de celui qui souhaite de posséder des livres non pour les lire ou les faire lire, mais pour la vaine gloriole de les posséder à l'exclusion de toute autre personne, et ce pour une raison ou une autre : édition princeps, caractères particuliers, fautes d'impression, etc. : *Le bibliophile aime les livres pour ce qu'ils lui apprennent, le bibliomane n'est qu'un collectionneur excentrique.* **Bibliotaphe** (du grec *biblion,* livre, et *taphein,* enterrer, cacher), quoique peu us., se dit cependant parfois, et plaisamment, de celui qui ne communique ses livres à personne et les conserve égoïstement dans sa bibliothèque. **Bibliolâtre** (du grec *biblion,* livre, et *latreuein,* adorer), qui est à peu près inusité, désigne péjorativement celui qui aime les livres à l'excès.

bicoque. V. BARAQUE.

bicyclette est le terme couramment employé auj. pour désigner un **vélocipède** à deux roues égales reliées par un cadre. (Rappelons que *vélocipède,* comme **cycle,** est le nom générique des appareils à roues avec siège, servant à transporter une personne et dont la mise en marche est produite par un mécanisme mû par les pieds.) **Tandem** désigne une bicyclette montée par deux personnes placées l'une derrière l'autre. **Vélo** est une abréviation de *vélocipède* familièrement employée pour désigner plus spécialement une bicyclette. **Bécane,** syn. de *bicyclette,* est du langage populaire et **petite reine** du langage sportif. **Clou** est populaire et péjoratif; il se dit d'une vieille bicyclette.

bien désigne tout ce que l'on possède : *Au sens juridique, on entend par bien la chose pouvant être l'objet d'un droit et représentant une valeur pécuniaire.* **Propriété** est plus partic.; il se dit surtout, dans ce sens, des biens-fonds, terres, maisons, etc., appartenant en propre à quelqu'un : *Cette maison et ce champ sont ma propriété.* **Domaine** désigne l'ensemble des biens fonciers d'une certaine étendue : *Acquérir, vendre, échanger un domaine.* **Héritage** se dit de tout bien qui vient par droit de succession. **Patrimoine** se dit du bien que l'on tient par héritage de ses ascendants. **Acquêt** ou **conquêt** s'emploient indifféremment auj. pour désigner les biens qui entrent en communauté durant le mariage. (Dans l'ancien droit français, on appelait *acquêt* un bien acquis avant le mariage, et *conquêt* un bien acquis pendant la communauté.)

V. aussi BEAUCOUP, PARFAIT et TRÈS.

Biens. V. RICHESSES.

bien-aimé. V. AMANT.

bien-être. V. EUPHORIE.

bienfaisance. V. CHARITÉ.

bienfait. V. SERVICE.

bienheureux. V. SAINT.

bien que. V. QUOIQUE.

bienséance. V. CONVENANCE.

bienséant. V. DÉCENT.

bienveillance. V. BONTÉ.

bienvenue. V. ACCUEIL.

bière. V. CERCUEIL.

biffer. V. EFFACER.

bifurcation. V. CARREFOUR et FOURCHE.

bigarrer. V. BARIOLER.

bigot désigne celui qui est d'une dévotion étroite et inintelligente; il implique souvent une certaine forme de superstition : *Le bigot veut qu'on le croie religieux sur le seul témoignage de petites pratiques auxquelles il se livre.* **Béat,** pris en mauv. part, se dit de celui dont le calme et l'onction simulent une dévotion peu sincère : *Le béat affecte un air de béatitude, dans l'espoir d'attirer l'admiration des vrais dévots.* **Cagot** désigne celui qui s'efforce de cacher ses vices sous les apparences de la dévotion; il suppose une austérité apparente : *Le cagot est d'un rigorisme outré et s'indigne sans cesse des plaisirs et des libertés du monde.* **Cafard** enchérit sur *cagot;* il emporte l'idée d'une hypocrisie profonde et redoutable : *Le cafard est patelin et fourbe; il est tout confit en dévotion, pour mieux nuire à ceux qu'il séduit par son faux air doucereux.* **Tartufe** désigne celui qui, comme le personnage de Molière, prêche la vertu pour mieux dépouiller ceux qu'il abuse : *Le tartufe, lorsqu'il croit n'avoir plus rien à craindre, n'hésite pas à découvrir effrontément ses desseins.* **Bondieusard** est un syn. pop. et péj. de *bigot.* **Calotin,** qui se dit par dénigrement de celui qui est partisan des prêtres, s'emploie parfois aussi — encore plus péjorativement — dans un sens voisin de bigot. **Momier** est dialectal. (V. CROYANT.)

bijou désigne tout objet de parure précieux par la matière ou par le travail; il entend quelque chose de petit et d'une forme gracieuse : *Les bijoux d'une dame.* **Joyau** est moins us.; il ne se dit guère que des ornements précieux portés par les rois, les reines et les personnages les plus considérables, quand ils veulent paraître dans tout l'éclat de leur dignité : *Les joyaux de la couronne.*

bijoutier désigne celui qui fait des bijoux en métal précieux ou non. **Joaillier** implique l'adjonction aux bijoux de pierres précieuses. (Il est à remarquer que, de nos jours, la bijouterie de métal semble abandonnée au profit d'une BIJOUTERIE-JOAILLERIE propre à assurer un maximum d'éclat aux pierres précieuses.) **Orfèvre,** nom donné autref. à celui qui faisait ou vendait des ouvrages d'or et d'argent, désigne plus particulièrem. auj. le fabricant de gros ouvrages de métal propres aux usages de la vie : vaisselle de table, objets de toilette, etc., et dont le travail caractéristique est le martelage.

bilatéral. V. RÉCIPROQUE.

bile désigne la matière liquide, jaunâtre et amère, sécrétée par le foie et coopérant à la digestion. **Fiel** se dit surtout de la bile des animaux. **Amer** désigne seulement le fiel du bœuf et des poissons.

V. aussi MÉCONTENTEMENT.

biler (se). V. TOURMENTER.

bilieux. V. ACARIÂTRE.

billet, lorsqu'il désigne une carte, un papier attestant un droit fondé sur une invitation ou acheté à prix d'argent, a auj. pour syn. couramment employé **ticket** (mot angl. venant du français *étiquette,* marque fixée) qui, à notre avis, ne s'impose nullement, à moins de le franciser en TIQUET. **Coupon** est plus partic.; il s'emploie soit en termes de banque, pour désigner un billet portant promesse de paiement d'intérêts, lequel est joint à un titre d'action, d'obligation, et qu'on détache à l'époque de l'échéance, soit, en termes de spectacle et autref. surtout, d'un billet détaché d'un registre à souche, et qui donne droit à une ou plusieurs places. **Bifton,** syn. de *billet,* est un terme d'argot.

Billet, employé par abréviation de **billet de banque,** désigne le bon de monnaie, payable en temps normal à vue et au porteur, émis par la banque de l'Etat : *Les billets de banque n'ont pas naturellement une valeur propre, mais simplement celle de la monnaie métallique qu'ils représentent et dont ils permettent d'éviter l'encombrant emploi.* **Papier-monnaie** désigne une monnaie inconvertible, à cours forcé, que rien ne relie à une encaisse métallique ou à un répondant quelconque, et dont la création — due le plus souvent à des circonstances difficiles : guerre ou révolution — dépend des besoins du gouvernement : *Le papier-monnaie, émis sous la signature de l'Etat, est inconvertible en numéraire, différemment du billet de banque, et ne peut servir aux échanges internationaux.* **Devise** est un terme de banque qui se dit des billets de banque, du papier-monnaie de tel ou tel Etat : *On importe des devises étrangères.* **Assignat** se disait, pendant la Révolution française, du *papier-monnaie.* **Bank-note,** nom donné proprem. au billet de banque anglais, se dit aussi parfois en France du billet de banque français; c'est un anglicisme inutile et d'ailleurs de moins en moins us. **Fafiot,** syn. de *billet de banque,* est un terme d'argot. (V. ARGENT.)

V. aussi LETTRE.

billevesée. V. SORNETTE.

bimbelot. V. BAGATELLE.
biniou. V. CORNEMUSE.
binocle. V. LORGNON.
biographie. V. HISTOIRE.
bique. V. CHÈVRE.
bisbille. V. CHICANE.
biscornu. V. BIZARRE et IRRÉGULIER.
biscotte. V. TARTINE.
bise. V. VENT.
bisquer. V. RAGER.
bissac. V. SAC.
bisser. V. ACCLAMER et RÉPÉTER.

bitume est le terme générique par lequel on désigne certaines matières inflammables, liquides et jaunâtres, ou solides, noires et huileuses, qui se trouvent dans le sein de la terre : *Le naphte ou pétrole, le malthe ou bitume glutineux, l'élatérite ou caoutchouc minéral, et l'asphalte sont les quatre espèces de bitume.* **Asphalte** est plus partic. et désigne simplement une substance minérale solide, amorphe, brun clair, qui est généralement un calcaire imprégné d'hydrocarbure. (Dans le langage courant et selon une terminologie propre aux travaux publics, *asphalte* désigne le produit pulvérulent étalé sur les chaussées et pilonné à chaud — et *bitume* le mastic d'asphalte répandu à l'état pâteux et étendu au lissoir sur les trottoirs.)

bivouac. V. CAMP.

bizarre se dit de ce qui s'écarte de l'usage ou de l'ordre commun; il implique une idée de caprice, de fantaisie imprévisible : *Un objet bizarre étonne, mais n'excite ni indignation, ni blâme.* **Etrange** désigne ce qui nous paraît inconcevable, parce que contraire aux notions que nous nous sommes formées des choses : *Ce qui est étrange provoque un étonnement où il peut entrer de l'inquiétude ou du blâme.* **Insolite** s'applique surtout à ce qui est étrange parce que contraire aux règles établies : *Ce qui est insolite surprend surtout parce qu'il sort de l'usage.* **Extraordinaire** se dit de ce qui surprend par quelque exagération dans la quantité ou la qualité; il suppose la comparaison, sans éloge, ni blâme. **Singulier** désigne ce qui fait classe à part, ce qui ne ressemble pas à ce qui est; il emporte l'idée d'originalité, mais exclut la comparaison : *Tout homme qui a un caractère énergique et fortement prononcé a quelque chose d'extraordinaire; celui qui a un caractère propre a nécessairement quelque chose de singulier.* **Extravagant** se dit de ce qui est hors de bon sens, mal à propos : *Ce qui est extravagant choque la raison.* **Fantasque** désigne ce qui est *bizarre* ou *extraordinaire* avec une idée marquée d'extrême fantaisie plus ou moins désordonnée. **Farfelu,** syn. de *fantasque,* est familier. **Baroque** se dit de ce qui se fait en dépit de toutes les règles; il ajoute à *bizarre* l'idée d'irrégularité, d'inégalité : *Meuble, accoutrement, idée baroque.* **Biscornu,** pris dans son sens fig., ajoute à l'idée de baroque celle de caprice; il est fam. : *Ouvrage, raisonnement biscornu.* **Abracadabrant** (dér. du mot cabalistique *abracadabra*) est un syn. péj. et fam. de *bizarre.* **Unique** s'emploie parfois aussi en mauv. part et familièrement comme syn. de *singulier,* d'*extravagant : Ah! vous êtes unique! Voilà qui est unique!* **Fantastique,** qui est fam. aussi dans ce sens, est moins péj. et dominé surtout par l'idée d'étonnement : *Ce qui est fantastique est incroyable parce qu'en dehors de la réalité.* (On dit aussi parfois **fantasmagorique,** qui est plus du langage recherché ou littéraire, et semble enchérir sur *fantastique : Une série fantasmagorique de monstrueux événements.*) [V. ORIGINAL.]

V. aussi CAPRICIEUX.

blackboulé. V. REFUSÉ.
blafard. V. PÂLE.
blague. V. ATTRAPE, ERREUR et PLAISANTERIE.
blaguer. V. RAILLER.

blâmable se dit de ce qui mérite un jugement de désapprobation; il a généralement rapport aux mœurs et à la probité, et suppose que si l'on peut blâmer, on n'a pas, par contre, qualité pour punir : *Conduite blâmable.* **Répréhensible** s'applique à toute faute ou erreur qui mérite une réprimande, et entend que celle-ci ne tombe pas sous les coups d'une loi : *Action répréhensible.* **Condamnable** ajoute à l'idée de blâme celle de condamnation, de correction; il suppose l'autorisation d'une loi ou un désaveu général : *Opinion, action condamnable.*

blâmer. V. DÉSAPPROUVER.

blanc. V. NET.

blanc-bec. V. ADOLESCENT et NOVICE.

blanchaille. V. FRETIN.

blanchir. V. JUSTIFIER et LAVER.

blanchisseuse. V. LAVEUSE.

blasé. V. INDIFFÉRENT.

blason. V. ARMES.

blasphème se dit des paroles impies qui outragent intentionnellement Dieu, la religion, les saints, les grands hommes, tout ce qui a l'estime ou l'admiration. **Juron** est fam.; il désigne la façon particulière de jurer dont une personne se sert habituellement, souvent d'ailleurs sans avoir l'intention de blasphémer. **Jurement,** syn. de *juron,* s'emploie de préférence dans le style sérieux. (V. MALÉDICTION.)

blême. V. PÂLE.

bléser. V. ZÉZAYER.

blesser, au sens propre, est très général; c'est frapper d'un coup qui produit fracture, plaie ou contusion, abstraction faite des suites que cette blessure peut avoir. **Estropier** est plus déterminé; c'est faire une blessure dont les suites empêchent de se servir du membre blessé comme on s'en servait auparavant : *On est blessé au bras, à la jambe, puis estropié si cette blessure nécessite l'amputation, et rend manchot, boiteux.* **Léser** est syn. de *blesser* surtout en termes de chirurgie : *Balle qui lèse le poumon.* **Amocher,** syn. de *blesser,* est du langage populaire.

Blesser, pris dans le sens moral, suppose un manque d'égards ou de respect qui fait que l'on se rend odieux : *On appréhende de blesser ceux dont l'affection est utile et l'aversion dangereuse, a dit Pascal.* **Ulcérer** dit plus que *blesser;* il y ajoute l'idée d'un ressentiment vif et durable due à la profonde blessure morale éprouvée : *L'indifférence ulcère les cœurs aimants.* (V. DÉPLAIRE et FROISSER.)

Se blesser. V. OFFENSER (S').

blessure est un terme générique; il désigne toute altération locale des corps produite par un acte de violence ou par l'application d'un caustique : *Une blessure a toujours une cause extérieure.* **Plaie** se dit d'une division des parties molles produite par quelque cause externe ou interne, et qui suppose toujours une ouverture faite à la peau : *Une plaie peut être le résultat d'un désordre intérieur de l'organisme.* **Lésion,** syn. de *blessure,* est partic. et du langage chirurgical : *Balle qui produit une lésion dans l'abdomen.* (A noter qu'en termes de pathol., *lésion* s'applique surtout à toute modification organique due à une cause morbide : *Lésion du cœur, du poumon.*) **Trauma** (mot grec signif. *blessure*) est le nom donné, en pathol. aussi, à une blessure locale produite par un agent extérieur agissant mécaniquement, et qu'on confond souvent à tort avec TRAUMATISME qui désigne l'ensemble des troubles, locaux ou généraux, occasionnés par le trauma ou blessure. (V. CONTUSION.) — Au fig., BLESSURE désigne un mal reçu et dont la cause est présente dans la pensée : *Les blessures faites à l'amour-propre sont plus sensibles que les autres;* PLAIE se dit d'un mal dont la société souffre cruellement, une calamité, un fléau public : *Le désordre des finances est une grande plaie pour un Etat.*

bleu se dit d'une couleur qui se rapproche plus ou moins de celle d'un ciel sans nuages, de la fleur du bluet. **Azur** (du persan *lâdjourd,* nom du lapis-lazuli) désigne le bleu clair. **Céruléen** est un synonyme vieilli d'*azur.*

V. aussi CONTUSION, NOVICE, PÂLE et SOLDAT.

blizzard. V. VENT.

bloc. V. AMAS, COALITION et GROUPEMENT.

blockhaus. V. FORTERESSE.

blondin. V. GALANT.

bloquer. V. CERNER et SERRER.

blottir (se), c'est se ramasser sur soi-même, se mettre en boule, de manière à tenir le moins de place possible : *Enfant qui se blottit dans son lit.* **Se tapir** exprime l'intention de se cacher; c'est se coucher à plat, de manière à occuper le moins de place possible dans le sens de la hauteur, afin de n'être pas aperçu : *Se tapir sous un arbre, dans un buisson.* **S'accroupir,** c'est s'asseoir sur ses talons : *Les nègres s'accroupissent pour manger.* **Se pelotonner** est un synonyme familier de *se blottir : Quand le hérisson ne peut fuir, il se pelotonne.*

bluette. V. ÉTINCELLE, MOT D'ESPRIT et SAYNÈTE.

bluffer. V. TROMPER.

bluter. V. TAMISER.

bocage. V. BOIS.

bohémien est le nom que l'on donne en France non seulement aux habitants de la Bohême, mais encore communément à des vagabonds, généralem. d'origine indienne, qui courent le pays en disant la bonne aventure et en mendiant, et que l'on a cru longtemps originaires de la Bohême. **Tzigane** désigne surtout les musiciens bohémiens, ou portant le costume bohémien, qui jouent dans les cafés, les music-halls, etc. **Romanichel** (ou ROMANI) est le nom vulgaire des bohémiens. **Gitano** est le nom donné aux bohémiens en Espagne, comme **gipsy** se dit en Angleterre et **zingaro** en Italie. **Camp-volant** désigne un bohémien qui campe au bord des routes. (V. VAGABOND.)

boire, c'est avaler un liquide : *Boire de l'eau, du vin, une liqueur, une potion.* **Se désaltérer,** c'est boire pour étancher sa soif, c'est-à-dire faire cesser celle-ci en buvant. **S'abreuver** se dit, au propre, des bestiaux qui boivent à l'abreuvoir, et aussi, mais très familièrement, des personnes qui boivent en abondance : *Chevaux qui s'abreuvent; S'abreuver d'excellent vin.* **Absorber,** c'est boire (ou parfois aussi manger) plus par nécessité que par soif (ou faim) : *Absorber une tisane, un médicament.* **Lamper,** c'est boire avidement et à grands traits : *Lamper du vin, du cidre.* **Laper,** c'est boire en tirant avec la langue, en parlant des animaux; il s'emploie aussi parfois comme syn. de *boire,* en parlant des personnes, dans le lang. fam. : *Le chien lape sa boisson; Laper un litre de vin.* **Sabler,** c'est boire d'un trait, comme le moule de sable boit, avale le métal en fusion; il se dit plus spécialement du champagne. **Trinquer,** qui est assez partic., implique la présence d'au moins deux personnes qui choquent leurs verres et boivent seulement ensuite à la santé l'une de l'autre. **Buvoter,** c'est boire à petits coups répétés et fréquemment; il est fam. **Siroter,** fam. aussi, c'est boire lentement, à petits coups et en dégustant. **Entonner,** comme **pomper,** est pop.; c'est boire copieusement. **Pinter,** pop. aussi, c'est boire avec excès. **Licher** et **lichoter,** comme **lipper,** c'est boire avec gourmandise; ils sont très populaires, comme **chopiner, picoler** et **siffler,** les deux premiers signifiant boire du vin avec excès, et le troisième boire d'un trait, du vin ou des liqueurs. (V. AVALER.)

V. aussi S'ENIVRER.

bois désigne une réunion d'arbres couvrant un espace de terrain de moyenne étendue, et que l'on considère surtout sous le rapport de l'ombre qu'il procure, des agréments de toute espèce qu'on y trouve. **Boqueteau** et **bosquet** sont des diminutifs de *bois.* **Bocage** désigne un petit bois, surtout dans le style poétique. **Forêt** se dit d'un bois qui embrasse une très grande étendue de pays; il suppose des arbres d'une plus grande dimension que ceux du bois, et la présence d'animaux sauvages, féroces même parfois. (Il faut cependant noter que l'usage fait fréquemment employer indifféremment les noms de *bois* et de *forêt,* quoique ce dernier marque presque toujours un bois plus sauvage, moins approprié à l'usage de l'homme.) **Futaie** se dit d'une forêt dont on exploite les arbres quand ils sont arrivés à une grande dimension. **Sylve** (du lat. *sylva,* forêt) est du style recherché ou littéraire. (V. BUISSON.)

V. aussi CORNE.

boisson est le terme courant qui désigne tout liquide que l'on boit ou que l'on peut boire : *L'eau, le vin, la bière, le cidre, etc., sont des boissons.* **Breuvage** est moins général; il se dit d'une boisson composée spécialement pour produire quelque effet particulier, le plus souvent pour flatter le goût ou surtout guérir une maladie : *Les médecins ordonnent des breuvages.* **Nectar,** nom donné, en termes de mythol., au breuvage des dieux donnant l'immortalité de l'âme à ceux qui le boivent, s'emploie parfois aussi, dans le langage courant, pour désigner une boisson délicieuse.

boîte est le nom donné, d'une façon générale, à un réceptacle de forme, de dimension et de matière variables, généralement portatif, muni d'un couvercle, et destiné à serrer ou à transporter différents objets. **Caisse** se dit surtout d'une boîte rectangulaire en bois, pour emballage. **Coffre** désigne le plus souvent une grande boîte, de forme rectangulaire, fermée par une serrure. **Coffret** se dit d'un petit coffre élégant où l'on serre des bijoux, des dentelles, des ouvrages de dame. **Ecrin** désigne un coffret où l'on serre des bijoux, de l'argenterie.

boiter, c'est incliner son corps plus d'un côté que de l'autre, en marchant, ou alternativement de l'un et de l'autre côté. **Clocher,** c'est marcher avec un pied raccourci, le corps étant ou paraissant être inégal, d'un côté ou de l'autre, dans la base; vieilli au sens propre, il est auj. plutôt littéraire. (Au fig., c'est surtout *clocher* que l'on emploie; il annonce alors un défaut de symétrie, ou, par ext., une défectuosité quelconque : *Raisonnement qui cloche; Avoir quelque chose qui cloche dans sa toilette.*) **Boitiller,** c'est boiter légèrement. **Clopiner,** c'est marcher avec peine et en clochant un peu; il est fam. **Feindre** indique une boiterie légère et presque imperceptible; il se disait autref. des personnes, mais n'est plus auj. qu'un terme de manège : *Un cheval qui feint.* — **Claudiquer** (du lat. *claudicare,* boiter) n'est encore qu'un néol. peu us. qui mériterait d'entrer dans l'usage (puisqu'on emploie couramment CLAUDICATION et CLAUDICANT) ; il implique une altération fonctionnelle de la marche, caractérisée par l'inégalité des oscillations du corps et provoquée par des causes diverses : crampe, fracture, luxation, pied bot, etc.

boiteux se dit de toute personne qui boite (v. art. précéd.), que ce soit de naissance ou par suite d'accident ou de maladie. **Eclopé** désigne celui qui boite momentanément, à la suite d'un accident ou d'une grande fatigue. **Bancal** suppose, le plus souvent, des jambes contrefaites, tortues. **Bancroche** est un syn. familier et péjoratif de *bancal;* syn. de *boiteux,* **banban** est populaire et **clampin,** vieilli.

boitiller. V. BOITER.

bolchevisme. V. COLLECTIVISME.

bombance. V. FESTIN.

bon se dit de ce qui réunit toutes les qualités de son espèce : *Ce qui est bon est utile et salutaire.* **Agréable** emporte plus l'idée de plaisir que celle de profit : *On jouit de ce qui est agréable.* **Excellent** enchérit sur *bon;* il se dit de ce qui a une nature ou une qualité supérieure, et que l'on considère surtout en soi : *Ce qui est excellent est estimé.* (V. AGRÉABLE.)

V. aussi HUMAIN.

bon vivant. V. GAI.

bonace. V. TRANQUILLITÉ.

bonasse. V. MODESTE.

bond. V. SAUT.

bondé. V. PLEIN.

bonder. V. EMPLIR.

bonheur est le terme général qui marque un état de satisfaction intérieure ou ce qui en est la cause; il est compatible avec toutes les situations et toutes les formes de l'activité. **Félicité** exprime particulièrement l'état du cœur et de l'âme qui ont tout ce qu'ils désirent : *Notre bonheur éclate aux yeux de tous et nous expose souvent à l'envie; notre félicité se fait sentir à nous seuls et ne s'accompagne d'aucune amertume.* **Béatitude,** qui désigne proprement le bonheur que Dieu donne aux élus dans le Ciel, se dit d'une félicité complète, d'un bonheur sans mélange, exempt de toute crainte pour l'avenir : *La béatitude comporte un certain détachement à l'égard de ce qui nous entoure.* **Prospérité** est plus partic.; il suppose l'état florissant des affaires, l'acquisition et la possession généralem. par degrés d'un bien positif, principalement la fortune, considéré comme une source de bonheur : *Il semble souvent que l'on a du bonheur parce qu'on est favorisé du destin, alors que nous pouvons plus ou moins contribuer à notre prospérité par notre conduite, nos efforts.* **Heur** est un syn. peu usité et vieilli de *bonheur : Tout n'est qu'heur et malheur.* (V. EUPHORIE et JOIE.)

V. aussi CHANCE.

bonhomme. V. MODESTE.

boni. V. GAIN.

bonification. V. DIMINUTION.

bonifier. V. AMÉLIORER.

boniment. V. PROPOS.

bonjour. V. ADIEU.

bonne. V. SERVANTE.

bonne d'enfant (ou simplement BONNE) est le nom donné à une jeune servante chargée de prendre soin d'un enfant et de le promener. **Nurse** (mot angl. signifiant *nourrice, bonne d'enfant*) est plus du langage recherché et emporte une idée d'éducation, qui le rapproche de GOUVERNANTE (v. ce mot). (V. NOURRICE.)

bonnet est le nom donné à toute coiffure d'étoffe, de tricot, de fourrure, etc., sans bord. **Calotte** désigne un petit bonnet en drap, en velours, etc., de forme arrondie, qui couvre seulement le sommet de la tête. **Barrette** se dit d'un petit bonnet à trois ou quatre faces carrées, qui peut se replier et que portent surtout les ecclésiastiques. (V. COIFFURE et TOQUE.)

bonsoir. V. ADIEU.

bonté est un terme générique ; il se dit de l'inclination à faire le bien ; il suppose méconnaissance de la haine et le plaisir de rendre heureux, même ceux dont on aurait droit de se plaindre. **Bénignité** désigne une bonté douce, facile, qui est le propre de celui qui ne fait jamais le moindre mal, dans les circonstances même où le mal semblerait naturel ; il suppose une indulgence affectueuse de la part du puissant à l'égard du faible, du supérieur à l'égard de l'inférieur. **Bienveillance** implique soit le désir de faire du bien, soit simplement une disposition à écouter favorablement ; il est dominé par l'idée de bonne volonté. **Cordialité** se dit d'une bienveillance qui part du cœur, et dont la franchise et la sincérité charment d'autant plus qu'elles sont pour ainsi dire instinctives. (V. CHARITÉ et DOUCEUR.)

boqueteau. V. BOIS et BOSQUET.

bord se dit particulièrement du terrain, du sol qui est le long de la mer, d'une rivière, autour d'un lac, d'un étang, etc. **Rive** désigne le point de contact de l'eau et de la terre, ou un des bords du lit sur lequel les eaux se referment d'elles-mêmes ; il emporte généralement l'idée d'une pente douce et suppose une autre rive. **Rivage** se dit d'une rive étendue : *Un ruisseau n'a que des rives, alors que la mer et les grands fleuves ont des rivages.* **Berge** ne se rapporte qu'aux fleuves, aux rivières et aux canaux ; il implique un bord élevé formant escarpement. **Côte** est propre à la mer ; c'est une large et longue barrière qui arrête celle-ci, la rejette et la repousse, et qui s'élève audessus de l'eau. **Littoral** désigne l'ensemble des côtes qui bordent une mer ou un pays. **Grève** se dit du bord de la mer ou d'une rivière lorsque celui-ci forme un terrain d'une certaine étendue, uni et couvert de gravier ou de sable. **Plage** est un syn. de *grève* plus usité de nos jours, surtout en parlant de stations balnéaires.

V. aussi BORDURE.

bordure se dit de l'extrémité d'une surface lorsque celle-ci a été travaillée, ornée par la main de l'homme. **Bord** désigne l'extrémité faisant partie de l'objet, qui ne lui a pas été ajoutée : *Agrémenter d'une bordure de fleurs les bords d'un ruisseau.* **Rebord** se dit soit d'un bord élevé, le plus souvent ajouté, rapporté : *Le rebord d'une table, d'une fenêtre* (en menuisement on dit aussi RECOUVREMENT) ; soit du bord naturel d'une chose qui a de la profondeur : *Le rebord d'un fossé;* soit enfin d'un bord replié, renversé : *Le rebord d'un vase.* **Marge,** dans son sens général, est syn. de *bord* et de *bordure;* plus particulièrem. il se dit du blanc qui est sur le bord, autour d'une page écrite ou imprimée : *La marge d'un fossé, d'un chemin; Les marges d'un livre.* **Lisière,** qui désigne proprement le bord longitudinal qui termine de chaque côté une pièce d'étoffe, se dit souvent aussi, par anal., du bord d'un terrain ; il fait essentiellement penser alors à la limite de celui-ci : *La lisière d'un champ, d'un bois.* **Orée,** syn. de *bord* en parlant d'un bois, d'une forêt, est plutôt auj. du style littéraire.

borne. V. TERME.

borné suppose figurément une intelligence limitée, et surtout un manque de largeur dans les vues ou les idées. **Obtus** implique un manque de pénétration, de la difficulté à comprendre, à concevoir. **Etroit** ajoute souvent à l'idée exprimée par *borné* celle d'intolérance à l'égard de ce qui n'est pas compris. **Rétréci,** syn. de *borné,* est moins usité. **Bouché,** syn. d'*obtus,* est familier. (V. INTOLÉRANT et SOT.)

borner. V. LOCALISER.

bosquet se dit d'un groupe d'arbres ou d'arbustes généralement plantés et arrangés en vue de fournir de l'ombrage ou d'embellir la vue : *Jardin agrémenté de bosquets.* **Massif,** dans ce sens, est un terme d'arboriculture; il se dit d'un bosquet qui ne laisse aucun passage à la vue : *Un épais massif de verdure.* **Bouquet,** suivi d'un déterminatif approprié, désigne un groupe d'arbres assez rapprochés les uns des autres; il suppose une disposition naturelle et non un arrangement dû à la main de l'homme : *Un bouquet de châtaigniers.* **Boqueteau** se dit d'un petit bouquet de bois. (V. TONNELLE.)

V. aussi BOIS.

bosse. V. PROTUBÉRANCE.

1. **botte** est un terme très général qui désigne tout assemblage de choses de même espèce qu'on a liées ensemble. **Gerbe** désigne une grosse botte d'épis, de fleurs, etc., coupés et disposés de telle sorte que les têtes soient toutes du même côté. **Bouquet** se dit d'une petite gerbe, composée le plus souvent de fleurs liées ensemble, ou bien de plusieurs choses attachées ensemble qui, comme le bouquet de fleurs, présentent par leurs parties supérieures une touffe agréable à voir. **Faisceau** désigne une botte formée de choses liées et réunies ensemble dans le sens de la longueur. **Trousse,** syn. de *faisceau,* est peu usité.

2. **botte.** V. CHAUSSURE.

bottier. V. CORDONNIER.

bottine. V. CHAUSSURE.

boucan. V. TAPAGE.

boucaner. V. FUMER.

bouche désigne la partie du visage de l'homme composée des lèvres, des gencives, du dedans des joues et du palais, qui reçoit les aliments, et par où sort la voix; bien que propre à l'homme, il se dit aussi de certains animaux pour lesquels l'usage n'a pas consacré une autre expression : *La bouche du cheval, du saumon.* **Bec** désigne proprement la partie saillante et dure qui tient lieu de bouche aux oiseaux; il se dit aussi, dans le style burlesque ou très familièrem., de la bouche et de la langue de l'homme : *Les oiseaux prennent leur nourriture, attaquent, se défendent, arrangent leurs plumes avec leur bec; Enfant qui a le bec sale.* **Gueule** désigne la bouche de la plupart des animaux carnassiers; dit de la bouche de l'homme, il est pop. et grossier : *Gueule du chien, de la baleine; Personne qui a une gueule fendue jusqu'aux oreilles.* **Avaloir** (ou AVALOIRE), syn. de *bouche,* est vulgaire et peu usité. **Goule** et **goulot** sont populaires.

Bouches. V. EMBOUCHURE.

bouché. V. BORNÉ.

boucher, c'est fermer une ouverture, un passage, au moyen d'un objet étranger que l'on enfonce ou que l'on applique dessus : *Boucher une bouteille, un chemin, une avenue; Boucher des fenêtres avec des matelas.* **Obstruer,** c'est boucher par quelque obstacle interposé : *Obstruer une rue, un canal; Sable qui obstrue un fleuve.* **Barrer,** obstruer, fermer à l'aide d'une « barre », est parfois employé, par ext., dans le sens général d'*obstruer : Barrer un passage, un cours d'eau.* **Obturer,** c'est boucher un trou, une cavité : *Obturer un conduit.* **Colmater** (de l'ital. *colmata,* terrain comblé), employé abusivem. dans le sens de boucher une fissure en l'enduisant de lut, se dit aussi, par ext. et dans le lang. milit. mod., en parlant du rétablissement d'un front continu après une percée ennemie : *Il faut l'arrivée incessante de renforts pour colmater une brèche profonde.* **Calfeutrer,** c'est boucher des fentes ou des joints avec des étoupes, des bourrelets, etc., et, par ext., boucher soigneusement : *Calfeutrer une porte, une fenêtre; Calfeutrer ses oreilles avec du coton.* **Aveugler** est un terme de techn.; c'est boucher provisoirement, avec un tampon, une ouverture accidentelle : *Aveugler une voie d'eau, un trou d'obus.* **Opiler,** syn. d'*obstruer,* est un terme de pathol. auj. peu us. : *Opiler les conduits naturels.* (V. FERMER.)

boucherie. V. CARNAGE.

bouchonner. V. CHIFFONNER et FLATTER.

boucler. V. FERMER et FRISER.

bouclier. V. REMPART.

bouder. V. RECHIGNER.

bouderie désigne l'expression d'un mécontentement réel ou simulé dont la cause est souvent légère, et qui se manifeste par de petits moyens, comme un silence obstiné, l'affectation de se tenir à l'écart ou de paraître indifférent : *La bouderie est fréquente chez* *les individus d'un caractère peu facile ou capricieux.* **Humeur,** pris dans son sens absolu, suppose une amertume de caractère qui se manifeste en général par un ton bourru, une irritabilité souvent pénibles pour ceux qui ont à les supporter. **Fâcherie** se dit d'un état de désaccord, souvent passager, existant entre deux personnes dont l'une a mécontenté l'autre; il implique soit une trop grande sensibilité du cœur, soit une trop grande vivacité de l'imagination : *La politique est une cause féconde de fâcheries dans les familles.* **Tracassin** est fam. et suppose une humeur inquiète. (V. MÉSINTELLIGENCE.)

boue se dit d'une terre détrempée, plus ou moins épaisse, ordinairement sale, noire et grasse, telle que celle qui s'amasse dans les rues après la pluie. **Fange** suppose un long croupissement de boue mêlée, délayée avec des matières impures et corrompues, des immondices de toute sorte. **Crotte** désigne moins une cause qu'un effet; il se dit des portions de boue, de fange attachées aux chaussures, aux vêtements. **Gadoue** (V. LIMON). — Au fig., BOUE marque la bassesse ou la misère, et suppose souvent un état vil, abject; FANGE enchérit sur *boue,* et exprime quelque chose de plus vil encore et qui souille; CROTTE, qui est du style familier, marque surtout la pauvreté.

bouée est le nom donné, en termes de marine, à un corps flottant destiné à servir de signal et à indiquer un danger, une passe. **Balise** est plus général; il se dit de tout ouvrage, flottant ou fixe, destiné à jalonner un passage ou à indiquer les dangers que présente un port, une passe, une rivière.

bouffant. V. GONFLÉ.

bouffe. V. COMIQUE.

bouffi se dit du visage lorsque celui-ci est gros, plein et large, par suite d'une mauvaise santé ou d'une irritation intérieure, et non pas naturellement. **Joufflu** signifie proprement « qui a de grosses joues »; il concerne un état naturel et se prend souvent en bonne part. **Mafflu** (ou MAFFLÉ), syn. de *joufflu,* auquel il ajoute l'idée de quelque chose de désagréable à la vue, est auj. très peu usité.

V. aussi GONFLÉ.

bouffon, qui se dit en particulier d'un personnage grotesque que les rois entretenaient autref. auprès d'eux, pour se divertir de ses facéties, désigne plus généralement auj. celui qui fait profession d'amuser les autres par des saillies, des lazzi, une mimique exagérée; il suppose le manque de sérieux. **Farceur** emporte l'idée de grossièreté, de vulgarité. **Plaisantin,** autref. bouffon de parade, désigne couramment auj., et généralement en mauv. part, celui qui aime à faire le plaisant, qui affecte la plaisanterie. **Loustic** (de l'allem. *lustig,* gai, jovial), après avoir désigné un bouffon attaché aux compagnies suisses, pour préserver les soldats de la nostalgie en les égayant, se dit auj., par ext., d'un militaire qui cherche à faire rire ses compagnons, et même de tout farceur, en général. **Baladin,** qui désigna d'abord spécialement des danseurs d'intermèdes qui exécutaient des pas grotesques, se dit auj. de toutes les classes de bouffons, et plus particulièrement des bouffons de place publique, de tréteaux. **Histrion** est un syn. vieilli de *baladin.* **Polichinelle** se dit d'un bouffon de société. **Turlupin** est péj.; il désigne un bouffon dont les facéties sont faites d'allusions basses, de mauvais jeux de mots; c'est un syn. peu usité de *farceur.* **Pasquin** est le nom donné parfois à un bouffon de comédie.

V. aussi COMIQUE.

bouffonnerie. V. PLAISANTERIE.

bouge. V. APPARTEMENT et CABARET.

bougeoir. V. CHANDELIER.

bouger. V. REMUER.

bougon désigne celui qui, ayant l'esprit mal fait, de travers, manifeste sans cesse et pour tout du mécontentement. **Grognon,** comme **grognard** et **grogneur,** n'emporte pas toujours l'idée de manie constante qui est dans *bougon;* il peut supposer seulement un état momentané de mécontentement, dû parfois même à des causes physiques. **Ronchon, ronchonneur** et **groumeur,** syn. de *bougon,* sont familiers; **grondeur** est peu usité. (V. ACARIÂTRE et BOURRU.)

bougonner. V. MURMURER.

bougre. V. LURON et PERSONNE.

boui-boui. V. CAFÉ-CONCERT et THÉÂTRE.

bouillant. V. CHAUD et FOUGUEUX.

bouillie se dit d'une farine « bouillie » dans du lait ou de l'eau jusqu'à consistance de pâte plus ou moins épaisse. **Purée** désigne une sorte de bouillie que l'on obtient en écrasant et passant des légumes ou des viandes. **Brouet** est plus général; il se dit de tout aliment presque liquide, mais est surtout employé péjorativement en parlant d'un mauvais ragoût dont on ne devine pas la composition. **Papin** est le nom dialectal d'une bouillie pour enfant.

bouillon désigne en art culinaire un aliment liquide qu'on obtient en faisant « bouillir » dans l'eau de la viande ou des légumes, ou les deux à la fois : *Bouillon gras, maigre, aux herbes.* **Consommé** se dit du bouillon qui, par une longue et lente cuisson, s'est emparé de tous les sucs de la viande : *Le consommé est du bouillon concentré de volaille, de bœuf, de veau ou de gibier, auquel on peut ajouter encore de la viande hachée.* **Potage** s'applique à un bouillon dans lequel on a laissé ou mis, souvent en les pilant, des légumes, des farineux, ou parfois même du pain : *Potage au riz; Potage julienne.* **Soupe** suppose un bouillon ou tout autre liquide nutritif, dans lequel on trempe ordinairement des tranches de pain, et qui, de ce fait, est généralement assez épais : *Soupe aux choux, au lait; Faire mitonner la soupe.*

boule se dit d'un corps rond en tous sens, massif en général. **Sphère** est un terme géométrique désignant un solide limité par une surface courbe dont tous les points sont également distants d'un point intérieur qu'on appelle « centre ». **Globe** se dit d'un corps rond, massif ou creux, à peu près sphérique, et en général assez grand; il n'appartient pas, comme *boule,* au langage vulgaire.

boulevard. V. AVENUE.

bouleversement. V. DÉRANGEMENT et ÉMOTION.

bouleverser. V. ÉMOUVOIR et RENVERSER.

boulimie. V. FAIM.

boulot. V. GROS.

bouquet. V. BOSQUET, BOTTE, PARFUM.

bourbe. V. LIMON.

bourbier. V. CLOAQUE.

bourde. V. BÊTISE et CONTE.

bourdon. V. CLOCHE.

bourdonner, c'est, dans un sens général, faire entendre un bruit sourd et continu, comme celui que produit le bourdon. **Ronfler,** lorsqu'il implique figurém., comme *bourdonner,* un bruit sourd et prolongé, suppose toutefois une sonorité plus grave, plus forte aussi. **Vrombir** est plus un terme didactique; c'est produire une sorte de bourdonnement, de ronflement dû à un mouvement de rotation extrêmement rapide : *La guêpe bourdonne; le feu ronfle; l'avion vrombit.*

V. aussi SONNER.

bourg désigne une petite ville qui renferme une population assez nombreuse et agglomérée, et où se tient d'ordinaire le marché des villages voisins. **Bourgade** se dit d'un petit bourg dont les habitants sont disséminés sur un assez grand espace, lequel peut être même plus grand que celui d'un bourg. **Village** désigne un assemblage de maisons habitées surtout par des paysans, non limité par une enceinte, moins considérable qu'un bourg, et comportant une église paroissiale mais, le plus souvent, pas de marché. **Hameau** dit moins encore; c'est un petit groupe de maisons rurales, écartées du lieu où est la paroisse. **Ecart** désigne une faible agglomération humaine, éloignée d'un centre et dépendant du chef-lieu de la commune sur le territoire de laquelle elle se trouve. **Trou** se dit figurém. et familièrem. d'une localité dont on veut indiquer la petitesse d'une manière exagérée, et souvent aussi la tristesse et le manque de commodités dus à l'isolement. (V. VILLE.)

bourgade. V. BOURG.

bourgeon est le nom donné en bot. à la proéminence qui apparaît et se développe sur une tige pour former une branche ou un fruit. **Œil** désigne seulement l'embryon de bourgeon qui apparaît sur une branche. **Pousse** se dit au contraire d'un bourgeon déjà avancé qui formera bientôt une nouvelle branche. **Bouton** désigne un bourgeon de fleur présentant une forme arrondie et où la fleur est déjà en voie de formation assez apparente.

bourrade. V. POUSSÉE.

bourrasque se dit d'un coup de vent subit et violent, mais de courte durée. **Grain** est syn. de *bourrasque* dans le lang. marit. **Tourbillon** désigne un vent impétueux qui va en tournoyant rapidement. **Ouragan** suppose plusieurs vents soufflant avec fureur dans des directions opposées et formant des tourbillons violents. **Tempête** implique une grande violence du vent, avec ou sans pluie, bruyante et pouvant durer plusieurs jours de suite; il suppose souvent une mer en fureur. **Tourmente** convient bien en parlant d'une succession rapide de bourrasques. **Orage** implique un trouble atmosphérique qui se laisse prévoir longtemps à l'avance et qui est accompagné d'éclairs, de tonnerre, de pluie, de grêle. **Cyclone** est surtout un terme de météorol.; il se dit d'une tempête qui balaie la terre ou la mer en tournoyant sur elle-même. **Trombe** désigne un cyclone qui soulève une colonne d'eau ou de sable qu'il entraîne dans une rotation rapide. **Rafale** se dit d'une courte bourrasque, qui se fait surtout sentir avant, pendant et après le mauvais temps. **Risée** est surtout un terme de mar. qui convient bien pour désigner une augmentation subite du vent, qui dure plus longtemps qu'une rafale, mais qui peut avoir lieu par un beau temps. **Tornade** désigne une bourrasque en tourbillon, fréquente sur la côte occidentale d'Afrique et aux Etats-Unis. **Typhon** est le nom donné aux cyclones dans les mers de Chine et dans l'océan Indien. **Simoun** se dit d'un vent brûlant du sud, soufflant en tempête et soulevant des tourbillons de sable dans les déserts de l'Afrique. (V. TEMPÊTE et VENT.)

bourreau désigne celui qui est chargé d'infliger les peines corporelles prononcées par une cour criminelle, notamment la peine de mort. **Exécuteur** (ou plus exactement EXÉCUTEUR DES HAUTES ŒUVRES) se dit auj. du fonctionnaire, vulgairement appelé *bourreau,* qui a pour mission de procéder aux exécutions capitales. **Monsieur de Paris,** qui désignait particulièrement et familièrement autrefois l'exécuteur des hautes œuvres à Paris, est une expression qui n'a plus de raison d'être depuis qu'il n'y a plus qu'un seul bourreau pour toute la France. **Coupe-tête** et **tranche-tête,** noms donnés au bourreau chargé de décapiter les condamnés, sont vx, ainsi que **tortionnaire, questionnaire** et **tourmenteur** qui désignaient plus spécialement autref. le bourreau qui appliquait la torture. **Charlot** (du nom du bourreau qui exécuta le régicide Damiens) est un syn. argotique vieilli de *bourreau.* **Béquillard** (ou **béquilleur**), aussi terme d'argot, est peu us. (V. SUPPLICE.) — Au fig., BOURREAU et TORTIONNAIRE s'emploient parfois pour désigner un homme cruel, inhumain, qui inflige des tourments, le second de ces termes enchérissant sur le premier quant au degré de cruauté, d'inhumanité.

bourrée. V. FAGOT.

bourrer. V. EMPLIR.

bourrique. V. ÂNE et SOT.

bourru se dit de celui qui manque d'amabilité; il suppose plutôt de la misanthropie ou de la timidité que de la méchanceté. **Renfrogné** se rapporte surtout à l'air du visage; il implique un mécontentement intérieur provenant des choses ou du caractère plutôt que des personnes avec qui l'on est en rapport. **Rechigné** annonce un mécontentement qui se manifeste par la manière dont on traite les autres ou dont on reçoit leurs avances; il suppose un dépit qu'on ne cherche pas à cacher. **Brusque** implique de la rudesse; il se dit de celui qui paraît bourru et même incivil parce qu'il est dans son tempérament d'aller droit au fait, d'un mouvement soudain et tout d'une pièce. (V. ACARIÂTRE, BOUGON et MAUSSADE.)

boursicotage. V. SPÉCULATION.

boursouflé. V. AMPOULÉ et GONFLÉ.

bouse. V. EXCRÉMENT.

bousiller. V. GÂCHER et TUER.

bout désigne le point où une chose se termine dans le sens de sa longueur; il suppose toujours un autre bout : *Le bout de l'allée; Parcourir une chose d'un bout à l'autre.* **Extrémité** se dit de chacune des parties les plus éloignées, les plus en dehors du centre, que l'on considère les choses dans une seule ou dans plusieurs dimensions : *Les extrémités d'une ligne, d'une surface, d'un corps.* **Fin** se rapporte non pas à l'étendue ou à l'espace, mais à une action, à la durée : *La fin de la vie, d'un travail, d'une maladie.* **Terme** se dit de la fin des choses et des actions, surtout par rapport au temps, à la succession des faits : *Le terme d'une course, d'un voyage; Mettre un terme à ses malheurs.*

V. aussi MORCEAU.

boutade. V. FANTAISIE et PLAISANTERIE.

boute-en-train. V. GAI et PROTAGONISTE.

boutefeu. V. GUERRIER.

bouter. V. POUSSER.

boutique se dit d'un lieu d'étalage et de vente, presque toujours au détail, et désigne en général de petits établissements. **Echoppe** se dit d'une petite boutique en planches établie généralement en deçà de l'alignement des rues et places. **Magasin** désigne un vaste établissement contenant, en dépôt ou pour la vente, des quantités considérables de marchandises. **Bazar** se dit d'un magasin spacieux où l'on vend, à des prix marqués et en général peu élevés, toutes espèces de menus objets, d'ustensiles, d'outils, de jouets, etc.

boutoir. V. MUSEAU.

bouton. V. BOURGEON.

bouture se dit d'une pousse ou d'un rejeton d'un arbre qui, étant mis en terre, prend racine et se transforme en une plante complète : *La plante provenant de bouture reproduit les caractères de la variété qui l'a fournie, avec plus de sûreté que ne le fait une graine.* **Marcotte** désigne une branche tenant à la plante mère et couchée en terre ou dans un autre milieu humide, pour qu'elle produise des racines adventives et fournisse un nouveau sujet : *La marcotte se distingue de la bouture en ce qu'elle n'est séparée du pied mère qu'après l'enracinement.* **Greffon** se dit de l'œil, de la branche ou du bourgeon que l'on détache d'une plante pour l'insérer dans une autre plante, de la même espèce ou non, appelée « sujet »: *Pour qu'une greffe réussisse, il faut qu'il y ait affinité entre le greffon et le sujet.*

bouverie. V. ÉTABLE.

boyau. V. INTESTIN, PASSAGE et TRANCHÉE.

braconnier. V. CHASSEUR.

braderie. V. MARCHÉ.

brai. V. GOUDRON.

braie. V. COUCHE et CULOTTE.

brailler, braire. V. CRIER.

braise se dit du bois réduit en charbons ardents et de ces mêmes charbons, lorsque ceux-ci sont éteints. **Tison** désigne le reste d'un morceau de bois dont une partie seulement a été brûlée.

bramer. V. CHANTER et CRIER.

brancard. V. CIVIÈRE.

branchage. V. BRANCHE.

branche se dit des parties qui, partant du tronc des arbres et des plantes, s'étendent de côté et d'autre, en se divisant et se subdivisant en plusieurs autres. **Branchage** est un terme collectif qui désigne un ensemble de branches d'un arbre ou la totalité de celles-ci. **Rameau,** qui est plutôt du style soutenu, se dit d'une branche secondaire attachée à une autre plus grande. **Ramille** est le nom donné aux dernières divisions des rameaux. **Ramure** désigne l'ensemble des branches et rameaux d'un arbre. **Ramée** se dit d'un assemblage de branches entrelacées, naturellement ou artificiellement, et formant un couvert. **Pampre** est un terme de botanique désignant la branche de vigne avec ses feuilles. (V. TIGE.)

branchies est le nom des organes des poissons, des crustacés, de la plupart des mollusques, etc., qui leur servent à respirer l'air contenu dans l'eau. **Ouïes** est du langage ordinaire et ne se dit que des branchies des poissons.

brandiller. V. BALANCER et FLOTTER.

brandon se dit d'un bouquet de paille tortillée que l'on enflamme, et dont on se sert pour éclairer. **Torche** désigne un bâton résineux entouré de cire, ou simplement un bâton de résine ou de cire, qui, allumé, éclaire. **Flambeau,** vx dans ce sens, se disait autrefois d'une torche qu'on portait à la main pour s'éclairer.

branle-bas. V. DÉRANGEMENT.

branler. V. BALANCER et SECOUER.

braque. V. ÉTOURDI.

braquer, en parlant d'un canon, c'est diriger, tourner celui-ci du côté où l'on veut tirer. **Pointer,** c'est ajuster le canon de manière à pouvoir frapper le but qu'on se propose de toucher.

brasiller. V. ÉTINCELER et RÔTIR.

brasser. V. AGITER et OURDIR.

brasserie. V. CAFÉ et RESTAURANT.

bravache désigne celui qui parle avec arrogance et menace toujours quand il se croit le plus fort; c'est le faux brave. **Matamore** (tueur de Maures) se dit plutôt de celui qui se vante d'exploits guerriers imaginaires. **Capitan** et **rodomont,** syn. de *matamore,* sont moins us. dans le lang. cour. **Fier-à-bras** est fam., comme **tranche-montagne;** c'est le nom que l'on donne à un matamore soi-disant prêt à tout pourfendre. **Olibrius** (du nom de l'empereur d'Occident *Olybrius* [472], présenté par la légende de sainte Marguerite comme un bravache, persécuteur des chrétiens) s'emploie familièrement aussi, dans le langage courant, pour désigner un bravache cruel. (V. FANFARON.)

braver, c'est témoigner ouvertement qu'on ne craint pas quelqu'un ou quelque chose. **Défier,** déclarer à quelqu'un qu'on ne le croit pas assez hardi, assez courageux pour nous attaquer, ou pas assez fort pour nous vaincre, suppose une croyance en sa supériorité personnelle. **Provoquer,** c'est exciter au combat, forcer à se défendre. **Menacer** implique que l'on manifeste à quelqu'un l'intention de lui faire du mal. **Affronter** implique un combat et emporte l'idée de chances et de risques à courir. **Narguer,** c'est seulement braver avec mépris et insolence.

bravo. V. MEURTRIER.

bravoure. V. COURAGE.

brèche. V. COL et TROU.

bredouiller. V. BALBUTIER.

bref est un terme de droit canon qui désigne une lettre du pape, écrite en latin, portant une décision ou une déclaration mais ayant un caractère privé. **Rescrit** se dit d'une lettre apostolique donnée en faveur de certaines personnes et pour une affaire particulière : *Les rescrits des papes concernent particulièrement les bénéfices et les procès en toute matière.* **Bulle** se dit d'un décret du pape muni d'un sceau en plomb, et ordinairement désigné par le premier mot qu'on y lit : *Les bulles sont employées pour les actes les plus importants de l'administration pontificale : convocation d'un concile, collation des évêques et des abbayes, etc.* **Constitution,** dans ce sens, désigne une loi fondamentale contenant une décision du Saint-Siège en matière de dogme, de doctrine ou de discipline : *Les brefs et les bulles des papes ont souvent porté le nom de constitutions.* **Mandement** dit beaucoup moins que tous ces termes; c'est seulement l'écrit adressé par un évêque à ses diocésains pour leur communiquer ses décisions : *Les mandements ont le plus souvent pour objet d'ordonner des prières et des jeûnes, d'ouvrir des jubilés, de prescrire quelque mesure de discipline ou d'indiquer un synode.*
V. aussi COURT.

breloque. V. BABIOLE.

bretteur est le nom que l'on donnait autref. à celui qui aimait à se battre à l'épée. **Ferrailleur,** plus familier, suppose souvent en outre un combat sans résultat. **Spadassin** est très péj.; il se disait d'un bretteur habile, recherchant les combats à l'épée, au poignard, et qui n'était souvent rien d'autre qu'un assassin à gages. **Estafier,** pris dans ce sens, est un syn. peu usité de *spadassin.* — **Duelliste,** seul terme encore employé auj., est plus partic. et rarement péj.; il implique un combat singulier entre particuliers, dont l'un exige de l'autre la réparation d'une offense par les armes, quelles que soient celles-ci : épée, sabre, pistolet, etc.

breuvage. V. BOISSON.

bribe. V. MORCEAU et PARTIE.

bricole. V. BAGATELLE.

bride. V. RÊNE.

brider. V. SERRER.

brigand. V. BANDIT.

brigandage. V. CONCUSSION et RAPINE.

brigue. V. INTRIGUE.

briguer. V. AMBITIONNER.

brillant désigne la qualité des choses qui jettent beaucoup de lumière, qui frappent vivement les yeux ou l'esprit : *Le brillant d'une perle; Discours qui a beaucoup de brillant.* **Eclat** suppose plus de grandeur que *brillant;* il implique une certaine magnificence : *L'éclat du diamant; L'éclat des fêtes, d'un règne, du triomphe.* **Splendeur** enchérit à son tour sur *éclat;* il se dit d'un éclat grandiose et durable : *La splendeur du soleil; La splendeur du* *vrai.* **Lustre,** qui dit moins que les termes précédents, s'emploie surtout au sens propre et pour ce qui est l'objet de la vue; il a rapport le plus souvent aux surfaces polies et aux étoffes soyeuses : *Le lustre d'une glace, du satin.* (Lorsqu'on l'emploie au fig., il se dit de choses que les circonstances font paraître avec avantage : *Victoire qui ajoute un nouveau lustre à la gloire d'un grand conquérant.*) **Relief** se dit figurém. de l'éclat que certaines choses reçoivent de l'opposition ou du voisinage de quelques autres : *L'ingratitude des obligés sert de lustre et de relief à la vertu du bienfaiteur.* **Clinquant** est péj.; il implique, au propre comme au fig., un faux brillant, un éclat trompeur : *Le clinquant des bijoux faux; Le clinquant du Tasse charmait Mme de Sévigné.*

V. aussi DIAMANT et DISTINGUÉ.

briller suppose une vive lumière; c'est jeter de l'éclat, frapper vivement les regards : *Etoiles, casques, cuirasses qui brillent; Regard qui brille de bonheur.* **Luire** implique une lumière égale et continue qui n'est pas empruntée et sort naturellement de l'objet qui la produit, pour briller et souvent éclairer : *Le soleil, les yeux du chat luisent.* (A noter que, dans ce sens, ce terme est remplacé peu à peu par *briller;* il évoque plutôt auj. l'idée de reflets, et on le prend souvent alors dans un sens péj. : *Nez, visage qui luit.*) **Reluire** indique l'éclat d'une surface polie, et suppose une lumière d'emprunt n'éclairant que par réflexion : *Meuble qui reluit.* (Ce peut être aussi « luire doublement », et la particule « re » est alors augmentative.) **Eblouir** se dit de ce qui brille d'un éclat si vif que la vue ne peut le supporter : *Rayons du soleil, éclairs qui éblouissent.* **Miroiter,** c'est briller en jetant des reflets mobiles, irréguliers, ondoyants : *La grande lagune salée miroitait comme un morceau d'argent* (*Flaubert*). **Chatoyer** est plus partic.; il se dit surtout des pierres précieuses, des étoffes brillantes qui, comme l'œil du « chat », présentent des reflets changeants, suivant le jeu de la lumière : *Etoffes qui bruissent et chatoient comme des métaux.* (V. ÉCLAIRER, ÉTINCELER, et FLAMBOYER.)

brimade. V. OFFENSE.

brimbaler. V. BALANCER.

brimborion. V. BABIOLE.

bringue. V. DÉBAUCHE.

bringue (grande). V. MAIGRE.

brio. V. ENTRAIN.

briquer. V. FROTTER.

briscard. V. SOLDAT.

brise. V. VENT.

brisé. V. LAS.

briser. V. CASSER.

brocanter. V. ACHETER et VENDRE.

brocanteur est le nom donné à celui qui achète ou échange des objets d'occasion, des marchandises de hasard, pour les revendre ou les échanger. **Fripier,** moins usité auj., se dit surtout du brocanteur d'objets utilitaires, tels que le linge, les vêtements, etc. **Regrattier** est vx, et **chineur** un terme d'argot. — **Antiquaire** est plus partic. et n'emporte pas la nuance quelque peu péj. que l'on donne souvent à *brocanteur;* il désigne celui dont c'est le métier de recueillir et de vendre des objets anciens présentant essentiellement une valeur historique ou artistique : *Un brocanteur vend n'importe quoi; un antiquaire n'a que des objets rares.*

brocard. V. RAILLERIE.

brocarder. V. RAILLER.

brochure se dit d'un petit ouvrage broché, composé de peu de pages. **Opuscule** désigne surtout une brochure de science ou de littérature. **Pamphlet** (mot angl. signif. *brochure*) est un syn. vieilli de *brochure* qui désigne surtout auj. un petit écrit satirique, violent, et le plus souvent politique. (V. LIVRE et PROSPECTUS.)

brodequin. V. CHAUSSURE.

broder. V. INVENTER.

broncher. V. BUTER.

bronze se dit d'un alliage de cuivre, d'étain et de zinc, dans des proportions qui varient suivant sa destination. **Airain** est un syn. vieilli de *bronze,* qui s'applique auj. au fig. à tout ce qui est dur, résistant, implacable : *Bâtir sur l'airain.*

bronzé. V. HÂLÉ.

brosser. V. PEINDRE et VAINCRE.

brouet. V. BOUILLIE.

brouhaha. V. TAPAGE.

brouillamini. V. DÉSORDRE.

brouillard désigne un amas de vapeur d'eau qui, flottant dans l'air et l'obscurcissant, est suffisamment rapproché de nous pour nous envelopper. **Brume,** syn. de *brouillard,* se dit plus particulièrement des brouillards qu'on observe sur la mer. **Brumaille** désigne une petite brume. **Frimas** désigne un brouillard froid et épais, qui se glace en tombant. **Nielle,** syn. de *brouillard,* est vx. (V. PLUIE.)

brouille. V. MÉSINTELLIGENCE.

brouillement. V. DÉSORDRE.

brouiller, proprement mettre pêle-mêle, mêler de manière à rendre trouble (v. MÊLER), c'est, figurément, mettre du désordre dans les idées ou les affaires, ce désordre étant considéré en lui-même, d'une manière absolue. **Embrouiller,** c'est produire de la confusion là où devrait régner la clarté, cette confusion étant considérée relativement à notre esprit qui ne distingue plus les choses ou les démêle difficilement : *Ce qui est brouillé n'est pas en ordre et d'accord; ce qui est embrouillé n'est pas net et clair* (*Roubaud*). [V. TROUBLER.]

V. aussi DÉSUNIR et MÊLER.

Se brouiller, c'est, en parlant des personnes, se désunir, se mettre en désaccord. **Se fâcher** enchérit sur *se brouiller* quant à la gravité et à la durée du désaccord.

brouillerie. V. MÉSINTELLIGENCE.

broussaille. V. BUISSON.

brouter. V. PAÎTRE.

broutille. V. RIEN.

broyer se dit en général des choses dures qu'on peut réduire en fines particules : *On broie sous une meule ou sous les dents.* **Concasser** suppose un broyage sommaire qui donne d'assez gros morceaux : *On concasse du poivre, de la cannelle.* **Ecraser** se dit des choses assez friables ou molles que l'on aplatit par une forte compression ou un choc violent : *On écrase du raisin dans le fouloir, un insecte avec le pied.* **Ecacher,** c'est écraser en aplatissant : *On écache une noix.* **Croquer,** c'est broyer avec les dents, et en faisant entendre un bruit sec, quelque chose de dur : *On croque du sucre, des dragées.* **Egruger,** c'est réduire en petits grains : *On égruge du sel, du blé.* **Triturer,** syn. de *broyer,* est un terme didactique et savant qui s'emploie surtout lorsqu'on décrit scientifiquement les procédés propres à un art : *On triture des drogues dans un mortier.* **Ecrabouiller** est populaire; c'est écraser de façon à morceler ou tout au moins à aplatir : *On écrabouille un œuf, un escargot.* **Gruger** est un syn. vieilli d'*égruger* et peu usité de *croquer.* (V. PILER.)

bruine. V. PLUIE.

bruit. V. SON et TAPAGE.

brûlant. V. CHAUD.

brûlement. V. INCENDIE.

brûler est un terme très général; il se dit de l'action destructive que le feu exerce sur les corps : *Brûler du bois, des papiers, des mauvaises herbes, un enfant.* **Griller,** c'est brûler en fumant; il est assez fam. : *Griller une étoffe, une robe, un tapis.* **Calciner** se dit, dans le lang. ord., en parlant de toute substance solide qui éprouve une violente action du feu : *Calciner de la houille.* **Carboniser** dit plus; c'est réduire en charbon : *Carboniser des os.* **Incinérer,** c'est réduire en cendres, surtout en parlant des matières organiques : *Incinérer un cadavre.* **Arder** (ou **ardre**), syn. de brûler, est vx. (V. COMBUSTION et INCENDIE.)

V. aussi FLAMBER, RÔTIR et TORRÉFIER.

Brûler de suppose une violente passion; c'est être enflammé d'un sentiment très vif, désirer ardemment : *Brûler d'amour; Brûler de combattre, de parler.* **Griller de,** qui est fam., emporte l'idée d'impatience extrême et suppose le besoin d'agir immédiatement : *Griller de faire une chose, de voir quelqu'un.* **Rêver de,** s'il implique aussi un désir très vif, suppose quelque chose de difficilement réalisable, une idée souvent chimérique : *Rêver de grandeurs, de dignités auxquelles on ne parviendra point.* (V. AMBITIONNER et CONVOITER.)

brûler la cervelle. V. TUER.

brumaille, brume. V. BROUILLARD.

brune. V. CRÉPUSCULE.

brusque. V. BOURRU.

brusquement. V. COUP (TOUT À).

brutal. V. BRUTE.

brutaliser. V. MALMENER.

brutalité emporte l'idée d'une violence et d'une grossièreté naturelles que rien ne peut raisonner : *Assouvir sa brutalité sur plus faible que soi.* **Sauvagerie** suppose brutalité dans les manières, les mœurs, les habitudes : *Etre d'une sauvagerie peu commune.* **Cruauté** implique une disposition de caractère qui fait que, même au sein de la civilisation, l'on se plaît à verser le sang, à faire couler les larmes : *La cruauté de Néron, des bêtes fauves.* **Atrocité** enchérit sur ce terme; il se dit d'une extrême cruauté et suppose un acte horrible : *L'atrocité d'un supplice.* **Férocité** se dit d'une cruauté furieuse qui s'exalte par la vue des souffrances et par les cris des victimes : *La férocité est naturelle au tigre.* **Inhumanité** ne s'applique qu'à l'homme; il désigne un état d'âme qui se complaît aux malheurs d'autrui, ou tout au moins qui y reste insensible : *L'inhumanité d'un tyran.* **Sadisme** est plus partic.; il suppose une cruauté accompagnée de lubricité : *Le vice conduit souvent au sadisme.* (V. BARBARIE et INHUMAIN.)

brute, appliqué à l'homme, est un terme de grand mépris; il se dit de celui que la stupidité assimile à la bête brute : *L'homme qui est une brute l'est pour lui-même, sans raison, sans esprit, pour la seule satisfaction de ses appétits.* **Brutal** se dit de celui qui agit comme une brute, c'est-à-dire avec rudesse, grossièreté et violence, à l'égard des autres : *La fortune, avec toute sa puissance, a dit Guez de Balzac, ne pourra jamais apprivoiser un brutal et polir la rudesse des mœurs.* **Sauvage,** dans ce sens, ajoute à l'idée de brutal celle de farouche; il suppose malveillance à l'égard d'autrui : *L'homme que l'on juge comme un sauvage est plus brutal par animosité envers le monde que par besoin naturel.* **Bestial,** qui ne s'emploie qu'adjectivement, enchérit sur tous ces termes; il se dit de ce qui fait ressembler l'homme à la bête dans ce qu'elle a de pire : *L'homme bestial se laisse guider par ses seuls instincts, qui sont ceux de la bête dans ce qu'elle a de plus inhumain.* (V. GROSSIER.)

V. aussi ANIMAL.

bucolique. V. CHAMPÊTRE.

buffet. V. ARMOIRE et RESTAURANT.

building. V. IMMEUBLE.

buisson se dit d'un groupe d'arbustes bas et rameux, et, par anal., d'un bois de peu d'étendue. **Hallier** suppose une réunion de buissons touffus. **Taillis** désigne un petit bois qu'on coupe à des intervalles rapprochés, et où l'on ne laisse croître que les arbres de faible dimension, venus de rejets de souches ou de drageons. **Fourré** se dit de l'endroit touffu, épais d'un bois. **Broussaille,** qui s'emploie surtout au plur., désigne un ensemble de touffes de buissons épineux, tels que ronces, genêts, bruyères. (V. BOIS.)

bulbe est le terme de botanique qui désigne le renflement occupant le bas de la tige chez beaucoup de monocotylédones — et qu'on appelle aussi vulgairement **oignon** (écrit souvent, dans ce sens, OGNON).

bulle. V. BREF.

bungalow. V. VILLA.

bureaucrate est le syn. péjoratif d'**employé aux écritures** comme d'**employé de bureau;** il fait penser surtout à l'esprit de routine qu'on attribue volontiers à ces derniers. **Scribe,** nom donné, en termes d'ant. judaïque, aux docteurs qui enseignaient la Loi de Moïse au peuple, s'emploie quelquefois encore auj. pour désigner un homme qui gagne sa vie à faire des écritures, des copies, dans un bureau ou chez lui; on dit plus souvent, dans ce sens et familièrement, **scribouillard** ou **gratte-papier,** qui emporte une idée nettement péjorative. **Rond-de-cuir,** syn. de *bureaucrate,* est fam. aussi et extrêmement péj.; **plumitif** l'est moins et fait plus penser aux travaux d'écriture qu'à l'esprit de routine. (V. EMPLOYÉ.)

burlesque. V. COMIQUE et RIDICULE.

buse. V. SOT.

but désigne un point fixe où l'on veut aller; il suppose que l'on suit la route qui paraît y conduire, que l'on fait des efforts pour y arriver. **Dessein** se dit de ce que l'on veut exécuter; il implique une résolution ferme, quelque chose d'arrêté, une tendance bien déterminée vers le but. **Visée,** syn. de *dessein,* emporte l'idée de prétention, d'ambition, et s'emploie surtout au pluriel. **Vues** est plus vague; il emporte seulement l'idée de désirs, d'aspirations : c'est ce que l'on veut se procurer. **Objet** se dit de ce que l'on veut atteindre ou obtenir, ce vers quoi l'esprit se porte et dont il s'occupe : c'est un idéal auquel on se conforme. **Objectif,** lorsqu'il désigne le but que l'on cherche à atteindre, le point où l'on se propose d'arriver, est plutôt du lang. relevé et suppose quelque chose de concret et d'important. **Fin** implique une action, l'emploi de moyens, quels qu'ils soient, pour arriver au résultat que l'on s'est fixé. **Intention** désigne plutôt l'esprit dans lequel quelque chose est fait, l'acte de la volonté par lequel nous déterminons la fin de nos actions, le but qu'elles doivent atteindre; il implique un motif qui nous fait agir.

buté. V. TÊTU.

buter, c'est se heurter le pied contre un corps saillant. **Broncher,** c'est buter surtout en parlant des animaux. **Trébucher,** c'est non seulement buter, mais encore perdre l'équilibre et manquer de tomber. **Chopper** et **achopper,** syn. de *buter* et de *broncher,* sont familiers et peu usités. (V. HEURTER.)

butin suppose une capture faite par force; il se dit d'une chose utile qu'on ravit pour son usage, un objet pris, considéré comme constituant une richesse — et peut être employé en bonne part. **Proie** a le sens de chose prise pour soi, pour sa nourriture; il s'attache toujours à ce terme l'idée de quelque chose d'odieux. (A noter que si *butin* sert proprem. à désigner ce que l'on a pris sur l'ennemi, et *proie* la chasse des animaux carnassiers, l'un et l'autre sont employés en général dans des sens plus vagues : le premier avec une idée de pillage; le second avec celle de destruction.) **Dépouille,** qui se dit généralement de la peau enlevée à un animal, désigne tout ce que l'on prend à un ennemi vaincu, à un adversaire.

butor. V. GROSSIER.

butte désigne une légère élévation de terrain. **Monticule** se dit d'une butte naturelle ou artificielle. **Mamelon** est le nom que l'on donne à un petit monticule isolé. **Tertre** désigne une éminence de terre dans une plaine. **Dune** se dit d'un monticule formé sur les bords de la mer, ou à l'intérieur des terres de maigre végétation, par l'accumulation de sables très légers et très mobiles contre un obstacle qui les arrête : *Les dunes de la côte de Gascogne, de l'Erg saharien.* **Taupinée,** ou **taupinière,** qui désigne proprement le petit monticule qu'une « taupe » fait en fouillant la terre, en creusant sa galerie souterraine, se dit aussi parfois, familièrement et en plaisantant (cf. le « Dictionnaire de l'Académie française »), d'une petite élévation de terre, d'un monticule au milieu de la campagne. (V. COLLINE, MONT et TALUS.)

buverie. V. FESTIN.

buvette désigne un endroit, attenant souvent à un lieu public, où l'on donne à boire (et parfois aussi à manger) dans des conditions assez modestes. **Cantine** est le nom donné à des sortes de buvettes pour les soldats, les prisonniers, les ouvriers d'un même chantier, les élèves d'un même établissement. **Bar** est plus spécial; il se dit d'une buvette dans le genre anglais, où l'on boit en se tenant debout autour du comptoir ou assis sur de hauts tabourets : *Dans la buvette, la cantine, le bar, le service est généralement sommaire et rapide et la clientèle n'y séjourne guère après avoir consommé.* (V. CABARET et CAFÉ.)

C

cabale. V. INTRIGUE.

caban. V. MANTEAU.

cabane désigne une chétive construction édifiée avec des matériaux légers et de peu de valeur. **Chaumière** se dit d'une cabane couverte en chaume et servant de demeure à un paysan pauvre. **Chaume,** syn. de *chaumière,* et **chaumine,** nom donné à une petite chaumière, sont plutôt du style littéraire. **Hutte** est le nom que l'on donne à une cabane faite de branchages, de paille, de terre, etc., qui sert d'habitation aux sauvages ou d'abri temporaire à des voyageurs. **Cahute** se dit d'une petite hutte. **Buron,** syn. vieilli de *cabane,* se dit encore auj. d'une hutte de berger en Auvergne. **Case,** syn. de *cabane,* se dit surtout aux colonies, comme **paillote** qui désigne une hutte de paille. **Gourbi** désigne une cabane de branchages, de clayonnage, de terre sèche, analogue à celles qu'utilisent les Arabes. **Carbet** est le nom donné à la grande case faite de pieux et de feuillages qui — aux Antilles — sert à abriter les gens, les embarcations et les ustensiles domestiques.

V. aussi BARAQUE.

cabanon. V. CELLULE.

cabaret est le nom donné, dans les villages et les petites villes surtout, à un établissement où l'on sert à boire, principalement du vin; il est souvent employé auj. péjorativement : *Passer ses journées au cabaret.* **Estaminet** s'applique aussi bien à un cabaret de village ou de petite ville, qu'à un cabaret de grande ville, où l'on boit et fume, et que l'on appelait souvent aussi, jadis, **tabagie. Bouchon,** qui désigne le rameau de verdure que l'on suspend parfois au-dessus de la porte d'un cabaret en guise d'enseigne, se dit aussi du cabaret même. **Caboulot** est pop.; il désigne un petit cabaret parfois mal famé. **Bistro,** terme du langage populaire, se dit plutôt d'un cabaret de grande ville, où l'on consomme vins et apéritifs. **Assommoir,** pop. aussi, est le nom donné péjorativement à un cabaret, à un bistro où les ouvriers s'enivrent. **Bouge,** aussi péj., désigne un cabaret, un bistro d'apparence suspecte, fréquenté par des gens de mauvaise vie; on dit encore parfois, dans ce sens et par ext., **tripot,** qui s'applique proprement à une maison de jeu mal famée. **Popine** (du lat. *popina,* cabaret) et **tapis-franc,** syn. de *bouge,* sont peu usités. **Taverne** est vieilli comme syn. péjoratif de *cabaret.* (V. BUVETTE et CAFÉ.)

V. aussi CAFÉ-CONCERT et RESTAURANT.

cabas, qui désigne une sorte de panier en jonc tressé, en fibres de palmier, servant à emballer les fruits secs, se dit aussi, par anal., d'une sorte de panier aplati dans lequel on met ses emplettes. **Couffin** (comme COUFFE ou COUFFLE) désigne aussi bien le cabas qui sert à transporter des marchandises que son contenu : *Manger une couffe de figues.*

cabinet. V. MUSÉE.

cabinets d'aisances. V. LIEUX D'AISANCES.

câble. V. CORDAGE.

cabochard. V. TÊTU.

caboche. V. TÊTE.

cabot, cabotin. V. ACTEUR.

cabotinage. V. CHARLATANISME.

cabrette. V. CORNEMUSE.

cabriole (du bas lat. *capriola,* diminutif de *capra,* chèvre), qui se dit proprem. d'un saut de chèvre, désigne dans le langage courant tout saut agile fait en se retournant sur soi-même. **Culbute** est le nom donné au saut que l'on exécute, après avoir posé la tête ou les mains à terre, et en tournant sur soi-même, « cul » par-dessus tête. **Gambade** se dit d'un saut, d'un bond sans art ni cadence; il suppose des mouvements brusques, irréguliers, agiles et plus ou moins bizarres. **Pirouette** se dit d'un tour entier qu'on fait de tout le corps, sur la pointe d'un seul pied et sans changer de place. **Entrechat** est plutôt un terme de chorégraphie; il désigne un saut léger pendant lequel le danseur croise rapidement et plusieurs fois les deux pieds avant de toucher le sol. **Galipette,** syn. de *cabriole,* s'emploie surtout au pluriel et est populaire. (V. SAUT.)

cacade. V. ÉCHEC.

caché est un terme très général; il se dit de tout ce qui est invisible : *Ressorts, agissements cachés.* **Secret** désigne aussi ce qui est caché, ou extrêmement retiré, mais suppose toujours que ce qui est ainsi dissimulé est connu au moins d'une personne ou de fort peu de personnes; il emporte une idée de silence : *Projet, dessein secret.* **Latent** désigne ce qui, n'étant pas apparent, peut être considéré comme caché : *Dangers latents.* **Mystérieux,** qui s'est dit tout d'abord des choses de religion, désigne le plus généralement quelque chose qui est caché avec un certain caractère énigmatique; il implique l'idée d'inaccessible à l'intelligence : *Les paroles mystérieuses de l'Ecriture;*

Le sens mystérieux d'un symbole. **Sibyllin** se dit figurément de ce qui est mystérieux, obscur, dont le sens est difficile à saisir; il est du langage recherché, voire pédant. **Esotérique** se dit des secrets de certaines religions, de certaines sectes connus seulement des initiés : *L'enseignement des frères de la Rose-Croix était ésotérique.* (On l'emploie parfois aussi, dans un sens analogue, dans le langage courant, surtout en parlant des idées.) **Occulte** emporte une idée de puissance dissimulée qui agit dans l'ombre : *Il faut se méfier des manœuvres occultes.* **Clandestin** s'applique à ce que l'on cache, à ce qui se fait en cachette, contre les lois ou la morale : *La police recherche tout ce qui est clandestin.* **Sourd** se dit de ce qui s'accomplit sans bruit, sans éclat, et qui, de ce fait, ne peut être remarqué : *Il faut du temps avant de découvrir des menées, des pratiques sourdes.* (V. OBSCUR.)

cacher, c'est soustraire aux regards, soit en mettant dans un lieu secret, soit en recouvrant de quelque chose : *On cache de l'argent, un tableau.* **Dissimuler,** comme *cacher,* est très général; il emporte une idée de feinte, de déguisement qui n'est pas toujours dans son syn. : *On dissimule sa fortune.* **Recéler** est péj.; c'est cacher frauduleusement, pour soustraire aux recherches, surtout de la justice : *On recèle des bijoux volés.* **Voiler,** c'est cacher en couvrant d'un voile, et, par ext., dérober la vue de quelque chose, en la couvrant comme ferait un voile : *On voile une statue; Les nuages voilent le soleil.* **Occulter** est plus particulier; c'est seulement un terme d'astronomie qui signifie cacher à la vue un rayon, un astre, etc. : *Il y a des étoiles qui sont occultées par la lune.* (A noter qu'on emploie aussi parfois ce terme, auj., dans le sens de cacher, de voiler la lumière : *En temps de guerre, les services de la défense passive exigent qu'on occulte les lumières.*) **Couvrir,** c'est cacher en mettant une chose par-dessus une autre : *On couvre son visage de ses mains.* **Camoufler,** syn. pop. de *cacher,* s'emploie aussi dans le sens récent d'*occulter* les lumières. **Musser,** syn. de *cacher,* est vieilli; on l'emploie cependant encore dialectalement, ainsi que **mucher. Planquer** est un terme d'argot. (V. DÉGUISER.)

V. aussi TAIRE.

cachet. V. MARQUE et RÉTRIBUTION.

cachette (en). V. SECRÈTEMENT.

cachexie. V. AMAIGRISSEMENT.

cachot. V. CELLULE.

cacochyme. V. MALADIF.

cacophonie se dit d'une rencontre de mots, de syllabes ou de sons qui blesse l'oreille. **Dissonance,** syn. de *cacophonie,* s'emploie surtout dans le langage musical pour désigner un accord défectueux qui surprend l'oreille par la simultanéité de deux ou plusieurs sons n'appartenant pas à la même harmonie naturelle. **Charivari** se dit d'une cacophonie bruyante, accompagnée le plus souvent de huées. **Sérénade** s'emploie parfois, familièrement et par plaisanterie, comme syn. de *charivari.* **Tintamarre** désigne une cacophonie plutôt faite par des choses; il suppose des bruits divers accompagnés d'un grand désordre. (V. CHAHUT, TAPAGE et TUMULTE.)

cadavre. V. MORT.

cadeau. V. DON.

cadence. V. RYTHME.

cadet, qui désigne chacun des frères qui viennent après l'aîné par ordre de naissance, se dit souvent aussi du dernier-né des fils. **Puîné,** syn. de *cadet,* est moins usité; il se dit surtout du second frère, lors même qu'il a d'autres frères puînés. **Benjamin** (par allusion au douzième et dernier fils de Jacob, que celui-ci affectionnait particulièrement) désigne d'ordinaire le plus jeune des frères par rapport aux parents, surtout lorsqu'il est le préféré des enfants. **Junior** (mot lat. qui signifie *plus jeune*) est employé quelquefois à la suite d'un nom propre pour distinguer une personne de ses frères aînés.

cadre (du lat. *quadrum,* carré) se dit d'un assemblage, généralement à angles droits, mais parfois aussi de forme ronde, ovale, etc., de tringles de bois, de fer, etc., unies ou façonnées, formant une bordure et servant d'ornement ou de moyen de préservation contre les accidents pour les objets qu'il entoure, tels que glaces, tableaux, dessins, gravures, etc. **Châssis** se dit d'un assemblage de bois ou de fer, ordinairement carré ou rectangulaire, destiné non seulement à encadrer un corps, mais aussi à le contenir ; il désigne aussi un cadre sur lequel on applique une toile, un tableau, etc.

cadrer. V. ADAPTER (S').

caducité. V. VIEILLESSE.

cafard. V. BIGOT et RAPPORTEUR.

café désigne un établissement où l'on boit du café, des boissons chaudes ou froides, des liqueurs, etc. **Brasserie** désigne un établissement où le public consomme de la bière, et aussi toutes sortes de boissons, tout en pouvant se restaurer de viandes froides, de salaisons, de choucroute, etc. **Taverne,** autref. syn. péj. de *cabaret,* se dit auj. d'une brasserie de premier ordre. (V. BUVETTE et CABARET.)

café-chantant. V. CAFÉ-CONCERT.

café-concert est le nom que l'on donne à une sorte de théâtre en petit où le public peut fumer et boire, en écoutant des chansonnettes, des monologues, des saynètes, etc. **Café-chantant** est un syn. moins usité de *café-concert.* **Cabaret** désigne, dans ce sens, un établissement se rapprochant du café-concert, mais plus élégant et généralement avec un programme plus artistique ou satirique. **Boui-boui** et surtout **beuglant** sont péjoratifs ; ils s'appliquent populairement à un café-concert d'ordre inférieur et mal fréquenté.

cagibi. V. RÉDUIT.

cagneux. V. TORDU.

cagnotte. V. TIRELIRE.

cagot. V. BIGOT.

cahier désigne un assemblage de feuilles de papier cousues ou pliées les unes dans les autres. **Carnet** se dit d'un petit cahier servant à des usages divers (notes, comptes, adresses, etc.), que l'on porte en général sur soi, et, par ext., d'un assemblage de feuillets, de timbres ou de tickets. **Calepin** est un syn. auj. plutôt vieilli de *carnet.* **Livret** désigne un carnet servant à quelque usage spécial : *Livret scolaire, militaire.*

cahute. V. CABANE.

cailler. V. COAGULER.

cailleter. V. BAVARDER.

caillou est le nom que l'on donne couramment à un fragment de quartz ou de toute autre roche. **Pierre,** qui désigne proprement la matière inorganique, dure, solide, composée de diverses substances agrégées, répandue à la surface et dans le sol, s'emploie aussi pour désigner un fragment détaché de cette matière, y compris un caillou aussi bien que tout autre corps solide de même nature. **Galet** désigne un caillou arrondi par le frottement, qu'on trouve sur les bords de la mer et dans le lit des cours d'eau torrentiels. **Silex,** syn. de *caillou,* est un terme de minéralogie ; il se dit d'une variété compacte et impure de quartz : *Le silex produit des étincelles sous le choc de l'acier.*

caisse. V. BOÎTE.

cajoler. V. FLATTER.

calamistrer. V. FRISER.

calamité. V. CATASTROPHE.

calanque. V. GOLFE.

calciner. V. BRÛLER.

calcul. V. COMBINAISON.

calculer. V. COMPTER.

calé. V. INSTRUIT.

calembour. V. MOTS (JEU DE).

calembredaine. V. SORNETTE.

calendrier se dit d'un tableau ou d'une brochure indiquant les divisions de l'année en saisons, mois, semaines ou jours, l'ordre des fêtes religieuses, certains phénomènes astronomiques comme les phases de la lune, les marées, les éclipses, etc. **Almanach** désigne un livre qui contient les mêmes indications qu'un calendrier et, en outre, des observations astronomiques, des prédictions météorologiques et, parfois, des notions diverses sur les lettres, les sciences, les arts, ainsi que des récits, anecdotes, etc. ; c'est aussi quelquefois un annuaire. **Agenda** est le nom que l'on donne à un carnet ou à un registre qui, contenant autant de feuillets blancs ou de colonnes que de jours de l'année, forme calendrier, et sur lequel on inscrit jour par jour ce qu'on fait ou ce qu'on doit faire, ou ses comptes. **Ephéméride** désigne, dans le langage courant, un calendrier à effeuiller rappelant sur chaque feuillet journalier un événement arrivé le même jour de l'année, à différentes époques. **Ordo** est plus partic. ; il se dit d'un calendrier ecclésiastique dont le titre commence par ce mot et qui indique la manière dont il faut réciter et célébrer l'office de chaque jour.

calepin. V. CAHIER.

calfeutrer. V. BOUCHER.

câlin. V. AIMANT et PARESSEUX.

calligraphie. V. ÉCRITURE.

calmant, qui désigne ce qui calme, ce qui apaise la surexcitation ou la douleur, particulièrem. en parlant d'un remède, a pour syn. **sédatif** (du lat. *sedare,* calmer) qui est moins usité dans le langage courant.

calme, qui est relatif, se dit de ce qui est sans agitation, pour le moment du moins : *Rester calme; Mer calme.* **Tranquille** est plus absolu; il désigne ce qui est calme par nature, par tempérament, c'est-à-dire, en général, d'une manière stable : *Enfant, voyage tranquille.* **Serein,** qui se dit proprem. de la constitution de l'air, annonce au fig. une grande tranquillité d'esprit : *Temps serein; Visage, front serein.* **Paisible** ajoute à l'idée de calme celle de douceur : *Agneau paisible; Caractère paisible.* **Placide,** syn. de *calme,* ne se dit que des personnes et fait surtout penser à une humeur égale et douce : *Un air placide inspire généralement la confiance.* **Bénin** n'est syn. de *calme* qu'autant qu'il annonce quelque chose dont l'action, n'imposant aucune souffrance, est en outre bienfaisante : *Hiver, ciel bénin; L'influence bénigne du printemps.* **Peinard,** syn. de *tranquille* en parlant des personnes, est pop. (V. POSÉ.)

V. aussi IMPASSIBLE et TRANQUILLITÉ.

calmer. V. APAISER et SOULAGER.

calomnier. V. MÉDIRE.

calotin. V. BIGOT.

calotte. V. BONNET et COUP.

calque. V. COPIE.

calumet. V. PIPE.

camarade. V. AMI et COMPAGNON.

camard. V. CAMUS.

camarilla. V. COTERIE.

cambrioler. V. VOLER.

cambuse. V. HABITATION et RÉFECTOIRE.

camelot se dit d'un petit marchand qui vend dans la rue des objets de peu de valeur avec force boniments. **Charlatan** syn. péjoratif de *camelot,* se disait, autrefois surtout, de celui qui, sur les places publiques, vendait des drogues, arrachait des dents, avec un grand luxe de discours, de facéties; il emportait et emporte toujours une idée de mépris.

caméristе, camérière. V. SERVANTE.

camisole. V. CHEMISE.

camoufler. V. CACHER et DÉGUISER.

camouflet. V. OFFENSE.

camp désigne le terrain où une armée dresse des tentes ou construit des baraques pour s'y loger ou s'y retrancher, en général à l'écart des lieux habités. **Campement** se dit du camp lui-même, mais aussi de l'action de camper, qu'il s'agisse de civils (explorateurs, excursionnistes, etc.) ou de militaires. **Cantonnement** désigne tout lieu habité dans lequel des troupes s'installent temporairement. **Quartier** désigne aussi bien l'emplacement où une troupe a établi un camp que le cantonnement où elle s'est logée. **Bivouac** se dit d'un campement provisoire et en plein air, établi de jour ou de nuit, le plus souvent pour prendre du repos. **Camping** est plus partic. et propre aux civils; il désigne un campement d'excursionnistes munis de tentes, d'un matériel de cuisine, etc.

campagnard. V. PAYSAN.

campagne, qui désigne une étendue de pays plat et découvert, par opposition à « bois », « montagne », etc., s'oppose par ailleurs à « ville »; il se dit d'un lieu où l'on vit plus librement qu'à la ville, où la vue n'est pas bornée et où l'air est sain et vif : *Une maison de campagne est une habitation éloignée de la ville, où l'on va se reposer des fatigues de sa profession.* **Champs** désigne la campagne en général; il se dit de la terre qui produit le blé, qui nourrit les bestiaux, et rappelle toujours une idée de culture : *Une maison des champs est celle qu'on habite lorsqu'on s'occupe soi-même de cultiver ou de faire cultiver ses propriétés.* **Cambrousse** (ou CAMBROUSE) et **brousse,** syn. de *campagne,* sont des termes d'argot le plus souvent péjoratifs.

V. aussi GUERRE.

campanile. V. CLOCHER.

campement, camping. V. CAMP.

campos. V. CONGÉ.

camp-volant. V. BOHÉMIEN et VAGABOND.

camus se dit du nez lorsque celui-ci est court et plat ; il s'applique aux personnes et à quelques animaux, entre autres le bouledogue et le dauphin. **Camard** est un syn. familier et souvent péjoratif de *camus* qui ne se dit que des personnes. **Aplati,** toujours en parlant du nez, insiste sur la forme plate. **Ecrasé** suppose une pression ou un choc. **Epaté** implique une base plus large que l'ordinaire. **Sime** est un synonyme aujourd'hui inusité de *camus.*

V. aussi DÉCONCERTÉ.

canaille. V. POPULACE et VAURIEN.

canal se dit aussi bien d'un bras de mer naturel plus ou moins large qui, séparant deux ou plusieurs terres, fait communiquer entre elles deux mers ou deux parties d'une même mer, que d'une sorte de rivière artificielle destinée à faire communiquer deux mers, deux cours d'eau ou deux parties d'un même cours d'eau. **Passe** est le nom donné, en termes de marine, soit à un passage navigable, entre deux terres, deux écueils, dans un fleuve, soit à un passage étroit qui donne accès à un port ; on dit aussi parfois, dans ce sens et plus ordinairement **passage. Chenal** (ancienne forme du mot *canal*) désigne soit un canal naturel ou artificiel, à l'entrée d'un port, soit la passe navigable qui conduit à cette entrée. (V. COURS D'EAU et DÉTROIT.)

V. aussi ENTREMISE.

canalisation. V. CONDUITE.

canapé désigne un long et large siège à dossier où peuvent s'asseoir plusieurs personnes, mais où une seule peut s'étendre. **Divan** se dit d'un siège profond, mais sans dossier ou bras, garni de coussins, où plusieurs personnes peuvent s'asseoir et, seulement s'il s'agit d'un DIVAN-LIT, se coucher. **Sofa** (ou SOPHA) désigne un lit de repos à trois dossiers, dont on se sert comme d'un siège. **Cosy corner** (mots angl. signif. *coin confortable*) se dit d'un divan-lit agencé dans une encoignure et surmonté d'une étagère à livres et à bibelots. **Méridienne** désigne un canapé sur lequel on s'étend pour dormir pendant le jour.

canarder. V. TIRER.

cancaner. V. MÉDIRE.

cancer. V. TUMEUR.

cancre. V. PARESSEUX.

candélabre. V. CHANDELIER.

candeur suppose une simplicité de cœur qui provient de l'innocence ; il évoque surtout l'idée de blancheur, de pureté, allant presque jusqu'à la naïveté : *Les âmes pleines de candeur, a dit Fénelon, sont d'ordinaire plus simples dans le bien que précautionnées contre le mal.* **Ingénuité** implique l'idée d'une franchise innocente et l'absence de toute recherche : *L'ingénuité plaît dans les enfants, car elle fait espérer de la candeur, de la vérité dans le caractère.* **Naïveté** suppose une pleine sincérité de la nature qui pousse à des questions et à des actes dont on ne sent pas toute la portée : *La beauté rehaussée de naïveté est ineffable.* **Simplicité** se dit, à proprem. parler, du caractère de celui qui ne connaît pas les détours, la recherche, les complications : *Les observations d'un sot apprennent jusqu'à quel degré de simplicité il faut descendre pour être compris de tous, a dit La Bruyère.* **Innocence** désigne la qualité de celui qui est pur et candide, et cela parce qu'il ne connaît point le mal sciemment : *L'âge de l'innocence, c'est l'enfance.* **Crédulité** implique une grande facilité à croire, l'absence de discernement : *Il y a dans le cœur humain, a dit Grimm, un fonds inépuisable de crédulité et de superstition.* **Simplesse,** qui vieillit, mériterait cependant d'être toujours employé, particulièrement pour désigner un genre de simplicité remarquable par une grande innocence et une bonté allant quelquefois jusqu'à la niaiserie : *On pardonne à celui qui pèche par simplicité; on cherche à consoler celui qui a péché par simplesse* (*Roubaud*). [V. NIAIS.]

candidat. V. POSTULANT.

canevas désigne le fond sur lequel l'artiste fera plus tard son ouvrage, en le remplissant des figures et des ornements nécessaires. **Ebauche,** qui est le premier travail fait après le canevas, implique que le travail est commencé, mais encore imparfait ; ce sont les premiers traits dessinés ou peints que l'artiste conservera dans la suite de son travail et auxquels il ajoutera les couleurs et les ombres ; ce peut être aussi, pour un sculpteur, la première façon qu'il donne à la glaise ou à la cire, alors qu'avant de modeler, il cherche d'abord les grandes lignes, les grandes masses, le mouvement, les proportions, l'attitude. **Esquisse** désigne une représentation de l'ouvrage faite en dehors de cet ouvrage même ; si elle est faite avant, elle devra servir de modèle à l'artiste et lui rappellera ce qu'il a résolu de faire, et si elle est postérieure, elle en donnera l'idée à ceux qui n'ont pas l'ouvrage sous les yeux. **Crayon** se dit d'une esquisse légère, d'une délinéation fugitive qui ne donne qu'une faible idée de l'ouvrage. **Croquis** désigne une esquisse encore plus rapide et plus rudimentaire que le crayon. **Schéma** ou SCHÈME (du gr. *skhêma,* figure), est le nom donné à une figure servant uniquement à la démonstration, et représentant non pas la forme véritable des objets, mais leurs relations et leur fonctionnement dans des conditions de simplicité qu'une représentation exacte ne permettrait pas. **Carcasse** et **squelette,** syn. de *canevas,* ne se disent que des ouvrages de l'esprit, cependant que **maquette** s'applique plus spécialement à la première ébauche, en réduction d'un ouvrage d'art. (V. MODÈLE et TABLEAU.)

canicule. V. ÉTÉ.

canif. V. COUTEAU.

canine. V. DENT.

caniveau. V. RIGOLE.

canne. V. BÂTON.

cannibale. V. ANTHROPOPHAGE.

canon. V. RÈGLEMENT.

cañon. V. COL.

canonisation. V. BÉATIFICATION.

canot. V. EMBARCATION.

cantate. V. MÉLODIE.

cantatrice. V. CHANTEUSE.

cantilène. V. MÉLODIE.

cantine. V. BUVETTE, MALLE et RÉFECTOIRE.

cantique, nom donné dans la Bible à un certain nombre de chants composés en action de grâces d'une grande faveur reçue de Dieu, désigne dans le lang. usuel un chant religieux en langage vulgaire destiné à être chanté dans les églises. **Psaume** s'applique particulièrement aux cantiques sacrés composés par David ou qui lui sont attribués. **Noël** désigne un cantique populaire, en langue vulgaire, sur la naissance de Jésus. **Hymne,** au féminin, s'applique à un cantique latin chanté dans les églises en l'honneur de Dieu. **Prose** se dit d'une hymne qui se chante avant l'Evangile aux messes solennelles, et qui se compose de vers non mesurés, mais terminés par des rimes, et n'ayant pour prosodie qu'un certain nombre de syllabes : *La prose diffère de l'hymne en ce que celle-ci est une véritable pièce de poésie mesurée.* **Antienne,** dans ce sens, désigne une sorte d'hymne en l'honneur de la Sainte Vierge, qui se chante à la fin de complies. **Répons** se dit d'un chant exécuté alternativement par le chœur et un soliste, et qui prend place à la messe et dans les offices de l'Eglise catholique. **Motet** désigne un morceau de musique religieuse vocale, écrit sur des paroles latines tirées de la liturgie (hymnes, antiennes, etc.) et destiné à être exécuté dans une cérémonie religieuse.

cantonnement. V. CAMP.

cap (du lat. *caput,* tête), terme de géographie, désigne une pointe de terre assez élevée qui s'avance dans la mer d'une manière bien prononcée. **Promontoire** est un terme à la fois géographique et de caractère littéraire ; il suppose souvent une élévation considérable et désigne particulièrement l'extrémité d'un continent dans une direction remarquable. (Quelques auteurs veulent que, conformément à son étymologie [du lat. *pro,* en avant, et *mons,* montagne], on appelle *promontoire* un cap qui se termine par une montagne.) **Pointe** se dit de saillies de terre moins considérables que le cap ou le promontoire, et en général peu élevées. **Bec,** qui désigne une pointe de terre qui se trouve au confluent de deux rivières, se dit aussi d'une pointe de terre qui avance en mer.

V. aussi TÊTE.

capable. V. ADROIT et SUSCEPTIBLE.

capacité, terme très général au fig., indique une puissance en réserve et a particulièrem. rapport à l'étendue des connaissances. **Qualité** dit beaucoup moins ; c'est la manière d'être naturelle, mais passive, qui, en bien ou en mal, constitue le caractère d'une personne et rend possibles telles ou telles capacités. **Aptitude** se dit de la qualité en tant qu'elle se détermine dans une direction particulière (v. PENCHANT). **Compétence,** aptitude à décider sur une chose quelconque, implique que l'on est capable de juger, de parler d'un ouvrage, d'une matière, parce que l'on en possède la parfaite connaissance. **Talent** se dit d'une qualité, d'une aptitude acquise et développée, mise en œuvre, et considérée surtout dans ses résultats visibles; il suppose à la fois vocation et exécution. **Génie,** dans ce sens, désigne une aptitude innée à produire, à créer; il emporte l'idée d'inspiration et d'originalité. **Suffisance,** capacité, aptitude pour quelque emploi ou fonction, est vieux.

V. aussi CONTENANCE.

cape. V. MANTEAU.

capelan. V. PRÊTRE.

capharnaüm. V. DÉSORDRE.

capitaine. V. CHEF.

capital. V. PRINCIPAL.

capitale se dit d'une ville qui occupe le premier rang dans un Etat ou une province, parce qu'elle est ou a été le siège du gouvernement ou de l'administration : *Paris, capitale de la France; Dijon, capitale de la Bourgogne.* **Métropole,** qui désignait primitiv. la ville principale d'une province, se dit auj. d'une ville ayant un siège archiépiscopal, et, par ext., de la ville la plus importante d'une région sous un rapport déterminé : *Alger, métropole de l'Afrique du Nord.* **Chef-lieu** dit moins; c'est soit la ville principale d'une division administrative, soit, par ext., un centre principal : *Beauvais, chef-lieu du département de l'Oise; Londres, métropole de luxe, est le chef-lieu de la misère, a écrit Victor Hugo.*

V. aussi MAJUSCULE.

capitaliste. V. RICHE.

capitan. V. BRAVACHE.

capitulation désigne la convention qui règle les conditions auxquelles se rend une place de guerre, un corps d'armée. **Reddition** se dit de l'acte par lequel une place forte assiégée ou assaillie est rendue à l'ennemi par ses défenseurs en vertu d'une capitulation.

V. aussi ACCOMMODEMENT.

capituler. V. CÉDER.

capon. V. POLTRON et RAPPORTEUR.

capote. V. MANTEAU.

capoter. V. CULBUTER.

caprice se dit d'un amour soudain et passager : *Son amour ne durera pas, ce n'est qu'un caprice.* **Amourette** désigne un amour de simple amusement, sans qu'il y entre la moindre passion : *De joyeuses amourettes.* **Flirt** (mot empr. de l'angl. *to flirt,* proprem. « folâtrer », dont la prononciation anglicisante a provoqué une homonymie avec le vx verbe franç. « fleureter », qui avait un sens voisin), emporte une idée de coquetterie chez les jeunes filles ou chez les femmes auprès des hommes, et réciproquement, sans que ce soit toujours pour obtenir leurs faveurs : *Flirt qui dure depuis des mois.* **Passade** désigne par contre, dans le langage de la galanterie, le commerce amoureux entre deux personnes qui se quittent ensuite : *N'avoir que des passades.* **Toquade** (ou TOCADE) et plus encore **béguin,** syn. de *caprice,* sont familiers, cependant que **pépin** est populaire.

V. aussi FANTAISIE.

capricieux se dit de celui qui a le caractère inconstant, l'humeur changeante; il suppose une mobilité qui est un signe du vide du cœur et de l'esprit. **Fantasque** implique une grande intensité dans le caprice, une passion qui peut même durer assez longtemps pour l'objet de la fantaisie. **Bizarre** suppose plutôt un défaut qu'une anomalie de l'intelligence; il se dit de celui qui, n'ayant pas les mêmes idées, les mêmes passions, les mêmes goûts que les autres, ne peut pas sentir, penser, juger comme eux : *On s'habitue à un homme bizarre; le capricieux se rend bientôt intolérable; le fantasque, tout en étant souvent ennuyeux, peut cependant amuser parfois par ses boutades.* **Lunatique** se dit parfois aussi de celui qui est capricieux, à cause de l'influence qu'on attribuait autrefois à la lune sur l'humeur des êtres humains : *On ne peut se fier à une personne lunatique.*

capter. V. CONQUÉRIR.

captieux. V. TROMPEUR.

captif. V. PRISONNIER.

captivant. V. CHARMANT et INTÉRESSANT.

captiver. V. CONQUÉRIR.

capture désigne la saisie d'un navire ennemi, et aussi tout butin ou objet dont on parvient à s'emparer; il marque un résultat et implique souvent combat ou poursuite : *Jean-Bart fit de nombreuses captures; La capture d'un poisson coûte souvent des heures de patience.* **Prise** dit moins que *capture;* il désigne surtout un navire capturé : *Amener sa prise dans le port; Prise riche, importante.* (V. BUTIN et RAPINE.)

caque. V. TONNEAU.

caqueter. V. BAVARDER.

car. V. PARCE QUE.

carabin. V. MÉDECIN.

caractère se dit particulièrement des lettres et autres signes dont on se sert dans l'écriture ou dans l'impression. **Lettre** dit moins que *caractère;* il ne désigne, en effet, que les caractères de l'alphabet, écrits ou imprimés. (V. TYPE.)

V. aussi ASSURANCE, HUMEUR et NATUREL.

caractéristique se dit de ce qui constitue la marque, le trait, le signe distinctif d'une personne ou d'une chose : *L'enfance et la vieillesse sont les deux époques les plus caractéristiques de la vie d'une Parisienne, a dit Gozlan.* **Typique** ajoute le plus souvent à l'idée de *caractéristique* celle d'une originalité bien prononcée : *Les marins conserveront toujours leur physionomie typique.*

caravane. V. TROUPE.

carboniser. V. BRÛLER.

carcasse désigne la charpente osseuse du corps d'un animal mort et dépouillé de ses chairs. **Squelette** se dit surtout de l'homme; on ne l'applique aux animaux que dans le langage anatomique. **Charpente,** syn. de *carcasse* et de *squelette,* est familier, sauf dans l'expression CHARPENTE OSSEUSE. **Ossature** se dit aussi bien de l'ensemble de la charpente osseuse d'un homme que de celui d'un animal.

V. aussi CANEVAS.

cardinal. V. PRINCIPAL.

carême. V. JEÛNE.

carence. V. MANQUE.

caressant. V. AIMANT.

caresser. V. EFFLEURER et FLATTER.

caricature désigne l'image satirique dans laquelle l'artiste représente d'une manière bouffonne, grotesque, les personnes qu'il veut tourner en dérision; il suppose une défiguration souvent profonde. **Charge** dit moins; il implique seulement l'amplification, le grossissement de traits caractéristiques de l'original : *La caricature est une charge outrancière et agressive.* (V. PORTRAIT.)

carillon. V. TAPAGE.

carillonner. V. SONNER.

carnage (du lat. *caro, carnis,* chair) est proprement l'action de faire « chair », de mettre en pièces des êtres vivants; il exprime surtout une idée de destruction sanglante. **Massacre** (de *massue*), littéralement action d'assommer, implique que personne n'est épargné, qu'on frappe partout indistinctement et qu'on écrase tout ce qu'on rencontre sous ses coups. **Hécatombe** (du grec *hecaton,* cent, et *boûs,* bœuf), qui, au sens propre, suppose un sacrifice de cent bœufs, indique dans le lang. courant un massacre faisant de très nombreuses victimes. **Boucherie,** qui est du lang. ordin. et suppose aussi de nombreuses victimes, implique en outre que celles-ci sont tuées impitoyablement et ne peuvent se défendre. **Tuerie,** syn. de *massacre,* est familier.

carnassier. V. CARNIVORE.

carnassière. V. GIBECIÈRE.

carnation. V. COULEUR.

carnet. V. CAHIER.

carnier. V. GIBECIÈRE.

carnivore se dit de celui qui mange plus ou moins régulièrement de la chair, de la viande : *L'homme est à la fois frugivore et carnivore.* **Carnassier** emporte une idée d'avidité, de voracité ou de férocité; il se dit proprement de l'animal que sa nature force à se nourrir de chair crue et qui ne peut vivre d'autre chose : *Le tigre et le lion sont des animaux carnassiers, le chien et l'ours des animaux carnivores.*

carpette. V. TAPIS.

1. **carré.** V. FRANC.

2. **carré.** V. PALIER.

carreau est le nom que l'on donne à une espèce de pavé plat fait d'une matière quelconque autre que le bois (faïence, marbre, pierre, terre cuite), taillé régulièrement en forme de « carré » ou à pans coupés, dont on se sert surtout pour paver le dedans des maisons. **Dalle** dit plus; il suppose une tablette de pierre ou de marbre, de peu d'épaisseur, et destinée à couvrir aussi bien des terrasses ou des trottoirs extérieurs qu'à paver des salles, des vestibules intérieurs.

V. aussi VITRE.

carrefour se dit d'un endroit, en général assez vaste, où se croisent plusieurs rues ou plusieurs routes, dans les villes comme à la campagne ou dans les forêts. **Rond-point** désigne un carrefour important où aboutissent plusieurs avenues ou allées. **Croisée** dit moins; il désigne simplement le lieu où deux chemins, deux routes, deux avenues ou deux rues se croisent, à la campagne ou dans les bois. **Croisement** est un terme très général qui désigne l'action par laquelle deux ou plusieurs choses se croisent, ou le résultat de cette action; il se dit aussi, spécialement, dans le langage touristique, de l'endroit où deux ou plusieurs voies se croisent. **Bifurcation** est plus partic.; il se dit de l'endroit où une route (ou une voie ferrée) se divise en deux. **Patte-d'oie** et **étoile** désignent un carrefour, un croisement de nombreux chemins, à la campagne, dans une forêt.

carrière. V. PROFESSION.

carrousel est le nom donné à un exercice de parade où des cavaliers, divisés en quadrilles, exécutent des évolutions variées et des jeux, et qui remplaça, dès le milieu du XVIe siècle, le **tournoi,** fête guerrière où l'on combattait à armes courtoises et à cheval, soit un contre un, soit par troupes. **Fantasia** se dit surtout d'un divertissement équestre de cavaliers arabes qui font, à grande allure, des exercices de voltige, en chargeant et déchargeant leurs armes.

cartel. V. SOCIÉTÉ.

cartomancien. V. DEVIN.

cas se dit de tout fait qui est arrivé ou qui peut arriver : *La politique prétend qu'il y a des cas où la morale peut être mise de côté.* **Circonstance** désigne le fait secondaire qui touche au fait principal, ou même qui en fait partie; il emporte l'idée d'un accompagnement ou d'une chose accessoire à une autre : *Ce sont les circonstances qui font varier les opinions d'un grand nombre de gens.* **Conjoncture** se dit d'une rencontre de circonstances; il sert à marquer la situation qui provient d'un concours d'événements, d'affaires ou d'intérêts : *Ce sont ordinairement les conjonctures qui déterminent le parti que l'on prend.* **Occasion** s'emploie pour l'arrivée d'une chose nouvelle, soit qu'on la cherche, soit qu'elle vienne d'elle-même, et qui est presque toujours favorable, si bien qu'il faut vivement en profiter, de crainte qu'elle ne s'échappe : *Il est des occasions où l'ami que nous croyons bien connaître nous surprend, tout en nous permettant de le juger.* **Occurrence** se dit uniquement pour ce qui arrive sans qu'on le cherche, qu'il s'agisse d'une circonstance favorable ou défavorable : *Il faut se comporter selon l'occurrence du temps.*

casanier désigne celui qui aime à rester chez soi. **Sédentaire** (du lat. *sedere,* être assis) désigne proprement celui qui demeure ordinairement assis, et, par ext. seulement, celui qui se tient presque toujours chez lui, qui sort ou voyage peu. **Pantouflard,** syn. de *casanier,* est du langage familier et quelque peu péjoratif.

cascade, cascatelle. V. CHUTE.

case. V. CABANE.

casemate. V. ABRI.

caser. V. PLACER.

cassant. V. INSOLENT.

casse. V. DOMMAGE.

casse-cou. V. HARDI.

casser, c'est mettre en morceaux par choc, par pression; il implique la destruction de la continuité et de l'adhérence d'un corps solide. **Briser,** c'est mettre en pièces, en ruine, réduire à l'état de « débris »; il suppose une action violente : *On brise une glace qu'on casse en mille morceaux.* **Fracasser,** c'est aussi mettre en pièces, mais le plus souvent avec « fracas », c'est-à-dire avec bruit; il emporte l'idée d'une chute des morceaux cassés : *Le vent fracasse les chênes.* **Rompre,** c'est séparer, faire céder sous le poids ou les efforts; il suppose la destruction de la connexion des parties d'un corps, en le faisant ployer : *On rompt ce qui commence par fléchir, en produisant une sorte de déchirement dans les fibres qui liaient les parties d'un corps.* **Fracturer,** c'est rompre avec violence; il emporte parfois l'idée de dommage volontaire, cependant que, dans le lang. médic., il équivaut à *casser : Fracturer une porte, une serrure; Se fracturer le crâne, la jambe.* (V. BROYER.)

V. aussi ANNULER et DESTITUER.

cassis. V. RIGOLE.

caste. V. RANG.

castel. V. CHÂTEAU.

castrat. V. CHÂTRÉ.

cataclysme. V. CATASTROPHE, INONDATION et SÉISME.

catacombes. V. CIMETIÈRE.

catalepsie. V. PARALYSIE.

catalogue (du grec *katalogos,* liste, rôle) désigne une liste ou une énumération de noms, de personnes ou de choses, classés dans un certain ordre et accompagnés de détails et d'explications, parfois même d'images : *Catalogue par ordre alphabétique, par ordre de matières; Catalogue de meubles, de jouets.* **Répertoire** (du lat. *repertorium,* inventaire) dit moins; c'est simplement un recueil de choses, de matières, le plus souvent spéculatives, curieuses, intéressantes, rangées dans un ordre qui fait qu'on les trouve facilement; il suppose de la commodité, de la facilité dans les recherches : *Donner aisément une date par le moyen d'un répertoire.* (V. LISTE.)

cataracte. V. CHUTE.

catastrophe se dit d'un malheur effroyable et subit qui bouleverse, qui brise; il suppose un brusque renversement de la fortune, un événement important et funeste qui survient dans la vie d'un homme ou dans l'histoire d'un peuple. **Calamité** désigne un événement qui répand la désolation; il implique très souvent un malheur public, une infortune qui atteint une contrée, un groupe d'individus. **Fléau** se dit d'une grande calamité publique. **Désastre** se dit d'un grand dégât, d'une ruine totale, irréparable. **Cataclysme,** étymologiquem. syn. de « déluge » (grec *kataklusmos,* de *kata,* sur, et *kluzein,* inonder), désigne, au figuré, un désastre qui modifie de tout en tout la situation d'un Etat, d'une famille, d'une personne.

V. aussi DÉNOUEMENT.

catch. V. LUTTE.

catéchiser. V. ENDOCTRINER.

catégorie. V. CLASSE et RANG.

catégorique se dit de ce qui est dans l'ordre, à propos, réglé, déterminé, et, de ce fait, ne souffre aucune objection : *Mise en demeure catégorique.* **Clair** désigne ce qui est intelligible, aisé à comprendre, et ne réclame pas d'explications complémentaires : *S'exprimer en termes très clairs.* **Net** implique l'absence de difficulté, d'embarras, d'ambiguïté : *Faire une proposition, une réponse nette.* **Précis** se dit de ce qui est clair parce qu'il n'y a rien d'omis ou de superflu ; il emporte une idée d'exactitude stricte : *Dire quelque chose de précis.* **Explicite** s'applique à ce qui est énoncé, rédigé d'une façon claire et précise, si bien qu'on ne saurait se tromper : *Texte, réponse explicite.* (V. ÉVIDENT.)

cathédrale. V. ÉGLISE.

catholicisme désigne l'ensemble des dogmes, des institutions et des pratiques qui distinguent, des autres communautés chrétiennes, l'Eglise romaine soumise à l'autorité du pape. **Catholicité** exprime une qualité qu'on possède ou un caractère qu'on porte en conformité de la doctrine catholique; il désigne aussi l'ensemble des pays catholiques.

catholicité. V. CATHOLICISME.

catimini (en). V. SECRÈTEMENT.

catin. V. PROSTITUÉE.

cauchemar. V. RÊVE.

cause désigne d'une façon générale ce qui fait qu'une chose a lieu ; il emporte toujours l'idée d'un effet. **Mobile** suppose une impulsion qui, entraînant et poussant à agir, est généralement le fait d'un désir, d'une passion qui influent sur la volonté. **Motif** implique au contraire un principe plus ou moins réfléchi qui fait agir après détermination : *On peut connaître la cause d'une réclamation et le motif de la démarche qu'elle suscite, sans en percevoir le mobile.* (Dans le langage philosophique, l'usage est d'entendre plus spécialement par *motif* un état intellectuel, et par *mobile* un sentiment, un état affectif.) **Raison** désigne un motif éclairé par des considérations, et il implique l'explication d'un fait : *Outre les raisons publiques, a écrit Rollin, Cassius avait de longue main contre César des* *motifs personnels de ressentiment.* **Prétexte** emporte plutôt une idée péjorative ; il se dit d'une cause simulée, d'une raison apparente destinée à cacher le véritable motif : *Chaque défaut a son prétexte, a dit La Rochefoucauld.* **Pourquoi,** pris substantivement, est employé parfois comme syn. de *cause, raison, motif* dans le langage familier : *Nous ne savons le pourquoi de rien, affirmait Jules Simon.* (V. LIEU.)

cause que (à). V. PARCE QUE.

1. **causer.** V. OCCASIONNER.

2. **causer.** V. PARLER.

causerie. V. CONFÉRENCE et CONVERSATION.

causette. V. CONVERSATION.

causeur. V. BABILLARD.

caustique. V. MORDANT.

cauteleux. V. MÉFIANT.

cautère. V. ULCÉRATION.

caution désigne aussi bien la personne qui cautionne que la garantie qu'elle donne ou la somme donnée en gage. **Cautionnement,** c'est l'action de cautionner et surtout la somme versée en caution. **Caution « judicatum solvi »** est très partic. ; il ne se dit que de la caution exigée d'un étranger demandeur dans une instance en France contre un Français, pour assurer le paiement des frais du procès.

V. aussi GARANTIE.

cautionnement. V. CAUTION.

cavalcade. V. CHEVAUCHÉE et DÉFILÉ.

cavale. V. JUMENT.

cavalier est le nom que l'on donne, dans une société, à celui qui s'attache à une dame, une jeune fille, lui consacre ses soins, danse avec elle. **Chevalier servant,** syn. de *cavalier,* s'emploie le plus souvent par plaisanterie. **Sigisbée** est ironique aussi et généralement péj.

V. aussi INSOLENT.

cave se dit spécialement d'un lieu souterrain, situé sous une maison ou non, ordinairement voûté et destiné le plus souvent à recevoir et à conserver diverses substances, mais surtout le vin. **Caveau** s'applique à une petite cave. **Cellier** désigne une sorte de hangar ou de cave voûtée, où s'accomplissent les opérations de la vinification, et, par ext., de l'endroit où l'on conserve le vin, ou, dans certaines fermes, des lieux très frais où l'on met le bois, les légumes, etc. (A noter que dans son premier sens *cellier* reçoit le nom de **cuverie** ou de **cuvier** dans le Bordelais, de **vendangeoir** ou de **vinée** en Bourgogne.) **Chai** se dit seulement du lieu où sont emmagasinés les vins et les eaux-de-vie en fûts. — **Sous-sol** désigne la partie d'une construction qui est en dessous du rez-de-chaussée, lorsque cette partie est suffisamment vaste, aérée et éclairée, pour être, si besoin est, habitable.

caveau. V. CAVE et TOMBE.

cavée. V. CHEMIN.

caver. V. APPROFONDIR.

caverne est un terme générique qui désigne un lieu, vide, concave, en forme de voûte, que l'on rencontre dans la nature et dont l'aspect a quelque chose de grandiose ou d'effrayant. **Grotte** se dit d'une caverne pittoresque, faite par la nature ou la main de l'homme, que vont visiter les curieux. **Antre,** qui se dit d'une caverne profonde et très obscure, dans laquelle on ressent une impression d'ensevelissement, est inus. dans le langage scientifique et ne s'emploie que dans le style littéraire ; il emporte une idée d'effroi. **Balme** (ou BAUME) est un vieux mot provençal signif. *grotte.*

caverneux. V. SOURD.

caviarder. V. EFFACER.

cavité (du lat. *cavus,* creux) désigne un espace creux et vide dans l'intérieur d'une chose solide : *Pratiquer une cavité dans un mur.* **Anfractuosité** (du lat. *anfractus,* sinuosité) s'emploie surtout au plur. et suppose une cavité profonde et sinueuse : *Les anfractuosités d'un chemin, de l'oreille.* **Fosse** désigne une cavité dans le sol, plus ou moins profonde, et généralement artificielle : *Creuser, faire une fosse ;* c'est aussi, en anatomie, le nom donné à certaines cavités plus ou moins profondes que présentent divers organes, et dont l'entrée est toujours plus évasée que le fond : *Fosses nasales ; Fosse lacrymale, temporale, etc.* — **Excavation** (du lat. *excavare,* creuser), qui se dit de l'action de creuser dans la terre, désigne en outre le résultat de cette action ; il implique une cavité faite en profondeur : *Tomber au fond d'une excavation.* **Fossé** se dit d'une fosse plus ou moins large servant à clore quelque espace de terre, ou pour l'écoulement des eaux, à moins encore que ce ne soit de moyen de défense : *Franchir, sauter un fossé.* **Tranchée** désigne une excavation longitudinale plus ou moins profonde, pratiquée dans la terre, afin d'asseoir les fondations d'un mur, de placer des conduites pour les eaux, de planter des arbres, etc. : *Ouvrir une tranchée.* **Ravin** s'applique à une excavation longitudinale creusée par un cours d'eau; on dit aussi parfois, dans ce sens, ravine. (V. TROU.)

céans. V. ICI.

cécité. V. AVEUGLEMENT.

céder, c'est ne pas résister ou cesser de le faire, ne pas s'opposer, ne plus soutenir le contraire : *On cède par déférence ou par nécessité.* **Capituler,** proprement se rendre aux conditions imposées par l'ennemi, suppose figurément que l'on cède parce qu'on ne saurait plus résister; il est assez familier : *On capitule dès qu'on se défie de son droit.* **Acquiescer,** c'est céder le plus souvent par amour de la paix ou de la tranquillité : *On acquiesce aux sentiments, aux volontés d'autrui.* **Se rendre,** c'est céder soit par faiblesse, soit parce que l'on a été convaincu : *On se rend à des prières, à de bonnes raisons.* **Déférer,** c'est céder par égard ou respect : *On défère aux désirs de ses chefs, de ses parents.* **Se soumettre,** c'est céder à une puissance, à une autorité : *On se soumet lorsqu'on ne peut résister.* **Se plier,** c'est céder, se soumettre de son plein gré : *On se plie aux usages du monde, aux bienséances de la société.* **Caler** et **caner,** syn. de *céder,* de *capituler,* sont populaires : *On cale (ou cane) quand on se sent impuissant ou bien quand on a peur.* (V. OBÉIR.)

V. aussi FLÉCHIR, LIVRER et VENDRE.

cédule. V. FICHE.

ceindre. V. ENTOURER.

ceinture désigne une bande ou un lien, le plus souvent en cuir ou en étoffe, dont on se « ceint » la taille : *L'usage des ceintures est fort ancien.* **Ceinturon** se dit d'une ceinture, faite ordinairem. de cuir, que l'on serre avec une boucle ou une plaque, et à laquelle on suspend, par des pendants ou bélières, un sabre, une baïonnette, un couteau de chasse, une giberne, etc. : *Un ceinturon de soldat, de chasseur.* **Cordelière** dit moins; il désigne simplement une corde, une torsade servant à serrer un vêtement autour de la taille : *Une cordelière de robe de chambre.*

V. aussi TAILLE.

ceinturon. V. CEINTURE.

céladon. V. AMANT et VERT.

célèbre. V. ILLUSTRE.

célébrer. V. FÊTER, GLORIFIER et VANTER.

célébrité. V. RÉPUTATION.

celer. V. TAIRE.

célérité. V. VITESSE.

céleste. V. DIVIN.

célibataire, qui désigne celui ou celle qui n'est pas marié, a pour syn. familier, au masculin, **garçon** ou, péjorativement, **vieux garçon,** cependant qu'au féminin, **fille** vieillit, et que **vieille fille,** péjoratif aussi, est couramment employé.

cellier. V. CAVE.

cellule désigne, dans une prison, une petite chambre aménagée pour enfermer isolément un détenu; c'est le nom donné aussi à la chambrette sommairement meublée des religieux dans un monastère. **Prison,** dans ce sens restreint, est plus vague; il se dit de tout lieu où l'on est détenu, qu'il soit aménagé pour cela ou non. **Cachot** se dit d'une cellule de prison, étroite, basse et obscure. **Cabanon** désigne plus particulièrement une cellule réservée à un criminel dangereux ou à un fou furieux. **Geôle** et **in-pace,** syn. de *cachot,* sont plutôt du langage littéraire. **Basse-fosse** désigne un cachot profond, obscur et humide; quant à **cul-de-basse-fosse,** il enchérit sur *basse-fosse* en supposant un cachot encore plus souterrain creusé dans le premier. **Oubliettes,** cachot souterrain et obscur où l'on enfermait autref. les prisonniers condamnés à la prison perpétuelle, est le nom que la tradition populaire donne aussi à une sorte de fosse couverte d'une trappe, dans laquelle on précipitait ceux dont on voulait se défaire secrètement. **Bloc** et **violon** sont pop.; ils désignent une prison de police qui est contiguë à un poste ou à un corps de garde. **Tôle** (ou TAULE), syn. de *cellule,* est un terme d'argot. (V. PRISON.)

cénacle (du lat. *cenaculum,* salle à manger) désigne la réunion d'un petit nombre de personnes ayant les mêmes idées, les mêmes goûts, et professant surtout les mêmes théories littéraires ou philosophiques : *Cénacle poétique.* **Cercle** se dit d'une association composée d'un nombre restreint de membres qui se réunissent pour un but particulier : *Cercle politique, littéraire, artistique.* **Club** (mot angl. signif. au fig. réunion, cercle) a désigné en France, pendant la Révolution, des sociétés de personnes qui s'assemblaient à jours fixes pour discuter des affaires publiques : *Club des Cordeliers, des Jacobins;* il se dit plus particulièrement auj. soit d'un cercle aristocratique où l'on se réunit pour causer, jouer, etc. : *Le Jockey-Club;* soit d'un cercle ordinaire : *Club littéraire;* soit spécialement de certaines sociétés sportives : *Club Alpin, Touring Club, Racing Club.*

cendres. V. RELIQUES.

cendrillon. V. SERVANTE.

cénobite. V. RELIGIEUX.

cénotaphe. V. TOMBE.

cens. V. DÉNOMBREMENT.

censeur. V. CRITIQUE.

censurer. V. CRITIQUER.

centre, terme de géométrie, désigne le point intérieur situé à égale distance de tous les points d'une circonférence ou de la surface d'une sphère; il implique toujours une figure fermée. **Milieu** est moins rigoureux; il ne suppose qu'une étendue considérée dans une seule dimension, et dont il est à égale distance des deux extrémités : *Tout centre est milieu, mais tout milieu n'est pas centre.* **Mitan,** syn. de *milieu,* est dialectal.

cependant, qui signifie malgré cela, affirme simplement contre les apparences contraires : *Le soleil semble tourner autour de la terre, c'est cependant le contraire qui a lieu.* **Pourtant** marque une opposition plus forte, plus énergique; il assure avec fermeté, malgré tout ce qui pourrait être opposé : *Que la terre s'arme contre la vérité, on n'empêchera pas pourtant celle-ci de triompher.* **Néanmoins** distingue deux choses qui paraissent opposées, et il en soutient une sans détruire l'autre; il suppose une restriction très nette : *Corneille a écrit des choses indignes de lui; néanmoins c'est un de nos plus grands poètes.* **Toutefois** indique une exception, et fait entendre qu'une chose n'est arrivée que dans un cas particulier : *Détester tout le monde, mais toutefois aimer ses enfants.* **Nonobstant,** adv., est un syn. peu usité de *cependant* : *Savoir que l'alcool est nuisible et en boire nonobstant.* **Quoique ça,** syn. de *néanmoins,* est populaire.

cercle. V. CÉNACLE, ENTOURAGE et ROND.

cercueil désigne une longue caisse où l'on renferme le corps d'un mort; il suppose souvent un certain luxe : bois de qualité ou matière de quelque valeur, capitonnage de drap, ornements, etc. **Bière** est moins noble; il exprime quelque chose de simple, de modeste, et est plutôt du lang. ordin. **Sarcophage** se dit auj. du cercueil ou de la représentation de celui-ci dans une grande cérémonie funèbre. **Capule** désignait le cercueil dans l'Antiquité romaine. **Coffin,** synonyme de *cercueil,* est familier et peu usité.

cérémonial. V. APPARAT et PROTOCOLE.

cérémonieux. V. FORMALISTE.

cerne. V. ROND.

cerner, qui est un terme général impliquant que l'on fait un cercle autour de quelque chose, signifie spécialement et par ext. entourer un lieu de manière à ôter toute communication, tout moyen de fuite ou de secours extérieur à ceux qui s'y trouvent : *On cerne un bois, une maison.* **Investir,** syn. de *cerner,* suppose une force armée, le plus souvent militaire : *On investit une maison en l'entourant de gardes, de manière à en empêcher l'entrée et la sortie.* **Bloquer** se dit plutôt de l'investissement par mer : *On bloque un port, une île.* **Assiéger** dit plus que *cerner;* c'est cerner une place forte, une citadelle, une ville, en en faisant le « siège », c'est-à-dire en s'installant comme il faut pour réaliser une attaque décisive; il emporte l'idée d'attente et de préparations : *Alaric assiégea trois fois Rome avant de s'en emparer.*

certain. V. RÉEL.

Certains. V. PLUSIEURS.

certainement, certes. V. ASSURÉMENT.

certificat. V. ATTESTATION.

certifier. V. AFFIRMER.

certitude. V. CONVICTION et ÉVIDENCE.

céruléen. V. BLEU.

cerveau désigne, en anatomie et en physiologie, la masse de matière nerveuse qui occupe la partie antérieure et supérieure de la cavité du crâne, et qui est le siège des perceptions sensibles et le point de départ des excitations motrices. **Cervelle** se dit de la substance considérée dans sa masse ou dans sa nature dont le cerveau est l'organe : *Retiré de la tête, le cerveau n'est plus qu'une cervelle.* **Encéphale** dit plus; nom scientif. du *cerveau,* il désigne l'ensemble de ce dernier et de ses annexes contenues dans la boîte crânienne. — Au fig. CERVEAU se dit de l'instrument mental qui fonctionne bien ou mal, cependant que CERVELLE désigne la matière qui est censée être la substance pensante : *Avoir le cerveau dérangé; Une tête sans cervelle.*

cervelle. V. CERVEAU.

cesse. V. REPOS.

cesse (sans). V. TOUJOURS.

cesser. V. INTERROMPRE.

cession exprime simplement l'idée de donner, de remettre, de son plein gré ou contre son gré. **Concession,** qui suppose une donation pleine et volontaire, emporte de plus une idée de faveur qui n'est pas dans *cession;* il s'emploie souvent en parlant d'objets ayant une certaine importance, et appartenant généralement au domaine public : *On fait cession d'un droit, et concession de privilèges sur le domaine de l'Etat.* **Dessaisissement** emporte l'idée d'un abandon volontaire, mais pénible le plus souvent; c'est plutôt une dépossession qu'une cession : *Le dessaisissement d'un gage coûte toujours à celui qui y est contraint.* (V. RENONCEMENT.)

césure. V. HÉMISTICHE.

chafouin. V. SOURNOIS.

1. **chagrin** se dit d'une souffrance de l'âme causée par une contrariété, un désappointement, une perte, et implique toujours une cause précise : *Dû aux tracasseries et aux amertumes de la vie, le chagrin affecte l'humeur, mine et ronge, mais, si profond qu'il soit, peut toujours se cacher.* **Tristesse** dit en général plus que *chagrin;* c'est l'état d'une âme qui se souvient toujours d'un grand malheur, d'un accident funeste, qui ne peut le perdre de vue et qui n'a plus aucun goût pour les plaisirs : *La tristesse est grave, sans aigreur, elle ne rit jamais, mais elle ne fatigue pas les autres de ses plaintes ou de ses larmes.* (Il arrive toutefois que la tristesse est inhérente au caractère et qu'elle se manifeste alors sans cause spéciale; elle implique aussi, dans ce cas, l'idée de silence.) **Mélancolie** se dit soit d'un état morbide de sombre tristesse, soit simplement d'une vague tristesse : *La mélancolie est l'effet du tempérament.* (A noter que le *chagrin,* parce qu'il est une souffrance, ne se dit que des personnes, alors que la *tristesse* et la *mélancolie,* qui sont des états, peuvent se dire aussi des choses inanimées lorsque le manque de clarté, d'animation, de vie, ou le caractère particulier de celles-ci fait éprouver une impression pénible de tristesse, de mélancolie : *La tristesse, la mélancolie d'un chant, d'un site.*) **Spleen** (mot emprunté de l'anglais), syn. de *mélancolie,* est plutôt du langage littéraire. **Cafard** est un terme d'argot. (V. MÉLANCOLIQUE et PEINE.)

2. **chagrin.** V. MAUSSADE.

chagriner. V. ATTRISTER.

chahut, qui est plutôt fam., se dit d'un grand mouvement accompagné de bruit, de cris et de désordre, fait en général par des écoliers et dirigé souvent contre quelqu'un. **Bacchanal** suppose un divertissement; c'est un grand bruit fait par des gens qui souvent ont bu et s'amusent d'une façon désordonnée. **Sabbat** désigne un grand bruit qui se fait avec désordre et confusion, tel que l'on s'imagine celui du sabbat des sorciers. **Chambard** ajoute à l'idée de grand bruit fait dans un but déterminé celle d'un bouleversement quelconque. (V. CACOPHONIE, TAPAGE et TUMULTE.)

chaînes. V. LIENS.

chaînon. V. MAILLE.

chair désigne la substance molle et sanguine qui est entre la peau et les os de l'homme et des animaux. **Viande** se dit seulement de la chair des animaux, lorsque celle-ci est dépecée, partagée par morceaux, pour l'usage de la cuisine : *Toute viande se mange, toute chair ne se mange pas.* (Il est à remarquer toutefois que l'on se sert aussi du mot *chair* comme syn. de *viande* quand il s'agit de désigner les parties charnues de l'animal lui-même : *Chair de poulet, de lièvre, etc.*, ainsi que, dans un sens très général, par opposition à un autre genre de nourriture, tel que le poisson, le pain, les légumes : *Les catholiques s'abstiennent de chair le vendredi.* **Charogne** désigne une viande détestable, pourrie. **Carne** est populaire et aussi péjoratif ; il se dit surtout d'une viande dure. **Barbaque** et **bidoche,** syn. de *viande,* sont des termes d'argot, le plus souvent péjoratifs.

V. aussi CORPS et PULPE.

chaire. V. ESTRADE.

1. **chaland** est le terme générique servant à désigner un bateau plat, de forme rectangulaire, dont on se sert pour transporter les marchandises, et même des personnes, sur les rivières et les canaux. **Péniche** se dit surtout d'un grand chaland de 30 m de long et d'environ 200 tonnes, arrondi aux extrémités, muni d'un mât à rattachement et naviguant surtout dans le nord de la France et en Belgique. **Coche** (ou *coche d'eau*) est le nom que l'on donnait autrefois à une sorte de chaland servant au transport de voyageurs.

2. **chaland.** V. ACHETEUR.

châle. V. FICHU.

chalet. V. VILLA.

chaleur est un terme abstrait, la propriété qu'il désigne devenant une chose distincte et active ; il est en outre relatif : *La chaleur de l'eau, d'un objet quelconque; Une chaleur excessive.* **Chaud** est un terme concret qui suppose un être indéterminé et passif où la chaleur réside ; il est absolu et marque un état, un résultat, sans désigner l'être lui-même : *Avoir chaud; Souffrir le chaud et le froid.*

V. aussi ARDEUR.

challenge. V. COMPÉTITION.

chaloir. V. INTÉRESSER.

chaloupe. V. EMBARCATION.

chalumeau. V. FLÛTE et TIGE.

chamaillerie. V. DISPUTE.

chamaillis. V. DISPUTE et ÉCHAUFFOURÉE.

chamarrer. V. BARIOLER.

chambard. V. CHAHUT.

chambardement. V. DÉRANGEMENT.

chambarder, chambouler. V. RENVERSER.

chambre. V. PIÈCE.

chambrée désigne la grande chambre où des soldats, des ouvriers, ou d'autres personnes logent et mangent ensemble. **Dortoir** s'applique plus particulièrement à la grande chambre commune d'une communauté religieuse, d'une maison d'éducation ou de certains hospices, dans laquelle on couche seulement.

chambrelan. V. TRAVAILLEUR.

chambrer. V. ENFERMER

chambrière. V. SERVANTE.

champ. V. CAMPAGNE et TERRE.

champ des morts, champ du repos. V. CIMETIÈRE.

champ (sur-le-). V. IMMÉDIATEMENT.

champêtre, qui s'oppose à « montagne », « rocher », se dit de ce qui est relatif aux champs ou à la vie des champs, lorsque ceux-ci sont cultivés ; il suppose un lieu riant, agréable : *Repas, poésie champêtre.* **Rustique,** qui se dit surtout des choses, des mœurs, du langage, désigne proprement ce qui appartient à la vie paysanne ; il implique très souvent une grande simplicité, voire même une grossièreté de forme, d'aspect : *Maison, coutumes rustiques.* **Rural** désigne simplement, sans autre caractéristique, ce qui se rapporte à la vie des champs : *Propriété, vie rurale.* **Agreste** exprime une idée plus énergique, et souvent plus défavorable que *champêtre;* il suppose quelque chose de sauvage et implique la solitude d'un lieu : *Endroit charmant, mais agreste et abandonné.* **Bucolique** et **pastoral** sont des syn. littéraires de *champêtre : Vie bucolique, pastorale.*

champion. V. DÉFENSEUR.

championnat. V. COMPÉTITION.

Champs Élysées. V. CIEL.

chance désigne le résultat d'un ensemble de circonstances amenées par le hasard seul, qui peut nous être favorable ou non : *Bonne, mauvaise chance.* **Bonheur,** qui est plus général et regarde tous les accidents de la vie, se prend toujours en bonne part ; c'est une chance heureuse que l'homme peut se préparer à lui-même ou à laquelle il peut du moins contribuer par son habileté, par ses efforts : *Le bonheur, ce n'est le plus souvent, a dit Sainte-Beuve, que le bon sens hardi et adroit.* **Veine** se dit d'une source de chance bonne ou mauvaise : *La chance tourne, il est d'heureuses veines.* **Aubaine,** employé dans un sens voisin de chance heureuse, implique un cas fortuit avantageux, un profit inespéré : *Il faut toujours profiter d'une aubaine.* **Heur,** proprement chance quelconque, bonne ou mauvaise, et spécialement chance heureuse, *bonheur,* vieillit : *Il n'y a qu'heur et malheur dans ce monde.*

V. aussi HASARD.

chanceler, c'est, au propre, être peu ferme, pencher comme si on allait tomber, et c'est, au fig., hésiter, n'être pas assuré ; il suppose la faiblesse, le défaut de solidité. **Vaciller,** c'est, au propre, manquer de fixité, se mouvoir de côté et d'autre, être remué par une sorte de tremblement, et c'est, au fig., vouloir une chose, puis une autre, être incertain : *Le corps qui chancelle aurait besoin d'être assuré par sa base, celui qui vacille aurait besoin d'être assujetti dans sa position; L'esprit qui ne sait pas se tenir dans le parti qu'il a pris, chancelle, celui qui flotte d'un parti à l'autre, sans se fixer, vacille.* **Tituber,** c'est chanceler, vaciller, mais seulement sur les jambes ou en parlant de celles-ci : *L'ivrogne titube; Ivrogne dont les jambes titubent.* **Flageoler,** syn. de *tituber,* est familier.

chancir. V. MOISIR.

chancre. V. ULCÉRATION.

chandail (abrév. pop. de [*mar*]*chand d'ail,* nom du tricot porté par les vendeurs de légumes aux Halles) désigne une sorte de gilet en tricot de laine en général assez grosse, à col droit ou réversible, sans boutons ni boutonnières, qui s'enfile par la tête. **Maillot** est un terme plus général et plus ancien, quoique moins us. auj. ; il se dit d'un vêtement de tricot, quelle que soit sa forme, qui s'applique généralement directement sur la peau. **Pull-over** (mot angl. signif. *tire par dessus*) désigne un tricot de femme ou d'homme, avec ou sans manches, à col ouvert, qu'on enlève en le faisant passer au-dessus de sa tête.

chandelier désigne un support à une ou plusieurs tiges creuses servant à recevoir les chandelles, les bougies, les cierges. **Bougeoir** se dit d'un chandelier portatif, bas, muni d'un plateau avec manche ou anneau pour le saisir. **Flambeau,** dans ce sens, s'applique à un chandelier généralement à plusieurs branches. **Girandole** se dit aussi d'un chandelier à plusieurs branches, qui eut une grande vogue de 1660 à la Révolution. **Bras** désigne un chandelier à une ou plusieurs branches que l'on applique contre un mur. **Candélabre** se dit d'un grand chandelier, généralement à plusieurs branches, et, par ext., de tout support placé dans un appartement, un passage, une voie publique, et destiné à recevoir une lampe, une lumière quelconque, un bec de gaz ou une ampoule électrique. **Torchère** désigne un candélabre porté sur une tige ou une applique, souvent constituée par une statuette, et supportant lui-même des flambeaux, des girandoles. **Applique** se dit d'un candélabre à une ou plusieurs branches, qui se fixe au mur.

change exprime l'action d'échanger, sans indiquer l'espèce ou la manière : *Gagner, perdre au change.* **Echange** s'emploie en parlant des personnes, des marchandises, des terres, des Etats, et aussi bien de ce qui est meuble que de tout ce qui est bien-fonds : *L'Etat fait parfois des échanges de terrains avec les communes et les particuliers.* **Troc** se dit pour les choses de service et pour tout ce qui est meuble, et implique un échange direct d'un objet contre un autre : *Donner une automobile en troc pour un cheval.* **Permutation** n'est d'usage que pour les titres ou les emplois : *Permutation de postes.*

change (donner le). V. TROMPER.

change (prendre le). V. TROMPER (SE).

changeant marque un changement, une modification quant à la manière d'être ou aux sentiments intimes, et il ne dit rien de plus : *Un esprit changeant ne sera plus demain ce qu'il est aujourd'hui.* **Ondoyant** emporte l'idée d'une mobilité opportune ; il convient bien en parlant de celui qui change au gré des circonstances et des besoins : *C'est un sujet merveilleusement vain, divers et ondoyant que l'homme, a dit Montaigne.* **Inconstant** fait penser aux impressions de ceux que le changement intéresse, et montre leur désappointement, le peu de confiance que l'objet leur inspire; c'est, au propre et au fig., ce qui se détache, ce qui change facilement : *C'est un grand malheur que d'être épris d'une femme inconstante.* **Léger,** c'est ce qui manque de poids, et, par suite, de sérieux; il suppose un attachement superficiel : *Il faut peu de chose pour détacher la femme légère, car son amour ne tient pas.* **Volage** désigne ce qui voltige d'objet en objet, qui quitte aisément l'un pour l'autre : *La femme volage se détache d'elle-même, parce qu'elle ne peut rester fixée nulle part.* **Versatile** se dit des opinions et du caractère, mais non des affections; c'est ce qui se tourne de côté et d'autre : *L'homme versatile tourne comme une girouette, parce qu'il est le jouet des circonstances et de tout ce qui l'entoure.* **Variable** désigne simplement ce qui est sujet à varier, c'est-à-dire à présenter des changements plus ou moins fréquents : *Rien n'est peut-être plus variable que l'opinion publique.* (V. CAPRICIEUX.)

changement est un terme très général qui s'emploie pour marquer le passage d'un état à un autre, lequel peut être entier ou partiel : *Il y a changement dès que les choses ne sont plus ce qu'elles étaient.* **Innovation** désigne l'action d'introduire une coutume nouvelle, une croyance, un procédé qui n'était pas connu : *Il n'y a point d'innovations sans avances, sans risques, a dit Condorcet.* **Modification** suppose que l'objet reste le même, mais que sa manière d'être seule est changée : *Modification d'un contrat, d'un plan.* **Mutation** désigne uniquement le changement par lequel une personne ou une chose prend la place d'une autre, surtout en termes d'administration ou de droit : *Mutations dans un ministère.* **Réforme** ne se dit que d'un changement opéré en vue d'une amélioration : *Il ne faut pas confondre une réforme progressive avec le désir immodéré d'innovations et de changements, a dit Ancillon.* **Révolution** dit plus; il désigne un changement considérable et souvent violent qui arrive dans les choses du monde, dans les opinions : *Les choses de ce monde sont sujettes à de grandes révolutions.* **Revirement** s'emploie bien figurément pour désigner le changement brusque et du tout au tout qui survient dans l'opinion, dans la conduite d'un homme, d'un parti, d'un peuple : *Les revirements des politiques ne sont pas toujours suivis par les peuples.* **Volte-face** (de l'ital. *volta,* tourne, et *faccia,* visage) se dit d'un changement subit et complet d'opinion ou de manière d'agir : *Les volte-face sont fréquentes en politique.* — **Variation** exprime un changement qui a été précédé ou suivi de plusieurs autres; il suppose la mobilité, l'inconstance, et implique le passage rapide par plusieurs états successifs : *Remarquer beaucoup de variations dans la conduite, dans les sentiments de quelqu'un.* **Altération** ne se dit que d'un changement partiel dans l'état normal, et exprime généralement le rapport d'une chose bonne à une autre moins bonne ou mauvaise : *Il est des animaux moins sujets que d'autres aux changements, aux variations, aux altérations de tout genre; L'émotion se trahit souvent par l'altération de la voix.* **Vicissitude** implique un changement par lequel à une chose succède une autre toute différente : *Les vicissitudes de la vie, de la fortune, sont telles que non seulement un pauvre peut devenir riche, mais qu'il peut encore ensuite redevenir pauvre.* **Fluctuation** suppose des variations alternatives; il implique un défaut de fixité, de permanence : *Les fluctuations des prix, de la rente.* (V. MÉTAMORPHOSE.)

changer se dit de la substitution d'une chose à une autre, d'une manière d'être à une autre, et l'acte qu'il exprime peut être involontaire : *On change son chapeau quand on en met un autre ou quand on prend par erreur celui d'une autre personne.* **Échanger** suppose un changement réciproque et volontaire, et s'applique assez souvent aux objets d'une certaine importance : *On échange des prisonniers, des provinces, des notes diplomatiques.* **Troquer** ne s'applique qu'aux objets, généralement de petite valeur, qu'on échange contre d'autres estimés de valeur à peu près identique : *Troquer des haricots contre du beurre.* **Copermuter** s'emploie plus particulièrement dans le sens d'échanger un bénéfice ecclésiastique contre un autre. **Permuter,** qui signifiait aussi autref. *copermuter,* se dit auj. de l'acte par lequel deux fonctionnaires changent entre eux de résidence, voire de fonction : *Permuter avec un collègue.*

V. aussi TRANSFORMER et VARIER.

changer d'avis a pour syn. **se raviser,** revenir sur un avis, qui est moins du langage ordinaire.

chanson. V. CHANT et SORNETTE.

chansonnier. V. CHANTEUR.

chant se dit d'une suite de sons modulés émis par la voix humaine et qui, par la différence des intonations, produisent sur l'oreille des sensations variées. **Air** désigne une suite de sons, de notes qui composent un chant suivant les règles de l'art musical. **Chanson** se dit d'une petite pièce de vers d'un ton populaire, divisée généralement en couplets, avec refrain, qui se chante d'ordinaire sur un air connu. **Couplet,** qui désigne une sorte de stance faisant partie d'une chanson, se dit aussi parfois de la chanson même. **Mélopée,** qui désignait chez les Anciens l'art, les règles de la composition du chant, est plus partic.; il se dit surtout auj. d'un chant monotone qui tient plus du récitatif noté que de la véritable mélodie. **Goualante,** syn. de *chanson,* est un terme d'argot. (V. CANTIQUE et MÉLODIE.)

chanteau. V. MORCEAU.

chanter, c'est exécuter un morceau de musique et prononcer les paroles distinctement. **Chantonner,** c'est chanter à voix basse, sans méthode et sans suite. **Fredonner,** c'est chanter entre ses dents, et sans articuler d'une manière distincte; il suppose plutôt un bourdonnement, lequel suit surtout la musique. **Roucouler,** c'est, en parlant des personnes, chanter langoureusement. **Gazouiller,** qui ne se dit que de certains oiseaux, suppose un chant doux, léger et confus. **Ramager,** syn. de *chanter,* aussi en parlant des oiseaux, est peu us. **Vocaliser,** c'est chanter de la musique sur une ou plusieurs syllabes, sans prononcer les paroles ni nommer les notes. **Psalmodier,** c'est chanter (des psaumes) sans inflexion de voix, et sur la même note. **Bramer,** proprem. crier en parlant du cerf, du daim, s'emploie parfois aussi, par ext. et péjorativement, en parlant des personnes; c'est chanter d'une manière ridiculement plaintive. **Miauler** est familier; c'est chanter d'une voix comparable à un miaulement, c'est-à-dire d'une façon criarde et prolongée. **Dégoiser,** syn. de *gazouiller,* est vx. **Goualer,** syn. de *chanter,* est un terme d'argot.

chanteur est le nom donné à celui qui chante dans un théâtre, dans la rue, en société, etc.; il s'applique aussi bien à un professionnel qu'à un amateur. **Chansonnier** désigne celui qui fait, qui chante des chansons; il se dit surtout auj. d'un artiste qui interprète ses propres chansons, souvent satiriques, dans les cabarets artistiques. (V. CHANTRE.)

Chanteuse se dit de toute femme qui chante, qui est habile à chanter, ou qui fait métier de chanter. **Divette** désigne une chanteuse en renom, d'opérette ou de café-concert. **Vedette** est un syn. auj. plus usité de *divette.* (A noter qu'il se dit aussi, dans le même sens, d'un CHANTEUR.) **Cantatrice** est moins général que *chanteuse;* il ne s'applique qu'à une chanteuse de morceaux de genre ou d'opéras, professionnelle et de grand talent. **Diva,** qui est peu usité auj., désigne une cantatrice célèbre.

chantier. V. ATELIER.

chantonner. V. CHANTER.

chantre est très partic.; après avoir désigné celui qui est chargé par état de chanter, il ne s'entend plus auj. que de celui qui chante dans une église. **Choriste,** qui se dit d'une personne qui chante dans les chœurs, désigne aussi le chantre du chœur dans une église. (V. CHANTEUR.)

V. aussi POÈTE.

chaos. V. CONFUSION.

chaparder. V. DÉROBER.

chapeau. V. COIFFURE.

chapelain. V. AUMÔNIER.

chapelet désigne un objet de dévotion composé de cinq dizaines de grains enfilés, sur lesquels on dit des « Ave Maria », et à chaque dizaine desquels il y a un grain plus gros sur lequel on dit le « Pater ». **Rosaire** se dit d'un grand chapelet composé de quinze dizaines.

chapelle. V. COTERIE et EGLISE.

chaperon. V. GOUVERNANTE.

chaperonner. V. SUIVRE.

chapiteau. V. TENTE.

chapitre. V. MATIÈRE.

chapitrer. V. RÉPRIMANDER.

chaque. V. TOUT.

charabia. V. GALIMATIAS.

charade. V. ÉNIGME.

charge désigne ce qu'on porte, ce qu'on peut ou ce qu'on doit porter; il n'implique pas forcément l'idée d'un état pénible pour celui qui porte, et peut s'appliquer à des choses inanimées, à un mur, à un bateau, à une voiture, etc. **Fardeau** suppose plus ou moins de peine; il se dit d'une charge qui exige toutes les forces du corps : *On aimerait pouvoir se décharger d'un fardeau trop lourd.* **Faix,** qui est plus du langage littéraire et figuré, désigne un fardeau formé souvent par plusieurs choses accumulées ou par des choses dont le poids augmente, et dont on peut être surchargé, accablé même : *On plie, on succombe sous le faix des affaires, des années.* **Somme,** charge, fardeau que peut porter un cheval, un mulet, un âne, etc., ne s'emploie plus guère que dans les expressions : *Bête de somme, cheval de somme.*

Charge, employé figurément, est le terme qui sert à désigner d'une façon générale toute obligation onéreuse, qu'on se l'impose à soi-même ou qu'elle vous soit imposée. **Dette** se dit proprement et plus spécialement de ce qu'on doit, particulièrement une somme d'argent (prêt, prix d'une chose vendue). **Redevance** concerne une charge, une dette que l'on doit acquitter à époques régulières, en argent ou en nature. (V. IMPÔT.)

V. aussi CARICATURE, DEVOIR et EMPLOI.

charité désigne, dans le langage ordinaire, la vertu qui porte à désirer et à faire le bien de son prochain, en général par principe de religion. **Bienfaisance** se dit de la bonté traduite en actes, et qui, aimant à agir, s'efforce de faire le maximum de bien; il implique l'amour de l'humanité et une disposition naturelle à être utile. **Générosité** désigne la grandeur d'âme et la noblesse de caractère qui font que, par un entier oubli de soi-même, on ne songe qu'aux autres. **Humanité** se dit de la disposition du cœur de celui qui ne peut voir souffrir ceux qui l'entourent sans éprouver le vif désir de soulager leurs souffrances; il suppose beaucoup de sensibilité et le soulagement de maux existants. **Philanthropie** désigne la qualité de celui qui s'occupe d'améliorer le sort de ses semblables, et même de prévenir les maux à venir. **Altruisme** dit moins; s'opposant à l'égoïsme, il s'applique seulement au penchant qui fait que l'on s'intéresse à autrui. (V. BONTÉ, MANSUÉTUDE et PITIÉ.)

V. aussi AUMÔNE.

charivari. V. TAPAGE.

charlatan. V. CAMELOT, IMPOSTEUR et MÉDECIN.

charlatanisme suppose une théorie, un système; c'est l'art de celui qui réussit en exploitant la crédulité publique. **Charlatanerie** est familier et dit moins; il ne s'applique qu'aux petites choses, et a rapport aux actes plutôt qu'au caractère : *La charlatanerie est plus simple, plus accidentelle, plus faite pour le moment, que le charlatanisme.* **Cabotinage** désigne plutôt, dans ce sens, une manifestation de vanité qui essaie de convaincre autrui d'un mérite, d'une valeur que l'on n'a pas : *D'aucuns prétendent que pour arriver, un peu de cabotinage ne nuit pas.*

charmant se dit de ce qui plaît par des qualités qui captivent le cœur et satisfont l'esprit : *La jeunesse est une chose charmante.* **Séduisant** suppose un charme qui attire d'une façon irrésistible, contre lequel on ne peut se défendre : *Une femme séduisante est sans cesse courtisée.* **Ravissant,** qui dit plus, suppose des qualités extraordinaires qui transportent l'âme malgré elle, sans lui laisser le temps de la réflexion; il emporte l'idée d'un plaisir extrême qui met en jeu l'imagination et conduit quelquefois jusqu'à l'extase : *Concert, spectacle ravissant.* **Enchanteur** désigne ce qui inspire un goût vif auquel il est difficile de résister, ce qui impressionne délicieusement les sens, les facultés intellectuelles ou morales; il marque un plaisir où la raison joue son rôle et qui tient un peu à l'admiration : *Les grands artistes sont des enchanteurs.* **Ensorcelant** se dit de ce qui s'empare de l'esprit ou du cœur, en exerçant sur eux une influence inexplicable : *Regards, mots ensorcelants.* **Captivant** emporte l'idée de durée et suppose un vif intérêt; il s'emploie aussi particulièrem. pour désigner l'empire que les passions, surtout l'amour et tout ce qui le fait naître, exercent sur l'homme : *Histoire, beauté captivante.* **Fascinant** implique une espèce de charme qui fait qu'on ne voit pas les choses telles qu'elles sont : *Pouvoir fascinant.* (V. ATTRAYANT.)

charme (du lat. *carmen*, chant, et primitivem. chant magique) se dit au propre de la chose même qui produit un résultat extraordinaire par sa vertu magique . *On porte sur soi un charme.* (Ce terme a aussi, dialectalement, le sens de *sort.*) **Sort** désigne aussi la chose qui opère, mais celle-ci est alors toujours nuisible, ne tend qu'à nuire, qu'à faire du mal aux hommes, aux animaux et aux choses : *On jette un sort sur quelqu'un, sur un troupeau.* **Ensorcellement** se dit de l'action même de jeter un sort ou d'en recevoir un : *L'épilepsie a été longtemps considérée comme un ensorcellement.* **Enchantement** désigne l'action de soumettre à une puissance magique, ou l'état de celui qui y est soumis : *L'enchantement dure plus ou moins longtemps et seul un pouvoir supérieur peut le faire cesser.* **Incantation** (du lat. *incantare,* enchanter) diffère d'*enchantement* par sa forme toute latine qui le rend plus étranger au langage vulgaire; il semble en outre plus propre à désigner l'ensemble des opérations magiques, chants, formules, paroles, etc. : *Prétendre changer l'ordre des phénomènes naturels par des incantations.* **Sortilège** comprend l'action et ses suites; c'est une application particulière de l'art de la sorcellerie : *Le sortilège, c'est l'artifice du sorcier.* **Maléfice** se dit d'un sortilège particulièrement malfaisant : *L'envoûtement et les philtres étaient autrefois les principaux maléfices.* **Prestige** emporte surtout l'idée de grande habileté; il suppose essentiellement l'art de faire illusion par sortilège, sans qu'il s'y attache toutefois l'idée de méchanceté ou de malfaisance : *La même doctrine des signes par des prestiges est établie en mille endroits de l'Ecriture, affirme Jean-Jacques Rousseau.* **Envoûtement,** ou **envoûture** (vx) [de *en* et de l'anc. franç. *voult,* image; du lat. *vultus,* image], est partic.; il se dit de l'opération magique par laquelle on pratiquait jadis sur l'image en cire d'une personne des blessures ou autres effets nuisibles dont elle devait ressentir le contrecoup : *L'envoûtement fut une des croyances les plus répandues dans l'Antiquité.* (V. AMULETTE.)

Charme désigne aussi figurément l'attrait, l'agrément particulier, souvent indéfinissable, d'une personne ou d'une chose, qui fait que celle-ci plaît beaucoup. **Grâce** concerne surtout le charme naturel des formes ou du maintien. **Elégance** se dit d'une sorte d'agrément qui ressemble assez à la grâce, si ce n'est que celle-ci est souvent un don de la nature, et l'autre un résultat de l'art. **Chic,** syn. d'*élégance,* est assez familier. **Vénusté,** syn. de ces termes, est vieux. (V. CHARMANT.)

charmes. V. ATTRAITS.

charmer, pris dans son sens figuré de plaire extrêmement, exprime une émotion délicieuse, un plaisir doux. **Enchanter** enchérit sur *charmer;* il marque un plaisir où la raison joue son rôle et qui tient un peu à l'admiration : *La vue d'un frais visage nous charme; La lecture de beaux vers nous enchante.* **Séduire,** c'est charmer, enchanter, en attirant, en entraînant : *Un intéressant projet nous séduit.* **Ravir** dit plus encore; c'est produire un plaisir extrême qui entraîne hors de la sphère ordinaire, qui transporte, qui met en jeu l'imagination, qui conduit quelquefois jusqu'à l'extase : *Un magnifique spectacle nous ravit.* (V. CONQUÉRIR et PLAIRE.)

V. aussi APPRIVOISER.

charmille. V. CHEMIN.

charnier. V. CIMETIÈRE.

charogne. V. CHAIR et MORT.

charpente. V. CARCASSE.

charrier, c'est transporter des marchandises en « charrette », en « chariot », etc., et, par analogie, emporter, entraîner, en parlant d'un cours d'eau : *Charrier des gerbes du champ à la grange; Rivière qui charrie d'énormes glaçons.* **Charroyer** ne s'emploie qu'au sens étymologique; il est moins usité : *Charroyer des pierres, du vin.* (V. EMPORTER, TRAÎNER et TRANSPORTER.)

charroyer. V. CHARRIER.

charte. V. RÈGLEMENT.

châsse. V. RELIQUAIRE.

chasse à courre. V. VÉNERIE.

chasser est un terme très général;

c'est mettre dehors avec violence, forcer de sortir, de partir de quelque lieu : *Chasser un coquin de sa maison; Chasser des indésirables d'un pays.* **Débusquer,** c'est chasser quelqu'un d'un poste avantageux : *Débusquer l'ennemi d'un village.* **Déloger,** chasser de sa place, de son poste, est familier : *Déloger un fonctionnaire.* **Expulser,** c'est chasser quelqu'un d'un immeuble, d'une ville, d'un pays où il était établi : *Expulser un locataire, des étrangers.* **Refouler** est un néologisme; c'est uniquement expulser des individus indésirables : *Pays qui refoule hors de ses frontières tous les heimatlos.* (V. BANNIR et DÉPORTER.)

V. aussi CONGÉDIER et POUSSER.

chasseur est le nom donné à celui qui guette ou poursuit les animaux pour les prendre ou les tuer. **Nemrod** (nom d'un roi fabuleux de Chaldée, que l'Ecriture appelle « un puissant chasseur devant l'Eternel ») s'emploie, par métonymie, pour désigner un chasseur adroit et infatigable. **Braconnier** est très partic.; il s'applique à celui qui chasse, le gibier surtout, soit en des temps défendus ou des endroits réservés, soit sans permis ou avec des engins prohibés.

Chasseur, lorsqu'il désigne plus spécialement un domestique revêtu d'une livrée et attaché à un hôtel, un restaurant, pour faire les commissions des clients, a pour syn. **groom,** qui ne s'applique qu'à un jeune chasseur. (V. SERVITEUR.)

châssis. V. CADRE.

chaste désigne celui qui s'abstient des plaisirs charnels défendus, et qui en repousse même la pensée, le plus souvent parce qu'il les a en horreur. **Continent** implique seulement le fait de s'abstenir volontairement de ces plaisirs, mais suppose un certain effort, une contrainte. **Pur** implique la chasteté la plus parfaite, l'exemption de toute souillure corporelle et morale. **Sage** se dit surtout des jeunes gens; il entraîne l'idée d'une grande réserve, de la prudence avec laquelle une jeune fille ou un jeune homme évite les occasions dangereuses. **Vertueux** fait penser à la force d'âme, au courage avec lequel on résiste aux désirs charnels. **Tempérant** emporte l'idée de modération, mais non celle d'abstinence complète; il se dit de celui qui a suffisamment de vertu morale pour régler, modérer ses passions et ses désirs, particulièrement ses désirs sensuels. (V. VIERGE.)

chat désigne un animal domestique de l'ordre des carnassiers et de la famille des félins. **Mistigri** et **miaou** sont familiers ainsi que **minet** qui se dit plutôt d'un petit chat. **Mimi** est du langage enfantin, comme **moumoute.** **Matou** est le nom vulgaire du chat mâle et entier. **Raminagrobis** (ou VOMINAGROBIS) se dit plaisamment d'un gros et vieux chat. **Greffier** est un syn. populaire et péjoratif de *chat.*

châtaigne désigne le fruit du châtaignier à l'écorce lisse, de couleur brune tirant un peu sur le rouge, et qui est renfermé — au nombre de deux ou trois — dans une capsule hérissée de piquants. **Marron** est le nom d'une grosse châtaigne — unique dans sa capsule — dont la variété est une des plus estimées des espèces européennes.

château (du lat. *castellum,* forteresse), qui désignait à l'origine une demeure féodale fortifiée, défendue par un fossé, des murailles, un donjon et des tours, puis une habitation féodale, se dit particulièrement des résidences des rois de France et des grands seigneurs à la campagne, et, d'une façon générale, d'une grande et belle maison à la campagne. **Castel** est une ancienne forme du mot *château,* employée le plus souvent auj. ironiquement. **Manoir,** après avoir désigné l'habitation d'un propriétaire de fief qui n'avait pas le droit de construire un château avec tours et donjon, désigne encore auj. un petit château ou une maison ancienne, de style, surtout à la campagne **Gentilhommière** dit moins; c'est simplement la petite maison d'un gentilhomme à la campagne. **Palais** enchérit par contre sur ces termes; il se dit d'un château, presque toujours vaste et somptueux, situé à la ville ou à la campagne, qui était destiné autref. surtout à loger un roi, un prince, ou quelque autre personne revêtue d'une haute dignité.

château d'eau. V. RÉSERVOIR.

châtier. V. PARFAIRE et PUNIR.

châtiment. V. EXPIATION.

chatoiement. V. REFLET.

chatouiller, c'est produire une sensation à la fois agréable et pénible, accompagnée souvent d'un rire convulsif, par des attouchements légers et répétés sur la surface du corps. **Titiller,** c'est causer un chatouillement léger qui produit seulement une sensation agréable.

chatouilleux. V. SUSCEPTIBLE.

chatoyer. V. BRILLER.

châtré se dit généralement des hommes et des animaux, auxquels on a retranché les testicules. **Castrat** ne se dit que des hommes ayant subi cette opération. (A noter que ce terme désignait plus spécialement autref. celui qui avait été châtré dans sa jeunesse pour lui conserver une voix de soprano.) **Eunuque** désigne un castrat employé à la garde des femmes dans un harem. **Hongre** ne se dit que des chevaux.

chattemite. V. DOUCEREUX.

chatterie. V. FRIANDISE.

chaud fait essentiellement penser, au sens propre, à une température élevée. **Brûlant** enchérit sur *chaud;* il attire particulièrement l'attention sur la sensation de grande chaleur éprouvée. **Torride** se dit de ce qui est excessivement chaud, brûlant, en parlant surtout du soleil, du climat.

Chaud, au fig., se dit de ce qui produit dans l'esprit une agitation, une effervescence plus ou moins analogue à celle que le feu donne aux liquides; il suppose une certaine animation. **Chaleureux** marque plus de force et d'entraînement que *chaud,* et indique une sorte d'animation verbale qui tient parfois de l'emphase. **Brûlant** enchérit sur *chaud* et *chaleureux;* il implique une idée d'emportement, et a plutôt rapport à l'état, aux sentiments. **Ardent** a rapport à l'action, mais à une action intérieure. **Bouillant** emporte, comme *ardent,* l'idée d'activité, mais d'une activité extérieure, apparente. (V. ENTHOUSIASTE.)

V. aussi CHALEUR.

chauffer, c'est rendre chaud en présentant au feu ou en approchant d'un corps qui a de la chaleur et qui peut en transmettre. **Echauffer,** c'est faire sortir la chaleur de l'objet lui-même en le frottant, ou par tous autres moyens qui demandent une suite d'efforts, une action plus ou moins prolongée; c'est aussi chauffer quelque chose de grand, même en employant le moyen du feu. (A noter que la nuance est la même pour la forme pronominale de ces verbes : *On se chauffe auprès de son feu, aux rayons du soleil; On s'échauffe à courir, à travailler.*)

chaume. V. CABANE et TIGE.

chaumière, chaumine. V. CABANE.

chaussée. V. VOIE.

chausse-trape. V. PIÈGE.

chausseur. V. CORDONNIER.

chausson désigne une chaussure légère de repos, d'étoffe ou de cuir souple, sans talon et ne couvrant que le pied. **Pantoufle** se dit d'un chausson large et léger, que l'on met chez soi pour être plus à l'aise. **Mule** désigne une pantoufle laissant le talon découvert. **Babouche** se dit d'un chausson d'appartement sans contrefort, en étoffe ou en cuir, qui peut être monté sur talon, et dont l'usage nous est venu du Levant. **Savate** désigne une vieille pantoufle extrêmement usée. **Espadrille** se dit d'un chausson dont l'empeigne est de toile et la semelle tressée de matières végétales.

chaussure est un terme très général; il désigne tout ce qui couvre et protège le pied contre les aspérités du sol et des chemins. **Soulier** désigne une chaussure couvrant le pied ou une partie du pied, mais non le bas de la jambe. **Sandale** se dit d'un soulier à semelle épaisse, à empeigne basse, découvrant le dessus du pied, et maintenu par des courroies. **Botte** désigne une chaussure de cuir qui enferme le pied et la jambe, et quelquefois même le bas de la cuisse. **Bottine** se dit d'une chaussure montante, de forme élégante, à boutons, à lacets ou à élastiques. **Brodequin,** qui s'est dit d'une sorte de chaussure antique qui couvrait le pied et le bas de la jambe, désigne auj. une chaussure solide, montant au-dessus de la cheville, mais ouverte et lacée sur le cou-de-pied. **Godillot,** qui désignait autref. une chaussure militaire sans tige, se dit auj. d'une chaussure quelconque, grossière et mal faite. **Péniche** s'emploie parfois populairem. et ironiquem. pour désigner une grande chaussure.

Ribouis désigne un soulier, en général réparé; il est populaire. **Croquenot, godasse** et **pompe,** syn. de *chaussure,* sont des termes d'argot, ainsi que **grolles,** toujours employé au pluriel. **Sorlot** et **tatane,** syn. de *soulier,* sont aussi des termes d'argot. (V. SABOT.)

chauvin. V. PATRIOTE.

chavirer se dit d'un bateau qui tourne sur lui-même, de manière à montrer sa quille au-dessus de l'eau; il implique un manque d'équilibre. **Couler** dit plus; il suppose que le bateau va graduellement au fond de l'eau, que ce soit par l'effet d'un coup de vent qui le fait chavirer, ou que ce soit par suite d'une voie d'eau; il emporte l'idée d'une immersion complète. **Sombrer** enchérit à son tour sur *couler* en présentant généralement l'action comme plus rapide, moins graduelle. **Cabaner** est un terme de marine syn. de *chavirer.* (V. ABÎMER [s'].)

V. aussi CULBUTER.

chef (du lat. *caput,* tête) est un terme très général qui désigne celui qui est à la tête, qui commande, quelle que soit l'importance de son commandement : *Chef de l'Etat; Chef de parti, d'atelier, de famille;* il se dit plus particulièrement de tout officier. **Commandant** et **capitaine** ne se disent que de chefs militaires, le second impliquant parfois que le chef qui mérite ce titre justifie par tous ses actes des qualités nécessaires au commandement : *Turenne fut un grand capitaine.* **Manitou** est un terme du langage familier souvent employé pour désigner un personnage puissant qui dirige et commande. **Patron,** pris dans le sens de *chef,* est aussi familier.

V. aussi CUISINIER, MATIÈRE et TÊTE.

chef-lieu. V. CAPITALE.

chemin désigne un terrain déblayé et tracé, en général assez étroit, qui mène d'un lieu à un autre en épousant les méandres et les déclivités du sol. **Allée** se dit d'un chemin, en général bordé d'arbres ou de verdure, où l'on peut se promener. **Avenue,** dans ce sens, désigne une allée plantée d'arbres qui conduit à une habitation, comme toute allée d'arbres en ligne droite. **Charmille** est le nom donné à une allée de charmes ou de toute autre espèce d'arbres très rapprochés les uns des autres et généralement taillés pour former une sorte de voûte. — **Sentier** se dit d'un chemin très étroit, le plus souvent accidenté, au travers des champs, des bois, dans la montagne, etc. **Sente** désigne un petit sentier. **Ravin** s'applique à un lieu, à un chemin creusé par les eaux, et, par ext., à un chemin creux. **Cavée,** chemin creux, est peu us. **Piste** est assez partic.; c'est soit un chemin tracé réservé aux cyclistes, aux cavaliers, etc., particulièrement dans les compétitions sportives, soit, dans les pays neufs, un chemin rudimentaire, sommairement aménagé. **Layon** se dit d'un petit sentier que l'on pratique dans des bois touffus pour donner passage aux chasseurs. (V. AVENUE, RUE et VOIE.)

V. aussi TRAJET.

chemineau. V. VAGABOND.

cheminée. V. FOYER.

cheminement. V. TRANCHÉE.

cheminer. V. MARCHER.

chemise se dit d'un vêtement en linge ou en laine, qui couvre le corps du cou aux genoux, et que l'on porte en général sur la peau. **Chemisette** désigne une petite chemise, assez courte, et n'ayant que des demi-manches et le col tenant. **Camisole** (de l'ital. *camiciola,* petite chemise), qui se disait autref. d'un vêtement du matin, en forme de chemise, qui ne descendait pas plus bas que les reins et qui se portait par-dessus la chemise, désigne auj. encore une sorte de courte chemise de nuit. **Bannière, limace** et **liquette,** syn. de *chemise,* sont des termes d'argot.

V. aussi DOSSIER.

chenal. V. CANAL.

chenapan. V. VAURIEN.

cheptel. V. BÉTAIL.

cher. V. COÛTEUX et PRÉCIEUX.

chercher (du lat. *circare,* aller autour; de *circus,* cercle), c'est faire des efforts pour trouver ou retrouver quelqu'un ou quelque chose; il suppose que l'on ignore où est ce que l'on cherche : *Chercher un ami dans la foule.* **Quérir** (du lat. *quaerere,* chercher) ne s'emploie plus guère auj. qu'ironiquem.; il implique que l'on sait où se trouve ce que l'on cherche et suppose soit une mission, soit la ferme intention d'amener ou d'apporter (à noter qu'il est presque toujours us. à l'infinitif et après les verbes « aller », « venir », « envoyer » : *Aller quérir du vin*). **Quêter,** syn. de *chercher,* est un terme de chasse: *Quêter un cerf, un sanglier, des perdrix.* **Rechercher** c'est chercher de nouveau, ou bien chercher avec soin : *On recherche la cause d'un phénomène.* (V. FOUILLER.)

Chercher à. V. ESSAYER.

chère (bonne). V. FESTIN.

chérir. V. AIMER.

chérubin. V. ANGE et ENFANT.

chétif. V. FAIBLE, MAUVAIS et MISÉRABLE.

cheval, qui désigne un quadrupède domestique de la famille des solipèdes servant de bête de trait, de somme ou de monture, est de tous les styles; c'est le nom commun de l'espèce, celui qui désigne l'animal, sans réveiller aucune idée accessoire particulière. **Coursier** appartient à la poésie ou au style le plus relevé; il se dit du cheval de « course » ou de bataille — et réveille l'idée de la noble ardeur avec laquelle cet animal franchit les distances ou affronte les dangers. **Destrier** se disait au Moyen Age d'un cheval de bataille, par opposition à **palefroi** qui désignait un cheval de cérémonie; l'un et l'autre s'emploient quelquefois encore auj. dans le style poétique. **Poulain** est le nom donné au jeune cheval âgé de moins de trente mois. **Roussin** est le nom donné à un cheval entier, de forte taille, qu'on montait surtout à la chasse et à la guerre. **Haridelle,** comme **rossinante** (nom du cheval de don Quichotte), se dit d'un mauvais cheval, maigre et efflanqué. **Bidet** se dit d'un petit cheval et est généralement employé péjorativement. **Rosse** (de l'all. *Ross,* cheval) est du style familier ou burlesque, et se dit toujours d'un mauvais cheval, sans force, sans vigueur. **Mazette,** mauvais petit cheval, est vx. **Gail,** syn. de *cheval,* **bique, bourrin, carcan** et **canasson,** syn. de *rosse,* sont des termes d'argot. **Dada** est du langage enfantin. (V. JUMENT.)

chevalier, nom donné aux nobles admis dans l'ordre de la chevalerie au Moyen Age, se dit auj., figurément, d'une personne qui montre de la noblesse et de la courtoisie dans ses procédés. **Preux,** qui signifia d'abord « honnête », puis « vaillant » et finit par désigner au Moyen Age le héros pourvu de toutes les qualités chevaleresques, s'emploie, par ext., dans le langage élevé, pour désigner un homme d'une grande bravoure; dans ce dernier sens, plus que par l'idée de noblesse, ce terme est dominé par l'idée de vaillance. **Paladin,** nom qui fut donné, dans les romans de chevalerie, après le XVIe siècle, aux pairs qui suivaient Charlemagne à la guerre, puis, par ext., aux chevaliers qui couraient le monde en cherchant des aventures, se dit parfois aussi, et figurém., d'un homme intrépide et animé de sentiments chevaleresques.

chevalier d'industrie. V. ESCROC.

chevalier servant. V. CAVALIER.

chevalière. V. ANNEAU.

chevauchée, qui désigne une promenade à cheval, se dit surtout en parlant d'une troupe nombreuse et brillante. **Cavalcade,** tout en se disant aussi d'une promenade à cheval de plusieurs personnes, s'applique le plus souvent à un défilé pompeux ou grotesque de gens à cheval ou de chars dans une fête publique. (V. DÉFILÉ.)

chevelu. V. POILU.

chevelure. V. CHEVEUX.

cheveux désigne tout ou partie des poils qui recouvrent le dessus de la tête, et, quand il exprime la totalité, il fait penser aux unités qui la composent, quel que soit leur état. **Chevelure,** par contre, se dit toujours de l'ensemble des cheveux, et suppose que ceux-ci sont longs et abondants : *Un homme qui n'a que quelques cheveux sur la tête n'a pas de chevelure.* **Toison, crinière** et **tignasse** sont familiers; ils se disent d'une chevelure très épaisse et difficile à soigner. **Poil** s'emploie aussi parfois familièrement et s'applique surtout alors aux « cheveux dont la couleur passe pour désagréable, ou est altérée par l'âge ». (Acad.) **Perruque** se dit d'une coiffure de faux cheveux et parfois aussi, mais familièrement, d'une chevelure naturelle. **Crins,** syn. de *cheveux,* est très familier et s'emploie par dénigrement. **Plumes** est populaire. **Tif,** syn. de *cheveu* au sing., est surtout usité au pluriel — et s'écrit alors TIFFES — dans le sens général de *chevelure;* il est pop. **Douilles,** syn.

de *cheveux,* est un terme d'argot qui ne s'emploie qu'au pluriel.

chèvre désigne un genre de mammifères de l'ordre des ruminants, à cornes creuses et persistantes, et à menton garni d'une barbe. **Bique** est le nom familier de la *chèvre.*

chevroter, c'est parler, chanter d'une voix tremblotante, qui rappelle le bêlement de la chèvre. **Trembler** et **trembloter,** dans ce sens particulier, sont du langage ordinaire.

chez-soi. V. MAISON.

chiasse. V. EXCRÉMENT.

chic. V. ADRESSE, CHARME et ÉLÉGANT.

chicane se dit d'une querelle de mauvaise foi fondée sur des subtilités ou des prétextes. **Chicanerie** désigne une misérable petite chicane, ou une chicane plus artificieuse, plus subtile encore. **Bisbille** se dit d'une chicane sur des objets futiles. **Tracasserie** suppose une suite de chicanes qui portent sur de telles bagatelles qu'elles agacent, énervent; il implique inquiétude et tourment. **Chipoterie** est un syn. familier de *tracasserie.* (V. CONTESTATION, DISCUSSION et DISPUTE.)

chicaner se prend toujours en mauv. part; c'est élever, sur des arguties et des bagatelles, de mauvaises difficultés. **Incidenter,** qui s'emploie quelquefois en bonne part, suppose que l'on fait naître des difficultés sur des points accessoires, mais qui ne sont cependant pas forcément futiles ou mal fondés. **Ergoter** (du lat. *ergo,* donc, conj. qui revenait sans cesse dans les arguments des scolastiques), c'est chicaner dans la discussion, contester mal à propos, avec importunité. **Chipoter,** comme **pointiller,** syn. de *chicaner,* est familier. **Vétiller** est peu usité. (V. CRITIQUER et DÉBATTRE.)

V. aussi TOURMENTER.

chicanerie. V. CHICANE.

chiche marque l'excessive parcimonie dans la dépense. **Ladre** suppose de l'insensibilité; il se dit de celui qui, restant sourd à toutes les prières, ne dépenserait pas un sou pour soulager les malheureux. **Mesquin** est un terme relatif; il marque l'avarice de celui qui dépense toujours moins que les circonstances ne l'exigent. **Parcimonieux** se dit de celui qui est chiche jusque dans les plus petites choses. **Lésineur** et **liardeur,** syn. de *parcimonieux,* sont peu usités. **Regardant** et **serré,** aussi syn. de *parcimonieux,* sont familiers. **Pingre** se dit de celui qui est chiche à l'extrême. **Regrattier,** qui ne s'emploie que substantivement, se dit bien en parlant d'une personne chiche qui, sur un compte, sur une dépense d'une grosse somme, fait des réductions aux plus petits objets; il est peu usité auj. **Crasseux** se dit parfois de celui qui est chiche au point de négliger sa personne. **Sordide** annonce l'extérieur misérable et souvent sale de celui qui se refuse les choses les plus nécessaires. **Taquin,** dans ce sens, est vx; il montre la personne chiche, ladre, marchandant, chicanant à tout propos pour dépenser peu. **Vilain,** syn. de *ladre,* est également vx; il marque essentiellement le défaut de générosité. **Chien, radin, rapiat** et **rat,** syn. de *pingre,* sont populaires. (V. AVARE.)

chichi. V. FAÇON

chicot. V. DENT.

chien désigne un quadrupède domestique digitigrade de l'ordre des carnassiers. **Roquet** est le nom vulgaire donné à tous les chiens domestiques de petite taille qui aboient rageusement après tout le monde. **Toutou,** syn. de *chien,* est du langage enfantin ou familier. **Cabot, clebs** et **clébard** sont des termes d'argot plutôt péjoratifs.

chiffonner, c'est gâter par une multitude de petits plis irréguliers. **Friper** dit moins; il implique simplement quelques plis irréguliers et non une grande quantité. **Froisser,** c'est chiffonner, friper brusquement. **Bouchonner,** c'est chiffonner en mettant en bouchon.

V. aussi PLISSER et TOURMENTER.

chiffonnier, nom donné à celui qui fait métier de ramasser les chiffons, les papiers jetés sur la voie publique, les objets mis dans les boîtes à ordures, a pour syn. argotique **biffin** et **chineur** (ce dernier moins usité). **Triqueur** désigne populairement un chiffonnier en gros qui fait le triage.

V. aussi COMMODE.

chiffre. V. NOMBRE.

chimère. V. ILLUSION.

chimérique. V. IMAGINAIRE.

1. **chiner.** V. ACHETER, CRITIQUER et RAILLER.

2. **chiner.** V. BARIOLER.
chiper. V. DÉROBER.
chipoter. V. CHICANER et MANGER.
chipoterie. V. CHICANE.
chiquenaude se dit d'un coup appliqué sur un lieu indéterminé avec le majeur plié et raidi contre le pouce, puis détendu brusquement. **Pichenette** désigne une petite chiquenaude. **Croquignole** se dit d'une chiquenaude donnée sur toute partie du visage. **Nasarde** (du lat. *nasus,* nez) désigne, par son étymologie même, une chiquenaude appliquée sur le nez.
chiromancien. V. DEVIN.
chirurgien. V. MÉDECIN.
chiure. V. EXCRÉMENT.
choc. V. ÉBRANLEMENT, ÉCHAUFFOURÉE et HEURT.
choir. V. TOMBER.
choisir (du german. *kausjan,* éprouver, goûter), c'est se déterminer en faveur d'une chose plutôt que d'une autre; il marque particulièrement la comparaison qu'on fait de tout ce qui se présente pour connaître ce qui vaut le mieux et le prendre : *Choisir une étoffe, un cheval, ses amis.* **Jeter son dévolu sur** est familier et plus partic.; il emporte généralement l'idée d'une détermination nette; c'est fixer fermement son choix, arrêter ses vues : *On jette son dévolu sur ce que l'on veut avoir.* **Faire choix** est plutôt relatif aux personnes et se dit proprement de celles qu'on veut élever à quelque emploi ou dignité; il indique plus précisément la simple distinction qu'on fait d'un sujet préférablem. aux autres : *Chef d'Etat qui fait choix de ses ministres.* **Elire** (du lat. *eligere,* choisir, tirer hors) se rapproche de *faire choix,* mais, tandis que ce dernier ne se dit que du supérieur relativement à un inférieur, il se dit plutôt du peuple ou d'un certain nombre d'individus qui portent, par leurs suffrages, un citoyen à une fonction quelconque : *Elire un député, un président.* **Opter,** c'est choisir étant contraint de se décider : *Opter dans un délai déterminé.* **Adopter,** c'est choisir de préférence, et en général pour toujours : *Adopter un pseudonyme, une patrie.* **Coopter** (du lat. *cum,* avec, et *optare,* choisir), c'est choisir, par entente commune, en parlant de l'admission d'une personne dans un corps, une assemblée : *L'Académie française coopte ses membres.* (V. PRÉFÉRER et TRIER.)
choix désigne ce qu'il y a de meilleur dans les choses d'un même genre : *Un heureux choix de mots.* **Assortiment,** dans ce sens, ne se dit que des marchandises : *Un assortiment de soieries, de chaussures, de légumes.* (V. CHOISIR.)
V. aussi ÉLECTION et ÉLITE.
choix (faire). V. CHOISIR.
chômer. V. FÊTER.
chopper. V. BUTER.
choquer. V. DÉPLAIRE et HEURTER.
Se choquer. V. OFFENSER (S').
chorégraphie. V. DANSE.
choriste. V. CHANTRE et FIGURANT.
chorus (faire). V. APPROUVER.
chouchou. V. FAVORI.
chouchouter, choyer. V. SOIGNER.
chrestomathie. V. ANTHOLOGIE.
chronique. V. ANNALES et ARTICLE.
chronologie. V. ANNALES.
chronomètre. V. MONTRE.
chuchoter. V. MURMURER.
chut. V. PAIX.
chute désigne l'action d'une chose qui tombe, et, par ext., en parlant des personnes ou des institutions, qui est diminuée ou qui périt : *La chute d'une pierre; Cet homme élevé si haut, le voilà tombé, et jamais il ne se relèvera de sa chute; La chute de la monarchie, de la république.* **Renversement** éveille l'idée d'une chose mise à l'envers, l'action de tomber sens dessus dessous; il suppose un grand désordre dans la chute et fait penser à une cause violente qui, au propre comme au fig., bouleverse et amène la destruction : *Renversement d'un mur, d'un ministère.* **Ruine** se dit d'une chute lente, et implique que l'objet ruiné s'en va par morceaux, se désagrège, pour finir par subir une destruction complète : *Château qui menace ruine; Travailler à la ruine de sa patrie.* (V. ABAISSEMENT.)
Chute, dans un sens plus particulier, désigne une masse d'eau qui se précipite d'une grande hauteur. **Cascade** se dit d'une chute d'eau qui tombe de rocher en rocher; il suppose une chute par bonds. **Cataracte** désigne une

chute d'eau, plus ou moins considérable, qui se produit par suite d'une interruption brusque dans le niveau du lit d'un fleuve. **Saut** se dit parfois d'une chute : *Le saut du Doubs.* **Cascatelle** désigne une petite cascade.

V. aussi DÉCHET.

ci-annexé. V. CI-JOINT.

cicatrice est un terme très général; il désigne la pellicule, d'abord rougeâtre, puis blanchâtre et plus ou moins épaisse, qui se forme à la surface des plaies ou des ulcères, après leur guérison : *Les cicatrices récentes sont quelquefois le siège de douleurs.* **Balafre** (du lat. *bis labrum,* double lèvre) est plus partic.; il se dit de la cicatrice résultant d'une blessure faite par une arme tranchante, spécialement au visage : *Etre défiguré par une profonde balafre.* **Stigmate** (lat. *stigmata,* marque au fer chaud), marque, cicatrice durable que laisse une maladie, une plaie, est peu usité aujourd'hui. (V. ENTAILLE.)

cicerone. V. GUIDE.

ci-devant. V. ARISTOCRATE.

ciel, nom donné à l'espace indéfini dans lequel se meuvent tous les astres, désigne spécialement dans le langage courant, l'espace qui s'étend au-dessus de nos têtes et forme une sorte de voûte circonscrite par l'horizon. **Firmament** est plus partic. et surtout du style soutenu; il désigne la voûte céleste où les astres semblent attachés : *Ciel fait surtout penser au fond sur lequel se détachent les astres, et firmament aux astres eux-mêmes.*

Ciel, comme **cieux,** dans le langage religieux, désigne le sanctuaire où réside Dieu, où les saints le voient face à face, le contemplent et l'adorent; il emporte l'idée de gloire et de sainteté. **Paradis,** qui se dit seulement de la cité des bienheureux, est le lieu où l'on jouit d'une béatitude parfaite; il fait songer surtout au bonheur dont jouissent les élus, et s'oppose à l' « enfer » : *Le paradis est dans le ciel.* (A noter que *paradis* s'emploie au fig. pour désigner un lieu plein de délices : *L'Italie est le paradis de la terre*). **Jérusalem céleste** et **Jérusalem nouvelle** s'emploient dans le style mystique pour désigner le séjour bienheureux des chrétiens. **Olympe** est un terme de mythologie grecque désignant le séjour des dieux du paganisme ancien. **Empyrée** se disait, dans l'Antiquité, de la partie la plus élevée du ciel que les dieux habitaient. **Champs Elysées** désigne les lieux où, selon les Anciens, les âmes des justes sont reçues après leur mort. **Walhalla** est un terme de mythologie scandinave; il se dit d'une sorte de paradis réservé aux héros morts au combat.

V. aussi DAIS.

ciel de lit. V. DAIS.

ci-inclus. V. CI-JOINT.

ci-joint concerne ce qu'on ajoute à ce dont on parle. **Ci-inclus** s'applique à ce que l'on renferme avec ce qu'on envoie : *Ci-joint les renseignements demandés; Ci-joint* ou *ci-inclus, dans cette enveloppe, le chèque promis.* **Ci-annexé** implique des pièces jointes à l'appui d'un ouvrage, d'un rapport, d'un procès verbal, etc. : *Copies ci-annexées.* (Du point de vue grammatical, ces termes sont invariables soit au commencement d'une phrase, soit devant un substantif employé sans article et sans adjectif déterminatif.)

cime. V. SOMMET.

cimenter se dit figurément des choses où l'on voit distinctement des parties qui pourraient se désunir et entre lesquelles on met un lien pour les rendre indissolubles : *On cimente l'amitié, une union, une alliance, par des concessions communes.* **Sceller,** c'est ajouter quelque chose, quelque signe qui consacre : *Les apôtres scellèrent leur témoignage de leur sang.* (V. AFFERMIR.)

cimeterre. V. ÉPÉE.

cimetière (du grec *koimêtêrion,* proprem. lieu où l'on dort) désigne un terrain où l'on enterre les morts. **Nécropole** (du grec *nékropolis,* proprem. ville des morts) enchérit sur *cimetière;* il se dit d'un grand cimetière orné de monuments funéraires. **Columbarium** est plus partic.; il se dit auj. d'un bâtiment pourvu de niches où sont conservées les cendres des personnes incinérées. **Ossuaire,** assez partic. aussi, se dit d'un lieu où l'on entasse seulement des ossements, souvent près des champs de bataille. **Catacombes** désigne une cavité souterraine ou une excavation d'anciennes carrières ayant servi de sépulture ou d'ossuaire. **Crypte** est le nom donné au souterrain d'une église où l'on enterrait autrefois des morts. **Champ des morts, champ du repos,** sont des syn. poétiques de *cimetière*. **Cayenne,** syn. de *cimetière,* est un terme d'argot et **charnier,** en ce sens, est vieux.

cinématographier, c'est photographier une scène quelconque à l'aide d'un appareil de cinématographie, en vue de la reproduire à l'écran : *Cinématographier un enfant qui est en train de jouer*. **Filmer** implique le plus souvent une certaine mise en scène ou la prise de vues d'une scène constituant une actualité; il s'applique plutôt aux professionnels qu'aux amateurs : *Une scène cinématographique n'est filmée parfois qu'après de nombreuses répétitions*. **Tourner,** syn. de *filmer,* est un terme de métier : *Tourner un film avec de nombreuses vedettes.*

cingler. V. BATTRE.

circonférence. V. ROND et TOUR.

circonlocution. V. PÉRIPHRASE.

circonscrire. V. LOCALISER.

circonspect. V. PRUDENT.

circonspection suppose la crainte de laisser échapper dans sa conduite ou son langage quelque chose qui puisse déplaire à quelqu'un ou nous causer à nous-même un préjudice quelconque; il implique souvent soit dissimulation, soit calcul intéressé : *A l'égard des puissants, mieux vaut agir avec circonspection*. **Discrétion** se prend en meilleure part; il suppose un discernement, une modération qui provient du respect que l'on a pour soi-même, du sentiment de sa dignité personnelle : *Il faut savoir se retirer avec discrétion, lorsqu'on s'aperçoit qu'on est de trop*. **Réserve** implique surtout de la froideur de caractère, parfois même une certaine hauteur : *Une familiarité sans réserve*. **Retenue** emporte l'idée de modération et de modestie dues à une complète possession, une parfaite maîtrise de soi; c'est une réserve qui, dans les relations de la vie civile, ne nous laisse en aucun cas dépasser les justes bornes posées par les règles de la société : *Admirer la retenue de ceux qui ne s'emportent jamais*. **Réticence** appelle avant tout l'idée de prudence; c'est l'action de taire à dessein une chose qu'on pourrait ou qu'on devrait dire : *Les réticences de la diplomatie*. **Quant-à-soi,** comme **quant-à-moi,** est familier et implique une réserve fière et distante : *Celui qui ne veut pas révéler ses pensées reste sur son quant-à-soi.*

circonstance. V. CAS.

circonstancié. V. DÉTAILLÉ.

circonvenir. V. CORROMPRE.

circuit. V. TOUR.

ciseler. V. PARFAIRE.

citadelle. V. FORTERESSE.

cité. V. VILLE.

citer, c'est signaler quelqu'un ou quelque chose : *On cite ce qui a été dit ou écrit par un autre; On cite un fait, un exemple*. **Alléguer,** c'est citer une autorité, un fait, mais pour s'en prévaloir : *On allègue une raison, une preuve, un fait qu'on met en avant pour servir de preuve*. **Produire,** c'est citer ce qui était inconnu, ce qui était en réserve, pour appuyer sa thèse ou ses droits : *On produit des titres, des preuves, des témoins*. **Rapporter,** c'est citer à nouveau ce que l'on a pu déjà dire ou ce que d'autres ont dit; c'est aussi citer une chose dans les termes mêmes dont une autre personne s'est servie, mais en se les appropriant en quelque sorte et comme si l'on parlait de soi-même : *On rapporte des passages des Pères, la pensée d'un auteur, en la faisant sienne*. **Mentionner,** c'est citer de vive voix ou par écrit : *On mentionne une personne, un fait, dans une enquête*. **Consigner,** c'est seulement citer, rapporter dans un écrit, dans une pièce officielle : *On consigne une personne, un fait, dans un procès-verbal.* (V. INDIQUER.)

citerne. V. RÉSERVOIR.

civière désigne un engin à quatre bras, porté par deux hommes, et servant au transport de fardeaux, de blessés, etc. **Brancard** se dit d'une espèce de civière sur laquelle on transporte seulement des malades, des blessés, des choses fragiles. **Bard** désigne une grande civière ne servant à transporter que des fardeaux, des matériaux. **Bayart** est un syn. peu usité de *bard*.

civil n'est relatif qu'au citoyen considéré comme homme par rapport aux autres citoyens : *Les droits civils, c'est le droit de se marier, d'hériter, de tester, de posséder et de faire respecter* *sa propriété.* **Civique** s'applique au citoyen considéré par rapport à l'Etat, à l'organisation politique : *Les devoirs civiques comprennent tout ce qu'un bon citoyen doit faire au point de vue du patriotisme.*

V. aussi AFFABILITÉ.

civilisation, qui désigne l'action de civiliser comme le résultat de cette action, s'emploie souvent aussi pour indiquer les modes divers dans le développement intellectuel, moral et industriel des sociétés; appliqué à l'ensemble des connaissances, des mœurs, des idées d'un pays civilisé, il suppose une action lente des siècles en vertu de laquelle les mœurs des hommes se polissent de plus en plus. **Culture,** pris dans le sens de *civilisation* (d'après l'allemand *Kultur*) est d'un emploi moins courant.

civilisé est un terme général; il s'oppose à « brut » et se dit d'un peuple ou d'un individu de ce peuple que l'action lente des siècles a sorti de sa barbarie et élevé plus ou moins au-dessus de la condition animale, sous l'influence des religions, des institutions politiques, des mœurs, des arts, du commerce, de l'industrie. **Poli,** qui s'oppose à « grossier », enchérit sur *civilisé* et marque un degré de civilisation encore plus avancé : *Un peuple civilisé devient poli quand il a du goût, de la délicatesse, quand sa littérature et ses arts atteignent un haut degré de perfection, quand les relations sociales y sont pleines de douceur et de charme.* **Policé,** par contre, a une signification moins étendue que *civilisé;* il s'oppose à « sauvage » et ne se rapporte guère qu'au bon ordre fondé sur l'exécution des lois : *Un peuple policé n'est pas forcément un peuple poli, ni même civilisé, son état de politesse ou de civilisation est plus récent et moins accentué, et il peut y demeurer encore quelque cupidité, quelque rudesse, et, par suite, quelque grossièreté.*

civilité. V. AFFABILITÉ.

Civilités. V. HOMMAGES.

civique. V. CIVIL.

civisme. V. PATRIOTISME.

clabauder. V. MÉDIRE.

clair se dit figurément de ce qui se conçoit aisément, de ce qui ne donne lieu à aucune équivoque, et, de ce fait, n'a pas besoin d'explications. **Evident** emporte surtout l'idée de certitude, de conviction; il s'applique à ce qui ressort à la vue, à ce que l'esprit ne peut pas ne pas voir, ne pas admettre. **Manifeste** désigne ce qui paraît à découvert, ce que rien ne cache ou ne dissimule. (V. COMPRÉHENSIBLE.)

V aussi CATÉGORIQUE, FLUIDE et TRANSPARENT.

clairon. V. TROMPETTE.

clairvoyance désigne une qualité naturelle de l'esprit qui sait distinguer les choses de manière à ne pas se laisser tromper; il emporte l'idée d'intelligence. **Lucidité** est la qualité de celui qui voit les choses clairement, telles qu'elles sont, et non pas telles qu'elles apparaissent ou telles qu'on les montre. **Pénétration** emporte l'idée de profondeur et d'étendue; il se dit de la clairvoyance qui permet de voir au fond, de saisir profondément, de ne pas s'arrêter à la surface, à l'apparence des choses. **Finesse** fait essentiellement penser à une facilité naturelle de l'esprit qui permet de saisir rapidement les rapports les plus éloignés des choses entre elles. **Perspicacité** suppose la faculté de concevoir ce qui est obscur et caché, de connaître la vérité, en dépit des obstacles et quelques précautions qu'on ait prises pour la soustraire aux regards; il implique examen, réflexions, comparaisons. **Sagacité** (du lat. *sagax,* proprement qui a l'odorat subtil) emporte l'idée de pénétration naturelle; c'est le don, l'habileté toute spéciale, presque l'instinct, qui fait que rien n'échappe à la vue de l'esprit. **Acuité,** proprement qualité de ce qui est aigu, s'emploie parfois aussi auj. pour désigner une finesse, une pénétration très profonde de l'esprit. **Flair,** comme **nez,** est familier; il désigne la perspicacité de celui qui, ayant de la finesse, prévoit, pressent et devine les choses.

clamer. V. CRIER.

clampin. V. BOITEUX et PARESSEUX.

clan. V. COTERIE et PARTI.

clandestin. V. CACHÉ.

claque. V. GIFLE.

claquemurer. V. ENFERMER.

claquer. V. ROMPRE (SE).

clarifier. V. PURIFIER.

clarine. V. CLOCHETTE.

clarté. V. LUMIÈRE.

classe (du lat. *classis,* proprem. appel) suppose des divisions artificielles établies par les hommes selon certaines vues et d'après des points de ressemblance pris plus ou moins arbitrairement. **Ordre** (du lat. *ordo,* disposition, règle) est un terme plus noble, plus relevé; il emporte l'idée de hiérarchie et implique des distinctions nettement marquées. **Sorte** (du lat. *sors, sortis,* sort, manière d'être), qui est du langage commun et familier, est un terme vague, indéterminé; il n'indique pas de classification faite par l'homme ou par la nature, et s'applique surtout à ce qui marque multiplicité sans distinction. **Catégorie** (du grec *katègoria,* objet dont on peut parler) désigne toute classe de personnes ou d'objets de même nature; c'est la classe dans laquelle une chose doit être placée d'après sa nature.

V. aussi RANG.

classement désigne l'action de ranger effectivement d'après un certain ordre : *Classement de candidats, de livres, de papiers.* **Classification** se dit de l'ensemble des règles qui doivent présider au classement effectif ou qui déterminent idéalement un ordre dans les objets : *Pour l'application des tarifs de transport par voie ferrée les marchandises sont l'objet d'une classification spéciale.*

classer. V. RANGER.

classification. V. CLASSEMENT.

claudiquer. V. BOITER.

clause. V. CONDITION.

claustrer. V. ENFERMER.

clément. V. INDULGENT.

clerc régulier. V. RELIGIEUX.

cliché. V. PONCIF.

client. V. ACHETEUR.

climat (du grec *klima,* inclinaison, et particulièrem. inclinaison d'une région terrestre relativement au soleil) désigne l'ensemble des conditions atmosphériques et météorologiques d'un pays : *Climat chaud, froid, tempéré, doux, agréable.* **Température,** dans ce sens, que l'on emploie alors spécialem. et absolum., dit moins; il ne s'applique qu'à l'état atmosphérique considéré au point de vue de son action sur nos organes : *Les variations de la température.* (V. TEMPS.)

V. aussi MILIEU et PAYS.

clinicien. V. MÉDECIN.

clinique. V. HÔPITAL.

clinquant. V. BRILLANT.

clique. V. COTERIE.

cloaque (lat. *cloaca,* du grec *kluzein,* nettoyer), qui désignait dans l'Antiquité romaine un souterrain voûté par lequel s'écoulaient les eaux pluviales et les immondices de la ville, se dit auj. d'un lieu destiné à recevoir les eaux sales, les immondices, et, par ext. d'un amas d'eau croupie et infecte. **Egout,** dans ce sens, désigne un conduit, couvert ou non, destiné au transport des eaux de pluies, des eaux ménagères, etc., dans un cours d'eau ou dans un terrain propre à les absorber. **Bourbier** désigne tout lieu plus ou moins profond plein d'une eau sale, au fond de laquelle croupit une boue noire et épaisse. **Sentine** est plus partic.; il se dit au propre et dans le langage maritime de la partie la plus basse de la cale d'un navire où les eaux s'amassent et croupissent.

cloche désigne un instrument fait de métal, ordinairement de bronze, creux, en forme de poire ouverte par le bas, et dont on tire du son au moyen d'un battant suspendu dans l'intérieur ou quelquefois à l'aide d'un marteau extérieur. **Bourdon** se dit d'une grosse cloche : *Le bourdon de Notre-Dame.* (V. CLOCHETTE.)

clocher désigne une construction en maçonnerie ou en charpente, en général terminée en pointe et élevée ordinairem. au dessus d'une église, dans laquelle sont suspendues les « cloches ». **Campanile** (de l'ital. *campanile,* clocher) se dit d'un clocher italien, et, en général, d'une tour légère, travaillée à jour, servant à porter les cloches d'une église, et le plus souvent isolée de cet édifice. **Beffroi** se dit d'un clocher, d'une tour de ville, où se trouve une cloche qui était destinée autref. soit à donner l'alarme, soit à convoquer les hommes de la commune. **Tour d'église** désigne parfois le clocher.

V. aussi BOITER.

clochette se dit d'un petit instrument de métal, en forme de coupe renversée, que l'on fait tinter grâce à un battant mobile suspendu à l'intérieur. **Sonnette** se dit d'une clochette ordinairement fort petite, dont on se sert pour appeler ou pour avertir. **Timbre** désigne une sorte de clochette métallique, immobile, qui n'a pas de battant, mais est frappée par un marteau, lequel est en général placé en dehors. **Sonnaille** désigne une clochette mise au cou des bêtes paissant ou voyageant. **Campane,** comme **clarine,** syn. de *sonnaille,* est dialectal. **Grelot** est plus partic.; il se dit d'une boule de métal creuse, percée de trous, renfermant un morceau de métal qui la fait résonner dès qu'on l'agite. (V. CLOCHE.)

cloître (du lat. *claustrum,* clôture), qui a le sens général de *couvent* et de *monastère,* exprime au propre une idée de clôture; c'est un lieu où l'on est séparé du monde par une barrière infranchissable, et, par ext., l'état même de ceux qui renoncent au monde. **Couvent** (du lat. *conventus,* assemblée) suppose la vie commune, la réunion d'un certain nombre de personnes vivant sous la même règle; c'est auj. le terme qui sert le plus souvent à désigner une maison de religieux ou de religieuses. **Monastère** (du grec *monastês,* moine, formé de *monos,* seul) est moins général; il se dit seulement d'un grand établissement de moines ou de religieuses où chacun d'eux vit, sinon seul, du moins dans la retraite, l'isolement, la solitude : *On s'enferme dans un cloître; on entre dans un couvent; on se retire dans un monastère.* **Abbaye** ne s'applique qu'à un monastère dirigé par un abbé ou une abbesse. **Prieuré** est le nom donné au monastère dirigé par un prieur. **Béguinage** est plus particulier encore; il désigne un établissement, une communauté de religieuses, répandues surtout en Belgique et aux Pays-Bas, qui sont soumises aux règles monastiques sans avoir prononcé de vœux. **Convent** est une forme ancienne de *couvent,* comme **moutier** l'est de *monastère.*

cloîtrer. V. ENFERMER.

clopiner. V. BOITER.

cloque. V. AMPOULE.

clore. V. ENTOURER et FERMER.

clos. V. TERRAIN et VIGNE.

clôture (du lat. *claudere,* fermer) est un terme général; il désigne tout ce qui ferme un espace : mur, haie, assemblage quelconque. **Barrière** se dit d'une clôture formée d'un assemblage de pièces de bois ou de métal. **Palissade,** comme **palis,** désigne une clôture faite avec des pieux ou des planches étroites qu'on enfonce en terre, en les faisant se toucher, *palissade* supposant toutefois un ouvrage plus important, plus soigné que *palis.* **Treillage** se dit d'un assemblage de lattes ou d'échalas posés parallèlement ou croisés en divers sens, formant palissade, et, plus spécialem., d'une clôture servant à déterminer les limites des terrains occupés par un chemin de fer et ses dépendances. **Treillis** désigne un ouvrage de bois ou de métal qui imite les mailles en losange d'un filet, et qui sert de clôture, sans intercepter l'air ni la vue. **Grille** se dit d'une clôture formée de barreaux de fer plus ou moins ouvragés. **Clédal** est le nom donné en Suisse à une clôture de verger. **Clie** est la barrière qui, dans le Poitou, ferme les champs enclos.

clôturer. V. ENTOURER.

clou. V. FURONCLE.

clown, qui désigne un personnage grotesque du théâtre anglais, se dit en France d'un acteur bouffon, d'une grande agilité, d'une grande souplesse, qui, dans les cirques, divertit le public par sa feinte maladresse et ses lazzi. **Pitre** se dit plutôt d'un acteur populaire chargé d'amuser la foule amassée autour des tréteaux des charlatans, d'une baraque foraine, par des grimaces et de grosses plaisanteries; il implique moins d'esprit que *clown.* **Paillasse,** syn. de *pitre,* suppose en général que ce personnage bouffon est vêtu d'une toile à carreaux semblable à celle dont on faisait ordinairem. les « paillasses » — d'où son nom. **Auguste,** nom d'homme qui, employé par antonomase, devient dans ce sens nom commun, désigne un type de clown se donnant l'air niais, et qui gesticule plus qu'il ne parle. **Gugusse** est un syn. familier d'*auguste.* (V. BOUFFON.)

club. V. CÉNACLE.

cluse. V. VALLÉE.

clystère. V. LAVEMENT.

coadjuteur. V. AIDE.

coaguler est plutôt un terme didactique; c'est faire qu'un liquide s'épaississe et se prenne en une masse molle et tremblante : *Coaguler une solution d'albumine*. **Cailler** est du langage courant; il se dit surtout du sang, et, plus particulièrement encore, du lait : *L'air caille le sang; La présure caille le lait*. **Figer** s'emploie aussi en parlant du sang, mais surtout des matières grasses : *Le venin de la vipère fige le sang; Sauce qui fige vite*. **Caillebotter** est moins us. que *coaguler : Le vinaigre caillebotte le lait*. **Grumeler,** c'est mettre en grumeaux, c'est-à-dire en petites portions de matière caillée et gluante : *Le lait tourné se grumelle*. (V. CONGELER.)

coaliser. V. UNIR.

coalition désigne la réunion, l'agrégation passagère de deux ou plusieurs partis, puissances ou gouvernements, dont les intérêts divers concordent sur un ou plusieurs points, et qui poursuivent en commun le même but, offensif ou défensif; il se dit aussi, par ext., de toute sorte d'association organisée dans un but de résistance : *Coalition de rois, de peuples, d'ouvriers*. **Ligue** se dit soit d'une coalition d'Etats, soit d'une association formée dans un Etat, ayant pour but de défendre des intérêts politiques, religieux, etc. : *La ligue d'Augsbourg; La ligue des Patriotes; La ligue des Droits de l'homme et du citoyen*. **Faisceau** désigne une coalition, le plus souvent politique, de personnes dont la réunion compose un ensemble solide et puissant : *Un faisceau de patriotes; Les faisceaux fascistes*. **Front** suppose une coalition faite surtout dans un but offensif; il implique l'idée d'une lutte acharnée contre quelqu'un ou quelque chose : *Front national; Front populaire*. **Phalange** emporte l'idée d'une organisation paramilitaire : *Les phalanges républicaines, universitaires*. **Bloc** désigne une coalition parlementaire : *Bloc national; Bloc des gauches*. (V. FÉDÉRATION et SOCIÉTÉ.)

coaltar. V. GOUDRON.

cocardier. V. PATRIOTE.

cocasse. V. COMIQUE.

coche. V. CHALAND et ENTAILLE.

1. **cocher,** nom donné à celui qui conduit une voiture de maître ou une voiture publique hippomobile, a pour syn., le plus souvent employé dans un sens plaisant, **automédon,** par allusion au personnage de la mythologie grecque, conducteur du char d'Achille. **Collignon** (du nom d'un cocher assassin [1855]) est un terme du langage populaire qui s'applique, le plus souvent péjorativement, à un cocher de fiacre.

2. **cocher.** V. ACCOUPLER (s').

cochon. V. MALPROPRE et PORC.

code. V. RÈGLEMENT.

coercition. V. CONTRAINTE.

cœur. V. ÉNERGIE.

cœur (de bon). V. VOLONTAIREMENT.

coffre désigne une sorte de meuble en forme de caisse que l'on ouvre en levant un couvercle, et qui est susceptible de servir à la fois d'armoire et de banc : *Autrefois très employé, le coffre est à l'origine même de l'ameublement*. **Bahut,** qui a vieilli dans ce sens, se disait autref. d'un coffre reposant sur le sol, couvert le plus souvent de cuir, et dont le couvercle était bombé : *Au Moyen Age, le bahut servait d'armoire*. **Huche** est plus partic.; il se dit seulement d'un grand coffre de bois dans lequel on pétrit ou conserve le pain. **Maie,** syn. de *huche,* est moins usité. **Arche** est vx; il désignait au Moyen Age une sorte de coffre où l'on mettait des vêtements, des objets précieux, et même de l'argent : *L'arche, dont les panneaux étaient abondamment sculptés, servait aussi de siège*. (V. ARMOIRE et COMMODE.)

V. aussi BOÎTE.

coffrer. V. EMPRISONNER.

coffret. V. BOÎTE.

cognée. V. HACHE.

cogner. V. BATTRE, FRAPPER et HEURTER.

cohérence, cohésion. V. ADHÉRENCE.

cohorte. V. TROUPE.

cohue. V. FOULE.

coiffer. V. PEIGNER.

coiffeur désigne celui qui fait métier d'arranger, de tailler, de friser les cheveux, la barbe. **Artiste capillaire** est le titre que l'on donne parfois à certains coiffeurs; il emporte souvent une nuance pédante. **Perruquier,** syn. vieilli de *coiffeur,* ne se dit plus guère auj. que de celui qui fait des perruques. **Barbier,** qui s'est dit d'abord de celui dont la profession était de soigner et de raser la barbe, puis, par ext., du coiffeur, est vx et peu usité auj. **Figaro,** qui désignait autref. un barbier malicieux, est auj. un syn. plaisant et fam. de *coiffeur*. **Merlan,** autref. syn. pop. de *perruquier* (parce que celui-ci, au temps des perruques poudrées, était toujours blanc de poudre, comme les merlans, prêts à frire, de farine), l'est maintenant et plutôt péjorativement de *coiffeur*. **Testonneur,** syn. de *coiffeur,* est vieux.

coiffure est un terme très général; il désigne tout ce qui sert à couvrir ou à orner la tête. **Couvre-chef,** syn. de *coiffure,* n'est plus employé auj. que par plaisanterie. **Chapeau** est plus partic.; il se dit d'une coiffure de feutre, de paille, etc., de forme extrêmement variable, que les hommes et les femmes mettent pour sortir. **Bibi** est familier et se dit surtout d'un petit chapeau de femme, souvent démodé et sans chic. **Galurin** (ou, par abrév., **galure**), syn. de *chapeau,* est populaire et plutôt péjoratif. **Bloum** et **bitau** (ou **bitos**) sont des termes d'argot. (V. BONNET et TOQUE.)

coin se dit d'une portion peu étendue d'une maison, d'un appartement, d'un lieu quelconque, suffisamment retirée pour qu'il soit difficile d'y être découvert. **Recoin** enchérit sur cette idée; il désigne un endroit plus petit encore, plus retiré, presque introuvable : *Il n'y a coin et recoin où l'on n'ait cherché.* **Racoin,** syn. de *recoin* est populaire et **rabicoin** dialectal.

V. aussi ANGLE.

coïncidence se dit figurément en parlant de choses qui arrivent en même temps; il emporte l'idée de hasard : *La coïncidence de ces deux événements est vraiment remarquable.* **Simultanéité** dit plus; il implique l'existence, la production de deux choses dans le même instant, que ce soit par hasard ou parce qu'on l'a voulu sciemment : *La simultanéité de deux faits imprévisibles; La simultanéité de mouvements de gymnastique.* **Rencontre** est parfois syn. de *coïncidence;* il suppose alors un fait fortuit : *Rencontre heureuse, singulière, surprenante.*

col, terme de géographie, est d'un usage restreint; il ne s'applique qu'à certains passages étroits situés dans les parties élevées des Alpes et des Pyrénées : *Le col de Tende; Le col de Pertuis.* **Port,** dans ce sens, s'emploie surtout pour désigner les passages existant entre les anneaux de la grande chaîne des Pyrénées : *Le port d'Oo; Le port de Viella.* **Brèche** désigne une coupure naturelle dans une crête rocheuse, et qui semble être le résultat d'une rupture : *La brèche de Roland.* **Pas** se dit d'un passage étroit et difficile, et reçoit des applications pour un plus grand nombre de montagnes : *Le pas de Suse.* **Défilé** est un terme général qui désigne surtout les passages étroits au point de vue des opérations militaires; c'est proprem. un lieu où les hommes ne peuvent passer qu'à la file, un à un : *Le défilé des Thermopyles.* **Gorge** se dit d'une vallée montagneuse étroite et aux parois abruptes, parcourue par une rivière : *Les gorges du Tarn, de l'Areuse, du Fier.* **Cañon** est très partic.; il ne se dit guère que des gorges sinueuses et profondes de certains fleuves américains : *Les cañons du Colorado.*

colère est un terme général; il exprime un sentiment d'irritation qui est dans l'âme, qui la trouble, et qui produirait la haine en se prolongeant. **Courroux,** qui est plus noble et plutôt du style emphatique, suppose une colère véhémente contre ce qui choque, irrite, blesse; il enferme dans son idée quelque chose qui tient de la supériorité et qui respire hautement la vengeance et la punition. **Ire,** qui a longtemps désigné — comme *courroux* — une colère noble, ne s'emploie plus guère qu'en plaisantant, et seulement dans la poésie familière. (V. FUREUR, IRRITER et MÉCONTENTEMENT.)

V. aussi COLÉREUX.

coléreux, comme **colérique,** exprime plus spécialement une disposition, une tendance à la colère, résultant du tempérament, de l'humeur : *L'homme coléreux (ou colérique) réussit parfois à résister à sa tendance à la colère, de telle façon que tout le monde l'ignore.* **Colère** indique un caractère établi, l'habitude de se mettre en colère : *L'homme colère s'abandonne à sa passion sans mesure ou sans réserve, parce qu'il a perdu tout empire sur elle.* **Iras-**

cible emporte aussi l'idée d'un défaut inné qui rend prompt à se mettre en colère, à s'emporter, et qui est tel qu'il inspire de la crainte : *La prudence fait éviter les personnes irascibles.* **Rageur** est familier; il ajoute à l'idée d'irascibilité celle de violent dépit : *L'homme rageur avoue, par sa colère même, son impuissance.* (V. SUSCEPTIBLE.)

colérique. V. COLÉREUX.

colifichet. V. BABIOLE.

colimaçon. V. ESCARGOT.

colique est un terme de pathologie qui désigne non seulement des douleurs qui, survenant par accès, ont leur siège dans les intestins, mais aussi celles qui affectent les autres viscères de l'abdomen : *Colique de miséréré; Colique hépatique, néphrétique, etc.* **Tranchées,** qui, dans ce sens, s'emploie toujours au pluriel, se dit de coliques violentes dues seulement à des contractions de la musculature intestinale.

colis. V. PAQUET.

collaborateur. V. ASSOCIÉ.

collaborer (du lat. *cum,* avec, et *laborare,* travailler), c'est travailler de concert et volontairement, de son plein gré, avec un autre, l'aider dans ses fonctions, dans ses efforts, et, particulièrement, travailler de concert avec un ou plusieurs autres à un ouvrage littéraire, artistique, scientifique, etc. **Coopérer** dit moins; il peut supposer simplement un apport, sans impliquer une participation complète et voulue : *En collaborant à cette œuvre philanthropique, on coopère à l'amélioration de l'existence humaine.* (V. CONTRIBUER À et SECONDER.)

collatéral. V. PARENT.

collation, qui désignait autrefois la conférence du soir dans les couvents, et le léger repas qui était donné après cette conférence, se dit auj. d'un léger repas pris dans l'après-midi ou la soirée. **Goûter** désigne une collation prise entre le déjeuner et le dîner, vers quatre heures généralement et surtout par des enfants. **Lunch** (mot angl. signifiant *déjeuner*) s'emploie parfois en France comme syn. de *goûter,* et s'applique surtout alors à une collation de grandes personnes. **Five o'clock tea,** loc. angl. signifiant *thé de cinq heures,* désigne un lunch fait à cinq heures de l'après-midi.

collationner. V. COMPARER.

collé. V. ADHÉRENT.

collecte. V. QUÊTE.

collection désigne la réunion d'un grand nombre de choses de même genre, souvent volumineuses, rassemblées pour l'instruction, l'utilité, le plaisir, abstraction faite de toute liaison et de tout ordre. **Recueil** fait penser au rangement de ce qui est rassemblé ; il suppose moins de choses que *collection,* mais implique que celles-ci sont choisies avec un grand soin, de manière à former un volume, un tout : *D'un recueil de pensées vous faites un livre; avec une collection de livres vous faites une bibliothèque.* **Corps,** au sens fig., se dit d'un recueil, d'un assemblage de plusieurs pièces, de plusieurs ouvrages de divers auteurs, en un ou plusieurs tomes ou volumes : *Le corps des poètes grecs.* **Compilation** désigne une œuvre littéraire composée de morceaux pillés çà et là, mais réunis ensemble de manière à former un tout qui peut n'être pas sans mérite : *Savante compilation.* (V. ANTHOLOGIE et MÉLANGES.)

collectivisme désigne un système qui voit la solution de la question sociale dans la mise en commun, au profit de la collectivité, de tous les moyens de production. **Communisme** enchérit sur *collectivisme;* il se dit d'une doctrine qui non seulement poursuit la mise en commun de tous les moyens de production, mais en outre tend à la suppression de toute propriété privée quelconque, ainsi qu'à la répartition des biens communs entre chacun suivant ses besoins. **Bolchevisme** est plus partic.; il désigne l'essai de communisme intégral auquel se livra le gouvernement russe des Soviets après 1917, et que caractérisa la mise en pratique rigoureuse et systématique du collectivisme marxiste, dont le but idéologique est d'exclure et de combattre tous ceux qui possèdent autre chose que leur force de travail. (V. SOCIALISME.)

collège. V. COMPAGNIE, CORPORATION, ÉCOLE et UNIVERSITÉ.

collégiale. V. ÉGLISE.

collégien. V. ÉLÈVE.

collègue. V. CONFRÈRE.

collement. V. ADHÉRENCE.

colleter. V. PRENDRE et RENVERSER.

collignon. V. COCHER.

colline se dit d'un terrain élevé en pente douce et qui a une certaine étendue en largeur. **Coteau** désigne un terrain élevé, en plan incliné, moins considérable que la colline, et considéré relativement à ce qu'il domine. **Eminence** et **hauteur** se disent d'une petite élévation moins étendue que la colline et le coteau. **Côte** et **haut** sont des termes géographiques, syn. de *colline : Les côtes de Moselle; Les hauts de Meuse.* (V. BUTTE et MONT.)

collision. V. ÉCHAUFFOURÉE et HEURT.

colloque. V. CONVERSATION.

collusion. V. COMPLICITÉ.

colmater. V. BOUCHER.

colombe. V. PIGEON.

colombier. V. PIGEONNIER.

colon. V. FERMIER.

colonne désigne, dans un édifice, une partie isolée et ordinairement de forme ronde qui sert de soutien à une voûte, un plafond, un plancher, et qui est généralement décorée. **Pilier** est moins noble; il se dit le plus souvent d'une colonne sans proportions et sans ornements, dont le but est seulement de soutenir. **Pilastre** désigne une colonne de forme carrée, généralement adossée à la façade d'un édifice, ou engagée dans un mur à une épaisseur plus ou moins considérable : *S'il est possible d'attacher un homme ou un animal à une une colonne ou à un pilier, on ne le peut à un pilastre.* **Contrefort** se dit d'un pilier servant d'appui à un mur qui supporte quelque charge : *Les contreforts d'une terrasse, d'une voûte.* — Au fig., seuls COLONNE et PILIER sont employés, le second étant plus familier et souvent péjoratif : *Les colonnes de l'Etat, de l'Eglise; Le héros d'Alphonse Daudet, Numa Roumestan, se posait en pilier du trône et de l'autel.*

colonne vertébrale est le terme d'anatomie qui sert à désigner l'ensemble des vertèbres formant une chaîne à laquelle se rattachent les os des vertébrés, et qu'on appelle aussi **épine dorsale. Echine,** syn. de *colonne vertébrale,* est du langage commun. (V. DOS.)

coloration. V. COULEUR.

colorer, c'est donner une couleur naturelle ou artificielle, mais sans autre intention que cette couleur même : *Le soleil colore les fruits; Colorer un verre en bleu.* **Colorier** est un terme de métier, sinon d'art; c'est ou bien simplement employer des couleurs, ou bien revêtir de diverses couleurs une partie d'un objet ou un objet tout entier, un dessin, une estampe, une carte, etc. : *On colore un verre lorsque celui-ci s'imprègne de la couleur dans toute sa masse, mais on le colorie en y peignant dessus des dessins.*

colorier. V. COLORER.

coloris. V. COULEUR.

colossal se dit de ce qui surpasse de beaucoup les proportions ordinaires; il est surtout relatif à la forme : *Statue, édifice colossal.* **Gigantesque** (de l'ital. *gigantesco,* dér. de *gigante,* géant) s'applique surtout à la grandeur et convient aussi aux choses abstraites : *Animaux, arbres gigantesques; Projets, entreprises gigantesques* **Titanesque** (ou **titanique**) est syn. de *gigantesque* dans le style recherché ou littéraire, par allusion aux Titans, géants de la mythologie grecque. **Monumental,** qui se dit proprement de ce qui a rapport aux « monuments » ou est de leur nature, s'emploie aussi comme syn. de *colossal* et de *gigantesque.* **Babylonien** sert parfois à qualifier ce qui, comme les anciennes constructions de Babylone, est gigantesque, monumental. (V. DÉMESURÉ et IMMENSE.)

colporter. V. PROPAGER.

coltiner. V. PORTER.

coltineur. V. PORTEUR.

columbarium. V. CIMETIÈRE.

coma. V. ASSOUPISSEMENT.

combat désigne l'action particulière et qui peut être imprévue par laquelle on attaque ou on se défend, qu'il s'agisse de deux ou plusieurs personnes, ou de deux armées. **Lutte,** qui emporte une idée d'opiniâtreté, se dit de tout combat acharné; il suppose ou non l'usage d'armes. **Bataille** est moins partic.; c'est une action générale ordinairem. précédée de quelque préparation. **Mêlée** désigne un combat opiniâtre et implique un corps à corps entre plusieurs combattants. **Baroud** est syn. de *combat* au Maroc; on l'emploie aussi, dans le même sens et dans le langage ordinaire familièrement ou par plaisanterie. **Action** et **affaire,** qui sont peu usités auj., désignent plus spécialement un combat partiel. (V. ASSAUT, ÉCHAUFFOURÉE et GUERRE.)

combatif (on a écrit aussi *combattif*) est le terme du langage courant qui sert à désigner celui qui est porté au combat, à la lutte. **Agressif** emporte plus que *combatif* l'idée de provocation; il se dit de celui qui non seulement accepte volontiers le combat, mais encore le recherche. **Pugnace** est moins du langage ordinaire; syn. de *combatif* dans le langage recherché ou littéraire, il suppose l'amour des combats, des luttes, des dangers, voire simplement celui de la discussion, des polémiques. (V. GUERRIER.)

combattant. V. SOLDAT.

combe. V. VALLÉE.

combinaison se dit figurément des mesures prises pour assurer le succès d'une entreprise; il suppose la mise en œuvre d'opérations préparatoires : *Les combinaisons d'un général, d'un homme politique.* **Calcul** désigne plutôt la combinaison que l'on prépare dans le but plus ou moins éloigné de réussir quelque affaire, mais qui cependant n'est qu'une simple spéculation : *Proposition qui n'entre pas dans nos calculs.*

V. aussi COTTE et MÉLANGE.

combiner. V. OURDIR et PRÉPARER.

comble (du lat. *cumulus,* surcroît) se dit figurément du dernier surcroît de certaines choses, de leur point culminant; il indique que la mesure est remplie, que la chose est complète, qu'il n'y a rien à y ajouter : *Le comble de la gloire, des honneurs, de la puissance.* **Faîte** marque qu'on est arrivé au degré le plus élevé, qu'il est impossible de monter plus haut : *Le faîte des grandeurs.* **Sommet,** dans ce sens, s'emploie plutôt dans le style soutenu. **Summum,** terme empr. du lat., se dit principalement du plus haut degré d'une qualité, d'un défaut, d'une chose abstraite : *Le summum d'une civilisation.* **Apogée** désigne le plus haut point d'élévation où l'on puisse parvenir moralement : *Conquérant dont la gloire et la puissance sont à leur apogée.* **Zénith,** qui désigne proprement le point du ciel situé au-dessus de la tête, dans la direction de la verticale au point d'observation, se dit figurément de l'apogée, du point culminant; c'est le degré le plus élevé où l'on puisse parvenir : *Fortune qui est à son zénith.* — **Etre au pinacle** est une locution familière qu'on emploie bien en parlant d'une personne qui est arrivée à une grande faveur, à une grande élévation.

V. aussi PLEIN et SOMMET.

Combles. V. MANSARDE.

combler, c'est, figurément, donner une chose bonne abondamment à quelqu'un; il emporte l'idée de plénitude : *Combler de faveurs, d'honneurs.* **Accabler** implique l'idée de surcharge; c'est combler outre mesure de choses qui peuvent être bonnes, mais aussi onéreuses, fâcheuses ou pénibles : *Accabler de biens, de soins, de félicitations inutiles.*

V. aussi EMPLIR et SATISFAIRE.

combustion désigne l'action destructive du feu sur les corps, abstraction faite de toute circonstance. **Déflagration** se dit d'une combustion rapide accompagnée d'une flamme vive, d'une grande chaleur, d'un bruit plus ou moins fort, mais souvent répété, avec projection de parcelles embrasées. **Ignition** désigne non pas l'action, mais l'état des corps en combustion. (V. BRÛLER et INCENDIE.)

comédie, dans le langage du théâtre, désigne une pièce, en vers ou en prose, destinée à distraire, à intéresser, soit par le choc des situations et des personnages (*comédie d'intrigue*), soit par la peinture satirique des mœurs contemporaines (*comédie de mœurs*), soit par la représentation des travers et ridicules de l'humanité (*comédie de caractère*). **Vaudeville** se dit d'une comédie légère, en prose, fondée presque uniquement sur l'intrigue et le quiproquo; à noter qu'à l'origine le vaudeville comportait des couplets chantés ou « vaudevilles ». (V. DRAME, PIÈCE et SAYNÈTE.)

V. aussi DISSIMULATION.

comédien. V. ACTEUR.

comestibles. V. DENRÉES.

comice. V. RÉUNION.

comique désigne ce qui amuse par la

peinture des travers de l'esprit ou des vices du caractère : *Une situation qui expose le vice au mépris est comique.* **Risible** se dit simplement de ce qui excite le rire, quelle qu'en soit la cause : *Une maladresse est souvent risible.* **Plaisant,** qui, dans ce sens, précède le substantif qui l'accompagne, emporte l'idée de bizarrerie; il suppose un effet de surprise réjouissante causé par un contraste frappant, singulier et nouveau, aperçu entre deux objets ou entre un objet et l'idée disparate qu'il a fait naître : *Etre affublé d'un plaisant habit.* **Impayable** enchérit sur *plaisant;* il s'emploie familièrement pour désigner quelque chose de bizarre, d'extraordinaire, qui amuse à l'extrême : *Un trait impayable.* **Bouffon** suppose exagération du comique ou du plaisant : *Les parodies des fêtes foraines sont bouffonnes.* **Bouffe** est un syn. peu us. de *comique : Un chanteur bouffe.* **Drôle** se dit de ce qui est comique par son originalité : *Avoir une drôle de tournure.* **Inénarrable** s'emploie assez souvent auj. dans le style ordin. avec le sens abusif de très drôle, impossible à raconter sans rire. **Cocasse** enchérit sur *drôle;* il désigne ce qui est d'une drôlerie bouffonne : *Aventure cocasse.* **Désopilant** se dit de ce qui, étant *comique, drôle,* etc., fait rire de bon cœur (la mélancolie et le marasme ayant été attribués à une « opilation » de la rate) ; on dit aussi souvent, dans ce sens, **hilarant :** *Histoire désopilante; Plaisanterie hilarante.* **Burlesque,** qui est dominé par l'idée de bizarrerie, d'extravagance, se dit de ce qui est d'un comique outré et parfois même trivial : *Caricature burlesque.* **Falot,** syn. de *comique,* de *plaisant,* de *drôle,* n'est plus guère usité auj. **Bidonnant, crevant, farce, gondolant, gonflant, rigolard, rigolo, roulant** et **tordant,** qui sont populaires, se disent de ce qui est très comique, très drôle. **Marrant** et **poilant** sont des termes d'argot. (V. AMUSANT, GAI et RIDICULE.)

commandant. V. CHEF.

commandement est un terme général; il se dit de l'autorité elle-même aussi bien que d'un acte particulier par lequel cette autorité se manifeste. **Ordre** a un sens plus restreint; il a rapport à la chose commandée, sans impliquer forcément une autorité puissante : *Le commandement est la notification de l'ordre.* **Précepte** ajoute à l'idée d'ordre celle d'enseignement; il marque particulièrement l'empire sur les consciences, une supériorité morale, intellectuelle : *C'est le législateur religieux ou le moraliste qui donne des préceptes, lesquels ont toujours pour objet la piété ou la vertu.* **Prescription** désigne un ordre précis qui détermine non seulement ce qui doit être fait, mais la manière, le temps et toutes les circonstances; c'est proprement l'action d'écrire en tête (lat. *praescriptio*), et, par suite, de recommander spécialement, de commander avec des détails précis : *Les prescriptions de la loi.* **Sommation,** qui enchérit sur ces termes, suppose une mise en demeure; c'est l'action de déclarer à quelqu'un, dans les formes établies, qu'il ait à faire telle ou telle chose, sinon qu'on l'y obligera : *Sommation verbale, par écrit.* **Injonction** se dit d'un ordre précis, rigoureux, impératif; il semble supposer quelque répugnance de la part de ceux qui doivent obéir, et il déclare que toute résistance doit cesser : *L'injonction est la sommation d'obtempérer à une ordonnance ou à une décision de l'autorité.* **Ultimatum** (du lat. *ultimus,* dernier), proprement terme de diplomatie qui désigne la dernière proposition, précise et péremptoire, qu'une puissance fait à une autre, et dont la non-acceptation doit amener la guerre, s'emploie aussi, par anal., pour désigner la sommation qui, expression d'une décision irrévocable, constitue une mise en demeure précise et catégorique. **Ukase,** nom donné autrefois à un édit promulgué par un tsar en vertu de son pouvoir autocratique, se dit aussi parfois, dans le langage courant et par analogie, d'une injonction, généralement écrite, qui est le résultat d'une décision empreinte d'autorité. **Jussion** est un terme de droit ancien désignant une injonction adressée par une autorité souveraine : *Jouer la comédie par jussion expresse du roi.* (V. NOTIFIER.)

commander, c'est avoir autorité, avoir droit, puissance de donner des ordres. **Dominer,** c'est commander souverainement, avoir une puissance absolue, souvent par la force. **Régner sur** emporte plus une idée d'autorité librement acceptée ; c'est ainsi que, figurément, il suppose un empire exercé sur les esprits et sur les cœurs. **Régenter,** c'est dominer surtout en faisant prévaloir ses idées. (V. DIRIGER.)

comme. V. AINSI QUE et QUAND.

commémoration (du lat. *commemorare,* faire souvenir) désigne une cérémonie établie pour rappeler le souvenir d'un événement important : *On institue une fête en commémoration d'une grande victoire.* **Commémoraison** est plus partic. ; c'est un terme liturgique désignant la mention que l'Eglise fait d'un saint le jour de sa fête, lorsqu'elle se trouve en concurrence avec une fête plus solennelle : *Faire commémoraison de sainte Cécile.* **Mémoire** se dit, aussi dans le sens liturgique, de la commémoration d'un saint dans l'office du jour : *L'Eglise fait aujourd'hui mémoire de sainte Hélène.*

commémorer. V. FÊTER.

commencement désigne la première partie d'une chose qui a étendue ou durée ; c'est la première partie de l'existence, en prenant ce dernier mot dans son sens le plus général : *Le commencement d'une page, d'un discours, des hostilités.* **Naissance** ne se dit que des choses qui ont une sorte de vie, qui s'accroissent avec le temps : *La naissance d'un Etat, d'une maladie.* **Début,** qui se dit proprement au jeu de boules de l'action de dégager le « but », désigne au fig. le commencement d'une chose quelconque : *Le début de la guerre, d'une conférence, d'une carrière.* **Prémices** (du lat. *primus,* premier), qui s'emploie toujours au pluriel et se dit proprement de la terre ou du bétail, sert aussi à désigner au figuré certains commencements qui font bien augurer de la suite : *Les prémices d'un règne, d'une amitié.* (V. ORIGINE.)

commencer, c'est faire la première partie d'une chose, qu'elle soit importante ou non, mais qui, cependant, doit avoir une durée, une suite plus ou moins longue : *Commencer un repas, la lecture d'un livre.* **Entreprendre** dit plus ; c'est à la fois prendre la résolution de faire quelque chose, quelque action, quelque œuvre, le plus souvent importante, et commencer à la mettre à exécution : *Entreprendre un voyage, une guerre.* **Entamer,** c'est commencer à s'occuper de quelque chose, sans qu'aucun résultat positif ne soit encore apparent : *Entamer une affaire, une négociation.* **Attaquer,** c'est entamer avec ardeur : *Attaquer un sujet, un pâté.* **Amorcer** est plus partic. ; c'est, dans ce sens, un terme de techn. impliquant que l'on commence un travail par une façon préparatoire : *Amorcer un trou avec une vrille.*

commensal. V. CONVIVE.

commentaires. V. MÉMOIRES.

commenter. V. EXPLIQUER.

commerçant. V. MARCHAND.

commerce peut se dire de toutes les choses où se trouve l'idée d'achat et vente, ou d'échange de marchandises, de denrées ou d'espèces : *Le gros, le petit commerce; Le commerce maritime.* **Négoce** désigne en général, par rapport à *commerce,* une espèce moins définie d'occupation, d'affaires, ou bien encore les démarches et soins nécessaires pour aboutir à un échange voulu ; c'est souvent aussi un commerce important de gros ou de demi-gros : *Le négoce enrichit Carthage; Le négoce des vins en gros.* **Trafic,** qui s'est bien éloigné de son sens primitif de commerce lointain, est pris de plus en plus auj. en mauvaise part ; il désigne généralem. un très humble commerce, voire un commerce illicite, indélicat : *Le trafic des vins, des cuirs, de l'or.* **Traite** se dit particulièrement et plus ordinairement du trafic de marchandises que font les bâtiments de commerce sur les côtes d'Afrique ; il désigne aussi absolument le commerce qui était fait autref. des esclaves noirs : *La traite de l'ivoire, de la gomme, de la poudre d'or; La traite des noirs.* — Au fig. COMMERCE se dit rarement en mauv. part : *Un commerce d'idées, de sentiments;* cependant que NÉGOCE et TRAFIC se prennent toujours dans un sens odieux : *Faire un vilain négoce; Faire trafic de son honneur.*

commerce (maison de). V. ÉTABLISSEMENT.

commère. V. BABILLARD et MARRAINE.

commérer. V. MÉDIRE.

commettre, c'est faire, en parlant des péchés, des crimes, des fautes ; il se dit toujours dans ce sens d'une mauvaise action, et, de ce fait, il est péjoratif. **Perpétrer,** syn. de *commettre,* ne se dit qu'en parlant des crimes. **Consommer** emporte l'idée d'achèvement; c'est commettre complètement.

V. aussi HASARDER et PRÉPOSER.

comminatoire. V. INQUIÉTANT.

commis. V. EMPLOYÉ.

commisération. V. PITIÉ.

commission est le terme qui, dans le langage commercial, sert à désigner la rétribution accordée par le commettant au commissionnaire, et, en général, à tout intermédiaire. **Courtage** est plus partic.; c'est la rémunération prélevée par les courtiers, par l'intermédiaire desquels s'effectuent ordinairement les transactions du haut commerce, et qui est établie d'après un pourcentage sur le montant de l'opération. **Remise** se dit plus spécialement, dans ce sens, d'une commission accordée à un placier, à un représentant, aussi sous la forme d'un pourcentage sur les affaires réalisées. (V. RÉTRIBUTION.)

commissionnaire. V. INTERMÉDIAIRE, MESSAGER et PORTEUR.

commode désigne un meuble à hauteur d'appui, assez long, garni de grands tiroirs et servant particulièrem. à serrer du linge et des vêtements. **Chiffonnier** se dit aussi d'un meuble à tiroirs nombreux, mais peu vastes, généralem. plus haut et moins large que la commode, dans lequel les femmes renferment leurs chiffons et leurs menus ouvrages de couture. **Chiffonnière** désigne un chiffonnier de petites dimensions et pas plus haut qu'une commode. (V. ARMOIRE et COFFRE.)

V. aussi AISÉ.

commodément. V. AISÉMENT.

commodités. V. AISES et LIEUX D'AISANCES.

commotion. V. ÉBRANLEMENT.

commun se dit de ce qui existe en beaucoup d'endroits, de ce que l'on voit partout; il suppose multitude d'objets semblables : *Les choses communes sont celles qui ne se distinguent par aucun degré sensible des autres objets du même genre.* **Ordinaire** suppose une chose habituelle, généralem. médiocre et de peu de valeur, qui est dans l'ordre commun : *Les choses sont ordinaires lorsqu'elles sont généralement répandues.* **Banal** implique un manque d'intérêt dû à l'absence d'originalité : *Félicitations, louanges banales.* (V. REBATTU.)

V. aussi POPULACE, UNIVERSEL et VULGAIRE.

Communs. V. LIEUX D'AISANCES.

communauté désigne une réunion de personnes soumises à une règle « commune », dans un dessein généralem. religieux. **Congrégation** se dit d'une association religieuse dont les membres, hommes ou femmes, ne font pas de vœux solennels, mais des vœux simples, soit temporaires, soit même perpétuels, ou bien ne sont liés que par une promesse d'obéissance. **Ordre,** dans ce sens, implique des vœux solennels; il se dit d'une compagnie dont les membres font vœux perpétuels ou s'obligent par serment de vivre sous de certaines règles, avec quelque marque extérieure qui les distingue. **Confrérie** dit moins; il s'applique simplement à une réunion de personnes laïques, mais pieuses, qui s'engagent à remplir en commun certaines pratiques de religion ou de charité.

communicatif, en parlant des personnes, désigne celui qui aime à entrer en conversation avec quelqu'un, pour lui faire part de ses pensées, de ses affaires, de ses connaissances; il suppose toujours le désir de se rendre familier : *Il est dans la nature de la plupart des femmes d'être communicatives.* **Expansif** se dit plutôt en parlant des sentiments, lorsque ceux-ci ne peuvent être contenus et qu'ils se manifestent largement au-dehors : *Une bonté, une âme expansive; Avoir une sensibilité expansive.* **Exubérant** est plutôt péj.; il se dit de celui qui manifeste ses sentiments par une grande abondance de paroles et d'excessives démonstrations extérieures : *Interlocuteur exubérant.*

communiqué. V. AVIS.

communiquer. V. TRANSMETTRE.

communisme. V. COLLECTIVISME.

commutation. V. REMPLACEMENT.

compact. V. ÉPAIS.

compagnie désigne une société de personnes que rassemblent leur éducation, leurs manières, leurs goûts, le plus souvent littéraires, artistiques ou scientifiques; il suppose généralement un corps constitué dont la composition est permanente : *Réception d'un académicien dans la compagnie.* **Assemblée,** dans ce sens, se dit de l'ensemble des personnes qui forment, accidentellement et seulement pour un temps, un même corps, en général délibérant : *Assemblée départementale, nationale.* **Conseil,** en termes de politique ou d'affaires, désigne une assemblée permanente ou une réunion extraordinaire, instituée ou convoquée pour délibérer, pour donner un avis sur certaines matières, parfois même exercer une juridiction : *Conseil des ministres, d'administration; Conseil d'Etat.* **Collège** est plus spécial et moins usité; il se dit d'une compagnie de personnes notables, revêtues de la même dignité : *Collège des échevins, des cardinaux.* **Corps** est le nom que l'on donne à certaines compagnies ou communautés particulières, dans l'Etat ou l'Eglise : *Les corps militaire, universitaire; Le corps du clergé, de l'épiscopat.* **Aréopage** est beaucoup plus partic.; nom donné au tribunal d'Athènes placé dans le lieu consacré à Mars et célèbre dans l'Antiquité par sa réputation de sagesse, il s'emploie parfois figurément auj., par respect comme par ironie, pour désigner une assemblée de juges, de magistrats, d'hommes d'Etat, d'hommes de lettres, etc. : *Ce n'est pas sans émotion qu'on se présente devant un aréopage d'hommes éminents.*

V. aussi ENTOURAGE, SOCIÉTÉ et TROUPE.

compagnon (de l'anc. franç. *compain,* qui partage le même pain) est un terme général et relevé; il se dit de celui qui vit dans la compagnie intime de quelqu'un, qui participe à sa vie quotidienne — et s'applique à tous les états, même les plus nobles : *Compagnon d'études, de jeux, d'armes, de fortune, d'exil.* **Camarade** (de l'espagn. *camarada,* proprem. chambrée) suppose la familiarité; il se dit de ceux qui font ensemble les petites choses de la vie, et qui, de ce fait, contractent entre eux une sorte d'amitié : *Camarade de collège, de régiment, d'atelier.* **Acolyte,** syn. de *compagnon,* est familier et souvent péjoratif. **Condisciple** (du lat. *cum,* avec, et *discipulus,* disciple) est plus particulier et ne se dit que du compagnon d'études, dans la même école, dans la même classe. **Labadens** (du nom d'un personnage de Labiche), qui est peu usité, désigne un camarade de collège ou de pension. **Copain** est fam. et désigne surtout un camarade d'école ou de travail. **Drille,** syn. de *compagnon,* de *camarade,* est employé surtout dans les expressions : *Uu bon, un joyeux drille.* **Zigue,** ou **zigoto,** terme populaire, s'applique plutôt aussi à un compagnon, à un camarade franc ou gai. **Compère** est un nom d'amitié, familier ou populaire, désignant quelqu'un avec qui l'on vit habituellement et à qui l'on parle librement : *Bonjour, compère; Un rusé compère.* **Compaing,** syn. de *compagnon,* est vx. **Camaro** et **colon,** syn. de *camarade,* sont populaires. — **Coterie** est un syn. populaire de *compagnon* employé au pluriel : *Ohé, la coterie!...*

compagnonnage. V. SYNDICAT.

comparaison (du lat. *comparare,* accoupler, mettre de pair) suppose que l'on recherche dans des objets, rapprochés matériellement ou mentalement, leurs qualités réelles et diverses, tout en considérant toutefois entre eux une certaine égalité : *On fait une comparaison entre des objets du même genre ou de la même qualité.* **Parité** se dit de la comparaison par laquelle on prouve une chose par une autre semblable : *On établit une parité entre deux cas identiques.* **Similitude** (du lat. *similitudo,* ressemblance) dit moins; c'est une espèce de comparaison qui, se contentant d'un rapport apparent, n'est ni aussi naturelle, ni aussi rigoureuse que doit l'être la parfaite comparaison : *On recherche une similitude, laquelle purement pittoresque, se borne à indiquer les apparences semblables, les traits communs à des objets le plus souvent étrangers les uns aux autres.* **Parallèle** est plus partic.; c'est un terme de littérature qui désigne la comparaison par laquelle on fait ressortir les ressemblances ou les différences qui existent entre deux personnes ou deux choses : *Le parallèle était un exercice de rhétorique fort usité dans les écoles de Grèce.*

comparaison (en) est la loc. générale dont on se sert dans tous les cas où l'on veut relever une chose en l'opposant à d'autres. **Auprès de** emporte l'idée d'une comparaison qui fait ressortir ou donner du relief à la chose que l'on compare à d'autres; il suppose un contraste favorable très prononcé. **Au prix de** est d'un usage plus restreint; il implique une comparaison appuyée uniquement sur l'appréciation, en bon comme en mauvais. **Par rapport à** suppose une comparaison établie sur la proportion, en plus petit comme en plus grand. **Au regard de,** syn. d'*en comparaison,* est plutôt vieilli.

comparaître. V. PRÉSENTER (SE).

comparer, c'est examiner les rapports, les différences qu'il y a entre une personne et une autre, entre une chose et une autre; terme général, il suppose toujours une analogie, un rapport commun de ressemblance entre les objets. **Confronter** est employé surtout dans le langage judiciaire; c'est mettre « front » à « front », comparer des personnes et, par ext., des choses, comme le ferait un juge, afin d'établir les contrastes existant entre les unes et les autres. **Conférer** ne se dit que des choses que l'on compare pour juger en quoi elles s'accordent et en quoi elles diffèrent; il s'applique particulièrem. aux lois, aux coutumes, aux auteurs, aux textes. **Collationner** emporte l'idée de contrôle plus que celle de jugement, et ne se dit que de textes; c'est comparer la copie d'un écrit avec l'original, ou deux copies ensemble, pour s'assurer qu'il n'y a rien de plus ni rien de moins dans l'une que dans l'autre. **Vidimer** est un terme de chancellerie signifiant collationner la copie d'un acte sur l'original et certifier qu'elle y est conforme.

comparse. V. FIGURANT.

compassé. V. AFFECTÉ.

compassion. V. PITIÉ.

compatir. V. APITOYER (S').

compatriote, qui désigne celui qui est de la même patrie, de la même contrée, de la même ville, du même village qu'un autre, peut — ainsi qu'on le voit — avoir, suivant les cas, un sens très étendu ou très restreint, mais il suppose toujours une race commune. **Concitoyen,** qui garde un sens juridique que n'a pas *compatriote,* est le terme qui convient surtout au regard de la loi, des devoirs et des droits du citoyen : *Le maire de Dakar dira de ses administrés qu'ils sont concitoyens, mais il appellera seulement les Français qui vivent là ses compatriotes.* **Pays,** syn. de *compatriote,* est familier et se dit surtout de ceux qui sont du même village ou du même canton.

compendieux. V. COURT (et DIFFUS).

compendium. V. ABRÉGÉ.

compensation est un terme de compte, d'évaluation; c'est l'action de reconnaître qu'une chose tient lieu d'une autre quant au prix, à la valeur, à la qualité. **Dédommagement** est du lang. cour. et il implique seulement l'idée d'une compensation approximative : *La compensation ramène les choses au même point; le dédommagement s'efforce de redonner l'équivalent de ce qu'on a perdu.* **Indemnité** est un terme de droit et d'administration; il marque le paiement d'une somme d'argent égale au montant de la perte causée à un individu, afin qu'il n'ait plus aucun motif de plainte : *Recevoir une indemnité pour cause d'expropriation.* **Contrepoids,** dans ce sens fig., ne s'applique qu'aux affections, aux qualités bonnes ou mauvaises, et, en général, à toutes les choses morales, politiques, etc., qui servent à en contrebalancer d'autres : *Son avarice est un fâcheux contrepoids à ses bonnes qualités.* **Consolation** est un syn. plutôt familier de *contrepoids* pris en bien, auquel il ajoute l'idée d'un certain soulagement et même d'une sorte de joie : *Enfant qui donne de grandes consolations à ses parents.* **Récompense,** proprement syn. de *compensation* et de *dédommagement,* est vieilli dans ce sens.

compère. V. COMPAGNON, COMPLICE et PARRAIN

compère-loriot. V. ORGELET.

compétence. V. CAPACITÉ.

compétiteur. V. RIVAL

compétition se dit, en termes de sport, de la recherche simultanée d'une même victoire par plusieurs personnes. **Match** (mot angl.; de *to match,* rivaliser avec) désigne une épreuve sportive disputée seulement entre deux concurrents ou deux équipes. **Challenge** (mot. angl. signif. défi, provocation; de l'anc. franc. *chalenge,* contestation) se dit d'une épreuve sportive dans laquelle le gagnant devient détenteur d'un objet, souvent une coupe, jusqu'à ce qu'un concurrent, dans une épreuve ultérieure, l'en dépossède, ce qui peut avoir lieu au bout d'un certain temps. **Championnat** désigne l'épreuve sportive officielle, nationale ou internationale, où les concurrents partent à égalité, et dont le vainqueur est proclamé « champion ». **Critérium** est le nom donné, dans le langage sportif, à une compétition de grande envergure qui cependant n'est pas un championnat. (V. ÉPREUVE.)

compilation. V. COLLECTION.

complainte. V. MÉLODIE.

complaire. V. PLAIRE.

complaisant se dit d'une personne qui, grâce à sa douceur et sa facilité de caractère, se conforme naturellement aux sentiments, aux volontés, aux besoins d'autrui. **Serviable** ajoute à l'idée de complaisance celle de promptitude et de zèle; il s'applique à celui qui est toujours prêt à rendre service. **Prévenant** dit plus; il désigne celui qui, étant serviable, n'attend pas qu'on le lui demande pour rendre de bons offices. **Attentionné** implique que l'on témoigne grand intérêt à celui envers qui l'on se montre serviable. **Obligeant** se dit de celui qui est disposé à rendre service en faisant plaisir. **Officieux** désigne celui qui est disposé à rendre des services agréables et utiles, qui aident au succès des desseins de la personne qui en bénéficie. **Empressé** s'applique à celui qui se donne beaucoup de mouvement pour prévenir quelqu'un et lui complaire en toutes choses; il emporte une idée de hâte et parfois même d'une certaine servilité. **Déférent** suppose surtout une disposition à acquiescer aux sentiments, aux volontés d'un autre, pour lequel on éprouve du respect. **Condescendant** se dit de celui qui accepte d'oublier sa supériorité ou d'abandonner son autorité, pour se prêter à la satisfaction des autres, au lieu d'exercer rigoureusement ses droits. **Ardélion,** qui ne s'emploie que substantivement, est archaïque et péj.; il désigne un homme qui, empressé envers tout le monde, offre beaucoup mais ne fait rien. (V. AIMABLE, POLI et SOUPLE.)
V. aussi CONCILIANT.

complément. V. SUPPLÉMENT.

complet. V. ENTIER et PLEIN.

complètement. V. ABSOLUMENT.

compléter, c'est ajouter à une chose ce qui manque pour qu'elle soit entière et « complète ». **Suppléer,** dans ce sens, est moins usité.

complexe. V. COMPLIQUÉ.

complexion. V. NATURE.

complication se dit d'un concours d'éléments ou d'incidents multiples, prévus ou non, susceptibles de créer des embarras, ou d'augmenter un danger. **Contretemps** implique un accident inopiné qui nuit au succès d'une affaire et qui rompt pour un temps les mesures qu'on avait prises. **Accroc** suppose une complication imprévue, mais momentanée. **Anicroche,** qui est fam., indique plutôt une complication volontaire, une difficulté suscitée à dessein. **Enclouure** et **rémora,** syn. d'*accroc,* sont auj. inusités. (V. DIFFICULTÉ, EMPÊCHEMENT et RÉSISTANCE.)

complice (du lat. *complex, icis,* proprem. plié avec, uni), qui se dit plus particulièrem. de celui qui participe, qui s'associe au crime, au délit, à la faute d'un autre, s'emploie aussi, par ext., même quand il y a simplement mystère, secret : *Le complice d'un voleur; Se faire le complice d'une plaisanterie.* **Acolyte** (du grec *akolouthos,* serviteur) désigne familièrement et couramment, avec une nuance de mépris, une personne qui est à la suite d'une autre, et qui participe à ses actions : *Il a là un acolyte digne de lui.* **Compère** se dit plaisamment pour désigner un complice en supercheries : *En fait de gouvernement, il faut des compères, prétendait Napoléon.*

complicité suppose une part réelle prise au crime, à la faute, le complice étant l'associé du coupable : *La complicité du même crime les avait liés l'un à l'autre.* **Connivence** dit moins; il implique simplement une tolérance coupable du supérieur, ou tout au plus l'aide qu'on a prêtée en dissimulant une conduite qu'on aurait dû démasquer : *Sans la connivence des chefs, les subalternes n'auraient pas osé tenir cette conduite coupable.* **Collusion** désigne une intelligence secrète entre deux ou plusieurs parties au préjudice d'autrui : *S'assurer qu'il y a collusion entre* *les chefs de deux partis contraires.* (V. UNION.)

complimenter. V. FÉLICITER.

compliqué suppose un assemblage dont les parties, plus ou moins nombreuses, ont entre elles des rapports multiples et difficiles à saisir. **Composé** se dit de ce qui est formé de diverses parties qui peuvent être plus ou moins mêlées ou simplement posées les unes à côté des autres. **Complexe** se dit de ce qui embrasse diverses parties plus ou moins intimement mêlées, et qui peuvent être de nature différente; il s'oppose à « simple ». **Implexe** est très partic.; il se dit seulement de tout ouvrage littéraire dont l'intrigue est compliquée.

compliquer, c'est rendre obscur, difficile à démêler, à éclairer, à comprendre; il suppose que l'on ajoute des difficultés : *On complique une affaire en suscitant des incidents.* **Embrouiller** implique plutôt du trouble, de la confusion, du désordre : *On embrouille une question par des à-côtés inutiles.*

complot désigne l'accord caché de quelques personnes pour supprimer ou rabaisser les gens ou les institutions qui les gênent. **Conspiration** se distingue de *complot* par l'importance plus grande du but à atteindre qu'il suppose; il implique en outre de nombreux participants. **Conjuration** dit plus encore; il suppose que les intéressés se lient entre eux par des serments propres à prévenir des trahisons qui pourraient les perdre. (V. INTRIGUE.)

componction. V. GRAVITÉ et REPENTIR.

comportement. V. PROCÉDÉ.

comporter. V. ADMETTRE et CONTENIR.

Se comporter. V. CONDUIRE (SE).

composé. V. AFFECTÉ et COMPLIQUÉ.

composer, c'est s'accommoder, s'accorder sur quelque différend, en traiter à l'amiable : *Il faut composer avec les sots, comme avec un ennemi supérieur en nombre, conseille Alphonse Karr.* **Transiger,** c'est composer surtout sur ce qui est en litige et conclure ainsi, par des concessions réciproques, un accord volontaire : *La moitié des affaires est faite, a dit Boiste, quand on a gagné le cœur de ceux avec qui l'on doit transiger.* (V. ENTENDRE [S'].)

V. aussi ÉCRIRE, FORMER et PRODUIRE.

compositeur. V. MUSICIEN.

compositeur (amiable). V. ARBITRE.

composition désigne l'ensemble des choses, des parties, qui, assemblées, forment un tout; il suppose parfois une action voulue, ordonnée. **Constitution** se dit d'une composition naturelle, d'une manière d'être habituelle. **Structure** indique un assemblage plus ou moins ordonné de parties juxtaposées. **Teneur** est plus partic.; c'est seulement ce qu'un corps contient d'une matière déterminée. (V. CONTEXTURE.)

V. aussi MÉLANGE et RÉDACTION.

compote. V. CONFITURE.

compréhensible se dit de ce qui peut être compris facilement : *Un raisonnement clair et compréhensible.* **Intelligible** désigne ce qui est perçu facilement par l'intelligence : *Ce qui est intelligible n'est pas toujours compréhensible.* **Accessible** se dit figurément des choses auxquelles l'intelligence peut atteindre; il suppose un degré d'équivalence entre la capacité de compréhension d'un individu et la difficulté de la chose à percevoir : *Les ouvrages de vulgarisation rendent certaines sciences accessibles à tous.* (V. CLAIR.)

comprendre, c'est pénétrer par l'intelligence le sens d'une chose, et cela dans toutes ses parties comme dans son ensemble; il répond plus directement à la nature des choses : *La facilité de comprendre est propre à un esprit pénétrant.* **Concevoir,** c'est se faire une idée nette d'une chose, en créant dans son esprit la pensée qui en est l'exacte représentation; il regarde plus particulièrement l'ordre et l'arrangement des choses : *La facilité de concevoir désigne un esprit net et méthodique.* **Saisir** s'emploie aussi parfois figurément comme syn. de *comprendre,* de *concevoir;* il suppose généralement alors une compréhension, une conception vive et forte : *C'est le propre d'un esprit éveillé que de saisir immédiatement ce qu'on lui expose.* **Entendre** se rapporte plutôt à la valeur des termes dont on se sert : *Une phrase correcte est facile à entendre, mais, si elle exprime une haute pensée philosophique, il peut arriver qu'on l'entende sans la comprendre.* (*Pierre Larousse.*) **Réaliser** est un anglicisme (*to realize,* bien comprendre, concevoir) vulgarisé depuis la guerre de 1914 (cf. Albert Dauzat) ; c'est comprendre en se représentant, en se figurant exactement, se bien rendre compte : *On réalise ce que l'on conçoit clairement, ce qui nous apparaît nettement.* **Piger,** syn. de *comprendre,* est populaire : *Les cancres ne pigent rien aux leçons de leurs professeurs.*

V. aussi CONTENIR.

comprimer. V. PRESSER.

compromettre. V. HASARDER.

compromis. V. ARBITRAGE.

comptable se dit de celui qui est tenu de rendre compte, de justifier de l'usage des choses qui lui ont été données ou confiées en dépôt; il emporte l'idée d'une dépendance et d'une responsabilité pécuniaire : *Les garçons de café sont comptables de tout ce qu'ils cassent.* **Responsable** dit plus; il s'applique à celui qui est tenu de réparer les torts qu'il cause ou de souffrir les peines qu'il mérite, par le fait qu'il doit « répondre » de ses actes comme de ceux des personnes dont il est le répondant; il implique l'idée de sanction ou de pénalité, et fait concevoir, plus qu'un maître ou un chef, un juge qui condamne : *Le père est responsable du dommage causé par son enfant mineur.* **Garant** est un syn. moins usité de *responsable : Tout homme est garant de ses faits et promesses.* **Otage,** syn. de *responsable,* est plus partic.; il ne s'emploie guère qu'en parlant surtout d'une personne, d'une ville, d'une place, prise ou remise comme garantie de l'exécution de certaines injonctions, conventions, promesses, etc. : *En droit international, les otages garantissent la parole échangée à l'occasion de certaines occupations de villes, notamment, ou de conventions militaires.*

compte désigne l'état ou autre écrit contenant l'énumération, le calcul, la supputation de ce qui a été reçu, dépensé, avancé ou fourni. **Relevé** dit moins; c'est l'extrait des articles d'un compte qui sont relatifs à un même objet, ou bien le total des factures dues à un commerçant pour une période déterminée. **Mémoire** se dit de l'état de ce qui est dû à un homme de loi pour ses débours dans une affaire, à un architecte, à un entrepreneur pour les travaux exécutés sous sa direction, à un marchand pour ses fournitures, à un artisan pour son ouvrage, etc. **Facture** est un terme de commerce qui désigne le mémoire sur lequel un vendeur indique en détail la quantité, la qualité et le prix des marchandises qu'il a livrées à quelqu'un. **Note** est syn. de *facture* dans le langage courant. **Addition** est familier et plus partic.; il ne se dit, dans ce sens, que de la note de la dépense que l'on a faite dans un restaurant. **Douloureuse,** syn. d'*addition* et, par ext., de *note,* est plus familier encore et s'emploie par plaisanterie.

compte (rendre). V. RACONTER.

compte à (donner son). V. CONGÉDIER.

compte rendu. V. RELATION.

compter, c'est énumérer, faire un calcul relativement simple, pour connaître une quantité; il n'implique aucune idée de science ou de difficulté, et est surtout relatif aux affaires d'intérêt, de commerce, de finance : *On compte la recette et la dépense.* **Calculer** suppose une science, une technique, des procédés spéciaux, en général l'emploi de chiffres, qui font que l'on opère arithmétiquement ou algébriquement sur les quantités pour parvenir à une connaissance, à une démonstration, etc : *Calculer la distance de la terre au soleil.* **Nombrer** emporte plus l'idée d'évaluation que de véritable calcul; c'est un terme du langage commun qui s'emploie surtout négativement en parlant des choses qui ne sont guère de nature à être comptées, à cause de leur grand nombre : *On ne saurait nombrer les étoiles.* **Dénombrer** suppose une sorte de recensement; c'est un terme d'administr. qui signifie faire le compte exact des parties qui forment un ensemble : *On dénombre les habitants d'une commune, des soldats.* **Inventorier,** c'est dénombrer certaines choses dans un inventaire, une évaluation : *On inventorie des marchandises.* (V. DÉNOMBREMENT.) — Au fig., COMPTER marque une simple prévision; CALCULER, une prévision basée sur un travail d'esprit où l'on a pesé toutes les circonstances : *Compter réussir à un examen, parce qu'on a calculé toutes ses chances de succès.* (V. ESTIMER.)

Compter sur. V. ESPÉRER.

comptoir et **établissement** désignent

en général les installations commerciales importantes installées aux colonies ou dans des pays exotiques, soit par un Etat, soit par des particuliers. **Factorerie** se dit d'une installation beaucoup moins importante que le *comptoir* ou l'*établissement,* et n'ayant jamais de caractère officiel. **Loge** désignait autrefois un comptoir européen en Asie ou en Afrique.

compulser. V. FEUILLETER.

concasser. V. BROYER.

concéder, c'est faire octroi surtout de droits, de faveurs : *Terrain qui est concédé pour cinq années; Concéder de grands privilèges à une ville.* **Octroyer** est plutôt du style de chancellerie : *On octroie des lettres de noblesse.* **Accorder,** c'est concéder, octroyer, par suite de demandes, de prières, et qu'il s'agisse de choses importantes ou non : *On accorde une grande permission qui nous est demandée.* (A noter que, dans le lang. cour., on emploie auj. ces trois termes indifféremment.)

concentré, comme **réduit,** se dit d'une substance en dissolution dont on a diminué la partie liquide : *Une solution concentrée ou réduite peut rester fluide.* **Condensé** dit plus; il implique que ce qui était liquide ou fluide est rendu épais ou dense. (A noter que, lorsqu'il s'agit d'une concentration très poussée de certains liquides qui arrivent à perdre leur fluidité, *concentré* et *condensé* ont exactement le même sens.) [V. ÉPAIS.]

concentrer. V. ASSEMBLER.

concept. V. IDÉE.

conception désigne la faculté de saisir vivement les choses, leurs rapports et leur enchaînement, et de s'en faire, à première vue, une idée nette et précise : *Toute pensée, a dit Bossuet, est conception et expression de quelque chose.* **Entendement** se dit de la faculté de comprendre, considérée comme quelque chose de passif, qui reçoit et garde l'impression des objets extérieurs, impression qui produit chez nous la connaissance : *On fait l'analyse de l'entendement, en cherchant à connaître sa nature, sa manière d'être.* **Intelligence** désigne la faculté active de l'esprit qui comprend, qui pénètre dans la connaissance des choses, et s'en fait, par l'étude, une idée moins prompte, mais plus approfondie, plus réfléchie, plus pénétrante, que celle qui résulte de la conception : *On admire la puissance de l'intelligence en observant ses phénomènes.* **Intellect** est un terme didactique qui désigne une sorte d'intelligence métaphysique, une faculté de connaître supérieure, assez proche de l'*entendement* considéré au point de vue philosophique : *Les choses du monde ne m'intéressent que par rapport à l'intellect, a écrit Paul Valéry.* (V. CONNAISSANCE, ESPRIT, SAVOIR et SENS.)

V. aussi IDÉE.

concerner s'applique à ce qui a trait à nous, à la chose qui fait partie de nos attributions. **Regarder** marque un rapport moins étroit que *concerner;* il indique une affaire ordinaire que nous devons diriger, soit à cause de ses rapports naturels avec nous, soit à cause de l'autorité que nous avons sur elle. **Toucher** dit plus au contraire que *concerner,* et s'applique aux intérêts les plus chers, aux besoins les plus intimes; il suppose une affaire de cœur ou d'honneur : *Beaucoup de gens s'inquiètent mal à propos de ce qui ne les regarde pas, se mêlent de ce qui ne les concerne point, et négligent ce qui les touche de près.*

concert désigne l'harmonie formée soit par plusieurs voix ou par plusieurs instruments de musique, soit par une réunion de voix et d'instruments. **Audition** se dit plus particulièrement d'une réunion musicale dans laquelle on entend seulement ou principalement un exécutant qu'il s'agit de faire connaître **Récital** est le nom donné à un concert, à une séance musicale dont le programme est fourni par un seul artiste sur un seul instrument, dont il prend le nom : *Un récital de piano, d'orgue.* **Aubade** dit moins et est plus spécial; il désigne un concert donné à l' « aube » du jour, à la porte ou sous les fenêtres de quelqu'un à qui on veut faire honneur, et aussi, par ext., un même concert donné à une heure quelconque de la journée. **Sérénade** (de l'ital. et de l'espagn. *serenata,* musique du soir), désigne, par contre, un concert de voix ou d'instruments, parfois des deux ensemble, qui se donne le soir, en plein air, et aussi sous les fenêtres d'une personne.

V. aussi UNION.

concerter. V. PRÉPARER.

Se concerter. V. ENTENDRE (s').

concession. V. CESSION et RENONCEMENT.

concevoir. V. COMPRENDRE.

concierge, qui désigne celui qui a la garde d'une maison, d'un hôtel, d'un château, d'une prison, se dit plus couramment aujourd'hui de celui dont la fonction est seulement de garder la porte principale d'un immeuble, et, dans les grandes villes, de recevoir et de distribuer le courrier. **Portier** est un synonyme peu usité de *concierge* pris dans son sens courant actuel; il y ajoute parfois l'idée d'ouverture et de fermeture fréquentes de la porte à garder. **Gardien** emporte, plus que *concierge,* l'idée d'une surveillance générale. **Suisse** est un syn. vieilli de *concierge.* **Cerbère** désigne ironiquement et péjorativement un concierge ou un gardien hargneux et brutal, par allusion au monstre dont la mythologie grecque faisait le gardien des Enfers. **Pipelet** (du nom d'un personnage des « Mystères de Paris » d'Eugène Sue) est un synonyme populaire de *concierge.*

concile, terme d'hist. ecclés., désigne une assemblée légitimement convoquée de plusieurs évêques de l'Eglise catholique, réunis pour délibérer et décider sur des questions de doctrine ou de discipline. **Conciliabule** est péj.; il s'applique à une assemblée de prélats schismatiques, hérétiques, ou illégitimement convoqués, et n'ayant pas autorité pour délibérer. **Consistoire,** plus général, se dit d'une assemblée de ministres d'une religion réunis pour discuter des intérêts généraux de leur Eglise — et est employé aussi bien par les protestants et les israélites que par les catholiques. **Synode,** qui s'est dit autref. pour *concile,* s'applique auj., pris au sens large, à toute assemblée ecclésiastique, et, dans un sens plus strict, à l'assemblée de curés et autres ecclésiastiques, qui se fait dans chaque diocèse par le mandement de l'évêque ou d'un autre supérieur; il se dit aussi, chez les réformés, de l'assemblée des ministres.

V. aussi RÉUNION.

conciliabule. V. CONCILE, CONVERSATION et RÉUNION.

conciliant se rapporte au caractère; il marque un esprit de douceur qui rend naturellement et continuellement propre à établir l'entente et la paix entre les personnes divisées d'opinion, d'intérêt, ou à accorder des choses qui sont ou qui semblent contraires. **Conciliateur** se rapporte au rôle actif, mais qui peut être passager, que joue celui qui concilie : *L'esprit conciliant est un esprit toujours disposé à la conciliation, cependant que l'esprit conciliateur cherche à concilier seulement quand l'occasion s'en présente ou que les circonstances l'y obligent.* **Arrangeant** se dit de celui qui est conciliant, spécialement en affaires : *Un marchand arrangeant.* **Complaisant,** dans ce sens, désigne celui qui se montre conciliant, en supportant l'humeur, les façons d'agir d'autrui, même si celles-ci lui portent quelque préjudice : *Les gens en place aiment un entourage complaisant.* **Accommodant** emporte l'idée de mesure ou de modération; il s'applique à celui qui accepte d'abandonner la rigueur de la règle ou une part de ses droits, de ses prétentions, pour s'entendre plus aisément avec autrui : *Un collègue, un associé accommodant.* **Facile** désigne plutôt celui qui laisse faire ou laisse aller, qui est conciliant parce qu'il lui est désagréable de résister; il emporte presque l'idée de faiblesse : *D'une mère facile acceptez l'indulgence, a écrit Racine.* **Coulant** est un synonyme familier d'*accommodant.* (V. SOUPLE.)

conciliateur. V. CONCILIANT.

conciliation. V. ARBITRAGE.

concilier. V. ACCORDER.

concis ne se dit que du discours, de la phrase, quand l'expression de la pensée se trouve resserrée sous un petit nombre de mots, de manière à lui donner plus de force et d'énergie; il s'oppose à « diffus ». **Précis** se rapporte aux discours et aux mots, lorsque ceux-ci donnent une idée très exacte et très nette des objets; il implique que l'on ne dit rien de superflu, et s'oppose à « prolixe », sans exclure toujours pour cela l'idée de longueur : *La description d'un objet compliqué peut être précise sans être concise.*

V. aussi COURT.

concitoyen. V. COMPATRIOTE.

conclure, qui est d'un emploi fréquent, a une signification des plus tranchées; c'est terminer un raisonnement ou une preuve, en vertu des rapports nécessaires ou démontrés des propositions précédentes, quand celles-ci amènent sans laisser de doute la conséquence qu'on en tire : *Pour conclure, on se sert du procédé de l'analyse.* **Induire,** c'est passer d'une chose à une autre qui semble liée avec la première, conduire à une idée par les rapports ou la vérité des propositions déduites qui y mènent : *Pour induire, on a recours à la synthèse.* (A noter qu'*induire* est l'antithèse absolue de *conclure,* le premier s'élevant du particulier au général, alors que le second descend du général au particulier.) **Inférer,** c'est aussi, comme *induire,* passer d'une chose à une autre, mais ces choses sont alors plus éloignées, et l'esprit a plus d'effort à faire pour comprendre que l'une résulte de l'autre : *Pour inférer, il faut s'appuyer sur l'analogie.* **Déduire** a un sens moins large, plus précis; c'est tirer d'une vérité ou d'une supposition ce qui y est rigoureusement renfermé : *Deux propositions qui se déduisent l'une de l'autre sont équivalentes.* **Arguer,** c'est déduire une conséquence d'un fait, d'un principe; il est peu employé aujourd'hui.

V. aussi FINIR.

conclusion désigne, en langage de rhétorique, aussi bien la dernière partie d'un discours que la fin d'un ouvrage littéraire; c'en est le plus souvent la récapitulation. **Péroraison** ne se dit que de la conclusion d'un discours. **Épilogue** s'applique uniquement, par contre, à la conclusion d'une œuvre littéraire, et particulièrement d'un poème. (V. DÉNOUEMENT.)

V. aussi CONSÉQUENCE et RÉSULTAT.

concomitant. V. SECONDAIRE.

concorder s'emploie plus particulièrement en parlant des choses qui ont entre elles du rapport, de la convenance; il implique un accord : *La modération concorde avec la justice.* **S'accorder** dit plus; il suppose non seulement un rapport de convenance, d'harmonie, mais aussi de l'analogie, parfois même de la ressemblance, en quelque manière que ce soit : *Voix, couleurs qui s'accordent agréablement.* **Correspondre** ajoute à l'idée de convenance, de conformité, celle de réciprocité, de symétrie; il suppose équivalence, équilibre : *Fin qui correspond au commencement; Aile gauche d'un édifice qui correspond avec l'aile droite.* **Répondre** ne marque que le rapport d'une chose avec celle qui en est la cause ou l'occasion, sans qu'il y ait forcément ce rapport de réciprocité ou d'accord intime qu'implique *correspondre;* il suppose une simple opposition : *Pavillon d'habitation qui répond à un autre, sans pour cela lui ressembler.*

concourir à. V. CONTRIBUER À.

concours. V. EXAMEN et MULTITUDE.

concret. V. ÉPAIS et RÉEL.

concubine. V. AMANTE.

concupiscence. V. CONVOITISE.

concurrent. V. RIVAL.

concussion (du lat. *concutere,* frapper, exiger, tourmenter) se dit de l'abus que fait un fonctionnaire public de son autorité en exigeant de ses administrés, à l'occasion de ses fonctions, ce qu'il sait ne pas lui être dû. **Exaction** emporte l'idée d'intimidation c'est l'acte d'un fonctionnaire qui use de sa qualité pour faire payer plus qu'il n'est dû, ou même ce qui n'est pas dû; il se dit aussi, dans un sens général, des particuliers, lorsque ceux-ci emploient un moyen injuste ou impitoyable pour rançonner les gens. **Malversation** implique une gestion frauduleuse, quelle qu'en soit la forme; il désigne toute faute grave commise par cupidité dans l'exercice d'une charge, d'un emploi, dans l'exécution d'un mandat. **Déprédation** se dit particulièrement des malversations commises dans l'administration ou la régie de quelque chose; il emporte en outre l'idée de gaspillage. **Péculat** désigne seulement la malversation commise par celui qui, en ayant le maniement ou l'administration, détourne les deniers publics. **Extorsion** emporte l'idée de violence, de menace, et s'applique aussi bien aux particuliers qu'aux fonctionnaires; c'est l'action d'obtenir par force. **Forfaiture** et **prévarication,** V. TRAHISON. **Brigandage** se dit parfois, par ext. et familièrement, de concussions, d'exactions importantes.

condamnable. V. BLÂMABLE.

condamner, c'est exprimer à l'égard de quelqu'un ou de quelque chose un jugement de désapprobation appuyé sur des raisons et la conviction de l'esprit; il implique un rejet complet et suppose qu'il n'y a aucun recours possible. **Réprouver,** c'est condamner par sentiment naturel; il indique que l'on marque le caractère odieux ou intolérable de l'acte ou de la parole que l'on rejette par dégoût ou antipathie. **Maudire,** c'est condamner, réprouver en parlant de Dieu, et, par ext., en parlant d'un prêtre qui appelle la malédiction divine sur quelqu'un par des paroles liturgiques, des rites, ou même d'un ascendant qui appelle la même malédiction sur un enfant coupable. **Stigmatiser,** c'est blâmer et condamner durement et publiquement; il suppose une sorte de flétrissure qui marque d'infamie. **Proscrire,** c'est non seulement condamner, mais encore supprimer, abolir, écarter de l'usage. **Anathématiser,** c'est d'abord frapper de la sentence de malédiction qui retranche de la communion de l'Eglise, mais c'est aussi, au fig., condamner avec violence, jusqu'à vouer à l'exécration. (V. CRITIQUER, DÉSAPPROUVER et RÉPRIMANDER.)

V. aussi FERMER.

condensé. V. ABRÉGÉ et CONCENTRÉ.

condescendant. V. COMPLAISANT.

condescendre. V. DAIGNER.

condiment. V. ASSAISONNEMENT.

condisciple. V. COMPAGNON.

condition est un terme très général qui s'emploie couramment pour désigner les charges, les obligations moyennant lesquelles quelque chose est fait. **Clause** est essentiellement un terme de droit qui s'applique aux conditions spéciales, aux dispositions particulières faisant partie d'un traité, d'un contrat, d'un arrêté, d'une loi ou de tout autre acte public ou particulier. **Modalité,** qui s'emploie généralem. au pluriel dans ce sens, se dit des conditions relativement surtout à leurs modes d'exécution.

V. aussi ÉTAT et RANG.

condition (de). V. QUALITÉ (DE).

conducteur. V. MACHINISTE.

conduire, c'est figurément, faire arriver jusqu'à son terme, tant au sens physique qu'au sens moral; il suppose un trajet, un itinéraire, un but : *Chemin qui conduit au village; Doctrine qui conduit à l'athéisme.* **Mener,** dans ce sens, est surtout usité dans le langage courant : *Autobus qui mène de la Bastille à la Madeleine.* **Aller** indique simplement la jonction entre deux points : *Une ligne qui va d'un point à un autre.*

V. aussi AMENER, DIRIGER et GUIDER.

Se conduire, c'est avoir telle ou telle manière d'agir, soit dans la vie, soit simplement dans une circonstance déterminée. **Se comporter,** c'est se conduire, en user d'une certaine manière, surtout dans une circonstance déterminée. (On dit aussi souvent, dans ce sens, simplement **agir.**)

conduit. V. TUBE.

conduite, dans son sens techn., désigne une suite de tuyaux emboîtés les uns dans les autres, et que parcourt un fluide, en partant d'un réservoir ou d'un générateur, pour se rendre à tous les points où il doit être utilisé. **Canalisation** est un syn. de plus en plus usité auj. de *conduite* pris dans son sens technique. **Collecteur** est le nom que portent la plupart des conduites principales qui, surtout dans les égouts, reçoivent les ramifications plus ou moins nombreuses d'autres conduites secondaires. **Tuyauterie,** qui désigne surtout l'ensemble des conduites d'une construction, se dit aussi de la canalisation d'essence d'une automobile, ainsi que de l'ensemble des tuyaux d'une machine à vapeur, ensemble que l'on appelle encore **tuyautage. Pipeline** (mot angl., de *pipe,* tuyau, et *line,* ligne) est très partic.; c'est le nom donné aux tuyaux souterrains par lesquels passent les pétroles au sortir des puits pour se rendre jusqu'aux réservoirs des entrepôts ou des usines de raffinage : *Le réseau de pipe-lines des Etats-Unis a plusieurs milliers de kilomètres.* (V. TUBE.)

V. aussi PROCÉDÉ.

confédération. V. FÉDÉRATION.

confédéré. V. ALLIÉ.

confédérer. V. UNIR.

conférence désigne un discours instructif préparé et annoncé d'avance, où l'on traite en public des sujets variés : historiques, littéraires, scientifiques, religieux, etc. **Causerie** suppose une certaine improvisation que n'implique pas *conférence;* c'est un discours familier et sans prétention : *Le ton de la causerie n'est pas celui de la conférence.* (V. DISCOURS et SERMON.)

V. aussi CONVERSATION.

conférencier. V. ORATEUR.

conférer, c'est donner un titre, confier une charge selon les formes ordinaires, et parce que, la charge étant vacante, il faut nommer celui qui doit la remplir; c'est un exercice du droit dont on jouit. **Déférer** est surtout us. en parlant d'honneurs extraordinaires ou de pouvoirs donnés dans des circonstances exceptionnelles; il implique non pas, comme *conférer,* un acte d'autorité, mais une idée d'égard, de respect, voire de reconnaissance ou d'admiration : *Les Romains déférèrent unanimement le consulat à Cicéron, après qu'il eut déjoué la conjuration de Catilina, mais ne firent que le conférer à Antoine.* (V. ATTRIBUER.)

V. aussi COMPARER et PARLER.

confesser. V. AVOUER.

confiance. V. ASSURANCE et ESPÉRANCE.

confier, c'est commettre quelqu'un ou quelque chose à la probité, au soin, à l'habileté de quelqu'un : *On confie un enfant à ses grands-parents.* **Abandonner,** c'est confier d'une façon absolue; il suppose le plus souvent un désintéressement à peu près complet : *On abandonne l'éducation de ses enfants à un précepteur.* **Livrer,** dans ce sens, emporte généralement une idée de faiblesse, parfois même de trahison : *On livre des secrets à quelqu'un.* **Laisser,** c'est confier, en général momentanément : *Je vous laisse mon manteau jusqu'à ce soir.* **Prêter** ne se dit guère, dans ce sens, que des choses et implique généralement une utilisation temporaire; c'est confier une chose pour l'usage et à condition qu'elle soit rendue : *On prête de l'argent, des livres de sa bibliothèque.*

Se confier, c'est s'en remettre à quelqu'un de ce à quoi on s'intéresse; il implique une confiance illimitée : *On se confie sans restriction et pour toutes choses.* **Se fier** témoigne une confiance sans abandon : *On ne se fie que sous un certain rapport et pour une affaire particulière.* **S'épancher,** c'est confier librement ses pensées; il suppose le besoin d'ouvrir son cœur sans réserve, de communiquer ses sentiments avec sincérité, parfois même avec tendresse : *On ne résiste guère à s'épancher avec l'être qu'on aime.* **S'ouvrir à,** c'est confier, déclarer à quelqu'un ce qu'on pense sur quelque chose de déterminé; il implique souvent l'aveu d'un dessein, d'un projet : *S'ouvrir à sa mère de ses projets matrimoniaux.* **Se livrer,** c'est se confier à l'extrême, au-delà de toute prudence : *Se livrer à des gens qui vous trahissent.*

configuration. V. FORME.

confiner emporte l'idée de limites étroites dans lesquelles on oblige à se renfermer : *Confiner un vieillard dans sa chambre.* **Reléguer** exprime surtout l'idée d'éloignement : *Reléguer ses parents dans un faubourg écarté.*

confins. V. FRONTIÈRE et TERME.

confirmation. V. APPROBATION.

confirmer, c'est donner une force nouvelle à ce qui a été affirmé ou assuré, ajouter l'appui de son témoignage à l'affirmation, à l'assurance d'une personne qui déclare une chose exacte. **Vérifier,** c'est confirmer en faisant voir la vérité, l'exactitude d'une chose, d'une proposition, d'une assertion. **Corroborer,** syn. de *confirmer,* est peu us. dans le langage ordinaire. (V. AFFIRMER et PROUVER.)

V. aussi SANCTIONNER.

confiscation. V. SAISIE.

confisquer. V. ÔTER.

confiture, qui s'emploie ordinairement au pluriel, se dit des fruits coupés ou entiers qu'on met à cuire dans le sucre, afin que celui-ci, en pénétrant leur substance, en s'y incorporant, leur donne un goût plus agréable et permette de les conserver plus longtemps. **Marmelade** désigne des fruits cuits avec du sucre ou du sirop, et presque réduits en purée, en bouillie. **Gelée** est plus partic.; il se dit, dans ce sens, de la matière de consistance molle, tremblotante et transparente, que l'on obtient par congélation, en se refroidissant, du jus des groseilles, des framboises, des mûres, et, en général, de presque tous les fruits acides parvenus à leur maturité et cuits avec du sucre. **Com-**

pote désigne des confitures qui ne sont pas assez cuites et trop légèrement sucrées pour que leur forme en soit dénaturée et qu'elles puissent être conservées longtemps.

conflagration. V. GUERRE et INCENDIE.

conflit. V. CONTESTATION.

confondre. V. HUMILIER et MÊLER.

confondu. V. CONFUS et DÉCONCERTÉ.

conformation. V. FORME.

conforme. V. SEMBLABLE.

conformément à. V. SELON.

conformer (se). V. SOUMETTRE (SE).

conformité. V. ANALOGIE.

confort. V. AISES.

conforter. V. AFFERMIR.

confrère se dit de celui qui exerce la même profession ou qui fait partie de la même corporation, de la même société, que nous-même, avec l'idée d'une sorte d'intimité qui tient de l'estime et de l'amitié, et qui suppose une disposition à se soutenir, à s'aider l'un l'autre. **Collègue** désigne celui qui a reçu une même mission, une même charge, ou qui exerce les mêmes fonctions que nous-même, avec l'idée d'une participation commune à une même œuvre collective : *On est confrères dans les professions libres et collègues dans les professions officielles.* **Pair** emporte essentiellement une idée d'égalité; il se dit des hommes de même condition, de même rang ou de même valeur intellectuelle ou sociale : *Etre jugé par ses pairs.*

confrérie. V. COMMUNAUTÉ et CORPORATION.

confronter. V. COMPARER.

confus désigne proprement tout ce qui résulte de la réunion sans règle des parties; il suppose un état naturel. **Confondu** se dit des parties elles-mêmes, et fait toujours penser à une action dont il marque le résultat : *Le chaos était un amas confus des éléments, et dans le chaos tous les éléments étaient confondus.*

V. aussi EMBARRASSÉ et OBSCUR.

confusion implique un défaut d'ordre, de régularité, de méthode, de clarté; il se dit de ce qui est pêle-mêle et dans lequel tout est mêlé, embrouillé. **Trouble** désigne une confusion, en général momentanée, due à une mauvaise compréhension, à une mésentente, et suppose une certaine agitation. **Remue-ménage,** qui désigne proprem. le dérangement de meubles, d'objets divers et multiples que l'on transporte d'un lieu à un autre, se dit parfois aussi, figurément et familièrement, d'une confusion, d'un trouble quelconque. **Chaos,** qui se dit au propre de l'état où tous les éléments étaient au moment de la Création, avant que Dieu leur eût donné l'ordre et l'arrangement, désigne, dans le langage courant, une confusion de choses d'assez grande importance. **Tohu-bohu,** expression de la Genèse servant à exprimer proprement le chaos initial, se dit aussi, figurément et familièrement, d'une vive confusion, d'un grand chaos, le plus souvent accompagné de tumulte. **Billebaude,** syn. de *confusion,* est peu us. (V. DÉRANGEMENT et DÉSORDRE.)

V. aussi MALENTENDU.

congé se dit de l'autorisation de quitter le travail pour un temps plus ou moins long, ainsi que de ce temps lui-même : *Fonctionnaires, ouvriers, élèves en congé; Obtenir un congé d'une semaine.* **Repos,** dans ce sens, se dit d'un congé habituel et, en général, assez court, dont le but est surtout de faire cesser la fatigue du travail : *Le repos dominical.* **Campos,** syn. de *repos,* est fam. **Vacances,** qui, dans ce sens, s'emploie toujours au pluriel, dit plus; il s'emploie en parlant du temps de repos, d'une durée relativement prolongée, qui est accordé annuellement, ou lors de certaines fêtes légales, à ceux qui travaillent, et particulièrement à des élèves ou à des étudiants.

V. aussi PERMISSION.

congédier implique une autorité tempérée ou non de formes; c'est soit inviter à se retirer, à s'en aller, soit l'ordonner : *Congédier ses hôtes; Congédier un domestique.* **Econduire,** c'est congédier, soit brutalement, soit — le plus souvent — avec des formes, quelqu'un qui quémande : *On est honteusement ou poliment éconduit par un homme puissant.* **Donner congé,** c'est déclarer ou faire connaître à quelqu'un qu'on le congédie pour toujours, qu'il doit se retirer pour ne plus revenir : *On* *donne congé à un locataire.* **Renvoyer,** comme **donner son compte,** lorsqu'il s'agit d'un salarié, suppose l'extériorisation immédiate d'un mécontentement, d'une défaveur; il implique un manque d'égards pour celui que l'on renvoie : *Renvoyer un employé, lui donner son compte, sans même vouloir écouter ses explications.* **Remercier,** c'est renvoyer poliment; il indique une manière honnête d'ôter à quelqu'un la place ou l'emploi qu'il occupe : *Industriel qui remercie ses ingénieurs.* **Licencier,** c'est congédier, en parlant d'un corps et, particulièrement, d'un corps de troupe : *Licencier le personnel d'une usine; Licencier un régiment.* **Chasser,** c'est renvoyer honteusement quelqu'un qui ne vous a pas satisfait ou qui vous a trompé : *Chasser un caissier indélicat.* **Mettre** et surtout **jeter à la porte,** c'est chasser vivement, violemment. **Ficher** et **flanquer à la porte,** syn. de *mettre, jeter à la porte,* sont familiers; **foutre à la porte** est populaire. **Balancer** et **débarquer,** c'est renvoyer une personne gênante pour s'en débarrasser; ils sont familiers et péjoratifs : *Balancer, débarquer un associé, un ministre.* **Envoyer paître** est une loc. pop. signifiant congédier avec brusquerie, cependant qu'**envoyer dinguer** est une expression du langage argotique. **Sacquer** (donner son « sac » à quelqu'un) est un syn. pop. et péj. de *congédier* et de *renvoyer;* il emporte l'idée d'une décision à la fois énergique et brutale. (V. DESTITUER.)

congeler, c'est faire passer un liquide à l'état de solide; il implique un abaissement de température au-dessous de zéro : *Le grand froid congèle l'eau.* **Figer** suppose simplement épaississement par l'action d'un refroidissement, mais sans qu'il soit nécessaire de descendre à 0°; il se dit surtout en parlant des liquides gras : *L'air froid fige la graisse des viandes.* (On dit aussi parfois, dans ce sens, mais abusivement, *congeler.*) **Prendre** est plus général; il s'applique à tout ce qui se solidifie par congélation ou épaississement : *Rivière prise; Confitures qui ont mal pris.* (V. COAGULER et GELER.)

V. aussi FRIGORIFIER.

congénère (du lat. *cum,* avec, et *genus, eris,* genre) s'emploie substantivem. pour désigner les objets du même genre; il se dit surtout en termes d'hist. nat. : *Cet animal et ses congénères.* (Appliqué aux hommes, ce terme est péjoratif.) **Semblable,** dans ce sens, s'applique plutôt aux hommes, sans distinction de race et de civilisation : *L'homme et ses semblables.*

congénital. V. INNÉ.

congestion se dit d'un afflux de sang dans un organe (poumon, cerveau, foie, rein) ou une région du corps, sans altération des vaisseaux où il se produit. **Apoplexie** est plus partic.; il désigne la congestion des centres nerveux consistant dans l'abolition subite des fonctions du cerveau, caractérisée par la perte de la connaissance et du mouvement, avec conservation de la respiration et de la circulation. (A noter que, dans ce sens, on dit plutôt auj. **hémorragie cérébrale,** cependant que l'on donne abusivement le nom d'*apoplexie* à des hémorragies qui se produisent dans certains organes autres que le cerveau : *Apoplexie pulmonaire, splénique, etc.*) **Coup de sang** est le nom vulgaire par lequel on désigne une attaque d'apoplexie ou une hémorragie cérébrale.

congratuler. V. FÉLICITER.

congréganiste. V. RELIGIEUX.

congrégation. V. COMMUNAUTÉ.

congrès. V. RÉUNION.

congru, congruent. V. APPROPRIÉ.

conjecture. V. SUPPOSITION.

conjecturer. V. AUGURER.

conjoint. V. ÉPOUX.

conjoncture. V. CAS.

conjugal. V. MATRIMONIAL.

conjungo. V. MARIAGE.

conjuration. V. COMPLOT et EXORCISME.

conjurer. V. PRIER.

connaissance se dit de ce que l'on sait d'une manière nette, après mûr examen ou étude. **Notion** désigne un simple aperçu, une vue générale et sommaire, ou bien partielle et imparfaite; il suppose un travail rapide, moins sérieux que *connaissance.* **Idée** dit moins encore et n'implique aucun effort, aucune application; c'est la notion que l'esprit reçoit ou se forme de quelque chose par sa seule représentation. (V. CONCEPTION, IMAGINATION et SAVOIR.)

V. aussi AMANTE et AMI.

Connaissances. V. RELATIONS.

connaisseur. V. AMATEUR.

connaître, c'est avoir une notion parfaite ou imparfaite d'une chose, obtenue parfois sans effort et n'impliquant pas forcément sa possession pratique. **Savoir** dit plus; c'est avoir une notion généralement approfondie et pratique, obtenue par l'étude ou l'expérience. **Posséder,** c'est savoir complètement.

connaître (faire). V. SAVOIR (FAIRE).

connivence. V. COMPLICITÉ.

conquérir, c'est, figurément, gagner les cœurs, l'estime, par ses procédés. **Capter,** c'est conquérir, chercher à obtenir quelque chose ou à gagner quelqu'un, non par l'estime ou la puissance, mais plutôt par voie d'insinuation. **Captiver** emporte l'idée de charme; il s'emploie particulièrement pour exprimer l'empire que les passions exercent sur l'homme. **Séduire,** qui proprement emporte un sens péj. et suppose que l'on conquiert en trompant, en abusant, en faisant tomber dans l'erreur par des moyens artificieux, s'emploie aussi en bonne part; il se dit bien alors en parlant de ce qui conquiert d'une façon irrésistible, sans que l'on puisse toujours en déterminer les raisons. **Subjuguer,** c'est non seulement conquérir, mais encore prendre de l'empire, de l'ascendant; il emporte une idée de faiblesse, de moindre volonté chez celui qui est subjugué. **Envoûter,** c'est subjuguer une personne qui vous aime ou vous admire. **Entortiller** est familier; c'est séduire par des paroles captieuses, circonvenir quelqu'un en l'enveloppant de séductions, voire de ruses. **Empaumer** est familier aussi et toujours péjoratif; c'est séduire en se rendant habilement maître de l'esprit d'une personne pour lui faire faire tout ce qu'on veut, et plutôt le mauvais que le bon. **Emberloquer** (ou **emberlucoquer**), syn. d'*entortiller,* est peu usité. (V. CHARMER et PLAIRE.)

conquêt. V. BIEN.

consanguinité est le terme de physiol. qui désigne le lien sanguin unissant les descendants d'un ancêtre immédiat commun : père, mère, grand-père, grand-mère. **Parenté** est plus du langage courant et concerne aussi bien l'union par le sang que l'union par alliance entre diverses personnes; ce peut être en outre l'ensemble de ceux qu'unit un lien de parenté et qui constituent une **famille. Parentage,** syn. de *parenté,* vieillit; sa terminaison en faisant spécialement un nom collectif, il conviendrait mieux pour exprimer tous les parents ensemble. **Parentèle,** syn. de *consanguinité* comme de *parenté,* est vieux. (V. RACE.)

consciencieux se dit de celui qui suit sans hésiter les inspirations de sa conscience, qu'il sait juste et éclairée; il se prend toujours en bonne part. **Scrupuleux,** pris en bonne part, enchérit sur *consciencieux;* il désigne proprem. celui qui non seulement agit avec conscience, mais encore pèse avec soin jusqu'aux actes les moins importants. (Employé en mauv. part, il se dit de celui qui, poussant à l'excès sa vertu, tergiverse et néglige bientôt des devoirs plus importants pour s'attacher à des prescriptions et à des détails insignifiants.) **Minutieux** emporte, plus que l'idée de conscience, celle d'attention, le plus souvent excessive, pour les petites choses, les menus détails. **Méticuleux,** syn. de *minutieux,* s'applique à celui qui pousse le goût des moindres détails jusqu'à en être préoccupé, inquiet. **Tatillon** est un syn. péjoratif de *minutieux,* de *méticuleux.* (V. HONNÊTE.)

conscrit. V. NOVICE et SOLDAT.

conseil. V. AVERTISSEMENT, COMPAGNIE et DÉFENSEUR.

I. **conseiller** désigne, substantivement, celui qui indique à quelqu'un ce qu'il doit faire ou ne pas faire. **Conseilleur** s'applique péjorativement à celui qui donne des conseils hors de propos. **Inspirateur** suppose quelque chose de moins direct, de plus secret aussi, que *conseiller;* c'est le nom que l'on donne à celui qui fait naître une pensée, une résolution, qui la suggère, sans l'indiquer formellement. **Guide** peut se dire aussi bien de celui qui donne des instructions pour la conduite de la vie ou celle d'une affaire, que de celui dont on s'inspire pour agir, sans que celui-ci nous conseille directement lui-même. **Mentor** est un terme familier et noble tout ensemble qui sert à désigner le conseil, le guide attentif et sage de quelqu'un, par allusion à un personnage du « Télémaque » de Fénelon, emprunté à « l'Odyssée » d'Homère. — **Egérie,** nom de la nymphe dont le roi Numa Pompilius recevait les conseils dans le bois d'Aricie, suivant la légende romaine, s'emploie, dans le langage moderne, pour désigner une conseillère, une inspiratrice secrète, mais écoutée.

2. **conseiller.** V. RECOMMANDER.

conseilleur. V. CONSEILLER.

consentement. V. APPROBATION.

consentir, c'est vouloir bien, de la manière la plus simple, c'est-à-dire en se bornant à ne pas empêcher. **Accepter,** c'est consentir à ce qu'on propose, sans idée accessoire. **Se prêter à,** c'est consentir à quelque chose par complaisance. **Acquiescer,** c'est consentir en se pliant volontairement à ce que veulent les autres. **Adhérer,** c'est donner son consentement plutôt à ce qui se pense qu'à ce qui se fait. **Souscrire,** c'est consentir d'une manière volontaire, explicite et complète, surtout à une chose exprimée par écrit ou de vive voix. **Accéder,** c'est consentir en entrant accessoirement dans les engagements déjà donnés par d'autres. **Toper,** proprement frapper dans la main, s'emploie figurément et familièrement dans le sens de consentir à une offre, d'adhérer à une proposition : *Il propose son prix : on y tope* (*Diderot*). **Opiner du bonnet** est une locution familière qui signifie, dans le langage courant, acquiescer sans dire mot, par un mouvement de la tête, un simple signe. (V. APPROUVER et PERMETTRE.)

conséquence désigne la proposition, finale ou non, qui, par la force même des choses, résulte de celles qu'on emploie comme principes dans un raisonnement et que l'on nomme prémisses : *Une conséquence est fausse quand elle ne résulte pas bien des prémisses.* **Corollaire,** qui, en termes mathématiques, désigne la conséquence découlant d'une proposition déjà démontrée, et dont la déduction n'exige pas de démonstration spéciale, se dit aussi, par ext., dans le langage courant, de toute conséquence nécessaire d'un fait quelconque; il emporte l'idée d'évidence : *Une révolution littéraire est souvent le corollaire d'une révolution politique.* **Conclusion** désigne uniquement la proposition finale qui, dans un raisonnement, découle des prémisses : *Une conclusion est fausse quand elle est l'énoncé d'une erreur, et l'erreur alors peut venir soit de ce qu'il n'y a pas liaison avec les prémisses, soit que l'une de celles-ci est fausse elle-même.*

V. aussi IMPORTANCE et SUITE.

conséquence (de). V. IMPORTANT.

conséquent (par). V. AINSI.

conservatoire. V. ÉCOLE et MUSÉE.

conserver, c'est soigner une personne ou une chose de manière à empêcher qu'elle ne soit altérée ou détruite. **Réserver** dit plus; il implique qu'on s'abstient d'user de quelqu'un ou de se servir de quelque chose pour le moment, cela afin de le conserver. **Garder,** c'est conserver dans un lieu déterminé, souvent avec l'intention de retenir par devers soi. **Maintenir,** c'est laisser dans le même état, dans la même condition; il emporte une idée de soutien et de stabilité. **Entretenir,** c'est conserver en rendant durable; il suppose des soins. **Détenir,** c'est garder en sa possession, que cela gêne autrui ou non.

considérable. V. GRAND.

considérablement. V. BEAUCOUP.

considération. V. ÉGARD, PENSÉES et RÉPUTATION.

considérer. V. ESTIMER et REGARDER.

consignation. V. DÉPÔT.

consigne. V. INSTRUCTION.

consigner. V. CITER.

consistant. V. SOLIDE.

consister, c'est avoir son essence, ses propriétés dans une chose : *L'art de persuader, a dit Pascal, consiste autant en celui de plaire qu'en celui de convaincre.* **Résider,** syn. de *consister,* est d'un usage moins courant : *Le fait de la liberté réside tout entier dans la résolution que prend l'homme à la suite de la délibération* (*Guizot*).

consistoire. V. CONCILE et RÉUNION.

consolant se dit de ce qui est propre à soulager tous ceux qui sont dans l'affliction, à condition qu'il soit approprié aux temps, aux lieux, aux personnes : *Ce qui est consolant permet* *de se consoler dès qu'on veut y réfléchir.* **Consolateur** implique un pouvoir de consoler qui n'est fait que pour la circonstance : *Ce qui est consolateur console réellement, actuellement.*

consolateur. V. CONSOLANT.

consolation. V. COMPENSATION.

consoler, c'est soulager, adoucir, diminuer l'affliction, la douleur d'une personne, par des discours, des soins, ou de quelque manière que ce soit. **Réconforter,** suppose un effet plus considérable; c'est non seulement consoler, mais encore redonner courage et force morale. **Conforter,** syn. de *réconforter,* est vx. (V. APAISER et RASSURER.)

consolider. V. ASSURER.

consommé. V. ACCOMPLI et BOUILLON.

consommer marque généralement la destruction de la chose dans un but utile; il se dit de ce qui se détruit par l'usage, comme le vin, la viande, le bois et toutes sortes de provisions : *Une cheminée qui consomme beaucoup de bois est une cheminée où l'on fait un grand feu.* **Consumer,** qui a eu longtemps le même sens que *consommer,* indique auj. une action destructive et ordinairement rapide; il se dit proprement du feu, et, par analogie, du temps, du mal; c'est user, détruire, réduire à rien : *Une cheminée qui consume beaucoup de bois est une cheminée mal construite où l'on brûle plus de bois qu'il ne faut pour produire une certaine quantité de chaleur.*

V. aussi COMMETTRE et FINIR.

consomption. V. AMAIGRISSEMENT.

consonance désigne l'uniformité, la ressemblance de son dans la terminaison des mots : *Il y a consonance entre « armer » et « charmer », « belle »* et *« rebelle ».* **Rime** se dit seulement des consonances utilisées dans la poésie; c'est le retour du même son à la fin de deux ou plusieurs vers : *« Eternel » et « solennel » sont des rimes riches, « faire » et « téméraire » des rimes suffisantes.* **Assonance** se dit seulement de la propriété qu'ont certains mots de se terminer par le même son, ou par des sons à peu près semblables : *« Sombre » et « tondre », « peindre » et « peintre », « âme » et « âge » sont des assonances.*

consortium. V. SOCIÉTÉ.

conspiration. V. COMPLOT.

conspuer. V. HUER.

constamment. V. TOUJOURS.

constance. V. FIDÉLITÉ et PERSÉVÉRANCE.

constant, qui se dit de celui qui ne varie pas, qui reste le même dans l'adversité comme dans la prospérité, a surtout rapport aux sentiments ou à la passivité; il emporte l'idée de continuité, de similitude à soi-même : *On est constant dans ses goûts.* **Ferme,** qui se rapporte au caractère, à l'action, au commandement, exprime une idée de volonté, de résistance : *On reste ferme dans ses résolutions.* **Inébranlable** suppose une résistance supérieure à celle qui ressort de *ferme,* et surtout une résistance immuable et sans oscillation; il exprime la force avec laquelle on résiste à tous les chocs, à tout ce qui pourrait faire changer, affaiblir sa croyance ou modifier sa conduite : *On est inébranlable dans ses sentiments comme dans ses résolutions.* **Inflexible** marque plus particulièrement la fermeté dans les résolutions; il se rapporte surtout à la volonté qu'il présente comme restant toujours aussi absolue, aussi entière, malgré tous les efforts possibles pour la faire plier : *On est inflexible quand on est doué d'une volonté immuable que rien ne saurait fléchir.*

V. aussi DURABLE et ÉVIDENT.

constater. V. VÉRIFIER.

consterné. V. DÉCONCERTÉ.

consterner. V. ATTRISTER.

constituer. V. FORMER.

constitution. V. COMPOSITION, NATURE et RÈGLEMENT.

construction. V. BÂTIMENT

construire. V. BÂTIR.

consulter. V. DEMANDER.

consumer. V. CONSOMMER et DÉTRUIRE.

contact. V. TACT.

contacter. V. REJOINDRE.

contagion, qui est un terme du langage médical, implique l'idée de contact; il suppose que la maladie est transmise soit par le contact d'individu à individu, soit par la communication directe d'un virus : *La contagion de la grippe.* **Contamination** ajoute à l'idée de contagion celle de souillure : *Conta-*

mination par la syphilis. **Infection** suppose simplement la transmission d'une maladie sans contact avec un autre malade : *L'infection gangreneuse, purulente.*

contamination. V. CONTAGION.

conte, pris dans son sens littéraire, se dit d'un récit court et généralement plaisant, ou bien merveilleux, lorsqu'il s'agit des contes pour enfants, dont le but est de distraire et dont le mérite consiste dans la manière piquante ou naïve de raconter des faits qui n'ont aucun fondement réel. **Roman** suppose un récit beaucoup plus long, descriptif et analytique, racontant une suite d'aventures imaginaires propres à exciter l'intérêt, l'émotion, la crainte, l'horreur et souvent les passions. **Nouvelle** se dit d'un petit roman, rapide, ramassé, synthétique : *La nouvelle ne serait guère plus qu'un conte, si elle ne se rapprochait du roman par la complication des aventures ou par le but de passionner ou d'émouvoir.* (V. FABLE et LÉGENDE.)

Conte, lorsqu'il s'applique péjorativement, dans le langage courant, à un récit fait pour abuser, se dit de propos mensongers tenus sérieusement ou par plaisanterie. **Fable** désigne, dans ce sens, un conte divulgué dans le public et dont on ignore l'origine. **Histoire,** syn. de *conte,* est familier, comme **roman** qui s'applique à un récit d'une certaine longueur et dénué de vraisemblance; on dit aussi, plus familièrement encore, **feuilleton,** qui insiste sur *roman* quant à l'idée d'invraisemblance. **Racontar,** familier aussi, est dominé par l'idée de commérage; il convient bien en parlant d'une nouvelle qui ne repose sur rien de sérieux. **Cancan,** comme **ragot,** est péj.; il se dit toujours d'un racontar malveillant. **Bourde** se dit d'un conte inventé pour abuser de la crédulité de quelqu'un. **Bateau** et **colle,** syn. de *bourde,* sont populaires. **Bobard** et **canard** (celui-ci moins usité auj.), populaires aussi, s'emploient surtout en parlant d'une fausse nouvelle. **Craque** emporte l'idée de hâblerie; c'est un conte inventé le plus souvent pour se faire valoir. (V. MENSONGE.)

contempler. V. REGARDER.

contemporain. V. ACTUEL.

contempteur. V. MÉPRISANT.

contenance désigne la quantité de ce qui est contenu dans un certain espace, lorsque celui-ci est complètement rempli. **Capacité** s'applique au volume d'une chose qui peut en contenir ou en contient une autre; il suppose un espace plein ou vide.

V. aussi MAINTIEN et SURFACE.

contendant. V. RIVAL.

contenir marque une contenance réelle, une capacité de fait; ce peut être aussi, en parlant d'un tout, présenter un nombre déterminé de parties : *Une bassine contient dix litres d'eau quand elle est pleine de ce liquide; Livre qui contient trois cents pages.* **Tenir** dit moins; exprimant seulement la propriété qu'a un objet de contenir une certaine quantité, il marque en général la contenance possible, la capacité à priori : *Une bassine tient dix litres d'eau quand elle a été faite assez grande pour cela.* **Renfermer,** c'est contenir dans une stricte limite, ou bien tenir contenu dans un espace : *Dieu renferma les mers dans vos vastes limites* (*Racine*)*; Le crâne renferme le cerveau; Les fruits renferment les graines.* (A noter que lorsque *contenir* marque abusivement la possibilité de *renfermer,* il devient un syn. absolu de *tenir;* c'est ainsi qu'on peut dire d'une salle de spectacle qu'elle « contient » deux mille places, même quand elle est vide.) **Recéler,** syn. de *contenir,* de *renfermer,* est plutôt du style relevé, et suppose quelque chose de caché, de dissimulé : *L'Etna recèle des gouffres bouillonnants.* — **Comprendre,** c'est contenir en soi comme partie de l'ensemble : *Royaume qui comprend plusieurs provinces;* on dit souvent aussi auj., dans ce sens, **comporter** : *Examen qui comporte plusieurs épreuves; Appartement qui comporte quatre pièces.* **Embrasser,** c'est, figurément, comprendre tout un genre de choses ou comprendre beaucoup de personnes : *La physique embrasse l'acoustique.* **Englober,** c'est comprendre en faisant entrer dans un ensemble : *L'étude de la philosophie englobe tout.*

V. aussi RETENIR.

content implique l'accomplissement de nos propres désirs; il marque la tranquillité de l'âme produite par la plénitude de la jouissance et l'exemption de désirs nouveaux : *On est content lorsqu'on n'est pas tourmenté du besoin d'autre chose.* **Satisfait** suppose que l'on a obtenu ce que l'on souhaitait, mais il exprime simplement une suffisance et une extinction de désir relatives : *On est satisfait lorsqu'on a obtenu ce que l'on désirait.* **Aise** emporte l'idée d'un plaisir provoqué le plus souvent par un événement inattendu, inespéré, et qui ne nous concerne pas forcément directement : *Etre très aise d'une rencontre inopinée; Le juste est aise du bonheur d'autrui.* **Ravi** enchérit sur tous ces termes; il implique un contentement, une satisfaction extrême, qui va jusqu'à l'exaltation, et que l'on extériorise presque toujours : *Etre ravi des succès de son protégé.* **Heureux** s'applique à celui qui possède ce qui peut le rendre content : *On est heureux quand on croit l'être.* **Béat** implique un contentement, une satisfaction dont témoignent surtout la mine et le ton. (V. GAI.)

contentement. V. JOIE.

contenter. V. SATISFAIRE.

contentieux (de l'anc. fr. *contençon,* lutte, débat), qui se dit de ce qui est en discussion, implique simplement désaccord. **Litigieux** (du lat. jurid. *litigium,* de *lis, litis,* procès) emporte surtout l'idée de procès.

contention. V. ATTENTION et DISCUSSION.

conter est du style familier et suppose que l'on parle de choses qui souvent n'ont pas existé : *On conte avec agrément, pour amuser, pour plaire, pour récréer ceux qui nous écoutent.* **Raconter** implique plus la vérité, que l'on a pour but de faire connaître aux autres, sans rien ajouter ni retrancher : *On raconte avec exactitude, pour rendre compte, pour expliquer les faits.* **Narrer** est du langage recherché; c'est raconter avec un certain talent et force détails : *On narre avec étude ou avec art, pour attacher, pour intéresser son auditoire.* **Retracer,** c'est raconter les choses passées et connues, en renouveler la mémoire : *On retrace les exploits d'un héros.* (V. PEINDRE et RACONTER.)

contestation implique une opposition portant en général sur l'interprétation qu'il faut donner à un usage, à une loi, à une clause, en fait d'intérêt. **Litige,** terme de jurisprudence désignant une contestation en justice, s'applique aussi, dans le langage ordinaire à toute sorte de contestations. **Différend** se dit de ce qui empêche l'accord entre des personnes en rapport les unes avec les autres; il suppose une chose précise et déterminée sur laquelle on se contrarie. **Démêlé** a rapport à une chose non éclaircie, dont on n'est pas d'accord, et sur laquelle cherchent à s'expliquer des personnes qui pouvaient auparavant ne pas même se connaître. **Conflit** enchérit sur tous ces termes; il se dit d'une contestation, d'un différend, d'un démêlé croissant en acuité jusqu'à provoquer un choc, un heurt violent. (V. CHICANE, DISCUSSION et DISPUTE.)

conteste (sans). V. ASSURÉMENT.

contester. V. NIER.

contexte. V. TEXTE.

contexture, qui désigne proprement l'union, le mode d'agencement des éléments qui composent la masse des organes, de leurs parties et des corps inorganiques, s'emploie surtout figurément pour désigner l'arrangement et l'enchevêtrement des parties formant un tout; il emporte l'idée d'une assez grande complication (v. COMPOSITION). **Texture** suppose un arrangement plus simple que *contexture.* **Tissu** et **tissure** ne s'emploient guère qu'au propre, le premier pour désigner la chose tissée elle-même, l'étoffe, tandis que le second marque la manière dont la chose a été tissée : *Le tissu est beau, fin, grossier; la tissure est lâche, serrée, inégale.*

contigu. V. PROCHE.

continent. V. CHASTE.

contingent. V. PART.

contingentement. V. RÉPARTITION.

continu se dit de ce qui dure sans interruption, de ce qui ne cesse jamais; il s'applique à l'étendue et à la durée. **Continuel** ne se rapporte qu'à la durée; c'est ce qui continue, ce qui dure, parfois avec des intervalles et des reprises : *Le cliquet d'un moulin ne fait pas un bruit continu, mais simplement un bruit continuel, car ce bruit se compose de chocs successifs.* (V. DURABLE.)

continuation désigne l'action de

poursuivre ce qui est commencé et a généralement rapport à la durée : *La continuation d'un travail.* **Continuité** se dit de l'état de la chose elle-même qui est continue, parce que toutes ses parties se tiennent sans interruption, et peut avoir trait à l'étendue : *La continuité du travail; La continuité de paysages admirables.* **Suite,** qui n'implique pas que ce que l'on continue soit ou non achevé, suppose un rapport moins étroit que *continuation;* il peut se dire d'un accessoire, d'une conséquence plus ou moins directe, d'une addition à ce qui n'est pas fini et ne le sera pas forcément encore : *On dit la continuation d'une vente et la suite d'un procès, tant qu'il n'est pas intervenu, dans ce dernier cas, un jugement définitif et sans appel.* **Prolongement** est un terme didactique qui suppose la continuation d'une portion d'étendue : *Le prolongement d'une digue, d'une rue.* **Prolongation** s'applique plutôt au temps : *La prolongation d'un terme, d'une veille.*

continuel. V. CONTINU et ÉTERNEL.

continuellement. V. TOUJOURS.

continuer, c'est simplement faire comme on a fait jusque-là; il marque la suite d'un premier effort et s'oppose à « cesser » : *On continue l'ouvrage qu'on ne veut pas laisser où il en est.* **Poursuivre** marque également la suite, mais il témoigne d'une volonté déterminée et persistante d'arriver à la fin : *On poursuit l'ouvrage que l'on doit finir, achever, d'après un plan, des vues, des intentions arrêtées, et quels que soient les obstacles rencontrés.* **Persévérer,** c'est continuer sans vouloir changer; il emporte l'idée d'une constance prolongée dans telle ou telle ligne de conduite : *On persévère par réflexion.* **Persister** suppose de la fermeté, de l'énergie; c'est persévérer avec opiniâtreté : *On persiste à affirmer ce que d'autres nient; On persiste dans un refus.*

V. aussi DURER.

continuité. V. CONTINUATION.

contorsion. V. GRIMACE et TORSION.

contour. V. TOUR.

contracter et **gagner,** lequel est moins us., se disent en parlant des maladies qui se communiquent par contagion ou de quelque autre manière: *Maladie contractée, gagnée à l'armée.* **Attraper** est familier dans ce sens : *On attrape un rhume.* **Piger** est populaire.

Se contracter. V. RESSERRER (SE).

contraction implique une diminution de volume par resserrement : *La contraction des muscles.* **Crispation** se dit d'une contraction qui diminue l'étendue d'un objet tout en en ridant la surface : *Crispation des traits, du visage; Crispation du cuir sous l'action du feu.*

contradiction se dit de l'opposition, de l'incompatibilité existant entre deux ou plusieurs choses, ou entre les éléments d'une même chose. **Antinomie,** terme de jurisprudence ou de philosophie, se dit d'une contraction réelle ou apparente entre deux lois ou deux principes. **Antilogie** est un terme didactique peu usité qui se dit d'une contradiction de langage, et aussi des contradictions de sens dans le discours.

contradictoire. V. OPPOSÉ.

contraindre. V. OBLIGER.

contrainte (du lat. *constringere,* proprem. serrer) désigne la violence qu'on exerce contre quelqu'un pour l'obliger à faire quelque chose malgré lui, ou pour l'empêcher de faire ce qu'il voudrait. **Coercition** (du lat. *coercere,* réprimer) est un terme employé le plus souvent en jurisprudence qui implique un droit, un pouvoir, permettant de forcer quelqu'un à faire son devoir; il suppose une contrainte légale ayant pour but de retenir quelqu'un dans le devoir : *La coercition n'est pas une peine, mais un moyen légal de contrainte.* **Pression** se dit uniquement d'une contrainte morale; il suppose une influence coercitive.

V. aussi GÊNE.

contraire. V. ANTONYME et OPPOSÉ.

contrarier, c'est s'opposer, faire obstacle : *On contrarie les inclinations, la vocation de ses enfants; Vent qui contrarie la marche d'un navire.* **Contredire,** c'est, dans une acception très générale et en parlant des choses aussi bien que des personnes, mettre en état d'opposition : *Propositions qui se contredisent; Accident qui contredit un dessein.* **Contrecarrer,** c'est contrarier ou contredire de front, avec une intention marquée ; il implique souvent animosité, désir d'offenser : *Etre contrecarré dans tous ses projets.*

V. aussi FÂCHER.

contrariété. V. SOUCI.

contraste. V. OPPOSITION.

contraster se dit de ce qui s'oppose d'une façon frappante : *Caractères, couleurs qui contrastent.* **Trancher** enchérit sur *contraster* quant à la vigueur de l'opposition, du contraste; c'est contraster à l'extrême : *Les dents et le blanc des yeux des Nègres tranchent sur leur peau noire.* **Jurer** est péj.; il suppose une opposition, un contraste entre des choses dont le rapprochement ou l'union produit une discordance, un manque d'accord choquant : *Le vert jure avec le bleu; Il ne faut pas que les actes jurent avec les paroles.*

contrat. V. CONVENTION.

contravention se dit d'une infraction à une loi, à un contrat, etc., et, plus spécialement dans la législation pénale actuelle, d'une infraction qui ne relève que des tribunaux de simple police, mais implique une sanction : *En matière de contravention, la bonne foi ne peut être alléguée devant le juge.* **Procès-verbal,** plus général, désigne l'acte par lequel un officier de justice : gendarme, gardien de la paix, garde-champêtre, etc., constate, dans l'exercice de ses fonctions, une contravention, et même un délit grave ou un crime : *Simple constatation d'un fait, le procès-verbal rédigé séance tenante peut parfois rester sans suite, dans les cas bénins évidemment.* (A noter que l'épithète « verbal » vient de ce que, autref., les agents de la force publique se bornaient à une déclaration purement verbale.) **Contredanse,** syn. de *contravention,* est un terme d'argot.

contre. V. MALGRÉ.

contre-avis, révocation d'une indication antérieure, **avis contraire,** est d'un emploi préférable à **contre-ordre,** lorsqu'on s'adresse à quelqu'un à qui l'on n'a pas d'ordre à donner. (A noter que si le « Dictionnaire de l'Académie française » écrit, dans son édition de 1932, CONTRAVIS et CONTRORDRE, ces formes ne sont pas encore entrées dans l'usage.) **Contremandement** est un syn. moins usité de *contre-ordre,* ainsi que **décommandement.** (On emploie surtout CONTREMANDER et DÉCOMMANDER, le premier s'appliquant mieux aux personnes, et le second aux choses.)

contrebalancer. V. ÉGALER et ÉQUILIBRER.

contrecarrer. V. CONTRARIER.

contredire, c'est parler dans un sens opposé, dire quelque chose en désaccord avec ce qui a été dit par d'autres; il peut toutefois exprimer une opposition assez vague : *Contredire un témoin sur certains points.* **Dédire,** qui signifie proprement détruire ce qui a été dit, exprime toujours une action plus appuyée et plus volontaire que *contredire;* il implique que l'on agit en pleine connaissance de cause : *On dédit son mandataire quand on dit « non » après qu'il a dit « oui », ou « oui » après qu'il a dit « non ».* **Démentir,** c'est contredire nettement quelqu'un en niant la véracité de ce qu'il a affirmé : *Démentir les assertions d'un témoin;* ce peut être aussi contredire par sa conduite, être en contradiction avec, en parlant des personnes et des choses : *Démentir sa conduite par ses paroles.* **S'inscrire en faux** enchérit sur *démentir;* il suppose une certaine indignation : *On s'inscrit en faux contre les affirmations mensongères de quelqu'un.* **Réfuter** enchérit à son tour sur tous ces termes; c'est non seulement contredire, mais encore combattre victorieusement par des preuves contraires et solides : *On réfute une calomnie, une thèse.*

V. aussi CONTRARIER.

contredit (sans). V. ASSURÉMENT.

contrée. V. PAYS.

contrefait. V. DIFFORME.

contremandement, contre-ordre. V. CONTRE-AVIS.

contrepied (à). V. REBOURS (À).

contrepoids. V. COMPENSATION.

contrepoil (à). V. REBOURS (À).

contrepoison est du langage courant; il se dit d'un remède propre à empêcher les progrès ou à détruire l'effet d'un poison que l'on a pris. **Antidote,** terme plutôt scientifique, est plus général; il désigne non seulement un contrepoison, mais encore tout remède propre à diminuer ou empêcher l'effet des maladies, en s'opposant à leurs principes. **Alexipharmaque** (du grec *alexein,* repousser, et *phamacon,* poison) est le nom que l'on donnait autref. aux antidotes. (A noter qu'auj. on réserve ce nom aux toniques, aux excitants et en général aux médicaments très actifs.) — Au fig., CONTREPOISON est moins noble qu'ANTIDOTE, quoique de nombreux auteurs les confondent.

contreseing. V. SIGNATURE.

contresens s'applique à tout sens différent du sens véritable d'un texte; il implique une interprétation opposée à la véritable signification. **Non-sens** est péj.; il suppose absence complète de sens, de signification : *Le contresens est une erreur, le non-sens une bêtise.* **Paradoxe** se dit d'une proposition contraire à la vraisemblance ou à l'opinion commune; il suppose antinomie avec les opinions reçues et implique une idée contradictoire ou fausse en apparence, quoique vraie quelquefois dans le fond : *Dire que la pauvreté est préférable aux richesses, c'est un paradoxe.*

contresens (à). V. REBOURS (À) et TRAVERS (DE).

contretemps. V. COMPLICATION.

contretemps (à). V. PROPOS (MAL À).

contrevenir. V. DÉSOBÉIR.

contrevent. V. VOLET.

contrevérité. V. EUPHÉMISME et MENSONGE.

contribuer à, c'est aider, fournir son tribut, sa part, que ce soit volontairement ou involontairement. **Concourir à,** c'est contribuer volontairement et activement à la réalisation d'un but commun. **Participer à,** c'est prendre « part » volontairement, mais de façon plus ou moins active. (V. COLLABORER et SECONDER.)

contribution. V. IMPÔT et QUOTE-PART.

contrister. V. ATTRISTER.

contrition. V. REPENTIR.

contrôler. V. CRITIQUER et VÉRIFIER.

controuver. V. INVENTER.

controverse. V. DISCUSSION.

contusion désigne toute altération plus ou moins profonde qu'un choc, un coup produit dans les tissus, sans solution de continuité de la peau. **Plaie contuse** se dit d'une contusion avec solution de continuité de la peau. **Meurtrissure** désigne une contusion marquée par une tache bleuâtre. **Ecchymose** est le terme médical qui sert à désigner spécialement la tache livide de la peau produite, le plus souvent après une contusion, par l'extravasation du sang dans le tissu cellulaire. **Bleu,** syn. d'*ecchymose,* est familier. (V. BLESSURE.)

convaincre, c'est parler à l'esprit, le forcer à croire en lui donnant des preuves qui chassent le doute; il implique l'acquiescement de l'esprit, de la raison, à ce qui lui a été présenté comme vrai. **Persuader,** c'est parler au cœur, inspirer une confiance qui détermine la volonté; c'est aussi déterminer la croyance, parfois même par des raisons qui trompent, mais toujours par l'intermédiaire de la volonté : *On se persuade aisément de ce qu'on désire; on est, par amour-propre, quelquefois très fâché d'être convaincu de ce qu'on se refusait à croire.*

convalescence désigne l'état d'une personne qui relève de maladie et qui revient progressivement à la santé. **Rétablissement** se dit du retour à l'état de santé naturel, par suite d'un traitement ou des efforts de la nature, qui ont procuré la guérison de la maladie dont on était atteint; il désigne donc plutôt la fin de la convalescence. **Analepsie,** syn. de *convalescence,* est un terme vieilli de pathologie inusité dans le langage courant.

convenable. V. APPROPRIÉ et DÉCENT.

convenance (du lat. *cum venire,* aller avec), qui s'emploie le plus souvent au plur. dans ce sens, est un terme très général; il s'applique à tout ce que l'on est tenu d'observer dans le monde, dans la société, aux règles de la conduite, du style et de la littérature, etc. : *Observer les convenances, c'est faire ce qui convient d'après le bon sens et les usages reçus, en évitant tout ce qui est déplacé, hors de propos.* **Bienséance** (de *bien séant,* bien assis, assis à sa place) et **honnêteté** (moins us.) sont plus partic.; ils se disent de la conformité aux usages de la société et relèvent surtout de la morale sociale : *La bienséance, comme l'honnêteté, s'applique à nos rapports avec le milieu dans lequel* *nous vivons, aux égards que nous sommes tenus d'avoir pour les autres.* **Décorum** (mot lat.; neutre de *decorus,* ce qui orne, ce qui sied), qui lui n'a pas de plur., désigne l'ensemble des bienséances propres à la condition personnelle que l'on doit observer dans une bonne société; il emporte toujours une légère idée d'emphase ou d'orgueil : *Les vieillards sont souvent soucieux de garder le décorum.* (V. SAVOIR-VIVRE.) V. aussi RAPPORT.

convenir. V. APPARTENIR, PLAIRE et RECONNAÎTRE.

convention est le terme générique dont on se sert pour désigner un engagement réciproque, écrit ou verbal. **Accord** se dit d'une convention traitée entre ennemis, adversaires ou rivaux; il suppose un arrangement par lequel on empêche ou l'on met fin à une contestation. **Marché,** qui peut s'appliquer figurément à une convention quelconque, s'emploie surtout dans le langage commercial pour désigner une convention par laquelle on échange, on vend, ou l'on achète. **Contrat** se dit d'une convention écrite, expresse et authentique, revêtue d'un caractère légal. **Transaction,** qui est dominé par l'idée d'arrangement, est le nom donné proprement au contrat par lequel les parties terminent une contestation ou en préviennent une autre, moyennant un prix ou des concessions réciproques; c'est aussi, par ext. et dans le langage commercial, le terme général par lequel on désigne l'ensemble des conventions qui peuvent intervenir entre les commerçants, et notamment les achats, les ventes, les échanges, etc., résultant des opérations commerciales. **Traité** s'applique à une convention écrite survenue à la suite d'une négociation. **Pacte** désigne une convention revêtue d'une certaine solennité. **Alliance** est le nom que l'on donne à un pacte d'amitié entre personnes ou Etats. **Covenant** (mot angl. dérivé de l'anc. franç.) est employé aussi parfois, en diplomatie, comme syn. de *convention,* de *pacte.* **Protocole** est le nom donné aux documents diplomatiques où, sans recourir à la forme des conventions ou des traités, on indique par écrit des principes ou des points de détail sur lesquels l'accord s'est établi.

conversation appartient au langage ordinaire et a un sens général; c'est un discours familier qu'échangent deux ou plusieurs personnes sur un ou plusieurs sujets quelconques suivant les matières que présente le hasard. **Entretien** désigne une conversation plus suivie et portant plutôt sur un sujet déterminé et relativement important; il convient surtout quand il n'y a que deux ou trois interlocuteurs, ou lorsqu'il s'agit d'une conversation de supérieur avec inférieur. **Conférence,** dans ce sens, s'applique à un entretien sérieux entre personnes assemblées ou déléguées exprès pour traiter ensemble, dans un temps et un lieu convenus à l'avance, d'une matière ou d'une affaire d'un intérêt commun. **Pourparlers,** qui s'emploie toujours au pluriel, se dit bien en parlant d'une conversation, d'une conférence ayant pour but de régler une affaire par voie d'accommodement. **Colloque** s'emploie au propre en matière de doctrine et de controverse religieuse; dans le langage courant, il tend à ridiculiser l'entretien auquel on l'applique, quand il n'exprime pas même quelque chose de blâmable ou d'odieux. **Conciliabule** désigne un colloque secret de gens qui ont ou à qui l'on suppose en général de mauvais desseins. **Tête-à-tête** implique un entretien de deux personnes, lesquelles sont seule à seule. **Dialogue,** qui est employé pour désigner les ouvrages dans lesquels l'auteur, au lieu de s'adresser directement aux lecteurs, met en présence des personnes qui discourent entre elles, se dit, dans le lang. cour., d'une conversation entre deux ou plusieurs personnes, et a plutôt rapport à la forme qu'au fond. **Causerie** désigne une conversation familière qui prend sa source dans le plaisir de communiquer ses pensées. **Causette** se dit familièrement d'une petite causerie à bâtons rompus. **Parlote,** qui est familier aussi et péjoratif, s'applique à une conversation insignifiante qui se prolonge trop; il suppose la manie de bavarder. **Interview** est plus partic.; c'est un mot empr. de l'angl. qui désigne une conversation tenue avec un journaliste pour être publiée. **Devis,** pris dans le sens d'entretien familier, de *conversation,* est inusité aujourd'hui.

converser. V. PARLER.

convertir. V. CHANGER.

conviction se dit d'un acquiescement de l'esprit, de la raison, fondé sur des preuves d'une évidence irrésistible. **Persuasion** implique simplement des raisons qui s'adressent au cœur, et qui, de ce fait, peuvent tromper : *La conviction n'est pas susceptible de plus ou de moins; la persuasion, au contraire, peut être plus ou moins forte.* **Certitude** désigne une conviction ferme, l'adhésion entière de l'esprit à un fait, à une opinion : *On ne peut arriver à la certitude, a dit Lamennais, que par deux voies : la démonstration et l'expérience.* (V. CROYANCE.)

convié. V. CONVIVE.

convier. V. INVITER.

convive désigne celui qui se trouve à un repas avec d'autres. **Convié** n'implique pas la présence et ne s'emploie pas seulement en parlant d'un repas; il suppose en général un groupe nombreux : *On peut être convié à des fêtes, à des cérémonies où l'on ne mange pas, et refuser de s'y rendre.* **Invité,** syn. de *convié,* est plus usité auj. et s'applique à un comme à plusieurs individus. **Commensal** désigne simplement celui qui mange habituellement avec quelqu'un à la même table. **Hôte** emporte une idée d'hospitalité qui n'est pas dans *commensal;* il se dit, dans ce sens, de celui qui vient loger ou seulement manger, qu'il soit invité ou paye son écot : *Les domestiques peuvent être les commensaux de leurs maîtres, les hôtes sont surtout des gens de passage, ou qui ne restent pas à demeure, et qui, même payant leur part, sont considérés comme des amis.* **Parasite** se dit péjorativement de celui qui s'est fait une habitude de manger chez autrui, sans y être forcément convié. **Ecornifleur** enchérit sur *parasite;* il désigne celui qui se nourrit aux dépens des autres en « écornant », c'est-à-dire en diminuant leur part : *L'assiduité à une table et l'art de s'y maintenir dénoncent le parasite; l'avidité de manger et l'art de surprendre les repas distinguent l'écornifleur.* **Pique-assiette** est un synonyme familier de *parasite.* **Chercheur de franches repues,** nom donné à un parasite agissant par ruse et flatterie, n'est guère usité aujourd'hui.

convoi. V. ENTERREMENT.

convoiter suppose le désir condamnable de posséder une personne ou une chose, et implique souvent une passion plus ou moins déréglée : *Convoiter le bien d'autrui, un objet illicite.* **Vouloir** marque de la connaissance et de la réflexion, sans emporter forcément une idée péjorative : *On veut un objet présent.* **Avoir envie** implique plutôt du sentiment et du goût, lesquels sont souvent peu durables et tiennent surtout du caprice, de la fantaisie : *On a envie d'un bibelot, d'un joli chapeau.* **Désirer,** par contre, exprime le sentiment bien prononcé et durable qui nous porte vers un objet déterminé : *Un malade désire la guérison.* **Souhaiter,** c'est désirer, sinon d'une façon plus vague, du moins plus secrète, plus intime, sans toujours savoir comment la chose souhaitée pourra être obtenue : *On souhaite de retrouver la santé; On souhaite la richesse.* **Soupirer après,** c'est désirer avec intensité, en souffrant de ne pas posséder encore; il suppose le regret amer d'une privation : *Le prisonnier soupire après la liberté.* **Guigner** et **lorgner** sont familiers; c'est convoiter avidement et secrètement : *Guigner, lorgner un emploi.* (V. AMBITIONNER et BRÛLER DE.)

convoitise désigne un désir immodéré et illicite, un penchant déréglé et qui nous porte toujours à tâcher de saisir ce qui appartient à autrui. **Avidité** s'applique à un désir insatiable et emporte l'idée de brutalité. **Cupidité** se dit d'un désir ardent et immodéré, en parlant des biens terrestres; il suppose la passion de posséder et de jouir des choses matérielles. **Rapacité** enchérit sur ces termes; se disant proprement de l'avidité avec laquelle l'animal se jette sur sa proie, il désigne figurément l'avidité d'un homme âpre au gain qui non seulement convoite, mais encore s'empare du bien d'autrui. **Vampirisme** s'emploie parfois figurément en parlant d'une avidité insatiable, sans mesure, et particulièrement de l'avidité de ceux qui s'enrichissent du bien ou du travail d'autrui. **Concupiscence** est plus partic.; il désigne un penchant déréglé vers les biens sensibles, et plus spécialement, mais abusivement, vers les plaisirs sexuels. (V. DÉSIR.)

V. aussi AMBITION.

convoquer, c'est avertir ou ordonner de s'assembler; il implique une réunion faite dans un but déterminé. **Inviter,** syn. de *convoquer,* est moins impératif que celui-ci; il suppose plus l'expression d'un désir, une prière, qu'un avis ou un ordre. **Appeler,** c'est inviter à venir auprès de soi et en quelque endroit. **Mander** est un syn. vieilli et auj. précieux de *convoquer.* **Assigner** est un terme de procédure; c'est sommer par un exploit de comparaître devant un juge. (V. RENDEZ-VOUS.)

convoyer. V. SUIVRE.

convulsion désigne une contraction involontaire et irrégulière des muscles, avec des secousses plus ou moins violentes. **Spasme** se dit aussi d'une contraction involontaire des muscles, mais spécialement des muscles de la vie intérieure ou organique : *Le spasme précède presque toujours la convulsion, quoiqu'il puisse exister sans elle.*

coolie. V. PORTEUR.

coopérer. V. COLLABORER.

cooptation. V. ÉLECTION.

coopter. V. CHOISIR.

copain. V. AMANT, AMI et COMPAGNON.

copermuter. V. CHANGER.

copie désigne tout écrit fait d'après un autre. **Double** se dit d'une copie, mais peut s'appliquer aussi à un original, lorsqu'il y en a plusieurs exemplaires identiques. **Duplicata** désigne la copie textuelle et complète d'un document émanant de la même personne que l'original, et destinée à en tenir lieu, tout en portant la mention « duplicata ». **Ampliatif,** terme de droit et d'administration, désigne la copie authentique d'un acte. **Ampliation** se dit de l'ampliatif qui forme un second original. **Expédition** est un terme de droit qui s'emploie en parlant de la copie littérale d'un acte, délivrée en bonne forme par l'officier public dépositaire de l'original. **Grosse** est aussi un terme de procédure; il désigne l'expédition d'un acte ou d'un jugement, écrite en gros caractères, et revêtue de la formule exécutoire.

V. aussi REPRODUCTION et TEXTE.

copier, c'est, à la lettre, reproduire le modèle et en tirer un double ou des doubles, cela sans avoir à rédiger, soit parce que l'on a fait soi-même la rédaction antérieurement, soit parce qu'elle a été faite par un autre; ce peut être aussi quelquefois écrire de nouveau, en faisant quelques modifications. **Récrire** est un syn. de *copier* dans ce dernier sens. **Transcrire,** c'est aussi écrire une seconde fois, transporter sur un autre papier, sur un registre, mais avec une pleine conformité et sans que s'y mêle, comme souvent dans *copier,* l'idée de multiplier, de répandre; il suppose le désir de placer un écrit dans l'endroit où il sera bien conservé, et pourra soit venir à l'appui d'une thèse, soit recevoir une application toute spéciale d'une nature quelconque. **Grossoyer** est un terme de procédure; c'est faire la « grosse » (v. l'art. précéd.) d'un acte, d'un jugement.

V. aussi IMITER.

copieusement. V. BEAUCOUP.

copurchic. V. ÉLÉGANT.

coquebin. V. NIAIS.

coquelicot. V. PAVOT.

coquette se dit d'une femme qui cherche avidement les hommages, mais sans vouloir elle-même s'attacher. **Flirteuse** est un synonyme moderne de *coquette.* **Allumeuse** est un terme d'argot; il désigne une coquette qui « allume » les passions, et qui, bien que semblant tout promettre, n'accorde rien

coquetterie. V. AMOUR.

coquille s'emploie de préférence pour désigner l'enveloppe calcaire des mollusques testacés. **Coquillage** désigne plutôt l'animal qui vit dans la *coquille,* et, lorsqu'il est synonyme de ce terme, il en présente l'idée d'une manière moins simple, plus pittoresque, en appelant l'attention sur la forme plus ou moins compliquée, ou, au pluriel, sur la variété des formes.

V. aussi FAUTE.

coquin est un terme d'injure et de mépris qui s'employait et s'emploie le plus souvent encore auj. pour désigner une personne dont on n'est pas content, sans autre signification précise; il suppose un caractère vil, un naturel porté aux actions déshonnêtes. **Maraud** désigne un coquin insolent; il est vx. **Maroufle,** qui est aussi vieilli, se disait autref. d'un coquin grossier et brutal. **Belître** désigne un coquin ignorant, mais cependant pédant. **Faquin,** qui est peu usité auj., emporte l'idée d'arrogance. il se dit d'un coquin qui, tout en jouissant d'avantages qu'il ne mérite pas, a des manières impertinentes et se croit beaucoup. **Fripon** emporte l'idée de tromperie et de ruse; il se dit d'un coquin qui dupe ou vole adroitement et ne s'en fait aucun scrupule. **Pendard,** qui se dit d'un coquin qui mériterait d'être « pendu », est familier et s'emploie le plus souvent ironiquement. **Gueux,** syn. de *coquin,* de *fripon,* est moins usité. (V. VAURIEN.) V. aussi ESPIÈGLE.

cor désigne un épaississement limité de la couche cornée de l'épiderme des orteils, prolongé vers le derme par un axe corné. **Durillon** a rapport aussi bien aux mains qu'aux pieds, et diffère de *cor* en ce qu'il ne suppose pas de tubercule central et n'implique aucune douleur. **Oignon** se dit d'une sorte de cor ou de durillon étendu qui s'observe seulement aux pieds et au niveau des articulations métatarso-phalangiennes ou phalangiennes. **Œil-de-perdrix** désigne un cor interdigital rendu mou par la macération. **Agacin,** syn. de *cor,* est dialectal.

corbeille. V. PANIER

cordage est le nom générique de toutes les cordes de dimension plus ou moins grande employées au gréement et à la manœuvre de machines ou engins quelconques; il emporte l'idée de solidité. **Câble** se dit d'un gros cordage en fibres végétales, en fil de fer ou d'acier, en chaîne, etc.; il suppose l'assemblage de plusieurs torons de chanvre, d'aloès, d'acier, etc. **Filin** est plus partic.; il désigne, dans le langage maritime, tous les cordages employés à bord.

cordelière. V. CEINTURE.

cordial. V. FRANC.

cordialité. V. BONTÉ.

cordonnier (de l'anc. franç. *cordouanier,* ouvrier en *cordouan* ou cuir de Cordoue) désigne celui qui fait, vend et surtout répare des chaussures. **Bottier** et **chausseur** sont les noms que l'on donne principalement à celui qui fabrique et vend des chaussures élégantes, souvent faites sur mesure. **Savetier,** peu usité auj., désigne un cordonnier qui raccommode les vieux souliers et n'implique pas fabrication ou vente. **Bouif** et **gnaf,** syn. modernes de *savetier,* sont des termes d'argot.

coriace. V. DUR.

cornac. V. GUIDE.

corne désigne la partie dure et conique, présentant une seule tige droite ou courbée, qui se forme sur la tête de certains animaux ruminants, et qui ne tombe jamais, sauf par accident. **Bois** est plus partic.; il se dit des cornes rameuses caduques, tombant à certaines époques et repoussant ensuite, que portent sur le frontal les mâles de la plupart des cervidés, ainsi que, exceptionnellement, la femelle du renne. **Andouiller** désigne la branche adventive qui pousse au bois caduc du cerf, du daim et du chevreuil, et qui permet d'établir l'âge de ces animaux.

cornemuse désigne un instrument de musique à anche et à vent, formé d'une outre et de deux, trois ou quatre tuyaux, de longueur et de grosseur différentes, qui servent l'un à alimenter la soufflerie (porte-vent), les autres, percés de trous, à émettre les sons. **Musette** se dit d'une sorte de cornemuse à laquelle on donne le vent avec un soufflet qui se hausse et se baisse par le mouvement du bras. **Cabrette** désigne la musette auvergnate, qui doit son nom à la peau de chèvre dont est faite son outre, et qui est généralement garnie de rubans et recouverte de velours rouge. **Biniou** est le nom de la cornemuse en usage en Bretagne. **Chabrette** est le nom limousin de la cornemuse. **Chevrie** désigne un instrument de musique dans le genre de la cornemuse.

corollaire. V. CONSÉQUENCE.

corporation, nom donné autrefois à une association de personnes exerçant la même profession et ayant des devoirs, des privilèges, etc., communs, est le nom que l'on donne parfois encore auj. à un groupement organique d'entreprises exerçant la même profession, ayant aussi des règlements, des devoirs et des privilèges communs, et dans lequel patrons et salariés sont représentés. **Corps** se dit d'une corporation constituée, reconnue, existant par elle-même. **Ordre** est le nom donné à certaines corporations à caractère intellectuel, telles celles des médecins, avocats, architectes, etc.; il suppose une « institution juridictionnelle assurant la dignité du métier, le respect de l'honneur professionnel, les garanties de capacité et de moralité des gens du métier et la sauvegarde de leurs intérêts moraux » (M.-H. Lenormand). **Confrérie,** dans ce sens, est vieux, et suppose non pas, comme *corporation,* la défense d'intérêts matériels, mais un objet d'ordre essentiellement spirituel et charitable. **Collège,** syn. de *corporation,* est aussi vieilli. **Gilde** est partic.; c'était le nom donné à des associations de commerçants ou d'artisans des pays du Nord, au Moyen Age (France septentrionale, Pays-Bas, Angleterre, Scandinavie, Allemagne).

corps est un terme général; il désigne l'ensemble des parties matérielles des organes qui constituent un être animé, et principalem. l'homme. **Chair,** dans ce sens, est plus partic.; il se dit du corps quand on veut opposer celui-ci à l'esprit, à l'âme, et surtout du corps considéré comme siège de la concupiscence.

V. aussi COLLECTION, COMPAGNIE, CORPORATION, MORT et SUBSTANCE.

corpulent. V. GROS.

corpuscule. V. PARTICULE.

correct, qui se dit de ce qui est châtié, pur, selon les règles de la grammaire, de l'art, du goût, etc., marque surtout l'observation scrupuleuse des règles établies et est plutôt relatif aux mots et aux phrases : *Le devoir d'un écolier est correct quand le professeur n'y trouve pas de faute.* **Exact** dit plus que *correct* et concerne généralement les faits et les choses; c'est proprem. ce qui est poussé jusqu'au bout, achevé, parfait, et aussi ce qui est entièrement conforme à ce qui est rendu ou représenté : *Un auteur est exact quand il peint les objets de manière à en donner une idée vraie, quand il sait approprier le ton à la nature même des choses.*

V. aussi DÉCENT.

correcteur désigne, en termes de typographie, la personne chargée de lire les épreuves d'imprimerie et de corriger, au moyen de signes conventionnels, les fautes de toutes sortes, d'impression, d'orthographe, de syntaxe, de ponctuation, etc., commises soit par l'auteur, soit par le typographe. **Réviseur** est le nom donné à celui qui s'assure que les corrections indiquées par le correcteur ont bien été faites par le corrigeur. **Corrigeur** est plus partic.; il désigne l'ouvrier qui exécute matériellement sur les formes ou les paquets de composition les corrections signalées sur les épreuves par le correcteur, l'auteur, l'éditeur, etc.

correction. V. SAVOIR-VIVRE et VOLÉE.

corrélation. V. RAPPORT.

correspondance se dit, dans le langage commercial, du dépouillement des lettres reçues et de la rédaction des lettres à envoyer, et, dans le langage courant, des lettres elles-mêmes : *Recevoir, envoyer la correspondance; Dépouiller sa correspondance.* **Courrier** désigne la totalité des lettres envoyées ou reçues par la voie postale : *Ecrire, expédier son courrier.* **Lettres,** au pluriel et dans un sens des plus généraux, est le nom donné, dans le langage courant, à l'ensemble des objets manuscrits, dactylographiés ou même imprimés, ayant, vis-à-vis du destinataire ou de l'envoyeur, et qu'il s'agisse d'un particulier ou d'une organisation quelconque, le caractère d'une correspondance actuelle et personnelle.

V aussi RAPPORT.

correspondre. V. CONCORDER.

corridor. V. PASSAGE.

corriger, c'est s'attacher à supprimer les fautes, les irrégularités d'une personne ou d'une chose, à faire disparaître les défauts ou à redresser les directions fausses; il implique une défectuosité à laquelle on s'efforce de remédier. **Améliorer,** c'est rendre meilleur ce qui est simplement suffisant ou ce qui tend à diminuer de valeur. **Amender,** c'est rendre meilleur ce qui était défectueux ou insuffisant; il implique que l'on donne un degré de perfection nécessaire. **Réformer,** c'est remettre une chose dans l'ordre où elle doit être; il emporte l'idée d'un grand changement, d'une transformation radicale et générale. **Redresser,** comme **relever,** c'est remettre droit ce qui l'avait été auparavant ou ce qui devrait l'être. **Régénérer,** c'est corriger, réformer d'une façon radicale, surtout en renouvelant moralement.

V. aussi PUNIR et REVOIR.

corrigeur. V. CORRECTEUR.

corroborant. V. FORTIFIANT.

corroborer. V. AFFERMIR et CONFIRMER.

corroder. V. RONGER.

corrompre, c'est, en parlant des personnes, détourner entièrement de la justice, exercer une influence pernicieuse sur quelqu'un, et cela par tous les moyens possibles, pour l'amener à faire de son plein consentement ce qu'il sait être mal : *On corrompt ce qui est sain, honnête, mais cependant accessible au mal.* **Séduire,** employé péjorativement, c'est induire en erreur, pousser à faire quelque chose de mal en persuadant que ce n'est pas un mal; il emporte essentiellement une idée de tromperie, l'emploi de moyens spécieux : *On séduit l'innocence, la bonne foi, la jeunesse, les gens simples qui ne sont point en garde contre l'artifice, et qu'il est facile de tromper en les abusant.* **Circonvenir,** c'est agir auprès de quelqu'un avec ruses pour le déterminer à faire ce qu'on souhaite de lui; il suppose une action plus difficile que *séduire,* les personnes auxquelles on s'adresse étant moins crédules : *Chercher à circonvenir des juges.* **Emmitonner** est familier et moins usité; c'est circonvenir par des paroles flatteuses : *Emmitonner par de belles paroles ceux qu'on veut tromper.* **Soudoyer,** c'est détourner quelqu'un de son devoir, l'engager à une mauvaise action, en l'y intéressant; il suppose l'appât du gain ou un avantage quelconque, quand ce n'est pas tout simplement de belles promesses : *On soudoie les lâches, les faibles, les gens prévenus de quelques passions.* **Suborner** est un syn. moins usité de *soudoyer.* **Stipendier** se prend le plus souvent en mauv. part et implique des gens que l'on paie pour l'exécution de mauvais desseins : *Politicien qui stipendie une certaine presse.* **Acheter,** c'est aussi, mais familièrement, corrompre quelqu'un à prix d'argent et même au moyen de quelques avantages, de quelques faveurs : *On achète des témoins.* **Graisser la patte** est encore plus familier; c'est corrompre à prix d'argent, mais sans qu'il s'agisse de choses importantes : *On graisse la patte d'un concierge pour avoir un appartement.* V. aussi FALSIFIER et GÂTER.

Se corrompre. V. POURRIR.

corrompu. V. VICIEUX.

corrosion. V. ÉROSION.

corruption. V. FALSIFICATION

corsaire. V. PIRATE.

cortège désigne l'ensemble des personnes qui en accompagnent une autre avec cérémonie, pour lui faire honneur. **Escorte** se dit plutôt d'une troupe armée qui accompagne une personne, un convoi, des bagages, pour les protéger, les défendre ou les surveiller pendant la marche. **Suite** est plus général; il désigne l'ensemble de ceux qui suivent, qui vont après, et s'applique aux personnes, aux animaux, aux choses inanimées et personnifiées. **Cour** se dit figurément d'une suite de gens empressés à plaire à la personne qu'ils accompagnent, particulièrement à une dame.

corvée. V. TRAVAIL.

cosse est le nom donné à l'enveloppe de la graine, dans la famille des légumineuses. **Gousse,** qui se dit de la cosse, de l'enveloppe des graines, des semences, dans les plantes légumineuses, désigne aussi le fruit des légumineuses composé de deux cosses auxquelles sont attachées les graines.

cossu. V. RICHE.

costume. V. VÊTEMENT.

costumer. V. VÊTIR.

cote. V. IMPÔT.

côte. V. BORD, COLLINE et MONTÉE.

côté. V. FLANC.

coteau. V. COLLINE.

coter. V. NUMÉROTER.

coterie désigne une réunion de personnes qui vivent entre elles familièrement et, particulièrement et péjorativement, une société de personnes qui favorisent les membres de leur groupe et cabalent contre ceux qui n'en sont pas. **Clan** se dit figurément et familièrement d'une coterie sociale ou politique. **Chapelle,** syn. de *coterie,* se dit plutôt d'une coterie littéraire. **Clique** est nettement péjoratif; il se dit d'une coterie de gens qui s'unissent pour intriguer et suppose des agissements peu honnêtes. **Bande** et **gang** (terme anglo-américain signif. *bande* us. aussi auj. en France) sont des syn. familiers de *clique,* le second de ces termes impliquant généralement des individus redoutables et sans scrupules, ainsi d'ailleurs que **mafia** (ou MAFFIA) qui concerne plutôt une association secrète. **Camarilla** désigne une coterie exerçant son influence sur un personnage important.

cotisation. V. QUOTE-PART.

cotret. V. FAGOT.

cottage. V. VILLA.

cotte désigne auj. tantôt un pantalon de travail en toile, tantôt une sorte de blouse, tantôt même une combinaison servant de vêtement de travail. **Combinaison** se dit d'un vêtement de travail qui enveloppe le corps de la tête aux pieds. **Salopette** désigne une cotte ou pantalon de travail qu'on met par-dessus ses vêtements pour éviter de les salir. **Bleu** se dit de tous les vêtements de travail en toile bleue.

cou (casser, rompre, tordre le). V. TUER.

couard. V. LÂCHE.

couchant. V. OCCIDENT.

couche est le nom donné au linge dont on enveloppe un bébé. **Lange** (du lat. *laneus,* laine), qui désigne proprement le morceau de laine ou d'étoffe épaisse dont on enveloppe un enfant au maillot, ne s'applique que par ext. à la couche qui enveloppe l'enfant sous le lange. **Drapeau,** syn. de *couche,* est moins usité, cependant que **braie** est vx. V. aussi ENFANTEMENT et LIT.

couche (fausse). V. AVORTEMENT.

coucher (se) est général; c'est soit s'étendre tout de son long sur quelque chose pour se reposer, soit se mettre au lit pour dormir. **S'allonger,** comme **s'étendre,** implique simplement le besoin de repos, sans que l'on dorme pour cela. **Se mettre au lit** emporte l'idée de fatigue, de besoin de sommeil, ou même de maladie. **S'aliter,** comme **prendre le lit** (moins us.), a rapport au début d'une maladie que l'on prévoit d'assez longue durée, cependant que **garder le lit** concerne cette durée elle-même. **Se vautrer** est péj.; c'est à la fois se coucher et se rouler sur ce quoi l'on s'allonge, cela sans précaution et sans tenue. **Se ventrouiller,** c'est, au sens réfléchi, se vautrer dans la boue, dans l'herbe; il vieillit. **Se vituler** (du lat. *vitulus,* veau), se coucher à terre tout de son long, comme un veau, est peu usité. **Se pager, se pagnoter, se mettre au pieu, se pieuter,** syn. de *se coucher,* sont des termes d'argot.

coude. V. ANGLE.

coudre, coudrier. V. NOISETIER.

couffin. V. CABAS.

couler (du lat. *colare,* faire passer une chose par un sas, une étamine, un tamis) est du langage courant; il marque le mouvement continu de tous les fluides et même des corps solides réduits en poudre impalpable. **S'écouler** emporte l'idée d'échappement, de fuite — et indique une relation au point de départ : *L'eau coule dans le lit d'une rivière; elle s'écoule d'un réservoir.* **Fuir,** ce peut être s'écouler assez rapidement, mais aussi lentement par un trou, un interstice : *Ruisseau qui fuit dans la prairie; Robinet qui fuit.* **Filer,** c'est couler lentement, mais en parlant d'une matière molle et tenace qui s'allonge en filets, sans se diviser en gouttes : *Ce vin tourne à la graisse, il file.* **Glisser,** c'est couler sur une pente, une surface polie, le long d'un corps lisse : *L'eau glisse sur la toile cirée.* **Ruisseler,** c'est couler avec abondance : *La pluie ruisselle sur le sol.* **Fluer** est un syn. peu usité de *couler;* sauf lorsqu'il s'agit du mouvement par lequel la mer monte, ce terme convient plutôt à ce qui est fluide que liquide, c'est-à-dire par rapport à l'air, ou, en médecine, à ce qui est relatif aux humeurs. **Dégouliner** est familier; c'est couler lentement, en tombant goutte à goutte : *Larmes qui dégoulinent sur le visage.* (V. SUINTER.)

couleur marque plus spécialement l'impression particulière que fait sur notre œil la lumière réfléchie par la surface des corps, ou par une substance colorante quelconque. **Coloris** se dit de l'effet qui résulte de l'ensemble et de l'assortiment des couleurs : *Les tableaux de Titien excellent par la beauté du coloris; c'est un des peintres qui surent le mieux préparer et employer les couleurs.* **Coloration** désigne l'état d'un corps coloré : *La coloration de la peau.* **Nuance** se dit de chacun des degrés différents par lesquels peut passer une couleur, en conservant le nom qui la distingue des autres : *On peut varier les nuances à l'infini.* **Teinte** est la nuance donnée par le mélange de plusieurs couleurs : *L'habile artiste doit confondre et mêler les teintes, a dit*

J.-J. Rousseau. **Ton** s'emploie surtout en peinture pour désigner les teintes, suivant leurs différentes natures et leur différent degré de force ou d'éclat : *Un ton qui tire sur le rouge, le jaune.* **Tonalité,** proprement terme de musique désignant un ensemble de sons, s'emploie aussi auj., dans le langage courant et abusivement, en parlant d'une couleur, d'un ton déterminé caractérisant le plus souvent un ensemble : *La tonalité rouge d'un tableau.* **Pittoresque,** proprem. « qui a rapport à la peinture », ajoute à l'idée de couleur celle d'image, de relief, d'originalité : *Le pittoresque d'un style, d'un site, d'un langage.* **Teint** est assez partic.; il ne se dit que du coloris du visage, ou de la couleur donnée à une étoffe par la teinture : *Avoir le teint pâle, basané; Une étoffe bon teint.* **Carnation,** qui désigne proprement le teint, la coloration des chairs d'une personne, s'applique aussi, en termes de peinture, au coloris des chairs : *Titien excelle dans la peinture des carnations.*

Couleurs. V. DRAPEAU.

couloir. V. PASSAGE.

coup est un terme très général qui désigne tout choc donné ou reçu, et particulièrem. tout heurt donné à quelqu'un pour lui faire du mal ou le punir. **Tape** désigne uniquement un coup donné avec la main, soit ouverte, soit fermée. **Taloche** se dit d'une tape légère donnée sur la tête ou sur le visage de quelqu'un. **Calotte** ne s'applique qu'à une tape donnée sur la tête. **Beigne** (BEUGNE ou BIGNE), qui désigne populairem. l'enflure qui provient d'un coup, se dit aussi du coup qui produit cette enflure. **Horion** se dit d'un coup violent donné à quelqu'un. **Gourmade** désigne parfois un coup de poing, un coup sur la figure. **Talmouse,** coup de poing sur le visage, est pop., ainsi que **torgniole** (ou TORGNOLE) qui s'applique à un coup de poing donné aussi bien sur le visage que sur la tête. **Gnon, marron, pain** et **ramponneau,** syn. de *coup,* sont des termes d'argot. (V. GIFLE et VOLÉE.)

V. aussi FOIS.

coup de force. V. COUP D'ÉTAT.

coup d'Etat est la locution qui sert à désigner toute mesure violente et illégale prise le plus souvent avec l'aide de la force armée, pour amener un changement dans l'Etat; ce peut être une mesure extraordinaire à laquelle le gouvernement lui-même ou une autorité quelconque a illégalement recours, en invoquant le salut de l'Etat, et qu'on appelle aussi **coup de force. Putsch** (mot allem. signifiant proprem. *échauffourée*) est passé auj. dans la langue pour désigner une tentative de coup d'Etat militaire. **Pronunciamiento** est un mot de langue politique de l'Espagne qui exprime l'acte par lequel une autorité publique, surtout militaire, s'insurge contre la loi, et accomplit alors un coup d'Etat. (V. ÉMEUTE et RÉVOLTE.)

coup sûr (à). V. ASSURÉMENT.

coup (tout à) se dit de ce qui se fait soudainement, alors qu'on ne le prévoyait pas : *Disparaître tout à coup.* **Tout d'un coup** s'applique plutôt à ce qui se fait en même temps, tout en une fois, mais il peut aussi avoir le sens de *tout à coup : Gagner mille francs tout d'un coup; Visage qui pâlit tout d'un coup.* **Subitement** (du lat. *subire,* venir par-dessous) emporte l'idée de secret; il suppose que ce qui se produit a lieu en sous-main, subtilement — et implique une cause intérieure, non visible : *On est frappé tout à coup par la foudre, mais on meurt subitement d'une embolie.* **Inopinément** (du lat. *in,* nég., et *opinari,* penser) s'applique à ce qui arrive alors qu'on n'y pensait pas : *Visiteur qui arrive inopinément,* et *lorsqu'on le croyait encore très loin.* **A l'improviste** suppose que, ne s'attendant pas à ce qui arrive, on est pris au dépourvu : *Attaquer un ennemi à l'improviste.* **Brusquement** emporte l'idée de rudesse, d'absence de ménagement, souvent aussi de longue réflexion : *Agir, répondre brusquement.* **Subito,** syn. de *subitement,* est familier.

coupable (du lat. *culpa,* faute) se dit, en parlant des personnes et des animaux, de celui qui a commis une faute, un crime. **Délinquant** est un terme de droit qui s'applique à toute personne qui s'est rendue coupable d'un délit, c'est-à-dire d'une violation de la loi, spécialement en matière correctionnelle. **Fautif,** qui se dit proprement de ce qui est sujet à faillir ou de ce qui est plein de fautes, en parlant des choses, s'applique aussi parfois auj., par ext., à celui qui a commis une faute, qui a manqué plus ou moins gravement à une loi, une règle, un devoir, un usage, une convenance; il suppose généralement une action moins répréhensible que *coupable*. (V. INCULPÉ et MEURTRIER.)

coupant. V. TRANCHANT.

couper, c'est séparer, diviser un corps continu, avec un instrument tranchant, de quelque façon que cela soit : *On coupe du papier.* **Découper,** c'est couper en tranches, dépecer par morceaux, régulièrement : *On découpe du pain, une volaille.* **Hacher,** c'est découper en petits morceaux avec une « hache » ou tout autre instrument tranchant, et, par anal., avec un sens nettement péjoratif, découper grossièrement, maladroitement : *On hache de la viande, des herbes; On hache une volaille en la découpant mal.* **Tailler,** c'est couper en donnant une certaine forme : *On taille des pierres, un habit, un arbre.* **Trancher,** c'est couper en séparant net : *On tranche la tête.* **Tronçonner,** c'est couper en morceaux, appelés « tronçons », un objet allongé et à peu près cylindrique ou prismatique : *On tronçonne un arbre, une anguille.* **Sectionner** est syn. de *couper* dans le langage médical : *On sectionne un membre.* **Taillader,** c'est faire des « taillades », c'est-à-dire soit des coupures, soit des entailles, des balafres dans les chairs, soit des coupures en long dans une étoffe, dans des habits, par maladresse ou par manière d'ornement : *Visage, habit tailladé.* **Chapeler,** syn. de *taillader,* est populaire et peu usité. (V. DÉCOUPER.)

couper le cou, la gorge, la tête. V. TUER.

couple se dit au féminin de deux choses de même espèce mises accidentellement ensemble, sans aucun rapport autre que celui de cet assemblage : *Manger une couple d'œufs, de crêpes.* **Paire** désigne deux choses de la même espèce mises ou jointes ensemble pour un usage particulier auquel elles concourent ou doivent concourir : *Une paire de pincettes, de lunettes.* — Au masculin, COUPLE désigne deux êtres qui vivent ensemble ou qui font ensemble quelque action particulière; il fait surtout considérer alors le concert de ces deux êtres comme tendant à la génération ou comme s'étendant aux sentiments les plus intimes. PAIRE, syn. de *couple* dans ce sens, n'attire l'attention que sur l'égalité, la ressemblance, la familiarité : *Un couple d'amis désigne deux amis intimes; Une paire d'amis marque plutôt deux hommes vivant en camarades.*

couplet. V. CHANT et STANCE.

coupole désigne la voûte sphérique, ressemblant à une coupe renversée, qui surmonte un édifice circulaire; il s'applique plutôt à l'intérieur. **Dôme,** par contre, est réservé à l'apparence extérieure : *Le dôme des Invalides est surmonté d'une lanterne; sa coupole est peinte par La Fosse.*

coupon. V. BILLET.

cour. V. CORTÈGE et TRIBUNAL.

cour (faire la). V. COURTISER.

courage est un terme très général; il se dit d'une qualité morale qui tient étroitement au cœur et qui se manifeste dans tous les événements de la vie, petits ou grands : *Le courage raisonne les moyens de détruire un obstacle.* **Bravoure** se dit plutôt d'une espèce d'instinct qui tient autant du physique que du moral, et qui est utile surtout au combat. **Héroïsme,** qui suppose un courage se manifestant par de la grandeur d'âme, le sacrifice de sa personne, implique des actions extraordinaires : *La force de l'âme est la vertu qui caractérise l'héroïsme, a dit Jean-Jacques Rousseau.* **Valeur** se rapproche d'héroïsme; il se dit d'une bravoure éclatante et essentiellement morale, inspirée par l'amour de la gloire, et qui est le trait caractéristique des héros : *La bravoure se contente de vaincre l'obstacle qui lui est offert, la valeur le cherche.* **Vaillance** désigne le sentiment même ou la force d'âme qui anime les gens courageux comme les héros : *La vaillance d'une veuve chargée de famille; La vaillance du chef enflamme le courage des soldats.* **Crânerie** est du langage familier; il fait surtout penser à la manière de celui qui, face à un danger, à une difficulté, tient à montrer qu'il n'a pas peur : *Il y a souvent beaucoup d'orgueil dans la crânerie.* **Cran,** syn. de *courage,* est populaire. (V. HARDIESSE.)

V. aussi ÉNERGIE.

couramment. V. AISÉMENT.

courant. V. ACTUEL, COURS et ORDINAIRE.

courbe se dit de ce qui est en forme d'arc, de ce qui n'est pas droit, et qui paraît tel par lui-même, rien n'annonçant qu'il ait pu commencer par être droit. **Courbé** s'applique à ce qui a été mis en état de *courbe,* sans y être naturellement; il fait penser à l'effort qui a permis la flexion. **Recourbé** désigne ce qui est courbé plusieurs fois, ou ce qui est courbé en rond, de manière à rentrer, à revenir sur lui-même.

courber. V. OPPRIMER et PLIER

courbette. V. SALUT.

courir, c'est aller avec vitesse, avec impétuosité; il suppose un train rapide qui permet d'atteindre ou d'éviter quelqu'un ou quelque chose. **Galoper,** c'est proprem. courir de son allure la plus rapide, lorsqu'il s'agit du cheval ou d'un autre animal, et, familièrement, courir très vite en parlant d'une personne. **Tracer,** c'est aussi, mais populairement, courir vite, ainsi que **tricoter des jambes, des gambettes** ou **des pincettes. Cavaler,** syn. de *courir,* est populaire aussi, cependant que **gazer,** terme d'argot, s'emploie surtout en parlant d'automobiles ou d'avions. **Pullupper** (ou **pouloper**), syn. de *galoper,* est aussi un terme d'argot. (V. ACCÉLÉRER.)

V. aussi FRÉQUENTER.

couronne désigne un ornement de tête, de forme circulaire, qui se porte comme parure ou comme signe de distinction. **Diadème** se dit surtout d'une sorte de bandeau qui était la marque de la royauté chez les Anciens et dont les rois et les reines se ceignaient seulement le front, et, par ext., d'une parure féminine qui se place sur la tête et qui a la forme du bandeau royal. **Tiare** est plus partic.; ornement de tête, symbole de la souveraineté, chez les Perses et les Mèdes, il désigne aussi le bonnet ceint de trois couronnes que porte le pape dans les solennités.

courrier. V. CORRESPONDANCE et MESSAGER.

courroie désigne une bande de cuir, parfois aussi de caoutchouc ou d'une matière textile quelconque, coupée en long, étroite, et qui sert à lier, à attacher quelque chose. **Lanière** est le nom donné à une courroie étroite et toujours longue. **Sangle** se dit aussi bien d'une bande de cuir que de toile, et emporte toujours l'idée de serrage.

courroux. V. COLÈRE.

cours, en parlant d'une rivière, se rapporte à l'espace parcouru et à la direction : *Le cours de la Seine est de 800 km.* **Courant** désigne les eaux en mouvement, considérées dans leur force : *Le courant d'un fleuve est lent ou rapide.* (A noter qu'on dit aussi que le *cours* d'un fleuve est lent ou rapide, mais on ne voit alors que le mouvement seul, sans fixer son attention sur l'eau elle-même.)

V. aussi AVANCEMENT, ÉCOLE, LEÇON, PROMENADE et TRAITÉ.

cours d'eau est le terme générique qui sert à désigner toutes les eaux courant à découvert : *ruisseau, rivière* ou *fleuve.* **Ruisseau** désigne un petit cours d'eau, et a lui-même pour diminutif **ru. Rivière** est le nom donné à un cours d'eau qui, plus long et plus abondant que le ruisseau, coule entre deux rives et va se jeter dans un fleuve. **Fleuve** désigne un cours d'eau formé par la réunion d'un certain nombre de rivières et finissant dans la mer. **Affluent** se dit de tout cours d'eau qui se jette dans un autre. **Torrent** est le nom donné à un cours d'eau rendu impétueux soit par la pente excessive du terrain, soit par une crue passagère. **Ravine** s'applique à un petit cours d'eau pluviale qui se précipite d'un lieu élevé. **Gave** désigne un cours d'eau torrentiel issu de la partie occidentale des Pyrénées françaises. (V. CANAL.)

course se dit du trajet parcouru ou à parcourir, soit à pied, soit en voiture, et dans un but utilitaire. **Randonnée** s'applique à une course longue et généralem. ininterrompue.

V. aussi MOUVEMENT et PROMENADE

coursier. V. CHEVAL.

court, appliqué au langage parlé ou écrit, marque le peu de temps ou de place qu'occupe le discours : *Une conférence, une lettre est courte.* **Bref** concerne uniquement le peu de durée, et se dit surtout du discours parlé : *Un orateur est bref.* **Concis** et **laconique** se rapportent à la forme, au style, le second enchérissant sur le premier et se disant surtout des phrases isolées, des sentences ou des pensées exprimées avec le moins de mots possible : *Le style de Thucydide est concis et énergique; Tacite est un auteur laconique.* **Cursif,** dans ce sens, suppose brièveté et rapidité. **Lapidaire,** qui se dit proprement du style des inscriptions gravées sur la pierre, le marbre, s'emploie aussi figurém. pour désigner le style qui a la concision et la fermeté du style des inscriptions. **Succinct** s'applique au fond, à l'expression : *Un récit succinct contient peu de détails.* **Abrégé** se dit de ce que l'on resserre encore davantage; il emporte l'idée de réduction: *Une histoire abrégée est une histoire dont on a rendu le texte aussi court que possible.* **Compendieux,** qui est un syn. peu employé d'*abrégé,* est pris parfois, par erreur, dans le sens contraire. **Sommaire** emporte presque l'idée d'insuffisance; il désigne ce qui est court à l'excès, ce qui est autant dire à l'état d'ébauche : *Exposé, réponse sommaire.*

courtage. V. COMMISSION.

courtaud. V. TRAPU.

courtier. V. INTERMÉDIAIRE.

courtisane. V. PROSTITUÉE.

courtiser, c'est être assidu auprès de quelqu'un, chercher à lui plaire, et cela dans l'espérance d'en obtenir quelque chose : *On courtise un ministre.* **Faire la cour** dit moins et est plus partic.; il s'emploie plutôt en parlant des femmes et peut avoir rapport à une action momentanée et sans suite : *On ne courtise une femme que lorsqu'on lui fait la cour depuis longtemps.* **Coqueter,** syn. de *courtiser,* est vx, et **faire du plat** pop. **Conter fleurette** implique des propos tendres et galants.

courtois. V. POLI.

courtoisie. V. AFFABILITÉ.

cousette. V. COUTURIÈRE et MIDINETTE.

coût. V. PRIX.

couteau est le nom donné à un instrument de petite dimension, fait pour couper, et composé d'une lame montée sur un manche. **Coutelas** désigne un grand couteau, généralement de cuisine, à lame large et tranchante. **Canif** se dit au contraire d'un petit couteau de poche, composé d'une ou de plusieurs lames se repliant dans le manche. **Eustache,** nom donné à un couteau grossier, à manche de bois, désigne, en termes d'argot, un couteau à virole. **Surin,** synonyme de *couteau,* est aussi du langage argotique. (V. POIGNARD.)

coutelas. V. COUTEAU.

coûteux désigne ce qui engage à la dépense et s'applique en général à des choses importantes : *Les voyages à l'étranger sont coûteux.* **Cher,** syn. de *coûteux,* est du langage courant et se dit de choses importantes ou non : *Une automobile peut être un objet coûteux; les légumes ne sont que chers.* **Onéreux** emporte l'idée de charge, d'incommodité; il suppose une dépense trop lourde : *Une tutelle est souvent onéreuse.* **Dispendieux** se dit de ce qui exige beaucoup de dépense; il emporte une idée d'exagération, d'ostentation : *Une entreprise dispendieuse.* **Ruineux** suppose un dommage important, puisqu'il peut entraîner la « ruine », causé par des dépenses excessives : *Avoir des goûts ruineux.*

coutume. V. HABITUDE.

couturière désigne une ouvrière qui fait des vêtements de femme. **Cousette** est familier et se dit plus spécialement d'une jeune couturière. (V. MIDINETTE.)

couvent. V. CLOÎTRE.

couvert. V. VOILE.

couvert (à et **mettre à).** V. ABRI (À L').

couverture. V. CAUTION.

couvre-chef. V. COIFFURE.

couvrir. V. ACCOUPLER (S'), CACHER et PROTÉGER.

crachailler. V. CRACHER.

cracher, c'est pousser, jeter dehors la salive, le sang, ou toute autre matière qu'on a dans la bouche, dans la gorge, dans les poumons. **Expectorer** (du lat. *ex,* hors, et *pectus,* poitrine) est moins général et plutôt du langage médical; c'est simplement expulser des bronches les mucosités qui y sont accumulées. **Crachoter,** c'est cracher peu à la fois, mais souvent; il est familier. **Crachailler** est péjoratif et emporte l'idée d'une action agaçante. **Crachouiller** ajoute à *crachoter* l'idée de dégoût. **Glaviotter,** syn. de *cracher,* est populaire, ainsi que **molarder,** cracher gras. — Aux substantifs de ces verbes, il convient d'ajouter, dans le langage médical, **expuition,** action d'expulser hors de la bouche les substances et particulièrement les liquides qui s'y trouvent en abondance, comme la salive, ou bien aussi dernier terme de l'EXPECTORATION ; et **sputation** qui désigne plus spécialement le crachement continu qu'on observe chez les femmes enceintes et certains aliénés. (Il est à noter, à propos de ces termes, que le verbe qui leur a donné naissance — lat. *spuere,* cracher dessus — ne se trouve en français que dans le composé « conspuer » qui signifie honnir publiquement.)

crachin. V. PLUIE.

crachoter, crachouiller. V. CRACHER.

craindre implique un mouvement d'aversion pour le mal, cela à la simple idée que celui-ci pourrait arriver : *On craint un danger probable.* **Appréhender,** qui appelle un mouvement de désir pour un bien qui pourrait manquer, indique une vue de l'esprit, une attention portée sur l'avenir : *On appréhende un danger possible.* **Redouter** exprime la crainte de quelque chose de supérieur, de terrible, à quoi l'on ne peut résister : *On redoute un ennemi.* **Avoir peur** implique l'absence de courage devant le péril, ou même les seules peintures que s'en fait l'imagination : *On a peur du danger que l'on croit présent et pressant.* (V. ALARMÉ.)

crainte désigne une émotion de l'âme produite par le sentiment d'un péril, la menace d'un danger : *La crainte du châtiment.* **Appréhension** se dit de l'idée présente d'un danger possible : *Avoir l'appréhension d'être trompé.* **Inquiétude** implique une agitation d'esprit causée par la crainte de dangers dont on est menacé ou qu'on pressent; il emporte l'idée d'incertitude, d'irrésolution : *Avoir des inquiétudes sur sa santé.* **Alarme** désigne une grande inquiétude : *Nouvelle qui porte l'alarme dans tous les cœurs.* **Peur** se rapporte à une chose que l'on considère comme devant être funeste, mais qui est souvent imaginaire : *La peur de la mort; La peur d'apprendre de mauvaises nouvelles.* **Phobie** (du grec *phobos,* peur) se dit d'une peur morbide de certains actes ou de certains objets : *Avoir la phobie de l'automobile.* **Trac** et **frousse,** syn. de *peur,* sont familiers, le second supposant une peur extrême. **Malepeur** a vieilli. **Vesse** et **venette** sont populaires, cependant que **chiasse, pétasse, pétoche** et **trouille** sont des termes d'argot. (V. ANGOISSE, ÉPOUVANTE et SOUCI.)

craintif désigne celui qui, d'instinct, voit des dangers partout et en tout. **Timide** emporte l'idée de modestie, d'humilité; il suppose surtout un manque de confiance en soi. **Timoré** se dit de celui qui est timide sur les questions de conscience. **Pusillanime,** plutôt péjoratif, désigne celui qui est craintif, timide jusqu'à la lâcheté. **Trembleur,** assez péjoratif aussi, se dit d'une personne craintive, circonspecte à l'excès, et qui, de ce fait, fuit toute responsabilité. (V. EMBARRASSÉ et POLTRON.)

cramoisi. V. ROUGE.

cramponner. V. ACCROCHER.

cran. V. ASSURANCE, COURAGE et ENTAILLE.

crâne désigne la boîte osseuse du cerveau de l'homme et des vertébrés. **Tête** se dit aussi particulièrement du crâne : *Se fendre la tête en tombant.* **Têt** était syn. de *crâne* dans l'anatomie ancienne. **Caillou** et **caisson** sont populaires.

crâner. V. POSER.

crânerie. V. COURAGE.

crâneur. V. VANITEUX.

crapule. V. DÉBAUCHE et VAURIEN.

craque. V. MENSONGE.

craquer, c'est produire un bruit sec par le frottement, ou bien en éclatant, en se fendillant : *La neige craque sous les pieds; Meuble qui craque.* **Craqueter,** c'est craquer souvent et à petit bruit : *Le sel craquette dans le feu.*

V. aussi ROMPRE (SE).

craqueter. V. CRAQUER.

craqueur. V. FANFARON.

crasseux. V. CHICHE et MALPROPRE.

crayonner. V. DESSINER.

créance. V. CROYANCE.

créateur. V. INVENTEUR.

créature. V. PERSONNE et PROTÉGÉ.

crèche. V. AUGE.

crédit. V. AVOIR, FAVEUR et INFLUENCE.

crédulité. V. CANDEUR.

créer se dit en parlant des choses, auparavant inconnues, auxquelles les hommes donnent l'existence. **Engendrer,** qui est simplement, au fig., produire sans création de choses nouvelles, se dit plutôt de ce qui est immatériel : *Engendrer le mal, la mélancolie.* **Enfanter,** aussi au fig., s'emploie ironiquement, surtout pour désigner les travaux pénibles d'un écrivain. **Accoucher,** dans le même sens, s'emploie lorsque l'œuvre n'est pas proportionnée aux efforts qu'elle a coûtés ; il emporte l'idée de difficultés exagérées. (V. INVENTER.)
V. aussi OCCASIONNER.

créole. V. MÉTIS.

crêper. V. FRISER.

crépiter. V. PÉTILLER.

crépuscule désigne la lumière incertaine ou faible qui reste après le coucher du soleil jusqu'à ce que la nuit soit entièrement tombée : c'est le **déclin,** la **tombée du jour** (V. DÉCLIN). [A noter que crépuscule se dit aussi de la lumière incertaine ou faible qui précède le lever du soleil et qu'on appelle plus ordinairement « aube ».] **Brune** est plutôt du style familier et ne se dit que du crépuscule du soir. **Rabat-jour,** syn. de *brune* est peu usité.
V. aussi AUBE.

crésus. V. RICHE.

crête. V. SOMMET.

crétin. V. STUPIDE.

creuser. V. APPROFONDIR.

creux. V. PROFOND et TROU.

crevasse. V. FENTE.

crève-cœur. V. PEINE.

crever. V. ROMPRE (SE).

cri est très général ; il se dit de tout son perçant que lance la voix. **Exclamation** est plus partic. ; il ne s'applique qu'à un cri subit de douleur, de surprise, d'indignation. **Tollé** (mot empr. du lat. *tolle,* enlève ! — cri que poussèrent les Juifs quand Pilate leur présenta Jésus pour leur demander s'il fallait le faire crucifier) se dit uniquement du cri marquant l'indignation.

criailler. V. CRIER.

criard se dit familièrement d'un son désagréable et fort que l'on entend à une grande distance. **Aigu** s'applique à un son clair et élevé qui blesse en général l'oreille. **Perçant** implique un son très aigu, pénétrant. **Aigre** et **strident** se disent de sons aigus et grinçants. **Glapissant** suppose un cri aigu semblable à celui des petits chiens et des renards.

cribler. V. PERCER et TAMISER.

criée. V. ENCHÈRES.

crier, c'est émettre avec la voix un son perçant ; il implique une contraction exagérée des organes vocaux. **Criailler,** c'est, familièrement, crier, faire beaucoup de bruit pour peu de chose, sans motif fondé. **Piailler,** c'est proprement crier en parlant des petits poulets ou de certains petits oiseaux ; par ext., c'est aussi crier en pleurant et en parlant des petits enfants surtout. **Ululer,** proprement crier en parlant des oiseaux de nuit, s'applique aussi aux personnes et à certains appareils, telles les sirènes, qui crient ou semblent crier longuement et en gémissant (comme les oiseaux de nuit). **Glapir,** proprement faire entendre un petit cri aigu et précipité, en parlant des petits chiens et des renards, s'applique aussi, par analogie et péjorativement, aux personnes ; c'est crier d'une voix aigre. **Clamer** emporte l'idée de violence ; c'est manifester son opinion par un ensemble de cris tumultueux, souvent de mécontentement. **Tonner,** c'est clamer d'une voix retentissante comme le tonnerre ; on dit souvent aussi dans ce sens, auj., **tonitruer** (du lat. *tonitru,* tonnerre), qui enchérit plutôt d'ailleurs sur *tonner* quant à la force et à l'éclat de la voix. **Vociférer,** c'est faire entendre des paroles accompagnées de cris de colère, de menace, etc. **Brailler,** c'est crier d'une manière importune ou ridicule ; il est fam. **S'égosiller,** c'est crier longtemps et très fort, à en perdre la voix. **Hurler,** c'est pousser des cris aigus et prolongés. **Braire,** en parlant des personnes, est très fam. ; c'est soit crier (ou parler, ou chanter) très fort, comme fait un âne qui brait, soit crier en pleurant. **Beugler,** c'est, familièrement aussi, et péjorativement, jeter de grands cris prolongés. **Bramer,** proprement crier en parlant du cerf, du daim, s'emploie parfois aussi, par ext. et péjorativement, dans le sens de crier d'une façon ridiculement plaintive. **Rugir,** proprement en parlant du lion et de certaines bêtes féroces, pousser le cri propre à leur espèce, s'applique par anal. à l'homme qui pousse des cris de fureur, de colère. **Gueuler,** crier fort, est populaire. (V. INVECTIVER.)

crime se dit d'une très grave infraction à la loi morale et à la loi civile, qui mérite d'être réprimée ou sévèrement blâmée. **Attentat** désigne plutôt une entreprise criminelle ou illégale contre les personnes ou les choses. **Forfait** s'applique à un crime exécrable ou qui a quelque chose de grand ou d'audacieux dans son exécution, soit par l'étendue du mal produit, soit par l'énergie qu'a dû déployer le coupable : *On commet un forfait contre l'humanité, la société.*

criminel. V. MEURTRIER

crique. V. GOLFE.

crise désigne le moment où, dans les maladies, se produit un changement subit et marqué en bien ou en mal. **Accès** se dit d'un ensemble de troubles aigus, ayant une origine commune et se produisant à intervalles réguliers (fièvre intermittente) ou irréguliers (accès de toux). **Poussée** implique la manifestation subite d'un mal nouveau ou d'une maladie latente. **Attaque** désigne l'accès subit de certaines maladies bien déterminées. **Atteinte** s'applique à l'attaque légère d'une maladie dont l'existence n'est pas encore bien constatée.

crispation. V. CONTRACTION.

cristal. V. VERRE.

cristallin. V. TRANSPARENT

critère. V. CRITÉRIUM.

critérium (grec *kritérion,* de *krinein,* juger), terme de philosophie désignant la marque qui permet de distinguer le vrai du faux, ou terme du langage ordinaire s'appliquant à ce qui permet de juger, d'estimer, tend de plus en plus à être remplacé par sa forme française, **critère** : *Descartes fait de l'évidence le critérium ou le critère de la certitude; Les dépenses d'un particulier ne sont pas toujours le critérium ou le critère de sa fortune.*

V. aussi COMPÉTITION.

critique, qui désigne proprement, employé substantivement, l'écrivain qui étudie les œuvres littéraires ou artistiques, pour les expliquer et les apprécier, se dit aussi, par ext., de toute personne qui est naturellement portée à faire ressortir les défauts des choses et des gens. **Censeur** s'applique spécialement à celui qui est nommé par un gouvernement pour examiner les livres, les journaux, les pièces de théâtre, etc., avant d'en permettre la publication ou la représentation; pris dans un sens plus général, il se dit aussi bien d'un critique qui juge des ouvrages de l'esprit que de celui qui reprend ou qui contrôle les actions d'autrui, et, dans ce dernier sens, il emporte, employé sans épithète, une nuance péjorative. **Aristarque** (nom d'un célèbre grammairien et critique alexandrin) s'emploie parfois, dans le langage recherché et par antonomase, dans le sens de critique, de censeur éclairé, judicieux, bien qu'un peu sévère. **Zoïle** désigne un critique envieux

critiquer est un terme général; il implique un jugement motivé qui a pour but d'influencer l'opinion d'autrui. **Censurer** suppose toujours un blâme motivé et public infligé par une autorité ayant qualité pour juger. **Epiloguer** implique le désir de critiquer par le détail. **Trouver à redire** suppose que l'on cherche toutes les imperfections, petites ou grandes, pour critiquer. **Fronder,** c'est critiquer en se déclarant ouvertement ennemi. **Contrôler,** c'est surtout s'arroger le droit d'examiner, et, le cas échéant, de critiquer. **Ereinter,** comme **esquinter,** c'est critiquer sans indulgence et avec violence, méchanceté, une personne, une œuvre d'esprit; il est familier. **Bêcher** et **chiner,** syn. de *critiquer,* sont populaires. (V. CHICANER, CONDAMNER, DÉSAPPROUVER, DISCRÉDITER et RÉPRIMANDER.)

croc. V. DENT.

crocheteur. V. PORTEUR.

croire, terme général, implique l'adhésion de l'esprit qui tient pour vrai, qui accepte pour certain, ce qu'on nous dit : *On croit ce qu'on désire.* **Avaler** et **gober** sont familiers; c'est croire sans examen, niaisement : *On avale des bourdes; Le gogo gobe tout.*

Croire, c'est aussi avoir une certaine opinion. **Penser** suppose une croyance personnelle et s'applique surtout à des questions particulières : *Je pense devoir croire que ce qu'il m'affirme est exact.* **Juger** implique une croyance ou une opinion motivée; c'est regarder une chose comme vraie d'après des considérations : *Dire au public ce qu'on juge la vérité.* **Estimer** emporte l'idée d'évaluation; c'est juger en appréciant la force, le mérite, la valeur, la quantité : *On estime qu'un voyage durera plusieurs mois.* (V. SUPPOSER.)

V. aussi FIER (SE).

croisée. V. CARREFOUR et FENÊTRE.

croisement. V. CARREFOUR.

croisière. V. VOYAGE.

croître. V. AUGMENTER.

croix. V. GIBET.

croquemitaine. V. ÉPOUVANTAIL.

croquer. V. BROYER, DESSINER et MANGER.

croquis. V. CANEVAS.

crotte. V. BOUE et EXCRÉMENT.

crottin. V. EXCRÉMENT.

crouler, c'est tomber de toute sa masse, avec violence et rapidité. **S'écrouler** est plus précis et montre un fait particulier qui s'accomplit de telle ou telle manière, et dans telles ou telles circonstances : *L'objet qui croule ou qui s'écroule est mis en pièces, et ses morceaux tombent en roulant avec éclat les uns sur les autres.* **S'ébouler,** au contraire, se dit des choses mises en tas et dont les parties supérieures n'étant pas suffisamment soutenues par les parties inférieures, s'affaissent presque sans effort : *Une maison s'écroule; un monceau de terre s'éboule.* **S'effondrer** se dit de ce qui s'écroule par le fait de la pesanteur, de ce qui manque par le fond parce que surchargé : *Une voûte, un plafond s'effondre.* (V. TOMBER.)

croupe. V. DERRIÈRE et SOMMET.

croupir. V. POURRIR et SÉJOURNER.

croyance se dit d'une persuasion déterminée par quelque motif que ce puisse être, évident ou non évident, et qui a un caractère borné dans le temps et le lieu : *La croyance n'est pas incompatible avec un certain scepticisme, une certaine hésitation de l'esprit.* **Foi** s'applique à une persuasion durable, fondée sur la véracité et l'autorité de celui qui a parlé; il suppose une soumission de l'esprit inspirée par la confiance et s'emploie de préférence en parlant des choses de la religion : *La foi appelle une persuasion entière et absolue.* **Créance** diffère de *croyance* par la généralité de sa signification; il n'exprime jamais une croyance particulière, mais une croyance générale ou indéterminée quand aux personnes qui croient : *Son caractère donne créance à ses paroles.* **Opinion** désigne une croyance ou plutôt une tendance à croire toute personnelle et d'un caractère essentiellement accidentel et mobile; il s'emploie surtout en matière de science ou de politique : *La lumière qui luit dans l'opinion est une lumière douteuse qui n'apporte jamais un parfait discernement, a dit Bossuet.* (V. CONVICTION.)

croyant désigne celui qui a véritablement la foi religieuse. **Pieux** dit plus; il s'applique à celui qui est non seulement croyant, mais encore fermement attaché aux pratiques régulières de sa religion. **Religieux** implique surtout l'observation des règles de la religion. **Mystique** se dit bien, dans ce sens, de celui qui raffine sur les matières de religion, de dévotion, sur la spiritualité, le mysticisme étant une doctrine religieuse qui place la perfection dans une sorte de contemplation et d'extase qui élève l'homme, dès cette vie, à une union mystérieuse avec Dieu. **Dévot,** s'il suppose du zèle pour les pratiques religieuses, emporte souvent toutefois un sens péjoratif, en impliquant plus de l'affectation qu'une véritable croyance, — auquel cas il se rapproche alors de BIGOT (v. ce mot).

cruauté. V. BRUTALITÉ.

crucial. V. DÉCISIF.

crypte. V. CIMETIÈRE.

cryptonyme. V. PSEUDONYME.

cueillir. V. RÉCOLTER.

cuire, c'est devenir propre à l'alimentation par le moyen du feu, que ce soit en bouillant, en rôtissant en grillant, etc. **Mijoter,** c'est cuire doucement et longtemps, à petit feu, généralement dans son jus. **Mitonner,** syn. de *mijoter,* s'emploie particulièrement bien en parlant du pain mis dans du bouillon et laissé longtemps sur le feu.

cuisant. V. MORDANT.

cuisine, qui désigne aussi bien l'art d'apprêter les aliments que les mets eux-mêmes, a pour synonymes populaires

tambouille (plutôt péjoratif) et **popote,** ce dernier surtout employé lorsqu'il s'agit de la préparation de repas pris en commun, soit par des soldats, soit par des étudiants ou des ouvriers. (V. ALIMENT et METS.)

V. aussi AGISSEMENTS.

cuisinier désigne celui qui apprête les mets, les aliments, et, plus ordinairement, celui que l'on prend à gages dans une maison particulière ou un établissement public ou privé pour faire la cuisine. **Chef de cuisine, d'office,** ou absolum. **chef,** est le nom que l'on donne au cuisinier qui a des aides sous ses ordres. **Coq** est un terme de marine qui désigne le cuisinier à bord d'un navire. **Maître queux,** syn. de *cuisinier,* est vx; on l'emploie parfois auj. ironiquement. **Cordon-bleu** est fam. et s'applique surtout à une cuisinière, lorsque celle-ci est très habile. **Gâte-sauce** est au contraire péjoratif, ainsi que **marmiton** quand il ne désigne pas spécialement l'aide cuisinier. **Popotier** populairement s'applique à un cuisinier préparant des repas pris en commun, surtout par des soldats, des étudiants ou des ouvriers. **Cuistancier** et **cuistot** (ou CUISTEAU) sont des termes d'argot militaire.

cuisson est un terme du langage courant; désignant l'action du feu, de la chaleur sur les choses que l'on cuit, ou le résultat de cette action, et s'emploie surtout quand il s'agit de substances alimentaires. **Coction** est un terme scientifique qui se dit plutôt quand il s'agit de matières qu'on soumet à la même action comme objets d'expérience. **Cuite** est un synonyme de *cuisson* réservé à certaines industries comme la préparation des sucres ou des sirops.

cuistre. V. PÉDANT.

cuivré. V. HÂLÉ.

cul. V. DERRIÈRE.

culbute. V. CABRIOLE.

culbuter, c'est perdre son équilibre en faisant un tour sur soi-même et en se renversant avec violence, en avant ou en arrière. **Basculer** fait surtout penser à la perte d'équilibre occasionnée par un mouvement qui fait qu'une des deux extrémités d'une chose s'abaisse pendant que l'autre s'élève. **Capoter,** c'est culbuter, en parlant d'une embarcation, d'une automobile, d'un avion. **Chavirer** s'applique surtout à une embarcation qui, basculant, se renverse et perd son équilibre; on le dit quelquefois aussi d'une voiture. **Faire panache** se dit plus particulièrement d'un cavalier qui tombe en passant par-dessus la tête de son cheval, d'un cycliste qui passe par-dessus le guidon de sa machine, d'une automobile qui se retourne sur elle-même et d'arrière en avant, etc. **Verser,** c'est simplement faire tomber sur le côté; il s'emploie spécialement en parlant des voitures et de ceux qui sont dedans. (V. CROULER et TOMBER.)

V. aussi VAINCRE.

cul-de-basse-fosse. V. CELLULE.

cul-de-sac. V. IMPASSE.

culot. V. HARDIESSE.

culotte désigne la partie du vêtement des hommes qui couvre depuis la ceinture jusqu'aux genoux, et dont la partie inférieure est divisée en deux pour habiller séparément chacune des jambes. **Pantalon** se dit d'une culotte longue qui prend depuis les reins et descend jusque sur le cou-de-pied. (A noter que *culotte* se dit souvent abusivement pour *pantalon.*) **Braies** est le terme d'archéologie désignant la sorte de pantalon dont les Gaulois, les Germains et autres peuples de l'Europe septentrionale garantissaient du froid leurs membres inférieurs. **Chausses** est le nom donné à la sorte de culotte d'autrefois qui, remplaçant les braies, allait tantôt jusqu'aux genoux (**haut-de-chausses** ou **grègues**), tantôt jusqu'aux pieds inclusivement, grâce à son prolongement appelé « bas-de-chausses ». **Short** (mot angl. signif. *court*) est un terme du langage moderne désignant une culotte très courte que les sportifs mettent directement sur la peau. **Chausses** et **grègues,** syn. de *culotte,* sont vx. **Bénard, culbutant, falzar, froc, grimpant,** syn. de *pantalon,* sont des termes d'argot. — CULOTTE se dit aussi d'un vêtement féminin de dessous, serré à la taille et s'arrêtant assez au-dessus du genou, que l'on enfile par les jambes. PANTALON désigne une culotte féminine de lingerie ou de flanelle, fendue ou se boutonnant sur les côtés, et qui s'arrête juste au-dessus du genou.

culte. V. ADORATION.

culte (rendre un). V. HONORER.
cultivateur. V. AGRICULTEUR.
cultivé. V. INSTRUIT.
cultural. V. AGRICOLE.
culture. V. CIVILISATION et SAVOIR.
culture maraîchère. V. JARDINAGE
cupidité. V. AMBITION et CONVOITISE.
cure se dit du résultat d'un traitement de longue durée ordonné par un médecin, et qui présente toujours le retour à la santé comme étant dû aux soins qui l'accompagnent. (A noter que le mot *cure* est surtout employé auj., en dehors de son acception générale, pour caractériser une méthode thérapeutique spéciale : *Cure de fruits; Cure thermale.*) **Guérison** se rapporte toujours à l'état du malade lui-même, et ne peut être due qu'à la nature : *la guérison est prompte ou lente, complète ou incomplète, probable, inespérée,* etc.
curé. V. PRÊTRE.
curer. V. NETTOYER.
curieux. V. AMATEUR, INDISCRET et RARE.
curiosité est le nom que l'on donne au sentiment qu'éveille tout ce qui s'écarte de l'habituel. **Attention** suppose une curiosité très vive provoquée par une chose, une circonstance pouvant avoir des conséquences bonnes ou mauvaises. **Intérêt** dit plus encore; il désigne une attention très active provoquée par quelque chose qui peut avoir pour nous des conséquences généralement bonnes.
cursif. V. COURT.
cuve désigne un vase plus ou moins grand, en bois, terre, métal ou maçonnerie, servant aux différents usages de l'industrie, et, plus particulièrem., un grand vaisseau garni d'un seul fond, et ordinairem. en bois, destiné à recevoir la vendange, à la fouler, à la faire fermenter. **Cuvier** se dit d'une sorte de cuve, ordinairement en bois, dont on fait usage pour la lessive. **Cuveau** désigne une petite cuve. **Bac** est un terme de techn. qui se dit d'une petite cuve (en bois, métal, verre, céramique, etc.) en usage dans diverses professions. **Baquet** désigne une petite cuve en bois, parfois munie d'anses et qui a les bords assez bas. **Baille** se dit d'une sorte de baquet utilisé dans la marine à de nombreux usages. **Baillotte** désigne une petite baille.
cuvier. V. CUVE.
cycle. V. BICYCLETTE et ÈRE.
cyclone. V. BOURRASQUE.
cynique. V. IMPUDENT.

D

dadais. V. NIAIS.
dague. V. POIGNARD.
daigner, c'est vouloir bien faire quelque chose en considération de quelqu'un qu'on n'en trouve pas indigne, en acceptant parfois même de s'abaisser pour cela; il emporte l'idée de bienveillance et est employé fréquemment à la fin des lettres, comme formule de politesse adressée à un supérieur : *On daigne se mêler à la foule; Daignez recevoir l'assurance de ma respectueuse considération.* (A noter qu'il peut être, comme le prouve le premier exemple, un acte purement personnel.) **Condescendre,** par contre, suppose toujours un partenaire d'un rang moins élevé et implique une idée de complaisance; c'est se rendre, céder aux sentiments, aux désirs de quelqu'un qui vous est inférieur : *On condescend à accéder à la demande d'un serviteur.*

dais, en termes d'art décoratif, désigne un ouvrage de bois, de tenture, etc., qui, suspendu ou soutenu, est mis à quelque hauteur au-dessus d'un maître-autel, d'une chaire à prêcher, d'un trône, de la place où siègent, dans les occasions solennelles, certains personnages éminents. **Baldaquin** se dit plutôt d'un dais soutenu par des colonnes. **Poêle,** dans ce sens, désigne un dais simplement maintenu par deux personnes, au-dessus de la tête d'un ou de plusieurs personnages agenouillés ou debout. **Ciel** est le nom donné plus spécialem. au dais sous lequel on porte le saint sacrement dans les processions. **Ciel de lit** désigne un dais drapé placé au-dessus d'un lit. (V. TENTE.)

dalle. V. CARREAU.

dam. V. PRÉJUDICE.

dame. V. ÉPOUSE et FEMME.

dameret. V. GALANT.

damoiseau. V. ADOLESCENT et GALANT.

dancing. V. BAL.

dandin. V. NIAIS.

dandiner. V. BALANCER.

dandy. V. ÉLÉGANT

danger se dit d'une disposition des choses qui nous menace, de près ou de loin, de quelque malheur, de quelque dommage, grave ou léger : *Quand on craint le danger, on l'évite.* **Péril** est un terme moins général que *danger;* c'est proprement une épreuve pressante, immédiate, où il peut aller de la vie : *Quand on redoute le péril, on se sauve.* **Hasard** emporte moins l'idée de danger que de simple inquiétude; il présente un mal possible, mais plus éloigné et toujours avec la possibilité presque égale d'une issue heureuse ou malheureuse : *On court le hasard de la vie.* **Risque** se dit d'un mal qui peut arriver ou ne pas arriver, quoiqu'il soit plus probable qu'il arrivera, mais qui est toujours moins imminent que le péril : *Dans l'espoir de se tirer d'un mauvais pas, un général s'expose au risque d'une bataille.*

dangereux. V. NUISIBLE.

danse est du langage courant; il désigne les mouvements du corps qui se font en cadence, et qui consistent surtout en pas réglés et mesurés par le son de la voix ou des instruments. **Chorégraphie,** qui se dit proprement de l'art de décrire et de noter sur le papier les différents pas de danse ou de ballet, au moyen de signes particuliers, désigne, par ext. et prétentieusement, l'art de la danse. **Bal** s'emploie parfois familièrement comme syn. de *danse : Jeune fille qui aime le bal.* **Guinche,** syn. de *danse* est un terme d'argot. — A noter que ces termes ont pour forme verbale : **danser,** mot courant, **baller,** qui est vieux, **gigoter,** qui est familier, **guincher, tricoter des jambes, des gambettes** ou **des pincettes,** qui sont des termes d'argot.

danseuse est le terme général qui sert à désigner toute personne qui danse, que ce soit son métier ou non. **Ballerine** ne se dit que d'une danseuse de profession.

dantesque. V. EFFROYABLE.

dard. V. FLÈCHE.

darder. V. LANCER.

darne. V. TRANCHE.

datisme. V. PLÉONASME.

dauber. V. BATTRE, DISCRÉDITER et RAILLER.

davantage. V. PLUS.

déambulation. V. PROMENADE.

déambuler. V. MARCHER.

débâcle. V. DÉFAITE et DÉGEL.

débandade. V. DÉFAITE et FUITE.

débardeur. V. PORTEUR.

débarquer. V. CONGÉDIER et VENIR.

débarrasser, c'est simplement enlever ce qui gêne. **Nettoyer,** c'est débarrasser de tout élément étranger. **Déblayer** suppose un désordre; c'est enlever ce qui est pêle-mêle. **Dégager,** c'est enlever ce qui obstrue, ce qui empêche de passer, de circuler. **Dépêtrer,** c'est débarrasser, particulièrement les « pieds », d'une entrave.

Se débarrasser. V. QUITTER.

débat. V. DISCUSSION et PROCÈS.

débattre, c'est examiner contradictoirement; il suppose de la chaleur et de la vivacité, et s'emploie surtout à propos d'intérêts personnels. **Discuter** exprime plus de réflexion : *Des plaideurs débattent leurs intérêts; les juges discutent les droits des parties.* **Parlementer,** qui signif. proprem. entrer en pourparlers avec l'ennemi, et, par ext., entrer en voie d'accommodement, s'emploie aussi, familièrement, comme syn. de *discuter,* surtout en parlant d'affaires. **Délibérer,** c'est discuter entre plusieurs personnes sur une question à résoudre, ou plutôt sur une résolution à prendre; il emporte l'idée d'examen approfondi : *Tribunal qui ordonne qu'il en sera délibéré dans la chambre* *du conseil.* **Disputer,** c'est discuter plus ou moins oisivement, souvent à propos d'opinions : *On dispute du talent d'un auteur, de points de vue politiques.* (V. TRAITER.)

débauche s'applique plus spécialement aux plaisirs de l'amour, et emporte l'idée d'excès. **Libertinage,** syn. de *débauche,* suppose moins de vulgarité et implique même quelque élégance de manières. **Dévergondage** se dit d'un libertinage éhonté ; il suppose des écarts extrêmes. **Stupre** enchérit sur ces termes ; il implique un acte de débauche honteux, un attentat, un outrage aux mœurs. — **Orgie** ajoute à l'idée de débauche celle de ripaille. **Crapule** est un syn. auj. moins usité d'*orgie.* **Bombe, bringue, foire, noce, nouba, ribote, ribouldingue** sont populaires. **Bacchanales** se dit familièrement d'une débauche bruyante. (V. FESTIN et VIVEUR.)

débile. V. FAIBLE.

débiliter. V. AFFAIBLIR.

débiter. V. DÉCOUPER, RÉCITER et VENDRE.

déblatérer. V. MÉDIRE.

déblayer. V. DÉBARRASSER.

déboire. V. DÉCEPTION.

débonnaireté. V. DOUCEUR.

débordement. V. INONDATION.

déborder. V. DÉPASSER et INONDER.

débouché. V. SORTIE.

débouler. V. TOMBER.

débours. V. DÉPENSE.

débris. V. MORCEAU et RUINES.

débrouillard. V. MALIN.

débrouiller. V. DISTINGUER et ÉCLAIRCIR.

débusquer. V. CHASSER.

début. V. COMMENCEMENT.

débutant. V. NOVICE.

décadence. V. ABAISSEMENT.

décamper. V. PARTIR.

décapiter. V. TUER.

décati. V. FANÉ.

décédé, qui n'est que participe adjectif, se dit de l'homme lorsque celui-ci meurt d'une mort naturelle ; il est surtout usité en style judiciaire, administratif ou de pompes funèbres. **Défunt** s'emploie plus ordinairement comme substantif et quelles que soient les circonstances de la mort. (Adjectif, ce terme peut s'employer avec un nom de chose, si celle-ci a cessé d'être.) **Mort** est substantif, adjectif ou participe ; terme du langage courant, il est usité dans toutes les situations. **Trépassé,** syn. de *mort,* est du style soutenu ou pompeux. **Feu** ne s'emploie qu'adjectivement et s'applique en général à une personne décédée depuis peu ; on s'en sert souvent dans le style burlesque.

déceler. V. DÉCOUVRIR.

décence désigne la bienséance de la tenue, du maintien, de l'habillement. **Modestie** se rapporte aux actions, aux paroles, aux manières d'être ; c'est une sorte de décence intime, tandis que la décence serait une sorte de modestie sociale. **Pudeur** concerne les sentiments lorsque ceux-ci influent sur la façon d'agir ; il implique la vive appréhension, la sensation nette de ce qui peut blesser la décence, l'honnêteté, les mœurs, d'où un sentiment de honte. **Pudicité** désigne la qualité même de la pudeur chez telle ou telle personne, le respect intime de la chasteté. (V. RETENUE.)

décent se dit de ce qui est conforme aux principes et aux règles de l'honneur, à la pudeur, à la dignité humaine. **Bienséant** concerne plutôt l'honnêteté civile. **Correct** désigne surtout ce qui est conforme aux usages. **Convenable** est le plus général de tous ces termes ; il se dit de ce qui est conforme à la raison, à la vérité, à l'ordre, au bien quel qu'il soit et de quelque manière qu'on l'entende. **Sortable** désigne ce qui est tout juste convenable, simplement conforme à l'état ou à la condition des personnes. **Séant** s'emploie parfois aussi comme syn. de *décent,* de *convenable ;* toutefois il vieillit. **Honnête,** qui implique surtout le beau moral, est plutôt vieilli dans ce sens. (V. AUSTÈRE et PRUDE.)

déception désigne le fait d'être trompé dans son espérance ; il implique une fausse attente. **Désappointement** se dit d'une déception à laquelle on ne trouve aucun adoucissement ; il emporte une idée de vexation. **Désillusion** enchérit sur *désappointement ;* il s'applique à une déception causée par l'échec d'espérances sérieuses et d'assez grande importance. **Désenchantement** désigne une déception qui fait retomber dans une réalité vulgaire. **Mécompte** se dit d'une déception provoquée par l'idée fausse ou exagérée qu'on se faisait d'une chose. **Déboire** désigne une désillusion pénible due le plus souvent à l'insuccès d'une affaire, aux caprices et aux retours de la fortune. **Désabusement** suppose que l'on est porté, à la suite d'une déception, à ne plus croire, à ne plus espérer en rien. **Défrisement** est un synonyme familier de *déception*. (V. MÉCONTENTEMENT.)

décerner. V. ATTRIBUER.

décès, terme de jurisprudence ou d'administration, ne s'applique qu'à l'homme; il fait considérer la mort comme laissant une place vide ou donnant lieu à une mutation de propriété. **Fin** présente la mort comme un terme plus ou moins éloigné, ou comme donnant à la vie le dernier sceau qui lui imprime un caractère désormais immuable. **Trépas** veut dire proprem. passage d'une vie à une autre; il a quelque chose de pompeux. **Mort** est le mot du langage usuel; il peut s'employer dans toutes les situations et dans tous les styles—et il est le seul qui convienne quand on veut peindre ce qu'il y a d'horrible ou de lugubre dans la perte de la vie, qu'il s'agisse d'un homme ou d'un animal. **Perte,** qui implique proprem. la privation de quelque chose de précieux, d'agréable, de commode, qu'on avait, s'emploie aussi, par ext. et dans un sens partic., en parlant des personnes dont on est privé par la mort.

décevoir. V. TROMPER.

déchaîner. V. OCCASIONNER et SOULEVER.

décharge. V. REÇU.

décharger. V. ALLÉGER et JUSTIFIER. *Se décharger.* V. LIBÉRER (SE).

déchargeur. V. PORTEUR.

décharné. V. MAIGRE.

déchéance, terme de politique appliqué à un souverain, se dit de la sanction attachée à certains actes par la loi et la coutume, et qui entraîne la privation de fonction. **Déposition** implique le renversement du prince, motivé par ses crimes, ses entreprises sur certains privilèges, et qui est souvent la conséquence d'une révolution victorieuse.

V. aussi ABAISSEMENT.

déchet désigne tout ce qui tombe d'une matière qu'on travaille ou qu'on débite, et dont on peut quelquefois encore tirer parti. **Chute,** terme technique, se dit des morceaux plus ou moins grands de tissus, de bois, de métaux, qui tombent dans une coupe. **Résidu** désigne en général ce qui reste après une opération quelconque, et qu'on ne peut utiliser à nouveau pour une opération analogue. **Scorie** est le nom donné au résidu vitrifié résultant de la fusion ou de l'affinage de certains minerais ou alliages. **Détritus** est un mot lat francisé par lequel on désigne une matière réduite en très petits fragments et non utilisable ainsi. (V. REBUT.)

déchiqueter. V. DÉCHIRER.

déchirer, c'est diviser en morceaux plus ou moins grands, c'est mettre en pièces, en tirant, sans se servir d'instruments tranchants. **Déchiqueter,** c'est réduire en petits morceaux, en lambeaux informes. **Egratigner,** c'est faire une légère déchirure, généralem. à la peau, avec les ongles, une épingle ou tout autre corps semblable. **Lacérer,** c'est déchirer de manière à mettre hors d'usage; c'est aussi plus spécialem., en termes de droit, déchirer un écrit condamné par autorité de justice. **Dilacérer,** syn. de *lacérer,* est inusité dans le langage courant.

déchirure désigne la division des tissus due à un effort violent quelconque. **Accroc** se dit seulement d'une déchirure faite par ce qui arrache : clou, épine, etc.

déchu, employé substantivement, se dit de celui qui est tombé dans une situation sociale très inférieure à celle qu'il occupait, pour quelque raison que ce soit. **Déclassé** s'applique plutôt à celui qui s'est mis hors de sa classe, de sa catégorie sociale, par suite de sa mauvaise conduite. (V. MISÉRABLE et RÉPROUVÉ)

décidé. V. HARDI.

décider, c'est arriver à une volonté bien fixée, en s'appuyant sur la force des raisons, des motifs qu'on a mis en avant : *On décide un point de droit.* **Déterminer** exprime quelque chose de moins absolu; il fait entendre seulement qu'on met fin à l'indécision, qu'on fait pencher la balance d'un certain côté, qu'on incline à prendre un certain parti : *C'est un point que l'Eglise a déterminé.* **Résoudre** exprime, comme *décider,* une volonté bien fixée, mais il suppose la force de l'influence, de l'autorité, de la nécessité, plutôt que celle des motifs : *Le Parlement eut à résoudre la paix ou la guerre.* **Trancher,** c'est décider, résoudre hardiment de façon catégorique et d'un seul coup : *Trancher rapidement une difficulté.* **Arrêter,** c'est décider quelque chose de façon à ne pas avoir à y revenir, et, si l'on est plusieurs, demeurer d'accord de la faire : *On arrête un plan de conduite, une marche à suivre.* **Décréter,** proprem. décider par décret (v. ce mot), s'emploie aussi comme syn. de *décider* pris dans son sens général; il emporte alors une idée d'autorité, de décision catégorique : *On décrète qu'il faudra dorénavant agir de telle ou telle façon.* **Destiner,** c'est décider irrévocablement; il est vieilli : *Dieu ne destine jamais la fin sans préparer les moyens, a dit Massillon.* **Délibérer de,** syn. de *décider,* suppose un examen approfondi; il vieillit aussi dans ce sens : *On pèse le pour et le contre avant de délibérer d'agir.*

V. aussi JUGER.

décisif est le terme du langage courant qui désigne la chose qui amène à un résultat définitif. **Crucial** est souvent employé dans les journaux au sens de *décisif* qu'il a en anglais; il est généralement déterminé alors par l'idée d'un choix entraînant la décision : *Le moment est décisif lorsqu'on prend une résolution; il est crucial lorsqu'il faut choisir entre deux solutions.* (V. IMPORTANT et PRINCIPAL.)

Décisif désigne aussi ce qui produit son effet sans faute et, de ce fait, entraîne la conviction; en parlant des personnes, il suppose une pleine confiance dans son opinion, ainsi qu'une détermination prompte et ferme. **Dogmatique,** qui, dans ce sens, ne s'applique qu'aux personnes, est dominé par l'idée d'autorité en matière surtout de doctrines ou de « dogmes »; il implique souvent beaucoup de pédantisme. **Péremptoire** se dit de ce qui annule tout ce qu'on pourrait opposer, de ce qui est, en quelque sorte, sans appel. **Tranchant** implique un effet qui, coupant court la difficulté, se produit tout d'un coup, d'une manière sèche, impérieuse, despotique même, pour mieux imposer le silence, la soumission. **Probant** est le terme didactique qui s'applique à ce qui est décisif par le fait même qu'il apporte la preuve; il ne se dit pas des personnes.

déclamateur. V. ORATEUR.

déclamatoire. V. AMPOULÉ.

déclamer. V. RÉCITER.

déclarer. V. ANNONCER.

déclassé. V. DÉCHU.

déclin désigne, d'une façon générale, l'état d'une chose qui s'abaisse, qui suit une pente, qui s'affaiblit à vue d'œil, après avoir atteint le point culminant de sa course. **Décours** est plus partic.; c'est essentiellement un terme d'astronom. qui se dit des phases de la lune et de quelques autres planètes, et qu'on emploie seulement par analogie en parlant de la période de décroissance d'une maladie.

V. aussi ABAISSEMENT.

déclin du jour. V. CRÉPUSCULE.

décliner (du lat. *declinare,* proprem. détourner, d'où redescendre), c'est affaiblir, pencher vers la fin, en parlant des personnes comme des choses : *Malade, crédit qui décline.* **Péricliter** (du lat. *periculum,* péril) est dominé par l'idée de péril, et ne se dit guère que des choses qui déclinent et sont menacées de ruine : *Santé, affaire qui périclite.* **Baisser,** syn. de *décliner,* est plus du langage ordinaire.

V. aussi REPOUSSER.

déclivité. V. PENCHANT.

décocher. V. LANCER.

décocté, décoction. V. TISANE.

décombres. V. RUINES.

décommandement. V. CONTRE-AVIS.

décomposer suppose simplement la séparation des divers composants d'un corps : *On décompose l'eau en oxygène et hydrogène.* **Désagréger** suppose une décomposition plus matérielle que chimique d'un corps aggloméré : *On désagrège une roche friable.*

V. aussi ANALYSER.

Se décomposer. V. POURRIR.

déconcerté implique que l'on avait

formé des plans, des projets, et que, les voyant renversés, on ne sait plus que faire, pour un temps du moins. **Désemparé** suppose un abandon, l'absence de protection, de ressource, qui déconcerte à l'extrême. **Démonté** dit plus; il emporte l'idée d'un trouble qui ne permet plus de se ressaisir. **Confondu** marque un grand trouble de l'âme, ordinairem. accompagné d'une espèce de honte. **Consterné** enchérit sur *confondu;* il représente l'accablement, la tristesse profonde résultant d'un grand malheur inattendu. **Décontenancé** suppose le plus souvent un interlocuteur; c'est être déconcerté, perdre « contenance » devant quelqu'un. **Déconfit** ajoute à l'idée de déconvenue celle d'embarras. **Interdit** montre l'impuissance où l'on est de dire un seul mot. **Penaud** implique le désagrément d'avoir été attrapé; il suppose un certain ridicule. **Pantois,** syn. d'*interdit,* comporte une nuance d'ironie. **Désarçonné** est syn. de *démonté.* **Camus,** syn. de *penaud,* n'est guère us. (V. ÉBAHI, EMBARRASSÉ et SURPRIS.)

déconfire. V. VAINCRE.

déconfit. V. DÉCONCERTÉ.

déconfiture. V. DÉFAITE, FAILLITE et RUINE.

déconsidérer. V. DISCRÉDITER.

décontenancé. V. DÉCONCERTÉ.

décontraction. V. REPOS.

déconvenue. V. MÉSAVENTURE.

décorer. V. ORNER.

décortiquer. V. ÉPLUCHER.

décorum. V. CONVENANCE.

découler, c'est venir directement et naturellement d'une chose, comme l'eau coule naturellement d'un point élevé à un point plus bas lorsque son mouvement n'est arrêté par aucun obstacle : *L'eau découle d'un robinet par un tuyau* (peu usité dans ce sens); *La conséquence découle des prémisses d'un raisonnement.* **Dériver** regarde les choses tirées et détournées de leur source; il suppose un écart, un détour : *L'eau d'un canal est dérivée d'une rivière; La plupart de nos erreurs dérivent de vérités incomplètes.* **Emaner** diffère de *découler* en ce qu'il exprime un mouvement ou plutôt une émission qui se répand avec force de toutes parts : *La lumière émane du soleil; Les lois émanent de la volonté souveraine, et elles sont promulguées dans toutes les parties de l'Etat.* **Provenir** et **procéder,** qui indiquent le rapport des choses avec leur origine, n'impliquent aucune comparaison avec un liquide coulant d'un point vers un autre; mais, tandis que *procéder* — qui emporte particulièrement une idée d'ordre et de succession et marque plutôt la conséquence logique — appartient au domaine de l'esprit, *provenir* — qui désigne la cause et sa manière d'opérer — appartient davantage au domaine matériel : *Le discours procède de la pensée; Une éclipse provient de l'interposition d'un corps opaque qui intercepte la lumière d'un astre.* (V. RÉSULTER, TENIR À et VENIR.)

découper, c'est tailler avec art, en suivant un certain contour : *On découpe un losange dans une feuille de papier.* **Débiter,** c'est couper en morceaux ce qui est trop gros pour être utilisé ou vendu tel quel : *On débite un tronc d'arbre.* **Détailler,** c'est couper en pièces, en général pour la vente au « détail » : *On détaille une motte de beurre.* **Equarrir** est très partic.; il implique plus spécialement l'action de dépecer les bêtes mortes ou que l'on abat : *On équarrit un cheval.* **Dépecer,** c'est tailler en pièces; il se dit surtout des animaux destinés à l'alimentation : *On dépèce un poulet.* **Dépiécer,** mettre en pièces, est vieux.
V. aussi COUPER.

découragement, qui se dit de toute perte de courage, suppose que l'énergie est abattue et implique tristesse et inaction. **Démoralisation** désigne la perte de la force morale de l'âme, la volonté étant alors complètement annihilée. **Désespoir** se dit de la perte de toute espérance qui fait souvent suite au découragement et qui se manifeste parfois par de la fureur. (V. ABATTEMENT.)

décourager (se), c'est perdre tout désir d'entreprendre quelque chose ou de poursuivre ce qu'on avait entrepris. **Se lasser,** c'est surtout se décourager d'une chose commencée, parce qu'il semble que celle-ci ne pourra jamais être menée à bien. **Se rebuter** suppose un découragement dû à des obstacles, des difficultés qui paraissent insurmontables.

décours. V. DÉCLIN.

découverte désigne l'action de trouver, de faire connaître ce qui n'est pas connu : *On fait la découverte d'une chose qui existait déjà, mais dont on ignorait l'existence.* **Invention,** pris dans son sens étymologique (du lat. *invenire,* trouver), est un syn. parfait de *découverte;* dans son sens moderne, il s'applique surtout à ce qui tient de l'art, de l'industrie : *On est l'auteur de l'invention d'une chose qui n'existait pas, d'un procédé nouveau.* **Trouvaille** se dit familièrement d'une chose que l'on trouve, souvent sans la chercher expressément; il s'applique, plus que *découverte,* à un objet généralement concret, d'importance limitée : *On fait une bonne trouvaille.*

découvrir, c'est ôter ce qui « couvre », ce qui empêchait de voir, rendre visible ce qui échappait aux regards, quelle que soit la nature de l'obstacle écarté : *On découvre des choses nouvelles.* **Deviner,** c'est découvrir des choses cachées, soit par sortilèges, soit par prescience : *On devine l'endroit où un trésor a été caché.* **Déceler,** c'est faire deviner, amener indirectement à connaître ce qui était parfaitement caché, le plus souvent intentionnellement : *On décèle ce qui était dissimulé.* **Détecter,** syn. de *découvrir,* de *déceler,* est du lang. scientifique : *On détecte ce qu'on recherche.* **Eventer,** c'est non seulement découvrir quelque chose, mais souvent encore empêcher les effets qui pourraient en être la suite : *On évente un complot, un secret.* **Percer,** c'est découvrir par les yeux de l'esprit; il suppose intelligence et perspicacité : *On perce un secret, un mystère.* **Dépister,** proprement terme de chasse signifiant découvrir, suivre la piste d'une pièce de gibier quelconque, s'emploie aussi figurément dans le sens de découvrir dans sa retraite : *Dépister un lièvre; Dépister un débiteur, un criminel.* (V. DIVULGUER.)

V. aussi INVENTER et VOIR.

décrasser. V. NETTOYER.

décréditer. V. DISCRÉDITER.

décrépitude. V. VIEILLESSE.

décret, décret-loi. V. LOI.

décréter. V. DÉCIDER.

décri. V. DISCRÉDIT.

décrier. V. DISCRÉDITER.

décrire. V. PEINDRE.

décroître, c'est devenir moindre, moins étendu, moins intense, et cela progressivement, en parlant de choses qui peuvent « croître » ou « décroître ». **Diminuer** se dit plutôt de choses fixes.

dédaigner. V. MÉPRISER et REPOUSSER.

dédaigneux. V. FIER.

dédale. V. LABYRINTHE.

dedans est le terme du langage ordinaire qui désigne l'espace contenu entre les parties extérieures d'un objet. **Intérieur,** qui appartient à un style plus relevé, fait plutôt penser à l'objet lui-même, tel qu'il est dans les parties qui ne sont pas visibles au-dehors : *On cherche à connaître l'intérieur d'une chose; on en mesure le dedans, on le remplit.*

dédicace, qui désigne, en littérature, l'épître, la dissertation placée à la tête d'un ouvrage imprimé et par laquelle on met celui-ci sous le patronage de quelqu'un, se dit aussi, par ext., des quelques lignes ou des quelques mots écrits par un auteur sur la première page de son livre pour en faire l'hommage personnel à quelqu'un. **Envoi,** nom donné aux vers placés à la fin d'une pièce de poésie, particulièrement d'une ballade, pour en faire hommage à quelqu'un, s'emploie aussi pour désigner une dédicace imprimée ou manuscrite en vers ou en prose.

dédicacer. V. DÉDIER.

dédier, c'est mettre sous l'invocation, sous les auspices, par un hommage solennel ou public : *On dédie à la Vierge, aux saints; On dédie une poésie à quelqu'un.* **Consacrer,** c'est affecter à Dieu ou à son service d'une manière toute particulière, et, dans le lang. cour., rendre propre à quelque chose, l'y employer d'une manière complète : *On consacre une religieuse à Dieu; On consacre une journée entière à sa correspondance.* **Vouer,** c'est promettre, engager par un vœu; il implique un renoncement, un dépouillement : *On voue ses services à un prince.* **Dévouer,** c'est livrer sans réserve; il suppose une abnégation totale allant jusqu'au sacrifice : *On dévoue ses forces, ses enfants à l'intérêt public.*

Dédier, c'est, lorsqu'il s'agit plus spécialement d'un livre, le mettre publiquement sous le patronage de quelqu'un, par une épître ou par une inscription imprimée placée à son début. **Dédicacer,** c'est seulement, pour un auteur, faire l'hommage personnel d'un exemplaire de son livre à quelqu'un, par une inscription manuscrite sur la page de garde : *On dédie un ouvrage à un maître; on en dédicace un exemplaire de presse à un critique littéraire.*

dédire. V. CONTREDIRE.

Se dédire, c'est, d'une manière générale, dire qu'on a changé d'avis, d'opinion, et que les choses sont autrement qu'on ne l'avait dit ; c'est aussi revenir sur une promesse, en général assez légère d'ailleurs : *On se dédit aussi bien de paroles bonnes que de paroles indifférentes ou agressives.* **Se rétracter,** c'est faire l'aveu d'un mensonge, d'une erreur que l'on avait affirmée, ou bien déclarer qu'on ne tiendra pas un engagement important, une promesse prise plus ou moins solennellement : *Etre contraint de se rétracter de choses qu'on avait avancées mensongèrement; Après avoir promis de venir, il s'est rétracté.*

dédit. V ARRHES

dédommagement. V. COMPENSATION.

déduire. V. CONCLURE, ÉNONCER et RETRANCHER

déduit. V. RÉCRÉATION.

défaillance. V. ÉVANOUISSEMENT.

défaire. V. DÉLIVRER, DÉTRUIRE et VAINCRE.

Se défaire. V. QUITTER et VENDRE.

défaite s'oppose à « victoire » ; il s'applique à la perte d'une bataille, après une lutte régulière : *Une défaite est plus ou moins sanglante, plus ou moins prompte.* **Déconfiture** se dit d'une défaite complète, sans le moindre espoir de redressement ; il est plutôt vieilli dans ce sens. **Déroute** dit plus et est dominé par l'idée de « désordre » ; il désigne une défaite complète qui entraîne la fuite d'une armée et sa terreur panique : *La déroute ne permet plus aux chefs de rallier leurs troupes.* **Débâcle,** qui se dit de tout changement brusque et inattendu qui amène du désordre, de la confusion, s'emploie quelquefois comme syn. de *déroute.* **Débandade,** qui désigne toute rupture des rangs, est le nom que l'on donne parfois à un commencement de déroute. (V. ÉCHEC et FUITE.)

défaitiste. V. PESSIMISTE.

défalquer. V. RETRANCHER.

défaut désigne ce qui est mauvais dans la manière d'être des choses, cela purement et simplement, sans adoucissement comme sans aggravation : *Drap, diamant qui a un léger défaut.* **Défectuosité** se dit d'un petit défaut ; ce peut être aussi l'état de la chose qui a des défauts, qui n'est pas parfaite ; il a surtout rapport à la conformation, à la configuration : *Les défectuosités de la taille, d'un tissu.* **Imperfection** suppose un défaut relatif, lequel peut être corrigé par d'excellentes qualités : *L'imperfection ne rend pas une chose mauvaise, mais elle l'empêche d'être parfaite.* **Vice** désigne un défaut grave et intime qui gâte la nature même des choses : *Un vice de conformation, de prononciation.* **Tare** se dit d'un défaut, d'une imperfection grave, d'un vice qui diminue la valeur de la chose : *Beaucoup de bons chevaux ont quelque tare.*

Défaut se dit aussi d'une mauvaise qualité de l'esprit ou du caractère, et même d'une mauvaise qualité purement extérieure : *La timidité, l'irrésolution, la gourmandise sont des défauts.* **Travers** suppose un défaut de caractère dû surtout à la bizarrerie, au caprice, à l'irrégularité de l'esprit et de l'humeur : *Il est peut-être moins difficile de déraciner les vices du cœur que les travers de l'esprit, disait Mme de Genlis.* **Imperfection** est simplement le diminutif de *défaut : La négligence dans le maintien, la bonté un peu trop faible, sont des imperfections.* **Vice,** par contre, enchérit sur *défaut;* il désigne une mauvaise qualité morale, un défaut grave, qui procède de la dépravation ou de la bassesse du cœur, et qui est difficile à détruire : *La lâcheté, l'avarice, la cruauté sont des vices.* **Tare** implique une imperfection grave, un vice profond qui diminue la valeur de la personne : *Il y a peu d'hommes sans tare.*

V. aussi MANQUE.

défaut (faire). V. ABSENTER (s').

défaveur désigne l'affaiblissement ou la cessation de la faveur ; il suppose qu'on n'a plus autant de crédit et que l'on ne vous accueille plus avec plaisir : *On tient moins ou même on ne paraît pas tenir à être agréable à celui qui est en défaveur.* **Disgrâce** enchérit sur *défaveur* en impliquant de plus graves conséquences : *Celui qui est en disgrâce est devenu suspect, voire odieux.* **Discrédit** emporte surtout l'idée de manque de considération, de pouvoir, d'autorité : *Ministre qui est en discrédit auprès du Parlement.* **Décri,** qui vieillit, implique la perte de l'estime, de la considération, de la valeur : *N'être pas de leurs adhérents, c'est le souverain décri* (*Bourdaloue*).

défavorable est un terme général qui s'applique à tout ce qui cause ou risque de causer un désavantage à quelqu'un ou à quelque chose. **Péjoratif** (du lat. *pejorare,* rendre pire) est beaucoup plus partic.; c'est essentiellement un terme de grammaire qui s'applique à ce qui comporte ou ajoute une idée défavorable, qui exprime l'augmentation dans le mauvais : « *Atre* » et « *ache* » *sont des terminaisons péjoratives : marâtre, bravache.*

Défavorable, lorsqu'il s'applique à une personne mal disposée à l'égard d'une autre ou d'une action, a pour syn. **hostile** qui enchérit sur lui : *On se contente de désavouer un projet auquel on est défavorable, alors qu'on fait tout ce qui est en son pouvoir pour contrecarrer celui auquel on est hostile.* **Ennemi,** dans ce sens, suppose surtout de l'antipathie, de l'aversion; c'est plus quelque chose d'instinctif que de raisonné : *On est ennemi de tout ce qui déplaît.*

défectuosité. V. DÉFAUT.

défendre. V. DÉFENDU et PROTÉGER.

Se défendre. V. RÉSISTER.

défendu est du langage courant et exprime la volonté formelle, l'ordre qu'une chose ne soit pas faite; il implique une mise en garde : *Il est défendu de toucher à la propriété d'autrui.* **Interdit** est plutôt plus énergique que *défendu;* il suppose souvent la défense de faire une chose que l'on faisait jusqu'alors : *En temps de guerre, il est interdit d'exporter des armes.* **Prohibé,** syn. de *défendu,* d'*interdit,* est un terme de législation ou de police : *Boissons, armes prohibées.* **Illicite** se dit de tout ce qui est défendu par la loi, ou contraire à la morale : *Actions, plaisirs illicites.* **Inhibé** est vieux.

défense. V. APOLOGIE et DÉFENDU.

défenseur, pris dans son sens général, désigne celui qui défend, protège et soutient. **Champion** se dit surtout de celui qui défend en combattant — et, dans ce sens, il ne s'emploie guère que dans le style élevé, familier ou burlesque. **Tenant** désigne aussi parfois celui qui s'étant fait le défenseur, le champion d'une personne ou d'une opinion, est toujours prêt à la soutenir contre ses ennemis ou ses adversaires. (V. PROTÉGER.)

Défenseur désigne spécialement, dans le langage judiciaire, celui qui est chargé de défendre un accusé en justice. **Avocat** est le nom que l'on donne, dans le droit actuel, aux licenciés en droit régulièrement inscrits au tableau ou au stage du barreau d'une cour d'appel ou d'un tribunal de première instance, et qui font profession de défendre en justice les personnes qui recourent à eux. **Conseil** est le nom donné à l'avocat qui défend les intérêts d'une personne en dehors de toute action judiciaire. **Avocaillon** est familier; il se dit d'un petit avocat sans notoriété. **Avocassier** est péjoratif; il désigne un mauvais avocat.

déféquer. V. PURIFIER.

déférence. V. ÉGARD.

déférent. V. COMPLAISANT.

déférer. V. ACCUSER, CÉDER et CONFÉRER.

défiant. V. MÉFIANT.

déficience. V. MANQUE.

déficient. V. FAIBLE.

défier. V. BRAVER.

défilé, nom donné à la marche d'une troupe qui passe en file, en colonne, devant un chef, se dit aussi, par analogie, de la marche de personnes défilant ainsi lors d'une cérémonie, d'une fête, etc. **Procession,** qui désigne proprem. la cérémonie religieuse consistant en un défilé solennel accompagné de chants, s'emploie aussi parfois familièrem. en parlant d'une longue suite de personnes allant à la file. **Théorie,** terme de l'ant. grecque désignant une procession, une députation solennelle et sacrée, se dit de nos jours, par ext., d'un ensemble de personnes s'avançant en procession, en rangs. **Cavalcade** est plus partic.; il désigne essentiellement un défilé pompeux ou grotesque de cavaliers. **Mascarade** se dit proprem. d'un défilé de personnes déguisées et masquées, et, figurément, d'un défilé de gens faux, hypocrites ou ridicules. (V. FILE et PÈLERINAGE.)

V. aussi COL et REVUE.

définir, c'est expliquer clairement, méthodiquement, l'essence, la nature, les qualités d'une chose, simplement pour faire connaître ce qu'elle est. **Déterminer** dit plus; c'est fixer les termes, les caractères, la classification d'une chose, de manière à ne pas pouvoir la confondre avec d'autres.

déflagration. V. COMBUSTION.

déformé suppose que la forme naturelle est gâtée, altérée. **Défraîchi** se dit de ce qui a perdu sa fraîcheur, son brillant, sans être forcément pour cela déformé. **Fatigué** désigne en général ce qui est à la fois déformé et défraîchi. **Fané** implique plutôt une altération de la couleur. **Avachi** s'applique à ce qui, en s'affaissant ou en s'élargissant par l'usage, n'a plus de forme. **Usé** enchérit sur ces termes; il se dit de ce qui est fatigué à un point tel qu'il ne peut plus servir.

défraîchi. V. DÉFORMÉ.

défrayer. V. PAYER.

défricher. V. ÉCLAIRCIR.

défricheur est le nom donné à celui qui met en culture soit un terrain en friche, c'est-à-dire non cultivé depuis un certain temps, soit, plus spécialement un terrain qui n'a pas encore été cultivé, landes, bois, etc. : *Les moines ont été de grands défricheurs.* **Pionnier,** proprem. travailleur qu'on emploie dans une armée à frayer les chemins, creuser les tranchées, etc., se dit aussi parfois auj. (depuis le XIXe siècle) d'un défricheur de contrées jusqu'alors jamais cultivées : *Les pionniers d'Amérique.*

défrisement. V. DÉCEPTION.

défroque. V. VÊTEMENT.

défunt. V. DÉCÉDÉ.

dégagé. V. DÉLURÉ.

dégager. V. DÉBARRASSER.

Se dégager. V. LIBÉRER (SE).

dégaine. V. ALLURE.

dégarnir. V. DÉBARRASSER.

dégât, terme général, implique une détérioration de choses due à un accident ou à une cause violente. **Dégradation** se dit seulement d'un dégât considérable fait dans une propriété publique ou privée, dans une maison, etc. **Déprédation,** proprem. pillage avec dégâts, se dit aussi, par ext., de dégradations causées généralement par la malveillance. (V. DOMMAGE.)

dégel désigne la fonte des neiges, des glaces, par suite de l'élévation de la température. **Débâcle** est plus partic.; il se dit de la rupture, ordinairem. subite, de la glace qui couvrait un cours d'eau et qui se partage alors en glaçons dont la descente est plus ou moins rapide.

dégénération. V. ABÂTARDISSEMENT.

dégénérescence. V. ABAISSEMENT et ABÂTARDISSEMENT.

déglutir. V. AVALER.

dégoiser. V. BAVARDER.

dégouliner. V. COULER.

dégourdi se dit de celui qui a des manières vives, souvent même un peu libres; il suppose absence de gaucherie, de timidité. **Désinvolte** est moins du langage ordinaire; il désigne celui qui est dégagé dans sa manière d'être, son attitude, ses mouvements — et emporte souvent une nuance péjorative lorsqu'il concerne la manière d'agir supposée alors quelque peu cavalière. **Éveillé,** qui est toujours très élogieux, implique, plus que de la vivacité, de l'intelligence et une certaine gaieté, le goût de vivre. **Dessalé,** syn. de *dégourdi,* est familier. (V. DÉLURÉ et FOUGUEUX.)

dégoût. V. RÉPUGNANCE.

dégoûtant. V. MALPROPRE.

dégradation. V. ABAISSEMENT et DÉGÂT.

dégrader. V. DÉTÉRIORER et HUMILIER.

degré, qui est plutôt du style poétique ou oratoire, s'emploie aussi parfois dans le lang. cour., mais toujours en y attachant l'idée de montée ou de descente. **Marche,** qui est du lang. cour., est en outre le seul terme qui convienne quand on veut indiquer l'endroit où l'on pose le pied; il ne comprend pas, comme *degré,* soit une idée d'élévation, soit une idée de montée ou de descente : *On monte ou l'on descend les degrés; On se tient sur une marche.* (A noter qu'au XVIIIe siècle, si nous en croyons l'Encyclopédie, *degré* désignait chaque marche d'un escalier, et *marche* était uniquement consacré pour les autels.) **Gradin** désigne spécialement le degré d'un support en étages : *Les gradins d'un cirque, d'un amphithéâtre.* **Echelon** est plus partic.; il se dit de chacune des traverses de bois ou de fer qui servent de degrés dans une échelle, cependant que **marchepied** désigne le degré sur lequel on pose le pied pour monter dans une voiture ou pour en descendre : c'est aussi le dernier degré de l'estrade d'un autel, d'un trône, etc., sur lequel celui qui est devant l'autel, sur le trône, pose les pieds.

V. aussi ESCALIER, GRADE et PHASE.

dégringoler. V. DESCENDRE et TOMBER.

déguenillé se dit de celui dont les vêtements sont en lambeaux, déchirés par morceaux. **Dépenaillé** désigne familièrement celui qui est déguenillé ou qui, tout au moins, est négligé, désordonné dans sa mise, de telle manière que ses vêtements ne paraissent pas tenir ensemble. **Loqueteux** se dit de celui dont les vêtements sont réduits en lambeaux par suite de l'usure. **Va-nu-pieds** désigne celui qui est dans un tel état de pauvreté vestimentaire qu'il n'a même plus de chaussures.

déguerpir. V. PARTIR.

déguiser se dit de toute sorte de changement, de toute apparence différente de l'apparence ordinaire et naturelle; il suppose que l'on veut se faire passer pour une autre personne : *Un espion se déguise.* **Travestir** exprime simplement un changement de vêtement et implique le plus souvent un costume n'appartenant ni à l'âge, ni à la condition, ni même parfois au sexe de celui qui le revêt, et qui lui permet de paraître un tout autre personnage : *Un comédien se travestit.* **Masquer,** c'est déguiser à l'aide d'un « masque », et, par ext., déguiser quelqu'un en lui mettant, outre le masque, des habits qui empêchent de le reconnaître : *On masque des enfants; On masque un jeune homme en scaramouche, en pierrot.* **Camoufler** est un syn. argotique de *déguiser* qui s'applique aussi aux choses : *On camoufle un espion, un canon.* **Déguiser,** employé au figuré, c'est cacher ou altérer la vérité, la réalité : *Un plagiaire déguise les emprunts qu'il fait aux idées d'autrui.* **Travestir** ne peut se dire que de l'expression, qui est comme le vêtement de la pensée; il suppose que l'on traduit l'original de manière à n'en reproduire ni la pureté, ni l'élégance de style : *Scarron a travesti « l'Enéide » en l'imitant et en la rendant ridicule.* **Masquer,** c'est déguiser sous de fausses apparences : *On masque ses mauvais desseins.* **Recouvrir,** c'est masquer avec soin sous des prétextes spécieux, sous des apparences louables, quelque chose de vicieux : *Recouvrir sa faute de beaux prétextes.* **Farder,** c'est déguiser ce qui peut choquer, ce qui peut déplaire : *On farde la vérité pour qu'elle ne blesse pas.* **Maquiller,** c'est déguiser en altérant, en faussant : *Voleur qui maquille son état-civil.* **Pallier,** c'est déguiser une chose qui est mauvaise, l'excuser en y donnant quelque couleur favorable : *On pallie ce qu'on ne peut pas justifier entièrement.* **Plâtrer,** c'est farder, revêtir d'une apparence trompeuse qui ne peut subsister longtemps : *On plâtre, pendant un temps, des malversations.* **Emmitoufler,** syn. de *déguiser,* est familier : *On emmitoufle la vérité.* **Camoufler** est populaire. (V. CACHER et TAIRE.)

déguster. V. SAVOURER.

dehors. V. ASPECT et EXTÉRIEUR.

déifier. V. GLORIFIER.

déisme désigne le système de ceux qui, rejetant toute révélation, croient seulement à l'existence de Dieu et à la religion naturelle. **Théisme,** par contre, se dit de la croyance non seulement en l'existence personnelle de Dieu, mais encore en son action providentielle dans le monde.

déité. V. DIEU.

déjections. V. EXCRÉMENT.

déjeuner. V. REPAS.

délai se dit d'une prolongation de temps, quelle qu'elle soit, relative à une obligation à remplir. **Répit** suppose un délai accordé lors d'une obligation désagréable à remplir. **Sursis,** syn. de *délai,* désigne plus particulièrement un délai de justice. **Remise** s'applique à un délai relatif à la réalisation d'une chose quelconque. **Atermoiement,** syn. de *délai,* implique que l'on cherche à gagner du temps et suppose souvent que l'on va de délai en délai. **Surséance** est un synonyme moins usité de *sursis;* il s'emploie rarement et réclame l'indication du temps plus ou moins long du sursis.

délaisser. V. ABANDONNER.

délateur. V. ACCUSATEUR.

délaver. V. TREMPER.

délayer, c'est faire pénétrer les parties d'un corps par un liquide, sans qu'il y ait combinaison ou désagrégation complète des molécules : *On délaie de la farine avec du lait.* **Etendre,** c'est allonger, affaiblir un liquide par l'addition d'une certaine quantité d'eau : *On étend du vin, de l'alcool avec de l'eau.* **Diluer,** syn. d'*étendre,* est un terme didactique. **Dissoudre,** c'est combiner un corps solide avec un liquide, de telle manière que la cohésion de ses molécules soit complètement détruite : *L'eau dissout le sucre.* **Fondre,** c'est amener un corps solide à l'état liquide par l'action de la chaleur : *Le feu fond les métaux;* il est aussi syn. de *dissoudre* dans le langage courant.

délectable. V. AGRÉABLE.

délectation. V. PLAISIR.

délecter (se), c'est prendre beaucoup de plaisir, une jouissance extrême à quelque chose : *On se délecte à l'étude, à la peinture.* **Se régaler** est, figurément, plus du langage ordinaire, et suppose un plaisir moins fort, moins délicieux, que *délecter;* proprement, il s'emploie en parlant du plaisir que l'on se donne en buvant ou en mangeant de bonnes choses : *On se régale de bonne musique, de belle poésie; On se régale de gâteaux, de fruits.* **Se bégaler,** syn. de *se régaler* au sens propre, est du langage populaire. (V. SAVOURER.)

délégué. V. ENVOYÉ.

déléguer, c'est commettre quelqu'un avec pouvoir d'agir : *On délègue celui à qui l'on accorde le pouvoir de nous remplacer.* **Députer** est plus partic.; c'est déléguer avec la qualité, le titre, la commission, le mandat de député : *On député une personne, parmi d'autres qui sont ses égales, pour les représenter.* **Mandater,** c'est déléguer le plus souvent avec une mission déterminée et au nom de plusieurs personnes : *On mandate l'un des siens auprès d'une autorité supérieure.* **Envoyer,** par contre, est plus général; c'est faire aller quelqu'un en quelque lieu, pour y faire un message, ou dans quelque autre dessein : *On envoie au Parlement un ami du peuple.*

délester. V. ALLÉGER.

délétère. V. NUISIBLE.

délibéré. V. HARDI.

délibérer. V. DÉBATTRE, DÉCIDER et PENSER.

délicat se prend toujours en bonne part et tient surtout à la sensibilité de l'âme : *Ce qui est délicat plaît, touche, est plein de grâce.* **Délié** a surtout rapport à l'esprit et emporte l'idée de souplesse, d'habileté; il peut se prendre en mauv. part : *Un esprit délié est propre aux affaires épineuses, fertiles en difficultés.* **Fin,** appliqué à l'esprit, emporte l'idée de pénétration, de discernement des nuances : *L'homme fin a le don des réparties, il plaisante spirituellement et sait faire entendre sa pensée par d'heureuses allusions.* **Subtil** enchérit sur *fin;* il se dit de celui qui est fin presque jusqu'à l'excès, jusqu'au raffinement : *Il ne faut à l'homme subtil qu'un mot échappé à son adversaire pour qu'il en fasse la base d'une argumentation qui sera difficile à combattre.* (V. SPIRITUEL.)

V. aussi AGRÉABLE, DIFFICILE et FRAGILE.

délicatesse. V. FINESSE.

délice. V. PLAISIR.

délicieux. V. AGRÉABLE.

délié se dit de ce qui est long, menu et souple, comme un fil. **Fin,** qui s'oppose à « grossier », ajoute à *délié* l'idée de perfection, de délicatesse. **Subtil** (du lat. *subtilis,* finement tissé), syn. de *délié,* de *fin,* s'emploie bien par opposition à « épais ». **Effilé** se dit de ce qui est aminci, rendu pointu; il comporte l'idée de fil et d'aiguiser. **Elancé** s'applique à ce qui est long, mince, et vertical. **Svelte** concerne surtout la forme lorsque celle-ci est élancée, dégagée. (V. FAIBLE, FRAGILE et MENU.)

V. aussi DÉLICAT.

délinquant. V. COUPABLE.

déliquescence. V. ABAISSEMENT.

délire, qui désigne proprement l'état d'un malade à qui l'ardeur de la fièvre fait battre la campagne, se dit aussi de l'état d'exaltation où l'imagination crée des fantômes qu'elle prend pour des réalités. **Divagation** implique une sorte de rêverie incohérente de l'esprit, qui se manifeste le plus souvent par des élucubrations désordonnées. **Egarement** suppose un état de délire, un trouble qui se manifeste dans le regard, ou même par des actions bizarres ou qui révoltent la nature; il se prend toujours en mauvaise part. **Frénésie** dit plus encore; il implique un égarement qui tient de la fureur et qui, au trouble de la raison, joint une violence que rien n'arrête et qui s'enivre de ses propres accès. **Transport** est le nom que l'on donnait autrefois, en médecine, à une forme de délire aigu que l'on croyait dépendre uniquement d'une congestion; on emploie encore couramment auj. l'expression transport au cerveau pour désigner le délire qui s'observe aussi bien dans les infections graves que dans les psychoses. **Delirium tremens** (expression latine signifiant *délire tremblant*) est le terme de médecine qui sert à désigner le délire avec agitation et tremblement des membres qui est particulier aux alcooliques. (V. FOU.)

V. aussi ENTHOUSIASTE.

delirium tremens. V. DÉLIRE.

délit. V. FAUTE.

délivrance. V. ENFANTEMENT et MISE BAS.

délivrer, c'est remettre une chose entre les mains d'une personne, parce que l'on doit agir ainsi; il suppose une obligation régulière dont on se décharge ou une action soumise à certaines formalités que l'on observe : *On délivre à chaque adjudicataire les lots dont il s'est rendu acquéreur; On délivre des passeports, des cartes d'identité.* **Livrer** dit moins; il marque la livraison pure et simple : *Un marchand livre sa marchandise par le seul fait qu'il la laisse enlever ou qu'il l'expédie.*

V. aussi AFFRANCHIR.

Se délivrer. V. LIBÉRER (SE).

déloger. V. CHASSER.

déloyal exprime un défaut de générosité ou de reconnaissance, une absence de loyauté, de sincérité qui a quelque chose de lâche. **Infidèle** marque simplement l'inconstance, le changement, la défection. **Perfide** suppose quelque chose d'odieux, de pernicieux, une infidélité couverte, dissimulée, qui fait que l'on transgresse la foi jurée; il emporte l'idée de mensonge, de tromperie. **Scélérat,** dans ce sens, enchérit sur *perfide.* **Traître** désigne celui qui commet une perfidie à l'égard de ses associés, qui les livre à leurs ennemis, souvent en tirant de sa mauvaise action un parti avantageux pour lui-même. **Félon,** qui désignait autref. le vassal qui se montrait déloyal envers son seigneur, est employé auj. comme syn. de *traître* dans le style soutenu. **Renégat,** qui concerne proprement la religion, se dit figurément aussi de celui qui, par des motifs intéressés, abjure ses opinions politiques et trahit son parti. **Judas** est un synonyme métonymique de *traître;* **faux frère** est familier. (V. APOSTAT.)

déloyauté. V. TRAHISON.

déluge. V. INONDATION et PLUIE.

déluré se dit de celui qui a l'esprit vif et avisé; il emporte l'idée d'une certaine habileté. **Dégagé** implique de l'aisance dans la manière de se présenter et de s'exprimer. **Désinvolte,** syn. de *dégagé,* suppose souvent des manières d'agir trop libres; il implique un certain sans-gêne et est plutôt péjoratif. (V. DÉGOURDI et FOUGUEUX.)

démagogue. V. DÉMOCRATE.

demander, qui exige toujours pour complément direct la chose qu'on veut obtenir ou qu'on veut connaître, suppose une question posée d'une manière nette, précise, mais aussi poliment, voire respectueusement : *Un subordonné demande ses ordres à son chef.* **Questionner** a pour complément la personne à qui s'adresse la demande ou les demandes; il implique de la curiosité, le désir de connaître : *L'espion questionne les gens.* **Interroger** suppose une certaine autorité, le droit de faire parler, en général dans le but de juger: *On interroge un élève.* **Consulter** implique qu'on recherche un conseil, un avis : *On consulte un médecin.* **Cuisi-**

ner, c'est, en argot, interroger habilement, insidieusement, surtout en parlant de la police: *L'agent de la sûreté cuisine le prévenu pour obtenir des aveux.*

V. aussi RÉCLAMER.

démanteler est un terme de guerre qui signif. détruire les fortifications ou les murailles qui servaient de défense, de « manteau » en quelque sorte à une ville, à une place de guerre : *Richelieu fit démanteler de nombreux châteaux forts.* **Démolir,** s'il suppose destruction, n'implique pas forcément l'idée de nuire; c'est simplement défaire une masse, déconstruire ce qui avait été construit, assemblé, bâti : *On démolit quelquefois ce qui était devenu inutile, et cela pour employer ailleurs les matériaux.* **Raser** suppose une action violente, toujours faite en vue de punir ou de témoigner sa colère : *Raser une ville, c'est faire place nette et ne pas laisser pierre sur pierre.* (V. ABATTRE.)

démantibuler. V. DISLOQUER.

démarche. V. ALLURE.

démêlé. V. CONTESTATION.

démêler. V. DISTINGUER et ÉCLAIRCIR.

déménager. V. DÉRAISONNER et TRANSPORTER.

dément. V. FOU.

démentir. V. CONTREDIRE.

démesuré se dit de choses qui peuvent être bonnes ou indifférentes par elles-mêmes, mais qui dépassent, par leur étendue, la proportion, la mesure ordinaire. **Enorme** se dit des choses qui ne sont tolérables que lorsqu'elles sont convenablement réglées et qui, dans le cas dont il s'agit, sortent de la règle et deviennent presque monstrueuses. **Immodéré** ne se dit que des choses où il faut de la modération et qui ne sont pas contenues dans les limites nécessaires. **Disproportionné** s'applique à ce qui manque de proportion, de convenance, et s'emploie en parlant de plusieurs choses, ou d'une chose relativement à une autre ou à des autres; il implique une comparaison. **Malproportionné** se dit d'un seul objet dont on compare les différentes parties que séparent de grandes inégalités. **Illimité,** qui se dit de ce qui est sans bornes, sans limites, n'implique pas forcément, malgré tout, l'idée de démesure. **Maous,** syn. d'*énorme* sans idée péjorative, est un terme d'argot. (V. COLOSSAL, EXCESSIF et IMMENSE.)

démettre. V. DESTITUER et DISLOQUER.

Se démettre. V. ABDIQUER.

demeurant (au). V. AILLEURS (D').

demeure, terme du langage ordinaire, désigne le lieu où l'on est établi, dans le dessein d'y rester, ou même le lieu où on loge : *Il y a beaucoup de malheureux qui n'ont pas de demeure fixe.* **Domicile** désigne la demeure légale et s'emploie surtout dans le style de la jurisprud. et de l'administration : *Les mineurs n'ont d'autre domicile que celui de leur père ou tuteur.* **Adresse** désigne particulièrement le domicile d'une personne lorsqu'on en fixe le lieu exact : *On donne son adresse à quelqu'un qui doit venir nous voir.* **Résidence** se rapporte à un lieu plus vaste, moins personnel, parfois aussi plus passager, que *demeure* — et s'emploie de préférence en parlant d'un personnage élevé ou d'un fonctionnaire : *Représentant des pouvoirs publics qui ne peut voyager à cause de la résidence où l'obligent ses fonctions.* **Séjour** est plus simple et marque quelque chose de moins durable et de plus occasionnel que *demeure* et *résidence : On a une demeure partout où l'on se propose d'être longtemps; un domicile dans un endroit qu'on fixe aux autres comme le lieu de sa résidence et dont on donne l'adresse; un séjour dans un endroit qu'on n'habite que par intervalles.* (A noter que, figurément, SÉJOUR peut s'appliquer aux choses, contrairement à RÉSIDENCE : *Si l'on peut dire que Paris est le séjour des beaux-arts, on ne saurait dire qu'il en est la résidence.*)

V. aussi HABITATION.

demeurer suppose une assez longue durée et exprime, sans aucune idée accessoire, l'action de continuer à être ou à se tenir dans un lieu : *On demeure longtemps à table, à la campagne.* **Rester,** qui convient mieux lorsque la durée est courte, implique une idée d'opposition avec ce qui change de lieu ou de position; c'est proprem. se tenir en réagissant contre quelqu'un ou quelque chose : *Cet homme ne peut rester nulle part, il voyage sans cesse.*

V. aussi ARRÊTER (S') et SUBSISTER.

démissionner. V. ABDIQUER.

démocrate désigne celui qui est partisan de la puissance souveraine du peuple, celui-ci se gouvernant par lui-même. **Démagogue** se dit péjorativement de celui qui, par ses paroles et par ses actes, affecte de soutenir les intérêts du peuple, afin de gagner sa faveur, pour mieux ensuite le dominer et le conduire. **Démophile,** par contre, se prend toujours en bonne part; il désigne celui qui aime le peuple, non pas pour s'en servir, mais pour le servir.

démodé. V. DÉSUET.

demoiselle. V. FILLE.

démolir. V. ABATTRE et DÉMANTELER.

démon. V. DIABLE.

démoniaque. V. DIABOLIQUE.

démonstration désigne les marques extérieures qui peuvent annoncer les sentiments intérieurs, sincères ou feints: *Des démonstrations peuvent être fausses et n'avoir d'autre but que de faire croire à une sympathie que l'on n'éprouve pas.* **Protestation** emporte surtout l'idée de manifestation verbale; c'est l'expression répétée avec force d'un sentiment, ou ce sont des promesses formelles, mais elles peuvent être fausses aussi bien que des démonstrations : *Je ne hais rien tant, a dit Molière, que les contorsions de tous les grands faiseurs de protestations.* **Témoignage** suppose plus de solidité; il se dit généralement des actes qui prouvent réellement l'affection, la tendresse, le dévouement : *On multiplie des témoignages d'amitié.*

V. aussi PREUVE.

démonté. V. DÉCONCERTÉ.

démontrer. V. PROUVER.

démophile. V. DÉMOCRATE.

démoralisation. V. DÉCOURAGEMENT.

dénaturer. V. ALTÉRER.

dénégation désigne l'action de nier, considérée dans la manière dont elle se fait ou par rapport au temps, aux circonstances : *Une dénégation est formelle, nette, ou équivoque.* **Déni** se dit de la même action considérée plutôt dans son essence même, que dans les circonstances où elle se manifeste : *Un déni est sincère, digne de foi, ou bien suspect.*

déni. V. DÉNÉGATION.

dénicher. V. TROUVER.

denier à Dieu. V. GRATIFICATION.

dénier. V. NIER.

dénigrer. V. DISCRÉDITER.

dénombrement se dit de l'action d'énoncer, pour en avoir un compte exact, les personnes ou les choses qui forment un ensemble, une totalité. **Inventaire** est plus partic.; c'est un terme de commerce qui désigne le dénombrement et l'évaluation des marchandises en magasin et de leurs diverses valeurs, faits en vue de constater les profits ou les pertes dans une période de temps écoulé. **Enumération** suppose que l'on énonce une à une les parties d'un tout. **Litanie** est péjoratif et plus particulier; il se dit seulement, familièrement, d'une énumération longue et ennuyeuse. **Recensement,** terme d'administration, désigne un dénombrement d'habitants, de conscrits, de suffrages, etc. **Statistique** est un terme didactique désignant la science qui a pour objet de recueillir et de dénombrer les divers faits de la vie sociale. **Cens** est vieilli; c'est un terme de l'histoire romaine qui désigne le dénombrement des citoyens romains, qui avait lieu tous les cinq ans et servait de base au recrutement de l'armée, à l'exercice des droits politiques et au recouvrement de l'impôt.

dénombrer. V. COMPTER

dénomination. V. NOM.

dénommer. V. APPELER.

dénoncer. V. ACCUSER et SIGNALER.

dénonciateur. V. ACCUSATEUR.

dénoter. V. INDIQUER.

dénouement désigne, dans le lang. littér., l'incident qui démêle l'intrigue et fixe le cours de l'action. **Catastrophe** se dit du dernier événement qui termine l'action et complète le dénouement : *L'art est dans le dénouement, l'effet dans la catastrophe.* (A noter que le *dénouement* est heureux ou malheureux, alors que la *catastrophe* est toujours malheureuse.) [V. CONCLUSION.]

V. aussi RÉSULTAT.

denrée désigne tout produit comestible ou buvable considéré quant à son abondance, sa qualité, sa circulation, son prix et son débit. **Subsistances,** qui est toujours employé au plur. dans ce sens, se dit à la fois des denrées et des produits d'entretien. considérés comme productions propres et nécessaires à la conservation et à la multiplication des hommes, ainsi qu'à la conservation et à la prospérité de la société. **Vivres,** empl. aussi au pluriel, s'applique aux denrées considérées eu égard à l'achat, à l'approvisionnement, à la consommation : *Un marché est pourvu de denrées; Un pays est fertile en subsistances; Une place est approvisionnée en vivres.* **Comestibles,** toujours au pluriel, se dit surtout de denrées de choix et s'emploie principalement dans le langage commercial : *Un marchand de comestibles.* (V. MARCHANDISE.)

dense. V. ÉPAIS.

dent est le nom donné à chacun des petits morceaux d'émail qui garnissent la mâchoire de l'homme, de certains animaux, et leur servent à couper (**incisive**), à déchirer (**canine**), à broyer (**molaire** ou **mâchelière**) les aliments, à mordre. **Croc,** longue canine de certains animaux, s'emploie parfois aussi familièrement comme syn. de *dent* en général. **Surdent** désigne une dent qui pousse irrégulièrement par-dessus une autre dent ou entre deux autres. **Chicot** se dit d'un fragment de dent cassée ou cariée, qui reste dans la gencive. **Quenotte,** qui est fam., est le nom que l'on donne seulement aux dents des petits enfants. **Chocotte** est un terme d'argot s'employant surtout au pluriel.

dénuder. V. DÉPOUILLER et DÉVÊTIR.

dénué, qui pris à la lettre marque une « nudité », implique une privation entière et absolue : *L'homme dénué est dans la misère.* **Dépourvu** dit moins; il exprime seulement une insuffisance plus ou moins grande, par défaut de « provision » : *L'homme dépourvu est dans le besoin.* **Destitué,** dans ce sens, est peu us. auj.; il entraîne l'idée d'un délaissement qui fait qu'on est réduit à l'impuissance : *Un homme destitué de tout secours.* (V. MISÉRABLE.)

dénuement. V. PAUVRETÉ.

dépareiller, c'est, en parlant de choses pareilles, de même nature, en enlever une ou plusieurs, qu'on les remplace ou non par d'autres différentes. **Désassortir** implique la même idée, mais appliquée à des choses qui, sans être pareilles, s'accordent néanmoins les unes avec les autres : *On dépareille une douzaine de serviettes, et l'on désassortit un service de table.* **Déparier,** c'est seulement enlever l'une des deux choses d'une paire ; on dit aussi **désapparier** : *On déparie ou désapparie des gants.*

déparier. V. DÉPAREILLER.

départir. V. DISTRIBUER.

Se départir. V. RENONCER.

dépasser, lorsqu'il signifie excéder en longueur, en hauteur, etc., a pour syn. **déborder** qui se dit d'une chose qui dépasse le bord d'une autre. (Ces deux termes conviennent bien en parlant aussi de ce qui sort de l'alignement.) **Saillir** s'emploie en architecture lorsqu'il s'agit de ce qui est en saillie, de ce qui déborde d'une construction, à quelque endroit que ce soit. **Surplomber** se dit intransitivement de ce dont le haut dépasse la base ou le pied, de ce qui est hors de l'aplomb, surtout en parlant de constructions : *Ce mur surplombe.* (Ce verbe s'emploie aussi transitivement en parlant de ce qui se trouve au-dessus d'une chose et la dépasse, par une position hors d'aplomb, tels les rochers au-dessus d'un chemin, par exemple).

V. aussi PASSER.

dépayser. V. EMBARRASSER.

dépecer. V. DÉCOUPER.

dépêche est le terme général qui désigne toute communication faite par voie expéditive : courrier, téléphone, télégraphe, etc. **Télégramme** est plus du langage didactique ou d'administration postale et ne se dit que d'une dépêche transmise à l'aide du télégraphe. **Pneumatique** est le nom donné à une lettre écrite sur papier mince, que les bureaux de poste de certaines grandes villes ont la possibilité de transmettre rapidement dans un réseau déterminé, à l'aide de tubes pneumatiques installés à cet effet. **Petit-bleu** est le nom que l'on donne parfois familièrement à Paris à la carte-lettre de couleur bleue servant à la correspondance pneumatique. (V. LETTRE.)

dépêcher (se). V. ACCÉLÉRER.

dépeindre. V. PEINDRE.

dépenaillé. V. DÉGUENILLÉ.

dépendance, comme **attenance** (celui-ci moins us.), se dit de tout accessoire d'une chose principale, de tout ce qui fait partie d'un héritage, d'une terre, d'une maison, sans pour cela s'y rapporter toujours d'une manière très étroite, y toucher immédiatement : *Les dépendances peuvent être éloignées d'une certaine distance du domaine principal.* **Appartenance** désigne principalement la dépendance d'une propriété, de laquelle elle fait autant dire partie : *Les cuisines sont une des appartenances d'un château.* (Il est peu usité auj.) **Annexe,** par contre, est usité couramment; il se dit de tout ce qui, près ou loin, se rattache accessoirement à quelque chose de plus important : *Les annexes d'une gare comprennent les abris pour le matériel, le corps de garde, la lampisterie, etc.* (V. SUCCURSALE.)

V. aussi SUBORDINATION.

dépendre de indique essentiellement, et de la façon la plus générale, une subordination plus ou moins complète à une puissance ou à une autorité quelconque. **Relever de** suppose une certaine autonomie; il implique seulement des directives reçues d'une autorité supérieure, à laquelle on est tenu de rendre compte de ce qui est fait. **Ressortir à** est surtout un terme de jurisprudence; c'est être du ressort, de la compétence ou de la dépendance de quelque juridiction.

V. aussi TENIR À.

dépense implique usage ou emploi, indéterminé quant à l'objet et à la personne, de son argent. **Frais** se dit d'une dépense précise et réglée, presque toujours obligée ou utile. **Dépens** est surtout un terme de droit. **Débours,** qui s'emploie surtout dans le commerce et au pluriel, désigne le plus souvent les petits frais accessoires d'une entreprise : correspondance, transports, etc.

dépenser, c'est, d'une façon générale, employer telle ou telle somme à l'achat de telle ou telle chose. **Prodiguer,** c'est aller trop loin dans la dépense, ne pas savoir s'arrêter à propos, parfois d'ailleurs avec les meilleures intentions possibles. **Dilapider** est péj.; c'est dépenser son capital avec son revenu; il convient parfaitement en parlant d'une grande fortune ou des finances de l'Etat. **Dissiper** s'applique mieux à une petite fortune; il suppose des dépenses désordonnées. **Gaspiller,** qui est du lang. fam., implique une mauvaise administration; c'est laisser gâter, perdre, piller son bien en mauvaises dépenses et en pure perte.

dépiauter. V. DÉPOUILLER.

dépister. V. DÉCOUVRIR et DÉROUTER.

dépit. V. MÉCONTENTEMENT.

dépit (en). V. MALGRÉ.

déplacer, c'est changer de place, de propos délibéré, parce qu'on juge que cela sera mieux ainsi. **Déranger,** c'est déplacer sans raison quelque chose qui était à sa place. **Intervertir,** comme **transposer,** c'est déplacer deux ou plusieurs choses en en échangeant l'ordre, en les mettant les unes à la place des autres. **Inverser** est plus précis encore; c'est changer la position relative de deux objets de façon que le premier devienne le dernier, ou que le supérieur devienne l'inférieur.

déplaire, c'est causer du chagrin, de la contrariété, sans pour cela aller jusqu'à l'offense : *Avoir été assez maladroit pour déplaire à son bienfaiteur.* **Choquer** enchérit sur *déplaire;* c'est déplaire à l'extrême et en heurtant nos conceptions personnelles : *Choquer un ami par une attitude, une façon de parler.* **Offusquer** dit plus encore; c'est choquer en troublant la sérénité, voire en donnant de l'ombrage : *Toute supériorité offusque les envieux.* (V. BLESSER et FROISSER.)

déplaisant. V. DÉSAGRÉABLE.

déplaisir. V. MÉCONTENTEMENT.

déplorable. V. PITOYABLE.

déplorer. V. REGRETTER.

déployer. V. ÉTALER.

déporter, c'est infliger une peine perpétuelle, afflictive et infamante, qui consiste en un exil aux colonies, sans impliquer obligation au travail. **Transporter** se disait autrefois de l'action de conduire hors du pays des condamnés aux travaux forcés, dans le but d'utiliser la main-d'œuvre pénale aux colonies. **Reléguer** suppose une pénalité, inappliquée auj., qui consistait dans l'internement perpétuel de récidivistes dans une colonie française, avec obligation de travailler. (V. BANNIR et CHASSER.)

déposer. V. DESTITUER et METTRE.

déposition. V. DÉCHÉANCE.

déposséder, c'est ôter, enlever la

possession, la propriété, surtout en parlant de choses d'une certaine importance : *L'Etat peut déposséder un propriétaire pour cause d'utilité publique.* **Dépouiller** est plus du langage ordinaire; c'est déposséder souvent pour s'approprier : *On dépouille un enfant de son patrimoine.* **Spolier** est un terme didactique; c'est déposséder, dépouiller par ruse ou par force : *On spolie un orphelin de son héritage.* **Plumer,** comme **tondre,** syn. de *dépouiller,* est assez familier et concerne surtout l'argent : *Plumer un actionnaire; Usurier qui tond ses victimes.* (V. DÉSHÉRITER, PRIVER et VOLER.)

dépôt se dit de ce qui est mis en quelque endroit pour y être gardé, conservé. **Consignation** désigne le dépôt d'une somme ou d'autre chose entre les mains d'une personne publique. **Séquestre** se dit du dépôt, entre les mains d'un tiers, d'une chose contestée, soit par ordre de justice, soit par convention des parties, jusqu'à règlement du litige.

V. aussi LIE.

dépouille. V. BUTIN et MORT.

dépouiller, c'est ôter la peau d'un animal mort ou vif, et, par ext., enlever ce qui garnit, ce qui enveloppe, ce qui couvre, ce qui accompagne, ce qui est possédé. **Ecorcher,** c'est seulement, dans ce sens, dépouiller un animal de sa peau. **Dépiauter,** syn. d'*écorcher,* est familier. **Dénuder,** c'est dépouiller un arbre de son écorce, une personne de ses vêtements. **Tondre,** proprement dépouiller un animal de sa laine, de son poil, coupé ras, c'est aussi, figurément et familièrement, dépouiller quelqu'un de son argent. (V. PRIVER.)

V. aussi DÉPOSSÉDER et VOLER.

Se dépouiller. V. QUITTER.

dépourvu. V. DÉNUÉ.

dépravé. V. VICIEUX.

dépraver. V. GÂTER.

déprécier a rapport au prix, à la valeur; c'est chercher à diminuer, à montrer qu'une chose est sans valeur ou n'a qu'une valeur insignifiante, et cela quelquefois d'une manière indirecte, par le peu de cas qu'on semble en faire soi-même : *On déprécie une marchandise, un rival.* **Dépriser** est un syn. moins usité de *déprécier.* **Avilir** enchérit sur *déprécier;* c'est déprécier à l'extrême : *L'abondance de cette marchandise en a avili la valeur.* **Déprimer,** c'est abaisser en pesant de toutes ses forces sur quelque chose; il suppose l'intention d'amoindrir, de faire occuper la plus petite place possible dans l'opinion : *On déprime le mérite, la vertu.* (V. ABAISSER.)

déprédation. V. CONCUSSION, DÉGÂT et RAPINE.

dépression désigne l'affaiblissement des forces musculaires ou des facultés intellectuelles, qui est souvent la conséquence d'un choc émotionnel, d'une grande fatigue ou d'une maladie. **Abattement** se dit d'une dépression subite et généralem. d'assez courte durée. **Alanguissement,** comme **langueur,** indique une dépression qui atteint surtout la volonté, l'énergie; c'est une paresse maladive du corps et de l'esprit. **Prostration** implique une diminution considérable des forces vitales; il enchérit sur les termes précédents, mais n'emporte pas l'idée de durée. **Torpeur** dit plus que *prostration;* il suppose un engourdissement du corps et de l'esprit tel que ceux-ci deviennent à peu près incapables de se mouvoir et de comprendre. **Sidération** va plus loin encore dans l'idée de dépression, d'engourdissement; il implique un anéantissement subit des forces vitales, se traduisant par un arrêt de la respiration et un état de mort apparente, comme dans l'apoplexie, la piqûre du bulbe rachidien, la narcose chloroformique brusque, etc. (V. ASSOUPISSEMENT.)

déprimer, dépriser. V. DÉPRÉCIER.

depuis peu. V. RÉCEMMENT.

député. V. ENVOYÉ.

députer. V. DÉLÉGUER.

déracinement. V. ARRACHEMENT.

déraciner, c'est défaire les « racines », les tirer ou les rompre, et ce n'est que par ext. que ce verbe signifie *arracher.* **Extirper** exprime une action plus violente, plus complète; c'est enlever la souche, la tige, arracher avec force, et, par conséquent, défaire, détacher entièrement les racines. **Essoucher,** ou **dessoucher,** est plus partic.; c'est arracher les souches qui sont restées dans un terrain, après qu'on a abattu les arbres. — Au fig., DÉRACINER, c'est détruire le mal jusqu'à ses souches les plus profondes, par une action lente et douce. EXTIRPER implique une destruction plus violente, plus rapide.

déraisonnable marque un défaut de raison partiel ou momentané. **Irraisonnable** se dit de ce qui, par sa nature, est privé de raison, ou, par ext., de ce qui semble l'être : *Les animaux sont irraisonnables; Les imbéciles sont le plus souvent irraisonnables.* **Insane** suppose l'état d'un esprit qui, n'étant pas sain, est déraisonnable : *L'être insane manque de santé intellectuelle.* **Irrationnel** désigne ce qui est contraire à la raison, dans le langage didactique.

V. aussi ABSURDE.

déraisonner marque un défaut momentané et partiel; c'est tenir sur un sujet déterminé des discours qui s'écartent de la « raison », du bon sens. **Divaguer,** c'est déraisonner en parlant à tort et à travers; il suppose même parfois une sorte de délire. **Radoter,** qui suppose un affaiblissement de l'esprit, lequel fait tenir des propos décousus, implique un état constant et une absence de raison portant sur tous les sujets : *Les exaltés déraisonnent; les alcooliques divaguent; les vieillards radotent.* **Perdre l'esprit** enchérit sur ces termes; c'est devenir fou. **Déménager,** syn. de *perdre l'esprit,* et **battre la breloque** ou **la campagne,** syn. de *divaguer,* sont familiers. **Débloquer** et **déconner** sont des termes d'argot, grossiers et triviaux, syn. de *déraisonner.* (V. AFFOLER [S'], FOU et TROMPER [SE].)

dérangement indique ce qui est hors de son « rang », de sa place, de son habitude normale, souvent de manière accidentelle et involontairement. **Dérèglement** implique sortie de la « règle », des bornes, laquelle est généralement voulue. **Désorganisation** suppose un dérangement volontaire ou non qui enlève toute coordination à des parties disposées pour fonctionner seulement ensemble. **Désordre** désigne le défaut d'ordre, en général inconscient et plus durable que le simple dérangement. **Perturbation** convient bien en parlant d'un dérangement, volontaire ou non, survenu dans une chose jusqu'alors particulièrement bien oganisée : mécanisme, mouvements planétaires, organisme, esprit, société, etc. **Bouleversement** suppose un désordre complet dû à une action violente, qui met tout sens dessus dessous. **Branle-bas** fait surtout penser au mouvement cause du bouleversement, ainsi que **tracas** pris au sens propre : *Les maçons, les fumistes causent du tracas dans une maison.* **Désarroi,** pris dans le sens propre de désorganisation complète, vieillit. **Chambardement,** syn. de *bouleversement,* est familier. (V. CONFUSION et DÉSORDRE.)

déranger. V. DÉPLACER et TROUBLER.

dérèglement. V. DÉRANGEMENT.

dérégler. V. TROUBLER.

dérider. V. AMUSER.

dérision. V. RAILLERIE

dérisoire. V. MINIME.

dériver. V. DÉCOULER.

derme. V. PEAU.

dernier se dit de ce qui est, de ce qui vient après tous les autres, dans le temps, le lieu, une catégorie, une série, et après lequel ou après quoi il n'y a plus rien, en parlant des personnes comme des choses. **Final** ne se dit que des choses, lorsque celles-ci terminent ou complètent une action, une opération, une contestation; il implique un but et une fin. **Ultime** est un terme didact. et relevé qui s'applique aux choses, lorsque ces dernières sont placées au dernier rang. **Extrême,** qui concerne aussi les choses, implique que celles-ci sont tout à fait au bout, tout à fait les dernières. **Suprême** s'emploie aussi quelquefois comme syn. de *dernier* dans le style relevé : *Suprême pensée; Suprême ressource.*

dérobée (à la). V. SECRÈTEMENT.

dérober, c'est prendre, s'emparer furtivement du bien d'autrui, en prenant grand soin d'échapper aux regards : *On dérobe des vêtements.* **Subtiliser,** qui apparaît moins péj. que *dérober,* est essentiellement dominé par l'idée d'adresse : *On subtilise une montre, simplement parfois pour jouer un bon tour et montrer son adresse.* **Soustraire,** c'est prendre, s'emparer aussi par adresse, et surtout par fraude : *On soustrait des papiers importants dont on veut avoir connaissance.* **Escamoter,** c'est dérober quelque chose avec prestesse : *Un filou escamote un portefeuille.* **Chaparder** ne s'applique qu'à de très menus larcins : *Un éco-*

lier chaparde des plumes à son petit camarade. **Marauder** a le même sens que *chaparder,* mais ne se dit que des larcins de fruits, de légumes, de volailles, etc., commis à la campagne par des soldats, des enfants. **Barboter, chauffer, chiper, choper, faucher** et **piquer,** syn. de *dérober,* sont populaires ou argotiques, *chiper* et *choper* étant surtout du langage des écoles. **Picorer,** syn. de *marauder,* est vieux. (V. APPROPRIER [S'], DÉTOURNER et VOLER.)

déroulement. V. AVANCEMENT.

déroute. V. DÉFAITE.

dérouter, faire perdre sa trace, s'emploie aussi bien en parlant des animaux que des personnes. **Dépister,** dans ce sens, est un néologisme qui s'applique surtout aux personnes : *Le lièvre déroute les chiens; Le voleur dépiste la police.*

V. aussi EMBARRASSER.

derrière désigne particulièrement la partie du corps de l'homme ou d'un animal, comprenant le fondement (v. ANUS) et les **fesses,** ce dernier terme ne s'appliquant au sing. qu'à chacune des deux parties charnues qui forment chaque côté de la région postérieure du corps de l'homme et de certains animaux. **Postérieur** et **séant,** syn. de *derrière,* sont généralement employés dans ce sens plaisamment. **Postère** est du style burlesque. **Arrière-train** et **croupe,** qui désignent proprement la partie postérieure de certains quadrupèdes (cheval, entre autres), formée par les hanches et le haut des fesses, se disent aussi parfois, familièrement, du derrière d'une personne, et particulièrement d'une femme. **Cul** est auj. trivial, **ballon, fessier, lune** et **pétard** sont pop., **derche, dergère, derjeau, derrio, popotin** et **prose** sont des termes d'argot.

désabusement. V. DÉCEPTION.

désabuser, c'est faire cesser l'illusion, montrer le peu de fondement des espérances : *Quand l'erreur entraîne à sa suite des espérances mal fondées, on désabuse celui qu'on éclaire.* **Détromper** dit moins; c'est simplement faire cesser une fausse croyance, en tirant d'erreur : *Quand l'erreur consiste seulement dans la fausseté d'un fait, on détrompe celui à qui l'on montre que le fait n'a pas eu lieu.* **Dessiller les yeux** est un syn. moins us. de *détromper;* il suppose que l'on amène quelqu'un à voir ce qu'il ignorait ou voulait ignorer : *C'est l'expérience seule qui nous dessille les yeux.*

désaccord. V. MÉSINTELLIGENCE.

désagréable se dit de ce qui n'agrée pas, de ce qui cause une impression pénible. **Déplaisant** s'applique à ce qui est privé de la qualité ou du don de plaire, de satisfaire. **Malplaisant,** qui est au reste peu us., dit moins; il désigne simplement ce qui plaît mal. **Fâcheux** implique la perspective de conséquences désagréables, ou une idée d'importunité. **Regrettable,** syn. de *fâcheux,* appelle l'idée de regret, de repentir. **Désobligeant** est syn. de *désagréable* seulement lorsqu'il s'agit de la manière dont une personne en traite une autre. **Blessant** enchérit sur *désobligeant;* il emporte une idée d'outrage. **Saumâtre** est du langage très familier, voire populaire; s'appliquant proprement à ce dont le goût se rapproche de celui de l'eau de mer, il se dit figurément d'une action, d'un fait que l'on considère comme désagréable, fâcheux, parce que difficile à admettre, « à avaler ». (V. ENNUYANT.)

désagréger. V. DÉCOMPOSER.

désagrément. V. MÉCONTENTEMENT et SOUCI.

désaltérer (se). V. BOIRE.

désapparier. V. DÉPAREILLER.

désappointement. V. DÉCEPTION.

désapprouver, c'est marquer un désaccord en matière de conduite; il suppose que l'on ne trouve pas bien ce qu'on entend dire, ce qu'on voit faire : *On désapprouve ce qui serait mieux autrement.* **Désavouer** implique l'intention de se désolidariser de ce qu'on désapprouve : *Un chef d'Etat désavoue ses ministres.* **Improuver** dit plus; c'est non seulement désapprouver, mais encore s'élever contre : *On improuve ce qu'on trouve mauvais ou inconvenant.* **Réprouver** enchérit à son tour sur tous ces termes; il exprime une condamnation profonde et absolue : *On réprouve ce qu'on trouve odieux, intolérable.* **Blâmer** est très général; il s'oppose à « louer » et implique une certaine autorité, ou réelle ou assumée pour la circonstance : *Il n'est permis de blâmer un malheureux qu'après l'avoir secouru.* **Vitupérer,** syn. de *blâmer,* est du langage relevé : *On vitupère les écrivains officiels; on devrait plutôt les plaindre* (*L. Reybaud*). [V. CRITIQUER, CONDAMNER et RÉPRIMANDER.]

désarçonné. V. DÉCONCERTÉ.

désarroi. V. DÉRANGEMENT et ÉMOTION.

désarticuler. V. DISLOQUER.

désassortir. V. DÉPAREILLER.

désastre. V. CATASTROPHE.

désavantager. V. GÊNER.

désaveu. V. RÉTRACTATION.

désavouer. V. DÉSAPPROUVER.

descendance. V. POSTÉRITÉ.

descendre, c'est quitter la place où l'on est pour une autre qui est au-dessous. **S'abaisser** dit moins; c'est seulement descendre pour se mettre à la portée. **Dégringoler,** qui est familier, enchérit au contraire sur *descendre;* c'est descendre avec précipitation, malgré soi et même plus vite qu'on ne voudrait. **Dévaler,** qui signifie proprement descendre de la colline dans la vallée, s'emploie aussi dans le sens plus général de descendre une pente quelconque. (V. TOMBER.)

V. aussi BAISSER.

description. V. IMAGE.

désemboîter. V. DISLOQUER.

désemparé. V. DÉCONCERTÉ.

désemparer. V. DISLOQUER.

désenchantement. V. DÉCEPTION.

désert. V. INHABITÉ.

déserter. V. ABANDONNER.

déserteur désigne celui qui abandonne le service auquel il est engagé; il emporte l'idée de lâcheté. **Transfuge** implique plutôt l'idée de traîtrise; il désigne celui qui quitte ceux avec lesquels il combat pour se joindre à leurs adversaires.

désertion. V. INSOUMISSION.

désespoir. V. DÉCOURAGEMENT.

déshabiller. V. DÉVÊTIR.

déshérité. V. MISÉRABLE.

déshériter, c'est priver quelqu'un de l'héritage sur lequel il pouvait compter. **Exhéréder,** syn. de *déshériter,* est un terme de législation qui ne s'emploie guère qu'en parlant des Anciens; il implique un acte formel déclarant la volonté d'exclure quelqu'un d'un héritage. (V. PRIVER.)

déshonnête se dit de ce qui est contraire à la pureté, à la pudeur, à la bienséance, en parlant des choses (v. OBSCÈNE). **Malhonnête** s'applique aux personnes comme aux choses; il désigne ce qui est contraire non seulement aux bienséances, mais encore à la probité, à la droiture. **Véreux,** syn. de *malhonnête,* concerne surtout l'absence de probité.

déshonneur. V. HONTE.

déshonorer. V. DISCRÉDITER.

déshydrater. V. SÉCHER.

désigner. V. INDIQUER.

désillusion. V. DÉCEPTION.

désinence. V. TERMINAISON.

désinfection. V. ASSAINISSEMENT.

désinvolte. V. DÉGOURDI et DÉLURÉ.

désir désigne l'agitation de l'être vivant causée par le besoin d'une chose, et surtout par la difficulté ou l'impossibilité de posséder cette chose : *Tout désir est un besoin, une douleur commencée, a dit Voltaire.* **Envie** désigne le désir vif et en général soudain que l'on a de posséder une chose, de faire quelque chose, inspiré par le sentiment ou le goût : *Il n'y a point de jolie femme, a dit Marivaux, qui n'ait un peu trop envie de plaire.* **Tentation** suppose un mouvement intérieur par lequel on est porté, sollicité de faire quelque chose d'inutile ou d'illicite : *La tentation, a dit Fénelon, se glisse d'abord doucement; elle fait la modeste pour ne point effrayer; puis elle devient tyrannique.* **Démangeaison** se dit figurément et familièrement d'une envie immodérée : *La faiblesse et la démangeaison de parler font plus de confidences que l'amitié, a dit Saint-Evremond.* **Soif,** qui se dit proprement du besoin de boire, s'emploie souvent aussi figurém. pour désigner un désir immodéré, impatient, de l'être : *La soif de l'or a toujours éteint dans les hommes tout sentiment d'humanité, a dit Rollin.* (A noter que **faim,** dans ce sens figuré, est d'un emploi beaucoup plus rare.) [V. CONVOITISE.]

désirer. V. CONVOITER et VOULOIR.

désister (se). V. RENONCER.

désobéir présente de la manière la plus simple, la plus faible, l'idée contraire à celle d'obéir. **Contrevenir** s'applique surtout à ceux qui ne respectent pas les prescriptions de police, et, dans un sens plus général, il marque l'opposition de la conduite avec quelque prescription particulière ; c'est aller contre ce qu'on devrait faire. **Enfreindre,** c'est briser un lien volontairement, agir contre une loi, un engagement qu'on a pris. **Transgresser** se distingue par la généralité ou par l'importance des lois ou des règles auxquelles on refuse de se soumettre, ces règles marquant des limites qu'on n'aurait pas dû franchir et que, cependant, l'on n'a pas respectées. **Violer** est dominé par l'idée de violence ; il s'applique particulièrement à une atteinte audacieuse, contre quelque chose de sacré. (V. VIOLATION.)

désobligeant. V. DÉSAGRÉABLE.

désobliger. V. FROISSER.

désœuvrement. V. INACTION.

désolation. V. PEINE.

désoler. V. ATTRISTER et RAVAGER.

désopilant. V. COMIQUE.

désopiler. V. RIRE.

désordonné. V. EXTRÊME.

désordre désigne le renversement des choses physiques qui ne sont pas dans l'état, dans le rang, dans la disposition où elles devraient être. **Brouillement** se dit du désordre en train de s'accomplir. **Brouillamini** désigne familièrement le résultat du brouillement, surtout lorsque celui-ci apparaît comme inextricable. **Embrouillement** exprime le désordre par rapport à notre esprit qui ne peut plus distinguer, démêler les choses. **Imbroglio** est un mot ital. qui s'emploie parfois comme syn. d'*embrouillement,* surtout en parlant d'une affaire confuse ou d'une pièce de théâtre dont l'intrigue est très compliquée. **Fouillis,** comme **fatras,** se dit surtout d'un entassement de choses disparates réunies en désordre ; il se dit aussi, au fig., des œuvres littéraires confuses. **Pêle-mêle** suppose un mélange confus de personnes ou de choses. **Pagaille,** syn. de *désordre,* est très familier et souvent usité dans le langage courant. **Gabegie** est assez partic. ; il se dit surtout, familièrement, d'un désordre dans une entreprise, une administration, qui a pour conséquence des dépenses exagérées, des pertes d'argent. **Capharnaüm** est familier et particulier aussi ; il se dit seulement d'un lieu plein d'objets entassés en désordre. **Bazar** est un synonyme populaire de *capharnaüm.* (V. CONFUSION.)

V. aussi DÉRANGEMENT.

désorganisation. V. DÉRANGEMENT.

désorganiser. V. TROUBLER.

désorienter. V. EMBARRASSER.

désormais. V. AVENIR (À L').

despotique, qui a surtout rapport à l'action, à la conduite, suppose une autorité absolue qui impose sa volonté à des individus complètement soumis et ne pouvant se rebeller. **Arbitraire** caractérise plutôt la volonté et les résolutions injustes ou capricieuses, et implique quelque chose d'excessif, d'illégitime. **Tyrannique** enchérit sur ces termes ; il emporte l'idée d'injustice et de violence, voire de cruauté, contre tout droit ou raison. (V. ABSOLU.)

dessaisissement. V. CESSION.

dessalé. V. DÉGOURDI et GAILLARD.

desséchement. V. AMAIGRISSEMENT.

dessécher. V. SÉCHER.

dessein se dit de ce qu'on propose à soi-même, pour le temps présent, avec l'intention de l'exécuter ; il marque une intention réfléchie, arrêtée, et fait souvent considérer cette intention sous le rapport moral : *La grandeur des desseins dépend de l'avantage et de la gloire qu'ils peuvent procurer.* **Projet** désigne l'ensemble des moyens imaginés pour l'exécution d'un dessein ; il est vague et se rapporte à des choses éloignées, considérées moins sous le rapport moral que sous celui de la difficulté, de l'habileté, de l'activité : *La beauté des projets dépend de l'ordre qu'on y regarde et des chances de succès qu'ils présentent.* **Entreprise** se dit d'une chose dont l'exécution est commencée et nécessitera une suite d'efforts : *Les pensées du sage précèdent ses actions, et celles de l'insensé suivent ses entreprises, a dit Duclos.* **Plan** suppose qu'on a longuement médité sur le but qu'il faut atteindre, et qu'on s'est tracé avec précision une ligne de conduite, du commencement à la fin :

Si la raison peut concevoir de beaux plans, c'est la foi qui les exécute, a dit Droz. **Programme,** qui est plus du langage ordinaire, implique aussi un dessein, un projet arrêté : *On est souvent obligé de changer son programme.*

V. aussi BUT et VOLONTÉ.

desservir. V. NUIRE.

dessiller les yeux. V. DÉSABUSER.

dessiner, c'est représenter avec des traits la forme d'un objet sensible. **Croquer,** c'est dessiner rapidement les traits principaux et caractéristiques des objets qui sont devant nous et dont on veut conserver le souvenir. **Esquisser,** c'est tracer aussi les premiers traits d'un dessin, cela d'après un sujet pris sur le vif ou reproduit de mémoire. **Crayonner,** c'est soit dessiner avec un crayon, soit aussi dessiner sommairement.

dessoucher. V. DÉRACINER.

dessous-de-table. V. GRATIFICATION.

dessus. V. AVANTAGE.

destin exprime l'idée d'une loi suprême, immuable, qui a réglé d'avance la suite et l'enchaînement de tous les événements importants de l'existence humaine. **Destinée** désigne plutôt cette suite et cet enchaînement mêmes, surtout quand on les considère au point de vue spécial des individus : *Le destin règle, dispose, ordonne, et ce qui en résulte est notre destinée.* **Sort** se dit plus spécialement de la destinée considérée comme cause de divers événements de la vie; il attire l'attention sur les effets de la rencontre fortuite des événements bons ou mauvais de l'existence : *On a souvent le sort que l'on mérite.* **Etoile** s'applique au destin particularisé; c'est la puissance mystérieuse qui préside à quelque destinée individuelle : *On naît sous une bonne ou une mauvaise étoile.* **Fatalité** ne se dit guère que d'une destinée malheureuse, et il la fait envisager essentiellement comme contraire au libre arbitre : *D'aucuns se prétendent poursuivis par la fatalité.* **Fatum** (mot lat. signifiant *destin*) s'emploie parfois dans le style recherché comme syn. de *destin,* de *fatalité : Le fatum des Anciens.* (V. HASARD.)

V. aussi VIE.

destinée. V. DESTIN et VIE.

destiner, c'est fixer, arrêter, retenir ou lier une chose ou une personne : *On destine une personne à un emploi en fixant qu'elle l'exercera.* **Garder,** c'est destiner à une fin, tenir en lieu sûr dans un but quelconque, en général déterminé : *On garde une certaine somme d'argent pour faire un voyage à l'étranger.* **Réserver,** c'est garder pour y revenir, ne point consacrer à un usage ou attacher à un emploi, en s'abstenant même d'en assigner d'autres : *On réserve de l'argent pour des besoins imprévus.*

destitué. V. DÉNUÉ.

destituer, c'est priver quelqu'un d'un emploi, d'un grade, d'une fonction, pour une raison quelconque. **Révoquer,** c'est destituer quelqu'un des fonctions qu'on lui avait données, cela pour des raisons de mécontentement. (On emploie aussi souvent, dans ce sens, l'expression **relever de ses fonctions.**) **Casser aux gages** est syn. de *révoquer,* généralement lorsqu'il s'agit de bas emplois. **Démettre,** syn. de *destituer,* est peu usité. (Il ne s'emploie guère que pronominalement.) **Déposer,** c'est destituer d'un poste important, d'une dignité. **Détrôner** est très partic.; c'est déposséder du trône, du pouvoir souverain. **Dégommer** est un syn. fam. de *destituer.* **Démissionner** est un barbarisme que l'on emploie parfois aujourd'hui dans le sens de *destituer,* cependant que **limoger** est familier. (V. CONGÉDIER.)

destrier. V. CHEVAL.

destruction, terme général, implique une ruine totale, au propre comme au figuré. **Dévastation** désigne la destruction de la prospérité, des richesses matérielles d'un pays, ce qui est principalement l'effet de la guerre ou de tout autre fléau. **Ravage** se dit d'une destruction, d'une dévastation faite avec violence et rapidité. (V. DÉGÂT et DOMMAGE.)

désuet se dit de ce qui a cessé d'être en usage, par suite d'un long défaut de pratique : *Le mot « ire » (colère) est aujourd'hui désuet.* **Démodé** désigne simplement ce qui a passé de mode, mais qui cependant peut être relativement récent : *Un chapeau de femme* *est rapidement démodé.* **Suranné** est péj. et emporte une idée de dépréciation, d'inaptitude aux nouveautés du temps, due à l'âge ou à des goûts qui ne sont plus de mode : *Façon de parler surannée; Vêtement suranné.* **Archaïque** est surtout un terme de littérature et de beaux-arts; il désigne l'emploi de mots, de tours de phrases ou de procédés antiques et hors d'usage : *Style archaïque.* **Obsolète** est uniquement un terme de linguistique : *Terme obsolète.* **Antédiluvien,** qui s'applique proprement à ce qui a précédé le déluge, se dit parfois aussi, par ext. et ironiquement, de ce qui est désuet, suranné jusqu'au ridicule : *Voiture antédiluvienne.* **Vieillot** s'emploie familièrement pour parler de choses, d'idées, de coutumes, etc., qui, étant anciennes, sont démodées, surannées. **Rococo,** familier aussi, se dit particulièrement bien de ce qui est vieux et passé de mode, dans les arts, la littérature, le costume, les manières : *Un genre rococo.* (V. ANCIEN.)

désunion. V. MÉSINTELLIGENCE.

désunir, c'est rompre l'union, la bonne intelligence entre les personnes : *On désunit les membres d'une même famille par les intrigues.* **Brouiller,** syn. de *désunir,* est plus usité dans le langage courant : *Il suffit d'un cancanier pour brouiller tout un village.*

V. aussi SÉPARER.

détaché. V. INDIFFÉRENT.

détacher. V. SÉPARER.

détaillé est un terme très général; il se dit de tout ce qui est exposé complètement, avec tous les détails, et se rapporte au nombre : *On établit un compte, un devis détaillé.* **Circonstancié** ne s'applique qu'aux faits, à ce qui arrive, et concerne la manière : *On écrit l'histoire circonstanciée d'un règne.*

détailler. V. DÉCOUPER.

détaler. V. FUIR.

détecter. V. DÉCOUVRIR.

détective. V. POLICIER.

détenir. V. CONSERVER.

détente. V. REPOS.

détention. V. EMPRISONNEMENT.

détenu. V. PRISONNIER.

déterger. V. PURIFIER.

détérioration. V. DOMMAGE.

détériorer, c'est mettre l'ensemble d'une chose dans un état inférieur à l'ancien, en en diminuant la qualité intrinsèque. **Dégrader,** c'est diminuer surtout la qualité apparente, le plus souvent lentement et progressivement. **Endommager** dit moins; ce peut être simplement détériorer ou dégrader, causer un « dommage », à une partie d'une chose. **Abîmer** et **esquinter,** qui peuvent être syn. de ces trois termes, sont plutôt familiers, le second surtout. **Gâter,** c'est endommager, mettre en mauvais état, en donnant une autre forme ou autrement. **Détraquer** ne s'applique qu'à des choses organisées; c'est détériorer en dérangeant dans sa marche, son fonctionnement. **Ebrécher** est plus partic.; c'est détériorer en faisant une brèche, une cassure. **Saboter** est fam. et péj.; c'est détériorer volontairement un outillage commercial ou industriel, soit par une fausse manœuvre, soit en en détruisant des pièces. **Déglinguer,** syn. de *détériorer,* de *détraquer,* est un terme d'argot, ainsi qu'**amocher,** syn. de *détériorer,* d'*abîmer.* (V. AVARIER.)

déterminer. V. DÉCIDER, DÉFINIR et OCCASIONNER.

déterminisme. V. FATALISME.

déterrer, c'est retirer de la terre ce qui y était ou ce qu'on y avait caché. **Exhumer** exprime la même action en y ajoutant une idée de solennité ou en la présentant comme l'exécution d'un ordre supérieur : *On déterre un trésor; On exhume un cadavre.* — Au fig., ces deux termes signif. découvrir des choses cachées, EXHUMER étant toutefois d'un style plus relevé, plus choisi : *On déterre des manuscrits; On exhume d'anciens souvenirs.*

détestable se dit de ce qui mérite d'être exécré, haï : *Tout gouvernement, dans ce bas monde, est une chose détestable, affirme Chateaubriand.* **Antipathique** dit moins et implique surtout l'absence de motifs déterminés; il suppose aversion, répugnance naturelle et non raisonnée pour quelqu'un ou quelque chose : *D'aucuns nous sont souvent antipathiques sans que nous sachions trop pourquoi.* **Haïssable** marque plutôt ce qui est capable d'exciter la haine que ce qui l'excite en effet; il ne se dit guère que des personnes ou de leurs manières : *Les grands haïssent la vérité, parce qu'elle les rend haïssables.* (*Massillon.*) **Odieux** enchérit sur *haïssable;* il s'emploie généralement en parlant des personnes ou des choses qui ne méritent que de la haine : *Si l'objet haïssable, a dit Roubaud, est digne de haine, l'objet odieux est digne de toute notre haine.* V. aussi ABOMINABLE.

détester marque une répulsion raisonnée et suppose l'effet d'un jugement : *On déteste tout ce que l'on veut écarter, tenir loin de soi.* **Abhorrer** exprime un sentiment d'aversion insurmontable, qui est souvent le résultat d'une antipathie prononcée; c'est l'effet du goût naturel ou du penchant du cœur : *On abhorre tout ce pourquoi on a une horreur, une répulsion.* **Exécrer** s'applique à quelqu'un qui met le comble à nos maux par ses injustices et sa dureté; c'est avoir en horreur, comme digne de malédiction : *On exècre ceux qui répandent des calomnies.* **Abominer,** c'est proprement avoir en horreur comme impie, comme maudit, et, par ext. seulement et familièrement, avoir en horreur pour une raison quelconque : *On abomine ce qui est horrible.* **Maudire,** c'est non seulement détester une chose, mais encore exprimer l'horreur qu'on en a; il emporte l'idée de l'extériorisation du sentiment éprouvé que n'impliquent pas forcément ses synonymes : *On maudit toujours plus ou moins publiquement.* (V. DÉTESTABLE et RESSENTIMENT.)

détour, proprement action de s'écarter du chemin direct, et, figurément, moyen indirect de faire ou dire quelque chose, est du style relevé et surtout subjectif; il est en outre plus ordinairement négatif : *On prend des détours pour éluder, pour s'échapper, pour s'excuser.* **Biais** s'emploie dans le langage familier et est plutôt objectif, relatif aux choses; il est en outre généralement positif : *On prend des biais pour rendre des obstacles inutiles et réussir ainsi dans ce qu'on entreprend.* (V. FUITE et SINUEUX.)

détourné. V. INDIRECT.

détourner, c'est — avec une nuance très péjorative — s'emparer d'une chose pour l'employer à son usage particulier : *On détourne des documents en se les appropriant.* **Distraire,** c'est mettre une chose à part, dans une bonne ou une mauvaise intention : *On distrait une somme de son capital, de l'argent de la caisse.* **Divertir,** c'est changer la destination ou l'emploi d'une chose; il est vieux dans ce sens : *Fouquet divertissait les deniers de l'Etat.* (V. APPROPRIER [S'], DÉROBER et VOLER.) — Au fig., on DÉTOURNE une personne d'un dessein qu'elle avait conçu quand on l'engage à y renoncer, ou même simplement quand on l'occupe pendant un certain temps d'autre chose; on la DISTRAIT quand on l'empêche de songer à une chose pour la faire penser à une autre; on la DIVERTIT en éloignant de son esprit toute pensée sérieuse.

détraqué. V. FOU.

détraquer. V. DÉTÉRIORER et TROUBLER.

détresse. V. MALHEUR.

détriment. V. PRÉJUDICE.

détritus. V. DÉCHET et ORDURE.

détroit est un terme géographique qui désigne un bras de mer plus ou moins resserré entre les deux côtes qui le bordent, et mettant en relation deux étendues marines ou lacustres : *Le détroit de Gibraltar; Le détroit de Magellan.* **Pas** ne se dit que du détroit qui fait communiquer, entre la France et la Grande-Bretagne, les mers de la Manche et du Nord : *Le pas de Calais.* **Manche** s'applique à un détroit reliant deux mers l'une à l'autre : *La manche de Tartarie.* **Pertuis** est le nom que l'on donne, sur les côtes ouest de la France, à un détroit entre une île et la terre ferme ou entre deux îles : *Le pertuis d'Antioche; Le pertuis de Maumusson.* (V. CANAL.)

détromper. V. DÉSABUSER.

détrôner. V. DESTITUER.

détrousser. V. VOLER.

détruire, c'est ôter violemment l'existence à quelque chose : *Ce qu'on détruit peut laisser des vestiges.* **Anéantir,** c'est faire disparaître la matière même des choses matérielles : *Ce qu'on anéantit disparaît complètement.* **Pulvériser** s'emploie parfois aussi, figurément, comme syn. d'*anéantir;* il implique toujours une destruction complète d'une chose généralement importante : *Le vandalisme ne s'arrête que lorsqu'il n'y a plus rien à pulvériser, a dit Montalembert.* **Annihiler,** c'est anéantir, réduire à rien, l'action de quelqu'un, en la contrecarrant, ou l'effet de quelque chose, généralement immatérielle : *On annihile les bonnes volontés; On annihile un testament.* **Défaire** suppose un changement; c'est modifier au point de renverser, de détruire : *Pénélope défaisait, la nuit, l'ouvrage qu'elle avait fait le jour.* **Consumer** emporte l'idée d'usure; c'est épuiser une chose ou un être jusqu'à les réduire à rien, les détruire : *La rouille consume le fer; La guerre consume la production et la vie de milliers de producteurs.* (V. RAVAGER.)

V. aussi ABATTRE.

Se détruire. V. TUER (SE).

dette. V. CHARGE et DEVOIR.

deuxième. V. SECOND.

dévaler. V. DESCENDRE.

dévaliser. V. VOLER.

dévalorisation, dévaluation. V. DIMINUTION.

devancer est un terme très général; c'est venir avant, faire avant un autre : *On devance les coups de l'ennemi en se tuant.* **Prévenir,** c'est agir avant un autre, en prenant des dispositions pour le contrecarrer : *On prévient l'ennemi qui allait vous attaquer.* **Anticiper** ne se dit que du temps et, par ellipse, des choses dont on prévient le temps : *On anticipe un paiement de huit jours.* (V. ÉVITER.)

V. aussi PRÉCÉDER et SURPASSER.

devancier. V. PRÉDÉCESSEUR.

devanture. V. ÉTALAGE.

dévaster. V. RAVAGER.

déveine. V. MALCHANCE.

développement. V. AVANCEMENT.

développer. V. ÉTENDRE et EXPLIQUER.

dévergondage. V. DÉBAUCHE.

dévêtir, c'est dépouiller de tout ou partie de ses vêtements. **Déshabiller** est plutôt plus usité aujourd'hui que *dévêtir,* tout au moins dans le langage courant. **Dénuder** se dit quelquefois dans le sens de dévêtir complètement. **Désaffubler** est peu usité. **Défrusquer,** syn. de *dévêtir,* est populaire.

devin désigne celui qui découvre ou annonce ce qui est caché, soit dans l'avenir, soit dans le passé ou même dans le présent; il suppose un art magique ou une grande perspicacité. **Prophète** se dit de celui qui annonce seulement l'avenir et implique souvent un caractère sacré. **Visionnaire** est le nom donné à celui qui perçoit ou croit percevoir, par des communications surnaturelles, des choses cachées aux hommes. **Voyant** se dit d'une personne qui prétend posséder la vision surnaturelle des choses passées, futures ou lointaines. **Vaticinateur** (du lat. *vaticinari,* prophétiser) est un syn. moins usité de *prophète;* se disant particulièrement de celui qui chante des vers prophétiques, il est dominé par l'idée d'emphase. **Astrologue** (du grec *astron,* astre, et *logos,* discours), **cartomancien** et surtout **cartomancienne** (de *carte,* et du grec *manteia,* divination), **nécromancien** (du grec *nékros,* mort, et *manteia*) sont des syn. particuliers de *devin,* dont l'étymologie suffit à indiquer le moyen de divination qu'ils supposent. **Augure,** nom donné à certains devins dans l'Antiquité romaine, désigne aujourd'hui figurém. et familièrem. celui qui affecte d'être habile à prévoir l'avenir. **Pythonisse,** nom donné, dans l'Antiquité grecque, à une femme douée du don de prophétie, désigne auj., par ext., une femme qui fait métier de prédire l'avenir; il est plutôt péj. (On dit aussi parfois **pythie,** du nom de la prêtresse de l'oracle d'Apollon à Delphes.) **Chresmologue** (du grec *khrêsmos,* oracle, et *logos,* discours) était le nom donné, dans l'Antiquité, aux devins attachés à certains temples. **Auspice** et **aruspice** ne sont synonymes de *devin* que dans l'Antiquité romaine. (V. MAGICIEN.)

deviner. V. DÉCOUVRIR et PRESSENTIR.

dévisager. V. REGARDER.

devise. V. BILLET et PENSÉE.

deviser. V. PARLER.

dévoiler. V. DIVULGUER.

devoir désigne ce à quoi l'on est obligé par la loi, par la morale, etc.; il se rapporte plus directement à la conscience et suppose quelque chose d'élevé. **Obligation** est plus personnel et se rattache davantage aux circonstances qui rendent l'action nécessaire; il tient de l'usage et se rapporte surtout à la pratique : *Nous sommes dans l'obligation de faire une chose, et notre devoir est de la faire.* **Charge** se dit de toute obligation permanente, qui est ou que l'on regarde comme gênante, onéreuse, assujettissante : *Le père de famille a la charge d'élever honnêtement ses enfants.* **Dette,** employé figurément, est plus partic. ; il désigne le devoir, la charge qu'impose une obligation morale contractée envers quelqu'un : *Les enfants contractent une dette envers leurs parents, les citoyens envers leur pays.*

Devoirs. V. HOMMAGES.

dévolu (jeter son). V. CHOISIR.

dévorer. V. LIRE et MANGER.

dévot. V. CROYANT.

dévotion. V. RELIGION.

dévouement. V. SACRIFICE.

dévouer. V. DÉDIER.

dévoyé. V. VAURIEN.

dextérité. V. ADRESSE.

diable est presque toujours pris en mauv. part ; il désigne un esprit malfaisant et de ténèbres. (On le prend quelquefois en bonne part dans le style fam. en parlant d'un homme : *Un pauvre diable ; Un bon diable.*) **Démon** se distingue de *diable* en ce qu'il affaiblit les idées de méchanceté, de laideur, de haine, qui s'attachent à ce mot ; il se dit en effet d'un esprit, d'un génie qui peut n'être pas essentiellement méchant. (A noter que si, dans le langage religieux, *démon* dit moins que *diable,* dans le langage familier et appliqué à une personne, il enchérit au contraire sur ce terme.)

diable (pauvre). V. MISÉRABLE.

diabolique implique une grande méchanceté, dans laquelle apparaît beaucoup de ruse, de malice. **Infernal** est plutôt dominé par l'idée de noirceur et suppose surtout de la malignité. **Démoniaque** implique plutôt de la perversité que de l'astuce ou de la malignité.

diadème. V. COURONNE et NIMBE.

dialecte désigne une variété dans la langue principale, laquelle consiste soit à prononcer les mots d'une façon particulière, soit à leur donner des terminaisons un peu différentes de celles qu'admet la langue mère : *Il existe des livres, parfois même une littérature, où les érudits peuvent retrouver tout ce qui caractérise un dialecte.* **Patois** se dit proprement de la manière dont s'expriment certains paysans d'une province, quelquefois même d'une région moins étendue que la province, manière qui peut parfois différer de village à village : *Les patois se parlent, mais ne s'écrivent pas pour former des œuvres littéraires.* **Parler,** syn. à la fois de *dialecte* et de *patois,* est plutôt du langage philologique : *Le parler picard, gascon.* (V. JARGON et LANGUE.)

dialectique désigne proprement l'art d'exposer des arguments, des preuves, l'art de raisonner extérieurement pour convaincre les autres. **Logique** se dit de l'art de bien diriger sa raison dans la recherche de la vérité, de raisonner intérieurement. (A noter que lorsque la *logique* est considérée comme une branche de la philosophie, elle est l'art de raisonner tout entier, lequel aboutit à la *dialectique : La dialectique est l'application ou la pratique de l'art dont la logique est la théorie.*)

dialogue. V. CONVERSATION.

diamant est le nom donné à une pierre précieuse, très brillante et très dure, formée de carbone pur cristallisé. **Brillant** désigne le diamant taillé en facettes, qu'il soit serti ou non ; c'est le terme qu'emploient surtout les joailliers, *diamant* étant vieilli dans ce sens. **Rose** se dit d'un petit diamant taillé en facettes par-dessus, et qui est plat en dessous. — **Gemme** est le terme qui désigne, d'une façon générale, n'importe quelle pierre précieuse ; il est plutôt du langage didactique ou recherché.

diamétralement. V. ABSOLUMENT.

diaphane, qui est proprement un terme de physique, est du langage didactique ; il se dit des corps qui se laissent traverser par la lumière, sans laisser distinguer la forme des objets : *Le verre dépoli est diaphane.* **Translucide** est un syn. assez us. aussi de *diaphane.* **Transparent,** qui est du lang. cour. dit plus ; il désigne un corps qui non seulement laisse passer la lumière, mais encore laisse paraître, laisse voir les objets placés derrière lui : *Le verre poli est transparent.* (Dans le langage courant on emploie parfois aussi *diaphane* comme syn. de *transparent.*)

diaprer. V. MARQUETER.

diatribe. V. SATIRE.

dictatorial. V. ABSOLU.

dicter. V. IMPOSER.

diction. V. ÉLOCUTION.

dictionnaire se dit d'un ouvrage contenant, avec leurs définitions, la plupart des mots d'une langue, rangés suivant un certain ordre, généralement alphabétique. **Glossaire** désigne un dictionnaire consacré à l'explication de mots spéciaux obscurs, inusités ou mal connus. **Vocabulaire** se dit d'un dictionnaire où chaque mot ne reçoit qu'une explication très courte; il peut désigner aussi un dictionnaire où l'on ne fait entrer que les mots propres à un art, à une certaine classe de personnes. **Lexique,** qui ne s'est appliqué d'abord qu'aux dictionnaires grecs classiques, s'emploie souvent auj. comme syn. de *dictionnaire* ou de *vocabulaire,* dans un sens généralement moins étendu. **Encyclopédie** désigne un ouvrage contenant seulement les mots qui se rapportent aux différentes branches du savoir humain, et qui fait suivre ces mots d'un article de fond plus ou moins développé.

dicton. V. PENSÉE.

diète. V. JEÛNE.

diététique. V. HYGIÈNE.

dieu, nom donné aux divinités du paganisme, désigne plus particulièrement — écrit alors avec une majuscule — l'Etre suprême, absolu, créateur et maître de toute chose, objet du culte des hommes, qui se considèrent, eux et le monde, comme soumis à son pouvoir. **Divinité** est le nom donné à Dieu relativement à son essence, à sa nature. (Notons que, dans le langage du paganisme, le nom concret de *dieu* est donné à un être d'imagination, et celui abstrait de *divinité* à un être de raison.) **Déité** est presque toujours péj.; c'est surtout un terme de poésie mythologique s'appliquant particulièrement aux divinités infernales. **Providence,** qui prend dans ce sens une majuscule, est le nom donné parfois à Dieu, en tant qu'il gouverne l'univers.

diffamer. V. DISCRÉDITER.

différence suppose la ressemblance, mais exclut l'identité; c'est la qualité qui appartient à une chose exclusivement à une autre, de manière qu'elle empêche de les confondre ensemble : *La différence s'étend à tout ce qui distingue les êtres ou les choses que l'on compare.* **Nuance** emporte l'idée de finesse; c'est une différence légère, délicate, presque insensible, qui se trouve entre deux choses de même genre, entre deux mots, deux expressions, deux sens du même mot, deux tons, deux airs, deux gestes, deux sentiments, etc. : *La nature marche toujours et agit en tout par degrés imperceptibles et par nuances, a dit Buffon.* **Dissemblance** se dit au contraire d'une différence apparente, visible, et relative à la forme : *Il existe parfois entre des jumeaux de grandes dissemblances.* **Diversité** exclut la ressemblance, et suppose même opposition et contraste; il suppose une différence assez grande pour qu'on ne songe pas à comparer les objets divers : *La diversité implique une opposition qui va parfois jusqu'au défaut d'accord, d'harmonie, d'agrément.* **Variété** implique une pluralité de choses différentes et dissemblables, mais qui, par leur réunion, produisent un effet agréable par leurs différences mêmes : *La variété est l'opposé de l'uniformité.* (V. INÉGALITÉ et SÉPARATION.)

V. aussi RESTE.

différencier. V. DISTINGUER.

différend. V. CONTESTATION.

différent se dit de ce qui n'est pas semblable ou identique : *Les choses différentes sont ainsi par leur nature même.* **Distinct** désigne ce qui ne peut pas se confondre avec autre chose : *Les choses distinctes sont telles par leur place ou par rapport à notre intelligence.* **Hétérogène** (du grec *heteros,* autre, et *genos,* race) est un terme didactique qui se dit de ce qui est différent par sa nature même : *La société est formée d'éléments hétérogènes.*

différer. V. RETARDER.

difficile est très général; il se dit aussi bien des caractères qu'on a de la peine à contenter que des questions qu'on ne peut résoudre ou des choses dont on vient avec mal à bout. **Difficultueux** enchérit sur *difficile;* il se dit surtout des personnes ou de certaines choses personnifiées, lorsque celles-ci font sans cesse surgir de nouvelles difficultés, auxquelles on ne s'attendait pas : *L'homme difficultueux est difficile sur toute chose, soulève des difficultés à tout propos, où il n'y a pas lieu.* **Délicat** suppose des difficultés dont on ne peut venir à bout qu'avec beaucoup d'adresse, de finesse, de subtilité. **Scabreux** enchérit sur *difficile, délicat,* en emportant l'idée d'un danger, d'un risque à courir; il se dit aussi, plus spécialement, de ce qui est difficile à raconter au point de vue de la décence. **Epineux,** qui désigne au propre ce qui a des « épines », des piquants, emporte au fig. non seulement l'idée de délicates difficultés, mais encore celle de désagrément, de grande contrariété; il s'applique parfaitement à ce qui est abstrait et suppose le plus souvent quelque chose de rebutant. **Ardu** implique un accès difficile et s'emploie surtout au figuré pour désigner les idées auxquelles il est difficile d'atteindre, les questions qu'on a de la peine à résoudre. **Pénible,** comme **dur,** ajoute une idée de « peine », d'effort qui surpasse la difficulté proprement dite. **Laborieux,** syn. de *pénible,* implique un travail surtout long et aride. **Rude** se dit bien de ce qui, étant à la fois difficile et pénible, exige des efforts continus. **Malaisé** dit moins que *pénible,* mais il suggère aussi une difficulté plutôt dans la réalisation que dans la conception.

V. aussi EXIGEANT.

difficulté est le terme général qui se dit de tout ce qu'il y a de difficile en une chose : *La difficulté naît de la nature et des propres circonstances de la chose.* **Gêne** désigne simplement ce qui rend difficile ce qu'on veut faire, ce qui oblige à aller plus lentement, à prendre des précautions qui retardent. **Embarras** est parfois syn. de *gêne;* c'est aussi une difficulté qui réside surtout dans le choix des moyens pour réaliser une entreprise. **Mal,** comme **peine,** suppose des difficultés très grandes et continues dans ce que l'on a à faire; il est dominé par l'idée d'effort et de fatigue. **Aria** est un syn. populaire de *gêne* et d'*embarras.* (V. COMPLICATION, EMPÊCHEMENT et RÉSISTANCE.)

V. aussi OBJECTION.

difficultueux. V. DIFFICILE.

difforme se dit de ce qui n'a pas la forme et les proportions naturelles. **Informe** désigne ce qui n'a pas de forme déterminée. **Contrefait** se dit de ce qui est fait contre les règles, contrairement à ce qui est bien. **Mal fait** dit moins que *contrefait;* il implique simplement une imperfection : *Un homme bossu est contrefait; un homme gros et court est mal fait.* **Malbâti,** syn. fam. de *mal fait,* s'emploie le plus souvent par opposition à « bien fait ». **Mal fichu** est familier et **mal foutu** populaire. — **Crapoussin,** qui ne s'emploie que substantivement, est aussi populaire; il désigne une personne contrefaite et, en outre, de petite taille. (V. FAIBLE et RABOUGRI.)

diffus implique que l'on s'écarte du sujet ou que l'on emploie beaucoup de paroles pour dire ce qui pourrait être exprimé plus brièvement; il est l'opposé de « concis » : *Les écarts et les digressions rendent le style diffus.* **Prolixe** suppose surtout des développements superflus, des détails inutiles; il est l'opposé de « précis » : *Les longueurs et les répétitions rendent le style prolixe.* **Redondant** emporte non seulement l'idée de prolixité, mais encore celle d'enflure du style : *Un style redondant est toujours ennuyeux.* **Verbeux** ne se dit que de ce qui est diffus en paroles : *Certains avocats ont l'éloquence verbeuse.* — COMPENDIEUX, employé dans le sens de *prolixe,* est une faute grave, ce mot, qui vient du lat. *compendiosus,* abrégé, signifiant en effet tout le contraire.

diffuser. V. PROPAGER.

diffusion. V. PROPAGATION.

digérer. V. ASSIMILER et SOUFFRIR.

digne (être). V. MÉRITER.

dignité. V. GRAVITÉ.

digression est un terme de rhétor. qui, supposant un développement parasite, désigne ce qui, dans un exposé, une conversation, s'écarte du sujet principal. **Parenthèse** et **à-côté,** syn. de *digression,* sont familiers.

digue, dans son acception maritime, désigne une construction généralem. en maçonnerie destinée à protéger un port, une rade contre les assauts de la mer. **Jetée** se dit d'une digue de maçonnerie ou de bois qui part de la terre et s'avance en mer pour faciliter l'entrée d'un port, et qui porte généralement à son extrémité un musoir avec un phare ou un sémaphore. **Estacade** est le nom donné à une digue ou à une jetée faite de madriers et servant de brise-lames. (V. MÔLE.)

V. aussi EMPÊCHEMENT.

dilapider. V. DÉPENSER.

dilection. V. AFFECTION.

dilettante. V. AMATEUR.

diligence. V. SOIN et VITESSE.

diligence (faire). V. ACCÉLÉRER.

diligent désigne celui qui est assidu à ce qu'il fait et ne perd pas de temps; il emporte toujours à la fois une idée d'application, d'intention, et une idée de célérité. **Prompt** suppose une grande activité, une rapidité de conception et d'exécution qui n'implique pas forcément application. **Expéditif** se dit de celui qui exécute sa tâche avec rapidité et l'achève en peu de temps, que celle-ci soit bien ou mal faite.

diluer. V. DÉLAYER.

dimension désigne l'étendue d'un corps en tous sens : *Tout corps a trois dimensions : longueur, largeur et profondeur.* **Mesure** se dit d'une dimension évaluée : *On prend la mesure d'une rue, d'un habit.* **Grandeur** s'applique soit à une grande dimension : *La grandeur de la terre;* soit à une dimension relative : *Vases de même grandeur.* **Proportion** ne se dit, dans le langage courant, que d'une dimension relative; c'est soit la grandeur d'une partie relativement au tout et aux autres parties, dans un ensemble, soit la grandeur d'une chose relativement à une chose analogue prise pour type : *Les proportions du corps; Une statue de proportions colossales.* **Format** se dit particulièrement de la dimension d'un livre en hauteur et en largeur, laquelle est généralement déterminée par le nombre de feuillets que chaque feuille renferme; il désigne aussi, par extension, une dimension en général : *Un nez d'un beau format.*

diminuer est un terme du lang. cour. très usité; c'est réduire à moins, par séparation ou par retranchement d'une partie. **Amoindrir,** c'est diminuer la valeur ou l'intensité. **Abréger,** c'est diminuer en durée ou en longueur ce qui risquerait d'être trop long. **Raccourcir,** c'est simplement diminuer en longueur. **Ecourter,** c'est diminuer à l'excès la durée ou la longueur. **Rapetisser,** c'est diminuer dans tous les sens de l'espace. **Resserrer,** c'est diminuer le volume, mais seulement par contraction.

V. aussi DÉCROÎTRE et RÉDUIRE.

diminution désigne, d'une façon générale, l'action de rendre moindre par le retranchement d'une partie. **Réduction,** syn. de *diminution,* est plus du langage recherché ou didactique. — **Baisse** est le terme de commerce et de finance qui s'applique spécialement au résultat de la diminution pour tous du prix des marchandises, et particulièrement des valeurs publiques, cependant qu'**abaissement** désigne l'action. **Dévalorisation** se dit principalement de la diminution de la valeur d'échange d'une monnaie, d'un produit, d'une matière première. **Dévaluation** est uniquement un terme de finance qui s'applique à la diminution, à l'abaissement légal de la valeur d'une monnaie. — **Rabais** est un terme de commerce qui ne se dit que d'une diminution de prix accordée par un marchand à un acheteur. **Remise** désigne le rabais que les commerçants accordent à certaines personnes sur le prix porté au catalogue. **Bonification** se dit surtout de la remise qu'accorde un fournisseur à ceux de ses clients avec lesquels il fait, dans une période déterminée, un certain chiffre d'affaires. **Ristourne** est aussi un terme de commerce qui désigne une sorte de bonification compensant un trop-perçu compris dans une facture. **Nivet** est un terme fam., peu us. auj., désignant une remise donnée par-dessous main à celui qui achète pour le compte d'un autre. (V. GRATIFICATION.)

dînée, dîner, dînette. V. REPAS.

diocèse. V. ÉVÊCHÉ.

diplomate, pris dans son sens le plus étendu, désigne une personne fine, adroite, habile à négocier; il implique tact et psychologie. **Négociateur** se dit de celui qui est chargé de traiter avec un autre quelque affaire importante, publique ou privée; il suppose plus un tempérament arrangeant que finesse et subtilité.

diplôme désigne généralement l'acte émanant d'un corps, d'une faculté ou d'une école, d'une société, etc., et certifiant la dignité, le degré conféré au récipiendaire, ou attestant un acte de civisme, d'héroïsme, etc. **Parchemin** est du lang. fam. et se dit surtout d'un diplôme délivré par une faculté; on l'emploie souvent par ironie. **Peau d'âne** ne se dit que d'un diplôme émanant d'une faculté et est péjoratif.

dire. V. ÉNONCER.

directive. V. INSTRUCTION.

diriger, c'est établir ou maintenir une certaine distribution, un certain ordre; il emporte une idée de commandement, d'autorité. **Conduire,** c'est diriger, avec un sens moins précis; il suppose généralement moins une idée de commandement que de sagesse et d'habileté dans le maniement des affaires. **Régenter,** c'est diriger en faisant la leçon. **Administrer** s'applique plus spécialement aux affaires publiques ou aux entreprises commerciales ou industrielles. **Gouverner** est plus partic.; c'est administrer les affaires politiques d'un pays. **Régir** est un syn. auj. peu usité d'*administrer* et de *gouverner;* c'est aussi diriger en déterminant la manière dont quelque chose doit se faire. **Gérer,** c'est administrer pour le compte d'autrui, et, par ext., et en parlant des biens, de la fortune, pour son compte personnel. (V. COMMANDER et GUIDER.)
Se diriger. V. ALLER.

discernement. V. SENS.

discerner. V. DISTINGUER et PERCEVOIR.

disciple. V. ÉLÈVE.

discipline. V. ENSEIGNEMENT et ORDRE.

discontinu est le terme simple servant à désigner ce qui ne se répète pas d'une façon « continue », régulière : *Bruits discontinus.* **Intermittent** (du lat. *intermittere,* discontinuer) est plus un terme didact.; il s'applique à ce qui s'arrête et reprend par intervalles : *Source, fièvre intermittente.* **Larvé** est un terme médical qui se dit d'une affection se présentant sous une forme anormale et ayant un caractère intermittent : *Epilepsie larvée.*

discontinuer. V. INTERROMPRE.

discorde. V. MÉSINTELLIGENCE.

discourir, c'est parler sur un sujet vague et presque illimité avec quelque étendue : *On discourt plus pour occuper son esprit que pour approfondir un sujet.* **Disserter,** c'est parler méthodiquement sur un sujet restreint et bien déterminé : *On disserte pour éclaircir un point obscur, ou pour résoudre une question controversée.* **Pérorer** est péj.; c'est discourir d'une façon prolixe et prétentieuse : *On pérore à tort et à travers.* **Palabrer** (de l'espagnol *palabra,* parole), proprement conférer avec un chef nègre, s'emploie aussi familièrement comme syn. péj. de *discourir;* il implique des discours longs et ennuyeux : *Mieux vaut agir que palabrer.* **Pontifier** est aussi fam. et péj.; c'est parler, discourir avec solennité, emphase, en se donnant un air important : *Celui qui pontifie se ridiculise plus souvent qu'il ne se fait admirer.* **Tartiner,** syn. populaire de *discourir,* implique de longs développements, plus ou moins ennuyeux et toujours superflus. **Laïusser** est un terme d'argot scolaire employé parfois aussi, ironiquement, dans le langage familier ordinaire. (V. PARLER.)

discours appartient au langage usuel; il s'emploie, d'un point de vue général, pour désigner les paroles suivies prononcées en public par un orateur. (A noter que *discours* désigne parfois aussi une dissertation écrite, tels le « Discours de la Méthode » de Descartes ou le « Discours sur l'universalité de la langue française » de Rivarol.) **Harangue** concerne plus spécialement un discours prononcé devant une assemblée, un chef d'Etat, et, par suite, un discours officiel, d'une étendue généralement assez courte. **Adresse** se dit uniquement d'un discours écrit ou lu, « adressé » au chef de l'Etat par une assemblée pour faire connaître ses vœux, son opinion, sur une question déterminée. **Message** désigne parfois, dans le lang. polit., la communication, le discours officiel (écrit, publié ou lu) fait soit par le chef de l'Etat, le pouvoir exécutif, au pouvoir législatif ou à la population tout entière, soit par une Chambre à une autre. **Oraison** ne s'emploie plus auj. que pour parler des discours des orateurs anciens ou pour désigner les discours prononcés à la louange des morts (oraisons funèbres). **Prosopopée,** proprement figure de rhétor. par laquelle l'auteur prête la parole à une personne ou à un être inanimé personnifié, se dit aussi parfois d'un discours véhément, fait avec emphase. — **Allocution** désigne un discours de ton familier et de peu d'étendue. **Laïus** se dit souvent d'un discours ou d'une allocution dans l'argot scol. **Toast** est un mot empr. de l'angl. qui se dit d'un petit discours accompagné de la proposition de boire à la santé de quelqu'un, au succès d'une entreprise, etc. **Speech,** aussi mot angl., désigne un discours assez bref de circonstance, et spécialement un discours répondant à un toast. **Topo,** syn. de *discours,* est familier. (V. CONFÉRENCE, SERMON et TIRADE.)

V. aussi PROPOS.

discours préliminaire. V. PRÉFACE.

discourtois. V. IMPOLI.

discrédit. V. DÉFAVEUR.

discréditer ne peut se dire que de ce qui est accrédité et implique alors l'affaiblissement du crédit, de la vogue, de la confiance. **Décréditer,** c'est discréditer complètement, jusqu'à priver absolument de crédit. **Décrier,** c'est critiquer, attaquer quelqu'un ou quelque chose, comme mauvais ou méprisable. **Dénigrer** implique des attaques généralem. injustes ou excessives contre le talent, l'habileté, le mérite. **Noircir** porte plutôt sur la conduite et sur les mœurs. **Diffamer,** c'est porter atteinte, par ses paroles ou ses écrits, à la réputation de quelqu'un. **Déconsidérer,** c'est faire baisser la « considération », l'estime, qui était portée à quelqu'un. **Déshonorer** enchérit sur ces termes; c'est faire perdre réellement l'honneur. **Dauber,** syn. de *dénigrer* avec une idée de raillerie, vieillit. **Débiner** est populaire. (V. MALMENER et MÉDIRE.)

discret suppose qu'on discerne ce qu'il faut dire ou dissimuler; il implique finesse et circonspection. **Secret** enchérit sur *discret;* il se dit de celui qui ne communique rien à personne de ce qu'on lui a appris ou confié : *L'homme discret ne parle qu'à bon escient; l'homme secret garde le silence.*

discrétion. V. CIRCONSPECTION.

disculper. V. JUSTIFIER.

discussion désigne soit l'examen d'une question, soit l'échange de paroles animées entre personnes d'opinions contraires. **Débat** se dit d'une sorte de lutte oratoire, qui a lieu le plus souvent dans une assemblée, et dans laquelle chaque adversaire vient déployer, à tour de rôle, toutes les ressources de sa dialectique. **Controverse** désigne une discussion, un débat portant sur une question ou une opinion; il se dit plus particulièrement des discussions théologiques. **Palabre** se dit d'une discussion longue et oiseuse. **Dispute,** appliqué à un débat contradictoire, à une discussion d'opinion sur un point de doctrine, entre deux ou plusieurs personnes, vieillit; on l'emploie plutôt auj. dans une acception qui le rapproche beaucoup de « querelle ». **Contention,** syn. de *débat,* de *dispute,* n'est aussi guère usité auj. — et moins encore **dissertation** pris dans le sens de *discussion.* **Polémique** s'applique à un débat, à une dispute de plume; il convient bien en parlant de différends portant sur des questions se rapportant à la politique, à la littérature, à la théologie. **Logomachie** (du grec *logos,* discours, et *makhê,* combat) est un terme didact. qui ne s'applique qu'à une dispute de mots : *La philosophie n'est souvent qu'une logomachie, a dit Proudhon.* (V. CHICANE, CONTESTATION et DISPUTE.)

discuter. V. DÉBATTRE.

disert. V. ÉLOQUENT.

disette se dit du manque ou de la rareté des vivres. **Famine** désigne une disette extrême considérée sous le rapport des souffrances qui en résultent pour l'ensemble de la population : *La famine est la disette sévissant comme un fléau.*

V. aussi MANQUE.

disgrâce. V. DÉFAVEUR et MALHEUR.

disjoindre. V. ÉCARTER et SÉPARER.

disloquer, c'est, spécialement, déplacer en parlant des os, et, par ext. et familièrement, séparer violemment les parties d'un ensemble : *On disloque un bras; On disloque une machine, un système, un Etat.* **Démantibuler,** proprement rompre ou disloquer en parlant de la mâchoire, s'emploie aussi, par ext., dans le sens familier et général de *disloquer;* c'est démonter maladroitement, rendre impropre à fonctionner ou à servir. **Désemparer** (moins us.), c'est disloquer en mettant hors d'état de servir : *Désemparer un meuble en le faisant tomber.* — **Démettre,** c'est seulement déplacer des pièces osseuses. **Déboîter,** c'est faire sortir un os de la cavité où il s'emboîte, plus spécialem. en parlant de l'épaule, de la hanche, des gros os. **Désarticuler,** dans ce sens, est un syn. peu usité de *déboîter;* c'est plutôt, dans le langage courant, trancher les liens d'une articulation pour amputer. **Luxer** est un terme de chirurgie; c'est faire sortir un os de la place où il doit être naturellement. **Désemboîter** est un syn. moins usité de *déboîter.* (V. SÉPARER.)

disparaître, c'est cesser d'être visible ou, en parlant des personnes, se retirer d'un endroit où l'on est vu et connu. **S'éclipser,** c'est disparaître tout d'un coup et, lorsqu'il s'agit de personnes, le plus souvent subrepticement. **S'évanouir,** c'est disparaître sans laisser de trace. (V. FUIR et PARTIR.)

V. aussi ABSENTER (S').

disparité. V. INÉGALITÉ.

disparition. V. ABSENCE.

dispendieux. V. COÛTEUX.

dispense suppose une faveur, une exception; il désigne l'acte d'autorité qui permet de se soustraire à une règle établie. **Exemption** a plutôt un caractère de droit, d'habitude; il se dit plus particulièr. de la dispense d'une obligation commune, générale, et le mot s'étend à tous les genres de charges matérielles ou morales. **Immunité** est un terme de jurisprud. ou de fiscalité qui exprime l'exemption de certaines obligations civiles ou d'impôts, reconnue par la loi ou par l'usage, et devenue une sorte de droit bien établi.

dispenser. V. DISTRIBUER.

disperser se dit des objets un peu considérables que l'on sépare, que l'on éloigne plus ou moins les uns des autres. **Eparpiller** s'applique à de menus objets qui étaient assemblés et qu'on sépare, qu'on éloigne les uns des autres à des distances peu considérables; il suppose aussi des objets minces et légers que le vent seul peut quelquefois disperser. **Disséminer,** c'est éparpiller çà et là, comme les semences que l'on confie au sol; il procède le plus souvent d'un acte délibéré. **Répandre,** qui se dit généralement des liquides, s'emploie parfois comme syn. d'*éparpiller.* — A la forme pronominale de ces verbes et seulement alors en parlant d'êtres animés forcés de s'enfuir, de se séparer les uns des autres, il convient d'ajouter **s'égailler.**

disposer. V. APPRÊTER, ARRANGER et PRÉPARER.

disposition. V. ORDONNANCE, PENCHANT et POSITION.

disproportion. V. INÉGALITÉ.

disproportionné. V. DÉMESURÉ.

dispute implique, dans le langage courant, une contestation très vive, très violente, entre deux ou plusieurs personnes. **Altercation** dit moins; il suppose aussi un brusque échange de propos violents, mais de courte durée. **Noise** se dit d'une dispute peu importante et ne s'emploie plus que dans l'expression : *Chercher noise à quelqu'un.* **Querelle,** au contraire, enchérit sur *dispute;* il emporte l'idée d'une grande animosité qui peut aller jusqu'à entraîner l'échange de coups. **Prise** s'emploie bien en parlant d'une petite querelle accidentelle, portant sur un sujet particulier. **Prise de bec,** syn. d'*altercation,* est familier. **Chamaillerie** et **chamaillis** sont des syn. familiers de *dispute* et aussi parfois de *querelle,* quoiqu'ils emportent plus l'idée de bruit que de coups. **Grabuge,** familier aussi, implique toujours une querelle bruyante entraînant du désordre. **Altercas** est vieux. (V. BAGARRE.)

V. aussi DISCUSSION.

disputer. V. DÉBATTRE, LUTTER et RÉPRIMANDER.

disquisition. V. RECHERCHE.

dissection. V. ANATOMIE.

dissemblance. V. DIFFÉRENCE.

disséminer. V. DISPERSER.

dissension, dissentiment. V. MÉSINTELLIGENCE.

dissertation. V. RÉDACTION et TRAITÉ.

disserter. V. DISCOURIR.

dissidence suppose une grave divergence d'opinions, en général avec le plus grand nombre, et qui entraîne à se séparer d'une communion religieuse, d'une école philosophique, politique.

Scission se dit plus spécialement d'une dissidence survenant entre des personnes qui forment un corps, un parti. **Schisme,** proprement état de ceux qui sont séparés de leur Eglise, s'emploie aussi parfois, par anal., pour désigner la scission qui survient entre des personnes jusque-là unies. **Sécession** ne s'applique qu'à un Etat, lorsque celui-ci se sépare en deux ou plusieurs fractions indépendantes. (V. RÉVOLTE.)

dissimulation désigne l'action ou l'art de composer ce qu'on fait ou ce que l'on dit pour une mauvaise fin, ou dans un but illégal; il suppose que l'on cache ce qui existe réellement. **Simulation** implique que l'on s'efforce de faire paraître réelle une chose qui n'existe pas. **Feinte,** syn. de *simulation,* est du langage courant. **Comédie** est fam.; il désigne une feinte généralement sans gravité, souvent variée et parfois de longue durée.

dissimulé. V. SOURNOIS.

dissimuler. V. CACHER et TAIRE.

dissipation. V. ÉTOURDERIE.

dissiper. V. DÉPENSER.

dissocier. V. SÉPARER.

dissolu. V. VICIEUX.

dissonance. V. CACOPHONIE.

dissoudre marque simplement la séparation des parties qui s'étaient combinées pour former une substance : *L'humidité dissout le sel; L'eau dissout le sucre.* **Résoudre** ajoute à l'idée de *dissoudre* celle du retour à l'état primitif ou le passage à une combinaison nouvelle : *La glace se résout en eau.*

V. aussi DÉLAYER.

distance désigne l'espace, petit ou grand, qui sépare une chose d'une autre, sans aucune idée accessoire. **Eloignement** se dit de l'espace toujours grand qui sépare un objet d'un autre; il précise et accentue la séparation marquée par *distance.* (V. ESPACE.)

distinct. V. DIFFÉRENT.

distingué implique bon ton, manières élégantes et dignes, généralement discrètes, ainsi que des qualités, des connaissances qui tirent du commun. **Brillant** ajoute à *distingué* une idée de charme extérieur, de séduction; il suppose, par contre, moins de discrétion. **Remarquable** se dit surtout de la valeur intellectuelle. **Eminent** enchérit sur *remarquable;* il implique une grande supériorité d'intelligence.

distinguer, c'est ne pas confondre, faire une séparation, une sorte de départ entre les choses, les personnes, les idées, les reconnaître par quelque trait : *Il faut de la lumière, de l'intelligence et une application pour distinguer.* **Discerner,** c'est trier par la vue, pénétrer avant dans les choses, les personnes ou les idées, en saisir les différences ou les nuances les plus délicates : *Il faut de la science, de la sagacité, de la critique pour discerner.* **Démêler,** comme **débrouiller** qui suppose une plus grande confusion, c'est proprem. défaire ce qui est mêlé, faire cesser l'embrouillement : *Il faut du temps, de la patience, aussi un esprit d'ordre et d'analyse pour démêler ou débrouiller.* **Discriminer,** néologisme couramment employé auj., implique une distinction très précise : *Il faut beaucoup de raisonnement pour bien discriminer.* — **Différencier** est plus partic.; il implique une comparaison grâce à laquelle on distingue les personnes ou les choses entre elles en établissant leurs défauts de similitude : *Il suffit d'observer pour différencier.* (V. ÉCLAIRCIR.)

V. aussi PERCEVOIR et REMARQUER.

Se distinguer. V. SINGULARISER (SE).

distorsion. V. TORSION.

distraction suppose une inapplication de la pensée aux choses dont on devrait s'occuper, laquelle peut être passagère ou habituelle. **Inadvertance** s'applique généralement à un fait accidentel, qui marque un manque de prévoyance ou d'attention momentané. **Mégarde** ne s'emploie que dans la locution *par mégarde* et il désigne une inadvertance fâcheuse, dont l'effet est toujours regrettable. **Absence** se dit d'une distraction due souvent à un affaiblissement mental ou bien à une préoccupation profonde. (V. ÉTOURDERIE.)

V. aussi RÉCRÉATION.

distraire. V. AMUSER et DÉTOURNER.

distribuer est un terme du langage courant; c'est répandre de divers côtés ce qui était aggloméré, réuni sur un seul point, et cela quelle que soit la nature des choses répandues. **Dispenser**

s'emploie plutôt dans le style soutenu, lorsqu'il s'agit de choses d'une nature élevée et que celui qui fait l'action est lui-même dans une position éminente. **Départir,** qui suppose aussi une haute autorité, est peu us. auj. **Partager** se dit de toutes choses, et surtout quand les « parts » doivent être égales. **Répartir** suppose un partage fait d'après certaines conventions, certains droits.

dithyrambe. V. ÉLOGE.

dithyrambiste. V. FLATTER.

diurne. V. JOURNALIER.

diva. V. CHANTEUSE.

divagation. V. DÉLIRE.

divaguer. V. DÉRAISONNER et ERRER.

divan. V. CANAPÉ.

diversité. V. DIFFÉRENCE.

divertir. V. AMUSER et DÉTOURNER.

divertissant. V. AMUSANT.

divertissement. V. RÉCRÉATION.

divette. V. CHANTEUSE.

divin se dit de Dieu, de ce qui est propre à Dieu ou à un dieu. **Céleste** dit moins; il peut rappeler simplement le ciel, le séjour des bienheureux, et s'emploie surtout dans le style soutenu.

diviniser. V. GLORIFIER.

divinité. V. DIEU.

diviser. V. PARTAGER, SECTIONNER et SÉPARER.

division. V. MÉSINTELLIGENCE.

divorce désigne la dissolution du mariage civil, opérée sur la demande de l'un des époux ou sur celle de tous les deux, pour les causes et dans les formes déterminées par la loi. **Séparation de corps** se dit de la dispense accordée par la justice à chacun des époux, de certaines des obligations que leur imposait le mariage, notamment de la vie en commun : *La séparation de corps se différencie du divorce en ce que le devoir de secours et d'assistance subsiste entre chacun des époux qui ne peuvent se remarier.* **Répudiation** désigne le renvoi de la femme par la volonté seule du mari; il implique un acte de puissance pour celui-ci et une nécessité douloureuse pour celle-là : *De nos jours, la répudiation n'est pas une dissolution légale du mariage.*

divulguer, c'est faire connaître partout une chose vraie, mais qui devrait être tenue secrète. **Publier,** c'est simplement donner de la publicité, rendre notoire une chose quelconque, sans entraîner forcément une idée de secret divulgué. **Révéler,** c'est faire savoir une chose qui était inconnue et secrète dans le but d'en faire usage. **Dévoiler** suppose l'envie d'instruire quelqu'un de choses qu'il ignorait ou qu'il n'apercevait que d'une manière confuse. **Ebruiter,** c'est divulguer à de nombreuses personnes. **Proclamer** se rapproche de *publier,* sur lequel il enchérit toutefois; c'est faire connaître ce qu'on croit de son devoir de rendre public, sans qu'il y ait forcément jamais eu non plus idée de secret. **Trompeter,** proprement annoncer à son de « trompe », s'emploie bien aussi, figurément et familièrement, dans le sens de publier, de proclamer partout et à grand bruit. **Tympaniser,** faire connaître à grand bruit, publier avec apparat, est vieux; il s'employait le plus souvent avec une nuance de raillerie. — **Trahir** est plus partic.; c'est révéler, divulguer par hasard ce qu'on voulait soi-même tenir caché : *On trahit sa pensée par la rougeur de son visage, le tremblement de sa voix, sa surprise non dissimulée.*

djinn. V. LUTIN.

docile. V. SOUPLE.

docker. V. PORTEUR.

docte. V. SAVANT.

docteur. V. MÉDECIN.

doctoral se dit par ironie des manières vaniteuses et ridicules de certains savants ou de certains sots qui veulent passer pour savants. **Pontifiant** s'applique, par ironie aussi, à celui qui, dans ses paroles, dans son ton, dans ses gestes, affecte un air solennel et important.

doctrine. V. ENSEIGNEMENT et SAVOIR.

dodeliner, dodiner. V. BALANCER.

dodu. V. GRAS.

dogmatique. V. DÉCISIF.

doigté. V. ADRESSE.

doléances. V. PLAINTE

dolent. V. MALADE.

domaine. V. BIEN.

dôme. V. COUPOLE.

domestique. V. MAISON, SERVANTE et SERVITEUR.

domestiquer. V. APPRIVOISER.

domicile. V. DEMEURE et HABITATION.

dominant. V. PRINCIPAL.

domination. V. AUTORITÉ.

dominer. V. COMMANDER.

dommage se dit de tout dégât causant un préjudice sérieux : *Un dommage peut être causé consciemment ou inconsciemment.* **Méfait** suppose une mauvaise action ou un résultat pernicieux : *Les méfaits de l'alcoolisme.* **Ravage** enchérit sur *dommage;* il convient bien en parlant d'un grand dommage fait avec une violence rapide. **Détérioration,** qui, au contraire, dit moins, désigne simplement un dommage qui met dans un état inférieur à l'ancien; il implique toutefois souvent une action mauvaise et volontaire. **Avarie** se dit de toute espèce de détérioration survenue à des objets, soit pendant un voyage, soit dans un magasin, généralement faute de précautions suffisantes. **Casse** est plutôt familier et très particulier; il implique que l'objet endommagé est mis en morceaux, souvent par maladresse. (V. DÉGÂT.)

V. aussi PRÉJUDICE.

dompter. V. APPRIVOISER et SURMONTER.

don désigne un bienfait, un acte de libéralité complètement gratuit et sans idée de retour; il suppose une sorte d'infériorité chez celui qui le reçoit, et consiste toujours en quelque objet de prix. **Présent** désigne ce que l'on offre en le présentant, ce que l'on donne de la main à la main, le plus souvent avec la seule idée de plaire : *On fait don d'une terre, d'une maison; on fait présent d'un bijou.* **Etrennes** est plus partic. et s'emploie toujours au pluriel; il s'applique seulement au présent fait à l'occasion du premier jour de l'année. **Cadeau** se dit d'un petit présent qui est le plus souvent une chose futile : *On fait cadeau d'un bouquet de fleurs, d'un jouet.* **Offrande** désigne quelque chose de moins considérable ou de moins solennel que son synonyme **oblation,** qui ne s'emploie guère qu'en style religieux, c'est-à-dire en parlant des sacrifices, des dons offerts à la Divinité par des hommes; c'est ainsi qu'*offrande* peut, par ext., s'employer aussi en parlant de tout présent offert à une œuvre de bienfaisance ou à un pauvre. (V. AUMÔNE, DONATION, GRATIFICATION, LIBÉRALITÉ.)

donation est un terme de jurisprudence qui désigne un don fait par acte public, généralement entre vifs et d'une manière expresse, notoire et solennelle. **Legs** désigne la donation que l'on fait par testament au bénéfice d'un individu ou d'une collectivité. (V. DON.)

donc. V. AINSI.

donner, c'est transmettre à un autre l'objet qu'on avait en sa possession et qui change ainsi de maître : *On donne à une personne ce qu'on veut qu'elle reçoive.* **Offrir,** c'est faire hommage d'une chose à quelqu'un, en manifestant le désir qu'il l'accepte, afin que l'offre devienne un don : *On offre à une personne ce qu'on désire qu'elle prenne.* **Présenter,** c'est offrir une chose que l'on tient à la main ou qui est là sous les yeux, et dont la personne peut à l'instant prendre possession si cela lui convient : *On présente à une personne ce qu'elle peut agréer.* **Abouler,** syn. de *donner,* est populaire : *On aboule de l'argent.* (V. REDONNER et RÉTROCÉDER.)

Se donner. V. ADONNER (S').

donzelle. V. FEMME et FILLE.

doper. V. ENFLAMMER.

dorénavant. V. AVENIR (À L').

dorloter. V. SOIGNER.

dormir, c'est être dans l'état de sommeil. **Reposer,** employé absolument comme syn. de *dormir,* est plutôt du style relevé. **Faire un somme,** c'est dormir d'un seul trait, mais généralement peu de temps. **Sommeiller,** c'est dormir d'un sommeil léger. **Somnoler,** c'est être dans un demi-sommeil, mi-endormi, mi-éveillé. **Pioncer** et **roupiller** sont des syn. pop. de *dormir.* **En écraser** est argotique; c'est dormir profondément. — **S'endormir,** c'est seulement commencer à dormir. **S'assoupir,** c'est s'endormir à demi.

V. aussi SOMMEIL.

dortoir. V. CHAMBRÉE.

dos désigne la partie du corps des vertébrés qui va du cou jusqu'aux reins. **Echine** se dit de la partie du corps de l'homme ou de certains animaux, en forme d'épine, qui va du cou jusqu'au coccyx. **Râble** désigne la partie du corps de certains quadrupèdes, surtout du lièvre et du lapin, qui s'étend depuis le bas des côtes jusqu'à la queue; il se dit aussi familièrement de la partie postérieure d'une personne, située entre le thorax et les fesses. (V. COLONNE VERTÉBRALE.)

dose. V. QUANTITÉ.

dossier est un terme d'administration qui désigne l'ensemble des pièces écrites et classées, formant une sorte de livre, qui porte sur la partie supérieure ou sur le dos l'indication de l'objet qui leur est commun; il se dit aussi du carton qui les contient. **Chemise** ne se dit que du papier fort ou du cartonnage léger dans lequel on classe des papiers. **Farde** est un terme dial. qui désigne, dans le Nord, une liasse de papiers, de dossiers.

doter. V. GRATIFIER.

douairière. V. VEUVE et VIEILLE.

douanier est le nom donné aux préposés militaires, appartenant au corps de la « douane » et chargés de la surveillance et de la vérification des marchandises qui entrent dans un pays. **Gabelou,** syn. péj. de *douanier,* se dit aussi parfois, toujours par dénigrement, des commis de l'octroi ou des contributions indirectes.

double. V. COPIE.

douceâtre se dit de ce qui n'est pas entièrement doux, mais tire seulement sur le doux. **Doucereux** s'emploie plus ordinairement au figuré et marque ou une douceur plus accentuée, ou une douceur apprêtée ou simulée, et, par suite, déplaisante.

V. aussi DOUCEREUX et DOUX.

doucement. V. LENTEMENT.

doucereux se dit bien, en parlant des personnes, de celui qui affecte de la douceur, de la complaisance, de la politesse, de la bienveillance, généralement dans un but déterminé et intéressé. **Douceâtre** s'applique surtout à l'expression lorsque celle-ci est doucereuse. **Mielleux,** comme **sucré,** qui se prend toujours en mauvaise part, enchérit sur *doucereux* en emportant une idée encore plus forte d'hypocrisie. **Paterne** suppose surtout que l'on affecte une bienveillance doucereuse, et s'emploie bien dans le langage badin. **Patelin** désigne une personne souple, enjôleuse, d'une douceur artificieuse, et ce de par sa nature même. **Patelineur** dit moins; il s'applique à celui qui pateline seulement accidentellement, par occasion. **Papelard** convient bien en parlant de celui qui trompe en employant des manières doucereuses, hypocrites, d'un faux dévot. **Chattemite** est familier; il se dit de celui qui affecte une contenance douce, humble, flatteuse. **Benoît,** syn. de *doucereux,* est moins usité. **Peloteur,** syn. de *patelin,* est familier. **Patte-pelu,** qui a vieilli, désigne celui qui va adroitement à ses fins, sous des apparences de douceur et d'honnêteté. **Melliflue,** qui se dit proprement de ce qui a la douceur du miel, est figurément un syn. peu usité de *doucereux,* de *mielleux.* (V. SOURNOIS.)

douceur est un terme du langage courant qui désigne la qualité de ce qui est sans rudesse. **Mansuétude** se dit de la douceur considérée comme vertu chrétienne, ou d'une douceur de caractère accentuée et constante. (On ajoute souvent à ce terme, mais sans nécessité, une idée d'indulgence, de charité.) **Débonnaireté** suppose une mansuétude qui va jusqu'à la faiblesse, et qui n'est qu'un manque de fermeté et de caractère. **Onction** se dit figurément d'une douceur particulière qui, dans un discours, dans un écrit, touche le cœur et porte à la dévotion ou à une sorte d'attendrissement. (V. BONTÉ, CHARITÉ et PITIÉ.)

Douceurs. V. FRIANDISE.

douche désigne une projection d'eau, en jet ou en pluie. **Affusion** est un terme du langage médical; c'est l'action d'arroser ou de verser de l'eau sur le corps, non par un jet, mais en masse assez considérable, afin d'atteindre une grande étendue de la surface cutanée : *L'affusion est d'une application plus rapide, plus massive, mais moins violente que la douche.*

doucher. V. TREMPER.

douillet. V. SENSIBLE.

douleur. V. PEINE.

douloureux. V. ENDOLORI.

doute. V. INCERTITUDE.

doute (sans). V. ASSURÉMENT.

douter (se). V. PRESSENTIR.

douteux, qui se dit de ce qui n'est pas sûr, suppose qu'il y a des raisons pour et contre, et que l'esprit ne peut discerner lesquelles ont le plus de force : *Un fait avancé légèrement est douteux.* **Incertain** implique presque l'absence de raisons pour croire ou agir, ou au moins l'insuffisance des raisons : *Un bonheur légèrement espéré est incertain.* **Aléatoire,** qui s'emploie dans le langage courant comme syn. d'*incertain,* ajoute le plus souvent à ce terme l'idée de chance, de hasard : *Le bénéfice que l'on demande au jeu est toujours aléatoire.* **Problématique** s'emploie peu dans le langage ordinaire ; c'est plutôt un terme d'école ou de spéculation : *Ce qui est problématique présente un « problème » à résoudre, ne pourra être décidé qu'après une discussion ou des recherches savantes, difficiles.* (V. AMBIGU.)

V. aussi SUSPECT.

douve. V. FOSSÉ.

doux se dit, d'une façon générale, de tout ce qui a une saveur agréable au goût ; il s'oppose à « aigre », « piquant », « âpre », « salé », « amer ». **Douceâtre** est plutôt péj. ; il s'applique à ce qui n'est pas entièrement doux mais tire seulement sur le doux. **Sucré** est plus partic. ; il désigne seulement ce qui a la saveur douce du sucre — et s'oppose surtout à « amer » ou à « salé ».

V. aussi AGRÉABLE.

dramatique. V. ÉMOUVANT.

dramaturge. V. AUTEUR.

drame, dans le langage du théâtre, se dit plus particulièrement d'une pièce, en prose ou en vers, où le comique se mêle au tragique, lequel cependant domine. (C'est ce genre de pièce qu'on appelait, au XVIIIe siècle, **tragédie bourgeoise.**) **Mélodrame** désigne un drame populaire, en prose, qui vise à émouvoir la foule par l'accumulation de situations attendrissantes et de péripéties imprévues. **Tragédie** se dit d'un poème dramatique, généralement emprunté à la légende ou à l'histoire ; il implique la représentation d'une action héroïque propre à exciter la terreur, la pitié, les mouvements nobles de l'âme. **Tragi-comédie** se dit d'une tragédie adoucie, à dénouement heureux. (V. COMÉDIE et PIÈCE.) — A noter que ces termes s'emploient aussi au figuré, avec des nuances analogues, en parlant d'un événement ou d'une suite d'événements présentant un caractère plus ou moins dramat[ique].

drapeau désigne une pièce d'é[toffe] portant les couleurs, les embl[èmes] d'une nation, d'un parti, etc., et a[tta]chée à une sorte de lance, app[elée] hampe, de manière que le tissu p[uisse] se déployer et servir de signal de ra[llie]ment. **Pavillon** est surtout un te[rme] de mar. ; il se dit du drapeau sur le[quel] sont les couleurs ou marques disti[nc]tives d'une nation, et qu'on hisse à l'a[r]rière des vaisseaux. **Couleurs,** au plu[]riel, s'emploie parfois comme syn. de *drapeau* ou de *pavillon.* **Etendard,** drapeau de guerre, se dit plus particulièrement du drapeau des troupes montées.

V. aussi COUCHE.

dresser. V. APPRIVOISER et ÉLEVER.

drille (bon, joyeux). V. COMPAGNON et LURON.

drille (pauvre). V. MISÉRABLE.

drogman. V. INTERPRÈTE.

drogue. V. MÉDICAMENT.

droit. V. JUSTICE, LIBERTÉ et LOYAL.

droiture désigne la qualité morale de ce qui ne s'écarte pas de la ligne du devoir : *Il faut avoir le cœur noble et l'âme pure pour toujours agir avec droiture.* **Equité** a quelque chose de plus doux, de moins inflexible que *droiture ;* c'est la disposition naturelle, intime, à faire à chacun part égale, à traiter les autres comme égaux entre eux, sans faire de passe-droits. **Justice** a un caractère plus social, plus individuel que *droiture* et *équité ;* c'est la disposition à se contenir dans les forces de son droit, l'action de respecter les droits d'autrui : *L'équité nous presse de réparer envers les hommes les torts qu'ils souffrent par l'injustice du sort, alors que la justice nous oblige à réparer envers eux les torts qu'ils ont soufferts par l'injustice des hommes.*

V. aussi RECTITUDE.

drôle. V. COMIQUE et ENFANT.

dru. V. FORT et TOUFFU.

dryade. V. NYMPHE.

ductile. V. SOUPLE.

duègne. V. GOUVERNANTE.

duel se dit du combat entre deux adversaires, dont l'un a demandé à l'autre réparation d'une offense par les armes (en général épée, sabre ou pistolet), et qui sont assistés chacun de témoins. **Rencontre** désignait autrefois un combat singulier non prémédité; c'est aujourd'hui un syn. parfait de *duel.* **Affaire d'honneur** signifie parfois *duel;* on dit même simplement UNE AFFAIRE.

duelliste. V. BRETTEUR.

dulcifier. V. ADOUCIR.

dune. V. BUTTE.

duper. V. TROMPER.

duplicata. V. COPIE.

duplicité. V. FAUSSETÉ.

dur est un terme très général; il se dit en parlant des choses qui sont très fermes, solides, difficiles à pénétrer, à entamer. **Coriace** (du lat. *corium,* cuir) s'oppose uniquement à « mou », à « tendre »; il s'applique à ce qui est dur comme le cuir, surtout en parlant d'une viande dure, difficile à mâcher.

V. aussi AUSTÈRE, DIFFICILE, INHUMAIN et SÉVÈRE.

durable se dit de ce qui dure longtemps. **Permanent** enchérit sur *durable;* il désigne ce qui ne cesse pas, ce qui ne discontinue pas, tout au moins dans un espace de temps déterminé. **Constant** s'applique à ce qui ne change pas. **Stable** se dit de ce qui ne bouge pas, de ce qui est bien assis. **Pérenne,** qui désigne proprem. ce qui se continue année par année, se disait aussi autref. de ce qui durait longtemps ou depuis longtemps. (V. CONTINU et ÉTERNEL.)

dur à cuire. V. RÉSISTANT.

durant. V. PENDANT.

durcir marque simplement l'action de rendre ferme, solide, difficile à pénétrer, à entamer : *La gelée durcit le sol; La brique durcit au feu.* **Endurcir** exprime la même action comme produisant son effet peu à peu, par degrés, avec un progrès lent qui peut être observé : *La plante des pieds s'endurcit à force de marcher.*

durée suppose une continuité persistante, une suite ininterrompue, et rappelle toujours l'idée des choses qui existent pendant une suite de moments; c'est l'espace écoulé entre le commencement et la fin d'une chose. **Temps** désigne seulement quelque partie de cet espace, ou désigne cet espace d'une manière vague : *L'homme entraîné par le torrent des temps ne peut rien pour sa propre durée, a dit Buffon.*

durer, c'est — relativement au temps — exister encore, ne pas cesser, pour le moment du moins. **Continuer,** c'est ne pas cesser dans une action. **Persister,** c'est continuer surtout en parlant de quelque chose qui devrait normalement cesser. **Se perpétuer,** c'est durer constamment et sans interruption.

V. aussi SUBSISTER.

durillon. V. COR.

dynamisme. V. FORCE.

E

eau (du lat. *aqua,* qui a donné successivement *aigue, eve, eue, eaue, eau*) désigne un corps incolore, peu ou point sapide, liquide à la température ordinaire, formé de deux volumes d'hydrogène pour un volume d'oxygène, et susceptible de dissoudre un certain nombre de corps. **Aqua simplex,** nom latin de l'eau simple, est employé parfois plaisamment, dans le langage ordinaire, comme syn. de *eau.* **Flotte** est un terme d'argot.

V. aussi PLUIE.

Eaux. V. BAINS.

ébahi marque l'effet produit sur nous par une forte surprise, laquelle nous fait généralement tenir la bouche béante, comme il arrive aux enfants et aux badauds. **Ebahi** se dit de celui qui reste les yeux grands ouverts devant l'objet de sa surprise; il est peu usité et s'emploie surtout ironiquement. **Abasourdi** s'applique à celui dont la surprise est si grande qu'il n'entend plus rien, et semble devenu comme « sourd ». **Eberlué** désigne celui qui semble ébloui, tellement il a peine à croire réel ce qu'il voit ou ce qu'il entend. **Etourdi**

marque un trouble qui fait perdre le sens, qui rend comme hébété. **Sidéré,** proprement anéanti, subitement foudroyé, s'emploie parfois aussi figurément et familièrement auj. dans le sens d'*ébahi,* sur lequel il enchérit plutôt. **Médusé,** syn. de *sidéré*, implique généralement une surprise, une stupeur causée par quelque chose d'extraordinaire. **Interloqué** suppose une grande surprise causée par une chose à laquelle on ne s'attendait pas, et qui fait que l'on ne sait plus que dire. **Pétrifié** dit plus encore, en supposant une surprise, une stupéfaction telle qu'on reste immobile comme la pierre. **Ahuri** implique surtout une surprise, un étonnement extrême, qui trouble jusqu'à faire perdre conscience de ce qui se passe, et rend généralem. ridicule. **Estomaqué** est un syn. fam. d'*interloqué*. **Epaté** et **baba** sont des syn. populaires d'*ébahi*. (V. DÉCONCERTÉ, EMBARRASSÉ et SURPRIS.)

ébattre (s'). V. FOLÂTRER.

ébaubi. V. ÉBAHI.

ébauche. V. CANEVAS.

ébaudir. V. AMUSER.

éberlué. V. ÉBAHI.

éblouir. V. BRILLER et FASCINER.

ébouillanter, c'est soit tremper, soit arroser d'un liquide bouillant. **Echauder,** syn. d'*ébouillanter,* est auj. moins usité et plus technique. **Blanchir** est très partic.; c'est un terme de cuisine qui s'applique à l'immersion que l'on fait subir dans l'eau bouillante à certaines denrées, soit pour les débarrasser de parties nuisibles, soit pour commencer leur cuisson.

ébouler (s'). V. CROULER.

ébouriffant. V. ÉTONNANT et INVRAISEMBLABLE.

ébrancher. V. ÉLAGUER.

ébranlement suppose un affaiblissement de la solidité, que n'impliquent pas forcément *choc* et *secousse*. **Commotion** s'applique à un ébranlement violent et soudain. **Choc** suppose un heurt plus ou moins violent, lequel peut être sans conséquence. **Secousse** emporte l'idée d'un effort répété en des sens divers.

ébranler. V. AFFAIBLIR et AGITER.

ébrécher. V. DÉTÉRIORER.

ébriété. V. IVRESSE.

ébrouer (s'). V. RESPIRER.

ébruiter. V. DIVULGUER.

ébullition. V. FERMENTATION.

écacher. V. BROYER.

écarlate. V. ROUGE.

écart. V. BOURG.

écarté. V. ISOLÉ.

écarter, c'est mettre de côté ou repousser un peu ce qui était trop près, ce qui gêne. **Eloigner** est plus fort qu'*écarter;* c'est envoyer loin, tenir à distance : *Un homme puissant doit écarter de lui les flatteurs et éloigner les fourbes.* **Mettre à l'écart,** par contre, dit moins qu'*écarter : On écarte ce dont on veut se débarrasser pour toujours, mais on met à l'écart ce qu'on veut ou ce qu'on peut reprendre ensuite.* **Séparer,** c'est écarter ou éloigner l'une de l'autre, ou les unes des autres, des personnes ou des choses qui sont ensemble, soit en les distinguant, soit en les isolant : *La mort nous sépare de tout, a dit Bossuet.* **Isoler** exprime de la façon lá plus absolue l'idée d'écartement, d'éloignement; c'est écarter, éloigner au point de faire perdre complètement tout contact : *On isole ce qui ne doit ou ne peut être rapproché.* **Disjoindre,** c'est séparer ce qui était « joint », uni; il ne se dit que des choses et ne marque qu'un commencement de séparation : *La sécheresse a disjoint toutes les planches.* (V. DÉTOURNER.)

V. aussi REPOUSSER.

ecchymose. V. CONTUSION.

ecclésiastique. V. PRÊTRE.

écervelé. V. ÉTOURDI.

échafaud. V. ESTRADE.

échange. V. CHANGE.

échanger. V. CHANGER.

échantillon désigne le fragment d'une marchandise quelconque, qui sert à apprécier la qualité du tout. **Spécimen,** syn. d'*échantillon,* est moins du style commercial ou technique et plus du style relevé ou littéraire. (V. MODÈLE.)

échappatoire. V. FUITE.

échappée. V. ESCAPADE.

échapper, c'est se sauver d'un péril, sortir d'une fâcheuse position, quelle qu'elle soit; il s'applique à toutes sortes de dangers, petits ou grands. **Réchapper** dit plus ; il convient surtout lorsqu'on parle de la mort ou d'un très grand péril : *On échappe à ses ennemis; On réchappe d'une maladie.* (V. SAUF.)

S'échapper. V. FUIR.

écharpe. V. FICHU.

échauder. V. ÉBOUILLANTER.

échauffer. V. CHAUFFER et ENFLAMMER.

échauffourée se dit surtout d'une entreprise téméraire, mal concertée, le plus souvent de courte durée, sans suite. **Chamaillis** est moins usité dans ce sens ; il s'applique à une échauffourée accompagnée de bruits et de cris. **Rencontre,** plus général, se dit de tout engagement peu considérable et le plus souvent inopiné. **Choc** désigne plutôt la rencontre de deux troupes qui se chargent. **Collision** s'applique à une rencontre, à un choc violent. (V. ASSAUT et COMBAT.)

échec se dit d'une entreprise qui ne réussit pas, momentanément du moins ; il n'implique rien de définitif : *On peut subir de nombreux échecs et finalement triompher.* **Revers** s'oppose à « succès » ; c'est plus qu'un échec et moins qu'une défaite : *Tout accident qui change une bonne situation en une mauvaise est un revers.* **Insuccès** se dit de toute non-réussite ; il suppose une humiliation moindre qu'*échec* et *revers,* et tient plus de la nature de l'entreprise tentée que de la valeur de celui qui l'entreprend. **Fiasco** comme **four,** syn. d'*échec,* est fam. ; il se dit d'un échec complet, en quelque genre que ce soit. **Veste** est populaire et s'emploie surtout en parlant d'examens. **Cacade** est vieilli ; il se disait autrefois dun échec ridicule. (V. DÉFAITE.)

échelon. V. DEGRÉ, GRADE et PHASE.

échine. V. COLONNE VERTÉBRALE et DOS.

échiner. V. FATIGUER.

écho. V. ANECDOTE.

écho (faire). V. RENVOYER.

échoppe. V. BOUTIQUE.

échouer, c'est ne pas réussir, en parlant des personnes, des projets, des entreprises. **Avorter** ne se dit figurément que des choses, lorsque celles-ci ne réussissent pas, restent sans effet et ne répondent pas ainsi aux espérances qu'elles avaient d'abord fait concevoir. **Rater,** syn. d'*échouer,* est familier. (V. MANQUER.)

éclair. V. FOUDRE.

éclaircir, c'est rendre net, intelligible, ce qui était obscur, parce que les idées étaient mal présentées. **Démêler,** c'est faciliter la connaissance d'une chose confuse, parce que « mêlée », croisée, embarrassée. **Débrouiller** suppose un plus grand désordre, une plus grande confusion que *démêler.* **Défricher,** pris au sens fig., c'est éclaircir, démêler, débrouiller pour la première fois. **Elucider** appartient au style relevé, et s'applique généralement à des choses confuses, mystérieuses. **Clarifier** qui signif. proprem. rendre clair, épurer, s'emploie aussi figurément aujourd'hui dans le sens de rendre lucide ce qui est obscur, embrouillé. (V. DISTINGUER et EXPLIQUER.)

éclairé. V. INSTRUIT.

éclairer, c'est remplacer la nuit, l'obscurité, par la lumière : *Colbert fit éclairer Paris par cinq mille fanaux.* **Illuminer,** c'est éclairer brusquement d'une vive lumière : *Phare qui illumine le ciel.* (V. BRILLER, ÉTINCELER et FLAMBOYER.)

éclat. V. BRILLANT, LUMIÈRE, PARTIE, SCANDALE et SON.

éclater. V. FLAMBOYER et ROMPRE (SE).

éclipser. V. OBSCURCIR.

S'éclipser. V. DISPARAÎTRE.

éclopé. V. BOITEUX.

écœurant se dit, au propre comme au figuré, de ce qui soulève le cœur, inspire le dégoût. **Nauséabond,** syn. d'*écœurant,* est moins du langage ordinaire. **Nauséeux** ne s'emploie qu'au propre ; s'appliquant à ce qui provoque des nausées, l'envie de vomir, il est surtout du langage médical. (V. MALPROPRE.)

école est un terme très général ; il désigne tout établissement où se donne un enseignement collectif, quel que soit celui-ci. **Lycée** est le nom donné aux établissements d'enseignement secondaire placés sous la direction de l'Etat. **Collège** désigne aussi un établissement public d'enseignement secondaire, mais généralement municipal, par opposition aux lycées, établissements de l'Etat. **Cours** est le nom que prennent certains établissements d'enseignement privé. **Académie** se dit surtout auj. d'une école de dessin, d'architecture, de peinture. **Institut** s'applique plus particulièrement à des établissements de recherches scientifiques ou d'enseignement déterminé. **Conservatoire** se dit d'une école publique où l'on enseigne soit des arts et des sciences appliqués, soit la musique vocale et instrumentale et la déclamation lyrique et dramatique. **Gymnase,** nom donné dans certains pays (Suisse, Allemagne, entre autres) aux établissements d'instruction classique correspondant à nos lycées, désigne en France surtout une école d'éducation physique. **Bahut** et **bazar,** syn. de *lycée* et de *collège,* sont des termes d'argot scolaire. **Boîte,** syn. de tous ces termes, est populaire et généralement péjoratif. (V. PENSION et UNIVERSITÉ.)

écolier. V. ÉLÈVE.

éconduire. V. CONGÉDIER.

économie désigne une ordonnance, la juste distribution des parties d'un tout, le prudent et bon emploi; il emporte l'idée d'ordre et d'harmonie en grand et s'applique plus spécialement au « système du gouvernement général d'une fortune, considéré, nous dit Guizot, dans tous ses rapports d'intérêts, d'affaires, d'administration, et sagement concerté, concilié avec les jouissances les plus convenables, la conservation, la bonification, l'amélioration de la chose autant qu'il est possible » : c'est en résumé la gestion où l'on évite tout ce qui est dépense inutile : *L'économie convient à toutes les fortunes et particulièrement aux plus considérables.* **Ménage** se restreint aux choses domestiques, au régime intérieur de la maison : *Le ménage convient plutôt aux petits détails ou aux petites fortunes.* **Epargne** se dit proprement de la chose conservée pour être mise en réserve : *L'épargne s'étend généralement aux dépenses sur lesquelles il y a des suppressions ou des réductions à faire.* **Parcimonie** s'applique à une sorte de manière ou une attention très particulière à épargner : *La parcimonie s'exerce et s'attache aux plus petites dépenses ou aux plus petits retranchements dans les grandes.* — A noter qu'ÉPARGNE et ÉCONOMIE se prennent aussi dans le sens d'argent mis de côté, mis en réserve; ils ont alors un sens différent : *Les épargnes viennent des privations qu'on s'est imposées, tandis que les économies résultent de la bonne direction donnée à toute la manière de vivre.* **Pécule,** dans ce sens d'*économie,* d'*épargne,* se dit soit de ce qu'une personne soumise à autrui acquiert par son industrie, par son travail et son épargne, et dont il lui est permis de disposer, soit d'une petite somme d'argent amassée peu à peu.

économiser. V. MÉNAGER.

écorcher. V. DÉPOUILLER.

écorchure désigne une déchirure légère produite par un frottement violent qui enlève ou déchire les couches superficielles. **Egratignure** se dit d'une écorchure superficielle faite avec les ongles, une épingle ou tout autre corps semblable. **Griffure** se dit d'une égratignure faite par des griffes ou des ongles; dans un sens plus partic., il est aussi syn. d'*égratignure* chez les graveurs à l'eau-forte. **Eraflure,** comme **éraillure** (moins us.), désigne une écorchure des plus superficielles. **Excoriation** est un terme de chirurgie s'appliquant à une écorchure, une plaie légère de la peau. (V. BLESSURE.)

écornifleur. V. CONVIVE.

écosser. V. ÉPLUCHER.

écot. V. QUOTE-PART.

écouler (s'). V. COULER.

écourter. V. DIMINUER.

écrabouiller. V. BROYER.

écrasé. V. CAMUS.

écraser. V. ACCABLER, BROYER et VAINCRE.

écrin. V. BOÎTE.

écrire, c'est d'abord représenter, indiquer par le moyen de l'écriture, et, dans ce sens, on dit plutôt **inscrire;** mais c'est aussi et surtout mettre ses pensées, ses souvenirs, ses sentiments, ses raisons, etc., par écrit. **Noter,** c'est inscrire brièvement pour garder souvenir d'une chose. **Marquer,** c'est inscrire sommairement, sans y mettre le dessein de rappeler. **Orthographier** est plus partic.; c'est simplement écrire correctement les mots et les signes d'une langue, selon l'usage établi. — **Rédiger** dit beaucoup plus et suppose toujours un art que n'impliquent pas forcément *écrire* et moins encore les autres termes ; c'est mettre par écrit, en bon ordre, dans un style clair et convenable. **Libeller,** c'est rédiger dans la forme légale. **Composer,** c'est rédiger une œuvre littéraire (V. PRODUIRE). **Elucubrer** est ironique ; c'est composer un ouvrage à force de travail et de veilles. **Pondre,** syn. de *composer,* est très fam., ainsi d'ailleurs que **tartiner,** qui implique de longs développements dans ce qu'on écrit ou compose. **Scribouiller,** syn. d'*écrire,* est un terme d'argot péjoratif.

écrit. V. LIVRE.

écriteau est un terme du lang. cour. ; il désigne un morceau de papier, de carton, de bois, accroché ou cloué, portant quelques mots écrits en grosses lettres destinés à annoncer quelque chose au public ; il suppose un intérêt permanent ou de circonstance. **Etiquette** s'applique spécialement à un petit écriteau de papier ou de carton qu'on met sur les sacs, les bouteilles, les marchandises, pour en indiquer le contenu, le prix, etc. **Pancarte** se dit d'un écriteau léger, établi généralement sur carton. **Plaque** s'applique à un écriteau sur une planche de métal, de marbre, de verre. (V. INSCRIPTION.)

écriture désigne l'art de communiquer les idées et de représenter la parole par des signes, des caractères conventionnels. **Calligraphie** est plus partic. ; il s'applique à l'art de former de beaux caractères d'écriture. **Graphie,** comme **graphisme,** désigne un système d'écriture. **Plume** s'emploie parfois aussi, au fig., comme syn. d'*écriture,* mais est plutôt du langage familier.

V. aussi STYLE.

écrivailleur, écrivain, écrivassier. V. AUTEUR.

écrouer. V. EMPRISONNER.

écrouler (s'). V. CROULER.

écueil est le nom que l'on donne à tout rocher, à tout banc à fleur d'eau ou caché sous l'eau, contre lequel les navires viennent parfois s'endommager, se briser. **Récif** désigne un rocher ou une chaîne de rochers isolés qui émergent en permanence. **Brisant** se dit d'un écueil formant obstacle à la houle et sur lequel celle-ci se « brise » en déferlant.

V. aussi EMPÊCHEMENT.

écuelle. V. ASSIETTE.

écume. V. MOUSSE, REBUT et SALIVE.

écumer. V. RAGER.

écurer. V. NETTOYER.

écurie. V. ÉTABLE.

éden. V. PARADIS.

édicule est le nom donné à un petit édifice élevé sur la voie publique et servant à différents usages. **Kiosque** désigne, dans les grandes villes, un édicule établi pour la vente des journaux, des fleurs, etc.

édifice. V. BÂTIMENT.

édifier. V. BÂTIR et RENSEIGNER.

édit. V. LOI.

édition désigne la publication d'un ouvrage sous un aspect donné, avec une composition typographique spéciale, parfois même avec des modifications, des variantes, des notes : *Une édition définitive ne doit pas être fautive.* **Tirage** se dit simplement de l'impression en une seule fois d'un certain nombre d'exemplaires d'un ouvrage, sans modification importante du texte ni de l'aspect : *Faire plusieurs tirages successifs sur des papiers différents.* (A noter qu'*édition* et *tirage* sont souvent employés à tort l'un pour l'autre.) **Impression** s'applique à la production d'exemplaires identiques d'un ouvrage graphique au moyen de la presse : *Une impression soignée est agréable à l'œil.*

V. aussi PUBLICATION.

éditorial. V. ARTICLE.

éducation. V. INSTRUCTION et SAVOIR-VIVRE.

édulcorer. V. ADOUCIR.

éduquer, c'est développer les facultés physiques, intellectuelles et morales d'un enfant ou d'un jeune homme, conformément à certains principes. **Elever,** c'est à la fois nourrir, entretenir et éduquer, mais généralement sans idée de formation raffinée, comme le fait *éduquer.*

effacé. V. MODESTE et TERNE.

effacer, c'est faire disparaître ce qui est tracé sur une surface quelconque, sans laisser aucune trace. **Rayer** emporte l'idée de retrancher et implique qu'on laisse des traces matérielles de l'action, des ratures; c'est passer un trait sur un mot ou une suite de mots qu'on ne veut pas conserver, qu'il faut faire disparaître. **Barrer,** syn. de *rayer,* est moins usité. **Biffer** marque souvent un acte d'autorité que *rayer* ne comporte pas; on dit aussi parfois, dans ce sens et plus familièrement, **sabrer. Caviarder** s'applique surtout à la censure qui noircit d'encre, supprime un passage d'une publication. **Raturer,** c'est rayer plusieurs fois; il s'applique parfaitement à l'action d'une personne qui écrivant, se corrige elle-même, en supprimant une expression pour la remplacer par une autre. **Oblitérer,** syn. d'*effacer,* se dit principalement en parlant de ce qui a souffert des injures du temps, ou de quelque autre cause naturelle : *Le temps oblitère les inscriptions des monuments.* (A noter qu'en style administratif, *oblitérer un timbre,* c'est lui laisser sa valeur dans l'emploi qu'il occupe, tout en la lui enlevant pour un autre emploi, alors que *biffer un timbre,* c'est l'annuler absolument.) **Radier** est très particulier; c'est rayer sur une liste, sur un registre.

V. aussi OBSCURCIR.

effarer, effaroucher. V. EFFRAYER.

effectif. V. EFFICACE et RÉEL.

effectuer. V. ACCOMPLIR.

efféminer. V. AFFAIBLIR.

effervescence. V. FERMENTATION.

effet, qui désigne le résultat d'une cause, se rapporte à l'objet, à la chose qui agit. **Impression** se rapporte à l'âme ou au sujet : *On cause, on produit un effet; on reçoit, on éprouve une impression.*

V. aussi SUITE.

Effets. V. VÊTEMENT.

effet (en). V. PARCE QUE.

efficace s'applique à ce qui peut agir et produit toujours alors l'effet désiré : *Remède efficace.* **Efficient** désigne ce qui agit efficacement, produit réellement un effet; on dit aussi, dans ce sens, mais moins couramment, **effectif** : *Le soleil est la cause efficiente* (*ou effective*) *de la chaleur.* **Héroïque** s'emploie parfois figurément en parlant d'un remède et, par ext., d'une décision, d'un parti très efficace, mais auquel on recourt seulement en désespoir de cause, parce que dangereux : *Employer des remèdes héroïques.* (V. ACTIF.)

efficient. V. EFFICACE.

effigie. V. PORTRAIT.

effilé. V. DÉLIÉ.

effleurer, c'est toucher légèrement, intentionnellement ou non. **Caresser,** c'est effleurer intentionnellement et à plusieurs reprises de la main et avec une sorte de soin. **Peloter,** caresser sensuellement, est populaire et péjoratif.

V. aussi FRÔLER.

effluence. V. EFFLUVE.

effluve désigne le fluide impondérable qui se dégage des corps organisés, et même de certaines substances minérales, soit à l'état sain, soit à l'état de décomposition. **Emanation** s'applique aux effluves qui se dégagent d'un corps qui n'est pas en état de décomposition apparente. **Exhalaison** désigne les effluves qui se manifestent sous la forme de vapeur, d'odeur, de gaz plus ou moins sensibles à l'odorat. **Miasmes,** qui ne s'emploie guère qu'au pluriel, est le nom donné aux exhalaisons malsaines de matières putrides. **Effluence,** synonyme d'*effluve,* est peu usité.

effondrer (s'). V. CROULER.

efforcer (s'). V. ESSAYER.

effrayant. V. EFFROYABLE.

effrayé. V. ALARMÉ.

effrayer, c'est soulever dans l'âme une grande agitation par l'idée d'une image inquiétante : *Enfant qui effraye les oiseaux.* **Effaroucher** dit moins qu'*effrayer;* il marque toujours un effet provenant d'une cause extérieure et suppose l'inquiétude, un malaise ressenti, que l'on renferme quelquefois en soi-même : *Les gens méfiants s'effarouchent aisément.* **Effarer** implique toujours un trouble visible, qui se manifeste surtout par l'expression du visage, et qui peut n'avoir qu'une cause intérieure : *La moindre chose suffit pour effarer les gens qui perdent facilement la tête.* (V. ALARMÉ.)

effroi. V. ÉPOUVANTE.

effronté. V. IMPUDENT.

effronterie. V. HARDIESSE.

effroyable implique quelque chose qui est réellement à craindre, qui inspire de l'effroi par sa nature même. **Effrayant** se dit seulement de ce qui cause de l'effroi, et cela quelquefois sans motif légitime. **Affreux** se dit de ce qui inspire surtout le dégoût ou l'éloignement. **Horrible** s'applique à ce qui excite à la fois de l'effroi et de la répulsion. **Epouvantable** et **terrible** impliquent une horreur qui fait frémir. **Tragique** se dit de ce qui est effrayant, terrible, parce que présentant un caractère sanglant ou bien funeste. **Dantesque** (par allusion à l'œuvre de Dante), syn. d'*horrible,* emporte l'idée d'une horreur grandiose ; il est du style littér. ou relevé. **Monstrueux** convient bien en parlant de ce qui est horrible surtout parce que contre nature. **Atroce** désigne ce qui est horrible à voir ou à supporter ; il convient bien en parlant des crimes, des injures, des supplices. — Au fig., ces épithètes sont constamment prises en mauvaise part, cependant que, dans le langage familier, elles sont souvent, par une exagération abusive, employées pour qualifier simplement ce qui ne plaît pas.

effusion. V. ÉPANCHEMENT.

égailler (s'). V. DISPERSER.

égal se dit des choses dont la surface est droite, sans éminences et sans dépressions : *Un chemin bien égal est celui qui a été parfaitement aplani.* **Plain,** qui est peu usité, s'applique à des surfaces plus étendues et moins rigoureusement droites dans toutes leurs parties : *Une plaine campagne est celle où l'on n'aperçoit aucune éminence sensible dans tout ce qu'embrasse la vue.* **Uni** ajoute à l'idée d'*égal* ou de *plain* celle de facilité pour la marche ou pour toute autre opération physique. **Plat** est un terme du lang. cour. qui emporte souvent une idée péjorative ; il se dit de tout objet qui n'est ni concave, ni convexe, qui n'a ni saillie, ni enfoncement, quelle que soit d'ailleurs la position de l'objet, qu'il soit horizontal, vertical ou posé obliquement. **Plan** se dit plus que *plat* des surfaces non horizontales : *La surface d'un mur est plane plutôt que plate.* **Ras,** qui se dit proprement de ce dont le poil est coupé fort court, s'applique, par ext., à une surface nue sur laquelle il n'y a rien qui pointe, qui fasse saillie, tout en pouvant toutefois offrir quelques inégalités : *Une campagne rase est celle où l'on ne trouve ni forêts, ni buissons, ni moissons, ni maisons.*

V. aussi UNIFORME.

égaler, c'est rendre semblable, soit en nature, soit en quantité, soit en valeur. **Contrebalancer,** c'est égaler en force, en valeur, en mérite ; il suppose une opposition. **Equivaloir,** c'est égaler seulement en valeur. **Equipoller,** syn. d'*équivaloir,* est vieux.

égalité, qui est très général, désigne l'état de ce qui n'offre avec un autre objet aucune différence, qui est le même en nature, en quantité, en valeur, en dimensions. **Parité,** qui convient bien en parlant de l'égalité parfaite existant entre des objets de même qualité, de même mesure, ne se dit guère des personnes et est plutôt du langage choisi.

égard est un terme très général qui désigne l'attention et la retenue dont on use dans ses procédés envers une personne qui nous intéresse, soit par ses qualités morales, soit par ses talents. **Considération** suppose quelque chose de plus important qu'*égard* et implique qu'on en fait grand cas. **Déférence** ne se dit qu'en matière d'avis ou d'opinions ; c'est une sorte de soumission mêlée d'égards que l'on a pour quelqu'un. **Respect** suppose une grande différence d'âge ou de situation sociale entre celui qui le reçoit et celui qui le rend ; c'est une sorte de vénération, de culte que nous portons à quelqu'un placé bien au-dessus de nous : *On doit des égards à ses amis, de la considération à ses supérieurs, de la déférence à ses maîtres, du respect aux vieillards.* **Attention** emporte surtout l'idée d'affection et d'obligeance : *On est plein d'attention pour les personnes que l'on aime.* **Ménagement** est plutôt dominé par l'idée d'intérêt ou de savoir-vivre : *On a des ménagements pour les gens qui peuvent être utiles ou pour ceux dont la position est malheureuse.*

égarement. V. DÉLIRE.

égarer. V. PERDRE.

S'égarer, c'est sortir du vrai chemin et en prendre un autre qui peut encore conduire au but, en l'éloignant, ou qui peut mener dans une direction contraire, mais sans que tout espoir de se reconnaître soit perdu. **Se four-**

voyer, c'est s'égarer par étourderie, irréflexion, ignorance. **Se perdre** dit plus ; c'est s'égarer complètement, au point de ne plus pouvoir retrouver la bonne route.

égayer. V. AMUSER.

égérie. V. CONSEILLER.

égide. V. AUSPICES.

église, qui signifiait primitivement assemblée, réunion, et désigne encore auj. l'assemblée des chrétiens et tout ce qui s'y rapporte, est aussi le nom donné, dans le style ordinaire, à l'édifice où s'assemblent les fidèles pour célébrer l'office divin. **Temple** appartient chez les catholiques au langage élevé, et remplace *église* dans la plupart des sectes chrétiennes et autres religions. **Paroisse,** qui désigne proprement la division ecclésiastique où s'exerce la juridiction spirituelle d'un curé, se dit aussi, par ext., de l'église elle-même de la paroisse. **Chapelle** se dit d'une petite église où il n'y a ordinairement qu'un autel. **Oratoire** dit moins encore ; c'est le nom donné à un autel privé, destiné à l'exercice du culte dans une maison particulière. **Abbatiale** désigne l'église principale d'une abbaye. **Prieuré** est le nom que l'on donne à l'église de certains monastères dits « prieurés ». **Collégiale** s'applique à une église qui possède un chapitre ou « collège » de chanoines, mais pas de siège épiscopal. **Basilique** est le nom donné à quelques églises principales ayant préséance sur toutes les autres églises, excepté la cathédrale. **Cathédrale** désigne l'église principale d'un diocèse, où se trouve le siège ou trône de l'évêque. **Cavée,** syn. d'*église,* est un terme d'argot.

églogue. V. PASTORALE.

égocentrique, égoïste. V. PERSONNEL.

égorger. V. TUER.

égosiller (s'). V. CRIER.

égotiste. V. PERSONNEL.

égout. V. CLOAQUE.

égratignure. V. ÉCORCHURE.

égrillard. V. GAILLARD.

égrotant. V. MALADIF.

égruger. V. BROYER.

éhonté. V. IMPUDENT.

élaborer. V. ASSIMILER et PRÉPARER.

élaguer, c'est retrancher ce qui est superflu, inutile ; il se dit particulièrement des grands arbres et marque alors l'action de couper les branches tout entières, pour rendre l'arbre moins étendu en longueur ou moins touffu. **Emonder,** c'est nettoyer en retranchant ce qui gêne, ce qui dépare ; il s'applique plutôt aux petits arbres d'un jardin, dont on coupe les parties inutiles ou nuisibles. **Tailler,** c'est couper méthodiquement, avec art, une partie des branches, des pousses d'un arbre, pour lui donner telle ou telle disposition, ou lui faire porter de plus beaux fruits. **Ebrancher,** c'est dépouiller un arbre de toutes ses branches ou de quelques-unes seulement, lorsque celles-ci sont gênantes ou deviennent dangereuses. **Etêter** est plus particulier ; c'est seulement tailler la « tête », la cime d'un arbre.

élan suppose une ardeur passionnée qui pousse vers quelqu'un ou quelque chose. **Zèle** se dit d'une ardeur accompagnée parfois de dévouement, qui fait que l'on cherche à se rendre utile, à donner l'exemple. **Empressement** suppose un mouvement extérieur, lequel peut être feint, dont le seul but est d'être agréable, de complaire en agissant vite : *L'empressement peut manifester le zèle, mais trop souvent il n'en est que l'apparence.* **Animation** emporte l'idée de grande activité, d'ardeur mêlée de mouvement. **Emulation** implique une ardeur noble qui pousse à imiter et même à surpasser par des efforts louables et généreux ce que l'on admire dans les autres. (V. ARDEUR, ENTRAIN et FOUGUE.)

élancé. V. DÉLIÉ et MINCE.

élancer (s'), c'est simplement se lancer, se jeter en avant. **Se précipiter,** c'est s'élancer rapidement et avec impétuosité. **Se ruer,** c'est s'élancer, se précipiter violemment, avec rudesse. **Foncer,** c'est s'élancer en faisant une charge à fond, sans se soucier des conséquences qui pourront en résulter. **Piquer** est surtout un terme de cavalerie ; c'est s'élancer, se diriger au galop vers quelqu'un ou quelque chose.

élargir. V. RELÂCHER.

élastique se dit de tout corps qui a la propriété de reprendre, au moins partiellement et sans aide extérieure, sa forme ou son volume, après les avoir perdus par la compression ou l'extension. **Extensible** dit moins; il ne s'applique qu'à ce qui peut être étendu, mais ne suppose pas le retour automatique à ses premières dimensions.

V. aussi SOUPLE.

élection désigne l'action de choisir par le concours d'un grand nombre de votes ou de suffrages. **Choix** s'applique à l'action de choisir ou à ce qui est choisi, qu'il désigne d'une manière générale, sans y ajouter aucune idée plus précise; opposé à *élection,* il marque alors quelque chose d'arbitraire, le résultat d'une volonté individuelle. **Cooptation** (du lat. *cooptare;* de *cum,* avec, et *optare,* choisir) se dit d'un choix par entente commune; c'est aussi, plus spécialement, le mode d'élection par lequel une assemblée désigne elle-même ses membres : *L'Institut de France recrute ses membres par cooptation.* **Sélection** désigne un choix raisonné que l'on fait parmi des choses dont on rejette la plupart. **Option** est le nom donné à la faculté qui est laissée à une personne de choisir entre deux ou plusieurs choses qu'elle ne peut avoir ensemble.

électriser. V. ENFLAMMER.

élégance. V. CHARME.

élégant désigne ce qui se distingue par la grâce, l'aisance, l'agrément dans sa parure, son aspect. **Gandin,** comme **petit-maître,** désigne un jeune élégant, souvent efféminé et ridicule. **Gommeux** est un terme de l'arg. boulev. que l'on applique parfois à un jeune homme qui pousse le souci de l'élégance jusqu'au ridicule; on dit aussi, dans ce sens, **pommadin. Muguet, muscadin, incroyable, merveilleux, petit-crevé, dandy** (encore très couramment employé auj.), **fashionable, lion, cocodès, zazou,** sont des termes qui ont tour à tour désigné, au cours des âges, tout jeune homme d'une élégance extrême et particulière, le plus souvent exagérée, voire ridicule. **Chic** est assez familier et ne s'emploie, dans ce sens, qu'adjectivement : *Un élégant est toujours un homme chic.* **Copurchic** est fam. aussi; nom et adj., il se dit d'une personne ou d'une chose d'une élégance raffinée. **Chouette,** synonyme de *chic,* est populaire; **smart** et **urf** sont vieux.

élément. V. PRINCIPE et SUBSTANCE.

élémentaire. V. SIMPLE.

élévation suppose généralement un point de départ et des accroissements successifs, ou bien fait envisager l'objet de bas en haut, comme lorsqu'il s'agit de gravir, d'escalader : *L'élévation se mesure par la distance réelle de la base au sommet.* **Hauteur,** qui fait penser au sommet, désigne seulement la distance qui sépare un objet supérieur d'un objet inférieur, et ne rappelle jamais, comme *élévation,* une action : *La hauteur consiste dans la comparaison que l'on fait d'une chose élevée par rapport à d'autres plus basses.* **Grandeur** suppose une hauteur relative : *On rassemble des objets de grandeurs différentes.* — Au fig., il entre dans le mot *hauteur* un sens péjoratif qu'*élévation* et *grandeur* ne comportent jamais; l'un implique un défaut, les deux autres une qualité : *L'élévation, la grandeur de l'âme est une noblesse réelle et acquise par l'habitude de réprimer les sentiments bas; la hauteur est une mauvaise fierté qui, dans notre idée ou dans nos manières, nous place au-dessus des autres.*

élève désigne tout enfant ou adolescent qui suit les cours d'une école, d'un lycée ou d'un collège, d'une grande école, etc., ou qui reçoit directement d'un maître quelconque tel ou tel enseignement. **Ecolier** ne se dit guère auj. que d'un jeune enfant et de celui qui fréquente une école primaire. **Collégien** et **lycéen,** qui s'appliquent particulièrement et respectivement aux élèves des collèges et lycées, ont pour syn. argotique **potache. Etudiant** désigne tout élève qui fréquente les cours d'une faculté. **Disciple** est le nom que l'on donne à celui qui non seulement reçoit les leçons d'un maître, mais encore adopte sa doctrine, ses idées, et cherche à marcher sur ses traces. **Grimaud** est un terme vieilli qui désignait autrefois soit un écolier des basses classes, soit un élève ignorant ou qui en était seulement aux premiers éléments de l'instruction. **Bizut** (ou BIZUTH) est un terme d'argot scolaire qui désigne un élève de première année dans les classes supérieures de l'enseignement secondaire ou dans certaines grandes écoles, **carré** et **cube** se disant respectivement d'un élève de seconde et de troisième année. **Tapir,** aussi terme d'argot scolaire, s'applique à un élève à qui sont données des leçons particulières.

V. aussi APPRENTI.

élevé s'oppose à « bas » et à « vulgaire »; il marque purement et simplement au fig. l'état des choses qui sont plus hautes que d'autres dans l'ordre moral. **Grand,** dans ce sens, est beaucoup plus du langage ordinaire. **Relevé** implique un degré de plus dans l'élévation, ou bien il fait penser à un état antérieur au-dessus duquel on a été porté par les événements. **Noble** se dit de ce qui est élevé, au-dessus de ce qui est ordinaire, et cela de par sa nature même. **Sublime** marque une élévation beaucoup plus grande encore, et suppose que l'âme est remplie d'une sorte d'enthousiasme, d'admiration. **Transcendant,** qui est du style recherché ou littéraire, implique une élévation morale et intellectuelle portée à un degré supérieur tel, qu'elle est seulement à la portée d'un petit nombre d'esprits. **Héroïque** et **épique** sont du langage littéraire et s'appliquent à ce qui est élevé, noble, comme le sont les actions des héros, et de ce fait digne d'être célébré en vers.

élever, c'est faire monter progressivement, transporter à un niveau supérieur, généralement en accumulant des matériaux. **Dresser,** c'est élever en mettant vertical ce qui était couché. **Eriger,** syn. d'*élever,* surtout en parlant d'un monument, emporte l'idée d'une certaine consécration. **Planter,** c'est dresser en enfonçant en terre. **Arborer,** c'est dresser quelque chose droit comme un arbre.

V. aussi ÉDUQUER et LEVER.

elfe. V. LUTIN.

élimé. V. USÉ.

éliminer. V. REPOUSSER.

élire. V. CHOISIR.

élite, qui emporte l'idée d'élection et suppose toujours pluralité, désigne ce qu'il y a de meilleur, entre plusieurs individus ou plusieurs objets de même espèce. **Choix** est un syn. à peu près parfait, mais plutôt familier, d'*élite;* il implique souvent toutefois une sévérité moins grande dans le tri : *On peut faire plusieurs choix successifs, mais il n'y a qu'une élite.* **Fleur,** qui peut se dire d'une seule chose ou d'un seul individu, fait plutôt penser aux qualités brillantes, à ce qui flatte agréablement les yeux ou l'esprit : *L'élite d'une armée sont ses meilleures troupes; ses officiers en sont la fleur.* **Crème** et **dessus du panier** sont des synonymes familiers d'*élite,* le second surtout en parlant de la haute société, de ce qu'on appelle le **gratin** en termes d'argot.

elle. V. LUI.

ellipse. V. OVALE.

élocution désigne l'énonciation de la pensée par la parole, et suppose généralement une expression de cette pensée facile et élégante. **Diction** est le nom que l'on donne à l'art de bien dire, de parler avec une attention soutenue, avec une prononciation, une modulation aussi parfaite que possible. **Parole** s'applique simplement à l'expression de la pensée par le langage articulé. **Style** dit plus; il désigne l'ensemble des procédés par lesquels un orateur, comme un écrivain, s'approprie les ressources de la langue, et qui comprend le choix des mots, des tournures de phrases, tout ce qui échappe à la grammaire : *Le style est à la diction ce que la poésie est à la versification.*

éloge désigne le témoignage avantageux que l'on rend, publiquement ou en privé, au mérite, le jugement favorable qu'on en porte, et qui n'exclut pas forcément quelques critiques. **Louange** se dit de l'hommage qu'on rend au mérite, du tribut qu'on lui paie dans ses discours, et n'implique aucune critique : *L'éloge est la raison de la considération, de l'estime, de l'admiration qu'on a pour l'objet; la louange est l'expression, ou plutôt le cri de ces sentiments, ou de tout autre sentiment favorable.* **Panégyrique** suppose un discours pompeux qui ne connaît lui aussi que la louange, une louange généralement ornée de toutes les fleurs de l'éloquence. **Dithyrambe** s'applique, dans le langage courant et en général avec une nuance péjorative ou ironique, à des louanges enthousiastes exagérées. **Los** (du lat. *laus,* louange), syn. de *louange,* est peu usité auj. (V. APOLOGIE.)

éloigné se dit de ce qui a été placé ou se trouve loin. **Lointain** enchérit sur *éloigné,* tout en impliquant une vague distance : *On dira d'un village qu'il est éloigné de vingt kilomètres, et de la Chine qu'elle est un pays lointain.* **Reculé** emporte non seulement l'idée d'éloignement, mais encore celle d'isolement ; il s'applique à ce qui est difficilement accessible ou pénétrable : *On loge dans un quartier reculé.*

éloignement. V. ABSENCE et DISTANCE.

éloigner. V. ÉCARTER.

éloquence désigne l'art, le talent ou l'action de bien dire, de persuader et de convaincre par la parole ; il suppose un don, ou du moins une émotion réelle douée de la force nécessaire pour se communiquer : *L'homme le plus inculte peut faire preuve d'éloquence, lorsqu'il est agité par la passion.* **Verve** dit moins et n'implique pas l'intention de convaincre ; c'est simplement la chaleur d'âme, d'imagination, d'esprit qui anime l'orateur ou le causeur quand il parle. (A noter que ce terme s'emploie aussi en parlant de l'artiste ou de l'écrivain qui composent avec le même enthousiasme.) **Véhémence,** dans ce sens, suppose une éloquence mâle, vigoureuse, accompagnée d'une action vive, d'ardeur. **Loquacité** ne s'applique, comme *éloquence,* qu'à la parole ; il est plutôt péj. et suppose l'habitude de trop parler, laquelle entraîne l'emploi de beaucoup de mots, lorsqu'un petit nombre pourrait suffire : *La loquacité est un défaut fréquent chez les avocats et les parlementaires.* **Verbiage,** comme **verbosité** (moins us.), implique non seulement abondance de paroles superflues, mais encore éloignement continuel du sujet. **Faconde** suppose facilité de parole ; il ajoute à l'idée de bavardage abondant celle de hardiesse et même d'effronterie. **Bagout** est un syn. fam. de *faconde.* **Volubilité** emporte non seulement l'idée de loquacité, mais encore celle de rapidité dans l'élocution. **Prolixité** est plus général ; il se dit aussi bien du discours que du style, lorsque ceux-ci sont longs et diffus. **Loquèle** est vieux ; il impliquait la facilité de parler en termes communs de choses communes.

éloquent se dit de celui qui, parlant avec éloquence, s'empare des esprits, émeut les cœurs et domine son auditoire. **Disert** s'applique à celui qui plaît par la facilité, l'élégance de sa parole, mais qui, cependant, émeut rarement ; il suppose surtout beaucoup d'habileté : *L'homme éloquent touche par la grandeur des pensées et l'élévation de l'esprit ; l'homme disert brille par la diction.* **Beau parleur,** employé substantivement dans le langage courant et familier, a le sens de *disert,* mais avec une nuance assez péjorative. (V. art. précéd. et BABILLARD.)

élu. V. SAINT.

élucider. V. ÉCLAIRCIR.

élucubrer. V. ÉCRIRE.

éluder. V. ÉVITER.

émaciation. V. AMAIGRISSEMENT.

émanation. V. EFFLUVE.

émanciper. V. AFFRANCHIR.

émaner. V. DÉCOULER.

émargement. V. SIGNATURE.

émarger. V. TOUCHER.

embabouiner. V. TROMPER.

emballement. V. ENTHOUSIASME.

embarcation est le nom générique de tous les petits bateaux, non pontés, à voiles, à rames, ou à moteur. **Canot** désigne une embarcation légère. **Barque** se dit de tout bateau, ponté ou non. **Chaloupe** est le nom donné à l'embarcation à voile, à rames ou à vapeur, pontée ou non, plus grande que les canots, dont on se sert dans les ports, les rades, ou bien que les navires embarquent pour le service du bâtiment. **Rafiot** (ou RAFIAU), proprement petite embarcation de la Méditerranée, très courte, portant une voile à antenne et un foc, mais marchant aussi à l'aviron, ou bien encore nom donné par les marins du Nord au plus léger de leurs canots, s'emploie parfois dans le lang. cour., familièrement et en mauv. part, pour désigner une embarcation quelconque, médiocre et de peu de valeur. **Bachot** s'applique, dans le lang. pop., aux petits bateaux de transports sur les rivières. **Esquif,** syn. de *canot,* est du style relevé. **Nacelle,** qui se disait autref. d'une petite embarcation sans mât ni voile, ne s'emploie plus guère que dans le lang. poét. **Nef** n'est d'usage qu'en poésie ou pour désigner un navire du Moyen Age. (V. BATEAU.)

embarquer. V. EMPORTER.

embarras désigne l'état d'une personne qui ne sait ce qu'elle doit faire ou ce qu'elle doit dire; c'est un trouble qui se manifeste extérieurement, et que les circonstances peuvent faire éprouver même à ceux qui ne manquent pas ordinairement de hardiesse. **Timidité** se dit de la crainte naturelle, mais pas toujours apparente, de dire ou de faire quelque chose de mal; il suppose réserve excessive, défiance de soi : *L'embarras est passager, la timidité est permanente.*

V. aussi DIFFICULTÉ.

embarrassé se dit de celui qui, pour une raison ou une autre, est troublé dans sa contenance, son discours. **Gêné** s'applique généralement à celui qui est embarrassé parce qu'il craint de déplaire. **Confus** emporte une certaine idée d'humiliation; il se dit de celui qui est embarrassé soit à la suite d'une faute commise, soit seulement par modestie. **Honteux** implique le plus souvent de l'embarras éprouvé devant des personnes pour lesquelles on a beaucoup de vénération et de respect. **Quinaud** se dit bien en parlant de celui qui est confus d'avoir eu le dessous dans quelque affaire; il est assez vieilli et ne s'emploie plus guère que dans le style familier. (V. CRAINTIF et DÉCONCERTÉ.)

embarrasser, c'est donner de l'irrésolution, jeter dans la perplexité. **Dérouter,** c'est, au propre comme au fig., faire perdre la voie : *On est embarrassé un moment, mais dérouté pour toujours ou tout au moins pour un assez long temps.* **Désorienter** enchérit sur *dérouter;* il implique un égarement complet. **Dépayser,** c'est être embarrassé par ce qui ne nous est pas habituel, ni même connu : *On est dépaysé dans certaines matières où l'on est incompétent.* **Emberlificoter,** syn. d'*embarrasser,* de *désorienter,* est familier. (V. DÉCONCERTÉ.)

V. aussi GÊNER.

embaucher. V. ENGAGER.

embaumer. V. PARFUMER.

embellir. V. ORNER.

embêtement. V. SOUCI.

embêter. V. ENNUYER.

emblème. V. SYMBOLE.

embouche. V. PÂTURAGE.

embouchure désigne l'ouverture par laquelle un cours d'eau se jette à la mer ou dans un autre cours d'eau. **Bouches** désigne une embouchure multiple. **Estuaire** ne se dit que du golfe formé par l'embouchure d'un fleuve : *L'estuaire de la Garonne se nomme Gironde.*

emboutir. V. HEURTER.

embranchement. V. FOURCHE et SUBDIVISION.

embrasement. V. INCENDIE.

embraser. V. ENFLAMMER.

embrasser est du lang. cour.; c'est donner un ou plusieurs baisers, souvent en serrant dans ses bras. **Baiser** est du lang. relevé; ce peut être simplement poser ses lèvres sur — et généralement une seule fois. **Accoler** (de *à* et *col*), c'est embrasser en mettant les bras autour du cou. **Baisoter,** c'est donner des baisers répétés. **Bécoter** est fam.; c'est donner un ou plusieurs baisers du bout des lèvres. **Biger** et **biser,** syn. d'*embrasser,* sont dialectaux. **Faire lambiche** est une expression propre au Marais vendéen; c'est embrasser à la maraîchine, c'est-à-dire sur la bouche et longuement, jusqu'à perte de respiration chez l'un des partenaires.

V. aussi CONTENIR, ÉPOUSER et SERRER.

embrocation. V. LINIMENT.

embrouillé. V. OBSCUR.

embrouillement. V. DÉSORDRE.

embrouiller. V. BROUILLER.

embryon est un terme de biologie désignant l'œuf à partir du moment où il commence sa segmentation jusqu'au moment où il se dégage des enveloppes vitellines. **Fœtus** se dit d'un état de développement de la vie intra-utérine plus avancé : *Le fœtus est l'enfant ou le petit animal déjà formé et présentant dans son petit corps toutes les parties principales qui le caractérisent.* **Avorton** est plus partic.; il se dit du fœtus sorti avant terme du ventre de la mère, mais déjà viable.

embu. V. TERNE.

embûche. V. PIÈGE.

embuscade. V. PIÈGE.

éméché. V. IVRE.

émerger. V. SORTIR.

émérite. V. ADROIT.

émerveiller est dominé à la fois par l'idée d'étonnement et celle d'admiration : *Mozart, enfant, émerveilla ses auditeurs par sa virtuosité précoce.* **Eblouir** emporte surtout une idée de surprise, laquelle est causée à l'esprit par quelque chose de brillant, de séduisant : *La fortune et les honneurs éblouissent les ambitieux.* **Fasciner,** c'est émerveiller, éblouir, le plus souvent en faisant illusion : *Un homme adroit peut fasciner les yeux des simples, a dit Jean-Jacques Rousseau.* **Egnafer** est un synonyme populaire d'*émerveiller.* (V. ÉTONNANT.)

émétique. V. VOMITIF.

émettre. V. ÉNONCER.

émeute se dit d'un rassemblement tumultueux, rarement prémédité, par lequel une partie du peuple, généralement sans armes, témoigne son mécontentement passager. **Sédition** suppose une certaine préméditation et des meneurs; il implique un mot d'ordre qui fait prendre les armes pour soutenir un parti organisé depuis longtemps. **Mutinerie** se dit d'une petite sédition de gens plutôt aigris que mécontents. **Troubles,** au plur., implique un mécontentement qui éclate en menaces, les partis se provoquant ouvertement, cependant que l'autorité publique apparaît comme sans pouvoir. **Agitation** dit moins; il suppose surtout inquiétude et crainte, lesquelles suscitent un mécontentement général et des mouvements de foule divers. **Coup de chien** s'emploie parfois familièrement dans le sens d'*émeute,* de mouvement séditieux. **Pogrom** (ou POGROME) [mot russe signifiant *émeute,* dévastation] est plus partic.; nom donné, en Russie, aux mouvements populaires, plus ou moins spontanés, dirigés autrefois contre les juifs, et accompagnés le plus souvent de pillage et de massacres, se dit encore auj. de toute émeute sanglante dirigée contre les juifs, quel que soit le pays où celle-ci a lieu. **Emotion** syn. d'*émeute* est vieux. (V. COUP D'ETAT et RÉVOLTE.)

émigration est un terme général; il désigne l'action de quitter son pays ou sa demeure pour aller s'établir dans un autre lieu : *Emigration s'entend par rapport au lieu que l'on quitte.* **Migration** se dit du déplacement en masse d'un peuple ou d'une fraction de peuple qui change de pays : *Migration s'entend surtout par rapport au déplacement considéré en lui-même.* (A noter que l'on emploie aussi souvent ce terme pour désigner le déplacement de certains animaux qui changent de climat selon les saisons, ou par suite de quelque autre circonstance.) **Immigration** désigne l'action de venir se fixer dans un pays étranger : *Immigration s'entend par rapport au pays où l'on va.* **Exode** ne se dit que d'une grande émigration de peuple : *Moïse conduisit l'exode des Hébreux.*

éminence. V. COLLINE.

éminent. V. DISTINGUÉ.

émissaire. V. MESSAGER.

emmener. V. AMENER.

emmitonner. V. CIRCONVENIR et ENVELOPPER.

emmitoufler. V. DÉGUISER et ENVELOPPER.

émoi. V. ÉMOTION.

émolument. V. GAIN.

Emoluments. V. RÉTRIBUTION.

émonctoire. V. EXUTOIRE.

émonder. V. ÉLAGUER.

émotion se dit de tout mouvement de l'âme qui fait sortir de la quiétude, mais qui ne va pas jusqu'au trouble. **Emoi** désigne l'état même de l'âme qui se sent émue : *Avec de la fermeté, on parvient à cacher son émoi; l'émotion n'échappe qu'à un observateur superficiel ou peu pénétrant.* **Saisissement** se dit figurément d'une émotion vive et soudaine; il suppose alors une impression tellement violente qu'elle interdit toute réaction et qu'alors on reste coi. **Trouble** se dit d'une émotion vive et violente, qui met hors de soi-même; il implique une altération de la tranquillité de l'âme généralement apparente : *Le plus souvent le trouble de l'esprit se remarque sur le visage.* **Désarroi,** qui ne s'emploie guère auj. que dans ce sens figuré et au singulier, suppose un trouble profond causé par les embarras ou les soucis que provoque un événement désagréable ou imprévu. **Agitation** implique extériorisation du trouble de l'âme. **Bouleversement** est plus partic.; il se dit seulement de l'altération des traits du visage produite par une vive émotion.

Affolement enchérit sur ces termes; il suppose un trouble tel qu'on semble visiblement n'être plus en possession de sa raison. (V. ANGOISSE, CRAINTE, ÉPOUVANTE, TRANSPORT et VERTIGE.)

émotionner. V. ÉMOUVOIR.

émotivité. V. SENSIBILITÉ.

émoudre. V. AFFILER.

émoussé se dit de ce qui a été rendu moins tranchant ou moins aigu. **Epointé** implique un objet ayant une pointe, laquelle est cassée ou usée. **Obtus** est un terme didactique qui s'applique à ce qui est arrondi, émoussé : *Rasoir émoussé; Aiguille épointée; Plantes aux feuilles obtuses.*

émoustiller. V. EXCITER.

émouvant se dit de ce qui cause du trouble dans l'âme, de ce qui y excite quelque mouvement, quelque passion. **Touchant** s'emploie surtout en parlant d'émotions douces et attendrissantes. **Pathétique** enchérit sur *émouvant;* il s'applique à ce qui émeut fortement les passions, à ce qui touche le cœur, et suscite souvent les larmes. **Dramatique** se dit de ce qui est propre à exciter une émotion profonde, généralement en inspirant la pitié. **Tragique** enchérit sur *dramatique;* il suppose une émotion poussée jusqu'à l'angoisse, voire l'effroi.

émouvoir suppose une agitation de l'âme qui fait que l'on est poussé en dehors de son calme ordinaire. **Attendrir,** c'est émouvoir de compassion, de tendresse, en excitant la sensibilité. **Toucher** dit moins; il implique une simple impression de l'âme qui est attirée, excitée par des sentiments doux et paisibles. **Remuer** ajoute à l'idée d'*émouvoir* celle d'un effort plus grand, d'une résistance plus difficile à vaincre, à moins qu'il ne marque une émotion dont on s'étonne, qui se produit dans des circonstances tout à fait inattendues. **Impressionner** suppose une émotion plus durable, souvent même ineffaçable. **Empoigner,** c'est émouvoir très fortement, au point d'oublier tout ce qui nous entoure. **Bouleverser** implique une émotion extraordinaire et pénible qu'on ne peut dissimuler. **Retourner** et **révolutionner,** syn. de *bouleverser,* sont familiers. **Déchirer** emporte l'idée d'une émotion profonde, qui touche cruellement. **Emotionner,** mot abusivement formé du substantif *émotion,* est un syn. inutile d'*émouvoir,* avec lequel il fait double emploi, à moins qu'on ne le réserve plus spécialement à une émotion d'ordre surtout physique : *On est ému par la mort d'un ami, et émotionné par un accident.* (V. APITOYER [s'] et ATTRISTER.) V. aussi MOUVOIR.

emparer (s'). V. APPROPRIER (S') et PRENDRE.

empaumer. V. CONQUÉRIR et TROMPER.

empêchement suppose une résistance; il se dit de ce qui, dépendant généralement d'une loi ou d'une force supérieure, s'oppose à l'exécution de nos volontés et gêne notre liberté d'agir. **Entrave** se dit d'empêchements dus à un assujettissement qui arrête ou tout au moins retient. **Obstacle** implique presque toujours un arrêt; il désigne une chose étrangère qui barre notre chemin. **Barrière** suppose un obstacle élevé et infranchissable, qui non seulement provoque un arrêt, mais encore une séparation. **Ecueil** désigne tout obstacle que l'homme rencontre dans la vie et contre lequel sa raison peut échouer, sa vertu, son honneur, sa réputation, etc., se briser. **Traverse,** qui est peu usité, s'applique plutôt à un obstacle qui souvent conduit à l'échec. **Digue** s'emploie parfois figurément pour désigner l'obstacle qu'on oppose à ce qu'on juge excessif, nuisible, dangereux. (V. COMPLICATION, DIFFICULTÉ et RÉSISTANCE.)

empereur. V. MONARQUE.

empester. V. PUER.

emphatique. V. AMPOULÉ.

empiéter. V. USURPER.

empiffrer (s'). V. MANGER.

empiler. V. ENTASSER et VOLER.

empire. V. AUTORITÉ.

empirique. V. MÉDECIN.

emplette. V. ACHAT.

emplette (faire). V. ACHETER.

emplir exprime l'action de mettre une chose dans un espace propre à la contenir, de manière que sa capacité, généralement pas très grande, en soit entièrement occupée; il se dit proprement des vases, des récipients, des choses destinées à contenir certaines matières. **Remplir,** c'est emplir de nouveau, rendre tout à fait plein ce qui l'était déjà en partie. (A noter qu'on emploie aussi *remplir* quand on dit plus pour faire entendre moins : *On remplit une cour de paille quand on y met beaucoup de paille, sans qu'il y ait réellement plénitude.*) **Garnir** suppose généralement que l'on complète une chose en y mettant seulement ce qu'elle est destinée à contenir : *Le boulanger garnit son four du bois nécessaire pour la fournée; On garnit une bibliothèque de livres.* **Bourrer,** c'est remplir complètement, parfois en forçant : *On bourre une cheminée de bois, une armoire de linge.* **Combler,** c'est remplir une mesure, un vase, jusqu'à par-dessus les bords : *On comble un boisseau.* **Bonder,** proprem. remplir un tonneau, etc., jusqu'à la bonde, s'emploie aussi, par ext., dans le sens plus général de remplir autant qu'il est possible : *Bonder une valise; Navire bondé de marchandises.* **Truffer,** proprement garnir de « truffes », s'emploie parfois aussi populairement comme syn. de *garnir,* de *bourrer.*

emploi s'applique à l'utilisation de l'activité d'une personne et suppose généralement la subordination. **Fonction,** comme **attribution,** a un sens plus partic. et plus relevé qu'*emploi;* il s'emploie surtout au plur. et s'applique souvent d'une manière partielle à quelques-unes des occupations que l'emploi comporte, et fait toujours songer alors à l'activité qu'on y déploie. **Place** désigne figurément l'emploi que l'on occupe dans une entreprise, par rapport aux autres personnes employées. **Poste** fait penser à la fois à la situation que représente l'emploi et au lieu où celui-ci est exercé, sans toujours forcément impliquer une idée d'activité; il convient bien en parlant surtout d'une place importante, élevée, qui est généralement confiée eu égard à de grands mérites. **Charge** se dit d'une fonction publique comportant une certaine dignité et des responsabilités. **Office** désigne l'emploi, la fonction que l'on doit occuper; il est aussi un syn. moins usité de *charge.* **Ministère** s'applique proprement à une charge assumée volontairement pour le service de quelqu'un. **Sinécure** (du lat. *sine,* sans, et *cura,* souci) est très partic. et souvent employé péjorativement; il se dit seulement d'une place ou d'une fonction qui, tout en produisant des émoluments, n'oblige à aucun travail ou tout au plus à un travail insignifiant. (V. ÉTAT et PROFESSION.)

employé désigne tout auxiliaire du commerce ou de l'industrie qui, bien que placé par son contrat sous la dépendance d'un patron, est préposé à des travaux présentant un caractère d'ordre plutôt intellectuel que matériel. **Agent** est un terme plus relevé; il se dit de celui qui fait les affaires d'une personne, d'une société, de l'Etat, et est souvent suivi d'un qualificatif. **Commis,** qui désigne au propre celui qui est « commis » par quelque autre à un emploi dont il doit rendre compte, s'emploie parfois auj. aussi comme syn. d'*employé,* principalement dans une administration, une banque ou une maison de commerce. **Fonctionnaire** est plus partic.; il ne se dit que d'un employé au service de l'autorité publique. **Préposé** est le nom que l'on donne à l'employé, au fonctionnaire chargé d'un service déterminé (douane, octroi, poste restante, par ex.) dont il a la responsabilité. (V. BUREAUCRATE.)

employer. V. OCCUPER et USER.

empoigner. V. ÉMOUVOIR et PRENDRE.

empoisonner, c'est introduire un poison dans l'organisme ou dans une substance susceptible d'être absorbée par les hommes ou les animaux. **Intoxiquer** est un terme de médecine, syn. exact d'*empoisonner.* **Envenimer,** c'est provoquer une altération qui excite, qui irrite, au moyen d'un venin, d'un irritant, d'un germe pathogène. **Infecter,** c'est introduire un germe qui provoque une altération, une décomposition. — Au fig., *La calomnie empoisonne les relations, la médisance les envenime; Les fausses doctrines infectent les ignorants.*

V. aussi ENNUYER, PUER et TUER.

emporté désigne celui qui se fâche aisément et est prompt à dire des injures, mais s'en tient généralement aux discours. **Violent** implique une action; il s'applique à celui qui est prompt à lever la main et qui frappe aussitôt qu'il menace : *Il ne faut souvent que de la patience avec une personne emportée, alors qu'on doit toujours se tenir sur ses gardes avec une personne violente.* (V. FOUGUEUX.)

emportement. V. FOUGUE et FUREUR.

emporter, c'est porter hors d'un lieu, enlever et s'en aller avec. **Entraîner,** c'est emporter rapidement; il suppose souvent une certaine résistance et implique parfois l'idée de quelque chose qu'on tire après soi. **Embarquer,** mettre dans une barque, un navire, s'emploie parfois aussi figurément et familièrement dans le sens d'*emporter.* (V. CHARRIER, ENLEVER et TRAÎNER.)

emporter sur (l'). V. PRÉVALOIR.

empreindre. V. IMPRIMER.

empreinte. V. TRACE.

empressé. V. COMPLAISANT.

empressement. V. ÉLAN.

empresser (s'), c'est se hâter avec zèle. **S'affairer** est un néologisme; c'est s'empresser avec un zèle affecté ou trépidant. **Se mettre en quatre** est familier; c'est s'empresser de satisfaire quelqu'un, en employant pour cela tout son pouvoir. **Se démener** est un syn. familier de *s'affairer.* (V. ACCÉLÉRER.)

emprise. V. INFLUENCE.

emprisonnement désigne l'action ou le fait d'être mis en prison aussi bien que l'état. **Prison,** dans ce sens, ne se dit que de l'état et implique toujours une peine. **Incarcération** est plutôt un terme de jurisprudence. **Détention** suppose généralement une précaution, ou à la fois une peine et une précaution; il convient parfaitement à l'emprisonnement qui suit l'arrestation et précède le jugement. **Réclusion** est plus particulier; il implique une peine criminelle, de droit commun, principale, afflictive et infamante, qui consiste dans une privation de liberté avec assujettissement au travail. **Taule** (ou TÔLE), syn. de *prison,* est argotique.

emprisonner, c'est mettre en « prison », et, par ext., retenir comme dans une prison. **Incarcérer,** c'est seulement mettre en prison, au cachot, surtout dans le langage judiciaire. **Ecrouer,** c'est emprisonner, après avoir inscrit sur le registre des « écrous » au vu du titre légal justifiant de la détention. **Coffrer** et **boucler** sont familiers; **mettre à l'ombre, en tôle** est populaire. (V. ENFERMER.)

empyrée. V. CIEL.

ému suppose un mouvement isolé de l'âme, tel que la colère, la joie, etc. **Agité** implique une succession, une variété de sentiments différents et quelquefois contraires; il exprime l'idée d'incertitude, de déchirement. **Troublé** est surtout dominé par l'idée du désordre que l'émotion ou l'agitation apporte dans nos facultés. **Pantelant,** employé figurément, enchérit sur ces termes; il suppose une très vive émotion, un grand trouble.

émulateur. V. ÉMULE.

émulation. V. ÉLAN.

émule se dit de celui que l'on regarde comme étant d'un mérite égal à quelqu'un pris comme modèle, en quelque art, en quelque profession; il convient dans tout genre de travail, de concurrence. **Emulateur** désigne celui qui veut seulement suivre de près ou arriver à égaler son modèle; il ne s'emploie que pour les choses d'un ordre élevé : *L'émule peut surpasser ses émules; avec des efforts et de la persévérance, l'émulateur peut parvenir à être l'émule de celui qu'il a pris pour type.* (V. RIVAL.)

enamourer (s'). V. AMOURACHER (S').

encadrement. V. CADRE.

encaisser. V. TOUCHER.

encan. V. ENCHÈRE.

encarter. V. INTRODUIRE.

en-cas. V. PARAPLUIE et PARASOL.

enceindre. V. ENTOURER.

enceinte. V. REMPART.

encenser. V. FLATTER.

encéphale. V. CERVEAU.

enchaîner. V. ATTACHER.

enchantement. V. CHARME.

enchanter. V. CHARMER.

enchanteur. V. CHARMANT.

enchère désigne l'offre d'un prix supérieur à la mise à prix, ou au prix qu'un autre a déjà offert, en parlant des choses qui se vendent ou s'afferment au plus offrant. **Surenchère** se dit de l'enchère faite au-dessus d'une autre enchère. **Folle enchère** est un terme de procédure qui s'applique à une enchère faite témérairement et à laquelle l'enchérisseur ne peut satisfaire. **Licitation** est aussi un terme de droit; il se dit de la vente par enchères, faite au plus offrant et dernier enchérisseur, d'un bien qui appartient à plusieurs copropriétaires. **Criée** s'emploie pour désigner une vente publique aux enchères, de denrées aujourd'hui surtout. **Encan** (du lat. *in quantum,* à combien) ne s'applique guère qu'à une vente aux enchères publiques d'effets mobiliers.

enclaver, enclore. V. ENTOURER.

encoche. V. ENTAILLE.

encoignure. V. ANGLE.

encore. V. AUSSI.

encore que. V. QUOIQUE.

encourager, c'est applaudir, soutenir quelqu'un pour l'engager à continuer ou à faire une action quelconque, que celle-ci soit bonne ou mauvaise : *On encourage le lâche et le timide.* **Animer,** c'est augmenter l'énergie, la virtualité : *On anime celui qui n'a que de la froideur ou de l'indifférence.* **Enhardir,** c'est encourager à un point tel que l'on fait oser, que l'on donne de la « hardiesse » : *C'est enhardir et absoudre le crime que de condamner l'innocence, a dit Bossuet.* **Inciter,** c'est encourager quelqu'un à faire une chose, alors qu'il n'y était pas tout d'abord disposé : *On incite à la révolte.* **Solliciter** (lat. *sollicitare,* mettre en mouvement, pousser à), inciter quelqu'un d'une manière pressante, est moins usité. **Exhorter,** c'est encourager par de véhémentes paroles : *On exhorte quelqu'un à bien mourir.* **Porter à** et **pousser à** servent à caractériser l'effort employé pour communiquer une impulsion, le premier ayant souvent la signification de soulever, d'entraîner, le second celle d'inciter, d'agiter : *On pousse le peuple à se révolter; on le porte à s'insurger.* **Aiguillonner, piquer** et **stimuler** ont figurément le sens de blesser d'un trait acéré, pour forcer à agir, *aiguillonner* indiquant qu'on enfonce le trait à plusieurs reprises, et *piquer* marquant une blessure plus vive que *stimuler : On aiguillonne un homme lent et paresseux pour le forcer à agir; On pique la curiosité d'une femme pour augmenter le désir qu'elle a de connaître une chose; On stimule un enfant par des récompenses pour le faire avancer dans ses études.* (V. ENFLAMMER, ENTHOUSIASME et EXCITER.)

encourir. V. ATTIRER (S').

encrasser. V. SALIR.

encyclopédie. V. DICTIONNAIRE.

endémique. V. ÉPIDÉMIQUE.

endetter, c'est amener quelqu'un à un tel état de fortune que son passif dépasse son actif; terme très général, il convient aussi bien aux particuliers qu'aux collectivités, et peut s'employer même en parlant de petites dettes. **Obérer** est du langage relevé et s'applique surtout à un Etat, à une administration, ou tout au moins à un personnage de quelque importance; il ne suppose pas, comme c'est souvent le cas pour *endetter,* une dette, mais plusieurs dettes, un accablement de dettes.

endêver. V. RAGER.

endiablé. V. FOUGUEUX.

endiguer. V. ENRAYER.

endimancher. V. PARER.

endoctriner, c'est instruire quelqu'un, lui enseigner quelque science ou « doctrine »; il suppose une acceptation, un abandon complet de la part du néophyte. **Catéchiser** est familier au figuré et dit plutôt moins; c'est simplement donner à quelqu'un toutes les raisons qui peuvent le porter à croire, à faire quelque chose; il implique en outre plus d'effort, de persévérance, de la part de celui qui catéchise, que ne le fait *endoctriner.*

endolori s'applique plus particulièrement à ce qui ressent de la douleur, et **douloureux** à ce qui la cause.

endolorir. V. ATTRISTER.

endommager. V. DÉTÉRIORER.

endormi, pris dans un sens étendu, se dit de celui qui n'a ni activité, ni énergie, cela étant généralem. son état naturel. **Engourdi** dit moins; il suppose seulement un manque momentané d'activité. (V. APATHIE et MOU.)

endormir, c'est faire dormir, procurer le sommeil, de n'importe quelle façon que ce soit. **Hypnotiser** est beaucoup plus partic.; c'est provoquer chez une personne le sommeil dit hypnotique, c'est-à-dire artificiellement provoqué par des procédés surtout mécaniques, physiques ou psychiques, particulièrement la suggestion hypnotique.

V. aussi ENNUYER.

S'endormir. V. DORMIR.

endroit. V. LIEU.

endurant. V. PATIENT.

endurcir. V. DURCIR.

endurer. V. SOUFFRIR.

énergie implique une grande force naturelle et personnelle, dont la puissance et l'intensité sont durables. **Courage** s'applique surtout à l'énergie morale et implique grand mérite chez celui qui en est l'agent. **Cœur** ajoute toujours à l'idée d'*énergie* ou de *courage* celle de fierté d'âme : *On peut avoir de l'énergie ou montrer du courage dans le mal, on n'agit avec cœur que dans le bien.* **Fermeté** laisse entendre qu'on est difficile à ébranler, et cela naturellement et d'une façon généralement permanente. **Résolution** est plutôt dominé par l'idée de hardiesse et suppose quelque chose d'accidentel : *Avec de la fermeté, dit Lafaye, on reste le même, on résiste aux causes de changement; avec de la résolution, on ose, on se décide avec assurance.* **Volonté,** lorsqu'il désigne l'énergie, la faculté de l'âme qui veut, suppose un caractère ferme qui sait se faire écouter, obéir : *Une volonté inflexible surmonte tout, a dit Chateaubriand.* **Poigne,** syn. de *fermeté,* est familier; il suppose de la vigueur dans le caractère et les actes : *Un préfet de police doit avoir de la poigne.*

V. aussi FORCE.

énergumène. V. FURIEUX.

énerver, c'est mettre dans une agitation, une irritation nerveuse qui va en s'augmentant. **Impatienter** implique un sentiment d'irritation ou même d'inquiétude éprouvé soit dans la souffrance d'un mal, soit dans l'attente d'un bien. **Crisper** est familier; c'est impatienter fortement. **Agacer** dit moins; il suppose une irritation légère de toute l'économie animale, et, en particulier, des sens et de la locomotion. (V. IRRITER.)

V. aussi AFFAIBLIR.

enfant est un terme très général qui désigne tout garçon ou fille, depuis la naissance jusqu'à l'adolescence. **Bambin** désigne un petit enfant, avec une nuance de sympathie ou d'intérêt. **Petit** est familier et emporte souvent une idée de protection. **Chérubin** est le nom que l'on donne parfois, familièrement aussi, à un enfant joli et frais. **Gamin,** syn. d'*enfant* dans le langage ordin., se dit plus particulièrement d'un enfant oisif qui passe son temps à polissonner dans la rue. **Crapaud,** fam. et peu us., est péjoratif. **Marmot,** comme **marmouset** (moins us.), ne se dit que d'un enfant très jeune. **Gosse, grouillot, mignard** (ou **momignard**), **mioche, môme** et **morveux** désignent populairement de jeunes enfants, les deux derniers termes étant employés souvent péjorativement. **Drôle** est dialectal. **Gone,** syn. d'*enfant* dans le langage lyonnais, est un terme emprunté à l'argot des canuts. **Pitchoun,** *petit* en provençal, s'emploie parfois avec ce sens dans le langage familier courant et généralement plaisamment. **Loupiot,** syn. de *marmot,* est familier, et **moujingue** argotique. **Morpion,** comme **trousse-pet** (moins us.), est le nom que l'on donne parfois populairement et par mépris à un enfant. **Petit merdeux** et **merdaillon** sont des termes populaires grossiers qui s'appliquent à un enfant malpropre ou désagréable, importun. — **Marmaille,** qui est familier, est plus partic.; il implique une troupe, une bande d'enfants. (V. BÉBÉ, GALOPIN et GAMIN.)

V. aussi FILS.

Enfants. V. POSTÉRITÉ.

enfantement, terme général, n'indique que l'action de mettre un enfant au monde. **Accouchement,** terme médical, désigne non seulement l'enfantement, mais encore tout ce qui le précède ou le suit immédiatement. **Couche,** qui s'emploie souvent au plur., s'applique surtout à l'enfantement et à ses suites. **Parturition** est un terme d'obstétrique qui ne se dit que d'un accouchement naturel. **Délivrance,** terme de chir. qui désigne l'évacuation de l'arrière-faix, complément de l'accouchement, s'emploie aussi parfois comme syn. d'*enfantement.* **Gésine,** qui désigne l'état d'une femme en couches, est vieux.

enfanter. V. ACCOUCHER et CRÉER.

enfantillage se dit simplement d'une

manière d'agir qui conviendrait à un enfant, sans aucune idée de blâme ou de moquerie : *L'enfantillage fait sourire et on lui est indulgent.* **Puérilité** comporte quelque chose de péjoratif; il s'applique à une action d'enfant faite par quelqu'un qui devrait agir d'une manière plus raisonnable : *La puérilité, qui dénote une certaine impuissance intellectuelle et un grand manque de fond, ne mérite aucune attention.*

enfermer, c'est mettre dans un lieu, dans un endroit clos, simplement afin de ne pas laisser dehors. **Renfermer** suppose plus de précautions et convient parfaitement en parlant d'une action difficile. **Resserrer,** c'est enfermer de nouveau ou plus étroitement. **Séquestrer** est beaucoup plus partic.; il ne concerne que les personnes, lorsque celles-ci sont tenues illégalement enfermées. **Reclure** (qui n'est guère us. qu'à l'infinitif et aux temps formés du participe), c'est renfermer dans une clôture rigoureuse, où l'on n'a, en général, aucune communication avec l'extérieur. **Cloîtrer,** c'est proprem. enfermer dans un couvent, condamner à la vie du cloître, et, par ext., seulement aussi en parlant des personnes, tenir enfermé et généralement sans relation avec l'extérieur. **Claustrer,** syn. de *cloîtrer,* est du langage recherché ou littéraire. **Chambrer** dit moins; c'est simplement tenir enfermé dans une pièce, dans une « chambre », souvent dans l'intention d'amener à quelque chose la personne que l'on tient ainsi à l'écart. **Claquemurer,** c'est tenir étroitement enfermé entre quatre « murs » une ou plusieurs personnes. **Parquer,** terme d'économie rurale qui signifie mettre dans un « parc », dans une enceinte de claies, s'emploie aussi figurém., dans le lang. cour., comme syn. de *claquemurer* et lorsqu'il s'agit de nombreuses personnes. **Verrouiller,** syn. d'*enfermer,* de *claquemurer,* s'emploie seulement en parlant de quelqu'un que l'on a enfermé à clef. **Calfeutrer,** employé dans le sens de tenir étroitement enfermé, est fam.; il n'emporte pas l'idée de réclusion ou de séquestration, mais plutôt au contraire celle de précautions prises pour préserver ce qui est « calfeutré ». (V. EMPRISONNER.)

Enfermer, c'est aussi, dans un sens plus restreint et en parlant d'un objet, simplement mettre sous clef. **Ranger,** c'est enfermer à sa place, dans ce sens limité. **Serrer** (du lat. *serra,* serrure mobile, cadenas), comme **renfermer** qui est plus du langage courant, emporte plus qu'*enfermer* l'idée de mettre une chose en lieu sûr, afin qu'elle ne soit ni volée, ni égarée, ni endommagée.

V. aussi ENTOURER.

enflammer, pris dans son sens fig., c'est remplir d'ardeur, de passion. **Electriser** est au fig. du langage ordinaire; c'est enflammer en remuant profondément et généralement en entraînant. **Echauffer,** c'est enflammer jusqu'à l'emportement. **Embraser** dit plus encore; c'est enflammer à l'extrême. **Galvaniser,** c'est enflammer momentanément un individu, une société, un groupe, leur donner, mais seulement pendant un certain temps, une animation factice. **Doper,** proprement administrer au moment d'une course un excitant à un cheval, pour lui donner momentanément une ardeur factice, s'emploie parfois aussi, figurément et familièrement, en parlant des personnes; c'est galvaniser par des moyens plus ou moins artificiels et toujours momentanés. (V. ENTHOUSIASME et EXCITER.)

enflé. V. AMPOULÉ et GONFLÉ

enfler. V. GROSSIR.

enfoncé. V. PROFOND.

enfoncement. V. TROU

enfoncer (s'). V. ABÎMER (s').

enfonçure. V. TROU.

enfouir. V. ENTERRER.

enfreindre. V. DÉSOBÉIR.

enfuir (s'). V. FUIR.

engageant se dit de ce qui, par son charme ou sa séduction, fait venir à soi, puis retient. **Attirant** dit moins; il s'applique simplement à ce qui fait doucement venir à soi, et dénote l'impression du moment. **Insinuant,** dans ce sens, ne se dit que des personnes et emporte surtout l'idée d'adresse, de subtilité; il désigne celui qui sait adroitement faire goûter ou accepter ses pensées, ses désirs. (V. ATTRAYANT et SÉDUCTEUR.)

V. aussi AFFABLE.

engagement. V. ASSAUT.

engager, c'est mettre, lier quelqu'un à son service par un contrat déterminé, soit pour un temps, soit pour toujours. **Embaucher,** c'est engager des ouvriers. **Enrôler,** dans ce sens, concerne soit des hommes que l'on engage pour le service de l'armée de terre, de mer ou de l'air, soit, figurément et familièrement, des personnes que l'on affilie à un parti, à un groupement, à une société, etc. **Recruter,** syn. d'*enrôler,* a le plus souvent un sens d'obligation que n'a pas ce dernier. **Racoler** est familier et souvent péjoratif ; il fait généralement penser à un engagement ou à un enrôlement effectué par des moyens plus ou moins honnêtes.

V. aussi INVITER et OBLIGER.

S'engager. V. PROMETTRE.

engeance. V. RACE.

engendrer, c'est produire par voie de génération, en parlant de l'homme et, plus rarement, des animaux mâles; il est d'un style assez élevé et fait penser aussi bien au fait matériel de la procréation qu'aux qualités de l'être procréé. **Procréer** a le même sens qu'*engendrer,* mais exprime surtout le fait matériel de la procréation.

V. aussi CRÉER.

engin. V. MACHINE.

englober. V. CONTENIR.

engloutir. V. AVALER.

S'engloutir. V. ABÎMER (S').

engouement. V. ENTHOUSIASME.

engouer (s'), c'est concevoir pour un objet un goût tellement fort qu'on s'est détaché par là même d'autres objets d'une valeur au moins égale. **S'entêter,** qui signifie proprem. faire monter à la tête, c'est, au fig., faire qu'on s'attache à une personne ou à une chose jusqu'à l'entêtement. **S'enticher** présente l'engouement comme une faute, comme la marque d'un petit esprit. **S'infatuer** (du lat. *in,* dans, et *fatuus,* sot, fat) présente l'engouement comme poussé jusqu'à une espèce de folie mêlée de fatuité, d'orgueil. **Se coiffer** et **s'embéguiner,** syn. de *s'enticher,* sont familiers.

engourdi, qui se dit proprement de n'importe quelle partie du corps lorsque celle-ci est rendue presque inerte et insensible, de quelque façon que ce soit, a pour syn. **gourd** qui ne s'applique qu'aux mains ou aux doigts engourdis par le froid. (V. FROID et TRANSI.)

V. aussi ENDORMI.

engourdissement. V. ASSOUPISSEMENT et PARALYSIE.

enhardir. V. ENCOURAGER.

énigme désigne l'exposition, la description ou la définition d'une chose naturelle, en termes métaphoriques et souvent contradictoires, qui la déguisent et la rendent difficile à deviner. **Charade** se dit plus spécialement d'un jeu consistant en une espèce d'énigme qui donne à deviner un mot de plusieurs syllabes décomposé en parties dont chacune fait elle-même un mot ; il désigne aussi, par ext., une chose bizarre ou difficile à comprendre. **Logogriphe** est le nom donné à une sorte d'énigme en vers, dans laquelle on compose, avec les lettres d'un mot, divers autres mots qu'il faut deviner, aussi bien que le mot principal ; il se dit aussi, dans un sens plus étendu, d'une chose ou d'un discours inintelligible. (V. SECRET.)

enivrement. V. IVRESSE et VERTIGE.

enivrer (s'), c'est proprement boire suffisamment de vin, de liqueur spiritueuse, etc., au point d'avoir le cerveau troublé. **Boire** n'est syn. de *s'enivrer* que lorsqu'on l'emploie absolument : *Ceux qui boivent finissent mal.* **Se soûler** dit beaucoup plus; il implique que l'on s'est gorgé de vin ou d'alcool. (A noter qu'au fig., ces termes ont deux acceptions différentes : *On s'enivre de gloire, quand on a l'esprit troublé, exalté par la passion de la gloire — et l'on se soûle, quand on en est saturé, rassasié.*) **Se griser,** par contre, dit moins que *s'enivrer;* c'est simplement se rendre à moitié ivre. **Se coiffer** et **se piquer le nez,** d'une part, **se cuiter** et **se pocharder,** d'autre part, sont respectivement des syn. populaires de *s'enivrer* et de *se soûler.* **S'arsouiller,** syn. de *s'enivrer,* est dialectal, et **prendre une pistache** une expression d'argot. (V. BOIRE.)

enjôler. V. TROMPER.

enjoliver. V. ORNER.

enjoué. V. GAI.

enlacer. V. SERRER.

enlèvement est un terme très général ; il désigne l'action de prendre par violence aussi bien que par séduction. **Rapt,** syn. d'*enlèvement,* est surtout un terme de jurisprudence et est alors relatif à la criminalité du fait. **Ravissement** emporte toujours l'idée de violence, et n'est guère usité qu'en parlant des « ravissements » d'Hélène, de Proserpine, d'Europe. (V. art. suiv.)

enlever, c'est prendre une personne ou une chose en lui faisant quitter la place qu'elle occupait. **Arracher,** c'est enlever avec force, et aussi par force, par suite de résistance. **Ravir,** c'est enlever rapidement, le plus souvent par surprise. **Rafler,** c'est ravir tout ce que l'on trouve sous la main. **Kidnapper** (de l'angl. *to kidnap,* enlever un enfant, une femme, un homme) s'emploie parfois aussi en France auj., avec le même sens, dans le langage populaire; il emporte souvent toutefois une nuance ironique. (V. APPROPRIER [S'], EMPORTER, ENLÈVEMENT et VOLER.)

V. aussi LEVER et ÔTER.

enluminure. V. MINIATURE.

ennemi, pris dans son sens le plus général, désigne toute personne qui tend à nous nuire, à nous perdre. **Adversaire** suppose plutôt une opposition due à des discussions d'intérêts, des divergences de vues, d'opinions. **Antagoniste** s'applique surtout à celui qui agit dans un sens opposé; il emporte l'idée d'une opposition sourde ou déclarée dont le but est de faire prévaloir ses prétentions, ses droits, ses opinions, ses sentiments. (V. RIVAL.)

V. aussi DÉFAVORABLE.

ennoblir. V. ANOBLIR.

ennui. V. SOUCI.

ennuyant s'applique à une action; il se dit de ce qui contrarie, de ce qui gêne actuellement, passagèrement. **Ennuyeux** indique une qualité inhérente au sujet dont on parle; il désigne ce qui ennuie toujours : *Un homme qui a toutes les qualités requises pour être agréable et qui l'est ordinairement, peut être parfois ennuyant; Un homme ennuyeux ne peut cesser de l'être.* **Fastidieux** s'applique à ce qui ennuie, rebute, dégoûte même, soit par l'uniformité ou la monotonie, soit par une durée excessive, soit encore par des répétitions trop fréquentes; il implique un ennui répété ou prolongé : *Il faut savoir éloigner les personnes fastidieuses; Une nourriture trop uniforme devient vite fastidieuse.* (V. art. suiv. et DÉSAGRÉABLE.)

ennuyer, c'est causer de la contrariété par quelque chose d'insignifiant, de monotone, de déplaisant ou de trop long. **Fatiguer,** c'est ennuyer à l'extrême, jusqu'à causer une sorte de malaise physique. **Endormir** s'emploie parfois, par exagération, pour exprimer un immense ennui qui va jusqu'à provoquer le sommeil. **Importuner,** c'est ennuyer surtout par ses assiduités, ses discours, ses questions; il suppose quelque chose qui ennuie, qui gêne par sa fréquence ou sa continuité. **Embêter,** c'est causer un fort, un gros ennui, importuner vivement. **Lasser,** c'est importuner jusqu'à ce qu'on ne puisse plus supporter. **Assommer, empoisonner, faire suer, tanner,** importuner sans répit, sont familiers. **Bassiner, canuler** et **cramponner,** ennuyer par des bavardages, des questions oiseuses ou indiscrètes, sont populaires. **Seriner,** ennuyer sans cesse quelqu'un par des discours importuns, est aussi populaire. **Raser** et **soûler** sont des syn. pop. et très péj. d'*importuner,* d'*assommer,* ainsi que **barber,** syn. d'*ennuyer.* **Enquiquiner** est un terme d'argot, euphémisme d'**emmerder** qui est trivial. (V. ENNUYANT et IRRITER.)

énoncé. V. ÉNONCIATION.

énoncer, c'est simplement rendre sa pensée par des paroles prononcées ou écrites, de manière que les autres la comprennent. **Dire,** qui est plus un terme du lang. cour., dit moins encore; c'est seulement s'efforcer de faire connaître quelque chose par la parole ou même par écrit. **Exprimer** signifie, au contraire, beaucoup plus; c'est non seulement dire et faire comprendre, mais encore faire sentir, en agissant par une sorte de pression sur l'imagination ou sur le cœur : *On énonce sa pensée en la présentant d'une manière intelligible; on l'exprime en la présentant d'une manière sensible.* **Emettre** est un syn. d'*énoncer* qui convient bien en parlant d'opinions et surtout de vœux; on dit aussi parfois, dans un sens très voisin, **former. Formuler,** c'est énoncer d'une façon précise et détaillée : *On émet ou l'on forme une* *objection lorsqu'on se contente simplement de la faire connaître; on la formule quand on l'accompagne de développements.* **Stipuler** est surtout un terme de jurisprudence; c'est énoncer, dans un contrat, dans un accord, des clauses, des conditions. **Exposer** dit plus; c'est énoncer avec l'intention de faire nettement connaître, de mettre complètement en évidence, en vue, comme le ferait un tableau : *On expose ses idées, des faits, des théories.* **Déduire,** dans ce sens, c'est exposer en détail avec logique : *Gibbon excelle, écrit Sainte-Beuve, à analyser et à déduire les parties compliquées de son sujet.* (V. ÉCLAIRCIR et EXPLIQUER.)

énonciation désigne l'action ou la manière de formuler sa pensée, considérée par rapport à celui qui énonce ou aux circonstances accessoires. **Enoncé** se dit purement et simplement de la chose énoncée, ou bien de la formule courte, précise qui l'énonce : *C'est le sens qu'on voit dans l'énoncé; c'est le plus ou moins de clarté, de longueur, d'habileté que l'on considère dans l'énonciation.*

énorme. V. DÉMESURÉ et ÉTONNANT.

enquérir (s'), c'est rechercher toutes les causes et toutes les circonstances de ce qui est, et dont on a déjà quelques notions : *Le journaliste s'enquiert des affaires publiques.* **S'informer** dit moins; c'est chercher à savoir ce qui est, mais qu'on ignore : *Le bon citoyen s'informe des affaires publiques.* **Se renseigner,** c'est être en quête d'indications, d'éclaircissements, sur quelqu'un ou quelque chose : *Les policiers se renseignent sur les agissements des individus suspects.* **Aller aux rencards** est une expression argotique syn. de *s'enquérir, se renseigner.* (V. RECHERCHER.)

enquête est le terme qui désigne, d'une façon générale, toute recherche entreprise pour savoir quelque chose par interrogation, audition de témoins, etc. **Instruction** est seulement, dans ce sens, un terme de droit; il s'applique non seulement à l'enquête qui permet d'élucider une cause, mais encore à toutes les formalités nécessaires pour mettre celle-ci en état d'être jugée. **Information,** par contre, dit moins; encore pris, dans certains textes juridiques, au sens ancien et étroit d'*enquête,* il est auj. communément employé, dans un sens plus large, pour désigner soit l'instruction préparatoire dans son ensemble, soit même les investigations préliminaires auxquelles peuvent procéder les officiers de police judiciaire avant que le juge d'instruction soit saisi. (V. RECHERCHE.)

enquêter. V. RECHERCHER.

enragé. V. FOUGUEUX.

enrager. V. RAGER.

enrayer, c'est, figurément, arrêter dans son cours ce qui suit une marche, un progrès rapide. **Etouffer,** c'est, figurément, enrayer en empêchant de se développer, de continuer à se produire, à se manifester. **Endiguer,** proprement contenir par des digues un fleuve, un torrent, s'emploie figurément dans le sens d'enrayer par des obstacles. **Neutraliser,** c'est enrayer, réduire l'action de quelque chose, en la rendant inopérante. **Réprimer,** c'est arrêter l'accomplissement, le progrès d'une chose généralement condamnable. **Refréner,** c'est réprimer en retenant. **Juguler,** c'est, en médecine, interrompre par une médication énergique, radicale, le progrès d'une maladie, et, au fig., dans le langage courant, étouffer en arrêtant dans la marche, *réprimer.* (V. ARRÊTER, GÊNER et MODÉRER.)

enroué. V. RAUQUE.

ensanglanté représente un objet comme couvert d'un sang qui a coulé d'ailleurs, sans rien spécifier quant à celui qui a été la cause de cette effusion : *Robe, terre ensanglantée.* **Sanglant** se dit de l'objet couvert du sang qu'il perd lui-même ou qu'il vient de faire couler par violence : *Victime, épée sanglante.* **Saignant** ne s'applique qu'à l'objet qui perd goutte à goutte son propre sang : *Plaie, bouche saignante.* **Sanguinolent** est un terme de médecine ou d'hist. naturelle; il ne se dit guère que des humeurs ou des matières mêlées de sang : *Crachats sanguinolents.*

enseignement est un terme très général qui désigne la transmission parlée ou écrite de connaissances possédées. **Doctrine** se dit d'un ensemble de dogmes ou de notions constituant l'enseignement religieux, philosophique ou politique, qui guide un homme dans l'interprétation des faits et dans la direction de sa conduite; il suppose un maître ayant des disciples et admet la possibilité de critiques. **Système** s'applique à l'enchaînement des idées qui composent une théorie, un enseignement, sans impliquer toutefois l'idée morale qui domine le mot *doctrine*. **Discipline** désigne parfois un ensemble de connaissances relatives à un enseignement particulier : *Zénon déclarait inutiles toutes les libérales disciplines, a noté Montaigne.*

V. aussi INSTRUCTION et LEÇON.

enseigner. V. APPRENDRE.

enseigneur. V. MAÎTRE.

ensemencement est un terme d'agriculture qui désigne toutes les opérations ayant pour but de semer en grand et en plein champ. **Semailles,** qui s'emploie surtout au pluriel, s'applique plus particulièrement aux ensemencements de céréales. **Semis** est plutôt un terme d'horticulture et convient mieux aux petites quantités de semence.

ensemencer. V. SEMER.

ensevelir. V. ENTERRER.

ensorcelant. V. CHARMANT.

ensorcellement. V. CHARME.

ensuite. V. PUIS.

ensuivre (s'). V. RÉSULTER.

entaille désigne une coupure avec enlèvement de parties dans une pièce de bois ou autre matière résistante, soit pour y emboîter une autre pièce, soit pour quelque autre objet. **Entaillure** est moins us. **Encoche,** ou **coche,** se dit d'une petite entaille. **Cran** s'applique à une petite entaille faite sur un corps dur pour en accrocher un autre. **Rainure** désigne une entaille longue, pratiquée dans une pièce pour recevoir une languette ou une partie saillante ménagée sur une autre pièce.

Entaille se dit aussi, par analogie avec le sens précédent, d'une incision profonde faite par un instrument tranchant dans des parties charnues ou osseuses du corps humain. **Estafilade** suppose une incision généralement peu profonde, mais assez longue, faite, principalement sur le visage, avec une épée, un rasoir, etc. **Taillade** ne s'applique qu'à une entaille faite dans la chair. **Scarification** est uniquement un terme de chirurgie; il se dit d'une incision superficielle faite à la peau pour procurer l'écoulement d'un peu de sang ou de sérosité. **Boutonnière** est aussi un terme chirurgical que l'on emploie en outre en escrime; il se dit d'une petite incision faite à la peau et qui donne étroitement accès au plan sousjacent. (V. CICATRICE.)

entamer. V. COMMENCER.

entasser, c'est, d'une façon générale, mettre plusieurs choses les unes sur les autres, en tas, avec ou sans ordre : *Entasser papiers sur papiers.* **Amasser** indique un effort : celui d'aller chercher de côté et d'autre ce qu'on veut réunir, et cela souvent dans une mesure raisonnable : *Amasser des matériaux pour une construction.* **Amonceler** implique un entassement pêle-mêle, un « monceau » : *Amonceler des gerbes.* **Accumuler** (lat. *accumulare,* combler) marque un entassement lent, mais toujours croissant, qui tend à aller jusqu'au « comble » : *Accumuler trésors sur trésors.* **Empiler,** proprement mettre en pile, s'emploie aussi parfois, familièrement dans le sens d'*entasser, d'amonceler.*

entendement. V. CONCEPTION.

entendre, c'est être frappé des sons, en recevoir l'impression. **Ecouter,** c'est prêter l'oreille pour entendre les sons, prêter attention à ce qu'on nous dit : *Il arrive parfois que l'on écoute sans entendre, et souvent que l'on entende sans écouter.* **Ouïr** n'est plus usité qu'à l'infinitif, au part. passé et aux temps composés; il diffère d'*entendre* en ce qu'il marque une sensation plus confuse : *On a quelquefois ouï parler sans avoir entendu ce qui a été dit.*

V. aussi COMPRENDRE.

S'entendre, c'est préparer, arranger de concert avec quelqu'un, pour le bien et surtout pour le mal, un plan, un projet. **S'accorder** suppose une action tenant plus de la nature, des habitudes, que de l'intelligence; il convient bien en parlant de deux ou de plusieurs personnes que lient une communauté de voir, de sentir : *On s'entend pour duper un voisin; Deux scélérats ne s'accordent que pour faire le mal.* **Se concerter** est plus du langage recherché et suppose généralement un assez long échange de vues et des décisions sérieusement étudiées et discutées : *Généralement les faux témoins se concertent avant de déposer.*

S'entendre et **s'accorder,** lorsqu'ils s'appliquent à des personnes vivant en bonne intelligence, supposent aussi une action tenant surtout, pour le premier, de l'intelligence, et, pour le second, de la nature, du caractère : *Il faut mettre souvent du sien pour s'entendre avec quelqu'un, alors qu'on s'accorde naturellement par suite d'affinités communes.* **Sympathiser** implique essentiellement un penchant instinctif qui attire des personnes les unes vers les autres : *On sympathise généralement dès le premier entretien.* **Fraterniser** dit plus; non seulement il implique entente, accord entre personnes de situation ou de milieux différents, mais encore il suppose un acte de concorde, d'union intime et fraternelle : *Soldats qui fraternisent avec le peuple révolté.* (V. COMPOSER.)

entendu. V. ADROIT.

entente. V. UNION.

enter. V. GREFFER.

entériner. V. SANCTIONNER.

enterrement, qui désigne proprement l'inhumation, la mise en terre, se dit aussi, par ext., de tout ce qu'on fait à l'occasion de cette inhumation, et il l'exprime de la manière la plus simple et la plus commune. **Convoi,** qui s'applique proprem. au transport d'un défunt de la maison mortuaire à l'église ou au cimetière, désigne aussi la réunion des personnes qui forment cortège à sa dépouille. **Funérailles** est le nom que l'on donne à l'ensemble des cérémonies faites en l'honneur d'un mort, et annonce toujours quelque chose de magnifique, de pompeux. **Obsèques** suppose de moins grandioses cérémonies que *funérailles,* et les présente surtout comme des marques de déférence et de respect.

enterrer se dit simplement de l'acte matériel de déposer un corps mort dans la terre. **Inhumer** (du lat. *in,* dans, et *humus,* terre), bien qu'ayant étymologiquement le même sens qu'*enterrer* (de *en* et *terre*), est d'un emploi moins vulg. que ce dernier; il ne s'applique qu'aux hommes et éveille l'idée d'une cérémonie plus ou moins pompeuse : *Un assassin enterre le cadavre de sa victime; les ministres de la religion inhument les fidèles.* **Ensevelir,** qui signifie proprem. envelopper d'un linceul, en parlant d'un mort, s'emploie parfois comme syn. d'*enterrer* dans le style relevé : *Il arrive que des armées concluent un armistice pour ensevelir leurs morts.* **Enfouir** se dit surtout des choses, lorsqu'on met celles-ci en terre, dans un trou creusé à cet effet, et qu'on les recouvre une fois enterrées; il est souvent dominé par l'idée de cachette : *On enfouit un trésor, de l'argent.*

entêté. V. TÊTU.

entêter (s'). V. ENGOUER (s').

enthousiasme se prend généralement en bonne part; il exprime l'état d'une âme ardente qu'un zèle extraordinaire transporte et inspire. **Admiration** se dit de l'enthousiasme provoqué surtout par le beau ou le bien. **Lyrisme** se dit d'un enthousiasme qui rappelle celui des poètes et se manifeste uniquement par la recherche des expressions, par un langage passionné inspiré par les sentiments personnels. **Engouement** désigne le plus souvent un mouvement d'enthousiasme exagéré et passager. **Emballement** est un syn. fam. d'*engouement.* **Exaltation** suppose un enthousiasme excessif et souvent factice, qui approche de la folie et pousse à des actes que la froide raison désavoue. (V. ENFLAMMER, EXCITER et TRANSPORT.)

enthousiaste implique une chaleur, une ardeur mue par une admiration vive et poussée à un haut degré. **Fervent** suppose une ardeur, un sentiment vif et affectueux qu'anime une foi quelconque. **Passionné** emporte l'idée d'une forte prévention, d'une chaleur immodérée pour ou contre une personne. **Zélé** implique un sentiment vif et affectueux qui porte à dire ou à faire tout ce qui peut intéresser une personne, ou tout ce qui peut être utile pour le maintien, l'avancement, la conservation ou la prospérité de quelque chose. **Zélateur** enchérit sur *zélé* et suppose un certain fanatisme. (V. CHAUD.)

enticher (s'). V. AMOURACHER (s') et ENGOUER (s').

entier présente l'objet en lui-même et le montre comme **intact,** c'est-à-dire comme n'ayant subi aucune perte, aucune atteinte : *Une entière confiance est celle que rien n'a jusqu'ici ébranlée.* **Complet** fait penser à des parties qui ont été ou qui ont pu être réunies l'une après l'autre, et il marque que toutes les parties nécessaires ont été réunies et subsistent ensemble : *Un habillement complet renferme tous les vêtements partiels nécessaires pour habiller.* **Total** se dit proprem. d'une chose qui en affecte une autre dans toutes ses parties, ou qui en comprend plusieurs autres sans en excepter une seule : *Une ruine totale est celle qui n'a épargné aucune partie de la fortune, qui ne laisse rien subsister.* **Intégral,** syn. d'*entier* et de *total,* est du langage relevé ou du langage technique; dans le premier cas, comme aussi quelquefois dans le langage courant, il semble enchérir sur ses synonymes. **Plénier,** syn. d'*entier,* de *complet,* n'est guère usité que dans les locutions : *Cour plénière* et *Indulgence plénière.*

V. aussi TÊTU.

entièrement. V. ABSOLUMENT.

entortillé. V. OBSCUR et TORDU.

entortiller. V. CONQUÉRIR et ENVELOPPER.

entour (à l'). V. AUTOUR.

entourage est un terme très général; il désigne toutes les personnes avec lesquelles on est en relation, de près ou de loin. **Entours** se dit de l'entourage le plus familier, parents ou amis intimes. **Cercle** est un syn. moderne d'*entourage.* **Milieu,** dans ce sens, désigne la société où nous vivons, et fait surtout penser à la classe sociale. **Compagnie** a un sens plus restreint; il se dit de la société d'une ou plusieurs personnes. (V. MONDE.)

entourer, c'est disposer autour, occuper l'espace qui est tout près de l'objet, en formant une sorte de dépendance extérieure et continue de cet objet. **Environner,** c'est aussi occuper l'espace tout autour, mais à une distance quelconque et avec une dépendance moins étroite. **Envelopper,** c'est entourer de toutes parts, en tous sens, réunir en paquet. **Ceindre** et **enceindre** expriment proprement l'idée de serrer comme une sorte de lien, en entourant l'objet dans une partie seulement de son étendue. **Enfermer,** c'est, dans ce sens, mettre autour un mur, une haie, un objet quelconque, qui ferme toute issue et empêche de sortir. **Renfermer,** c'est enfermer très étroitement ou enfermer ce qui résiste, ce qui veut être libre. **Clore** comme **enclore,** c'est placer tout autour quelque chose qui « clôt », donc qui ferme, pour empêcher de pénétrer à l'intérieur. **Enclaver,** c'est enclore une chose dans une autre, en parlant d'un morceau de terre, d'un héritage, d'un territoire. **Enclouer,** syn. d'*enclore,* est peu us. **Clôturer,** c'est entourer d'une « clôture », c'est-à-dire d'une enceinte de murs, de haies, etc., qui empêche d'entrer.

entours. V. ENTOURAGE.

entrailles. V. INTESTIN.

entrain suppose simplement du plaisir, de la bonne volonté pour agir. **Allant** ajoute à l'idée d'entrain celle d'initiative, d'activité. **Brio** suppose aisance, facilité. (V. ARDEUR, ÉLAN et FOUGUE.)

entraîner. V. EMPORTER, EXCITER, OCCASIONNER et TRAÎNER.

entrave. V. EMPÊCHEMENT.

entraver. V. GÊNER.

entrechat. V. CABRIOLE.

entrée. V. VESTIBULE.

entregent. V. ADRESSE.

entremetteuse est le nom donné d'une façon générale, et en mauv. part, à la femme qui facilite les intrigues galantes, cela par goût ou par intérêt. **Proxénète** convient bien en parlant d'une entremetteuse qui tire profit de son rôle d'intermédiaire; il suppose en outre l'encouragement à la débauche et la conclusion de marchés honteux entre les deux sexes. **Matrone** se dit parfois ironiquem. d'une proxénète qui tient une maison de prostitution, dont la surveillante est appelée populairement **sous-maîtresse. Maquerelle** est vulgaire; il se dit de l'entremetteuse qui fait métier de débaucher et de prostituer des femmes ou des filles, et qui vit de l'argent gagné par celles-ci. **Matrulle,** syn. d'*entremetteuse,* n'est guère usité, **procureuse** est populaire.

entremettre (s'). V. INTERVENIR.

entremise désigne l'action de celui

qui, possédant la confiance de deux personnes éloignées l'une de l'autre, propose ou fait réussir entre elles quelque affaire à leur satisfaction réciproque; il se dit aussi des choses : *On se sert de l'entremise d'un homme puissant; La peinture est l'art d'aller à l'âme par l'entremise des yeux.* **Intermédiaire** dit moins; il peut impliquer une action passive de la part de celui dont on se sert pour arriver à tel ou tel résultat : *Recevoir des nouvelles par l'intermédiaire d'un correspondant.* **Médiation,** par contre, enchérit sur *entremise;* ne convenant qu'aux personnes, il est surtout dominé par l'idée d'arbitrage et désigne l'action de celui qui travaille à rapprocher l'une de l'autre des personnes divisées par des prétentions, des passions ou des sentiments opposés : *Proposer sa médiation à deux parties en désaccord.* **Canal** s'emploie parfois figurément en parlant de l'entremise qu'offre une personne ou une chose pour obtenir une fin, pour arriver à un but : *Réussir dans une affaire par le canal d'un ami.*

entreprenant. V. HARDI.

entreprendre. V. COMMENCER et USURPER.

entrepreneur. V. ARCHITECTE.

entreprise. V. DESSEIN et ÉTABLISSEMENT.

entrer est un terme très général; c'est passer du dehors au dedans. **Pénétrer,** c'est entrer fort avant. **S'introduire,** c'est entrer subrepticement ou sans raison. (V. ABORDER et INSINUER [s']).

entresol désigne, dans une maison de rapport, un étage complet, généralem. bas de plafond, entre le rez-de-chaussée et le premier étage. **Mezzanine,** empr. à l'it., se dit parfois d'un petit étage entre deux grands; il s'applique le plus souvent toutefois à l'étage qui se trouve entre le rez-de-chaussée et le premier étage, c'est-à-dire l'entresol.

entretenir. V. CONSERVER.

S'entretenir. V. PARLER.

entretien. V. CONVERSATION.

entrevoir. V. VOIR.

énumération. V. DÉNOMBREMENT.

envahissement. V. INCURSION.

enveloppe est un terme très général qui désigne tout ce qui sert à couvrir quelque chose en l'entourant. **Etui** se dit d'une enveloppe en bois, en métal, en cuir, en carton, etc., destinée à contenir un objet et ayant à peu près la même forme que celui-ci. **Fourreau** désigne un étui allongé servant d'enveloppe à un objet. **Gaine** se dit d'un fourreau épousant la forme de l'objet qu'il renferme, et, plus spécialem., de l'étui d'un instrument aigu ou tranchant, ou d'une arme de petite dimension. **Housse** est plus particulier; il désigne une enveloppe, une couverture d'étoffe légère, servant à protéger, en entier ou en partie, des meubles surtout. (V. TROUSSE.)

envelopper, c'est mettre autour de quelque chose une étoffe, un papier, un linge, de manière à le couvrir, à l'entourer entièrement. **Emmitoufler,** c'est envelopper dans des vêtements chauds et moelleux : *On emmitoufle des enfants dans des lainages et des fourrures.* **Emmitonner** est un syn. fam. peu us. d'*emmitoufler : On emmitonne un convalescent dans sa robe de chambre et des couvertures.* **Entortiller** est plus partic.; c'est envelopper un objet dans quelque chose que l'on tord à plusieurs tours ou tordre à plusieurs tours quelque chose autour d'un objet; il implique aussi l'emploi de choses souples, comme le papier, la filasse, le ruban, etc., et suppose généralem. une action plus hâtive, moins soignée qu'*envelopper : On enveloppe un enfant dans un lange; On entortille une pièce de monnaie dans du papier.*

V. aussi ENTOURER.

envenimer. V. EMPOISONNER.

envers. V. REVERS.

envie désigne un sentiment obscur, lâche, haineux, causé par la seule vue du bonheur d'autrui, lors même qu'on n'aurait aucun espoir possible d'en jouir soi-même. **Jalousie** suppose un sentiment plus violent, plus extériorisé qu'*envie,* et implique surtout le désir de posséder soi-même et de posséder seul le bien dont les autres jouissent : *La jalousie est l'effet du sentiment de nos désavantages comparativement aux avantages qu'un autre possède; quand, à cette jalousie, il se joint de la haine, c'est l'envie.*

V. aussi DÉSIR.

envie de (avoir). V. CONVOITER.

environner. V. ENTOURER.

environs n. m. plur., sert à désigner des lieux circonvoisins, lesquels peuvent être étendus et avoir, de ce fait, des limites assez lointaines : *Les environs de Paris sont charmants.* (V. BANLIEUE.) [Ce terme s'employait autref. au sing. : *On tremble à l'environ* (*La Fontaine*).] **Alentours** est plus du langage recherché et s'applique mieux à des lieux circonvoisins assez proches : *Les alentours d'une ville.* **Abords,** syn. d'*alentours,* fait penser à l'accès, à l'entrée; il désigne des lieux circonvoisins très proches.

envisager. V. REGARDER.

envoi. V. DÉDICACE.

envol, envolée. V. ESSOR.

envoûtement. V. CONQUÉRIR.

envoyé est un terme général; il se dit de toute personne chargée par une autre d'une mission temporaire et limitée auprès d'un tiers. **Délégué** implique non seulement une mission préalablement fixée, mais encore un pouvoir déterminé pour examiner, juger, négocier, agir. **Représentant** enchérit sur *envoyé;* il se dit de celui qui en représente un autre, qui tient sa place, ayant reçu de lui des pouvoirs pour agir en son nom. **Député** désigne celui qui est envoyé par une nation, un corps, etc., pour remplir une mission particulière auprès de quelqu'un, soit seul, soit avec d'autres; il se dit aussi, plus spécialement, de celui qui est envoyé dans une assemblée élective pour prendre part aux délibérations et s'occuper des intérêts du pays. **Mandataire,** qui désigne d'une façon générale celui qui a mandat ou procuration pour agir au nom d'un autre, se dit plus particulièrement, en termes de politique, du délégué du peuple ou d'une classe de citoyens. **Parlementaire** est syn. de *député* dans son sens spécial. **Ambassadeur** est plus partic.; il désigne le représentant officiel d'un Etat près d'une puissance étrangère. (V. DIPLOMATE.)
V. aussi MESSAGER.

envoyer, c'est faire partir quelqu'un ou faire porter quelque chose. **Adresser,** c'est envoyer directement à quelque personne, en quelque lieu. **Expédier,** c'est envoyer, adresser généralem. au loin et par un moyen de transport; ce peut être aussi envoyer avec urgence. **Dépêcher,** c'est envoyer quelqu'un en hâte, avec des ordres, une commission. **Exporter** est très partic.; c'est seulement envoyer des produits nationaux à l'étranger. (V. APPORTER et PORTER.)
V. aussi DÉLÉGUER.

épais, qui est du langage usuel, marque le rapprochement des parties d'un corps comme empêchant la transparence ou ne laissant pas de vide sensible à la vue. **Dense** marque le rapprochement des parties d'où résulte ordinairement une pesanteur spécifique plus grande. **Compact** se dit des corps dont les parties se lient entre elles et ne peuvent être séparées sans de grands efforts. **Concret** est surtout un terme de chimie qui s'oppose à « fluide »; il désigne toute substance épaisse et solide. **Concréfié** est un syn. peu usité de *concret.* (V. CONCENTRÉ.)
V. aussi TOUFFU.

épanchement désigne proprement l'écoulement lent, peu abondant, comme celui qu'on obtient en penchant peu à peu un vase : *Une contusion détermine un épanchement.* **Effusion** implique un écoulement abondant, débordant : *Une large blessure donne lieu à une effusion de sang.* — Au fig., ÉPANCHEMENT suppose la confiance, l'abandon d'une âme qui communique ses pensées à une autre : *Un cœur sensible se plaît aux doux épanchements de l'amitié.* EFFUSION implique un sentiment de l'âme moins doux, moins calme surtout qu'*épanchement;* c'est l'éclat d'un cœur violemment ému qui s'ouvre et donne issue à des sentiments ardents et passionnés, longtemps contenus : *Un cœur trop plein cherche à se décharger par des effusions.*

épancher. V. CONFIER (SE).

épandre. V. VERSER.

épargne. V. ÉCONOMIE.

épargner. V. MÉNAGER.

éparpiller. V. DISPERSER.

épart. V. FOUDRE.

épatant. V. ÉTONNANT.

épaté. V. CAMUS et ÉBAHI.

épauler. V. AIDER et SOUTENIR.

épée est le nom donné à une arme offensive formée d'une longue lame aiguë en acier, quelquefois triangulaire et le plus souvent à deux tranchants, emmanchée dans une poignée munie d'une garde, et que l'on porte au côté, dans un fourreau. **Sabre** désigne une sorte d'épée recourbée qui ne tranche que d'un côté. **Fleuret** se dit d'une épée à lame quadrangulaire, fine et flexible, terminée par un bouton, dont on se sert pour les leçons d'escrime. **Glaive,** épée tranchante, est du style soutenu. **Branc** (ou BRAND), **braquemart, brette, carrelet, claymore, croisette, espadon, estoc, estocade, estramaçon, flamberge** et **rapière** sont les noms donnés, au cours des âges, à différentes sortes d'épées, cependant que **cimeterre** désigne un large sabre oriental dont la lame courbe va s'élargissant vers son extrémité (sabre appelé aussi **alfange** par les Maures et **palache** par les Turcs), et que **yatagan** se dit d'un sabre turc ou arabe servant à la fois d'arme de combat et d'exécution; quant à **briquet,** c'est le nom que l'on donnait autrefois à un sabre court porté par les fantassins. (V. POIGNARD.)

épeuré. V. ALARMÉ.

éphèbe. V. ADOLESCENT.

éphémère. V. PASSAGER.

éphéméride. V. ANNALES.

épice. V. ASSAISONNEMENT.

épidémique suppose une affection morbide qui frappe tout à coup un grand nombre d'individus d'une même localité, d'une même région, mais qui finit par s'éteindre. **Endémique** implique une maladie infectieuse ou non, spéciale à une région, et qui y règne presque constamment : *Les grandes maladies épidémiques de peste et de choléra qui, à certains moments, ont ravagé le monde, ne représentent que l'extension momentanée d'infections endémiques.* **Pandémique,** qui est très peu usité, ne s'applique guère qu'aux grandes infections : choléra, peste, grippe, etc. **Epizootique** ne se dit que d'une maladie épidémique atteignant les animaux.

épiderme. V. PEAU.

épier suppose des soupçons que l'on veut éclaircir; il est surtout dominé par l'idée d'observation secrète. **Espionner** est plus péj.; il implique toujours la suspicion jointe au désir de connaître ce qui est ou ce qui se passe. **Guetter,** c'est, dans ce sens, épier seulement pour connaître, mais encore dans le dessein de surprendre et de nuire. (V. REGARDER et SURVEILLER.)

épigramme. V. SATIRE.

épigraphe. V. INSCRIPTION.

épilogue. V. CONCLUSION.

épiloguer. V. CRITIQUER.

épine dorsale. V. COLONNE VERTÉBRALE.

épineux. V. DIFFICILE.

épique. V. ÉLEVÉ et RARE.

épisode. V. AVENTURE.

épitaphe. V. INSCRIPTION.

épithète. V. ADJECTIF.

épitomé. V. ABRÉGÉ.

épître. V. LETTRE.

épizootique. V. ÉPIDÉMIQUE.

éploré. V. ATTRISTER.

éplucher, c'est nettoyer en ôtant les parties inutiles (pelure, écorce, cosse, etc.) ou ce qu'il y a de mauvais, de gâté. **Ecosser,** c'est simplement dépouiller de sa cosse. **Décortiquer,** c'est dégarnir les tiges d'arbres de leur écorce, les fruits, les graines de leur enveloppe. **Peler,** c'est, d'une façon générale, ôter la surface des choses qui ont une sorte de peau : fruits, entre autres : *On épluche des pommes de terre; On écosse des pois; On décortique une noix; On pèle une pêche.*

épointé. V. ÉMOUSSÉ.

époque se dit, d'une façon générale, d'un point déterminé de temps, considéré par rapport à ce qui s'y passe, à ce qu'on y fait. **Moment** est plutôt du langage ordinaire dans ce sens. **Saison** convient bien en parlant d'une époque de l'année propre pour quelque chose. V. aussi ÈRE.

épousailles. V. MARIAGE.

épouser, pris dans son sens fig., c'est s'attacher volontairement, vivement à quelque chose; il suppose ardeur et passion : *On épouse les intérêts de quelqu'un dont on soutient sans cesse la cause.* **Embrasser** emporte plutôt l'idée d'un choix et suppose calme et discernement : *On embrasse le parti de quelqu'un dont on n'ignore aucune des raisons.*

époustouflant. V. ÉTONNANT.

épouvantable. V. EFFROYABLE.

épouvantail se dit de tout objet réel ou imaginé qui inspire de vaines terreurs. **Croque-mitaine,** qui désigne au propre un être fantastique et méchant dont on menace les enfants pour les effrayer, s'emploie aussi, par ext., comme syn. d'*épouvantail.* **Loup-garou** se dit d'une sorte de croque-mitaine, lutin ou sorcier qui, suivant les gens superstitieux, erre la nuit, transformé en loup, et dont on menace les enfants.

épouvante se dit d'une grande peur, profonde et soudaine, souvent ressentie par plusieurs personnes, qui les fait fuir tout éperdues, ne sachant où elles vont, et qui est toujours causée par quelque chose d'extraordinaire. **Frayeur** suppose une peur moins grande, plus passagère, qu'*épouvante,* laquelle fait simplement frissonner. **Effroi** implique un état de frayeur plus durable et toujours produit par un danger réel. **Terreur** emporte l'idée d'un grand effroi, né d'un danger présent, réel ou imaginaire, qui fait trembler. **Affolement** suppose une terreur irraisonnée qui nous fait agir comme le ferait un fou. **Panique** se dit d'un affolement soudain et sans fondement, généralement contagieux. **Horreur** implique une vive impression physique de répulsion, d'effroi, voire de souffrance, devant tel ou tel spectacle. (V. ANGOISSE, CRAINTE et ÉMOTION.)

épouvanté. V. ALARMÉ.

époux désigne l'homme conjoint par mariage, dans le style relevé, et a rapport aux liens d'affection, de caractère. (Dans le lang. ord., ce mot présente une idée d'emphase qui rend ridicule celui qui l'emploie.) **Mari** (ou FEMME, au fém.) est du style familier et concerne le lien légal ou l'union physique. **Conjoint** est un terme de droit qui s'applique à chacun des époux considéré par rapport à l'autre. **Seigneur et maître** se dit par plaisanterie d'un mari par rapport à sa femme. **Homme,** syn. de *mari,* est populaire. — **Compagne,** syn. d'*épouse,* est du style recherché. **Bourgeoise** est le nom que le mari donne parfois à sa femme, considérée comme la maîtresse de maison, dans les milieux populaires. **Ménagère,** syn. de *bourgeoise,* s'emploie plutôt par plaisanterie. **Moitié,** nom donné à la femme par rapport au mari, est très fam. **Légitime,** syn. de *mari* et surtout de *femme,* est populaire.

éprendre (s'). V. AIMER.

épreuve désigne l'action de soumettre une chose, une personne, à certaines vérifications, pour en apprécier la valeur; il a rapport à la qualité des choses, qu'il montre bonne ou mauvaise, et suppose un contrôle : *L'épreuve distingue le meilleur et enlève la crainte d'être trompé.* **Expérience,** considéré par rapport à *épreuve,* marque plus particulièrement une recherche de la vérité : *L'expérience nous apprend ce qui est et nous met parfois sur la voie des découvertes, tout en servant à nous rendre habiles.* **Essai** concerne la nature et les propriétés des choses, à l'usage desquelles il se rapporte : *L'essai nous apprend si les choses sont propres à l'usage auquel elles paraissent destinées.* **Test,** mot angl. signifiant *épreuve,* est un terme de psychologie expérimentale qui se dit d'une épreuve ou d'une série d'épreuves ayant pour but de déterminer soit le développement ou le niveau mental d'un individu, soit l'existence et le degré, chez un individu ou un groupe d'individus, d'une aptitude donnée. (V. EXAMEN.)
V. aussi MALHEUR.

épris (être). V. AIMER.

éprouver. V. RECEVOIR et SENTIR.

épuisé. V. LAS.
S'épuiser. V. FATIGUER (SE).

épuiser. V. AFFAIBLIR et TARIR.

épuration désigne l'action de purifier, d'assainir plus ou moins lentement ce qui est impur. **Epurement** s'applique à la qualité plus ou moins parfaite de ce qui a subi une épuration — et s'emploie surtout au fig. **Dépuration** suppose une épuration généralem. complète et définitive. **Purification** se dit de l'action qui rend à la chose sa pureté, son intégrité, sa vertu essentielle, qu'elle avait perdue par altération, mélange ou corruption. **Affinage** et **raffinage** sont surtout des termes techniques, le premier se disant surtout auj. des métaux, le second de diverses substances, comme le sucre, le pétrole, etc. (A noter qu'*affinage* s'appliquait autrefois aussi aux substances comme le sucre, cependant que *raffinage* se disait de l'action qui faisait subir aux choses plusieurs affinages successifs.) [V ASSAINISSEMENT.]

épurer, qui est un terme très général, suppose déjà une sorte de pureté, que l'on augmente par des raffinements, des purifications, des perfectionnements successifs. **Expurger** est plus partic.; c'est seulement épurer un livre, soit au point de vue de la décence, soit au point de vue de la religion.

V. aussi PURIFIER.

équarrir. V. DÉCOUPER.

équilibre se dit de l'état des corps maintenus en repos sous l'influence de plusieurs forces qui se contrebalancent exactement. **Aplomb,** qui désigne proprem. la direction perpendiculaire au plan de l'horizon, s'emploie aussi parfois comme synonyme d'*équilibre : L'aplomb est un équilibre vis-à-vis de la pesanteur.*

équilibrer, c'est, au propre comme au figuré, mettre, tenir en repos, sous l'influence de plusieurs forces qui se détruisent. **Contrebalancer,** c'est égaler, proprement en poids, et figurément en qualité, de manière à faire équilibre. **Pondérer,** syn. d'*équilibrer,* ne s'emploie qu'au figuré.

équipée, qui désignait autref. l'action de partir pour quelque aventure, avec son « équipage », ne se dit plus auj. que de l'entreprise téméraire d'une personne libre; il suppose soit une démarche irréfléchie, soit un dessein qui ne peut réussir ni être de durée. **Fredaine** se dit, familièrement et avec une nuance d'indulgence, d'un écart de conduite, d'une folie de jeunesse. **Frasque** est plus péjoratif; il implique un acte extravagant fait avec éclat et scandale. (V. ESCAPADE.)

équipement. V. BAGAGE.

équitable implique la vertu qui consiste à ne pas faire tort à autrui, parce que le sens moral le veut ainsi. **Juste** suppose surtout l'accomplissement des lois établies par la société : *L'homme équitable suit naturellement la direction de sa conscience, l'homme juste fonde son équité sur les lois et l'intérêt général.* **Impartial** implique l'absence de toute prévention, de tout parti pris. **Objectif,** qui s'oppose à « subjectif », suppose l'absence de toute préférence et une entière liberté de penser, une indépendance due à un complet détachement : *Il faut se placer en dehors des partis pour être impartial et au-dessus d'eux pour être objectif.* (V. DROITURE et LOYAL.)

équité. V. DROITURE.

équivalent. V. SEMBLABLE et SYNONYME.

équivaloir. V. ÉGALER.

équivoque. V. AMBIGU et SUSPECT.

éradication. V. ARRACHEMENT.

éraflure, éraillure. V. ÉCORCHURE.

ère se dit d'un point fixe et déterminé dans le temps; c'est une manière de supputer l'ordre des événements en prenant pour point de départ un événement quelconque, un fait vrai ou supposé. **Période** se dit couramment d'un espace de temps compris entre les deux dates de commencement et de fin d'un phénomène, d'une phase évolutive, d'une révolution. **Cycle** est syn. de *période* en termes de chronologie; il désigne une série d'un nombre déterminé d'années, après laquelle les phénomènes se reproduisent constamment dans le même ordre. **Epoque** désigne un temps déterminé dans l'histoire, qui est ordinairement marqué par quelque grand événement. (A noter que, dans le langage courant, *époque* se dit de toute partie de la durée, considérée par rapport à ce qui s'y passe, à ce qu'on y fait.) **Temps** s'emploie aussi, d'une façon plus vague, comme synonyme de ces termes.

éreinté. V. LAS.

éreinter. V. CRITIQUER et MÉDIRE.

S'éreinter. V. FATIGUER (SE).

ergot. V. ONGLE.

ergoter. V. CHICANER.

ériger. V. BÂTIR, ÉLEVER et ÉTABLIR.

ermite (de l'adj. grec *erêmos,* désert) se dit de celui qui vit dans la retraite la plus complète, la plus absolue, et s'applique souvent à un saint personnage se livrant à la prière et à la mortification dans un lieu désert. **Solitaire** (du lat. *solitarius,* seul, retiré) suppose un isolement moins complet qu'*ermite : Il suffit de voir peu le monde pour être un solitaire, mais il faut accepter de ne plus le voir pour être un ermite.* **Anachorète** (du verbe grec *anakhôrein,* se mettre à l'écart), qui désigne un religieux se retirant dans le désert pour se consacrer à la prière et à des exercices de pénitence, et s'oppose souvent à « cénobite », se dit aussi figurém. de celui qui vit retiré du monde pour se livrer à des méditations ou à des travaux.

érosion désigne l'action de ronger, d'entamer progressivement et superficiellement : *L'érosion agit par degrés et n'attaque qu'un côté, qu'une partie à la fois.* **Corrosion** dit plus ; il suppose que le corps atteint est rongé de tous les côtés : *La corrosion amène la destruction complète et prompte.*

érotique s'emploie le plus souvent aujourd'hui dans un sens défavorable pour désigner ce qui appartient, ce qui a rapport à l'amour. **Libidineux** est plus péj. encore et s'applique aussi bien à celui qui se livre aux plaisirs de la chair qu'à ce qui en marque le caractère. **Cochon,** syn. de *libidineux,* est pop. (V. LUXURIEUX, OBSCÈNE et VICIEUX.)

errant. V. VAGABOND.

errements. V. ERREUR et PROCÉDÉ.

errer, c'est aller sans savoir son chemin, mais en ayant généralement un but dont on s'écarte par ignorance. **Vaguer,** c'est aller sans savoir où et sans se soucier au reste du chemin que l'on suit, car on n'a le plus souvent alors aucun but : *On erre par ignorance, parce qu'on s'égare ou parce qu'on obéit à une force majeure; On vague par fantaisie.* **Divaguer,** c'est errer sans but, à l'aventure ; il est peu us. dans ce sens propre. **Vagabonder,** qui exprime l'habitude d'*errer,* suppose souvent l'impossibilité même d'avoir un but, parce qu'on est sans domicile, ou parce qu'on ne sait ni ce qu'on doit chercher, ni ce qu'on doit faire. **Rôder,** syn. d'*errer,* ne s'emploie qu'en mauv. part ; c'est errer généralement en épiant. **Tournoyer** s'emploie parfois dans le sens d'errer çà et là, sans toutefois s'éloigner beaucoup : *Retrouver son chemin après avoir longtemps tournoyé.* **Rôdailler,** rôder çà et là, comme **tournailler,** rôder autour, sont fam. ; **tourniquer** est pop. **Galvauder,** aussi pop. et péj., convient bien en parlant d'un propre à rien qui vagabonde et se conduit mal. **Trimarder,** vagabonder, aller à pied sur les routes (comme les chemineaux), est de l'argot (V. FLÂNER, MARCHER et TRAÎNER.)

V. aussi TROMPER (SE).

erreur, qui a un sens très général, peut se dire de toute circonstance où l'on prend le faux pour le vrai, le mauvais pour le bon. (A noter que c'est abusivement que l'on emploie souvent ERREMENTS comme syn. d'*erreur;* ce mot désigne simplement, en effet, la manière d'agir habituelle, en parlant d'affaires, le plus souvent — il est vrai — avec une nuance péjorative.) **Méprise** suppose que l'on prend une chose pour une autre, sans que l'on puisse généralem. vous en faire grief. **Bévue** implique, par contre, irréflexion, étourderie, souvent même bêtise. **Maldonne,** qui désigne proprement, dans une partie, l'erreur que commet celui qui ne distribue pas les cartes comme il se doit, se dit aussi, par ext. et figurément, dans le langage courant, d'une erreur volontaire ou involontaire. **Aberration** ne se dit que d'une erreur de jugement. **Blague,** syn. d'*erreur,* de *bévue,* est familier, ainsi que **gaffe** qui se dit d'une bévue grossière. **Boulette,** syn. de *gaffe,* est populaire. (V. MALENTENDU.)

V. aussi FAUTE.

ersatz. V. SUCCÉDANÉ.

éructation. V. RENVOI.

érudit. V. SAVANT.

érudition. V. SAVOIR.

éruption désigne l'action d'une force plus ou moins intense qui opère de l'intérieur vers les parties extérieures d'un corps quelconque. **Jaillissement** convient surtout aux fluides et désigne leur brusque sortie au dehors, le plus souvent naturelle.

esbroufant. V. ÉTONNANT.

escalader. V. MONTER.

escale. V. ÉTAPE.

escalier est un terme du lang. cour. qui désigne une suite de marches échelonnées, pour monter ou descendre. **Degré,** syn. d'*escalier,* ne s'applique qu'aux grands édifices, et convient bien pour désigner les marches qui, au dehors, permettent d'accéder à un temple, à un palais, etc. **Montée,** peu usité dans ce sens, désigne au contraire, le petit escalier d'une maison pauvre.

escamoter. V. DÉROBER.

escamoteur. V. PRESTIDIGITATEUR.

escapade, qui est dominé par l'idée de fuite, convient bien pour désigner l'action d'une personne dépendante qui manque un moment à son devoir pour aller se divertir, sans que cela soit généralement su. **Fugue** se dit d'une escapade de longue durée qu'on ne peut dissimuler : *L'enfant qui fait l'école buissonnière fait une escapade; celui qui quitte sa maison en quête d'aventures fait une fugue.* (V. ÉQUIPÉE.)

escargot est le nom vulgaire d'un mollusque gastéropode du genre **hélix,** nommé aussi **limaçon** et **colimaçon,** et dont certaines espèces sont comestibles. **Luma** et **cagouille** sont dialectaux.

escarmouche. V. ASSAUT.

escarpe. V. MEURTRIER.

escarpé ne se dit que d'un rocher, d'une montagne ou autre chose semblable qui a une pente très rapide; il représente la chose quant à sa forme et à son aspect, et s'emploie de préférence à l'égard de l'objet entier. **Abrupt** s'applique bien aux rochers et aux terrains escarpés, lesquels sont inégalement et bizarrement coupés, comme s'ils avaient été rompus. **Raide** (ou ROIDE, qui vieillit) indique seulement un escarpement, une pente rapide d'un moment, considéré surtout sous le point de vue de l'usage que nous en faisons. **A pic,** qui suppose quelque chose de perpendiculaire, enchérit sur *escarpé.*

escarpolette. V. BALANÇOIRE.

esche. V. APPÂT.

esclaffer (s'). V. RIRE.

esclandre. V. SCANDALE.

esclavage. V. SERVITUDE et SUBORDINATION.

esclave. V. PRISONNIER.

escobarderie. V. FAUSSETÉ.

escompter. V. ESPÉRER.

escorte. V. CORTÈGE.

escorter. V. SUIVRE.

escroc désigne celui qui, usant matériellement et moralement de manœuvres frauduleuses, parvient à s'emparer de ce qui ne lui appartient pas. **Filou** suppose de la subtilité et souvent un certain tour de main qui permet de subtiliser, de dépouiller avec adresse. **Fripon** est plutôt dominé par l'idée de fourberie, de mauvaise foi dans ses promesses ou ses affirmations; il implique tromperie sur la qualité ou la quantité des choses. **Larron** se dit de celui qui opère d'une façon sournoise, furtive, en cachette. **Aigrefin,** syn. d'*escroc,* s'emploie souvent dans le style ironique et burlesque. **Chevalier d'industrie** est fam., ainsi que **faiseur; faisan** est un terme d'argot. (V. INTRIGANT, MALFAITEUR, PIRATE et VOLEUR.)

escroquer. V. VOLER.

escroquerie. V. VOL.

ésotérique. V. CACHÉ.

espace, qui est absolu et dont l'acception abstraite est appliquée à l'étendue indéfinie, désigne dans le langage courant une étendue limitée et généralement superficielle, sans toutefois faire penser aux limites dans lesquelles cette étendue est contenue. **Intervalle** est relatif et se dit de l'espace qui est entre deux points déterminés : *Dans l'espace d'un jour, dit Lafaye, chaque heure est un intervalle qui nous paraît plus ou moins long suivant ce qui nous affecte dans le moment.* **Interstice** se dit soit d'un petit espace vide entre les parties d'un tout, soit d'un intervalle de temps : *Les interstices des muscles, des rochers; Garder des interstices entre les publications de mariage.*

espadrille. V. CHAUSSON.

espèce désigne la qualité des êtres ou des objets d'après leurs formes, leurs constitutions ou leurs propriétés. **Sorte** s'applique à la division de l'espèce marquée par quelque différence d'aspect, de taille, de qualité. **Genre** convient mieux à la division de l'espèce marquée par une différence de constitution. **Type** fait penser surtout à l'ensemble des traits généraux qui caractérisent un genre d'êtres ou de choses. **Manière** concerne plutôt un semblant, une apparence, une espèce qui en rappelle une autre. **Nature** est un syn. moins usité d'*espèce,* de *sorte,* en parlant des choses : *Objets de différentes natures.* **Acabit** s'emploie familièrement et souvent péjorativement comme syn. d'*espèce,* de *genre,* mais seulement en parlant des personnes : *Deux coquins du même acabit.*

Espèces. V. ARGENT.

espérance désigne l'attente d'un objet que l'on désire et qu'on croit qui arrivera, sans connaître trop bien toutefois la nature de cet objet et sans concevoir surtout la possibilité de la réalisation de son désir. **Espoir** exprime, au contraire, un désir qui porte sur un objet précis et qui doit se réaliser prochainement : *L'espérance est tenace, durable et ne meurt jamais entièrement dans le cœur de l'homme, alors que l'espoir disparaît dès que l'objet cesse d'être possible.* (A noter que, dans le langage courant, ces deux mots se confondent le plus souvent.) **Confiance** se dit de l'espérance ferme qu'on a en quelqu'un ou en quelque chose : *On a confiance en Dieu, en l'avenir, en son bon droit.*

espérer suppose le désir de quelque chose d'heureux, de favorable, que l'on souhaite de voir arriver. **Attendre** s'applique aussi bien à quelque chose d'heureux qu'à quelque chose de malheureux, que l'on envisage sans espoir comme sans crainte. **Se promettre,** qui suppose une grande confiance, est syn. d'*attendre* pris dans son sens favorable; c'est se persuader qu'une chose arrivera, simplement parce qu'on voudrait qu'il en fût ainsi et qu'il nous semble, de plus, que cela ne dépende en partie que de nous, alors qu'en réalité rien ne nous permet d'en être assuré. **Compter sur,** c'est attendre avec la certitude que ce que l'on souhaite arrivera. **Tabler sur,** c'est compter, fonder des calculs sur; il est fam. **Escompter,** c'est croire qu'une chose favorable arrivera et prendre des décisions, des engagements en conséquence. **Se flatter** est plutôt dominé par l'idée d'illusion; c'est s'entretenir dans l'espérance de quelque chose.

espiègle désigne celui qui, étant vif et éveillé, se plaît en outre à faire des malices, d'ailleurs sans méchanceté. **Lutin** est familier. **Mutin** s'applique à celui qui, étant espiègle, aime à badiner, voire souvent à se moquer. **Coquin,** syn. d'*espiègle,* se dit par plaisanterie et particulièrement en parlant d'un enfant. **Fripon,** dans ce sens, est du lang. badin et regarde plus particulièrement la mine, le regard. **Polisson** se dit d'un enfant par trop espiègle et généralem. incorrect. **Diable** est plus péj. encore; il ajoute souvent à l'idée d'espièglerie celle de méchanceté, voire de violence, et emporte toujours l'idée de turbulence. **Emerillonné,** syn. d'*espiègle,* est du langage recherché ou littéraire, cependant que **mièvre** est vieilli dans ce sens. (V. BADIN, GAI et LURON.)

espion désigne celui qui est chargé d'observer secrètement les actions, les discours d'autrui, en général d'ennemis, pour en faire un rapport. **Agent secret** n'emporte pas la nuance péjorative qui est dans *espion;* il s'applique à des émissaires de confiance, nationaux ou étrangers, employés par un gouvernement pour des missions secrètes. **Affidé,** nom donné à celui à qui l'on se fie, s'emploie aussi parfois comme syn. d'*espion,* d'*agent secret.* **Mouchard,** qui se dit par dénigrement d'un espion de police, désigne aussi, par ext., celui qui, dans la vie privée, espionne par curiosité ou par intérêt. **Mouche,** syn. de *mouchard,* est moins us. auj. **Sycophante,** nom donné en Grèce, jadis, aux dénonciateurs de profession, équivaut auj. à *mouchard,* mais dans le style pédant. **Indicateur** est plus particulier; il s'applique, dans le lang. de la police, à celui qui indique aux policiers les pistes à suivre. **Mouton,** terme d'argot, désigne le compagnon que l'on donne à un prisonnier, avec mission de capter sa confiance, de découvrir ses secrets et de les livrer à la justice. **Roussi** et **roussin,** syn. de *mouchard,* sont populaires. **Casserole** est un terme d'argot, ainsi que **condé** appliqué à un indicateur de police. (V. ACCUSATEUR.)

espionner. V. ÉPIER.

espoir. V. ESPÉRANCE.

esprit désigne le don, la faculté de concevoir d'une façon vive et rapide, d'exprimer ses idées d'une manière fine, ingénieuse, brillante, en coordonnant et en polissant toutes les parties d'un sujet : *L'esprit invente peu; il s'exerce surtout sur les choses déjà connues, dont il tire un parti avantageux, et ainsi plaît-il plus qu'il n'étonne.* **Imagination** suppose essentiellement développement et embellissement du sujet : *L'imagination colore vivement les objets, et leur communique dans le moment présent une vie qui semble pleine de sève.* **Imaginative,** qui concerne, rigoureusement parlant, la faculté qui a la puissance d'imaginer, de concevoir, faculté dont l'action est l'*imagination,* se confond souvent en pratique avec ce dernier terme; il est toutefois d'un usage moins courant, si ce n'est familièrement et généralement péjorativement : *Une imagination trop vive étouffe le raisonnement et le jugement, a dit Chateaubriand.* **Génie** dit beaucoup plus; il emporte l'idée de création et suppose un esprit qui, embrassant l'ensemble de son sujet, s'affranchit des règles et se trace à lui-même sa voie, afin de produire des œuvres grandes et durables : *Il faut des hommes de génie pour que l'humanité progresse.* (V. CONCEPTION et SENS.)

Esprit, lorsqu'il désigne la faculté de concevoir entre les choses des rapports superficiels qui échappent aux autres et qui donnent du piquant à la conversation, suppose un produit achevé, à la fois expressif et impressif, personnel à son auteur. **Humour** (mot empr. de l'angl.), sorte d'ironie à la fois plaisante et sérieuse, sentimentale et satirique, qui paraît appartenir particulièrem. à l'esprit anglais, implique quelque chose de moins achevé, de moins suggestif qu'*esprit,* et qui, par ce fait, exige une collaboration destinée à le compléter de la part de celui auquel il s'adresse. (V. MOT D'ESPRIT, PLAISANTERIE, RAILLERIE et SATIRE.)

V. aussi ÂME et FANTÔME.

esprit follet. V. LUTIN.

esquif. V. EMBARCATION.

esquinter. V. CRITIQUER et DÉTÉRIORER.

S'esquinter. V. FATIGUER (SE).

esquisse. V. CANEVAS.

esquiver. V. ÉVITER.

S'esquiver. V. FUIR.

essai. V. ÉPREUVE, TENTATIVE et TRAITÉ.

essaim. V. MULTITUDE.

essayer, c'est simplement faire un « essai », c'est-à-dire la première épreuve d'une chose, d'une personne, pour voir si celle-ci est propre à ce qu'on attend d'elle; il n'implique pas forcément l'idée d'effort. **Chercher à** suppose au contraire un effort, une recherche. **Tenter de** indique un effort pour obtenir un résultat au-dessus de nos forces. **Tâcher de** reste plus en rapport avec nos ressources physiques ou morales. **Tâtonner,** qui ne s'emploie qu'absolument, suppose figurém. que l'on fait différents essais dans une direction approximative pour arriver à un résultat, cela parce qu'on ne sait au juste comment s'y prendre pour atteindre le but poursuivi. **S'efforcer de** fait penser aux résultats poursuivis plutôt qu'à l'effort de celui qui les poursuit, cependant que **s'efforcer à** exprime au contraire l'effort, la fatigue de celui qui peine pour faire une chose. **S'évertuer à,** c'est faire des efforts pour arriver à quelque résultat que l'on n'obtient que péniblement. (V. HASARDER et TENDRE À.)

essence désigne l'ensemble des caractères constitutifs et invariables d'une chose; c'est ce qui fait qu'une chose est ce qu'elle est. **Nature** s'applique à toutes les propriétés observées dans une chose, et dont quelques-unes, ne lui étant pas absolument nécessaires pour être, peuvent être modifiées : *La nature, c'est tout l'ensemble d'une chose, l'essence en est ce qui est indispensable.*

essentiel. V. PRINCIPAL.

essieu. V. AXE.

essor désigne proprement l'effort que fait un oiseau pour quitter la terre et s'élancer dans l'air; ce n'est pas l'action de voler, mais celle de s'envoler. **Vol** s'applique à l'action même de l'oiseau qui s'élève et se soutient dans les airs, considérée dans la manière dont elle se fait ou comme une simple faculté naturelle. **Volée** suppose un vol prolongé; c'est la durée même du vol. **Envol** et **envolée,** syn. d'*essor,* sont plus du langage ordinaire. (A noter que *vol* et *envol* s'emploient aussi, avec les mêmes nuances, en termes d'aviation.) — Au fig., on dit que l'on prend son ESSOR lorsqu'on met en jeu toutes ses forces, toute son énergie; on prend sa VOLÉE lorsqu'on s'affranchit de toutes entraves et que l'on fait usage de sa liberté; prendre son VOL ne s'emploie guère, alors que l'on dit bien, par contre : *Prendre un vol hardi, trop haut.*

essuyer. V. NETTOYER et RECEVOIR.

est. V. ORIENT.

estacade. V. DIGUE.
estafette. V. MESSAGER.
estafier. V. BRETTEUR.
estafilade. V. ENTAILLE.
estaminet. V. CABARET.
estamper. V. IMPRIMER.
estampille. V. MARQUE.
esthétique. V. BEAUTÉ.

estimable est absolu ; il se dit de ce que l'on considère personnellement comme bon ou beau. **Recommandable** est relatif ; il désigne ce qui mérite l'intérêt d'autrui, et suppose surtout une valeur d'utilité ou d'application.

estime. V. SYMPATHIE.

estimer, c'est donner son opinion sur la valeur des choses d'après la première impression, et sans viser à une grande exactitude ; il emporte l'idée d'une action peu ou prou arbitraire : *On n'estime ni sur la valeur absolue, ni sur la valeur relative de l'objet, mais presque exclusivement d'après le caprice individuel.* **Priser** a la même signification qu'*estimer,* en y ajoutant toutefois l'idée d'une fonction spéciale, telle que celle du commissaire-priseur. **Evaluer,** c'est déterminer le prix, la valeur, en fonction des circonstances extérieures de l'objet : *On évalue en déterminant la valeur intrinsèque, abstraction faite du prix courant du commerce.* **Apprécier** implique surtout l'examen des objets eux-mêmes : *On apprécie en désignant le taux ordinaire auquel un objet se vend ou s'achète dans le commerce, quelle que soit sa valeur intrinsèque.* **Supputer** (lat. *supputare;* de *sub,* sous, et *putare,* penser), c'est évaluer indirectement par le calcul de certaines données : *On suppute ce que coûtera la construction d'une maison, sans que la somme cherchée soit forcément exacte.* (V. COMPTER.) — Au fig., lorsqu'on veut parler des personnes, ÉVALUER ne s'emploie presque jamais ; ESTIMER se dit en général des vertus, des qualités morales de quelqu'un, tandis qu'APPRÉCIER et PRISER, ce dernier étant vieilli, s'emploient en parlant de son esprit, de ses talents, ou des services qu'il a rendus. **Considérer,** c'est estimer à cause de la valeur morale ou sociale. **Jauger,** c'est faire une estimation rapide, d'après ses impressions.

V. aussi CROIRE.

estoc. V. ÉPÉE, RACE et RACINE.
estomaqué. V. ÉBAHI.
estourbir. V. TUER.

estrade désigne la partie plus élevée que le plancher d'une salle, où se placent les personnes ou les choses que l'on veut mettre en regard. **Tribune** est le nom que l'on donne, surtout dans les assemblées délibérantes ou les réunions publiques, à l'estrade plus ou moins élevée (généralement garnie d'un balustre d'appui ou d'une table) sur laquelle se place l'orateur pour être vu et entendu de l'auditoire. **Chaire** désigne soit la tribune réservée aux prédicateurs dans les églises, les temples, etc., soit celle où se placent les professeurs pour faire leurs cours. **Echafaud,** d'ailleurs peu us. dans ce sens, désigne plutôt l'estrade où se placent des spectateurs ; c'est alors un ouvrage de charpenterie, élevé ordinairem. par degrés et en forme d'amphithéâtre.

estrapade. V. GIBET.
estropier. V. MUTILER.
estuaire. V. EMBOUCHURE.

étable, lieu couvert où l'on enferme les bestiaux, s'applique plus particulièrem. au logement des bovidés, comme **écurie** désigne plutôt le logement des chevaux, ânes et mulets, **bergerie** (v. ce mot) et **bercail** (peu us.) celui des moutons, **porcherie** celui des porcs. **Bouverie** désigne plus spécialement l'étable des bœufs de travail, et **vacherie** celle des vaches laitières. **Tect,** syn. d'*étable* pris dans son sens général, et **soue,** syn. de *porcherie,* sont dialectaux.

établir, c'est asseoir et fixer une chose en quelque endroit, l'y rendre stable ; on emploie surtout ce terme quand on indique le lieu ou quand on envisage les choses sous le point de vue de leur stabilité. **Eriger** emporte toujours une idée d'élévation. **Fonder,** qui éveille l'idée de « fondements » que l'on jette, suppose des travaux futurs, un développement qui doit suivre ; il arrive aussi que l'emploi de ce mot fasse penser aux fonds, à l'argent dont on fait l'avance. **Instaurer,** syn. d'*établir,* de *fonder,* se dit particulièrement d'un temple, d'une église, d'une solennité, d'une religion, d'un usage. **Instituer** se rapproche d'*établir,* mais est d'un emploi plus relevé, plus spécial, et fait moins penser au lieu qu'aux statuts, aux ordres donnés, aux mesures arrêtées par l'autorité publique. **Baser,** syn. de *fonder,* ne s'emploie guère qu'au fig. **Implanter,** c'est, figurément, établir sur une base assez large et de façon assez durable.

V. aussi PROUVER.

établissement est le terme général et du langage recherché qui s'applique à une exploitation aussi bien commerciale (**maison de commerce,** V. COMMERCE) qu'industrielle (**usine,** v. ce mot). **Maison,** employé dans le sens de *maison de commerce,* est du langage ordinaire; on le complète souvent par l'indication de l'objet du commerce : *Maisons de modes, de vins en gros.* **Entreprise** se dit d'un établissement important; il implique une direction et un personnel ouvrier et de bureau : c'est, selon les économistes et les sociologues, l'ensemble des communautés élémentaires de travail qui coopèrent, sous la direction d'un chef responsable, à la réalisation d'une œuvre commune : *Entreprise de roulage, de construction.* **Firme,** qui désigne proprement le nom sous lequel est connu et officiellement déclaré un établissement commercial ou industriel, c'est-à-dire la raison sociale, s'applique parfois aussi auj., par ext., à l'établissement lui-même : *Firme importante; Travailler à la firme X.* **Boîte,** employé comme syn. de ces termes, souvent avec une nuance péjorative, est du langage populaire.

V. aussi COMPTOIR.

étage. V. PALIER.

étai désigne une pièce de bois dont on se sert pour appuyer, soutenir une construction qui menace ruine ou que l'on reprend en sous-œuvre. **Etançon** se dit d'un étai de forte dimension. **Arc-boutant** est plus particulier et suppose presque toujours non pas quelque chose de simple, comme *étai,* mais quelque chose de collectif; c'est un terme d'architecture qui désigne un arc construit en dehors d'un édifice pour soutenir une voûte, une muraille, afin d'en empêcher l'écartement, et, par ext., en termes de charpenterie, une pièce de bois employée d'une manière analogue à l'arc-boutant en architecture (dans ce dernier sens, on dit aussi **contre-fiche**). [V. SOUTIEN.] — Au figuré, ÉTAI et ARC-BOUTANT emportent les mêmes nuances qu'au propre, cependant qu'ÉTANÇON est inusité. (V. APPUI.)

étalage est un terme très général qui désigne toute exposition de marchandises à vendre, que ce soit à l'intérieur ou à l'extérieur; il se dit aussi des marchandises elles-mêmes qu'on « étale », qu'on déploie à la vue de tous. **Montre** est syn. d'*étalage* dans le commerce de détail. **Eventaire,** nom donné au plateau que certains marchands ambulants portent devant eux et où ils étalent leur marchandise, désigne encore, par ext., l'étalage placé à l'extérieur d'une boutique. **Devanture** s'emploie parfois, par ext. aussi, pour désigner l'étalage extérieur d'un magasin. **Vitrine** désigne souvent l'étalage placé derrière les glaces d'un magasin.

V. aussi PARADE.

étaler. V. ÉTENDRE et MONTRER.

S'étaler. V. MONTRER (SE) et TOMBER.

étancher. V. ASSOUVIR et RETENIR.

étancher sa soif. V. BOIRE.

étançon. V. ÉTAI.

étançonner. V. SOUTENIR.

étang désigne un grand amas d'eau stagnante, naturel ou artificiel. **Lac,** s'applique à une grande étendue d'eau enclavée dans les terres : *Un lac est une étendue d'eau naturelle, douce ou salée, accumulée au fond d'une dépression du sol, plus vaste et plus profonde que l'étang.* **Lagune** désigne un étang littoral d'eau saumâtre, séparé de la mer par un cordon de terre. (V. MARAIS.)

étape indique le lieu où l'on s'arrête pour se reposer un assez long moment, généralement pour terminer sa journée ou une partie déterminée de son chemin. **Halte** suppose un arrêt de plus courte durée qu'*étape;* il emporte plutôt l'idée d'une pause, d'une simple station. **Escale** ne s'emploie qu'à propos de voyages maritimes; c'est le lieu d'arrêt ou de relâche d'un bâtiment pour se ravitailler, ou faire des opérations commerciales, prendre ou laisser des voyageurs.

V. aussi PHASE.

état concerne l'occupation ou le genre de vie dont on fait profession; c'est la manière d'être en elle-même, ou bien c'est la situation fixe qui résulte du genre de vie habituel. **Situation** exprime quelque chose d'accidentel et de passager; c'est la manière d'être déterminée par les circonstances, les événements, ce qui vient du dehors : *Il arrive à chacun de nous de passer par une foule de situations pendant la vie; on n'a d'ordinaire qu'un état.* **Condition** a plus de rapport au rang qu'on tient dans la hiérarchie sociale : *La condition se considère par rapport à d'autres, elle se rattache à l'idée de plus ou de moins, à la place qu'on occupe dans la société.* **Sort,** syn. de ces termes, a plus particulièrement trait à la situation matérielle : *On est content ou mécontent de son sort.* **Position,** syn. de *condition,* convient bien en parlant de la place, de l'emploi : *On a ou l'on recherche une position.* (V. EMPLOI et PROFESSION.)

V. aussi LISTE, NATION et PROFESSION.

étayer. V. SOUTENIR.

été désigne celle des quatre saisons comprise entre le solstice de juin (21 ou 22) et l'équinoxe de septembre (22 ou 23), et, plus spécialement, la période des chaleurs. **Canicule** est plus particulier; il s'applique uniquement, dans le langage courant, à la période s'étendant de juillet à août, et seulement lorsque celle-ci est marquée par de grandes chaleurs.

éteindre (s'). V. MOURIR.

étendard. V. DRAPEAU.

étendre est un terme assez général; c'est donner à une chose plus de surface ou plus de volume, soit en la rendant plus mince, soit en la tirant ou en la dilatant. **Allonger,** syn. d'*étendre,* ne se dit guère qu'en parlant des membres, de certaines parties du corps de l'homme ou des animaux. **Déployer,** c'est étendre ce qui était ployé ou plié. **Etaler,** c'est étendre ou déployer, afin de montrer en détail; il emporte généralement l'idée de faire voir. **Etirer,** c'est étendre en allongeant.

V. aussi AJOUTER, AUGMENTER et DÉLAYER.

S'étendre. V. COUCHER (SE).

étendu. V. AMPLE.

étendue désigne la dimension d'une chose en longueur et largeur; il emporte avec lui l'idée d'une mesure ou d'un rapport dans les distances. **Espace** s'applique, dans son acception abstraite, à une étendue indéfinie, et, dans le lang. cour., à une étendue de lieu limitée et superficielle, depuis un point jusqu'à un autre, sans supposer toutefois idée de mesure ou de rapport : *L'étendue se prend pour les dimensions intérieures d'une chose, l'espace pour ce qui est libre à l'entour.*

V. aussi SURFACE.

éternel se dit de ce qui n'a ni commencement ni fin, de ce qui dure indéfiniment et résiste à toutes les atteintes du temps. **Sempiternel,** syn. d'*éternel,* s'emploie généralem. avec une nuance défavorable. **Immortel** s'applique à ce qui vit et ne doit pas mourir. **Perpétuel** marque surtout une durée permanente ou persévérante, sans interruption et sans reprise. **Impérissable** se dit parfois, par hyperbole, de ce qui doit durer très longtemps, éternellement, tout au moins le croit-on. **Continuel** dit moins; il désigne simplement ce qui dure, ce qui se continue longtemps et ne peut cesser pour un temps fort court que pour reprendre aussitôt. **Pérenne,** syn. d'*éternel,* de *perpétuel,* est du langage didactique ou littéraire. **Perdurable,** syn. d'*éternel,* est vieux. (V. DURABLE.)

éternité. V. AVENIR.

étêter. V. ÉLAGUER.

éthique. V. MORALE.

éthylique. V. IVROGNE.

étinceler, jeter par intervalles des éclats de lumière, est un terme du langage courant s'employant aussi au figuré : *Tison qui étincelle; Ouvrage qui étincelle d'esprit.* **Scintiller** est moins usité et plutôt du langage relevé. **Pétiller,** pris dans un sens métaphorique, s'emploie parfois aussi comme syn. d'*étinceler.* **Brasiller,** c'est, en parlant de la mer, étinceler, scintiller par la réflexion de la lumière d'un astre, ou par un phénomène particulier de phosphorescence. (V. BRILLER, ÉCLAIRER et FLAMBOYER.)

étincelle désigne la parcelle incandescente qui se détache et est projetée avec force d'un corps enflammé; il emporte l'idée d'un éclat vif, qui n'embrase pas toujours, mais peut le faire : *Faire jaillir des étincelles d'un charbon allumé.* **Bluette** suppose un éclat moins vif et moins durable qu'*étincelle : La bluette ne brille un moment que pour s'éteindre et ne produit rien d'autre qu'un éclat passager.* **Flammèche** se dit d'une parcelle de matière enflammée qui se détache d'un foyer, d'un fragment léger en ignition; il implique quelque chose de moins brillant, de plus matériel qu'*étincelle* ou *bluette : Une simple flammèche, entraînée par la fumée ou par le vent, peut causer un grand incendie.* — Au figuré et en parlant d'œuvres littéraires, ÉTINCELLE suppose un trait fugitif, lequel d'ailleurs peut illuminer un livre; BLUETTE implique, par contre, une production complète si courte soit-elle.

étique. V. MAIGRE.

étiquette. V. ÉCRITEAU et PROTOCOLE.

étirer. V. ÉTENDRE.

étisie. V. AMAIGRISSEMENT.

étoffe. V. TISSU.

étoile désigne, dans le lang. cour. ou fam., tout corps céleste situé dans l'espace à des distances si considérables qu'il est rapetissé à l'état de simple point lumineux. **Astre** est du lang. relevé ou poétique, et suppose généralem. quelque chose de plus grand ou de plus considérable qu'*étoile : Le soleil et la lune sont des astres, et non pas des étoiles.*
V. aussi CARREFOUR et DESTIN.

étonnant suppose quelque chose d'extraordinaire, à laquelle on ne s'attendait pas et qui, de ce fait, surprend. **Prodigieux** s'applique à ce qui est étonnant parce que semblant tenir au miracle. **Sensationnel** se dit bien de ce qui provoque une impression marquée à la fois de surprise et d'intérêt, et ce d'autant plus qu'on ne s'y attendait nullement. **Surprenant** implique une émotion très forte, qui souvent même étourdit et laisse interloqué. **Pyramidal** se dit figurément et familièrement (par allusion aux pyramides d'Egypte) de ce qui est étonnant par sa grandeur et son importance. **Stupéfiant** dit plus encore; il emporte l'idée d'un étonnement tel que les facultés intellectuelles sont un moment suspendues et le corps frappé d'une sorte d'immobilité. **Ahurissant** enchérit, à son tour, sur *stupéfiant.* **Ebouriffant** est un syn. fam. d'*étonnant,* sur lequel il enchérirait plutôt aussi, en supposant quelque chose d'incroyable. **Renversant** se dit de ce qui produit un étonnement capable de faire tomber à la renverse; il est fam., comme **formidable** et **énorme** employés comme superlatifs de *sensationnel.* **Mirobolant,** fam. aussi, se dit de ce qui est étonnant jusqu'à l'excès, surtout en parlant de ce qui est trop beau pour avoir quelque chance de se réaliser. **Phénoménal** et **faramineux** (ou PHARAMINEUX), lequel est moins usité, sont des syn. fam. de *prodigieux* comme **époustouflant,** syn. de *stupéfiant,* et **esbroufant,** qui se dit surtout de ce qui étonne par des hardiesses et un tapage, lesquels souvent en imposent. **Epatant,** syn. d'*étonnant,* de *prodigieux,* est populaire et emporte une idée d'admiration. **Epoilant,** très étonnant, est un terme d'argot. (V. ÉMERVEILLER, IMPRÉVU et INVRAISEMBLABLE.)

étonné. V. SURPRIS.

étouffer, qui suppose le manque d'air, marque l'impossibilité ou la difficulté de respirer. **Suffoquer,** qui exprime seulement la difficulté avec laquelle on respire, désigne les efforts pénibles causés par cette difficulté, due souvent à quelque émanation. **Asphyxier** suppose difficulté ou arrêt de la fonction respiratoire, dus soit à une cause mécanique (pendaison, submersion, etc.), soit à l'absorption de gaz irrespirables ou à un accident pulmonaire. **S'étrangler,** c'est, au sens passif, perdre momentanément la respiration, par compression ou obstruction du gosier.
V. aussi ENRAYER.

étourderie se dit d'un défaut — généralement accidentel — de prudence, de prévoyance, d'attention, de réflexion. **Dissipation** suppose une étourderie assez habituelle, due surtout à la paresse ou au manque de volonté. **Inattention** désigne un défaut d'attention — souvent permanent — dû à une faiblesse d'esprit indépendante de la volonté. (V. DISTRACTION.)

étourdi désigne celui qui, sans être privé de bon sens, n'écoute pas toujours cependant la raison et, se laissant trop dominer par la vivacité de ses sentiments, ne se donne pas le temps de la réflexion et de l'attention, si bien qu'il brouille et confond toutes les idées. **Ecervelé** s'applique à la personne qui manquant de « cervelle », ne peut jamais, par conséquent, agir avec sagesse. **Évaporé** se dit de celui qui agit au hasard, et suppose une légèreté le plus souvent vaniteuse. **Malavisé** désigne celui, qui, voyant, jugeant mal, prend le mauvais parti pour le bon. **Eventé,** qui est peu us., suppose un manque de discrétion, de retenue; il implique une tête à l' « évent », qui ne garde pas ce qu'elle devrait tenir renfermé, par légèreté, étourderie, fatuité. **Etourneau** et **tête de linotte,** syn. d'*étourdi,* sont familiers et péjoratifs; ils supposent surtout l'absence de mémoire. **Braque** et **hurluberlu,** syn. d'*écervelé,* sont aussi familiers et péjoratifs, en emportant une idée assez marquée d'extravagance. — **Imprudent** enchérit sur ces termes; il se dit de celui qui ne craint rien, ne se défie de rien, et se jette témérairement au milieu des périls. **Inconsidéré** désigne celui qui se décide trop vite à agir, sans se donner la peine d'examiner ce qu'il y a de mieux à faire. **Inconséquent** suppose un défaut plus grave encore qu'*inconsidéré,* et qui, de ce fait, compromet davantage. (V. FRIVOLE et LÉGER.)

V. aussi ÉBAHI.

étourdissement. V. VERTIGE.

étourneau. V. ÉTOURDI.

étrange. V. BIZARRE.

étranger, qui désigne d'abord celui qui est d'une autre nation, qui appartient, qui a rapport à une autre nation, se dit aussi, dans un sens plus général, d'une personne qui n'est pas du pays où elle se trouve, et même de celui qui n'est pas d'une famille, d'une société, etc. **Aubain** (du bas lat. *alibanus,* de *alibi,* ailleurs) s'emploie peu auj. et est plutôt un terme de l'ancienne jurisprudence; il se dit de celui qui est fixé hors de son pays, et qui, n'étant pas naturalisé dans celui où il habite, est ou était soumis à un droit particulier appelé « droit d'aubaine ». **Métèque** (du grec *méta,* parmi, et *oîkos,* maison), qui désignait dans l'Antiquité grecque un étranger domicilié dans une ville et astreint à certaine redevance, sans jouir du droit de cité, se dit souvent auj., avec une intention dénigrante, d'un étranger établi en France. **Allochtone** (du grec *allos,* autre, et *khthôn,* terre) se dit simplement de celui qui n'est pas originaire du pays qu'il habite. **Allogène** (du grec *allos,* autre, et *génos,* race), au contraire, dit plus, puisqu'il implique une autre race. **Exotique** (du grec *exo,* en dehors) ne s'emploie, dans ce sens, qu'adjectivement, et ne se dit que des choses appartenant à des pays étrangers.

étrangler, c'est serrer à la gorge, de manière à faire perdre la respiration ou même la vie. **Stranguler,** syn. d'*étrangler,* est du langage didactique. **Pendre** est plus particulier; c'est faire périr par strangulation, en attachant en haut par le cou. **Serrer le kiki** (ou LE QUIQUI), syn. d'*étrangler,* est une expression familière.

V. aussi TUER.

S'étrangler. V. ÉTOUFFER et RESSERRER (SE).

être n'exprime l'existence absolue, l'état de ce qui existe que dans un petit nombre de phrases consacrées (*Dieu est; Que la lumière soit! et la lumière fut*) ; hors de là il ne fait que rappeler l'existence pour la mettre en rapport avec quelque manière d'être ou une circonstance quelconque qui la détermine : *Les qualités, les formes, les actions, l'arrangement, le mouvement, et tous les divers rapports sont.* **Exister** marque formellement le fait d'être, sans y rien ajouter : *La matière, l'esprit, les corps, et tous les êtres réels existent.* **Subsister** présente l'existence comme se continuant malgré les causes qui auraient pu y faire obstacle : *Les Etats, les ouvrages, les affaires, les lois, et tous les établissements qui ne sont ni changés, ni détruits, subsistent.* (V. VIE et VIVRE.)

V. aussi PERSONNE.

étreindre. V. SERRER.

étrennes. V. DON.

étriller. V. MALMENER.

étriqué. V. ÉTROIT.

étroit se dit proprement de ce qui est peu ou pas assez large. **Etriqué** s'applique surtout à ce que l'on a fait trop étroit, pas assez ample. **Rétréci** désigne ce qui est devenu plus étroit.

Etroit se dit figurément de ce qui, étant rigoureux et sévère, laisse peu de libertés. **Strict** enchérit sur *étroit;* il suppose absence de toute latitude et convient parfaitement au style des théologiens, des philosophes, des jurisconsultes. (V. RIGOUREUX.)

V. aussi BORNÉ.

étroitesse. V. PETITESSE.

étude. V. ARTICLE et TRAITÉ.

étudiant. V. ÉLÈVE.

étudié. V. AFFECTÉ.

étudier, c'est travailler à devenir instruit, savant, en appliquant son attention aux règles d'une science, d'un art, etc. **Apprendre,** c'est simplement acquérir des connaissances. **S'instruire** ajoute généralement à *apprendre* l'idée d'effort et de méthode : *On étudie pour s'instruire; pour apprendre, il n'est pas toujours besoin d'effort.* **Travailler,** syn. d'*étudier,* est fam. : *Travailler le piano, le violon.* **Bûcher,** comme **piocher,** c'est, familièrement aussi, étudier avec ardeur, sans répit. **Chiader,** syn. de *bûcher,* est de l'argot scolaire, ainsi que **potasser,** qui implique que l'on étudie avec application.

étui. V. ENVELOPPE.

eunuque. V. CHÂTRÉ.

euphémisme implique l'emploi d'une expression gracieuse derrière laquelle on déguise ce qu'il serait pénible ou dangereux de désigner par son nom véritable : *C'est par euphémisme qu'on dit : « Il a vécu », au lieu de : « Il est mort ».* **Contrevérité** est un terme général qui s'applique à une chose dite pour être entendue dans un sens opposé : *Dans la contrevérité, on feint de penser autrement qu'on ne pense en réalité.* **Antiphrase** se dit pour *contrevérité,* mais emporte presque toujours l'idée d'ironie ou de crainte : *C'est par antiphrase que les Grecs nommaient les Furies « Euménides » ou « bienveillantes ».*

euphorie, terme de médecine qui s'applique au sentiment de confiance, de satisfaction qu'éprouve celui qui croit, à tort ou à raison, se bien porter, s'emploie aussi auj., dans le lang. cour., pour désigner un état de béatitude absolue, quoique généralement momentané. **Bien-être,** qui dit plutôt moins, implique simplement une situation agréable et commode du corps et de l'esprit. **Aise** emporte l'idée de contentement ; il suppose un sentiment de joie, de satisfaction, causé par la possession d'un bien quelconque. (V. BONHEUR et JOIE.)

eustache. V. COUTEAU

évacuer. V. VIDER.

évader (s'). V. FUIR.

évaluer. V. ESTIMER.

évangélisation. V. MISSION.

évanouir. V. DISPARAÎTRE.

évanouissement désigne le phénomène maladif, ordinairement sans gravité et de peu de durée, qui consiste dans l'abolition plus ou moins complète des fonctions des sens et de l'intelligence, avec ralentissement de la respiration et de la circulation, affaiblissement, pâleur de la face. **Syncope** se dit de la suspension, subite ou momentanée, de l'action du cœur, accompagnée de cessation de la respiration, des sensations et des mouvements volontaires. **Défaillance** s'applique à la diminution soudaine et plus ou moins marquée de l'action du cœur, qui constitue le premier degré de la syncope. **Faiblesse** s'emploie parfois pour désigner un évanouissement d'un instant. **Pâmoison,** syn. d'*évanouissement,* ne s'emploie guère qu'ironiquement.

évaporation. V. VAPORISATION.

évaporé implique la résolution d'un liquide en vapeur, sans ébullition de celui-ci. **Eventé** suppose simplement la dissipation du parfum, sans que la substance disparaisse : *L'eau peut être évaporée, mais jamais elle ne sera éventée.*

V. aussi ÉTOURDI.

évasion. V. FUITE.

évêché désigne la partie du territoire soumise à l'autorité spirituelle d'un évêque. **Diocèse** est un terme d'administration ecclésiastique qui s'applique à la circonscription territoriale administrée par un évêque.

éveillé. V. DÉGOURDI.

éveiller exprime l'action simple de tirer de l'état de sommeil ; il ne suppose pas de grands efforts à faire ni rien d'extraordinaire dans l'action de faire cesser le sommeil : *On éveille chaque jour à la même heure les élèves d'un collège.* **Réveiller,** qui désigne d'abord la réitération de l'action d'*éveiller,* se dit aussi, par ext., de l'action même d'éveiller pour la première fois, dans tous les cas où il faut faire quelque effort à cet effet ou, par analogie, de l'action de tirer du sommeil par suite de quelque circonstance extraordinaire ; il suppose toujours ainsi quelque chose de brusque, d'inattendu, de violent : *On est réveillé par le bruit d'un orage; Dans un cas urgent, on va réveiller un médecin à quelque heure de la nuit qu'il soit.* (A noter que, dans le langage courant, *réveiller* s'emploie souvent aussi comme synonyme d'*éveiller*.) — Au figuré, ÉVEILLER veut dire simplement exciter, et RÉVEILLER exciter de nouveau, ranimer ce qui avait déjà été animé : *On éveille les facultés de l'esprit et de l'âme, lorsqu'on les provoque à se manifester; on les réveille chez l'individu qui, étant connu pour les posséder à un haut degré, les laisse sommeiller et n'en fait aucun usage.*

événement. V. AVENTURE.

éventaire. V. ÉTALAGE.

éventé. V. ÉTOURDI et ÉVAPORÉ.

éventer. V. DÉCOUVRIR.

évertuer à (s'). V. ESSAYER.

évidemment. V. ASSURÉMENT.

évidence se dit de la clarté que présente la vérité, ou ce qu'on croit tel, à l'esprit. **Certitude** dit plus ; il suppose une solidité plus grande qu'*évidence,* surtout au sens philosophique : *L'évidence est une clarté qui accompagne une connaissance, une idée, et qui produit en nous, à tort ou à raison, la certitude.*

évident implique une conviction immédiate, dès le premier coup d'œil. **Constant** se dit de ce qui est passé à l'état de vérité fermement établie. **Patent** s'applique à ce qui apparaît clairement et suppose une évidence indiscutable. **Appert,** syn. de ces termes, est vx. **Positif** se dit de ce qui ne peut être nié. **Formel** désigne ce qui est si nettement exprimé qu'il ne saurait faire l'objet de la moindre incertitude. **Flagrant** se dit de ce qui est tellement évident, parce que visible à tous, qu'on ne peut le nier ; il s'applique généralement à une faute, à un délit. (V. ASSURÉMENT.)

V. aussi CLAIR et MANIFESTE.

évincer. V. REPOUSSER.

éviter, c'est échapper ou s'efforcer d'échapper au mal dont on est menacé, et cela simplement, sans grands efforts, en se mettant hors de la voie : *On évite les choses qu'on ne veut pas rencontrer et les personnes qu'on ne veut pas voir ou dont on ne veut pas être vu; La prudence fait éviter la rencontre d'un adversaire dangereux.* **Fuir** marque toujours le désir d'éviter précipitamment ce qui peut nuire ou déplaire, et il montre ce désir en action : *On fuit en prenant une direction opposée; La peur fait fuir devant son ennemi.* **Eluder,** plus us. au figuré qu'au propre, se distingue des deux autres termes en ce qu'il suppose de l'adresse, voire de la ruse : *On élude les questions auxquelles on ne veut pas ou l'on ne peut pas répondre; L'adresse fait éluder les attaques dont on risque d'être l'objet.* **Esquiver,** c'est éviter, éluder, généralement en détournant adroitement, en se soustrayant habilement : *On esquive un coup, un créancier, une visite importune, les difficultés.* **Parer,** comme **prévenir** et **obvier,** lequel est moins du langage courant, c'est éviter soit en détournant, soit en opposant quelque chose qui arrête : *On pare un coup, un trait d'esprit; On prévient mal ce qu'on n'a pu prévoir; On obvie au retour d'un accès en prenant un remède.* (V. DEVANCER.)

évolution. V. AVANCEMENT.

évoquer, c'est appeler, faire venir, faire apparaître, par des cérémonies magiques, des enchantements ou même par le simple rappel du souvenir : *On évoque les âmes des morts et les esprits infernaux, dont le séjour passe pour être au centre de la Terre; On évoque le passé.* **Invoquer,** c'est appeler à son secours une puissance divine ou surnaturelle, ou, au figuré, citer en sa faveur : *On invoque Dieu, les anges, les saints, que nous supposons habiter dans les cieux; On invoque un témoignage.*

V. aussi RAPPELER.

exacerbation est un terme de pathologie qui désigne l'exagération passagère des symptômes généraux d'une maladie. **Paroxysme** indique surtout que le mal devient plus aigu, et s'applique davantage à un symptôme particulier. **Redoublement** suppose une exacerbation après une accalmie ; il convient bien en parlant de la fièvre, mais aussi d'autres symptômes particuliers annonciateurs de maladie, douleur, etc. **Recrudescence** implique une intensité plus grande des symptômes d'une maladie, des ravages d'une épidémie, cela après une rémission temporaire.

exacerber. V. IRRITER.

exact. V. CORRECT et VRAI.

exaction. V. CONCUSSION.

exactitude désigne l'habitude qui consiste à faire les choses à temps. **Ponctualité** marque une conformité plus rigoureuse; il se dit de l'exactitude à faire certaines choses précisément dans le temps qu'on se l'était proposé ou qu'on l'avait promis. **Régularité** désigne l'exactitude, la ponctualité dans l'exécution d'une chose, qui s'étend sur une certaine durée et que l'on accomplit par fragments successifs faits tous avec exactitude et chacun avec ponctualité.

V. aussi JUSTESSE et SOIN.

exagéré. V. EXCESSIF.

exagérer, c'est dépasser la mesure, la vérité dans ses paroles, ses pensées, ses actes. **Outrer** est moins usité; c'est surtout porter les choses au-delà de la juste raison, de justes bornes. **Bluffer** est populaire et d'un emploi courant aujourd'hui dans le langage ordinaire; c'est exagérer en prenant une attitude propre à donner le change sur ses véritables intentions ou sur la situation dans laquelle on se trouve. **Attiger, chariboter, charrier** et **cherrer** sont des termes d'argot, syn. d'*exagérer,* qui impliquent qu'on exagère avec l'intention d'abuser de la crédulité de quelqu'un.

exaler. V. EXPIRER.

exaltation. V. ENTHOUSIASME.

exalté. V. SUREXCITÉ.

exalter. V. GLORIFIER.

examen désigne l'épreuve qu'on fait subir à quelqu'un pour juger de son aptitude à recevoir un titre, à occuper un emploi, etc. **Concours** se dit seulement d'un examen mettant en concurrence plusieurs personnes qui font ensemble des efforts pour obtenir une place ou un nombre limité de places. (V. ÉPREUVE.)

examiner, c'est rechercher exactement, discuter avec soin les bonnes et les mauvaises qualités d'un objet, ses perfections, ses défauts. **Inspecter,** c'est examiner, le plus souvent pour vérifier, avec attention et autorité, voire avec mission spéciale d'une autorité compétente. **Scruter** dit plus qu'*examiner;* c'est examiner à fond, chercher à pénétrer dans les choses les plus cachées. **Sonder,** c'est examiner en cherchant à mesurer, à approfondir. **Visiter** est plus partic.; c'est examiner d'une façon détaillée, en allant voir si les choses sont dans l'ordre où elles doivent être.

V. aussi REGARDER et VÉRIFIER.

exaspérer. V. IRRITER.

exaucer. V. SATISFAIRE.

excavation. V. CAVITÉ.

excédé. V. LAS.

excédent. V. EXCÈS.

excéder. V. IRRITER et PASSER.

excellent. V. BON.

excentrique. V. ORIGINAL.

excepté suppose toujours une règle ou une proposition générale et un manque de conformité à ce qu'énonce la règle ou la proposition : *Aucun homme n'est exempt de mauvaises passions, excepté le parfait chrétien.* **A l'exception de** a le même sens qu'*excepté,* tout en impliquant souvent quelque chose d'important, de remarquable, d'unique : *On accepte plusieurs objets, à l'exception d'un seul.* **Sauf** est employé principalement, voire uniquement, si nous en croyons Lafaye, en style de pratique : *On lègue ses biens, sauf ses rentes.* **Hors** annonce la séparation qui existe entre tel objet et les objets collectivement énoncés, afin de déterminer les objets que n'embrasse pas la proposition collective : *Nul n'aura de l'esprit hors nous et nos amis.* **Hormis** restreint la proposition et la corrige par des soustractions expresses : *Le mahométisme permet toutes sortes d'aliments, hormis la chair de porc et le vin.* **A la réserve de** ajoute à *hormis* l'idée de réserve, de conservation : *Dieu détruisit tous les hommes, à la réserve de Noé et des siens.* **A telle chose près** fait penser à la quantité et se dit de ce qui serait complet, accompli, achevé, s'il n'y manquait telle chose, généralement sans grande importance d'ailleurs : *On peut être un fantasque, mais à cela près demeurer un homme* *aimable*. **Fors,** syn. d'*excepté*, d'*hormis*, est vieux : *Tout est perdu, fors l'honneur*.

exception de (à l'). V. EXCEPTÉ.

exceptionnel. V. RARE.

excès est un terme abstrait qui désigne toute quantité, tout nombre trouvé en plus : *Un excès de dépenses*. **Excédent** est un terme concret qui s'applique aux choses mêmes qui sont en excès : *L'excédent des dépenses sur les recettes; Un excédent de bagages*. **Surplus,** syn. d'*excédent*, est surtout usité dans le langage courant. (V. SUPPLÉMENT.)

V. aussi ABUS.

excessif s'applique à tout ce qui est susceptible de plus ou de moins, lorsque l'étendue ou le degré s'accroît au point de devenir nuisible. **Exagéré** ne se dit que des discours ou des ouvrages par lesquels on représente les choses plus grandes ou plus petites, plus louables ou plus blâmables qu'elles ne sont en effet. **Hyperbolique,** qui enchérit sur *exagéré*, est plutôt un terme de rhétorique. **Exorbitant** suppose quelque chose d'extraordinaire qui peut à peine être cru, tant cela sort des conditions habituelles. **Outré,** comme **outrancier,** emporte l'idée d'une certaine affectation venant de l'orgueil qui fait que des choses où il faudrait de la modération ne sont pas contenues dans les limites nécessaires. **Abusif,** syn. d'*excessif*, concerne ce qui est contraire aux lois, aux règles, au bon usage. (V. DÉMESURÉ.)

V. aussi EXTRÊME.

exciper. V. PRÉTEXTER.

excision. V. AMPUTATION.

excité. V. SUREXCITÉ.

exciter implique une action impulsive qui éveille, anime, sans que l'on y ait auparavant songé, qu'il s'agisse d'une chose bonne ou mauvaise : *On excite les appétits, les désirs*. **Emoustiller** est assez fam.; c'est exciter en mettant en bonne humeur : *On émoustille ses convives en leur faisant boire du champagne*. **Entraîner** suppose une sorte de violence morale, une influence, voire une séduction, qui conduit, emporte : *On entraîne les esprits*. **Provoquer** suppose un but extérieur et emporte l'idée d'un appel qui défie : *Un ennemi nous provoque par ses insultes*. **Agacer,** c'est exciter, provoquer généralement en impatientant : *Un railleur nous agace par ses sarcasmes; On agace un chien, un enfant*. (Ce peut être aussi provoquer pour séduire, en cherchant à plaire par des regards, par des manières attrayantes, surtout en parlant des femmes : *Agacer est un jeu de la coquetterie, a dit Molière;* on dit aussi, dans ce sens, mais familièrement, **aguicher.**) **Attiser,** proprement animer le feu en rapprochant les tisons, en secouant les cendres, en soufflant, s'emploie aussi figurément dans le sens d'*exciter*, surtout en parlant d'esprits déjà irrités les uns contre les autres que l'on aigrit encore : *On attise les haines, les discordes, les convoitises*. **Fomenter** (du lat. *fomentum*, action de réchauffer), c'est, figurément, exciter en entretenant, en faisant durer; il s'emploie toujours aussi en mauvaise part : *On fomente des querelles, des troubles, des séditions*. (V. ENCOURAGER, ENFLAMMER et ENTHOUSIASME.)

exclamation. V. CRI.

exclure. V. REPOUSSER.

exclusivement. V. UNIQUEMENT.

excommunication. V. ANATHÈME.

excoriation. V. ÉCORCHURE.

excrément est le terme général qui sert à désigner toute matière excrétée du corps de l'homme ou des animaux, par l'effet d'une évacuation naturelle : *Les matières fécales, l'urine, la sueur sont des excréments*. **Matière fécale,** comme **fèces,** toujours employé au pluriel et moins usité, sont des termes de médecine qui ne s'appliquent qu'aux excréments solides de l'homme; on dit aussi, en parlant des matières fécales évacuées, **déjections** et **selles,** celui-ci étant du langage recherché. **Fiente** désigne les excréments de certains animaux, particulièrement des oiseaux. **Crotte** est le nom donné à la fiente en petites pelotes que font certains animaux : *Crotte de cheval, de lapin, de biche;* il se dit parfois aussi, familièrement, des matières fécales solides de l'homme, surtout des enfants. **Crottin** s'applique particulièrement aux excréments solides des chevaux, mulets, etc., et **bouse** à la fiente de bœuf, de vache. **Chiasse** est le nom donné aux excréments d'insectes, ainsi que **chiure** qui s'applique surtout aux mouches. **Caca** est un terme enfantin appliqué à la *matière fécale*. **Bran** est populaire et plutôt dialectal. **Mouscaille** est un terme d'argot. **Merde** est grossier.

excursion. V. PROMENADE.

excuser. V. PARDONNER.

exécrable. V. ABOMINABLE.

exécration. V. MALÉDICTION.

exécrer. V. HAÏR.

exécuter. V. ACCOMPLIR et TUER.

exécuteur. V. BOURREAU.

exégèse, qui désigne l'explication d'un texte grammatical, historique, juridique, etc., se dit plus particulièrement de l'interprétation grammaticale et historique de la Bible. **Anagogie** (ou ANAGOGISME) est plus particulier; c'est uniquement un terme de théol. désignant l'interprétation des Ecritures, par laquelle on s'élève du sens littéral au sens spirituel. **Herméneutique,** qui désigne adjectivem. ce qui a pour objet l'interprétation des textes, se dit aussi parfois absolument de l'interprétation des textes sacrés. (V. EXPLIQUER et NOTE.)

exemple se dit de la chose qui doit ou peut être imitée, considérée comme un acte simple et sans égard à la manière de faire cet acte. **Modèle** désigne aussi une chose qui doit être imitée, mais toujours en s'efforçant de faire exactement de même : *On peut donner pour modèle un exemple qui est mauvais.* **Règle** implique, plus que l'imitation de ce qui est fait, la prescription de ce qui est à faire : *La règle fait connaître ce dont on ne doit pas s'écarter en agissant*. **Parangon,** syn. de *modèle,* ne s'emploie guère qu'ironiquement.

exemption. V. DISPENSE.

exercer. V. PRATIQUER.

exergue. V INSCRIPTION.

exhalaison. V. EFFLUVE et VAPEUR.

exhaler. V. EXPIRER.

exhausser. V. HAUSSER.

exhéréder. V. DÉSHÉRITER.

exhiber. V. MONTRER.

exhortation. V. SERMON.

exhorter. V. ENCOURAGER.

exhumer. V. DÉTERRER.

exigeant désigne, d'une façon générale, celui qui demande beaucoup. **Difficile** est plus partic.; il se dit bien en parlant de celui qui demande surtout des choses peu communes ou d'une qualité particulière. **Pointilleux** s'applique à celui qui est exigeant sur des détails peu importants, secondaires.

exiger. V. RÉCLAMER.

exigu. V. PETIT.

exiler. V. BANNIR.

existence. V. VIE.

exister. V. ÊTRE.

exode. V. ÉMIGRATION.

exorbitant. V. EXCESSIF.

exorcisme est un terme de théol. qui désigne la cérémonie religieuse par laquelle le prêtre, au nom de Dieu, chasse ou bien seulement écarte les démons. **Conjuration** dit moins; il s'applique simplement à la formule par laquelle on ordonne au malin esprit de s'éloigner. (On dit aussi parfois, dans ce sens, **adjuration,** la formule commençant par les mots latins : *Adjuro te,* je t'adjure.)

exorde. V. PRÉLIMINAIRE.

exotique. V. ÉTRANGER.

expansif. V. COMMUNICATIF.

expansion. V. PROPAGATION.

expatrier. V. CHASSER.

expectation, expectative. V. ATTENTE.

expectorer. V. CRACHER.

expédient désigne le moyen qu'on emploie pour se tirer d'une position difficile; il suppose toujours un obstacle à vaincre. **Ressource** s'applique à la chose dont on tire parti après un malheur, pour recommencer la lutte et quelquefois pour rétablir complètement ses affaires; il suppose un mal à réparer et concerne non pas l'action même, comme *expédient,* mais la circonstance, l'objet dont on se sert pour agir : *Dans les affaires de la vie, nous avons sans cesse besoin d'expédients; dans les calamités, il faut des ressources.*

expédier. V. ACCÉLÉRER et ENVOYER.

expéditif. V. DILIGENT.

expédition. V. COPIE et VOYAGE.

expérience désigne la connaissance des choses acquise involontairement par l'observation du monde, l'usage de la vie, la profession. **Pratique** suppose surtout une expérience des choses née de la répétition des actes : *L'expérience est une instruction, la pratique une habitude.*

V. aussi ÉPREUVE et OBSERVATION.

expérimenté, expert. V. ADROIT.

expiation implique purification, réparation, satisfaction pour une faute, au moyen du repentir, du sacrifice, de la souffrance. **Châtiment** suppose punition, correction, peine subie par celui qui a failli, soit pour lui faire expier sa faute, soit pour le ramener à son devoir et le contenir : *L'expiation est volontairement subie, alors que le châtiment est imposé.*

expirer, c'est, en termes de physiologie, rendre l'air aspiré, expulser par une contraction de la poitrine; il suppose une action naturelle. **Souffler,** dans ce sens, implique une action volontaire; c'est faire du vent en poussant de l'air par la bouche. (V. ASPIRER et RESPIRER.)

V. aussi MOURIR.

explicite. V. CATÉGORIQUE.

expliquer, c'est donner les notions nécessaires pour comprendre, faire connaître le sens des mots, les motifs cachés d'une action qui étonne au premier abord. **Interpréter,** c'est expliquer ce qu'il y a d'obscur, d'ambigu dans une loi, un acte, un écrit, une pensée, et, par ext., expliquer par induction, tirer d'une chose quelque induction. **Traduire,** c'est expliquer, interpréter en éclaircissant. **Développer,** c'est expliquer en décrivant longuement ce qui renferme plusieurs idées implicitement contenues, ou même réellement exprimées, lorsque celles-ci sont tellement serrées, qu'on ne peut les saisir d'un premier coup d'œil. **Commenter,** c'est non seulement expliquer, mais encore faire des remarques, des critiques sur un livre, un texte, une action, pour en faciliter l'intelligence; il suppose une explication assez libre, s'écartant même souvent de la lettre. (V. ÉCLAIRCIR, ÉNONCER et RACONTER.)

exploit désigne, en général, tous les actes de guerre où le guerrier a fait preuve d'un grand courage; appliqué à un civil, il est le plus souvent employé ironiquement. **Prouesse,** proprement action d'un « preux », d'un vaillant vassal, peut s'appliquer à toute action qui marque de la vaillance, de la hardiesse, du courage, ou même simplement une grande habileté particulière. **Fait d'armes,** comme **haut fait,** est plus particulier; il peut supposer une action d'éclat militaire qui, sans importance quant à l'issue de la guerre, n'est remarquée que par rapport à l'homme qui s'y est signalé. **Geste,** nom féminin, est un terme d'histoire littéraire qui désigne l'ensemble des faits héroïques d'un preux ou d'une famille de preux. (V. PERFORMANCE.)

exploiter, c'est simplement mettre en œuvre pour obtenir un produit. **Utiliser,** c'est tirer parti d'une chose en l'employant utilement. **Faire valoir,** c'est tirer parti en rendant productif; il suppose généralement que l'on donne du prix à la chose exploitée, en la faisant paraître meilleure, plus belle. (A noter qu'en parlant d'une terre, d'un champ, ce terme équivaut à *exploiter.*)

V. aussi VOLER.

exploration. V. VOYAGE.

expolier. V. DÉPOSSÉDER.

exporter. V. ENVOYER.

exposé. V. RELATION.

exposer. V. ANNONCER, ÉNONCER, HASARDER et MONTRER.

exprès. V. MESSAGER.

expression, qui est de tous les styles, désigne une manière de s'exprimer souvent propre à celui qui l'emploie. **Locution** est plutôt du langage didactique; il se dit d'une manière de parler spéciale ou particulière, généralement commune et peu ou prou répandue par l'usage. **Idiotisme** est le nom donné à une locution propre à une langue. **Tour** fait surtout penser à l'arrangement des expressions qui servent à présenter la pensée. **Tournure** a plutôt le sens de *locution,* d'*idiotisme : On dit une tournure vicieuse, dialectale, mais un tour hardi, original.* **Formule** désigne une expression rigoureuse et condensée en termes qui définissent une idée, une croyance, un sophisme, une opération ou un ensemble d'opérations. **Slogan** est plus partic.; il se dit, en termes de publicité ou de propagande, d'une expression, d'une formule résumant en quelques mots frappants les avantages d'une marque, d'une firme, d'un produit ou présentant d'une façon lapidaire les aspirations ou les buts d'un groupement, d'un parti, d'un Etat. (V. SENTENCE.)

V. aussi MOT.

exprimer, c'est rendre sensibles la pensée, les sentiments, les passions, par la parole, les gestes, les attitudes, les traits de la physionomie. **Manifester,** c'est exprimer au grand jour, rendre évident à tout le monde ; il emporte une idée d'expression des sentiments plus visible, plus publique, que ne l'entend *exprimer,* lequel peut s'appliquer à une action fort discrète. **Traduire,** c'est exprimer sous un certain aspect ; il suppose une interprétation particulière de l'expression qui rend sensible le sentiment. — **Extérioriser,** terme de philosophie signif. placer en dehors de soi-même la cause des sensations, des phénomènes intérieurs, tend à s'employer abusiv. auj. comme syn. de *manifester.*

V. aussi ÉNONCER et EXTRAIRE.

expulser. V. CHASSER.

exquis. V. AGRÉABLE.

exsuder. V. SUINTER.

extase. V. TRANSPORT.

exténué. V. LAS.

exténuer (s'). V. FATIGUER (SE).

extérieur se dit de ce qui, faisant partie de la chose, se voit tout d'abord, est saisi par l'œil. **Dehors** est seulement relatif à l'objet, dont il est toutefois étranger : *Les jardins, les cours et le parc, dit Lafaye, constituent le dehors d'un château; les toits et les murs en sont l'extérieur.* — Au fig., DEHORS a plutôt rapport à ce qui est ajouté à l'EXTÉRIEUR, à ce qui se voit : *Les dehors d'une personne comprennent non seulement son apparence extérieure, mais aussi ses gestes, son attitude, sa manière de parler.*

V. aussi ASPECT et EXTERNE.

extérioriser. V. EXPRIMER.

exterminer. V. TUER.

externe est un terme de médecine ou de pédagogie qui ne se dit que de ce qui est physiquement, matériellement au-dehors. **Extérieur** est l'expression ordinaire pour désigner ce qui est ou ce qui se manifeste au-dehors. **Extrinsèque** ajoute à l'idée d'*extérieur* celle d'accessoire ; il se dit de ce qui ne dépend pas du fond intime d'une chose : *La valeur extrinsèque d'une monnaie tient au caprice, est variable, n'a rien de réel.*

externe des hôpitaux. V. MÉDECIN.

extirpation. V. ARRACHEMENT.

extirper. V. DÉRACINER.

extorquer. V. VOLER.

extorsion. V. CONCUSSION.

extra. V. SUPÉRIEUR.

extraction. V. ARRACHEMENT et NAISSANCE.

extraire, c'est tirer hors de, quelle que soit la façon. **Exprimer** est plus particulier ; c'est seulement extraire le suc, le jus en pressant.

extrait. V. ABRÉGÉ.

extraordinaire. V. ADMIRABLE, BIZARRE et RARE.

extravagant. V. ABSURDE et BIZARRE.

extrême suppose absence de modération ; il s'applique bien aux personnes et aux sentiments que la raison ne conduit plus, qui ne savent pas demeurer dans un juste milieu. **Intense** s'applique seulement à l'action, qu'il suppose extrême, dépassant la mesure ordinaire ; il convient bien en parlant de ce qui possède quelque qualité à un haut degré, cela sans idée péjorative : *Pour certaines opérations chimiques, il faut une chaleur intense.* **Excessif** dit plus ; il implique que l'on va au-delà de toutes les limites et suppose le plus souvent un résultat regrettable. **Violent** s'applique plus à une passion impétueuse qui soulève, qui transporte, qu'à un sentiment : *La crainte nous jette dans un désarroi extrême, voire parfois excessif, la témérité nous entraîne dans toutes les actions violentes.* **Désordonné** suppose surtout une démesure, un dérèglement, généralement même une mauvaise orientation ; il indique essentiellement un défaut : *Une faim, des dépenses sont désordonnées lorsqu'elles outrepassent ce qu'elles devraient être.*

V. aussi DERNIER.

Extrême-Orient. V. ORIENT.

extrémité. V. AGONIE et BOUT.

extrinsèque. V. EXTERNE.

exubérance. V. ABONDANCE.

exubérant. V. COMMUNICATIF.

exulcération. V. ULCÉRATION.

exutoire, employé figurément pour désigner l'issue par laquelle peut s'écouler quelque chose qui gêne, le moyen de se débarrasser de quelque chose de mauvais, a pour syn. moins usité **émonctoire,** nom donné proprement, en anatomie, à toute ouverture du corps permettant l'évacuation des produits des sécrétions et des humeurs : *La prison, le bagne, la guillotine sont les exutoires de la société; Les rivalités littéraires jouissent, a écrit Georges Duhamel, d'un émonctoire naturel : elles se règlent publiquement, à coups de plumes et à flots d'encre.*

V. aussi ULCÉRATION.

F

fable est le nom donné, en littérature, à un court récit fictif et allégorique, en prose ou surtout en vers, parfois mythologique, destiné à mettre en lumière une idée abstraite, dans un but moral ou non, et où l'on peut personnifier les animaux et les choses. **Apologue** se dit d'une sorte de fable visant toujours à une conclusion morale. **Parabole** désigne généralement un apologue qui vise non seulement à une conclusion morale, mais encore à un enseignement, à une règle de conduite dans un cas donné : *La fable forme par elle-même un tout littéraire et détaché, tandis que l'apologue et la parabole font le plus souvent partie d'un ensemble où ils ne figurent que par accident; c'est ainsi que la Bible contient nombre d'apologues, et l'Evangile nombre de paraboles.* (V. ALLÉGORIE, CONTE et LÉGENDE.)

V. aussi CONTE.

fabrique. V. USINE.

fabriquer. V. INVENTER et PRODUIRE.

fabulation. V. TRAME.

fabuleux. V. ADMIRABLE et IMAGINAIRE.

façade. V. FACE.

face se dit du côté apparent d'une maison ou d'un édifice, quel qu'il soit : *La face du côté du levant; Une des faces du Louvre regarde l'église Saint-Germain-l'Auxerrois.* **Façade** s'applique généralement à un édifice important, comme une église, un palais, un château, etc., et désigne seulement le côté où se trouve la principale entrée, celui qu'ont embelli l'architecture et la sculpture, et qui se distingue, par conséquent, de tous les autres. **Frontispice** fut employé autrefois pour désigner la façade principale d'un édifice, puis, abusivement, certaines parties de cette façade. (A noter que ce terme est confondu quelquefois auj. avec « fronton ».) **Front,** syn. de *façade,* est également vieilli.

V. aussi FIGURE.

face-à-face, en face. V. VIS-À-VIS.

face-à-main. V. LORGNON.

facétie. V. PLAISANTERIE.

fâché marque un simple regret, un déplaisir dû aussi bien à tout ce qui est fâcheux dans les événements qui nous touchent ou qui touchent les autres qu'aux fautes personnelles ou aux actes qu'on voudrait n'avoir pas été obligé de faire. **Marri** est un syn. vieilli de *fâché* qui ne s'emploie plus guère auj. qu'ironiquement. **Repentant** est plus humble; il annonce un regret qui part de la conscience et qui est toujours accompagné d'un sentiment profond de sa faute.

fâcher, c'est exciter un déplaisir permanent; il suppose une impression désagréable, lente à effacer. **Contrarier,** c'est fâcher généralement en disant ou en faisant le contraire de ce que les autres disent ou font; il suppose souvent dépit. **Mécontenter,** c'est fâcher quelqu'un en lui causant un sentiment pénible, surtout par la conduite que l'on tient. (V. ATTRISTER et IRRITER.)

Se fâcher. V. BROUILLER (SE).

fâcherie. V. BOUDERIE.

fâcheux. V. DÉSAGRÉABLE et IMPORTUN.

faciès. V. FIGURE.

facile. V. AISÉ et CONCILIANT.

facilement. V. AISÉMENT.

façon désigne comment la chose est faite, comment elle est, et concerne le résultat; c'est ce qui donne la forme à un ouvrage, à une action, ce qui rend la chose propre à quelque service. **Manière,** qui indique comment la chose se fait, considère l'action elle-même, pendant qu'elle a lieu; c'est l'ensemble des différentes modifications subies par la chose, ce qui donne un tour particulier à l'action, à l'ouvrage : *Dans la façon d'un ouvrage, on trouve la manière de l'ouvrier.* (A noter qu'en termes de grammaire, une *façon de parler* est une locution régulière ou irrégulière qui est consacrée par l'usage; une *manière de parler* est une locution singulière, propre à une personne, ou bien hasardée en passant.) **Guise,** autref. syn. de *manière,* ne s'emploie plus que dans des locutions comme : *A sa guise; En guise de.* — Au plur., FAÇONS exprime le plus souvent quelque chose d'affecté, qui tient de l'étude ou de la minauderie, dans les relations de société. MANIÈRES, qui est plus général, s'applique aussi bien à ce qui est empreint de grandeur qu'à ce qui est entaché de politesses minutieuses; il exprime toujours quelque chose de plus naturel, qui vient du caractère et de l'éducation, que *façons : Beaucoup d'hommes avaient autrefois, comme les femmes, de petites façons, pour se donner des grâces; aujourd'hui beaucoup de femmes prennent les manières libres des hommes pour se distinguer de leur sexe.* **Chichi,** employé surtout dans l'expression : *Faire du chichi* ou *des chichis,* comme **flafla** (*faire du flafla*) sont familiers, le premier supposant plutôt des façons affectées, et le second des manières prétentieuses. (V. MINAUDERIES.)

façon (sans). V. FRANC.

faconde. V. ÉLOQUENCE.

façonner. V. FORMER et TRAVAILLER.

façonnier. V. FORMALISTE.

fac-similé. V. REPRODUCTION.

facteur. V. PORTEUR.

factice se dit de ce qui n'est pas produit par la nature, mais qui a été fait à son imitation, tout en s'en éloignant par le fond, la substance; il emporte souvent, auj. surtout, l'idée de feinte, de tromperie **Artificiel** dit moins; il désigne quelque chose due à la main de l'homme et faite par le moyen de l' « art », qui ne s'éloigne de la nature que par l'arrangement. **Postiche** se dit de certaines choses artificielles que l'on ajoute à une personne, à un objet, dans le but de remplacer des choses naturelles qui manquent. **Faux,** syn. de *postiche,* est du langage courant.

factieux. V. RÉVOLUTIONNAIRE.

faction. V. PARTI.

factionnaire désigne les soldats d'un poste chargés à tour de rôle de monter la garde à un endroit déterminé, généralement dans le service de place. **Sentinelle** convient aussi bien au service de place qu'au service en campagne; il emporte souvent une idée de guet, de protection, que n'implique pas *factionnaire : On met un factionnaire à la porte d'une caserne, des sentinelles autour d'un camp.* (A noter que *sentinelle* est le seul terme qui puisse s'appliquer à la fonction même, au service du soldat chargé de rester à un poste fixe pour veiller, pour avertir de ce qui se passe, pour observer une consigne : *Faire sentinelle; Mettre en sentinelle.*) **Vedette** ne se dit que d'une sentinelle à cheval.

factorerie. V. COMPTOIR.

factum. V. RELATION et SATIRE.

facture. V. COMPTE.

faculté désigne l'aptitude à agir, à produire certains actes, et exprime une force, une capacité virtuelle plutôt qu'agissante, mais conçue comme inhérente au sujet. **Puissance** enchérit sur *faculté,* en annonçant quelque chose de plus grand, de plus élevé. (A noter que *faculté* est aussi le terme spécial employé pour désigner les diverses manifestations de l'esprit, à moins qu'on ne veuille en relever l'idée par l'application du mot *puissance.*) **Pouvoir** concerne la même force que *faculté* ou *puissance,* mais considérée comme agissante ou comme étant libre d'agir : *Le captif retenu par des liens a la faculté ou la puissance de marcher, mais il n'en a pas le pouvoir.* (V. QUALITÉ.)

V. aussi MÉDECIN et UNIVERSITÉ.

fada. V. NIAIS.

fadaise désigne au propre la chose

fade, inutile, voire niaise. **Fadeur** se dit de la qualité abstraite de la *fadaise*. — Au fig., par contre, ces deux mots se confondent souvent, le sens de FADEUR semblant toutefois plus particulièrement restreint à ce qui manque de piquant, de sel, d'esprit. (V. BÊTISE et SORNETTE.)

fade se dit de ce qui exerce une action peu agréable sur le sens du goût, parce qu'il n'a pas le piquant, le relevé qu'on lui voudrait. **Insipide,** qui implique absence complète de goût, ne suppose ni plaisir ni déplaisir. — Au fig., FADE se dit de ce qui choque, rebute, par le fait même qu'on y aperçoit un certain désir maladroit de plaire par une fausse douceur. INSIPIDE s'applique à ce qui paraît inutile, ennuyeux, parce que n'ayant rien qui intéresse : *Les compliments des sots adulateurs sont fades; la vie d'un homme oisif est insipide.* (A noter qu'en matière littéraire *insipide* prend généralement une valeur péjorative plus forte que *fade*.) — **Plat** se dit parfois aussi figurément et familièrement, d'une part de ce qui, au goût, est dénué de saveur et de force, et d'autre part, des productions de l'esprit sans élégance, élévation, vivacité ou piquant : *Vin plat; Style plat.* (V. INSIGNIFIANT.)

fadeur. V. FADAISE.

fagot désigne un faisceau de branchages et de menus bois généralement unis ensemble par un lien de bois vert et flexible nommé hart. **Javelle** est le nom que l'on donne parfois à un petit fagot de sarments. **Falourde** se dit d'un fagot à deux liens, formé généralement de bûches de pin ou de bouleau écorcé et fendu. **Bourrée** s'applique à un fagot composé du bois le plus menu et le plus mauvais. **Cotret** désigne un fagot de bois court et de moyenne grosseur. **Margotin** se dit d'un petit fagot obtenu avec les menus bois des taillis et que l'on utilise pour allumer les feux d'appartement. **Fascine** est plus particulier; c'est un terme d'art militaire ou de ponts et chaussées qui désigne un long fagot fait de branchages réunis par des harts en bois ou en fil de fer, et que l'on emploie pour combler les fossés d'une place, empêcher l'éboulement des terres, etc.

fagoter. V. VÊTIR.

faible se dit de ce qui manque naturellement de force. **Affaibli** implique une action, une cause quelconque qui rend faible. **Débile** est d'un emploi moins commun que *faible,* et il diffère de celui-ci en ce qu'il représente le plus souvent la faiblesse comme résultant de la perte des forces : *L'enfance est faible, les malades sont affaiblis, et la vieillesse est débile.* **Déficient,** nom donné, en termes de médecine, aux individus dont l'intelligence est originairement atrophiée, et qui manquent de certaines facultés, tend à s'employer auj., dans le langage courant, avec le sens d'*affaibli,* surtout lorsque la faiblesse est due à l'insuffisance de nourriture : *Les privations et les restrictions rendent déficient.* **Anémique** implique une faiblesse due à un dépérissement causé par l'appauvrissement du sang, en qualité ou en quantité. **Anémié** se dit de celui qui a été rendu anémique. **Lymphatique** suppose une faiblesse caractérisée par la mollesse des muscles, la blancheur de la peau et les manières apathiques. **Asthénique** est un terme de médecine qui implique un affaiblissement fonctionnel : *Une excitabilité diminuée rend asthénique.* **Adynamique** suppose généralement une extrême faiblesse musculaire due à une intoxication des centres moteurs : *La fièvre typhoïde rend très souvent adynamique.* **Chétif** se dit des êtres qui sont faibles parce que n'étant pas dans l'état de croissance, d'embonpoint, de vigueur, où ils devraient être. **Malingre** enchérit sur *chétif;* il suppose une complexion faible et languissante. **Gringalet,** qui ne s'emploie que substantivement, désigne, familièrement et dans un sens péjoratif, un homme faible de corps, petit et grêle. **Freluquet,** dans le sens de *gringalet,* suppose surtout minceur et absence d'apparence, alors que **mauviette** fait surtout penser à l'absence de force. **Avorton,** appliqué à un être chétif, à une personne petite, faible et mal faite, ne s'emploie aussi que substantivement et toujours péjorativement. **Aztèque** est le nom que l'on donne parfois, populairement et péjorativement, à un individu chétif. (Ce terme de mépris a pour origine l'exhibition à Paris, vers 1855, de deux monstres rachitiques et microcéphales, que l'on présentait comme des Aztèques authentiques.) [V. DIFFORME, MENU et RABOUGRI.]

V. aussi MOU et PENCHANT.

faiblesse. V. ÉVANOUISSEMENT.

faille. V. FENTE.

faillir. V. MANQUER et TROMPER (SE).

faillite désigne l'état d'un commerçant qui dépose son bilan et cesse ses paiements, généralem. à la suite de malheur et non dans l'intention de frustrer ses créanciers. **Liquidation judiciaire** dit moins; c'est le nom que l'on donne à une sorte de faillite atténuée, qui se distingue essentiellement de la faillite proprement dite en ce que le « liquidé judiciaire », à la différence du « failli », n'est pas dessaisi de son patrimoine. **Banqueroute** implique une faillite occasionnée par la faute du commerçant et punie par la loi : *La banqueroute simple résulte de l'imprudence ou de la négligence; la banqueroute frauduleuse suppose la mauvaise foi, généralement par détournement ou dissimulation d'une partie de l'actif.* **Déconfiture,** s'applique simplement à l'état du débiteur non commerçant dont le passif excède l'actif : *La déconfiture n'entraîne aucun dessaisissement ni aucune liquidation des biens du débiteur.* **Krach,** qui est plus particulier, se dit soit d'un grand désastre financier, soit de la faillite subite d'une entreprise financière ou industrielle. (V. RUINE.)

faim désigne le désir des aliments solides, le besoin plus ou moins vif de manger qu'on éprouve dans l'état de santé quand l'estomac est vide depuis quelque temps. **Fringale** se dit d'une faim subite et inopinée dant les effets se font sentir en dehors de l'heure accoutumée des repas. **Boulimie** désigne une faim excessive qui pousse à une consommation exagérée des aliments, et qui est généralement le symptôme d'un état névropathique. **Polyphagie** (du grec *polus,* beaucoup, et *phagein,* manger) est un terme de pathol. désignant une faim insatiable qui s'observe chez certains malades et dans certaines races. **Malefaim** et **faimvalle** sont VX; ils se disaient autrefois d'une faim excessive. (V. APPÉTIT.)

V. aussi DÉSIR.

fainéant. V. PARESSEUX.

faire suppose, outre l'action de la personne, un objet qui termine cette action, et quel qu'en soit l'effet. **Agir** n'implique pas d'autre objet que l'action et le mouvement de la personne, et peut être lui-même l'objet du mot *faire : La sagesse veut que, dans tout ce que nous faisons, nous agissions avec réflexion.* (Ainsi, comme le note Littré, *faire* est un mot à signification très étendue qui exprime au sens actif ce que *agir* exprime au sens neutre, et, au sens déterminé et appliqué à un objet, ce que *agir* exprime au sens indéterminé et abstrait.)

V. aussi PRODUIRE.

faire fi de. V. MÉPRISER.

faire semblant. V. FEINDRE.

faire valoir. V. EXPLOITER.

faisable. V. POSSIBLE.

faisander (se). V. POURRIR.

faisceau. V. BOTTE et COALITION.

faiseur. V. ESCROC et INTRIGANT.

fait. V. ACTION.

fait d'armes, haut fait. V. EXPLOIT.

faîte. V. COMBLE et SOMMET.

faix. V. CHARGE.

fallacieux. V. TROMPEUR.

1. **falot.** V. LANTERNE.

2. **falot.** V. COMIQUE et INSIGNIFIANT.

falourde. V. FAGOT.

falsification se dit de l'action de changer, de dénaturer quelque chose, avec dessein de tromper. **Altération,** tout en impliquant le plus souvent un changement de bien en mal d'une chose, peut toutefois convenir pour désigner la simple modification apportée dans l'état général d'une chose, ou même seulement dans certaines de ses qualités. **Corruption,** qui se dit au propre de l'altération de la substance d'une chose et suppose alors putréfaction de cette dernière, désigne aussi, au figuré, toute altération dans les mœurs, dans le langage, dans le goût. **Adultération,** syn. de *falsification,* est peu usité.

falsifier, qui est dénaturer dans le dessein de tromper, appartient plutôt au lang. didact.; il suppose toujours une action expresse et volontaire. **Fausser** est du lang. commun et peut être le fait d'une erreur, d'une faute, sans intention volontaire de tromper. **Corrompre,** syn. de *falsifier,* ne se dit guère qu'en parlant d'un texte, d'un passage qu'on altère. **Adultérer, frelater** et **sophistiquer** sont plus particuliers; c'est, transitivement, falsifier en mêlant quelque chose d'étranger. **Truquer,** syn. de *falsifier,* est familier; **maquiller** est populaire. (V. ALTÉRER.)

famélique. V. AFFAMÉ.

fameux. V. ILLUSTRE et SUPÉRIEUR.

familiarité suppose liberté dans les discours et dans les manières, absence de formes cérémonieuses dans les relations de la vie, tout en ne marquant rien que de permis. **Privauté,** qui se dit d'une familiarité excessive, convient bien en parlant des libertés qu'un homme prend avec une femme; il fait le plus souvent penser à quelque chose d'illicite, à une liberté que l'on ne devrait pas se permettre.

V. aussi INTIMITÉ.

familier. V. FRANC.

famille, pris dans son sens le plus restreint, désigne la société composée d'un homme, de sa femme et de ses enfants, soit qu'ils vivent réunis dans la même habitation, soit qu'ils vivent séparés les uns des autres. **Ménage,** qui se dit en parlant de toutes les personnes dont se compose une famille, s'applique dans un sens plus restreint à l'association que forment un homme et une femme mariés ensemble ou vivant en concubinage. **Foyer,** syn. de ces termes, fait essentiellement penser au séjour domestique, au centre autour duquel se réunit la famille, le ménage. **Maison,** dans ce sens, peut désigner non seulement les membres d'une même famille, mais encore les domestiques qui vivent avec eux dans une même « maison ». **Feu** n'est guère employé comme syn. de *foyer,* de *maison,* que dans les dénombrements. **Maisonnée,** syn. de *maison,* est assez fam. et souvent employé ironiquement. **Nichée** est aussi fam. et fait surtout penser aux enfants qui composent la famille; on dit aussi, dans ce sens, **marmaille** qui suppose de nombreux enfants. **Couvée,** syn. de *nichée,* s'emploie parfois dans le langage poétique. **Tribu,** comme **smala,** se dit populairement d'une famille nombreuse, parfois avec une nuance péjorative.

V. aussi CONSANGUINITÉ et RACE.

famine. V. DISETTE.

fanal. V. LANTERNE.

fanatique désigne celui qui se passionne à l'excès pour une religion, une opinion, un parti, pour un ouvrage ou son auteur : *Le fanatique, raisonnant peu ou mal, n'hésite pas bien souvent à se livrer à des actions condamnables.* **Intolérant** s'emploie surtout en matière de religion ou de politique; il suppose non seulement une opinion passionnée, mais encore une disposition à violenter, à persécuter ceux qui pensent différemment : *Les intolérants ne sont pas toujours les plus sincèrement religieux.* **Sectaire** ajoute aussi à l'idée de passion, voire de violence, celles d'étroitesse d'esprit et d'intolérance; il se dit bien d'un partisan intolérant, fougueux, d'une secte religieuse, philosophique, etc. : *La fréquentation des sectaires est dangereuse.* **Séide** est plus partic.; il ne s'emploie que substantivement pour désigner un fanatique, un sectaire, aveuglément dévoué à un chef politique ou religieux. (V FURIEUX et SUREXCITÉ.)

fanchon (diminutif villageois du nom de *Françoise*) désigne, à la campagne surtout, un foulard plié en triangle, que les femmes portent sur la tête et nouent sous le menton. **Marmotte** se dit d'une coiffure de femme consistant en un foulard qui enveloppe la tête et dont les pointes sont nouées non pas sous le menton, mais au-dessus du front. **Mantille** est plus partic.; c'est le nom que l'on donne à une longue écharpe de soie ou de dentelle que portent sur la tête les Espagnoles surtout, et qui se croise sous le menton. (V. FICHU.)

fané se dit de ce qui a perdu de sa fraîcheur, mais qui, cependant, peut quelquefois la reprendre. **Flétri** dit plus; il implique disparition complète de fraîcheur, de charme, de valeur. **Passé,** syn. de *fané,* a essentiellement rapport à la couleur. **Décati** se dit surtout du visage qui a perdu de sa fraîcheur, le plus souvent par l'âge. (V. USÉ.)

V. aussi DÉFORMÉ.

fanfaron se dit de celui qui exagère ou qui ment pour donner une haute idée de son courage, qui sonne des « fanfares » comme pour célébrer sa propre gloire. **Hâbleur** désigne le bavard qui se laisse aller à débiter des mensonges par l'extrême désir qu'il a de voir toujours les autres occupés de sa personne. **Vantard** s'applique à celui qui s'attribue des qualités, des mérites qu'il n'a pas. **Fendant,** syn. de *fanfaron,* ne s'emploie guère que dans la locution : *Faire le fendant.* **Tartarin** est le nom que l'on donne parfois à un homme hâbleur, par allusion au fameux héros d'Alphonse Daudet. **Monteur de coups,** syn. de *hâbleur,* est familier, comme le sont **craqueur** et **gascon,** syn. de *vantard.* **Mâchefer** est un syn. vieilli de *fanfaron.* (V. BRAVACHE, TROMPEUR et VANITEUX.)

fanfaronnade désigne l'action, les paroles de celui qui se plaît à célébrer sa bravoure, ses prouesses réelles ou supposées. **Rodomontade** s'applique à une fanfaronnade extravagante, ridicule, outrée. **Forfanterie** suppose plus affectation de valeur morale ou de talent que de bravoure. (V. BRAVACHE et FANFARON.)

fange. V. BOUE.

fantaisie désigne un goût plus ou moins passager, difficile à motiver par ceux qui le ressentent, qui naît ordinairement de la légèreté, de l'âge ou du caractère. **Caprice** se dit plutôt d'une détermination arbitraire que d'un véritable goût. **Humeur** suppose certaines dispositions du tempérament ou de l'esprit, une manière d'être, qui rendent souvent insociable. **Lubie** est familier; il s'applique à une fantaisie, à un caprice extravagant. **Toquade** (ou TOCADE) est populaire; syn. de *caprice,* avec insistance sur le caractère passager, il suppose souvent un penchant maniaque assez prononcé, à moins qu'il ne se dise d'un caprice amoureux et éphémère. **Foucade** (ou FOUGADE), qui est familier et péjoratif, implique fougue, élan dans une fantaisie, un caprice passager. **Vertigo,** qui est familier aussi et peu usité auj., se dit d'une fantaisie, d'un caprice étrange et soudain, cependant que **quinte,** peu usité aussi, désigne un caprice, une mauvaise humeur qui se manifeste tout à coup : *Le vertigo est accidentel, et la quinte habituelle, note Lafaye.* (V. MANIE.)

fantasia. V. CARROUSEL.

fantasmagorique. V. BIZARRE.

fantasme. V. FANTÔME et VISION.

fantasque. V. BIZARRE et CAPRICIEUX.

fantassin. V. SOLDAT.

fantastique. V. BIZARRE et IMAGINAIRE.

fantoche. V. PANTIN.

fantôme se dit de tout ce qui paraît aux yeux par l'effet d'une imagination vivement frappée ou de quelque puissance surnaturelle; à noter que ce mot n'exprime rien d'autre que l'inanité matérielle des apparences. **Spectre** se dit plutôt d'un fantôme effrayant, hideux, horrible : *Tout ce que l'on voit en rêve peut s'appeler fantôme, et il y a des rêves agréables; mais il n'y a que des spectres dans les rêves pénibles que sont les cauchemars.* **Simulacre,** syn. de *fantôme* ou de *spectre,* s'emploie ordinairement dans ce sens avec l'épithète de « vain ». **Apparition** désigne un être imaginaire, effrayant ou non, qu'on croit apercevoir lorsqu'on est en état d'hallucination. **Revenant** s'applique au fantôme d'une personne morte, revêtue de son enveloppe matérielle, d'une forme humaine, et qu'on suppose revenue de l'autre monde, la plupart du temps dans le but d'annoncer quelque fâcheuse nouvelle, de réclamer l'exécution de quelque volonté dernière, ou simplement d'effrayer. **Esprit** suppose une manifestation immatérielle; il se dit des âmes des morts qui, selon quelques personnes simples et crédules, apparaissent aux vivants, tantôt par des flammes voltigeantes, tantôt par des sons étranges, dont la cause est invisible. **Ombre** désigne, en poésie et dans certaines religions, un fantôme qui a l'apparence d'un défunt, mais sans la réalité de la vie. **Larve** est un terme de l'Antiquité romaine désignant le spectre d'un homme entaché de quelque crime ou d'une fin tragique. **Fantasme** (ou PHANTASME) est syn. de *fantôme* dans le langage des sciences occultes.

faquin. V. COQUIN.

faramineux. V. ÉTONNANT.

faraud. V. FIER.

farce. V. ATTRAPE et COMIQUE.

farceur. V. BOUFFON.

fardeau. V. CHARGE et JOUG.

farder. V. DÉGUISER.

farfadet. V. LUTIN.

farfelu. V. BIZARRE et GRAS.

faribole. V. SORNETTE.

farniente. V. INACTION.

farouche se rapporte au caractère, à l'humeur; il emporte l'idée de dureté, de brutalité, de cruauté même, ainsi que celle de fierté. **Sauvage** dit moins; il suppose simplement un défaut de culture et marque les habitudes de celui qui vit seul, loin de toute société : *L'homme farouche repousse la société parce qu'il ne l'aime pas; l'homme sauvage l'évite parce que, ne la connaissant pas, il la craint.* **Truculent** (du lat. *truculentus,* farouche) est plus du lang. littér. et se dit de celui qui a ou veut avoir une apparence farouche : *L'aspect truculent d'un spadassin.* **Insociable** est un syn. de *sauvage,* avec la différence que le sauvage fuit la société, tandis que l'insociable est rejeté par celle-ci à cause de son caractère. **Misanthrope** (du grec *misein,* haïr, et *anthrôpos,* homme), nom donné à tout individu qui hait le genre humain, désigne aussi, par ext. et dans le langage courant, l'homme insociable, ennemi du commerce des autres hommes. (V. MÉFIANT.)

fascinant. V. CHARMANT.

fascine. V. FAGOT.

fasciner. V. ÉMERVEILLER.

faste. V. LUXE.

Fastes. V. ANNALES.

fastidieux. V. ENNUYANT.

fat. V. VANITEUX.

fatal (du lat. *fatum,* destin) se dit d'une certaine combinaison de causes inconnues qui déterminent nécessairement le bien comme le mal; il a plutôt rapport à la cause. **Funeste** (du lat. *funus,* funérailles) concerne surtout l'événement et marque toujours l'idée du malheur, des conséquences fâcheuses que l'on doit attendre, sans rien préciser sur la cause à laquelle ces conséquences peuvent être attribuées. (A noter qu'en parlant d'un événement triste, *fatal* se dit de celui qui est un effet du sort, et *funeste* de celui qui est la conséquence du crime ou de la faute de la personne : *Les soldats sont en danger de finir leurs jours d'une manière fatale; les scélérats sont exposés à périr d'une manière funeste.*) **Néfaste,** qualification donnée, dans le calendrier romain, aux jours fériés où il était défendu par la religion de vaquer aux affaires publiques, s'emploie couramment auj. comme syn. de ces termes; à l'idée de malheur qu'il implique toujours, il ajoute souvent celle de tristesse et de deuil : *Des événements néfastes plongent tout le monde dans l'affliction.* V. aussi INÉVITABLE.

fatalisme se dit d'un système philosophique essentiellement métaphysique ou religieux, qui considère tous les événements comme irrévocablement fixés à l'avance par une cause unique et surnaturelle. **Déterminisme** désigne la doctrine seulement psychologique qui attribue les actes volontaires de l'homme à des causes multiples et naturelles. (Dans le langage scientifique, on a toutefois conservé le nom de *fatalisme* à certaines formes spéciales du *déterminisme* dépouillées de tout caractère métaphysique ou religieux, tel le fatalisme social ou le fatalisme physiologique.)

fatalité. V. DESTIN.

fatigué. V. DÉFORMÉ et LAS.

fatiguer. V. ENNUYER.

Se fatiguer suppose un effort rude, ou par la difficulté, ou par la longueur, et qui cause de la lassitude, une sorte de faiblesse momentanée jointe à un sentiment douloureux qui fait désirer l'inaction. **Peiner** ajoute à l'idée de fatigue celle de difficultés — et suppose toujours un effort rude, ardu. **Se surmener,** c'est se fatiguer en s'imposant un travail excessif; il annonce la fatigue plus qu'il ne l'affirme. **S'épuiser** et **s'exténuer** disent plus; c'est se fatiguer jusqu'au complet affaiblissement des forces, de l'énergie vitale. **S'échiner, s'éreinter** et **s'esquinter** sont fam.; ils supposent qu'on se fatigue à l'excès, généralement parce qu'on se donne beaucoup de peine. **Suer,** c'est, familièrement aussi, peiner pour venir à bout de quelque chose, d'un travail surtout. **Ahaner,** proprem. faire entendre le cri de « ahan » en travaillant, c'est aussi, par ext., avoir bien de la peine en faisant quelque chose; il est peu usité et a pour syn. populaire **suer d'ahan. Se crever,** syn. de *s'épuiser,* de *s'exténuer,* est populaire. (V. ACCABLER et LAS.)

fatras. V. AMAS et DÉSORDRE.

fatuité. V. ORGUEIL.

fatum. V. DESTIN.
faubourg. V. BANLIEUE.
fauché. V. MISÉRABLE.
faucher. V. RENVERSER.
faufiler (jadis FORSFILER; de *fors* et *filer,* proprem. passer un fil en dehors de la couture à faire), c'est simplem. coudre provisoirement à longs points avant la couture définitive, et cela généralem. avec du fil de couleur. **Bâtir** (du germ. *bastjan,* coudre), c'est à la fois agencer, disposer provisoirement et faufiler, en parlant des différentes pièces d'un vêtement; il implique le plus souvent un assemblage auquel *faufiler* ne fait pas toujours penser : *On faufile l'ourlet d'un mouchoir, mais on bâtit un manteau, une robe.*

Se faufiler. V. GLISSER (SE).

fausser. V. FALSIFIER.

fausseté désigne le caractère de celui qui affecte des sentiments qu'il n'a pas, dans le dessein de tromper; il implique de la malignité couverte sous une fausse apparence. **Duplicité** enchérit sur *fausseté;* il suppose une fausseté odieuse due à la mauvaise foi, l'habitude ou la faculté de se contrefaire, de paraître autre que l'on est en effet. **Hypocrisie** dit plus encore; c'est le nom que l'on donne au vice qui consiste à affecter une piété, une vertu, un sentiment qu'on n'a pas. **Fourberie** suppose une disposition à tromper avec une adresse perfide et odieuse. **Tartuferie** (par allusion au héros de la comédie de Molière) est un syn. fam. d'*hypocrisie,* sur lequel il semble enchérir. **Pharisaïsme,** pris dans son sens étendu, fait surtout penser à une ostentation hypocrite de vertu, de piété; il emporte plus une idée de dureté à l'égard des autres que de mielleuse douceur. **Jésuitisme,** pris en mauv. part, s'emploie parfois familièrement comme syn. d'*hypocrisie;* il implique manque à la fois de franchise et de sincérité. **Papelardise,** syn. d'*hypocrisie,* est fam.; il suppose une disposition du caractère qui fait employer les manières doucereuses du faux dévot, pour mieux tromper. **Patelinage,** fam. aussi, s'applique à la manière insinuante et artificieuse d'une personne qui flatte pour mieux tromper, et concerne plutôt la conduite que le caractère. **Escobarderie** (du nom d'un casuiste espagnol) s'emploie parfois, par antonomase et en mauv. part, pour désigner l'action d'un hypocrite, d'un fourbe qui, par des raisonnements subtils et des restrictions mentales, sait accorder sa conscience avec ses passions ou ses intérêts. — A noter qu'à **faux, hypocrite,** etc., en parlant des personnes, il convient d'ajouter **faux jeton,** qui est familier. (V. DISSIMULATION, SOURNOIS et TROMPERIE.)

faute est un terme très général; il désigne l'action de faillir, de manquer aux prescriptions de la religion, de la morale, de la loi, et suppose un acte répréhensible à quelque titre et à quelque degré que ce soit. **Délit** est plus partic.; c'est uniquement un terme de jurisprudence, qui ne s'applique d'ailleurs qu'aux violations de la loi qui ressortissent aux tribunaux inférieurs. **Péché** appartient, lui, exclusivement au langage religieux, et représente l'action mauvaise comme offensant la majesté divine et violant les lois émanées de Dieu lui-même ou de son Eglise. **Peccadille** (du lat. *peccatum,* péché) dit beaucoup moins; c'est le nom que l'on donne à une faute légère, à un petit péché.

Faute se dit encore, dans un sens plus restreint, de l'imperfection qui résulte d'un manquement aux règles d'un art, d'une science, etc. : *Faute de style, de grammaire, d'impression.* **Erreur** est plus dominé que *faute* par l'idée de méprise ou d'oubli que par celle de véritable ignorance. **Lapsus** est un mot empr. du latin qui ne se dit que d'une erreur involontaire que l'on commet en parlant ou en écrivant. **Coquille** est très partic.; c'est un terme d'imprimerie qui désigne uniquement une faute due à la substitution d'une lettre à une autre dans une composition typographique.

V. aussi MANQUE.

fautif. V. COUPABLE.

faux se dit de ce qui est contraire à la vérité dans son essence même et a nécessairement pour effet d'induire en erreur. **Feint** diffère de *faux* en ce qu'il montre la fausseté comme étant le fait d'un trompeur, d'un homme qui s'est appliqué à donner à l'erreur l'apparence de la vérité. **Pseudo,** préfixe qui signifie « faux » et qui vient du grec *pseudos,* mensonge, peut s'unir à presque tous les noms pour marquer que la qualité qu'ils expriment est fausse, ou qu'elle ne convient pas à la chose ou à la personne. (V. FEINDRE.)

V. aussi FACTICE et SOURNOIS.

faux-fuyant. V. FUITE.

faveur désigne le pouvoir qu'on a auprès d'un personnage puissant ou d'une personne quelconque dont on est aimé, préféré; il implique bienfait, marque d'amitié, bienveillance, qui tiennent à la disposition favorable et le plus souvent permanente de la personne qui en témoigne. **Crédit** tient à la position de celui qui exerce une influence plus ou moins grande sur une autre personne, souvent puissante; il est généralement le résultat d'un mérite réel, de la place qu'on occupe. (A noter que le *crédit* peut aussi résulter de la *faveur,* mais alors le mot fait toujours penser à la position même de celui qui est en faveur.) **Grâce** suppose essentiellement une bienveillance protectrice, laquelle n'est pas forcément méritée, et qui, s'appliquant le plus souvent à un fait déterminé, est généralement passagère.

V. aussi SERVICE.

favorable désigne ce qui est bien disposé pour nous, ce qui nous seconde ou nous sert; il marque une disposition bienveillante, de bonnes intentions, ou même l'absence de toute opposition, de tout ce qui peut nuire. **Propice,** qui exprime toujours une protection efficace, un appui solide et qui assure presque le succès, dit plus; il désigne ce qui est sur nous ou près de nous pour nous protéger ou nous assister, ce qui vient avec empressement à notre secours, ce qui détermine l'événement ou nous fait réussir, ce qui a la puissance et la réduit en acte : *Celui-là nous est favorable qui veut notre satisfaction; celui qui fait notre bien, même malgré nous, nous est propice.* **Prospère,** qui se dit dans ce sens de ce qui est favorable au succès d'un dessein, d'une entreprise, n'est guère us. que dans le style soutenu.

favori désigne la personne qui est l'objet d'une prédilection, et, plus particulièrement, celui qui tient le premier rang dans les bonnes grâces d'un souverain. **Préféré,** syn. de *favori* pris dans son sens général, est familier, ainsi que **chouchou** qui s'emploie surtout dans le langage scolaire. (V. PROTÉGÉ.)

Favorite. V. AMANTE.

favoriser, c'est traiter favorablement, en aidant, en facilitant, qu'il s'agisse des personnes ou des choses. **Avantager,** c'est le plus souvent favoriser en accordant; il suppose une préférence nettement marquée, et s'emploie bien lorsqu'il s'agit d'un partage quelconque, d'une compétition : *Dans un concours, tous les candidats peuvent être favorisés par certaines circonstances, quelques-uns peuvent être avantagés par les examinateurs.* **Servir,** c'est favoriser en rendant service, en procurant quelque avantage par une intervention personnelle, en aidant à atteindre un but : *Inexorables dieux, qui m'avez trop servi* (*Racine*) ; *On est servi par les événements, par le temps.* (V. PRIVILÈGE.)

V. aussi AIDER.

favoritisme désigne la tendance habituelle d'un supérieur ou d'un gouvernement à accorder des faveurs injustes ou illégales, quel que soit le bénéficiaire. **Népotisme** (du lat. *nepos,* neveu), nom donné à la faveur dont jouissaient autref. auprès de certains papes leurs neveux, leurs parents, s'applique auj. encore à un favoritisme dont bénéficient les parents ou les créatures d'un homme en place. (V. PRÉFÉRENCE.)

féal. V. LOYAL et PARTISAN.

fébrile. V. FIÉVREUX.

fébrilité. V. NERVOSITÉ.

fèces. V. EXCRÉMENT.

fécond. V. FERTILE.

fédération désigne, dans le langage politique, l'union de plusieurs Etats particuliers en un Etat collectif, et suppose le plus souvent un pouvoir central; il se dit aussi, par ext., d'une union de sociétés, de syndicats particuliers qui s'allient dans un but commun. **Confédération** s'applique plutôt à des Etats qui, tout en étant unis et soumis à un pouvoir général, conservent cependant chacun un gouvernement particulier et, par suite, leur indépendance respective; la nuance est généralement la même lorsqu'il s'agit de particuliers ou de sociétés. (A noter que ces deux termes sont souvent employés l'un pour l'autre, cependant que *confédération* désigne aussi parfois une réunion de *fédérations.*)

Union se dit d'Etats, de provinces, de sociétés ou de personnes qu'un acte unit sous un seul gouvernement, une seule direction. (V. COALITION et SOCIÉTÉ.)

fédéré. V. ALLIÉ.

fédérer. V. UNIR.

feignant. V. PARESSEUX.

feindre, c'est se servir d'une fausse apparence pour tromper; il suppose qu'on joue la comédie, qu'on règle toute sa conduite, son maintien, ses paroles et ses actions, de manière à faire accepter par les autres une fiction comme une réalité. **Simuler** et **faire semblant** n'ont rapport qu'au maintien, qu'aux apparences extérieures, le premier s'employant souvent au part. passé ou avec un complément direct, le second s'employant devant un infinitif précédé de la préposition « de ». **Affecter** a moins que *feindre* le but de tromper; c'est surtout étudier son maintien, ses actions, pour donner à autrui une idée plus haute de sa valeur. **Faire la frime,** syn. de *faire semblant,* est familier.

V. aussi BOITER.

feint. V. FAUX.

feinte. V. DISSIMULATION.

fêler (se). V. ROMPRE (SE).

félicité. V. BONHEUR.

féliciter, c'est manifester à quelqu'un la part, le plaisir que l'on prend à un événement heureux pour lui. **Complimenter,** c'est féliciter quelqu'un en ajoutant à ses félicitations des éloges pour quelque chose qu'il a fait. **Congratuler,** qui ne s'emploie plus guère auj. qu'ironiquement, marquait autrefois un témoignage d'intérêt plus réel, ou tout au moins plus vif. (V. VANTER.)

félon. V. DÉLOYAL.

félonie. V. TRAHISON.

femme est le terme du lang. cour. désignant toute personne du sexe féminin. **Dame,** qui est plutôt du langage relevé, convient bien en parlant de femmes de qualité; c'est aussi le titre que l'on donne à toutes les femmes mariées. **Donzelle** (de l'ital. *donzella,* demoiselle), qui désignait autrefois une femme ou une fille de distinction, ne s'applique plus guère auj. qu'à une femme ou à une fille d'un état médiocre ou de mœurs des plus suspectes. **Femelle** se dit quelquefois des femmes, soit par opposition à « mâle », soit en mauv. part dans le langage vulgaire. **Cotillon** désigne parfois, dans le langage populaire, les femmes en général. **Garce,** qui s'applique à une femme de mauvaise vie ou simplement déplaisante ou méchante, est vulgaire. **Gonzesse, grognasse, ménesse, moukère, mousmé, poule** et **rombière,** syn. de *femme,* sont des termes d'argot. (V. FILLE.)

V. aussi ÉPOUX et PERSONNE.

femme de chambre, femme de ménage. V. SERVANTE.

femme de mauvaise vie, femme galante, femme publique. V. PROSTITUÉE.

femme légère. V. FILLE LÉGÈRE.

fendant. V. FANFARON.

fendre (se). V. ROMPRE (SE).

fenêtre désigne aussi bien l'ouverture ménagée dans un mur pour laisser pénétrer à l'intérieur le jour et l'air, que le châssis vitré qui ferme cette ouverture. **Croisée,** syn. vieilli de *fenêtre* dans le sens d'ouverture, ne se dit plus auj. que du châssis vitré, celui-ci étant généralem. en forme de « croix », divisé ou non par un montant et par une ou plusieurs traverses. **Baie** se dit d'une grande et large fenêtre, qui peut former parfois une porte. (V. LUCARNE.)

fente est un terme très général qui se dit de toute ouverture étroite faite en long. **Fissure** désigne, dans le lang. cour. une petite fente. **Crevasse** s'applique à une fente plus ou moins large ou profonde qui se fait à une chose qui s'entrouvre ou qui se crève. **Lézarde** est plus partic.; il se dit d'une fente, d'une crevasse qui se fait dans un ouvrage de maçonnerie. — En termes de géologie, CREVASSE conserve son sens propre; FENTE désigne une excavation plus longue que large; FISSURE implique que les parois des parties séparées sont restées en contact ou demeurées très rapprochées; FAILLE suppose que les masses séparées ont glissé l'une sur l'autre; **clase** est un synonyme technique de *faille.* (V. TROU.)

ferme. V. CONSTANT.

ferment désigne toute substance qui a la propriété de déterminer la décomposition d'une autre substance. **Levain** est plus partic.; il se dit de la pâte qui, ayant subi un certain degré de fermentation acide, est ainsi devenue propre à faire lever et fermenter la pâte du pain. **Levure** est le nom générique par lequel la chimie industrielle désigne tout organisme vivant qui provoque la fermentation et dont on se sert comme *levain.*

fermentation est proprement le nom que l'on donne au travail intérieur, lent, caché, qui s'opère de lui-même dans certaines substances organiques, quand les circonstances sont favorables. **Effervescence** désigne le mouvement qui se produit dans une substance quand une combinaison chimique y donne naissance à des bulles de gaz. **Ebullition** se dit du mouvement d'un liquide qui bout, mouvement qui provient des petites bulles formées par les parties du liquide que la chaleur a vaporisées. (A noter que, par ext., *ébullition* se dit quelquefois d'une grande effervescence.) — Au fig., FERMENTATION suppose une agitation des esprits sourde, muette, qui, lorsqu'elle dure longtemps, conduit à la révolte. EFFERVESCENCE s'applique plutôt à une agitation des esprits qui se manifeste brusquement et qui, souvent, s'apaise bientôt d'elle-même. EBULLITION emporte plus l'idée d'un mouvement des passions que d'une agitation des esprits.

fermer, c'est appliquer sur une ouverture faite à un corps un autre corps destiné à couvrir cette ouverture; s'employant surtout par opposition à « ouvrir », il convient bien en parlant des choses qui sont tantôt ouvertes, tantôt fermées. **Clore** se dit plutôt des choses de grande étendue autour desquelles on établit une enceinte : *Une porte est fermée; une ville est close de murailles.* (A noter que *clore* s'emploie aussi en parlant de choses petites, lorsqu'on veut exprimer l'idée d'une clôture fixe, durable, plus complète, plus hermétique que *fermer : Une fenêtre peut n'être pas bien close si elle laisse encore le passage à l'air de l'extérieur.*) **Condamner** dit plus que *fermer;* c'est non seulement fermer, mais encore mettre hors de service. **Bâcler, barrer, boucler, cadenasser** et **verrouiller** sont plus partic. et font penser chacun au mode de fermeture qu'ils impliquent par eux-mêmes.

fermeté. V. ASSURANCE et ÉNERGIE.

fermier désigne celui qui dirige l'exploitation d'une ferme, qu'il en soit le propriétaire ou qu'il cultive la terre d'un autre à charge de payer au propriétaire une redevance fixée par des conventions réciproques. **Méger** (ou MÉGIER) désigne parfois le fermier qui partage avec son propriétaire le fruit de la terre. **Closier** est le nom que l'on donne au fermier qui exploite une « closerie », c'est-à-dire une petite propriété foncière entourée de murs ou de haies, et possédant une maison d'habitation. **Métayer** désigne le fermier qui fait valoir un domaine pour le compte de son propriétaire, avec lequel il partage les récoltes; il suppose non seulement louage de services, mais aussi une association donnant lieu chaque année à un règlement de compte. **Tenancier** désigne une personne fermière d'une métairie dépendant d'une ferme plus considérable. **Colon,** qui se disait chez les Romains et au Moyen Age de tout occupant d'une terre, s'emploie encore auj., dans le langage juridique, pour désigner un métayer lié à un propriétaire par un bail à colonage ou colonat partiaire. **Censier** s'est dit autrefois pour désigner un métayer ou un grand fermier. **Bordier** et **cabanier** se disent dialectalement d'un petit métayer. **Tenant** est un synonyme vieilli de *tenancier.* (V. AGRICULTEUR et PAYSAN.)

férocité. V. BRUTALITÉ.

ferrailleur. V. BRETTEUR.

ferry-boat. V. BAC.

fers. V. LIENS.

fertile emporte l'idée de production abondante; se rapportant à l'effet, il se dit de ce qui produit réellement et beaucoup. **Fécond** fait penser non seulement à l'abondance de la production, mais aussi à la puissance, à la faculté, à la vertu productive, ou bien encore à la cause génératrice : *Une terre peut être naturellement féconde, mais ne pas être fertile, si on ne la travaille pas.* **Plantureux** (du lat. *plenitura,* plénitude) emporte l'idée d'une fertilité extrême. **Riche,** syn. de ces termes, est du langage ordinaire. — Au fig., FERTILE emporte l'idée de multitude, et FÉCOND celle d'abondance et de richesse.

férule. V. AUTORITÉ.

fervent. V. ENTHOUSIASTE.

fessée. V. VOLÉE.

fesser. V. BATTRE.

fesses, fessier. V. DERRIÈRE.

festin désigne tout repas de fête abondant et somptueux, sans impliquer forcément réunion de nombreuses personnes. **Régal** s'emploie parfois comme syn. de *festin*. **Frairie** est vieilli. **Noce** ne se dit que d'un festin de mariage, et fait penser aussi bien au repas qu'à la danse, aux réjouissances qui accompagnent ce dernier. **Ripaille** est péj.; il se dit d'un festin où l'on fait excès de table, et n'est guère usité que dans la loc. fam. : *Faire ripaille;* il n'emporte pas comme festin l'idée de somptuosité, d'apparat. **Bonne chère,** qui concerne la nourriture, emporte aussi l'idée d'abondance, mais sans nuance péjorative d'excès; on dit encore, familièrement, **bombance,** qui fait penser à l'abondance non seulement de la nourriture, mais aussi des boissons. **Beuverie** désigne une réunion, une partie de plaisir, un repas où l'on boit beaucoup; on emploie assez souvent aussi, par plaisanterie, l'ancienne forme **beuverie. Bombe** est familier et suppose, ainsi que **foire,** une ripaille assez grossière, souvent accompagnée de débauche. **Bamboche,** comme **bambochade,** est syn. de *bombe,* avec une nuance de comique. **Bâfre, bâfrée, bitture** et **bosse** sont des syn. pop. peu usités de *ripaille*. **Gueuleton** s'applique populairement à un repas copieux donné soit à une, soit à plusieurs personnes. **Godaille** se dit d'un repas joyeux, où l'on mange, où l'on boit beaucoup, et où l'on chante. (V. DÉBAUCHE et REPAS.)

fête est un terme très général qui suppose des réjouissances, soit privées, soit publiques, faites le plus souvent à l'occasion d'un anniversaire ou d'un heureux événement. **Gala** implique une grande fête, accompagnée de quelque chose d'officiel. **Assemblée** est plus partic.; il se dit seulement, dans ce sens, d'une réunion de fête ou de marché, faite généralem. à l'occasion de la fête patronale, dans certaines provinces — entre autres en Normandie et en Poitou. **Frairie** est le nom que l'on donne aussi à la fête de village dans quelques provinces de France, surtout de l'Ouest. **Pardon,** nom donné aux pèlerinages religieux en Bretagne, désigne parfois aussi, abusivem., certaines fêtes populaires bretonnes n'ayant aucun caractère religieux. **Kermesse** est le nom donné en Flandre et en Belgique à la fête patronale d'une commune; il se dit encore, et par anal., de certaines fêtes de charité en plein air. **Ducasse** (fête de la *Dédicace*, de *dédier,* consacrer) désigne aussi la fête patronale dans de nombreuses communes de Flandre, du Hainaut et de l'Artois. **Apport, ballade, balocho, dédicace, festin, préveil, reinage, roméria, roumeirage, roumavage, station, vòdo, vòdou, vogue** et **vòto** sont aussi des termes dialectaux qui servent à désigner la fête patronale dans différentes contrées de France.

V. aussi RÉCRÉATION.

fêter (du lat. *festus,* gai, joyeux, heureux), c'est marquer une fête par des réjouissances, des jeux, des danses, des festins. **Festoyer,** c'est seulement fêter quelqu'un par un festin; il est fam. : *On festoie ses amis*. **Chômer,** qui, absolument et intransitivement, implique que l'on s'abstient de travailler, s'emploie parfois aussi transitivement, mais plus rarement, comme syn. de *fêter*, à la condition généralement que l'on cesse le travail : *On peut fêter un jour sans le chômer, et la preuve c'est qu'il y a des fêtes chômées et d'autres qui ne le sont pas, fait justement remarquer Lafaye*. **Célébrer** emporte l'idée d'une certaine pompe et convient particulièrement lorsqu'il s'agit de fêtes, de cérémonies religieuses, sans qu'il y ait toujours pour cela idée de réjouissances : *On célèbre l'anniversaire d'une victoire, un mariage, des funérailles*. **Sanctifier,** c'est toujours célébrer selon les rites religieux : *On sanctifie le jour du dimanche*. **Solenniser,** c'est célébrer et quelquefois fêter, publiquement et annuellement, avec solennité, c'est-à-dire avec des cérémonies extraordinaires : *On solennise le plus souvent un événement*. **Commémorer** est plus partic.; c'est rappeler par une cérémonie le souvenir d'une personne ou d'un fait : *On commémore une naissance, une mort, une victoire*.

fétiche, lorsqu'il s'applique, dans le langage courant, à un objet matériel ou animal auquel les gens superstitieux attribuent une heureuse influence, a pour syn. **mascotte,** qui peut se dire aussi d'une personne. **Porte-bonheur** et **porte-veine** (celui-ci populaire) s'appliquent surtout à un objet matériel : bibelot, bijou, etc.

V. aussi AMULETTE.

fétide. V. MALODORANT.

fétidité. V. INFECTION.

1. **feu** désigne la matière allumée qui donne la chaleur : *Le feu est simplement chaud et peut couver sous la cendre.* **Flamme** dit plus; il s'applique à la lumière ascendante et mobile, diversement colorée, qui se dégage d'une matière qui brûle : *La flamme se montre, brille et se meut ou s'agite.* **Flambée** est le nom que l'on donne familièrement à un feu flambant, généralement de courte durée, que l'on allume pour se réchauffer : *Une flambée de copeaux.*

V. aussi ARDEUR, FAMILLE, FOYER et INCENDIE.

2. **feu.** V. DÉCÉDÉ.

feuillage désigne l'ensemble des feuilles d'un ou de plusieurs arbres; il implique généralement une réunion naturelle de feuilles avec les branches qui en sont garnies. **Feuilles** se dit d'une partie seulement du feuillage et fait penser aux individus pris un à un; c'est plutôt le terme scientifique, alors que *feuillage* convient bien dans le style poétique ou pittoresque. **Feuillée** s'applique généralement à l'abri naturel ou factice formé par le feuillage des arbres; il suppose une quantité de feuilles suffisante pour pouvoir donner une ombre épaisse. **Frondaison,** qui est plutôt du style soutenu, désigne l'ensemble des branches et des feuilles qui constitue la végétation des arbres et des arbustes.

feuille est le nom donné à tout fragment de papier rectangulaire d'un format quelconque, vierge ou non. (A noter que, dans les livres, la feuille imprimée est pliée et comprend autant de fois deux pages qu'on a fait de plis.) **Feuillet** se dit de chacune des parties d'une feuille pliée ou coupée qui sont réunies pour constituer un ensemble : *Le feuillet comprend deux faces paginées séparément.* **Page** désigne chaque face du feuillet. **Folio** est plus partic.; il s'applique aux feuillets d'un registre, d'un livre ancien, lesquels ne portent de pagination que d'un seul côté : *On distingue le folio recto et le folio verso.*

V. aussi JOURNAL.

Feuilles. V. FEUILLAGE.

feuillé se dit de ce qui est simplement garni de feuilles : *Rameaux, bosquet feuillés.* **Feuillu** s'applique à ce qui a beaucoup de feuilles : *Tige, arbre feuillu.* **Touffu** désigne, dans ce sens, ce qui a des feuilles nombreuses, groupées et serrées au point qu'elles forment un abri; il suppose beaucoup de branches ou de branchettes : *Bois touffu.*

feuillée. V. FEUILLAGE et LIEUX D'AISANCES.

feuilleter, c'est généralement tourner les feuillets d'un livre, d'un cahier, en les lisant négligemment et en hâte. **Compulser,** c'est, dans le langage courant, feuilleter fréquemment des livres, des manuscrits, des papiers, le plus souvent dans un but de documentation.

feuilleton. V. ARTICLE et CONTE.

feuillette. V. TONNEAU.

feuillu. V. FEUILLÉ.

fiançailles (du vx mot *fiance,* engagement; dérivé de *fier*) désigne la promesse mutuelle de mariage, faite avec une certaine solennité et généralement en présence des membres de la famille des deux fiancés. **Accordailles,** qui suppose « accords », conventions préliminaires à un mariage, ne s'emploie que dans certains milieux ruraux.

fiancé est le nom donné à celui qui, engageant sa foi, est lié par une promesse solennelle de mariage. **Prétendu** sert à désigner parfois, familièrement, celui qui doit épouser la personne dont on parle. **Promis,** syn. de *fiancé,* est familier aussi et plutôt du langage de la campagne. **Futur** est du langage commun.

fiasco. V. ÉCHEC.

ficeler. V. ATTACHER.

ficelle. V. RUSE.

fichaise. V. RIEN.

fiche est le nom que l'on donne, dans le lang. cour., à un feuillet isolé, souvent cartonné, sur lequel on inscrit un nom, un document, des renseignements susceptibles de classement ultérieur. **Cédule** (du lat. *schedula,* feuillet, page) est vieilli dans ce sens; il se disait autrefois d'une fiche, d'un petit papier sur lequel on écrivait ce que l'on voulait se rappeler.

ficher, c'est faire pénétrer et fixer solidement par la pointe, par un bout, en frappant, en faisant pression. **Planter,** qui implique, au sens propre, la mise en terre d'un végétal pour qu'il prenne racine, est aussi, par ext., syn. de *ficher,* mais sans emporter forcément l'idée d'un effort ayant pour but de faire pénétrer une extrémité pointue.

Se ficher. V. RAILLER.

Se ficher dedans. V. TROMPER (SE).

fichu désigne un accessoire ou garniture de la toilette, consistant en une petite pointe d'étoffe souple, en lainage, soie ou dentelle, et ordinairement pliée en triangle, que les femmes se drapent sur les épaules. **Châle** suppose une grande pièce d'étoffe, le plus souvent fabriquée dans le goût des châles d'Orient. **Echarpe** se dit simplement d'une bande d'étoffe ou de fourrure que les femmes jettent sur leurs épaules, autour du cou. **Pointe** se dit d'un petit fichu triangulaire que les femmes portent sur le cou ou sur la tête. **Guimpe** désigne un fichu en dentelle ou en guipure. **Chéret,** syn. de *châle,* est dialectal. (V. FANCHON.)

fiction. V. INVENTION.

fidèle. V. LOYAL.

fidélité suppose un engagement, un devoir plus ou moins strict, motivé par une certaine dépendance, et c'est l'observation permanente de ce devoir. **Constance** se dit simplement de la persévérance dans les mêmes sentiments, dans les mêmes goûts; il n'emporte pas l'idée d'engagement, mais plutôt celle d'opiniâtreté, voire l'idée d'une sorte de courage : *On respecte avec fidélité sa parole, ses promesses; On a de la constance dans ses affections.*

fiel. V. BILE.

fiente. V. EXCRÉMENT.

fier se dit de celui qui, s'imaginant que lui seul est quelque chose, et que les autres ne sont rien, ne se communique pas et ne se familiarise pas; il est dominé à la fois par l'idée de dédain et celle d'orgueil. (Lorsque *fier* n'emporte pas de nuance péjorative, il s'applique simplement à celui qui est soucieux de sa dignité.) **Dédaigneux** est surtout dominé par l'idée de mépris; il désigne celui qui, plaçant les autres très au-dessous de lui, les néglige, et semble vouloir les ignorer. **Renchéri,** qui s'applique aussi parfois à celui qui fait le dédaigneux, parce que se croyant d'un haut prix, supérieur, est usité surtout dans l'expression : *Faire le renchéri* **Orgueilleux** est le nom que l'on donne à celui qui, étant plein de son propre mérite, se contemple, s'admire, et croit, à tort ou à raison, être quelque chose **Superbe** désigne un orgueilleux arrogant, qui affecte sur les autres une supériorité humiliante. **Hautain** implique de l'arrogance, le désir de paraître supérieur aux autres, en les abaissant ou en les humiliant; il qualifie surtout les habitudes, les manières. **Altier,** qui se prend en bonne part dans le style soutenu, a plutôt un sens défavorable dans le lang. cour.; qualifiant en général le caractère, il désigne l'humeur impérieuse de celui qui aime intimider, voire asservir. **Faraud** est un syn. familier de *fier;* il se dit particulièrement d'une personne du commun endimanchée et fière de ses habits. (V. INSOLENT et VANITEUX.)

fier (se). V. CONFIER (SE).

fier-à-bras. V. BRAVACHE.

fiévreux est un terme du lang. cour. qui s'applique à ce qui cause la fièvre, c'est-à-dire l'élévation de la température du corps humain et l'accélération du pouls, ou à ce qui est causé par cet état pathologique; il convient donc bien pour désigner ce qui est sujet à la fièvre. **Fébrile** est plutôt un terme de médecine qui se dit de ce qui tient de la fièvre ou de ce qui est de sa nature; il s'applique aussi bien à ce qui annonce qu'à ce qui accompagne ou suit la fièvre.

fifre. V. FLÛTE.

fifrelin. V. RIEN.

figaro. V. COIFFEUR.

figé. V. TRANSI.

figer. V. COAGULER et CONGELER.

fignoler. V. PARFAIRE.

figurant, qui désigne plus particulièrem. un personnage de théâtre ou de cinéma remplissant un rôle secondaire et généralem. muet, se dit, par ext. et dans le langage courant, de toute personne dont le rôle est effacé et tout décoratif dans une réunion, dans une société. **Comparse,** syn. moins usité de *figurant* dans le langage du théâtre, emporte souvent une idée péjorative dans le langage courant. (A noter que, dans les opéras, les *figurants* et les **choristes** chantent dans les ensembles, mêlent leurs voix aux manifestations générales, alors que les *comparses* ne font rien que de se montrer; quant à **girl,** c'est un anglicisme qui désigne uniquement une figurante de music-hall.)

figure se rapporte à la forme, aux traits, aux lignes de la partie antérieure de la tête chez l'homme, lesquels présentent plus ou moins d'agrément : *C'est la nature seule qui donne la figure.* **Visage,** qui s'emploie souvent comme syn. parfait de *figure,* peut faire penser cependant aussi à l'expression : *C'est sur le visage que se peignent successivement toutes nos passions.* **Minois,** comme **frimousse,** est familier; il fait seulement penser à l'apparence du visage, qu'il suppose délicat et gracieux : *Le minois, la frimousse d'un enfant.* **Face** est un terme moins employé; c'est le visage considéré dans son ensemble et dans l'effet qu'il produit, soit comique, soit au contraire extraordinaire : *Une large face; Une face de carême; Des faces de conjurés.* **Physionomie** ne se dit que des traits, de l'expression du visage; il fait penser au caractère spécial des traits d'une personne. **Faciès** est surtout un terme de médecine qui a trait à l'aspect du visage dans les maladies; il se dit toutefois aussi, dans le langage ordinaire, d'une conformation plus ou moins caractéristique du visage : *Le faciès pâle, bouffi d'un malade; Le faciès mongol.* **Tête** et **portrait,** syn. de *figure,* sont familiers. **Gueule, hure** (moins us.), **margoulette** (du patois normand, avec radical *gueule*), **trombine** et **trompette** sont populaires. **Binette,** populaire aussi, suppose une tête grotesque et ridicule. **Balle, bille, bobine, bouille, bouillotte, cafetière, fiole, poire** et **pomme** sont des termes d'argot souvent péjoratifs. (V. TÊTE.)

V. aussi ALLÉGORIE, FORME, PORTRAIT.

figurer (se). V. IMAGINER.

fil. V. TRANCHANT.

filandreux. V. OBSCUR.

file désigne une suite de personnes disposées une à une les unes derrière les autres et sur une même ligne. **Rang** se dit d'un certain nombre de personnes placées à côté les unes des autres dans une même ligne. **Queue** est plus partic.; il désigne une file de personnes qui attendent leur tour. **Procession,** syn. de *file,* est familier et plutôt péjoratif; il emporte généralement une idée de mobilité. (V. DÉFILÉ.)

filer. V. COULER, PARTIR et SUIVRE.

filet se dit d'un ouvrage fait de fils entrecroisés, qui sert à prendre les animaux. **Rets,** syn. de *filet,* n'est guère us. **Réseau** se dit d'un petit filet. **Pan** s'applique à un filet dont on entoure un bois pour enfermer le gibier que l'on veut chasser. **Panneau** désigne un filet qu'on tend à demeure pour prendre certaines bêtes. **Lacs** suppose quelque chose de plus simple; il se dit d'un lien disposé en nœud coulant et qui ne sert à prendre qu'un seul animal à la fois. **Cordeau** est beaucoup plus partic.; c'est un terme de pêche qui désigne une ligne de fond à laquelle sont accrochés de loin en loin des avançons (ou cordées) garnis d'hameçons, destinés à capturer des poissons voraces (en particulier des anguilles) et que l'on tend la nuit. — Au fig., FILET, comme RÉSEAU, sert le plus souvent à désigner les ruses, les machinations au moment même où elles sont préparées, ou lorsqu'elles sont mises en œuvre, alors que PANNEAU, comme RETS (peu us.), ne s'emploie guère que pour désigner ce qui retient, ce qui arrête l'homme qui s'est laissé prendre, et s'applique donc plutôt au piège qui a rempli sa tâche. Quant à LACS, il suppose un lien, une attache, quelque chose qui retient et dont on essaie vainement de se dégager. (V. APPÂT et PIÈGE.)

fileter. V. PERCER.

filiale. V. SUCCURSALE.

filin. V. CORDAGE.

fille se dit, dans son sens étendu, d'une personne, jeune ou non, du sexe féminin, non mariée. **Fillette** ne peut se dire que d'une petite fille ou d'une très jeune fille. **Demoiselle** (du lat. *domina,* dame, maîtresse), qui a longtemps désigné une fille et même une femme née de parents nobles, s'emploie auj., avec une idée de recherche dans le langage, en parlant d'une personne du sexe féminin qui n'a pas encore été mariée. **Tendron** se dit familièrement d'une très jeune fille. **Donzelle** (de l'ital. *donzella,* demoiselle), qui désignait autrefois une fille ou une femme de distinction, ne s'applique plus au contraire auj. qu'à une fille ou à une femme d'un état médiocre ou de mœurs suspectes; il est nettement péj., ainsi que **poule,** terme d'argot. **Quille,** aussi terme d'argot, est employé surtout par les enfants des rues pour désigner, ironiquement ou péjorativement, une fillette. (V. FEMME.)

V. aussi CÉLIBATAIRE et FILS.

fille de joie, des rues, perdue, publique, soumise. V. PROSTITUÉE.

fille de service. V. SERVANTE.

fille ou **femme légère** est le nom donné à une fille ou à une femme trop libre quant aux mœurs. **Lorette** (de Notre-Dame-de-Lorette, quartier de Paris où habitaient au XIXe siècle nombre de femmes de conduite irrégulière) s'emploie encore parfois auj. pour désigner une jeune femme élégante et de mœurs faciles. **Gigolette** s'applique à une jeune personne délurée et légère qui fréquente les bals populaires. **Horizontale** et **Marie-couche-toi-là,** syn. de *fille, femme légère,* sont des termes d'argot. (V. PROSTITUÉE.)

fillette. V. FILLE.

film. V. PELLICULE et PIÈCE.

filmer. V. CINÉMATOGRAPHIER.

filon désigne un gîte de substances minérales formant un solide d'une forme généralem. plane, qui traverse les couches du terrain au milieu duquel il se trouve : *Filon d'étain, d'argent, de houille.* **Veine** suppose un filon formant un dépôt long et mince : *Veine de marbre, de sel gemme.* (A noter que *filon* a plutôt rapport aux métaux, et *veine* aux roches.)

filou. V. ESCROC.

filouter. V. VOLER.

fils (ou **fille**) se dit d'une personne considérée par rapport à son père et à sa mère, ou à l'égard de l'un des deux seulement. **Enfant,** qui est plus fam., désigne le fils ou la fille généralem. jusqu'à ce qu'ils aient atteint leur majorité. **Garçon** se dit de l'enfant mâle, par opposition à *fille;* on dit aussi parfois, dans ce sens, mais très familièrement, **gars. Rejeton** est soit du langage poétique ou du style soutenu, soit familier et fort ironique. **Petit** est un terme d'affection dans le langage familier. **Progéniture,** syn. de *fils, fille, enfant,* est du langage très familier et ne s'emploie guère qu'en plaisantant. **Fiston** est familier ou populaire.

V. aussi POSTÉRITÉ.

1. **fin.** V. BOUT, BUT, DÉCÈS et RÉSULTAT.

2. **fin.** V. DÉLICAT et DÉLIÉ.

final. V. DERNIER.

financer. V. PAYER.

finasserie. V. RUSE.

finaud. V. MALIN.

finesse est le nom que l'on donne à l'art d'exprimer ses sentiments, ses opinions avec esprit et tact. **Délicatesse** désigne le sentiment vif et habituel des convenances que tout le monde ne sent pas; il implique beaucoup d'âme, le désir de s'attacher à ce qui éveille et attire le sentiment. **Raffinement** enchérit sur ces termes; il suppose une grande finesse, une grande délicatesse, voire péjorativement, un excès de celles-ci, auquel cas on tombe alors dans la **subtilité.**

V. aussi CLAIRVOYANCE et RUSE.

fini. V. ACCOMPLI

finir, c'est faire qu'une chose ne soit plus à faire, la mener jusqu'au bout, sans forcément idée de perfection; il se dit particulièrem. d'une occupation passagère. **Terminer** signifie simplement mettre un terme à une chose, qu'elle soit parfaite ou non; il convient bien lorsqu'il est question de discussions, de différends, et suppose une action volontaire. **Conclure,** c'est mettre fin à un discours, à une discussion par un résumé, un accord. **Consommer** implique que l'on finit en amenant à son accomplissement définitif, à son terme irrévocable, d'une façon ou d'une autre, et est plutôt du lang. relevé. **Achever,** qui n'a proprement rapport qu'à un ouvrage permanent, soit de la main, soit de l'esprit, ajoute à l'idée de mener à terme une idée de perfection dans l'accomplissement. **Bâcler** est fam. et péj.; c'est finir à la hâte, sans soin, pour se débarrasser. (V. PARFAIRE.)

firmament. V. CIEL.

firme. V. ÉTABLISSEMENT.

fissure. V. FENTE.

five o'clock tea. V. COLLATION.

fixe. V. STABLE.

fixé. V. ADHÉRENT.
fixer. V. ASSURER et PRÉCISER.
fjord. V. GOLFE.
flafla. V. FAÇON.
flageller. V. BATTRE.
flageoler. V. CHANCELER.
flageolet. V. FLÛTE.
flagorner. V. FLATTER.
flagrant. V. ÉVIDENT.
flair. V. CLAIRVOYANCE et ODORAT.
flairer. V. SENTIR.
flambeau. V. BRANDON et CHANDELIER.
flambée. V. FEU.

flamber implique toujours des flammes. **Brûler** se dit aussi bien en parlant de choses que les flammes consument que de celles qui sont détruites par une combustion sans flammes.

flamberge. V. ÉPÉE.

flamboyer, c'est jeter de temps en temps des éclats de lumière, une flamme brillante, ou briller par instant comme une flamme très vive, comme des pierreries. **Eclater,** c'est briller d'un vif éclat et continuellement. **Resplendir** est un augmentatif d'*éclater;* il suppose un éclat magnifique. **Rutiler** est plus partic.; c'est briller d'un éclat généralement rouge. (V. BRILLER, ÉCLAIRER et ÉTINCELER.)

flamme. V. ARDEUR et FEU.
flammèche. V. ÉTINCELLE.

flanc désigne la partie latérale de tout corps. **Côté** se dit de la partie latérale d'une chose, généralement par opposition au milieu ou à l'autre partie.

flancher. V. RECULER.
flandrin. V. MINCE et MOU.

flâner, c'est se promener sans but, sans hâte et sans objet déterminé; c'est aussi passer son temps à des bagatelles. **Muser** et **musarder,** syn. de *flâner* dans ses deux sens, sont moins usités dans le langage courant. **Badauder** est plus péj.; c'est flâner en se promenant et en perdant son temps à considérer niaisement tout ce qui paraît extraordinaire ou nouveau. **Flânocher,** qui enchérit sur *flâner,* est familier; c'est flâner tout doucement. **Balocher,** syn. de *flâner,* est populaire. (V. ERRER, MARCHER et TRAÎNER.)

flâneur désigne celui qui perd son temps dans les rues, sur les places publiques, aux promenades, généralem. en s'arrêtant devant les étalages des marchands, etc. **Badaud** est plus péj.; il se dit de celui qui, flânant, admire tout, s'amuse et s'étonne de tout, et passe ainsi son temps à regarder comme un niais ce qui lui semble extraordinaire ou nouveau. **Bayeur,** syn. de *badaud,* est vieux. (V. LENT et PROMENEUR.)

flânocher. V. FLÂNER.
flanquer. V. JETER.
Se flanquer par terre. V. TOMBER.
flapi. V. LAS.
flaque. V. MARE.

flasque se dit surtout de ce qui a perdu toute fermeté. **Mou,** qui s'oppose à « dur », convient bien pour désigner ce qui cède facilement au toucher, ce qui reçoit facilement l'impression des autres corps. **Mollasse** se dit péjorativement de ce qui est trop mou, de ce qui manque de consistance. **Spongieux** désigne non seulement ce qui est mou, mais encore ce qui, ayant la consistance de l'éponge, est susceptible d'imbibition. **Cotonneux,** syn. de *spongieux* dans le langage ordinaire, se dit surtout des racines, des légumes et des fruits.

flatter, c'est donner à quelqu'un des louanges fausses et exagérées, le plus souvent dictées par l'intérêt personnel; il suppose généralement que l'on s'adresse à l'esprit, à l'amour-propre. **Caresser** suppose plutôt que l'on s'adresse au cœur, au sentiment; c'est flatter en semblant témoigner de l'affection. **Cajoler** est fam.; c'est caresser d'une manière doucereuse et insinuante, généralem. pour faire tomber insensiblement dans un piège. **Amadouer** emporte à la fois l'idée de subtilité et d'apaisement; c'est flatter quelqu'un pour l'amener doucement à un but proposé **Louanger,** c'est flatter pour flatter; il suppose presque une habitude, une manie. **Encenser,** c'est flatter avec excès. **Aduler** suppose toujours de la fausseté, de la mauvaise foi; il est essentiellement dominé par l'idée de fourberie. **Flagorner** implique de la sottise, voire de la bassesse; c'est flatter à chaque instant, sans discernement et avec maladresse. **Bouchonner,** syn. de *caresser,* de flatter tendrement, est peu usité auj. **Mignoter,** syn. de *caresser,* vieillit; il s'emploie toutefois encore dialectalement. **Faire du plat** et **peloter,** syn. de *flatter,* sont populaires. — Aux substantifs qui, s'appliquant aux personnes, correspondent à ces verbes, il est bon d'ajouter **laudateur,** syn. souvent employé auj. de *louangeur,* et **thuriféraire,** terme de théologie désignant le clerc qui porte l'encens, qui encense dans les cérémonies de l'Eglise, mais qui sert aussi à qualifier, d'une façon générale, un flatteur, un adulateur quelconque; quant à **dithyrambiste,** d'ailleurs peu usité dans ce sens général, il implique des louanges enthousiastes et, le plus souvent, excessives, cependant que **lécheur,** qui est familier, se dit très péjorativement d'un vil flatteur.

Se flatter, c'est avoir ou vouloir donner une haute idée de soi-même, de son habileté, de ses ressources; il suppose de la vanité. **Se glorifier** est plutôt dominé par l'idée d'orgueil; c'est se faire un titre de gloire, de vertus, d'actions d'éclat, de talents extraordinaires, réels ou non, dans l'intention de relever l'idée que les autres se font ou doivent se faire de nous. **Se prévaloir,** c'est tirer avantage d'une chose pour assurer son droit ou pour s'autoriser soi-même à agir ou à parler d'une certaine manière. **Se targuer** ajoute aux idées exprimées par les termes précédents celle d'une outrecuidance quelque peu ridicule; c'est se flatter avec une ostentation arrogante et humiliante. **Se vanter** est plus péjoratif encore et emporte toujours l'idée d'exagération, voire de mensonge.

V. aussi ESPÉRER.

fléau. V. CATASTROPHE.

flèche se dit d'une arme de jet courte et légère, qu'on lance avec l'arc ou l'arbalète. **Javelot** désigne une arme de trait, plus forte et plus longue que la flèche, qu'on lançait à la main ou avec des balistes, machines de guerre projetant à une certaine distance. **Dard** est le nom que l'on donnait jadis à un bâton armé d'un fer aigu et qu'on lançait à la main. **Trait** est le terme générique, surtout littéraire, désignant aussi bien les flèches qu'on tire avec l'arc ou l'arbalète que les javelots et les dards qui se lancent à la main. **Javeline** désigne un javelot assez long et mince — et **sagaie** (ou ZAGAIE) une sorte de javeline utilisée auj. encore chez certaines peuplades sauvages. **Sagette,** syn. de *flèche,* est vieux.

fléchir, pris dans son sens figuré, emporte soit l'idée de faiblesse, voire de soumission, soit l'idée de pitié, de générosité; c'est, le plus souvent, cesser de persister dans une décision, dans des sentiments précédemment exprimés. **Céder** implique que l'on opposait auparavant une certaine résistance, que l'on abandonne généralement par faiblesse. **Plier,** c'est céder plus ou moins facilement, le plus souvent parce qu'on ne peut pas faire autrement : *On plie parce qu'on ne peut plus résister, mais avec une arrière-pensée de redressement; On cède parce qu'on ne veut plus résister.* **Succomber** enchérit sur ces termes; c'est céder parce qu'on est absolument incapable de résister, parce qu'on est vaincu : *On succombe sous le travail sous le poids des affaires, devant des arguments péremptoires.* (V. OBÉIR.)

V. aussi PLIER.

flegmatique. V. IMPASSIBLE.

flémard. V. PARESSEUX.

flétri. V. FANÉ.

fleur. V. ÉLITE.

fleurer. V. SENTIR.

fleuret. V. ÉPÉE.

fleurir. V. RÉUSSIR.

fleuve. V. COURS D'EAU.

flexible. V. SOUPLE.

flibustier. V. PIRATE.

flirt. V. CAPRICE.

flirteuse. V. COQUETTE.

flopée. V. MULTITUDE et VOLÉE.

flore. V. VÉGÉTATION.

florilège. V. ANTHOLOGIE.

flot, qui désigne des masses d'eau qu'agite un mouvement rapide, se dit particulièrement des eaux de la mer ou d'un grand fleuve agitées par les vents. **Vague,** qui se dit des eaux agitées de la mer se distingue de *flot* en s'appliquant à des masses d'eau plus hautes, plus profondes. **Lame** désigne, en termes de marine, une vague de la mer qui s'étend en nappe. **Onde** présente à notre esprit l'idée d'une eau paisible ou qui n'offre dans son mouvement que des courbures plus ou moins arrondies; il s'emploie poétiquement pour désigner les eaux, qu'elles soient agitées ou non. **Flux** est plus partic.; c'est le terme de marine qui désigne le mouvement réglé de la mer vers le rivage à certaines heures, mouvement plus communément appelé MARÉE MONTANTE, cependant que **houle** se dit du mouvement ondulatoire de la mer sous l'action du vent.

flotter, c'est être agité, balancé, soutenu dans l'air, retenu ou non à un point fixe, mais toujours en se déplaçant fort peu et assez mollement. **Ondoyer,** c'est flotter en s'élevant et en s'abaissant alternativement dans l'air, tout en restant cependant assujetti à un point fixe. **Voltiger,** c'est flotter rapidement au gré des vents; il se dit surtout de choses légères que le vent soulève et fait aller çà et là. **Voleter** s'emploie parfois aussi, mais plus rarement, comme syn. de *voltiger*. **Brandiller,** employé dans le sens de *flotter*, est généralement péjoratif.

flou se dit, d'une façon générale, de toute chose un peu indistincte, dont le caractère n'est pas facilement déterminable. **Vaporeux** s'applique à une chose qui, tout en étant assez distincte, apparaît cependant sans consistance, comme une « vapeur », un mirage. **Fondu** désigne une chose distincte, mais dont les contours sont comme noyés, dilués dans ce qui les enveloppe. V. aussi VAGUE.

fluctuation. V. CHANGEMENT.

fluer. V. COULER.

fluet. V. MENU.

fluide marque un état très éloigné de la solidité et une tendance à s'étendre, à se dilater, à fluer ou couler. **Liquide** implique un manque de cohésion des molécules entre elles, qui les rend si sensibles à la pesanteur qu'elles tendent à former une surface horizontale dans un récipient, ou à couler sur la moindre pente : *L'eau, qui est liquide dans son état naturel, n'est fluide que lorsqu'elle coule réellement, comme dans les rivières*. **Clair,** dans ce sens, est un terme du langage courant; il s'emploie, par opposition à « épais », pour désigner des choses liquides ou qui ont peu de consistance.

flûte désigne un instrument à vent et à embouchure, formé d'un tube creux et percé de trous pour varier les sons. **Flageolet,** la « flûte allemande » d'autref., se dit d'une sorte de flûte à bec, percée de six trous, généralement en buis et à clefs. **Fifre** est le nom donné à une petite flûte à vent et en bois, percée de six trous et sans clefs, qui a un son aigu et perçant. **Chalumeau,** comme **pipeau,** désigne un instrument de musique pastorale qui, à l'origine, n'était qu'un roseau percé de trous. **Galoubet** désigne un flageolet champêtre, particulièrement en Languedoc et surtout en Provence.

flux. V. FLOT.

fœtus. V. EMBRYON.

foi. V. CROYANCE.

foin. V. TUMULTE.

foire. V. DÉBAUCHE, FESTIN et MARCHÉ.

fois sert à marquer la réitération d'un fait, chacun des cas où un fait a lieu. **Coup,** qui est plus familier, ne s'applique guère à des faits d'une certaine durée; il suppose généralement une action prompte et vive.

foison. V. ABONDANCE.

foison (à). V. BEAUCOUP.

foisonner. V. ABONDER.

folâtre. V. BADIN.

folâtrer, c'est se livrer à des actions gaies, mais puériles, voire enfantines, et a surtout rapport aux mouvements du corps. **Batifoler,** c'est folâtrer, s'amuser avec quelqu'un, surtout à des jeux de mains. **S'ébattre** suppose moins d'enfantillage; c'est simplement se donner du mouvement en pleine liberté, pour se détendre, se divertir. **Papillonner,** c'est, particulièrement, folâtrer autour des dames surtout par l'esprit. **Marivauder** fait penser surtout à des folâtreries galantes et raffinées. **Folichonner** suppose une gaieté un peu folle, un caractère léger qui souvent n'est pas exempt d'inconvenance.

folichon. V. BADIN.

folichonner. V. FOLÂTRER.

folio. V. FEUILLE.

folioter. V. NUMÉROTER.

folliculaire. V. JOURNALISTE.

fomenter. V. EXCITER.

foncer. V. ÉLANCER (S').

fonction. V. EMPLOI.

fonctionnaire. V. EMPLOYÉ.

fonctionner. V. AGIR et MARCHER.

fond. V. MATIÈRE.
fond (à). V. ABSOLUMENT.
fondamental. V. PRINCIPAL.
fondation. V. FONDEMENT.
fondement désigne la partie la plus basse d'une chose sur laquelle toutes les autres parties sont appuyées; il s'emploie en général au pluriel et surtout en parlant d'un édifice. **Base** convient mieux en parlant d'un objet peu étendu, plus élevé que large : *Les fondements sont sous la terre et dissimulés à la vue; la base est au-dessus et visible à tous.* **Fondation,** qui désigne le travail que l'on fait pour asseoir les fondements d'un édifice, d'une construction, se dit aussi très souvent auj. des fondements eux-mêmes. **Soubassement** désigne, en architecture, la partie inférieure d'une construction sur laquelle porte l'édifice et qui porte elle-même les fondations. **Assise** désigne la couche de matériaux (pierres, etc.) sur laquelle on assied un édifice. **Sous-œuvre** est un terme technique qui s'applique parfois au fondement d'une construction.
V. aussi ANUS et BASE.
fonder. V. ÉTABLIR.
fondre (du lat. *fundere,* verser), c'est, en parlant d'un corps solide, se liquéfier sous l'action de la chaleur. **Fuser** (du lat. *fusum,* supin de *fundere*) est plus un terme du langage technique; c'est fondre, généralement en se répandant peu à peu.
V. aussi DÉLAYER.
fonds. V. ARGENT et TERRE.
fondu. V. FLOU.
fontaine. V. SOURCE.
fonte. V. FUSION et TYPE.
forain. V. NOMADE et SALTIMBANQUE.
forban. V. PIRATE.
force se dit généralement de tout ce qui est capable d'agir sur une chose quelconque, que ce soit d'une manière positive ou négative (force d'inertie). **Energie** représente simplement la manière dont agit une force, en marquant la promptitude d'action de celle-ci aussi bien que sa constance et sa fermeté : *Une force se manifeste avec plus ou moins d'énergie.* **Vigueur** est proprement la force du corps, une force organique, et quand on parle de la vigueur de l'âme, c'est par figure et en regardant l'âme comme douée d'une vie organique à l'image du corps. **Puissance** se dit d'une force capable de grands effets. **Potentiel,** qui désigne proprement l'énergie en puissance, en termes de mécanique, de physique et d'électricité, s'emploie parfois aussi figurément en parlant d'une force quelconque en puissance : *Récupérer un potentiel nécessaire en puissance.* **Dynamisme** désigne l'ensemble des forces qui animent un organisme vivant. **Ressort** se dit d'une force, d'une énergie aussi bien physique que morale — et suppose généralement une impulsion naturelle qui permet de réagir. **Verdeur,** employé figurément et appliqué aux hommes, se dit soit de la vigueur de la prime jeunesse, soit de la vigueur de jeunesse que conserve un vieillard. (V. ARDEUR.)
V. aussi PLUSIEURS.
forcé. V. INÉVITABLE.
forcené. V. FURIEUX
forcer. V. OBLIGER.
forer. V. PERCER.
forêt. V. BOIS.
forfait. V. CRIME.
forfaiture. V. TRAHISON.
forfanterie. V. FANFARONNADE.
forger. V. INVENTER.
formaliser (se). V. OFFENSER (s').
formaliste désigne, dans le langage courant, celui qui est vétilleux sur tout ce qui se rattache aux rapports sociaux, qui ne s'en écarte pas et ne permet pas que les autres s'en écartent; il implique soumission aux petites comme aux grandes lois de la bienséance — et désaveu à l'égard de ceux qui y manquent. **Cérémonieux** (qui se dit aussi des choses) suppose, en parlant des personnes, une civilité affectée, apprêtée, qui exagère les témoignages convenus de déférence que les particuliers se donnent les uns aux autres. **Façonnier** implique plutôt une politesse excessive qui tend à relever le mérite personnel par des manières étudiées, des affectations d'amabilité. (V. AFFECTÉ.)
format. V. DIMENSION.
forme est un terme du langage courant qui désigne l'état phénoménal sous lequel nous percevons la matière d'un objet, et qui résulte de la construction

et de l'arrangement des parties; il exprime quelque chose de concret et de palpable. **Figure** a une signification plus abstraite et convient mieux aux choses visibles; c'est la forme superficielle des choses : *Le statuaire crée des formes, le peintre représente des figures.* (A noter qu'en parlant de style, la *forme* est le moule dans lequel on jette sa pensée, et qui doit varier suivant la nature de celle-ci et de son objet; les *figures* sont des façons de s'exprimer qui appartiennent à tous les écrivains, à tous les styles, à tous les sujets.) **Configuration** et **conformation** sont moins us. dans le lang. cour.; ils ne s'emploient guère que dans les ouvrages techniques, le premier se disant des plantes, des minéraux, du sol, le second s'appliquant surtout aux animaux.

V. aussi STYLE.

former, c'est donner à une chose son aspect, la **façonner,** en dehors de toute considération sur la matière employée. **Constituer,** c'est organiser une chose au moyen d'un ou de plusieurs éléments; il fait surtout penser à la matière employée. **Composer,** syn. de *constituer,* emporte l'idée d'une combinaison de divers éléments.

V. aussi ÉNONCER.

formidable. V. ÉTONNANT et TERRIBLE.

formule. V. EXPRESSION.

formuler. V. ÉNONCER.

fors. V. EXCEPTÉ.

fort exprime l'énergie aussi bien que l'activité ou l'impulsion sous tous leurs aspects possibles : *Il n'est pas facile de vaincre ou de faire céder ce qui est fort.* **Puissant,** syn. de *fort,* fait essentiellement penser au pouvoir que donne la force : *Bien des choses sont possibles à ce qui est puissant.* **Vigoureux** a surtout rapport à la force considérée dans son action : *Ce qui est vigoureux agit avec vivacité et ne se laisse jamais abattre.* **Robuste** considère cette même force à l'état passif : *Un corps est robuste par sa structure, par la constitution de ses parties solides.* **Solide** convient bien en parlant de ce qui est fort, robuste, bien constitué, et, de ce fait, capable d'agir vigoureusement. **Résistant** ne fait pas tant penser à la force proprement dite qu'à la constitution qui permet de supporter l'effort, le travail, la souffrance, que cela soit auparavant apparent ou non. **Dru,** pris dans le sens de *fort,* de *vigoureux,* est moins du langage courant : *Des enfants drus comme père.* **Costaud,** syn. de *robuste,* ainsi que **fortiche, malabar, maous** et **pépère,** syn. de *fort,* sont du langage populaire ou argotique, les trois derniers, appliqués aux personnes, impliquant en outre une taille herculéenne. (V. VALIDE.)

V. aussi BEAUCOUP, FORTERESSE, GROS et TRÈS.

fort de la halle. V. PORTEUR.

forteresse, comme **place forte,** désigne un lieu fortifié, destiné à recevoir une garnison et à défendre une certaine étendue de pays habité. **Fort** se dit d'un ouvrage de fortification établi sur une position stratégique, généralement à l'écart d'un centre de population. (A noter que, depuis 1870, on s'est plutôt servi de *forteresse* pour qualifier les troupes ou les armes qui servent à l'attaque ou à la défense des *places fortes,* que pour désigner les places elles-mêmes : *Troupes, artillerie, guerre de forteresse.*) **Citadelle,** qui désignait et désigne encore parfois une forteresse qui protège une ville, s'applique aussi maintenant aux groupes de forts qui sont susceptibles de prolonger la résistance sur un point déterminé des camps retranchés actuels. **Fortin** se dit d'un petit fort. **Blockhaus** (de l'allem. *block,* bille de bois, et *haus,* maison), qui désignait autref. un ouvrage de fortification défensif rapidement construit, à l'origine au moyen de troncs d'arbres équarris, se dit auj. d'un ouvrage de fortification défensif construit soit pour la défense d'un point spécial, soit pour abriter des mitrailleuses ou des pièces d'artillerie isolées destinées à battre des points déterminés.

fortifiant se dit de ce qui rend plus fort, plus robuste, en parlant de certains remèdes et de certains aliments. **Corroborant** et **roboratif** sont des syn. peu usités de *fortifiant,* terme de médecine. **Réconfortant,** syn. de *fortifiant,* se dit plutôt d'un médicament liquide ou d'une boisson, généralement à effet rapide. **Reconstituant** désigne, dans ce sens, un aliment à fonctions spéciales, capable de fortifier un organisme affaibli. **Tonique** est plus partic.; il convient bien pour désigner un remède dont l'administration plus ou moins prolongée excite ou réveille l'activité des organes. **Analeptique** est un terme de pharmacol, qui désigne les substances contribuant à relever les forces d'un malade, qu'il s'agisse de médicaments ou d'aliments. **Remontant,** syn. de *réconfortant,* est familier.

fortifier. V. AFFERMIR.

fortin. V. FORTERESSE.

fortuitement. V. ACCIDENTELLEMENT.

fortune. V. HASARD et RICHESSE.

fortuné. V. HEUREUX.

fosse. V. CAVITÉ.

fosse d'aisances est le nom que l'on donne à une cavité creusée dans le sol pour servir de réceptable aux matières fécales. **Tinette** désigne un récipient servant au transport des matières fécales et que l'on emploie comme fosse d'aisances mobile. (V. LIEUX D'AISANCES.)

fossé est le nom que l'on donnait autrefois, en termes de fortification, à une tranchée large et profonde, généralement soutenue par une maçonnerie et creusée autour d'une ville, d'un château, pour lui servir de rempart, de défense, et qu'on appelait **douve** lorsqu'elle était remplie d'eau. V. aussi CAVITÉ et RIGOLE.

fou est le terme du langage courant qui sert à désigner celui qui a perdu la raison. **Dément** est du style relevé. **Aliéné** est le terme employé surtout en pathologie et en droit administratif. **Interné** ne se dit que d'un fou enfermé dans un asile d'aliénés. **Déséquilibré** dit moins que *fou;* il implique plus un dérangement de l'esprit, un manque d'équilibre dans les facultés mentales, qu'une absence complète de raison. **Inconscient** s'applique seulement à celui qui n'évalue pas la portée de ses actes. **Insensé** ajoute à *inconscient* l'idée de passion. **Malade** s'emploie par euphémisme, dans ce sens, surtout comme syn. de *déséquilibré;* il est très fam. **Braque** et **détraqué,** syn. de *déséquilibré,* sont fam. aussi et péj. **Avertin,** autref. fou furieux, est inusité auj. **Cinglé, cintré, frappé, loufoque, louftingue, marteau, piqué, sonné, tapé, timbré, toc-toc, toqué,** syn. de *déséquilibré,* **maboul,** syn. de *fou,* sont populaires; **Cinoque, dingo** et **dingue** sont des termes d'argot. **Fol** est vieux, sauf devant les noms qui commencent par une voyelle ou un *h* muet. (V. DÉLIRE, DÉRAISONNER et FURIEUX.) V. aussi ABSURDE.

fou de (être). V. GOÛTER.

fouailler. V. BATTRE.

foucade. V. FANTAISIE.

1. **foudre** désigne la décharge électrique aérienne, accompagnée d'une vive lumière **(éclair)** et d'une violente détonation **(tonnerre),** qui se produit entre un nuage électrisé et la terre ou un autre nuage. (A noter que, dans l'usage, on confond souvent à tort ces termes.) **Fulguration** est le nom donné, en termes de physique, aux éclairs de chaleur, lesquels, on le sait, ne sont jamais accompagnés de tonnerre. **Epart** désigne les éclairs de chaleur des pays chauds, qui se voient surtout le soir.

2. **foudre.** V. TONNEAU.

foudroyant. V. SOUDAIN.

fouetter. V. BATTRE.

fougue suppose une ardeur impulsive et enthousiaste : *La fougue de la jeunesse peut être à la fois une qualité et un défaut.* **Impétuosité** emporte l'idée d'une fougue à la fois violente et irraisonnée, laquelle ne souffre ni hésitation, ni lenteur : *L'impétuosité fait que l'on attaque sans préparation, que l'on se jette dans l'action tout à coup, et que, partant d'un trait, on tire sa force de sa vitesse même.* **Véhémence** a plutôt rapport aux sentiments intérieurs ou à l'expression qu'on leur donne : *Il y a la véhémence du style comme il y a la véhémence des passions.* **Emportement** est plus péj.; il enchérit sur *fougue,* auquel il ajoute l'idée d'une certaine fureur plus ou moins déraisonnable : *Il y a des biens que l'on désire avec emportement, a dit La Bruyère.* **Violence** se prend plutôt en mauv. part, comme *emportement,* mais il a quelque chose de plus constant : *La violence est une disposition de l'âme qui porte souvent à des actes blâmables; c'est presque de la brutalité.* **Virulence** suppose une violence rude, âpre;

il s'emploie surtout en parlant des discours et des écrits : *La virulence est le propre des polémistes.* (V. ARDEUR, ÉLAN et ENTRAIN.)

fougueux désigne celui qui est sujet à des mouvements violents et impétueux. **Bouillant** suppose une ardeur plus momentanée, moins habituelle que *fougueux,* auquel il ajoute, par contre, une idée d'impatience. **Endiablé** s'emploie parfois figurément et en bonne part pour désigner celui qui tient du diable par l'ardeur et la fougue. **Enragé** emporte toujours une idée d'excès. (V. DÉGOURDI, DÉLURÉ et EMPORTÉ.)

fouiller, c'est chercher une chose en remuant, en déplaçant les objets qui peuvent la cacher. **Fureter,** c'est fouiller avec soin, généralement par curiosité. **Fouiner,** c'est, familièrement, fouiller indiscrètement dans des meubles, des papiers, etc. **Fourgonner** est fam. aussi ; c'est fouiller dans quelque chose avec désordre et en brouillant tout ce qui s'y trouve. **Farfouiller** et **trifouiller,** syn. de *fourgonner,* sont populaires. (V. CHERCHER et RECHERCHER.)

fouillis. V. DÉSORDRE.

fouinard. V. INDISCRET.

fouiner. V. FOUILLER.

fouir. V. APPROFONDIR.

foule, comme **presse** (moins us.), désigne une agglomération de personnes assemblées dans un même lieu, qui se pressent les unes contre les autres. **Cohue** est plus péj. ; il se dit d'une grande foule où règnent le tumulte et la confusion. **Tourbe** est un terme de dénigrem. qui désigne surtout une foule de gens méprisables. **Troupe** s'emploie parfois comme syn. de *foule* pour désigner une agrégation quelconque d'hommes ou d'animaux ; il implique le plus souvent alors une idée de marche. **Troupeau,** qui est plus spécial, se dit essentiellement des animaux domestiques utiles à l'homme, qui les nourrit et les élève ensemble ; appliqué aux hommes, il est très péjoratif et emporte souvent une idée de mépris.

V. aussi MULTITUDE.

fouler. V. OPPRIMER et PRESSER.

four. V. ÉCHEC.

fourbe. V. SOURNOIS.

fourberie. V. DUPLICITÉ et TROMPERIE.

fourbir. V. FROTTER.

fourbu. V. LAS.

fourche se dit plus particulièrement de l'endroit où une route, une ligne de chemin de fer, se divise en deux ou plusieurs branches. **Bifurcation** est un syn. techn. de *fourche* dans ce sens, et désigne seulement une fourche à deux branches. **Embranchement** dit moins ; il s'applique à la fourche formée par le greffage d'une voie, d'une ligne secondaire sur une voie, une ligne principale.

fourches patibulaires. V. GIBET.

fourgonner. V. FOUILLER.

fourmilière. V. MULTITUDE.

fourmiller. V. ABONDER.

fournir. V. PROCURER.

fourrager. V. RAVAGER.

fourré. V. BUISSON.

fourrer. V. INTRODUIRE et METTRE.

fourrure. V. POIL.

fourvoyer (se). V. ÉGARER (s').

foyer désigne le lieu où l'on fait du feu, que ce soit dans un endroit couvert ou en plein air. **Cheminée** se dit de l'endroit disposé pour servir de foyer à l'intérieur d'une maison, et communiquant avec le dehors par un tuyau qui établit le tirage. **Atre** dit moins ; il désigne seulement la partie de la cheminée où l'on fait le feu. **Feu** s'emploie parfois, par métaphore, comme syn. de *foyer* ou de *cheminée.*

V. aussi FAMILLE et MAISON.

frac. V. VÊTEMENT.

fracas. V. TAPAGE.

fracasser. V. CASSER.

fraction. V. PARTIE.

fractionner. V. SECTIONNER.

fracturer. V. CASSER.

fragile suppose peu de solidité, le danger d'être brisé facilement ou de périr ; il s'applique bien à quelque chose dont rien n'assure la durée. **Frêle,** tout en conservant en partie la signification de *fragile* dont il a la même étymologie (lat. *fragilis,* de *frangere,* briser), se rapproche de celle de « faible » ; il se dit plutôt de ce qui se soutient à peine que de ce qui se brise facilement : *La porcelaine est fragile ; le roseau est frêle.* **Délicat,** appliqué à ce qui est *fragile* ou *frêle,* fait penser aux ménagements ou aux soins assidus qu'exige un tel état. **Mièvre** est un syn. de *frêle* dans le langage courant, mais seulement en parlant des personnes. (V. DÉLIÉ, FAIBLE et MENU.)

V. aussi PÉRISSABLE.

fragment. V. PARTIE.

fragmenter. V. PARTAGER.

fragrance. V. PARFUM.

fraîchement. V. RÉCEMMENT.

fraîcheur et **frais** marquent un froid léger et doux, sans toujours s'employer toutefois indifféremment : *On voyage à la fraîcheur quand on voyage au moment du jour où il fait frais; On marche au frais quand on marche dans un endroit frais.*

frairie. V. FESTIN et FÊTE.

1. **frais.** V. FRAÎCHEUR, FROID et RÉCENT.

2. **frais.** V. DÉPENSE.

franc désigne celui qui dit sans détour, librement, ce qu'il pense et cela parce que sa nature même l'y porte; il se rapporte plutôt à l'esprit, à la pensée. **Sincère** s'applique à celui qui jamais ne dit ou ne laisse croire ce qui n'est pas, parce qu'il ne veut pas trahir la vérité; il suppose plus encore de l'honnêteté, l'incapacité de tromper, qu'une impulsion de nature. **Carré,** syn. de *franc,* est fam.; il se dit de celui qui non seulement ne cache jamais sa pensée, mais bien souvent encore l'exprime d'une façon catégorique. **Cordial** désigne ce qui ne se déguise pas et suppose avant tout du cœur. **Ouvert** indique une qualité passive qui consiste à se laisser voir tel qu'on est, sans dire précisément qu'on est tel; il s'applique bien à celui qui laisse ses sentiments se manifester au-dehors, que l'on peut pénétrer aisément. **Familier** implique une franchise due à la simplicité, l'abandon, une certaine bonhomie. **Rond** et **sans-façon** sont des syn. très familiers de *familier.* (V. LOYAL.)

V. aussi LIBRE.

franchir. V. TRAVERSER.

franchise désigne la qualité de celui qui, par nature, parce que cela est dans son caractère, ne dissimule pas sa pensée et parle librement, ouvertement, quitte à le regretter parfois ensuite. **Véracité,** qui consiste dans le fait même de dire la vérité, suppose moins de laisser-aller, plus de réflexion : *La franchise commande la confiance, la véracité commande l'estime.* **Sincérité,** qui se rapporte surtout aux choses du cœur, désigne la qualité qui consiste moins à parler librement, ouvertement, comme fait le plus souvent la *franchise,* ou même — comme la *véracité* — à dire simplement la vérité, qu'à ne pas trahir cette dernière, en ne mentant ou en ne trompant pas : *La morale de la plupart des gens, en fait de sincérité, n'est pas rigide : on ne se fait pas une affaire de trahir la vérité par intérêt, ou pour se disculper, ou pour excuser un autre* (*De Jaucourt*).

francisque. V. HACHE.

frappé. V. FOU et SURPRIS.

frapper, c'est, pris dans son sens général, donner un ou plusieurs coups, soit avec la main ou le pied, soit avec un instrument, pour quelque raison que ce soit. **Taper,** syn. de *frapper,* est généralement assez familier. **Tapoter,** c'est familièrement aussi, frapper, taper, en donnant à plusieurs reprises des petits coups. **Tambouriner,** c'est, dans ce sens, frapper à coups redoublés. **Cogner,** c'est frapper fortement, avec violence. **Heurter,** c'est seulement frapper, cogner à une porte pour se faire ouvrir; on emploie plus ordinairement d'ailleurs *frapper.* **Toquer** est vieux.

V. aussi ATTRISTER, BATTRE, GELER et PUNIR.

frasque. V. ÉQUIPÉE.

fraterniser. V. ENTENDRE (s').

frauder. V. PRIVER et TROMPER.

frayeur. V. ÉPOUVANTE.

fredaine. V. ÉQUIPÉE.

fredonner. V. CHANTER.

freiner. V. MODÉRER.

frelater. V. FALSIFIER.

frêle. V. FRAGILE.

freluquet. V. FAIBLE et LÉGER.

frémir. V. TREMBLER et VIBRER.

frénésie. V. DÉLIRE et FUREUR.

fréquemment. V. SOUVENT.

fréquentations. V. RELATIONS.

fréquenter, c'est aller souvent dans un lieu, se trouver souvent dans la compagnie d'une ou de plusieurs personnes; il est surtout dominé par l'idée d'habitude. **Courir** marque le goût, l'empressement, la vogue. **Hanter** est d'un emploi à la fois plus fam. et plus péj.; il suppose en outre que l'on est influencé par les lieux ou par les personnes, celles-ci étant généralement en groupe. **Pratiquer** s'emploie familièrement parfois comme synonyme de *fréquenter* ou de *hanter*.

fréter, c'est donner ou, beaucoup plus rarement, prendre un bâtiment à louage, en totalité ou en partie, au mois ou à l'année. **Affréter**, c'est seulement louer le navire de quelqu'un pour s'en servir à tant par tonneau, par mois ou par voyage : *Le propriétaire d'un navire le frète, un exportateur l'affrète.* **Noliser,** syn. d'*affréter,* se dit surtout dans les ports méditerranéens.

frétiller, c'est se remuer, s'agiter par des mouvements vifs et courts. **Trémousser,** syn. de *frétiller,* s'applique surtout aux animaux et parfois familièrement, aux personnes. (V. REMUER.)

fretin est le nom que l'on donne à tous les menus poissons sans importance, que le pêcheur rejette habituellement à l'eau. **Alevin** désigne tout petit poisson, depuis son éclosion jusqu'à ce qu'il ait atteint sa taille normale, considéré en général au point de vue du repeuplement des eaux. **Nourrain** se dit du fretin jeté dans les étangs pour les repeupler. **Blanchaille** est le nom collectif sous lequel les pêcheurs désignent les menus poissons blancs. **Menuaille,** quantité de petits poissons, est fam. et a plutôt vieilli. **Poissonnaille,** syn. de *fretin,* est fam. aussi et plutôt péj.

friand. V. AGRÉABLE et GOURMAND.

friandise se dit de certaines choses délicates à manger, comme des sucreries et de la pâtisserie. **Gourmandise,** syn. de *friandise,* fait plus penser au goût, souvent excessif, de celui qui aime manger des mets succulents. **Sucreries,** qui ne se dit que de friandises où il entre surtout du sucre, n'est guère d'usage dans ce sens qu'au pluriel. **Douceurs** s'emploie parfois aussi au pluriel pour désigner des friandises propres à flatter le goût. **Chatterie** est fam. **Gueulardise,** syn. de *gourmandise,* est populaire.

friche. V. JACHÈRE.

frictionner, c'est passer vigoureusement les mains, une brosse, de la flanelle, etc., sur quelque partie du corps, à sec ou autrement, pour faire pénétrer une substance à travers les pores, ou seulement pour exciter les fonctions de la peau et activer les propriétés vitales du sang. **Masser,** qui est plutôt un terme de thérapeut. et d'hygiène, dit plus; c'est presser plus ou moins légèrement ou fortement avec les mains les muscles, les articulations, de manière à les rendre plus souples et à faciliter la circulation du sang. **Frotter,** syn. de *frictionner,* est familier. **Oindre** est vieilli dans ce sens; il signifiait autrefois frotter d'huile ou de quelque autre matière grasse.

frigidaire, frigorifère. V. GLACIÈRE.

frigorifier est un terme techn. qui signif. produire artificiellement le froid au moyen d'appareils spéciaux appelés « frigorifiques », afin d'obtenir une conservation de longue durée. **Congeler,** syn. de *frigorifier,* est moins us. **Réfrigérer** implique un froid moins intense, des températures moins basses que *frigorifier,* et suppose, de ce fait, une conservation moins longue : *La viande est frigorifiée ou congelée vers — 15°, et réfrigérée vers o à — 1°.* (V. GELER.)

frigorifique, frigorigène. V. GLACIÈRE.

frimas. V. BROUILLARD.

frime (faire la). V. FEINDRE.

frimousse. V. FIGURE.

fringale. V. FAIM.

fringant. V. AGILE.

friper. V. CHIFFONNER.

fripier. V. BROCANTEUR.

fripon. V. COQUIN, ESCROC et ESPIÈGLE.

fripouille. V. VAURIEN.

friser, c'est mettre en petits anneaux serrés et tortillés des cheveux, des poils. **Boucler** suppose des boucles ou des anneaux moins nombreux et moins serrés, plus réguliers aussi, que *friser*. **Onduler** implique plutôt un simple mouvement souple des cheveux, et n'emporte pas forcément l'idée de boucles. **Calamistrer,** c'est friser, onduler avec le fer. **Crêper** enchérit sur *friser;* c'est friser finement. **Anneler** se dit plus rarement, pour indiquer que l'on dispose en anneaux, en boucles, en parlant des cheveux. **Mettre en plis** est un terme de coiffure qui suppose une ondulation à froid, effectuée avec les doigts sur les cheveux préalablement mouillés, et complétée par un séchage à air chaud.

V. aussi FRÔLER.

frisquet. V. FROID.

frissonnant. V. TRANSI

frissonner. V. TREMBLER.

frivole se dit de ce qui n'est pas sérieux et ne traite que des choses légères, enfantines : *Ce qui est frivole manque d'importance, roule sur des bagatelles, peut amuser un instant, mais ne mérite aucune attention sérieuse.* **Futile** implique absence de sens, voire ineptie ou extravagance : *Ce qui est futile est vide, ridicule, ne peut servir à rien, pas même à récréer un moment.* (V. ÉTOURDI et LÉGER.)

froid est proprem. un terme très général qui s'applique aussi bien à ce qui est sans chaleur qu'à ce qui a peu de chaleur. **Frais** suppose un froid modéré, une simple fraîcheur (v. ce mot). **Frisquet** est un diminutif familier de *froid* ou de *frais,* surtout lorsqu'il s'agit de la température atmosphérique. **Glacé** enchérit au contraire sur *froid;* il s'applique à ce qui est très froid, voire congelé, durci, le plus souvent accidentellement, alors que **glacial** (ou **glaçant,** peu us.) se dit surtout de ce qui glace. (V. ENGOURDI et GELER.)

Froid, employé substantivement et relativement à la sensation que fait éprouver l'absence, la perte ou la diminution de la chaleur, a pour syn. **froidure,** qui se dit seulement du froid de l'air, de l'atmosphère : *La violence du froid produit l'effet du feu; On se défend contre la froidure en se couvrant chaudement.* **Froideur** s'applique uniquement à la qualité de ce qui est froid : *La froideur du marbre.*

V. aussi GLACÉ, IMPASSIBLE et MÉSINTELLIGENCE.

froideur, froidure. V. FROID.

froisser, c'est blesser légèrement, surtout en parlant d'intérêts, d'opinions, de sentiments. **Désobliger** dit moins; c'est simplement contrarier, indisposer par de mauvais procédés. **Piquer,** c'est surtout froisser la susceptibilité ou la légitime fierté de quelqu'un. **Vexer** enchérit sur ces termes; c'est froisser, piquer profondément, en faisant injustement de la peine. **Poindre,** syn. de *piquer,* est archaïque. (V. BLESSER et DÉPLAIRE.)

V. aussi CHIFFONNER.

Se froisser. V. OFFENSER (s').

frôler, c'est toucher légèrement en passant; il suppose un contact assez rapide. **Effleurer** implique aussi un contact rapide, mais plus doux encore que *frôler.* **Raser** emporte l'idée d'un contact prolongé. **Friser** suppose un contact prolongé qui fait vibrer. **Frayer,** syn. de *frôler,* est vieux.

froncer. V. PLISSER.

frondaison. V. FEUILLAGE.

fronder. V. CRITIQUER.

front. V. COALITION.

frontière désigne les bornes d'un pays, d'un Etat, en tant qu'elles les séparent d'un autre pays, d'un autre Etat. **Limite** se dit de la frontière d'une subdivision administrative d'un pays. **Confins** désigne aussi bien les frontières d'un Etat que les limites d'un territoire quelconque, mais sans avoir jamais le sens politique ou administratif de *frontière* et de *limite.* **Marche** est un terme d'hist. qui sert surtout à désigner les régions situées aux frontières d'un Etat et qui en constituent la défense avancée.

frontispice. V. FACE.

frotter, c'est, d'une façon générale, passer une chose sur une autre à plusieurs reprises, et en appuyant, en pressant; plus particulièrement, c'est frotter avec de la cire ou avec quelque autre produit semblable, ou bien un objet, pour faire reluire, ou pour nettoyer. **Polir,** c'est frotter pour enlever les inégalités d'une surface, l'aplanir, lui donner de l'éclat. **Astiquer,** c'est frotter, polir, pour nettoyer et rendre brillant. **Fourbir,** syn. d'*astiquer,* se dit surtout en parlant des objets de métal. **Poncer,** c'est polir, rendre uni avec la pierre ponce. **Briquer,** proprement frotter avec une brique, en termes de marine, s'emploie parfois aussi, par ext., dans le langage ordinaire, avec le sens d'astiquer énergiquement. (V. NETTOYER.)

V. aussi FRICTIONNER.

froussard. V. POLTRON.

frousse. V. CRAINTE.

frugalité. V. SOBRIÉTÉ.
frugivore. V. VÉGÉTARIEN.
fruit. V. PRODUIT.
frusques. V. VÊTEMENT.
fruste. V. BALOURD et USÉ.
frustrer. V. PRIVER.
fugace. V. PASSAGER.
fugitif. V. FUYARD et PASSAGER.
fugue. V. ESCAPADE.
fuie. V. PIGEONNIER.

fuir, c'est s'éloigner rapidement pour échapper à quelqu'un ou à quelque chose. **S'enfuir** fait surtout penser à la vitesse avec laquelle on fuit; il suppose le désir d'aller le plus loin possible. **S'échapper** marque simplement l'action de tromper la surveillance, de rendre nuls les efforts de ceux qui cherchent à retenir. **S'esquiver** suppose de l'adresse, de la ruse. **S'évader** implique une fuite furtive, de grandes précautions pour n'être pas découvert. **Se sauver** suppose un grand péril que l'on cherche à éviter en fuyant. **Lever le pied,** c'est, familièrem., s'enfuir secrètement. **Détaler, prendre ses jambes à son cou ou la poudre d'escampette,** syn. de *s'enfuir,* sont très familiers. **Se carapater, s'esbigner, jouer la fille de l'air, des flûtes, des quilles** ou **des ripatons** sont populaires. (V. DISPARAÎTRE et PARTIR.)
V. aussi ÉVITER.

fuite désigne l'action de s'éloigner le plus rapidement possible, généralement par peur ou tout au moins grande crainte. **Débandade** suppose que l'on quitte le rang pour fuir; il emporte une idée de désordre qui n'est pas forcément dans *fuite.* **Sauve-qui-peut,** employé substantivement, se dit d'une fuite en désordre de plusieurs personnes, d'une débandade où chacun se tire d'affaire comme il peut; il est essentiellement dominé par l'idée de désarroi. (V. BIAISER, DÉFAITE et DÉTOUR.)

Fuite, pris figurément, se dit d'une vaine raison, d'une mauvaise excuse pour éviter la force d'une objection que l'on prévoit et que l'on veut différer : *C'est l'ordinaire de ceux qui ont tort, et qui connaissent leur faible, de chercher des fuites, a dit La Fontaine.* **Faux-fuyant** désigne un moyen détourné dont on fait usage pour se tirer d'embarras au moment même où l'on est attaqué; il suppose le plus souvent une certaine adresse, voire de la subtilité. **Subterfuge** (du lat. *subter,* en dessous, et *fugere,* fuir) s'applique plutôt à un moyen détourné et artificieux qui a pour but de se tirer d'embarras au cours d'une affaire, d'une discussion. **Refuge** se dit des raisons apparentes sous lesquelles l'erreur ou la mauvaise foi cherchent en dernière extrémité à se mettre à couvert : *Le refuge, dit Lafaye, est un dernier retranchement, un dernier recours.* **Echappatoire,** qui est du style familier, suppose moins de dissimulation, moins de ruse qu'**évasion,** qui est plutôt du style relevé, l'un et l'autre faisant toutefois penser que l'on cherche à se soustraire à une attaque précise.

fulguration. V. FOUDRE.
fuligineux. V. OBSCUR.
fulminer. V. INVECTIVER.

fumée désigne un produit de nature gazeuse mêlé de particules de matières solides et liquides de différentes natures, plus ou moins opaques. **Vapeur** n'implique pas la présence de matières à l'état solide.

fumer est le terme couramment employé pour désigner l'action d'exposer à la fumée une substance nutritive dans le but de la conserver. **Boucaner,** fumer de la viande, du poisson, vieillit.

fumet. V. PARFUM.
fumeux. V. OBSCUR.
fumisterie. V. ATTRAPE.

funèbre se dit de ce qui représente la mort ou en rappelle l'idée et s'applique bien aux choses immatérielles et aux choses abstraites; il implique quelque chose de sombre, de triste comme la mort, ou bien il marque ce qui fait partie essentielle des funérailles mêmes : *Pompe, cérémonie, chant, oraison, idée funèbre.* **Funéraire** a plutôt trait aux derniers devoirs rendus à un mort et ne se dit guère que des choses matérielles; il exprime un simple rapport avec les funérailles considérées sous le point de vue des usages, des cérémonies matérielles ou des dépenses : *Urne, monument, frais funéraires.* **Mortuaire** est plus particulier; il ne s'applique qu'à ce qui appartient au service, à la

pompe funèbre : *Registre, drap, maison mortuaire.*
V. aussi TRISTE.

funérailles. V. ENTERREMENT.

funéraire. V. FUNÈBRE.

funeste. V. FATAL.

fureter. V. FOUILLER.

fureteur. V. INDISCRET.

fureur suppose un violent état d'exaspération momentanée, souvent mêlée de violence et d'emportement, bien qu'elle puisse demeurer parfois intérieure. **Furie** s'emploie presque toujours en mauv. part et implique plus particulièrement une fureur qui éclate et se déchaîne extérieurement : *La fureur se contient quelquefois; la furie est sans frein et éclate toujours par des transports excessifs.* (C'est ainsi que, par une conséquence naturelle, comme le note justement Littré, *furie* a pu se dire, en bonne part, de l'impétuosité d'une attaque, comme dans cette phrase consacrée : *La furie française,* qui exprime l'impétuosité des assaillants; tandis que *fureur* ne serait pas applicable et aurait un autre sens.) **Emportement** se dit d'un brusque accès de fureur, d'un mouvement violent plus particulièrement extérieur, qui se livre passage de façon irrésistible, mais qui ne dure pas : *L'emportement n'est le plus souvent que la manifestation d'une vive colère.* **Acharnement** s'applique plus spécialem. à la fureur opiniâtre avec laquelle les animaux, et même les hommes, se battent les uns contre les autres. **Rage** se dit d'une fureur tenace, acharnée, qui veut mordre, qui veut détruire quelque chose — et fait généralem. penser à l'objet, à la cause de l'exaspération. **Passion** implique une fureur mêlée d'un certain aveuglement de l'esprit. **Frénésie** dit plus encore; il désigne la fureur extrême, voisine du délire, où l'on s'abandonne par suite d'une agitation quelconque de l'âme. **Malerage,** syn. de *fureur,* de *rage,* vieillit. (V. COLÈRE, IRRITER et MÉCONTENTEMENT.)

furibond. V. FURIEUX.

furie. V. FUREUR et MÉGÈRE.

furieux dénote particulièrem. l'acte de fureur ou l'accès de furie généralement habituel, et cela lorsqu'il se produit. **Furibond** marque non seulement l'habitude d'entrer en fureur, mais encore il suppose une fureur extrême, excessive, qui déborde, qui se répand sur tout : *Le furibond est celui qui est sujet à se mettre souvent en fureur.* (Il est à noter toutefois qu'on emploie parfois abusivement *furibond* pour *furieux,* mais alors familièrement et avec une nuance de raillerie.) **Forcené,** syn. de *furieux,* s'emploie surtout comme nom. **Possédé,** qui se dit, proprement et substantivement, d'une personne dominée par le démon, s'emploie aussi — par ext. — pour désigner une personne violente ou extravagante. **Energumène,** qui ne s'emploie aussi que substantivement, désigne proprement, en termes de théologie, celui qui est possédé du diable — et, figurément, celui qui se livre à des mouvements excessifs de fureur irraisonnée, le plus souvent en parlant et s'agitant avec violence. (V. FANATIQUE, FOU et SUREXCITÉ.)

furoncle désigne une tumeur produite par une inflammation circonscrite de la peau et du tissu cellulaire souscutané, ayant son origine dans un follicule pileux. **Clou** est le nom vulgaire que l'on donne au *furoncle.* **Anthrax** se dit d'une accumulation circonscrite de furoncles. (V. ABCÈS, ORGELET et TUMEUR.)

furtivement. V. SECRÈTEMENT.

fuser. V. FONDRE.

fusil est le nom donné à une arme à feu portative, consistant en un canon ou tube métallique, monté sur un fût en bois, et muni d'un mécanisme dont le jeu met le feu à la charge renfermée dans le canon. **Carabine** désigne un fusil court et léger, à canon ordinairement rayé. **Mousqueton** se dit d'une arme à feu portative plus courte que le fusil, qui constitue l'armement des servants d'artillerie, des mitrailleurs d'infanterie et des cavaliers. **Rifle** désigne une carabine à long canon. **Mitraillette** se dit d'un fusil perfectionné, à tir automatique, permettant de tirer en peu de temps un grand nombre de balles. **Couleuvrine à main, haquebute, arquebuse** et **mousquet** sont les noms donnés aux ancêtres du fusil actuel. **Flingot** et **flingue,** syn. de *fusil,* sont des termes d'argot. (V. PISTOLET.)

fusiller. V. TUER.

fusion, qui désigne simplement l'action de fondre ou d'être fondu, s'emploie bien dans les exposés scientifiques. **Fonte,** qui présente l'action exprimée par *fusion* comme un effet, comme un phénomène, appartient plus au langage ordinaire.

fustiger. V. BATTRE et RÉPRIMANDER.

fût. V. TONNEAU.

futaie. V. BOIS.

futaille. V. TONNEAU.

futé. V. MALIN.

futile. V. FRIVOLE.

futur. V. AVENIR et FIANCÉ.

fuyant. V. FUYARD.

fuyard, qui, d'une part, marque l'habitude de s'enfuir, et, de l'autre, s'applique particulièrement à des combattants mis en fuite, exprime l'état où se trouve celui qui fuit. **Fugitif,** au propre, désigne plutôt l'état de celui qui a fui que l'action réellement présente de fuir. **Fuyant** ne s'emploie jamais substantivement comme *fugitif* et *fuyard,* et se dit de celui qui fuit actuellement, dans une occasion particulière.

G

gabarit. V. MODÈLE.

gabegie. V. DÉSORDRE.

gabelou. V. DOUANIER.

gâcher, c'est, figurément et familièrement, exécuter avec maladresse, négligemment, sans goût, et, par ext., manquer ce que l'on fait. **Gâter** est d'usage moins courant que *gâcher.* **Galvauder** emporte l'idée d'abaissement et ne s'emploie guère, dans ce sens, que dans les expressions : *Galvauder son talent; Galvauder les dons qu'on a reçus de la nature; Galvauder une affaire, une situation.* **Gaspiller,** c'est gâcher ses qualités, son temps à des choses sans valeur. — **Saveter,** c'est gâcher en faisant grossièrement, sans soin. **Saboter,** c'est, dans son acception la plus faible, exécuter le travail sans goût et, de ce fait, le gâcher — et, dans un sens plus péj., gâcher, mal faire volontairement, dans un but déterminé. **Bousiller,** c'est gâcher un travail en l'exécutant sans soin, avec négligence, précipitation. **Bâcler,** qui dit moins, est plus dominé par l'idée de faire vite pour se débarrasser que par celle de faire mal; il n'en reste pas moins que le résultat est généralement le même, et que le travail, la besogne dont on avait à s'acquitter, sont le plus souvent gâchés parce qu'exécutés trop rapidement et sans précaution. **Torchonner,** employé familièrement et abusivement dans le sens de *gâcher,* attire l'attention surtout sur la mauvaise exécution du travail; il a pour synonyme populaire et trivial **torcher. Saloper** est populaire aussi; c'est faire très mal un travail quelconque, et, de ce fait, le gâcher. (V. MANQUER.)

gadoue, gadouille. V. BOUE.

gaffe. V. ERREUR et PERCHE.

gaffeur. V. MALADROIT.

gage est un terme très général qui désigne ce que l'on donne à quelqu'un pour garantie de ce qui lui est dû; il se rapporte plutôt, note Lafaye, à celui qui « s'engage », donc au débiteur. **Nantissement** est surtout un terme de droit et se rapporte à celui qui est pourvu de gage, soit au créancier. (V. GARANTIE.)

Gages. V. RÉTRIBUTION.

gager. V. PARIER.

gagnant. V. VAINQUEUR.

gagner. V. CONTRACTER et OBTENIR.

gai se dit de celui qui, par tempérament, par caractère, voit en général les choses par leur bon côté, et, par conséquent, est naturellement de belle humeur; il suppose de la verve et s'oppose à « triste ». **Guilleret** implique à la fois gaieté et vivacité; il s'oppose à « morose ». **Enjoué** s'applique à celui qui est volontairement gai et qui n'est tel que pour plaire; il implique un certain effort de l'esprit, la plaisanterie agréable, le désir et le talent d'amuser. **Réjouissant** enchérit sur ces termes; il se dit de celui qui est très gai, très enjoué, souvent d'ailleurs plus pour amuser les autres, lesquels en ont besoin, que lui-même. **Réjoui** désigne celui qui exprime la gaieté, qui l'extériorise. **Joyeux** emporte l'idée d'un sentiment plus fort de l'âme, d'une satisfaction plus complète que *gai;* il s'oppose plutôt à « chagrin » et se dit des affections du moment : *Un homme très froid peut être joyeux s'il apprend une bonne nouvelle.* **Jovial,** qui veut dire proprement ami de la joie, diffère de *gai* par une teinte de comique assez familière dont il entraîne l'idée; il suppose un esprit réjoui et une grosse gaieté. **Bon** ou **gros vivant** (celui-ci moins us.), qui ne s'emploie que substantivement et appliqué aux personnes, désigne un homme qui prend la vie gaiement et est, de ce fait, d'un commerce agréable, cependant que **boute-en-train** se dit de celui qui met les autres en gaieté, qui anime une société et y provoque un joyeux entrain. (V. BADIN, COMIQUE, CONTENT, ESPIÈGLE, GAILLARD et LURON.)

gaieté se rapporte à l'humeur, aux manières, au tempérament; c'est un caractère qui ne peut pas ne pas s'extérioriser, tout en restant cependant à peu près uniforme dans sa manifestation. **Joie** suppose plutôt une grande impression de plaisir, une vive jouissance intérieure, qu'une manifestation extérieure; c'est toujours un état passager qui dépend plus des circonstances que de l'humeur ou du tempérament : *La gaieté est expansive et met les autres en train; la joie au contraire peut se dissimuler.* (A noter qu'on parle cependant quelquefois d'une joie bruyante, turbulente, et alors la force des adjectifs marque évidemment un sentiment qui se répand au-dehors, mais il n'en reste pas moins que ce sentiment est toujours l'effet des circonstances, alors que la gaieté vient du caractère.) **Alacrité** (du lat. *alacritas,* vivacité) se dit d'une gaieté vive, entraînante. **Hilarité,** qui se disait autref. d'une joie douce et calme, sereine, désigne surtout auj. une gaieté subite, inattendue; il suppose le plus souvent une explosion de rire.

gaillard et, plus encore, **égrillard** supposent une gaieté un peu trop libre; ils impliquent l'un et l'autre des propos peu décents, voire libertins, licencieux : *Le ton gaillard ou égrillard est toujours inconvenant dans la société des femmes.* **Leste,** syn. de ces termes, s'emploie généralement en mauvaise part. **Guilleret** se dit parfois de ce qui est très libre, un peu leste : *Conte, propos guillerets.* **Grivois** s'applique surtout au langage des récits; il implique un genre voisin de l'érotique, mais qui cependant garde toujours le ton familier, la bonne humeur et la gaieté, sans jamais tomber dans l'obscène. **Gaulois** emporte l'idée de franchise et de hardiesse conjuguées dans le choix des termes; il suppose une gaieté un peu libre teintée de rudesse, qui rappelle celle des Gaulois. **Rabelaisien** s'emploie parfois comme syn. de *gaillard,* par allusion au genre de Rabelais; il est évidemment plutôt du style littéraire. **Dessalé,** syn. d'*égrillard,* est familier. (V. GAI et LIBRE.)

V. aussi LURON.

gain éveille l'idée de l'argent qu'on acquiert ou du succès que l'on obtient : *On devient riche en faisant de grands gains; Un général habile ne néglige rien pour assurer le gain d'une bataille.* **Lucre** est péj.; il ne se dit que du gain pécuniaire qu'il présente comme obtenu par une avidité basse. **Bénéfice,** qui fait penser aux avantages, au bien-être qu'il implique, n'emporte quelquefois que l'idée de la quantité dont les produits surpassent la mise de fonds ou les avances. **Profit** convient bien pour désigner le petit bénéfice que réalisent ceux qui savent faire valoir les choses : *Le bénéfice est plus considérable que le profit.* **Emolument** est vieilli dans ce sens; il participe plus ou moins auj. de l'idée attachée au mot « salaire », et désigne toujours de l'argent obtenu en faisant ce qui est propre à une fonction, à une charge. **Boni,** proprem. excédent de la dépense prévue ou des fonds alloués sur les sommes réellement dépensées, se dit aussi parfois, dans le langage vulgaire, d'un bénéfice quelconque. **Guelte** désigne, familièrement le boni que l'on accorde, sur le prix de vente de certaines marchandises, à un commis de magasin. **Revenant-bon** se dit d'un profit casuel, éventuel, qui revient d'une affaire, d'un reliquat : *Les revenants-bons d'une charge, d'un marché.* (A noter que ce terme s'est aussi employé comme syn. de *boni* pris dans son sens propre.) **Gratte,** qui est familier, se dit d'un petit bénéfice plus ou moins irrégulier.

V. aussi RÉTRIBUTION.

gaine. V. ENVELOPPE.

gala. V. FÊTE.

galant se dit, d'une façon générale, de tout homme qui, empressé auprès des femmes, est naturellement porté aux bonnes fortunes, aux intrigues amoureuses. **Galantin** désigne un galant ridicule. **Godelureau** se dit d'un jeune galantin. **Dameret,** moins usité auj., désigne un homme efféminé dans sa parure et son langage, qui fait le jeune homme sans l'être et cherche à plaire aux femmes par de petits compliments, de petites complaisances. **Damoiseau** implique un homme jeune et avantageux, qui recherche la compagnie des femmes, se pare avec affectation, soupire, prend des airs languissants, se flatte de plaire, et n'est occupé que par la galanterie. **Blondin,** qui désigne proprement un enfant, un adolescent qui a les cheveux blonds, se dit aussi parfois, figurément, d'un jeune galant.

V. aussi AMANT et POLI.

galanterie. V. AMOUR.

galantin. V. GALANT.

galéjade. V. PLAISANTERIE.

galères. V. BAGNE.

galerie. V. AUDITOIRE, MUSÉE, PASSAGE, RUE, SOUTERRAIN et VESTIBULE.

galet. V. CAILLOU.

galetas. V. MANSARDE.

galimatias est le nom que l'on donne à un discours embarrassé, inintelligible, par le fait du désordre des idées : *Ce qui rend le galimatias difficile à comprendre et ridicule, c'est moins le choix des expressions que les pensées elles-mêmes, qui ne se suivent pas, qui se contredisent, et dont il est impossible de saisir le lien.* **Amphigouri,** qui est moins du langage courant, se dit d'un discours ou d'un écrit involontairement ou volontairement obscur, embrouillé, peu intelligible : *Rabelais et Scarron ont usé plaisamment de l'amphigouri.* **Charabia,** comme **baragouin** et **jargon,** se dit plutôt d'un langage ou d'un style qui est bizarre, burlesque, incorrect, ou que l'on croit tel pour la seule raison qu'on ne le comprend pas. **Pataquès** est familier et emporte essentiellement l'idée de maladresse; c'est proprement une faute de langage qui consiste à substituer, dans la prononciation, une lettre à une autre, à faire de fausses liaisons — et, par ext., un discours confus, inintelligible. **Pathos** suppose généralement une affectation déplacée de chaleur et de véhémence, quand le sujet qu'on traite est simple et ne mérite pas tant d'émotion : *On fait du pathos pour donner une haute idée de son esprit, de ses sentiments.* **Phébus** implique l'emploi de grands mots appliqués aux petites choses, moins pour feindre une émotion qu'on n'éprouve pas que pour affecter un langage au-dessus du vulgaire : *On fait du phébus pour se donner l'apparence d'un écrivain hors ligne.*

galipette. V. CABRIOLE.

galoche. V. SABOT.

galoper. V. COURIR.

galopin se dit, généralement en mauv. part, d'un gamin des rues bien plus effronté encore qu'espiègle. **Polisson** est plus péjoratif encore; il se dit d'un galopin malpropre, vagabond, batailleur. **Garnement** est un syn. familier de *polisson.* (V. GAMIN et VAURIEN.)

galoubet. V. FLÛTE.

galvaniser. V. ENFLAMMER.

galvauder. V. ERRER et GÂCHER.

galvaudeux. V. VAGABOND et VAURIEN.

gambade. V. CABRIOLE.

gamin désigne un enfant déjà grand, presque un adolescent, qui, oisif et espiègle, passe le plus clair de son temps à s'amuser. **Gavroche** se prend toujours en bonne part; nom d'un personnage des « Misérables » de Victor Hugo, il a passé dans la langue pour désigner le gamin de Paris, spirituel et moqueur, mais plein de courage, voire de générosité. **Titi,** syn. de *gavroche,* est familier. (V. GALOPIN.)

V. aussi ENFANT.

ganache. V. STUPIDE.

gandin. V. ÉLÉGANT.

gang. V. TROUPE.

gangrener. V. GÂTER.

gant est le nom donné à une sorte d'étui fait de peau ou d'étoffe coupée ou tissée, qui couvre la main jusqu'au poignet, ou plus haut, et chaque doigt isolément. **Mitaine** se dit soit d'un gant qui enveloppe complètement la main et n'a qu'une division destinée au pouce (on dit alors aussi **moufle**), soit, le plus souvent auj., d'un gant ne couvrant que la première phalange des doigts.

garage. V. REMISE.

garant. V. COMPTABLE et GARANTIE.

garantie implique l'obligation de défendre une personne d'un dommage éventuel ou de l'indemniser d'un dommage éprouvé. **Assurance,** syn. de *garantie,* et qui, dans ce sens, s'emploie généralement au plur., suppose des paroles, des promesses, des protestations, par lesquelles on tâche de donner à quelqu'un la certitude d'une chose, de lui inspirer de la confiance. **Sauvegarde** emporte l'idée d'un danger, d'un péril qu'on redoute.

Garantie fait aussi penser, dans un sens voisin, à l'action qui rend sûre une chose par une autre, et cela à dessein et dans un but déterminé : *On assure la garantie de celui que l'on protège.* **Garant** exprime plutôt une chose qui a, par elle même, ou à qui, dans le passé ou dans le présent, on trouve la vertu de défendre, de maintenir, de garder : *Le passé est souvent le garant de l'avenir.* **Palladium** (mot empr. du lat. et dérivé du gr. *palladion,* de Pallas, dont la statue, à Troie, était considérée comme assurant la sauvegarde de la ville), qui désigne proprement ce qu'un peuple considère comme assurant sa durée (*le bouclier de Numa était le palladium de la République romaine*), se dit aussi figurément de tout ce qui est le garant de la conservation d'une chose : *La loi civile est le palladium de la propriété, a dit Montesquieu.* **Caution,** qui est surtout un terme de palais, se rapporte à l'avenir; rien n'est dû encore, mais il y a une dette qui écherra plus tard ou qui du moins pourra échoir, ainsi, si le principal débiteur ne peut y satisfaire, celui qui « cautionne » y satisfera pour lui. **Répondant** est syn. de *caution* dans le langage courant; il convient bien pour désigner celui contre qui on a recours quand l'auteur d'un dommage ne peut le réparer lui-même. **Sûreté,** qui s'emploie surtout au plur. dans ce sens, se dit bien d'une sorte de garantie, de caution que l'on donne pour l'exécution d'un traité, d'un accord. (V. GAGE.)

garantir. V. AFFIRMER et PROTÉGER.

garçon. V. CÉLIBATAIRE et FILS.

garçon de bureau. V. HUISSIER.

garçonnière. V. APPARTEMENT.

garde, qui désigne une personne chargée de veiller sur quelqu'un ou sur quelque chose, présente l'action de garder comme l'exécution d'une fonction, d'une consigne, qui impose des devoirs réglés et confère des pouvoirs. **Gardien** est dominé, au contraire, par l'idée de l'action de garder considérée en elle-même; il exprime plutôt une occupation, une situation particulière qu'un état : *Dans une prison, les gardes s'occupent peu des prisonniers, bien que leur service soit organisé pour que ceux-ci soient mieux gardés, alors que les gardiens ont pour mission spéciale de prendre toutes les précautions nécessaires pour que personne ne s'échappe.*

garde-corps, garde-fou. V. BALUSTRADE.

garde-malade. V. INFIRMIÈRE.

garder, c'est continuer à avoir, rester en possession d'une chose dans le but de s'en servir actuellement ou plus tard. **Retenir,** c'est résister à ceux qui voudraient ou qui ont le droit de reprendre : *On garde ce que l'on a; on retient ce qui menace d'échapper.*

V. aussi CONSERVER, DESTINER, OBSERVER et SURVEILLER.

garde-robe. V. LIEUX D'AISANCES.

gardien. V. CONCIERGE et GARDE.

gardien de la paix. V. AGENT DE POLICE.

gargote. V. RESTAURANT.

garnement. V. GALOPIN et VAURIEN.

garnir. V. EMPLIR et ORNER.

garrigue. V. LANDE.

garrotter. V. ATTACHER.

gars. V. FILS.

gascon. V. FANFARON.

gaspiller. V. DÉPENSER et GÂCHER.

gaster. V. VENTRE.

gastrolâtre, gastronome. V. GOURMAND.

gâter suppose une altération qui peut finir par dénaturer la chose et la faire entrer en dissolution : *On gâte les mœurs, l'esprit.* **Corrompre** dit plus; c'est gâter d'une façon intime, profonde, et souvent définitive : *On corrompt le cœur quand on le rend incapable de tout bon sentiment.* **Pourrir,** syn. de *corrompre,* est du langage commun. **Dépraver** marque un désordre apporté dans les fonctions, dans le jeu des organes ou des facultés : *On déprave le jugement, la conscience.* **Pervertir** enchérit sur *dépraver,* en ce qu'il exprime un désordre complet, presque irrémédiable, et y ajoute parfois une idée de méchanceté : *Il n'y a pas d'âme honnête que l'amour ne puisse pervertir, a dit Saint-Marc Girardin.* **Gangrener,** c'est figurément corrompre, le plus souvent en souillant de quelque vice : *Les mauvais exemples gangrènent la jeunesse.* **Perdre** s'emploie parfois dans le langage courant comme syn. de *corrompre.* **Tarer,** syn. de *gâter, corrompre,* est moins usité : *Les passions tarent l'homme.*

V. aussi AVARIER, DÉTÉRIORER, GÂCHER et SOIGNER.

Se gâter. V. POURRIR.

gâte-sauce. V. CUISINIER.

gâteux, qui désigne proprement le malade qui en est venu à faire sous lui sans en avoir conscience, par paralysie, affaiblissement mental, etc., se dit couramment aussi, par ext., d'une personne dont l'intelligence est tout à fait affaiblie, presque éteinte. **Gaga** (redoublement de la première syllabe du mot *gâteux*) est familier et s'applique surtout à une personne tombée en enfance. (V. ÂGÉ et MALADE.)

gauche désigne ce qui est opposé à « droit », ce qui est du côté du cœur. **Senestre,** syn. de *gauche,* est vieilli et ne s'emploie plus guère qu'en termes de blason. **Bâbord** est très particulier; il se dit essentiellement du côté gauche d'un navire, lorsqu'on regarde vers l'avant, et, par comparaison, du côté gauche de celui qui parle, sur terre aussi bien que sur mer : *On laisse une île à bâbord; On a un rocher, un arbre à bâbord.*

V. aussi MALADROIT.

gaudriole. V. PLAISANTERIE.

gaule. V. PERCHE.

gaulois. V. GAILLARD.

gausser (se). V. RAILLER.

gausserie. V. RAILLERIE.

gavé. V. GORGÉ.

gave. V. COURS D'EAU.

gaviot (ou **gavion**). V. GOSIER.

gavroche. V. GAMIN.

gaz. V. VAPEUR.

gazette. V. JOURNAL.

gazouiller. V. CHANTER.

géhenne. V. SUPPLICE.

geignement. V. PLAINTE.

geindre. V. REGRETTER.

gelé. V. TRANSI.

gelée. V. CONFITURE.

geler, c'est convertir en glace, d'une façon assez profonde. **Glacer,** c'est refroidir considérablement, voire couvrir d'une couche légère de glace. **Congeler,** c'est geler artificiellement le liquide contenu dans un récipient. **Frapper,** c'est refroidir considérablement, sans toutefois congeler complètement. (V. FRIGORIFIER et FROID.)

gémeau. V. JUMEAU.

gémissement. V. PLAINTE.

gemme. V. DIAMANT et RÉSINE.

gendarme est le nom que l'on donne aux soldats faisant partie d'une milice spéciale, chargée de veiller à la sécurité et à la tranquillité publiques. **Pandore** (du nom du type de gendarme créé par G. Nadaud dans une de ses chansons populaires) s'emploie parfois, par antonomase, comme synonyme familier de *gendarme.* **Cogne** est un terme d'argot péjoratif. (V. AGENT DE POLICE et POLICIER.)

gêne suppose une action négative, laquelle entrave la liberté. **Contrainte,** au contraire, emporte l'idée d'un acte positif qui nous oblige à agir contre notre gré : *On fait quelque chose malgré la gêne et par contrainte, note Lafaye.* **Violence** implique une contrainte qui emploie la force : *On n'est pas rebelle pour avoir résisté à la violence.* **Nécessité** se dit d'une contrainte secrète : *La nécessité n'est-elle pas, a* *dit Voltaire, une contrainte dont on ne s'aperçoit point?* (V. GÊNER.)

V. aussi DIFFICULTÉ et PAUVRETÉ.

gêné. V. EMBARRASSÉ.

gêner emporte l'idée de difficulté, celle qui empêche la libre action de quelque chose que ce soit. **Embarrasser** suppose plus de l'incommodité qu'une véritable difficulté. **Entraver,** c'est gêner par quelque chose qui retient, assujettit, enlève la libre disposition de ses mouvements, de ses actes. — **Désavantager** est plus partic.; c'est gêner dans la réussite en mettant dans une condition d'infériorité ou en supprimant l'avantage qu'on pourrait tirer de ses qualités. **Handicaper** est un néologisme empr. au langage sportif qui s'emploie parfois aussi, dans le langage courant et familier, comme syn. de *désavantager*. — A ces termes, il convient d'ajouter **inconvénient** qui ne s'emploie que substantivement et implique un désavantage attaché à une chose et à cause duquel il ne convient pas de la faire. (V. GÊNE et PRÉJUDICE.)

V. aussi NUIRE.

général. V. UNIVERSEL.

générosité désigne la qualité d'une personne qui a le caractère assez noble pour préférer les autres à soi et leur sacrifier ses propres intérêts. **Grandeur d'âme** se dit de la qualité d'une personne qui a de l'élévation, de la noblesse dans les pensées, et qui est incapable d'aucune action honteuse ou lâche. **Magnanimité** implique une idée de puissance et ne s'emploie qu'en parlant des personnes élevées en dignité ou de celles que l'histoire a rendues célèbres; c'est la grandeur d'âme dans toute sa perfection et sa plénitude.

V. aussi CHARITÉ.

gêneur. V. IMPORTUN.

génie. V. CAPACITÉ et ESPRIT.

génisse. V. VACHE.

géniteur. V. PÈRE.

genre. V. ESPÈCE.

gens est le nom collectif et indéfini que l'on donne aux hommes; synthétique, général et vague, il fait penser à l'ensemble des individus. **Personnes** est distributif et relatif aux individus; analytique et particulier, il fait penser aux individus dans l'ensemble : *Les personnes vertueuses sont souvent gens de bien.* (Notons en outre, avec Lafaye, que si *gens* — qui est fait pour exprimer la multitude et la foule, l'espèce et la sorte, c'est-à-dire quelque chose de commun tout au moins — peut se prendre en mauvaise part, *personnes,* pour la raison contraire, convient mieux en parlant d'hommes pour lesquels on veut témoigner de l'estime.)

gent. V. RACE.

1. **gentil,** qui se dit de ce qui plaît à la fois par sa douceur et sa finesse, convient bien en parlant de ce qui est petit, léger, délicat. **Mignon** ajoute à *gentil* l'idée de caresses, d'affection. **Gracieux,** qui exclut toujours l'idée de gêne et de gaucherie, est dominé surtout par l'idée de gaieté; il s'oppose à « sérieux », à « sévère ». **Mignard** marque la délicatesse et la douceur dans les traits du visage, l'air et les manières gracieuses, un certain mélange de gentillesse et d'afféterie. **Mièvre** est assez péjoratif; il ajoute à *gentil* l'idée d'affectation.

V. aussi AIMABLE et BEAU.

2. **gentil.** V. PAÏEN.

gentilhomme. V. ARISTOCRATE.

gentilhommière. V. CHÂTEAU.

gentry. V. MONDE.

geôle. V. CELLULE.

gerbe. V. BOTTE.

gérer. V. DIRIGER.

germe désigne, au propre comme au fig., le principe d'où naît quelque chose, principe qui est dans la personne ou dans la chose qui crée. **Semence** considère le même principe comme ayant été jeté ou apporté : *La semence, dit Lafaye, est un germe non pas seulement fécondé, mais encore semé, c'est-à-dire déposé dans un terrain propre pour le développer et le faire pousser.* **Grain** implique une semence qui est aussi le fruit qu'on doit en recueillir; c'est à la fois la semence et la récolte : *On sème des grains de blé, d'avoine, pour avoir de ces mêmes grains.* **Graine** se dit, par contre, d'une semence de choses différentes, c'est-à-dire qui n'est pas elle-même le fruit qu'elle doit produire : *On sème des graines pour avoir des melons, des fleurs,* etc. — Au fig., GERME et SEMENCE emportent la même nuance, cependant que GRAINE s'emploie d'une manière générale et que

GRAIN est toujours déterminé : *La mauvaise graine, la mauvaise semence, ne donne jamais de bon fruit; Un grain de bon sens, de folie, d'amour-propre.* V. aussi ORIGINE.

géronte. V. VIEILLARD.

gésine. V. ENFANTEMENT.

gestation désigne le temps pendant lequel le fœtus des espèces vivipares reste enfermé dans le sein de sa mère, depuis le moment de la conception jusqu'à l'époque où il arrive à la lumière; il s'applique aux femmes comme aux femelles des animaux, et présente l'image du fardeau que celles-ci sont obligées de porter. **Grossesse** ne concerne que les femmes enceintes dont il peint l'état apparent.

1. **geste** désigne, d'une façon générale, tout mouvement extérieur du corps et principalement de la main, des bras, de la tête, servant à exprimer nos sentiments, nos désirs, nos craintes, et toutes les sensations diverses que nous éprouvons. **Mimique** se dit de gestes, de jeux de physionomie aussi, extrêmement expressifs; il va jusqu'à supposer l'art de parler aux yeux sans le secours de la parole et de l'écriture, par des expressions, des attitudes, des mouvements du corps, des gestes assujettis à de certaines lois ou devenus signes de convention. **Pantomime,** lorsqu'il désigne l'art des gestes et des attitudes, emporte toujours une idée de spectacle : *On parlera des gestes de n'importe quelle personne, de la mimique d'un sourd-muet, de la pantomime d'un acteur.*

2. **geste.** V. EXPLOIT.

gibecière désigne un grand sac de cuir, de peau ou de toile, à bandoulière, pour chasseurs, bergers, écoliers. **Musette** se dit surtout d'une gibecière en toile utilisée par les soldats ou les ouvriers. **Sacoche** s'applique le plus souvent à une sorte de gibecière, de grande bourse en cuir, où l'on met de l'argent, des choses précieuses. **Carnassière,** comme **carnier,** se dit seulement de la gibecière de cuir ou de filet dans laquelle les chasseurs mettent leur gibier. **Panetière** désigne la petite gibecière de cuir ou de toile, dans laquelle les bergers, les voyageurs mettent leur pain. (V. SAC.)

gibet a une signification très générale; il se dit du lieu d'exécution, des **fourches patibulaires** où l'on suspendait jadis les cadavres après l'exécution, de l'instrument du supplice sous différentes formes, puisqu'il s'applique même à la **croix** sur laquelle mourut le Christ. **Potence** a un sens beaucoup plus restreint; il désigne uniquement le poteau, instrument du supplice, que l'on dresse pour y suspendre le criminel par une corde nouée autour du cou. **Estrapade** est plus partic.; c'est le nom que l'on donne à la potence qui sert au supplice du même nom, et qui consistait, après avoir lié le patient, les mains derrière le dos par une corde, à le hisser pour le laisser brusquement retomber ensuite dans le vide. **Credo,** syn. de *potence,* par allusion aux prières que le prêtre fait réciter au patient, est un terme d'argot qui a vieilli.

giboulée. V. PLUIE.

gicler. V. JAILLIR.

gifle est un terme du langage courant désignant un coup donné sur la joue avec la main ouverte, avec l'intention de corriger. **Soufflet** est du langage relevé et suppose plus un affront, une mortification qu'un geste véritable de violence. **Tape,** s'il suppose le même geste que *gifle,* l'implique plus léger et n'emporte pas forcément une idée de correction. **Claque,** comme **taloche,** syn. de *gifle,* est familier et convient bien lorsqu'il s'agit d'un enfant. **Bâfre, mandale, talmouse, tarte** sont populaires. **Mornifle,** une gifle donnée avec le revers de la main, est populaire aussi. **Emplâtre** est dialectal. (V. BATTRE et COUP.)

gigantesque. V. COLOSSAL.

gigolette. V. FILLE LÉGÈRE.

gigoter. V. DANSE et REMUER.

gigue (grande). V. MINCE.

gilde. V. CORPORATION.

gille. V. NIAIS.

gipsy. V. BOHÉMIEN.

girandole. V. CHANDELIER.

girl. V. FIGURANT.

giron. V. SEIN.

girouette. V. PANTIN.

gitano. V. BOHÉMIEN.

gîte désigne particulièrement le lieu où repose le lièvre, et, par ext., tous les animaux. **Terrier** suppose un trou fait dans la « terre » et qui sert d'habitation à certains petits animaux. **Tanière,** qui se dit du lieu où se retirent les animaux sauvages, emporte surtout les idées de repos, d'obscurité ou tout au plus de malpropreté. **Bauge** est plus particulier; c'est le nom que l'on donne au gîte fangeux où le sanglier se retire et se vautre pendant le jour. **Repaire** désigne le lieu où se retirent les bêtes féroces, et d'où elles ne sortent que pour chercher leurs proies.

V. aussi HABITATION.

glabre (du lat. *glaber,* qui est sans poil) est le terme général qui se dit de tout ce qui est dépourvu de poils, de duvet, à l'état normal : *Un menton glabre; Une plante à feuilles glabres.* **Imberbe** (lat. *imberbis,* de *barba,* barbe) est plus partic.; il ne se dit que de celui qui est sans barbe ou n'a pas encore de barbe : *Certaines races de l'Amérique sont imberbes; Jeune homme imberbe.*

glaçant. V. FROID et GLACÉ.

glace est le terme du langage courant servant à désigner un verre poli et étamé, qui réfléchit l'image des objets. **Miroir,** qui vieillit, s'emploie encore dans le langage recherché pour désigner une glace ancienne ou d'une qualité supérieure. (A noter que *miroir* peut s'appliquer aussi à une surface polie, métallique ou autre, servant aux mêmes usages que les miroirs en verre : *Les dames d'autrefois se servaient de miroirs d'acier.*) **Psyché** est plus partic.; c'est le nom donné à une grande glace mobile sur des tourillons portés par un châssis et qu'on peut incliner à volonté.

V. aussi VITRE.

glacé se dit figurément de ce qui marque de la froideur, de l'indifférence, de la contrainte, mais le plus souvent accidentellement. **Glacial** regarde plus la forme que le fond des choses et sert généralement à qualifier quelque chose d'habituel : *Un homme a l'abord glacial, dit Lesage, et dans l'occasion il fait ou on fait à quelqu'un un accueil glacé.* **Froid,** syn. de *glacé,* dit moins; il suppose simplement une réserve voisine de la rigueur : *On fait un accueil froid à celui dont on se méfie.* **Glaçant** est un syn. moins usité de *glacial.*

V. aussi FROID et TRANSI.

glacer. V. GELER.

glacial. V. FROID et GLACÉ.

glacière, terme général désignant tout appareil à produire artificiellement de l'eau congelée (glace), ou à réfrigérer des denrées dans une atmosphère froide, s'applique plus spécialement, dans le langage courant, à une glacière domestique, sorte d'armoire hermétiquement close et pourvue de récipients dans lesquels on place de la glace qui entretient dans l'appareil une température basse et constante. **Frigorigène,** comme **réfrigérateur,** s'applique à un appareil qui produit automatiquement le froid. **Frigidaire** est un nom de marque qui est passé dans le langage courant pour désigner un appareil frigorigène domestique utilisé pour la conservation des aliments, le refroidissement des boissons, et dans lequel peut être accessoirement fabriquée de la glace. **Frigorifique** se dit aussi bien d'un appareil produisant le froid que d'un appareil permettant d'utiliser le froid, surtout lorsque ceux-ci sont d'une certaine importance : *Un particulier possède une glacière ou un frigidaire; les abattoirs ont des frigorifiques.* **Frigorifère** désigne la chambre de froid, dans les appareils frigorifiques.

glacis. V. TALUS.

glaive. V. ÉPÉE.

glaner, c'est, figurément, trouver des restes, de petits profits là où d'autres ont fait une plus ample moisson; c'est aussi compléter par de menus détails les recherches d'autrui. **Grappiller** est moins licite; c'est commettre de menus larcins avant la récolte, ou bien prendre çà et là dans le travail d'autrui pour en faire un tout qui a l'air personnel.

glapir. V. CRIER.

glapissant. V. CRIARD.

glauque. V. VERT.

glèbe. V. TERRE.

glisser, c'est se mouvoir d'un mouvement continu sur la surface d'un corps lisse, par une impulsion une fois donnée : *Les enfants s'amusent à glisser sur le pavé, la glace.* **Rouler,** c'est se mouvoir comme une roue ou comme une boule, en tournant sur soi-même : *Une pierre roule dans un ravin.*

V. aussi COULER et INTRODUIRE.

Se glisser, c'est s'introduire furtivement, presque sans qu'on s'en aperçoive. **S'insinuer,** c'est s'introduire peu à peu; il emporte surtout l'idée d'adresse. **Se faufiler,** c'est soit simplement se glisser, soit s'insinuer auprès de quelqu'un dont on espère tirer quelque avantage. **S'infiltrer,** c'est figurément s'insinuer petit à petit, sans le laisser voir. **Resquiller** (du provençal moderne *resquiha,* proprem. glisser) est populaire; c'est se glisser, se faufiler pour obtenir par adresse ou par ruse une chose à laquelle on n'a pas droit, ou pour entrer sans payer sa place dans un théâtre, un cinéma, une fête, etc. (V. INSINUER [s'].)

globe. V. BOULE.

globe terrestre. V. TERRE.

globe-trotter. V. VOYAGEUR.

gloire, qui s'oppose à « obscurité », implique des efforts et des actes éclatants et extraordinaires : *La gloire excite l'enthousiasme et l'admiration.* **Honneur** suppose simplement l'exécution de toutes ces prescriptions que le devoir ordonne; il s'oppose à « honte » : *L'honneur appelle le respect et l'estime.*

V. aussi NIMBE et RÉPUTATION.

glorieux. V. VANITEUX.

glorifier, c'est honorer par de grandes louanges; il implique un hommage éclatant. **Magnifier,** c'est exalter Dieu ou célébrer comme grand. **Exalter,** c'est glorifier à l'extrême. **Apothéoser,** peu usité, emporte aussi l'idée d'excès. **Diviniser,** c'est exalter outre mesure, en mettant au rang des dieux. **Déifier,** c'est élever au rang des dieux, convertir en dieu. — **Louer** dit beaucoup moins; c'est simplement honorer en témoignant de l'estime, en rendant un hommage quelconque. **Célébrer,** c'est louer avec éclat, avec enthousiasme, publier avec éloge. **Clarifier,** rendre gloire à, célébrer, dans le langage mystique, est vx.

Se glorifier. V. FLATTER (SE).

gloriole. V. ORGUEIL.

glose. V. NOTE.

glossaire. V. DICTIONNAIRE.

glouton, comme **vorace,** désigne celui qui mange avec excès, qui est insatiable; il présente l'idée d'une avidité constante, d'un vice naturel. **Goulu** s'applique à celui qui se jette sur la nourriture et mange avec une espèce de fureur; il donne plutôt l'idée d'une gloutonnerie accidentelle, qui peut se manifester à certain moment, sans être l'état naturel de l'individu. **Goinfre** est fam.; il se dit du glouton qui mange d'une façon malpropre et répugnante. **Avide,** qui ne s'emploie qu'adjectivem., se dit particulièrement, et appliqué surtout aux animaux, de celui qui mange ou cherche à manger avec une ardeur immodérée. **Avaleur, avale-tout, avale-tout-cru, bâfreur, gouliafre** (ou GOULAFRE), **va-de-la-bouche** et **va-de-la-gueule** sont des synonymes populaires de *glouton.* (V. GOURMAND.)

gluant, qui se dit de ce qui englue, de ce qui colle comme la « glu », exprime une qualité de fait, dont la réalisation frappe les yeux. **Visqueux** marque la même qualité comme tenant à la nature même, à la constitution physique des substances, aussi implique-t-il généralement quelque chose de plus tenace, de plus adhérent que *gluant.* **Poisseux** suppose, par contre, quelque chose de moins collant que *gluant,* mais qui toujours salit, encrasse, comme le fait la « poix ».

gnangnan. V. LENT.

gnome. V. LUTIN et NAIN.

gnon. V. COUP.

gobelet est le nom donné à un vase à boire, rond, avec ou sans anse, ordinairem. sans pied, moins large et plus haut qu'une tasse, en verre ou en métal. **Timbale** ne se dit que d'un gobelet de métal, sans anse et sans pied. **Quart** désigne, surtout dans l'armée, un petit gobelet de fer blanc ou d'aluminium, légèrement aplati au fond et muni d'une anse, dont la contenance est d'environ un quart de litre.

gober. V. AIMER, AVALER et CROIRE.

godelureau. V. ADOLESCENT et GALANT

godiche. V. MALADROIT et NIAIS.

godille. V. RAME.

goémon. V. ALGUE.

gogo. V. NIAIS.

goguenarder. V. RAILLER.

goguenardise. V. RAILLERIE.

goinfre. V. GLOUTON.

goinfrer. V. MANGER.

golfe désigne une partie de la mer qui avance dans les terres, et dont l'ouverture est ordinairement fort large. **Baie** est le nom que l'on donne généralement à un petit golfe dont l'entrée a moins de largeur que le milieu, et où les navires sont à l'abri de certains vents. (A noter que l'on applique parfois, à tort, le nom de *baie* à de grands golfes constituant de véritables mers : la baie d'Hudson, par exemple.) **Anse** se dit d'une baie très petite qui s'enfonce peu dans les terres. **Crique** désigne une petite baie pouvant servir d'abri aux navires de faible tonnage. **Conche** est syn. de *baie* en Saintonge. **Calanque** est le nom que les marins provençaux donnent aux criques étroites, à falaises rocheuses abruptes, et qui s'enfoncent parfois très profondément dans les terres (Provence-Corse). **Fjord** ou FIORD) désigne les golfes profonds et étroits de la Norvège. (V. PORT.)

gommeux. V. ÉLÉGANT.

gone. V. ENFANT.

gonflé désigne l'état d'un corps qui s'étend également dans tous les sens, en vertu d'une cause intérieure. **Enflé** marque proprement un grossissement superficiel, produit par quelque chose qui est venu du dehors à l'intérieur, et, dans un sens plus général, un grossissement quelconque auquel on ne rattache aucune idée accessoire. **Soufflé** désigne ce qui est gonflé par injection extérieure d'air. **Boursouflé** marque un grossissement excessif, au-dedans duquel il n'y a soit que du vent, soit que des gaz. **Ballonné** se dit uniquement de ce qui est enflé par l'accumulation de gaz intérieurs. **Bouffant** est plus partic.; il se dit surtout des étoffes qui sont comme gonflées, cela parce qu'elles ont assez de consistance pour ne pas s'aplatir, et qui se soutiennent d'elles-mêmes. — **Tuméfié** et **turgescent** sont des syn. de *gonflé* uniquement en termes de médecine. **Bouffi** suppose une enflure démesurée et souvent morbide, qui laisse les chairs flasques et molles. **Vultueux** (du lat. *vultus,* visage), terme de médecine qui s'applique au visage lorsque celui-ci est à la fois gonflé et rouge, se dit aussi, par ext., de tout ce qui se distingue par une notable expansion et une vive coloration sanguine.

goret. V. PORC.

gorge. V. COL, GOSIER et SEIN.

gorgé s'applique à celui qui a mangé au-delà de ses besoins. **Gavé** est plutôt du langage populaire et s'emploie généralement avec une nuance péjorative. — Au fig., ces termes comportent les mêmes distinctions. (V. RASSASIÉ.)

gosier désigne la partie intérieure du cou (pharynx, arrière-bouche), par où les aliments et la boisson passent de la bouche dans l'œsophage. **Gorge,** partie antérieure du cou, s'emploie parfois aussi comme syn. de *gosier* avec le sens vague de ce mot : *Avoir une arête dans la gorge.* **Gaviot** (ou GAVION), comme **garguillot,** sont des syn. fam. de *gosier.* **Avaloir** (ou AVALOIRE), syn. de *gosier,* est fam. aussi et ne se dit que par plaisanterie, en parlant d'une personne qui mange et boit beaucoup. **Gargamelle** (du provenç. *gargamela,* gosier) et **kiki** (ou QUIQUI) sont pop., et **sifflet** et **dalle** des termes d'argot.

gosse. V. ENFANT.

gouaille. V. RAILLERIE.

gouailler. V. RAILLER.

gouape. V. VAURIEN.

goudron désigne la matière liquide, huileuse et visqueuse, de couleur brune ou noire, exhalant une odeur forte et aromatique, que l'on retire de divers combustibles végétaux ou minéraux, quand on les chauffe à une haute température et à l'abri de l'air. **Goudron de houille** ou **coaltar** (de l'angl. *coal,* charbon, et *tar,* goudron) est le nom donné à un sous-produit de la fabrication du gaz d'éclairage analogue au goudron. **Brai,** qui a d'abord désigné le résidu de la distillation de la résine du pin, se dit aujourd'hui du résidu de distillation du goudron de houille, que l'on utilise pour faire des agglomérés et des vernis.

gouffre. V. ABÎME.

goujat. V. GROSSIER.

goulu. V. GLOUTON.

goupil. V. RENARD.

gourbi. V. CABANE.

gourd. V. ENGOURDI.

gourdin. V. BÂTON.

gourgandine. V. PROSTITUÉE.

gourmand désigne celui qui non seulement aime la bonne chère, mais encore manque de sobriété; il emporte même souvent l'idée d'avidité et d'excès. **Gourmet** se dit de celui qui s'y connaît en bonne chère, en vins; il implique plus une recherche de délicatesse et de raffinement dans les choses de la table que le désir de manger abondamment. **Friand** désigne surtout le gourmet de vins, de sucreries, de choses fines. **Gastronome** implique non seulement le goût, mais l'art de faire bonne chère. **Gastrolâtre** est peu usité et péjoratif; c'est celui qui ne vit que pour la bonne chère. **Gueulard,** syn. de *gourmand,* est populaire. (V. GLOUTON.)

gourmander. V. RÉPRIMANDER.

gourmandise. V. FRIANDISE.

gourmé. V. AFFECTÉ.

gourmer. V. BATTRE et RÉPRIMANDER.

gourmet. V. GOURMAND.

gousse. V. COSSE.

goût. V. PENCHANT et SAVEUR.

goût du jour. V. MODE.

goûter, c'est, figurément sentir qu'une chose est bonne, en apprécier les bonnes qualités; il implique un plaisir actuel. **Aimer** est rétrospectif; il présente, dans ce sens, le sentiment exprimé par *goûter* comme acquis : *On peut aimer une pièce de théâtre et, parce qu'elle est mal interprétée, ne pas la goûter lorsqu'on la voit jouer.* **Se plaire à** est dominé par l'idée de satisfaction, de contentement immédiat : *On se plaît à un spectacle bien présenté.* **Raffoler de,** c'est aimer follement; il implique une certaine passion et est familier : *On raffole de ce qui nous enthousiasme, de ce qui nous émerveille.* **Etre fou de** emporte, plus encore peut-être que *raffoler de,* une idée d'excès; c'est aimer exagérément, presque d'une façon irraisonnée : *On est fou de ce qu'on croit être irremplaçable, unique.*

V. aussi APPROUVER, COLLATION et SAVOURER.

gouvernail est le nom donné, en termes de marine, à l'appareil mobile placé à l'arrière des navires, des embarcations, et permettant de les faire évoluer, de les diriger. **Barre,** qui désigne le levier au moyen duquel on manœuvre le gouvernail, s'emploie aussi, par ext., comme syn. de *gouvernail.* **Timon** est un syn. vieilli de *gouvernail* et de *barre.* **Peautre** est un syn. vieilli et dialectal de *gouvernail.* — Au fig., ces termes, sauf PEAUTRE, se disent en parlant de la direction, de la conduite de certaines choses, et particulièrement d'un Etat, TIMON s'employant surtout en poésie.

gouvernante est le terme employé pour désigner une femme à laquelle est confiée l'éducation d'un ou de plusieurs enfants ou adolescents. (Il se dit aussi parfois d'une femme qui a soin du ménage d'un célibataire ou d'un veuf.) **Nurse** (mot angl. signifiant nourrice, bonne d'enfant) s'emploie souvent en France auj. dans un sens voisin de *gouvernante,* mais seulement lorsqu'il s'agit de très jeunes enfants. **Duègne** (de l'espagnol *dueña,* gouvernante), nom donné à une vieille femme chargée, en Espagne, de veiller sur la conduite d'une jeune personne, s'emploie parfois dans un sens analogue en France, mais en impliquant alors une vieille femme revêche et gênante. **Chaperon** est le nom donné, plaisamment surtout, à une personne âgée ou grave qui accompagne, par convenance, une jeune fille ou une jeune femme dans le monde.

gouvernement désigne la forme politique établie dans un Etat. **Régime** s'applique à l'ordre auquel on est soumis dans l'Etat. **Administration** se dit de la direction des affaires selon les principes du gouvernement : *Le gouvernement ordonne; Le régime règle; L'administration exécute.*

gouverner. V. DIRIGER.

gouverneur. V. MAÎTRE.

grabat. V. LIT.

grabuge. V. DISPUTE et DOMMAGE.

grâce. V. AMNISTIE, CHARME, FAVEUR, PARDON et SERVICE.

grâce (de bonne). V. VOLONTAIREMENT.

gracieusement. V. GRATUITEMENT.

gracieux. V. AIMABLE, GENTIL et POLI.

gracile. V. MENU.

grade, qui se dit de chacune des étapes par où l'on passe d'un état dans un autre, implique une hiérarchie effective caractérisée par des titres bien déterminés. **Degré** est moins noble que *grade;* il convient bien en parlant d'une hiérarchie peu considérable : *Des derniers degrés on s'élève aux premiers grades, dit Lafaye.* **Echelon** est un syn. fam. de *grade* comme de *degré.*

gradin. V. DEGRÉ.

graduellement. V. PROGRESSIVEMENT.

graffito. V. BARBOUILLAGE.

grain. V. BOURRASQUE, GERME, PLUIE et TEMPÊTE.

graine. V. GERME.

graisse désigne la substance onctueuse et aisée à fondre tirée du corps des animaux et qui sert à différents usages : cuisine, graissage, etc. **Saindoux** ne se dit que de la graisse de porc fondue employée dans la préparation des aliments. **Axonge,** syn. moins usité de *saindoux,* ne s'emploie guère qu'en langage pharmaceutique.

graisser, c'est enduire ou garnir d'un corps gras, onctueux. **Oindre,** c'est frotter avec un corps gras, le plus souvent liquide.

V. aussi SALIR.

graisseux donne une idée d'aspect de graisse extérieure, de souillure. **Gras** implique surtout la sensation de graisse dans la constitution. **Huileux** emporte l'idée de corps gras liquide. **Onctueux** suppose de la douceur au toucher ou au goût.

grammaire comparée. V. LINGUISTIQUE.

grand, dans divers sens, est moins fort que **considérable** qui se rapporte à l'estime qu'on doit faire des choses, et a trait plutôt aux objets pris en eux-mêmes qu'à l'appréciation qu'on en fait : *Une entreprise est grande par sa nature même, mais elle est considérable par le fait qu'elle attire l'attention de beaucoup de personnes.* **Important** implique une valeur, une autorité quelconque, tout au moins pour quelqu'un, et, par suite, il s'applique moins directement aux choses concrètes que *grand* et *considérable : Ce qui est important l'est par les suites qu'il peut avoir, par les intérêts qui y sont attachés.*

V. aussi AMPLE, ÉLEVÉ et PERSONNALITÉ.

grandeur. V. DIMENSION et ÉLÉVATION.

grandeur d'âme. V. GÉNÉROSITÉ.

grandiloquent. V. AMPOULÉ.

grandiose. V. IMPOSANT.

graphie, graphisme. V. ÉCRITURE.

grappiller. V. GLANER.

gras est un terme général qui s'oppose surtout à « maigre »; il implique de l'embonpoint et s'emploie plutôt en bonne qu'en mauvaise part, surtout en parlant des animaux. **Grasset,** familier et vieilli, se dit parfois encore cependant de ce qui est assez gras. **Grassouillet** marque la qualité d'être gras généralement sur un petit sujet. **Rondelet** et **rondouillard,** synonymes familiers de *grassouillet,* emportent une idée de ridicule. **Plein,** qui s'oppose à « vide », à « décharné », à « sec », n'implique rien que de fort modéré, et s'emploie bien en parlant du visage, des joues. **Replet,** qui ne se dit pas des animaux, suppose, au contraire, un excès; il convient bien pour désigner celui qui est gras à ne pouvoir l'être plus, qui a un gros ventre, de grosses joues. **Potelé** a rapport à la forme et emporte l'idée de rondeur, et d'une rondeur complète, agréable d'ailleurs; il convient bien en parlant des enfants, des femmes. **Rebondi** implique plutôt une demi-rondeur : *Un bras est potelé, des joues rebondies.* **Dodu** se dit de ce qui étant gras, bien en chair, est en outre frais et appétissant. **Plantureux** s'emploie familièrement comme syn. de *dodu,* et est alors dominé par l'idée de plénitude. **Fafelu** ou **farfelu,** syn. de *dodu,* est vieilli. (V. GROS.)

V. aussi GRAISSEUX.

grasset, grassouillet. V. GRAS.

gratification se dit d'une libéralité faite à quelqu'un en sus de ce qui lui est dû, qu'il soit notre salarié ou non. **Prime** désigne la gratification payée à un ouvrier ou à un employé, en plus de son salaire normal, pour l'intéresser à la production et le pousser à augmenter son rendement. **Pourboire** dit moins et est plus particulier; c'est simplement l'appoint que l'on donne, sans y être obligé, au salarié d'autrui, lorsque celui-ci nous a rendu un service quelconque. **Denier à Dieu** désigne la gratification qu'on remet au concierge d'une maison où l'on retient un logement, au domestique qu'on veut arrêter, etc. **Pot-de-vin** est le nom appliqué familièrement à la gratification que l'on donne à une personne pour obtenir une chose ou conclure une affaire par son intermédiaire; il est le plus souvent péjoratif et suppose alors un trafic d'influence ou un concours illicite favorisant la conclusion d'une affaire. **Dessous-de-table** désigne, péjorativement aussi, la gratification que, dans un marché, l'acheteur donne secrètement au vendeur en sus du prix déclaré, taxé, soit en vue de frauder le fisc, soit pour obtenir la marchandise ou un avantage quelconque plus ou moins illicite. **Bonne-main,** syn. de *pourboire,* est dialectal. **Rallonge,** qui se dit surtout d'une gratification patronale ou d'un dessous-de-table, est populaire. (V. AUMÔNE, DON, LIBÉRALITÉ et RÉTRIBUTION.)

gratifier, c'est accorder un bienfait à quelqu'un, lui faire des libéralités, en argent ou non : *On est gratifié d'une charge, d'un don de dix mille francs.* **Doter,** qui, au propre, implique uniquement une libéralité en argent, s'emploie aussi, au fig., avec l'idée de faveur, de partage avantageux, en parlant des qualités bonnes ou mauvaises, physiques ou morales, des richesses : *On dote une fille qui se marie; La nature nous dote de qualités et de défauts.* (V. PROCURER.)

gratis. V. GRATUITEMENT.

gratitude désigne un sentiment affectueux qui naît dans le cœur à la suite de bienfaits, de services reçus; il implique des actions par lesquelles on s'acquitte d'obligations contractées. **Reconnaissance** ne se dit proprement que du souvenir des bienfaits, accompagné de la conscience qu'on doit quelque chose en retour : *C'est la sensibilité qui suscite la gratitude et la justice qui inspire la reconnaissance.*

gratte-ciel. V. IMMEUBLE.

gratter, c'est mouvoir à la surface d'un corps un instrument pointu, tranchant ou lisse, capable d'en détacher quelques particules ou des corps étrangers. **Racler,** c'est gratter avec un instrument lisse pour égaliser, nettoyer. **Ratisser,** c'est passer un « rateau » ou un instrument analogue pour étaler régulièrement du sable, de la terre, etc.

gratuitement, qui signifie sans paiement de retour, de pure grâce, convient bien en parlant de choses accordées, données. **Gratis** a plutôt rapport à des choses reçues. (A noter, d'autre part, ainsi que le fait observer Lafaye, que lorsqu'on se sert de *gratis* avec « donner » ou tout autre verbe équivalent, il n'a pas alors tout à fait le même sens que *gratuitement : Qui donne gratis ne fait rien payer; qui donne gratuitement se montre désintéressé et généreux.*) **Gracieusement,** sous l'influence de son étymologie (lat. *gratiosus,* aimable), emporte l'idée d'amabilité; il s'emploie généralem. en parlant d'une chose donnée gratuitement d'abord, mais aussi aimablement. **A l'œil,** syn. de *gratuitement,* est familier.

gravats. V. RUINES.

grave. V. IMPORTANT.

graveleux. V. OBSCÈNE.

graver. V. IMPRIMER.

gravier. V. SABLE.

gravir. V. MONTER.

gravitation. V. ATTRACTION.

gravité désigne l'état de celui qui ne plaisante pas mal à propos, qui s'occupe habituellement de choses utiles et qui les traite avec l'attention qu'elles méritent; il implique maturité d'esprit et sagesse. **Sérieux** s'applique à la gravité dans l'air, dans les manières; il a rapport à l'humeur, au tempérament : *La gravité est l'opposé de la légèreté; l'enjouement l'est du sérieux.* **Componction,** syn. de *gravité,* s'emploie souvent dans ce sens ironiquement. **Dignité** est le nom que l'on donne à la gravité considérée par rapport à la fonction, au rang qu'on occupe; il implique un sentiment profond des convenances, de son état, et le soin avec lequel on évite tout ce qui pourrait affaiblir le respect auquel on a droit. **Majesté** suppose quelque chose de grand par soi-même ou par l'opinion, qui frappe les yeux, qui éblouit, qui impose le respect.

V. aussi PESANTEUR.

gravois. V. RUINES.

gré (de bon). V. VOLONTAIREMENT.

gredin. V. MENDIANT et VAURIEN.

gréement. V. AGRÈS.

greffe. V. BOUTURE.

greffer, c'est détacher d'une plante un œil, une branche ou un bourgeon, pour l'insérer sur une autre plante appelée « sujet ». **Enter** est un mot plus ancien qui implique la greffe en fente ou par scion.

1. **grêle** est le nom que l'on donne, en météorologie, à la chute des globules

plus ou moins sphériques formés par de l'eau congelée dans l'atmosphère. **Grêlon** désigne chacun des grains de grêle. **Grésil** se dit de menus grêlons très durs, dont la grosseur n'atteint guère que celle d'un grain de chènevis.

2. **grêle.** V. MENU.

grelot. V. CLOCHETTE.

grelotter. V. TREMBLER

greluchon. V. AMANT

grenier. V. MANSARDE.

grésil. V. GRÊLE.

grève désigne l'entente, l'accord que font entre eux les ouvriers d'un atelier, les salariés d'une profession, pour cesser leur travail jusqu'à ce qu'ils aient obtenu une augmentation de salaire ou tout autre avantage. **Lock-out** est le nom que l'on donne à la grève de patrons se coalisant pour refuser d'employer leurs ouvriers ou employés aux conditions demandées par ceux-ci.

V. aussi BORD.

gribouillage. V. BARBOUILLAGE.

grief. V. REPROCHE.

griffe. V. MARQUE et ONGLE.

griffonnage. V. BARBOUILLAGE.

griffure. V. ÉGRATIGNURE.

grignoter. V. MANGER et RONGER.

grigou. V. AVARE.

gri-gri. V. AMULETTE.

grille. V. CLÔTURE.

griller. V. BRÛLER, RÔTIR, TORRÉFIER. ***Griller de.*** V. BRÛLER DE.

grill-room. V. RESTAURANT.

grimace est le nom que l'on donne à toute contorsion du visage, faite à dessein, par habitude ou par déplaisir, ou simplement pour amuser. **Moue** désigne la grimace que l'on fait en rapprochant et en allongeant les lèvres, en signe de dérision, de mécontentement ou de dépit. **Lippe,** syn. de *moue,* est familier. **Rictus** se dit péjorativement d'une grimace des lèvres et des joues, d'une contraction de la bouche, donnant au visage l'aspect du rire forcé, et qui s'observe souvent dans la jalousie, le dépit, la colère. **Baboue** est peu usité auj.; il se disait autref. surtout d'une grimace pour faire peur aux enfants. **Contorsion** se dit à la fois des grimaces et des gestes forcés que certaines gens font en parlant avec véhémence ou de toute autre manière.

grimaud. V. ÉLÈVE, MAUSSADE, PÉDANT.

grimer (se). V. MAQUILLER (SE).

grimoire. V. BARBOUILLAGE et LIVRE.

grimper. V. MONTER.

grimpette. V. MONTÉE.

grincheux. V. ACARIÂTRE.

gringalet. V. FAIBLE.

gripper. V. ATTRAPER.

grippe-sou. V. AVARE.

griser (se). V. ENIVRER (S').

grison. V. VIEILLARD.

grivois. V. GAILLARD.

grognard. V. BOUGON et SOLDAT.

grogner. V. MURMURER.

grogneur, grognon. V. BOUGON.

groin. V. MUSEAU.

grommeler. V. MURMURER.

gronder. V. MURMURER et RÉPRIMANDER.

grondeur. V. BOUGON.

groom. V. CHASSEUR.

gros est un terme très général qui se dit de ce qui a beaucoup de circonférence, de volume et de poids, aussi bien en parlant des hommes que des animaux ou des choses. **Corpulent** ne concerne que la grosseur de la taille de l'homme. **Obèse** enchérit sur *corpulent;* il implique un excès d'embonpoint. **Fort,** qui s'emploie souvent comme atténuatif de ces synonymes, se dit, dans ce sens, de ce qui est à la fois gros et épais, et généralement capable de porter un poids ou de résister à un choc. **Mastodonte,** nom donné proprement à un genre de grands mammifères fossiles, des époques tertiaire et quaternaire, voisins de l'éléphant, s'emploie aussi parfois substantivement, figurément et familièrement, pour désigner une personne d'une énorme corpulence. **Pansu, ventripotent** (assez péj.) et **ventru** sont très familiers; ils attirent essentiellement l'attention sur la grosseur du ventre. (*Pansu* et *ventru* s'emploient aussi, par analogie, en parlant des choses qui sont renflées, bombées.) **Boulot,** familier aussi, désigne une personne petite et grosse, de taille rondelette. **Bedon,** qui se dit familièrement d'une personne ventrue, ne s'emploie que substantivement, comme **patapouf** qui désigne un homme ou un enfant gros et lourd, et **poussah** un gros homme mal bâti. **Pépère** et **maous,** syn. de *gros,* sont populaires. (V. GRAS.)

grosse. V. COPIE.

grossesse. V. GESTATION.

grosseur. V. VOLUME.

grossier se dit de celui qui, habituellement ou accidentellement, non seulement est impoli, mais encore néglige toute finesse, toute délicatesse. **Goujat** comme **mufle,** convient bien pour désigner celui qui, étant grossier par caractère et par habitude, apporte dans le commerce du monde une rudesse de manières et de mœurs qui lui fait méconnaître tout ce qu'il doit à lui-même et aux autres. **Butor** ajoute à l'idée de grossièreté celle de stupidité. **Malotru,** syn. de *grossier,* est moins usité. **Poissard** n'attire l'attention que sur le langage, les mœurs, lorsque ces derniers sont inspirés de ceux du bas peuple. **Rustre** se dit de celui qui a des manières grossières et brutales, comme certaines gens de la campagne. **Rustaud,** comme **manant,** dit moins et s'applique surtout à certaines gens de la campagne qui manquent d'éducation, de raffinement. **Paltoquet,** syn. de *grossier,* est familier et **maroufle** vieilli. **Ostrogoth,** nom que portait un peuple barbare d'origine germanique, se dit parfois familièrement d'un individu grossier, ignorant les bienséances, la politesse, tel un barbare de jadis. **Pignouf** est un synonyme populaire de *goujat.* (V. BALOURD, BRUTE, IMPOLI, IMPUDENT, INSOLENT et VULGAIRE.)

V. aussi LOURD.

grossir marque une augmentation de volume lente, progressive, et qui persiste : *Les ruisseaux qui vont se perdre dans un fleuve le grossissent.* **Enfler** suppose, au contraire, une augmentation de volume rapide, quelquefois instantanée, mais souvent peu durable : *La fonte des neiges enfle les eaux des rivières.* — ENFLER suppose aussi, dans d'autres circonstances, intransitivement ou pronominalement, un vide intérieur ou au moins des parties qui ne sont remplies que d'un fluide matériellement invisible, cependant que GROSSIR marque l'extension matérielle des parties intérieures en même temps que celle de la surface : *Un ballon s'enfle quand on le remplit de gaz; Un fruit grossit jusqu'à ce qu'il parvienne à sa maturité.* (V. GONFLÉ.)

grossoyer. V. COPIER.

grotesque. V. RIDICULE.

grotte. V. CAVERNE.

grouiller. V. ABONDER et REMUER.

groupe se dit aussi bien d'un ensemble de personnes ou de choses dans un même endroit, que d'un ensemble de personnes que quelque chose de commun rapproche. **Peloton,** moins us., désigne seulement un petit groupe de personnes, ou bien un groupe d'insectes réunis en tas. (V. TROUPE.)

V. aussi GROUPEMENT.

groupement désigne l'action de réunir, d'assembler des objets en vertu d'un lien commun; c'est aussi l'état de choses groupées. **Rassemblement** fait penser à des objets épars, séparés, que l'on réunit après des efforts, des recherches préalables. **Réunion** représente l'action de grouper de la façon la plus simple. **Assemblage** suppose la réunion de plusieurs choses sans rapport entre elles, en vue d'une construction, d'un ensemble. **Bloc** se dit parfois d'un assemblage de diverses choses, et principalement de plusieurs marchandises; il laisse généralement supposer une masse considérable qu'on ne désire pas subdiviser. **Agglomération** implique une réunion en masse assez compacte. **Groupe** suppose une réunion de gens, d'objets tellement rapprochés que l'œil les embrasse tous à la fois.

grouper. V. ASSEMBLER.

gruger. V. BROYER et VOLER.

guelte. V. GAIN.

guenille se dit d'un vieux morceau d'étoffe, d'un lambeau déchiré de vêtement, et, par ext., de vieux vêtements en lambeaux. **Haillon,** qui enchérit plutôt sur *guenille,* désigne uniquement des vieux vêtements en lambeaux. **Loque** a surtout le sens de tissu déchiré : *Un vêtement peut être en loques sans être une guenille.* **Oripeau,** syn. de *haillon,* est pop., **penaille, penaillon** et **peneau** sont vieux. (V. VÊTEMENT.)

guêpier. V. PIÈGE.

guère. V. PEU.

guéret. V. JACHÈRE.

guérilla. V. GUERRE.

guérir, c'est se délivrer d'une maladie, retrouver la santé. **Se rétablir** implique une guérison progressive. **Se remettre,** syn. de *se rétablir,* suppose essentiellement la reprise graduelle des forces, de l'énergie.

guérison. V. CURE.

guérisseur, qui se dit de celui qui prétend guérir, qui fait profession de guérir par des moyens empiriques, sans avoir la qualité officielle de médecin, s'emploie généralement en mauv. part. **Rebouteur** désigne celui qui fait métier de « rebouter », de guérir les fractures, comme de soigner toute autre maladie par des procédés qui lui sont propres et sans y être légalement autorisé. **Rebouteux,** syn. de *rebouteur,* est populaire, **bailleur, mège, renoueur** et **rhabilleur** sont des termes dialectaux. (V. MÉDECIN.)

guerre est un terme très général qui désigne toute lutte armée entre deux ou plusieurs Etats. **Hostilité,** qui s'emploie surtout dans ce sens au plur., fait penser aux actes de guerre, principalement à ceux qui en marquent le début ou la reprise. **Conflagration** (du lat. *cum,* avec, et *flagrare,* brûler), qui désigne proprement un embrasement général, s'emploie aussi, figurément et dans le style recherché, dans un sens voisin de *guerre;* il implique alors un état général de lutte ardente entre les peuples. **Conflit armé,** syn. de *guerre,* est surtout du langage juridique. **Campagne** est le nom que l'on donne généralement à l'expédition militaire, à la suite d'opérations exécutées par un ou plusieurs corps d'armées sur un territoire déterminé. **Guérilla** (de l'esp. *guerrilla,* petite guerre) est plus partic.; c'est le nom donné seulement à une guerre de partisans. (V. COMBAT.)

Guerre civile (ou **intestine**). V. RÉVOLTE.

guerrier, qui s'oppose à « pacifique », implique la pratique, les habitudes de la guerre; il marque plus que des dispositions. **Militant** dit plus, en impliquant d'une façon formelle que l'on fait la guerre, que l'on combat : *Nation guerrière et militante; La vie de l'homme est une vie militante.* **Belliqueux** exprime seulement l'amour de la guerre, des dispositions bien marquées pour briller dans les combats. **Martial** diffère de *belliqueux* en ce qu'il exprime surtout l'apparence des dispositions qui portent à la guerre ou qui y rendent propre : *On a des goûts belliqueux et l'air martial.* **Guerroyeur,** celui qui aime à faire la guerre, vieillit. **Belliciste** est le nom donné à celui qui est partisan de la guerre, sans se sentir forcément prêt à y participer lui-même. **Boutefeu** et **va-t-en-guerre,** syn. de *belliciste* employés substantivement, sont familiers. (V. COMBATIF).

V. aussi SOLDAT.

guerroyeur. V. GUERRIER.

guetter. V. ÉPIER.

gueule. V. BOUCHE et FIGURE.

gueux. V. COQUIN, MENDIANT et MISÉRABLE.

gugusse. V. CLOWN.

guide est un terme très général qui désigne toute personne qui en accompagne une autre pour lui montrer le chemin. **Cicerone** (mot ital., par emploi figuré ironique de *Cicerone,* Cicéron, à cause de la verbosité des guides à Rome) désigne celui qui montre aux étrangers les curiosités d'une ville; il s'emploie aussi ironiquem. parfois comme syn. de *guide,* pris dans son sens général. **Cornac,** qui désigne proprem. celui qui est chargé de soigner et de conduire un éléphant, et, par ext., le conducteur de toutes sortes de bêtes sauvages, se dit aussi quelquefois et familièrem. d'un guide de voyageurs.

V. aussi CONSEILLER et RÊNE.

guider, c'est faire voir, enseigner, tracer la voie, faire aller avec soi quelqu'un qui ne sait pas; il suppose de l'ignorance chez celui que l'on guide : *On guide un voyageur, un écolier, un apprenti, en leur montrant la route qu'ils doivent suivre.* **Conduire** (du lat. *cum,* avec soi, et *ducere,* diriger, de *dux,* chef), c'est montrer le chemin, diriger la marche, être à la tête, faire aller avec soi en dirigeant vers un but déterminé; l'idée de direction domine ce terme : *On conduit un étranger, un ami, en les aidant de ses lumières, de ses conseils, mais on conduit aussi des troupes, des travailleurs, des animaux, en ordonnant, en commandant.* **Mener** (du lat. *minare,* menacer), c'est conduire par la force, par l'autorité ou par la persuasion, faire aller avec soi quelqu'un qui se laisse aller, quelqu'un qui s'y prête ou s'y résigne : *On mène des enfants, des aveugles, des prisonniers, en les tenant, en les faisant aller de gré ou de force.* **Piloter,** c'est proprem. conduire un bateau, une automobile, un avion, et, par ext. et familièrement, *conduire.* (V. DIRIGER.)

guigne. V. MALCHANCE.

guigner. V. CONVOITER.

guignol. V. PANTIN.

guignon. V. MALCHANCE.

guilleret. V. GAI et GAILLARD.

guillotiner. V. TUER.

guimpe. V. FICHU.

guindé. V. AFFECTÉ.

guingois (de). V. TRAVERS (DE).

guinguette. V. BAL et RESTAURANT.

guise. V. FAÇON.

guitoune. V. ABRI et TENTE.

guttural. V. RAUQUE.

gymnase. V. ÉCOLE.

gynécée. V. HAREM.

H

habile. V. ADROIT.

habileté. V. ADRESSE.

habiliter. V. PERMETTRE.

habillement. V. VÊTEMENT.

habiller. V. VÊTIR.

habit. V. VÊTEMENT.

habitacle. V. HABITATION.

habitants. V. PEUPLE.

habitation se dit du lieu que l'on occupe, où l'on vit, avec toutes ses dépendances, et ce n'est pas toujours une construction fermée de murs, puisque aussi bien on peut se creuser une habitation dans les flancs d'un rocher ou d'une montagne. **Maison,** par contre, désigne toujours un bâtiment fermé de murs, où l'on a ménagé des portes, des fenêtres, qu'on a divisé en chambres, qui peut être grand ou petit, et qui, réuni à d'autres, forme des hameaux, des villages, des rues, des villes. **Logis,** dans ce sens, est vieilli et n'est guère employé auj. que dans certaines locutions consacrées, comme : *Corps de logis; Garder le logis; Retourner au logis.* **Demeure** est général et assez vague ; il se dit de tout lieu où l'on habite ou bien où l'on séjourne. **Habitacle,** syn. de *demeure,* est du langage biblique, poétique ou scientifique. **Gîte,** qui désigne le lieu où l'on demeure, où l'on couche habituellement, se dit aussi ordinairem. du lieu où couchent des voyageurs. **Nid,** syn. d'*habitation,* est dominé par l'idée de retraite confortable ; il convient bien en parlant d'une demeure plaisante et douillette comme l'est un nid d'oiseau. **Cambuse,** syn. de *maison,* de *logis,* est fam. et péj. lorsqu'il s'applique plus spécialement à une maison mal tenue. **Taule** (ou TÔLE) et **turne,** syn. de *maison,* sont des termes d'argot généralement péjoratifs. (V. BARAQUE et IMMEUBLE.)

habitude désigne la manière d'être usuelle, la disposition acquise par des actes réitérés ; il a rapport à l'action même qui est rendue facile par la répétition, et suppose que l'on cède à une impulsion naturelle. **Coutume** se dit d'une manière d'agir très générale et collective, laquelle repose généralement sur une tradition. **Usage** suppose quelque chose de plus restreint, de plus particulier, de moins ancré surtout que *coutume;* il fait plutôt penser à une pratique. **Pratique** se dit parfois aussi d'ailleurs de l'usage, de la manière ordinaire d'agir reçue dans un pays, dans une classe particulière de la société, dans une profession. **Accoutumance** désigne l'action de se familiariser avec une chose. **Us** est un terme archaïque et juridique qui est presque toujours joint au mot *cou-*

tumes. **Mœurs,** qui désigne les habitudes naturelles ou acquises, relatives à la pratique du bien et du mal, au point de vue de la conscience et de la loi naturelle, se dit aussi, par ext., des usages particuliers à un pays ou à une classe. **Rite,** anciennement *usage, coutume* (sous la forme RIT), s'emploie parfois aussi figurément auj. pour désigner ce qui se fait, s'accomplit, comme dans un ordre habituel, prescrit, traditionnel, presque religieux. **Usance,** syn. d'*usage,* de *coutume,* est vieux. (V. ROUTINE.)

habituel. V. ORDINAIRE.

hâbleur. V. FANFARON.

hache est le nom donné à un instrument tranchant fixé au bout d'un manche, et qui sert à couper grossièrement le bois, etc., et qui servait aussi autref. à se battre. **Cognée** se dit d'une sorte de hache à fer étroit, à long manche, qui sert à abattre les arbres, à dégrossir des pièces de charpente; il n'emporte pas le caractère de noblesse de *hache* qui s'emploie bien dans le style soutenu. **Francisque** est plus partic.; c'est le nom donné à la hache de guerre qui était jadis en usage chez les Francs et les Germains.

hacher. V. COUPER.

haillon. V. GUENILLE.

haine. V. RESSENTIMENT.

haïr. V. DÉTESTABLE (cf. *haïssable*).

haïssable. V. DÉTESTABLE.

hâlé se dit du teint lorsque celui-ci a été bruni par l'action de l'air, du vent, peut-être plus encore que par celle du soleil. **Bronzé,** comme **cuivré,** fait plutôt penser à un brunissement de l'épiderme dû à l'action du soleil. **Aduste,** syn. de *hâlé,* est peu usité.

haleine est le nom que l'on donne à l'air tel qu'il sort naturellement de la bouche, sans effort. **Souffle,** qui marque un état particulier, se dit du même air, mais contraint, pressé, devenu plus fort et plus sensible : *L'haleine fait vaciller la flamme d'une bougie, le souffle l'éteint.* — Au fig., la même différence subsiste; c'est ainsi qu'on parlera de l'HALEINE des zéphyrs et du SOUFFLE des aquilons.

haler. V. TIRER.

haleter. V. RESPIRER.

hall. V. VESTIBULE.

halle. V. MARCHÉ.

hallier. V. BUISSON.

hallucination. V. VISION.

halte. V. ÉTAPE et PAUSE.

hamadryade. V. NYMPHE.

hameau. V. BOURG.

hampe. V. TIGE.

handicaper. V. GÊNER.

hangar. V. REMISE.

hanse. V. SOCIÉTÉ.

hanter. V. FRÉQUENTER.

happer. V. ATTRAPER.

haquenée. V. JUMENT.

harangue. V. DISCOURS.

harassé. V. LAS.

harceler. V. TOURMENTER.

hardes. V. VÊTEMENT.

hardi implique l'absence de toute crainte et convient bien en parlant d'une action particulière. **Entreprenant** suppose une « entreprise », c'est-à-dire une suite d'actions préparées : *Avec des soldats hardis, un général peut se montrer entreprenant.* **Osé** emporte aussi l'idée de hardiesse, mais plutôt devant une autorité, un pouvoir quelconque, quelque chose jusqu'alors estimé et que l'on désavoue; il suppose une certaine impudence : *Osé est l'inférieur qui émet un avis différent de celui de son supérieur.* **Casse-cou** est fam. et plutôt péj.; il suppose qu'on se lance hardiment mais à l'aveuglette dans des entreprises hasardeuses : *Un homme casse-cou ne craint pas les risques; on pourrait dire même qu'il les recherche.* **Intrépide, impavide, audacieux, téméraire,** V. INTRÉPIDITÉ, etc., à l'art. suiv. **Culotté,** syn. d'*audacieux,* est pop. — **Décidé** implique de la hardiesse surtout dans les opinions, les principes : *L'homme décidé ne doute de rien.* **Résolu** a plutôt rapport à la volonté : *L'homme résolu est ferme dans ce qu'il entreprend.* **Délibéré** fait essentiellement penser à une hardiesse extérieure : *L'air, le pas sont délibérés.* **Déterminé,** qui enchérit plutôt sur ces termes en impliquant une décision irrévocable, emporte parfois même une idée d'excès de passion, qui le rend alors péjoratif; c'est ainsi qu'on dira : *Un joueur, un voleur déterminé.*

hardiesse suppose un esprit d'aventure qu'anime un courage réfléchi : *La hardiesse fait que l'on ne recule pas devant le danger, que l'on marche même à sa rencontre.* **Intrépidité** implique le mépris du danger; c'est une hardiesse telle qu'elle permet de recevoir sans faillir les coups les plus rudes, de n'être ébranlé par rien : *Le chef-d'œuvre de l'intrépidité, c'est l'immobilité au feu, a dit De Lévis.* **Impavidité,** qui est peu us. dans le lang. cour., désigne la qualité de celui qui ne se laisse pas ébranler par la peur, quelle qu'elle soit : *L'impavidité fait que l'on reste calme, inébranlable devant le danger.* **Audace** se dit d'une hardiesse immodérée, due à l'amour du risque, et qui exclut presque toujours la réflexion: *L'audace fait se précipiter dans le péril pour avoir la satisfaction de le braver.* **Témérité** implique plus qu'*audace* encore l'idée d'un défaut, à moins qu'il ne soit modifié par une épithète; c'est le plus souvent une hardiesse imprudente et présomptueuse : *Une témérité excessive n'est souvent que de la vanité et de la démence, a dit Jules Simon.* (V. COURAGE.) — **Effronterie** exprime une idée quelque peu différente, et suppose non pas de l'audace, mais une spéculation sur la timidité ou la générosité d'autrui; il se dit d'une hardiesse qui prend sa source dans un vice de l'âme et qui consiste ordinairement dans le mépris ou du moins l'oubli des usages de la politesse, des devoirs de l'honnêteté et des règles de la bienséance : *L'effronterie est l'avorton de l'audace* (*Rivarol*). **Culot** et **toupet,** syn. d'*effronterie,* sont, l'un populaire, et l'autre familier.

V. aussi ASSURANCE.

harem est le nom donné à l'appartement réservé aux femmes, chez les mahométans. **Sérail,** qui désigne le palais habité par un sultan, s'emploie souvent aussi, improprement d'ailleurs, comme syn. de *harem.* **Gynécée** est beaucoup plus partic.; il désignait l'appartement des femmes dans l'Antiquité grecque et aussi à Rome, sous la République.

hargneux. V. ACARIÂTRE.

haridelle. V. CHEVAL.

harmonie, terme de musique, se dit du concours et de l'accord de divers sons agréables à l'oreille; il implique un groupe de notes entendues simultanément. **Mélodie** suppose un groupe de notes que l'on fait entendre non pas simultanément, mais successivement.

harmoniser. V. ACCORDER.

harnacher. V. VÊTIR.

harpagon. V. AVARE.

harpie. V. ACARIÂTRE et MÉGÈRE.

harponner. V. PRENDRE.

hasard est un terme très général qui concerne tous les événements dont la cause est inconnue. **Fortune** ne s'applique qu'aux événements relatifs à la vie des hommes, à leur bonheur ou à leur malheur; il fait penser soit à l'ensemble des causes inconnues qui règle à la fois la destinée de tous les hommes, soit à quelque chose de grand, d'important, en bien ou en mal. **Chance** s'emploie familièrement pour désigner, d'une manière absolue, un hasard heureux, une fortune favorable. **Sort** est plus spécial; il se dit, dans ce sens, du hasard auquel on se rapporte pour décider d'une chose. (V. DESTIN.)

V. aussi DANGER.

hasard (par). V. ACCIDENTELLEMENT.

hasarder, comme **exposer,** implique toujours une action libre, et s'emploie quand on veut indiquer le plus ou moins grand degré de hardiesse ou de témérité d'une personne qui se soumet à un risque. **Risquer** s'emploie quand il s'agit de porter l'attention sur la chose même qui est exposée, et particulièrem. sur sa quantité; c'est courir le hasard, le danger d'un dommage, d'une perte, volontairement ou non : *L'homme qui se hasarde le moins, risque à chaque instant de périr par mille accidents.* **Aventurer** suppose de l'ignorance et de l'étourderie : *On aventure sa fortune dans une folle entreprise.* **Compromettre** implique une mauvaise issue du risque et emporte souvent l'idée d'une certaine insouciance : *On compromet sa dignité, son autorité, dans toute aventure fâcheuse.* **Commettre,** c'est compromettre son honneur, sa réputation, en les exposant à des dangers certains, inévitables : *On commet sa réputation dans la compagnie des gens de mauvaise vie.* (V. ESSAYER.)

hâte. V. VITESSE.

hâter. V. ACCÉLÉRER.

hâtif se dit de tous les objets considérés par rapport à un mouvement rapide, soit qu'ils le causent, le manifestent ou le reçoivent : *Les fruits qui viennent les premiers ou dans la primeur sont hâtifs.* **Précoce,** qui est d'un style moins familier que *hâtif* et indique un état, ajoute à l'idée de rapidité celle d'antériorité, par rapport au temps ordinaire : *Les fruits qui, par une bonne culture, viennent avant la saison propre à leur espèce, sont précoces.* **Prématuré** ajoute, lui, à la signification de *précoce* l'idée d'arriver non seulement avant le temps propre, mais encore contre l'ordre naturel : *Les fruits qui, par des moyens factices, viennent avant la saison ordinaire, sont prématurés.* — Au fig., alors que HÂTIF est à peu près inusité, PRÉCOCE indique la célérité et l'antériorité, et PRÉMATURÉ la précipitation et l'anticipation : *La raison qui étonne dans l'enfance est précoce; La crainte qui prévoit un danger éloigné, lequel peut ne pas arriver, est prématurée*

hausser, c'est rendre plus haut ce qui l'était déjà, mais sans en changer la position : *On hausse les épaules, la voix.* **Exhausser** s'emploie surtout en parlant de constructions, d'édifices; c'est hausser considérablement ou excessivement, ou bien encore hausser par une construction nouvelle ajoutée à une première construction : *On exhausse un bâtiment en en augmentant la dimension dans la direction verticale.* **Rehausser,** c'est hausser de nouveau, hausser ce qui a baissé ou ce qui est déjà grand : *On rehausse un plancher affaissé.* (V. LEVER.)

V. aussi MAJORER.

haut. V. COLLINE et SOMMET.

hautain. V. FIER.

hauteur, terme de géographie, est assez général; il se dit toutefois plus de l'élévation relative au-dessus du sol que de l'élévation absolue au-dessus du niveau de la mer. **Altitude** ne s'applique qu'à l'élévation au-dessus du niveau de la mer : *On dit d'une montagne que sa hauteur — et non son altitude — est de tant de mètres.*

V. aussi COLLINE et ÉLÉVATION.

haut-le-cœur. V. MAL DE CŒUR.

hâve. V. PÂLE.

havre. V. PORT.

havresac. V. SAC.

héberger. V. RECEVOIR.

hébéter. V. ABRUTIR.

hébreu. V. JUIF.

hécatombe. V. CARNAGE.

hégémonie. V. SUPÉRIORITÉ.

heimatlos. V. SANS-PATRIE.

héler. V. INTERPELLER.

hélix. V. ESCARGOT.

hémiplégie. V. PARALYSIE.

hémistiche désigne, en poésie, la moitié du vers. **Césure** se dit de la coupure faite dans un vers pour en faciliter la prononciation et en augmenter la cadence, mais qui ne coïncide pas forcément avec la moitié de ce vers.

hémorragie cérébrale. V. CONGESTION.

herbage a toujours rapport à un nombre considérable de plantes de diverses espèces qui croissent dans les lieux bas, dans les marais, etc. **Herbe,** qui ne comporte pas essentiellement le même rapport, désigne toute plante vivace ou annuelle qui perd sa tige dans l'hiver, et qui croît, en petite ou en grande quantité, dans les lieux peu fréquentés.

V. aussi PÂTURAGE.

herbe. V. HERBAGE.

herbivore. V. VÉGÉTARIEN.

hérédité désigne le fait biologique incontesté et inexorable, en vertu duquel les descendants se transmettent non seulement le type spécifique, mais certains caractères individuels de leurs ascendants directs et même éloignés. **Atavisme,** en biol. aussi, s'applique à la réapparition, chez le descendant, d'un ou de plusieurs caractères qui avaient appartenu à l'un de ses ancêtres, sans se manifester dans les générations intermédiaires : *L'atavisme est une hérédité discontinue.* (V. INNÉ.)

V. aussi SUCCESSION.

hérésiarque, hérétique. V. APOSTAT.

hérissé désigne ce qui est dressé en l'air, qu'il s'agisse de poils ou de plumes, ou bien de saillants ou de pointes. **Hirsute** ne se dit que des poils. **Horripilé,**

syn. de *hérissé,* est inusité au sens propre. **Hispide** est essentiellement un terme de botanique qui implique des poils rudes et épais.

héritage. V. BIEN et SUCCESSION.

hermaphrodite (d'*Hermaphroditos,* personnage de la mythologie grecque, qui réunissait les deux sexes) se dit, en biologie, d'un individu qui réunit certains caractères des deux sexes, et, en histoire naturelle, des plantes qui possèdent des organes mâles et femelles. **Androgyne** (du grec *andros,* homme, et *gunê,* femme) est un synonyme plutôt moins usité d'*hermaphrodite.*

hermétique. V. OBSCUR.

héroïque. V. EFFICACE et ÉLEVÉ.

héroïsme. V. COURAGE.

hésitation. V. INDÉCISION.

hésiter, c'est être incertain sur le parti, sur la résolution que l'on doit prendre; il est dominé par l'idée de crainte, de faiblesse : *On hésite lorsqu'on redoute de prendre une décision.* **Balancer,** comme **osciller** (moins us.), suppose plutôt le doute, l'incertitude : *On balance entre deux partis quand on ne sait lequel prendre.* **Tâtonner,** syn. d'*hésiter,* suppose que l'on procède avec timidité ou avec incertitude : *Celui qui n'a pas d'idée fixe, qui n'a pas de méthode certaine, ne fait que tâtonner.* **Se tâter,** c'est, familièrement, hésiter longtemps et visiblement avant de se décider, surtout quand il s'agit de conclure un marché. **Tortiller,** syn. d'*hésiter,* de *se tâter,* est familier aussi; il suppose qu'on cherche des détours, des subterfuges : *Il n'y a pas à tortiller, il faut agir.* **Barguigner,** syn. de *se tâter,* est peu usité.

hétaïre. V. PROSTITUÉE.

hétérodoxe. V. APOSTAT.

hétérogène. V. DIFFÉRENT.

hétéronyme. V. PSEUDONYME.

heur. V. CHANCE.

heure (dernière). V. AGONIE.

heureux désigne celui qui jouit en lui-même de voir ses désirs satisfaits, et dont la félicité est calme et tout intérieure. **Fortuné,** moins familier que *heureux,* se dit de celui chez qui tout prospère, et dont le bonheur, apparent, extérieur, frappe les yeux de tout le monde : *Les biens extérieurs rendent fortuné lors même qu'ils ne rendent pas vraiment heureux.*

V. aussi CONTENT.

heurt se dit d'un coup donné rudement contre quelqu'un ou quelque chose, de quelque manière que cela soit, d'un contact plus ou moins rude entre des personnes ou des choses. **Choc** désigne le heurt brusque d'un corps contre un autre, tous deux offrant une certaine résistance : *Le choc produit une secousse, un bruit quelconque.* **Collision** est le heurt ou le choc entre des masses considérables : *Collision de trains, de troupes.* **Percussion** est le terme didactique qui sert à désigner le choc résultant de l'action brusque d'un corps sur un autre. **Impact** ne se dit guère que du choc d'un projectile sur son point de chute.

heurter, c'est rencontrer violemment, en produisant une impression qui arrête ou qui pousse, qui dérange momentanément. **Choquer,** c'est heurter des objets résistants avec une certaine force, mais sans véritable violence : *On choque des verres à table; si on les heurtait les uns contre les autres, on les briserait.* **Cogner,** c'est heurter par accident : *On cogne un passant.* **Percuter** est un terme didactique qui convient en parlant d'un choc résultant de l'action brusque d'un corps sur un autre. **Accrocher,** syn. de *heurter,* s'emploie bien en parlant de véhicules qui, passant trop près l'un de l'autre, se heurtent. **Tamponner** est surtout employé en termes de chemins de fer; c'est heurter avec les tampons, disques métalliques montés sur un ressort dont sont pourvus les wagons à leurs extrémités et qui servent à amortir les chocs : *Tamponner un train qui n'a pas eu le temps de se garer.* **Télescoper** se dit d'objets qu'une compression ou un choc violent force à s'emboîter les uns dans les autres comme les tubes d'un télescope, et spécialem. des wagons de chemin de fer, qui, à la suite d'un tamponnement, pénètrent les uns dans les autres : *Train qui en a télescopé un autre.* **Emboutir,** heurter très violemment, en brisant, est familier et surtout du langage des automobilistes. **Toquer,** syn. de *heurter,* est vx. (V. BUTER.) — Au fig. HEURTER et CHOQUER conservent les mêmes différences : *Ce* *qui est absurde heurte la raison; ce qui n'est pas entièrement raisonnable choque le bon sens.*

V. aussi FRAPPER.

Se heurter, c'est se choquer l'un contre l'autre, en se rencontrant volontairement ou non : *Armées qui se heurtent.* **S'affronter,** qui fait plutôt penser au défi qui précède le heurt, exprime parfois aussi l'idée de heurt volontaire, mais généralement après s'être bravé : *Chiens qui s'affrontent.*

hideux. V. VILAIN.

hilarant. V. COMIQUE.

hilarité. V. GAIETÉ.

hindou. V. INDIEN.

hirsute, hispide. V. HÉRISSÉ.

hisser. V. LEVER.

histoire, pris dans un sens restreint, désigne la narration méthodique, littéraire, des événements particuliers à la vie d'un peuple, d'une nation, d'un personnage, narration qui est plus ou moins parfaite, selon le mérite de l'historien : *L'histoire utilise toutes les sources et expose les faits en les enchaînant suivant des rapports de cause et d'effet.* **Vie** ne se dit que de l'histoire, du récit des choses remarquables de l'existence d'une personne, lesquels n'attachent aux faits d'autre importance que celle de bien faire connaître le personnage. **Biographie** (du grec *bios,* vie, et *graphein,* écrire), pris dans ce sens littéraire de *vie,* implique un écrit : *On peut raconter la vie d'un personnage; on écrit sa biographie.* (V. ANNALES et MÉMOIRES.)

V. aussi ANECDOTE, CONTE et RÉCIT.

historien désigne celui qui compose un ouvrage dans lequel il écrit l'histoire, surtout celle du passé. **Historiographe,** qui s'est dit pour *historien,* s'applique plus généralement à celui qui se consacre, souvent par ordre, à l'étude de l'histoire de son temps.

historiette. V. ANECDOTE.

historiographe. V. HISTORIEN.

historique. V. RELATION.

histrion. V. ACTEUR et BOUFFON.

hobereau. V. ARISTOCRATE.

holding. V. SOCIÉTÉ.

holocauste. V. SACRIFICE.

homélie. V. SERMON.

homicide. V. MEURTRIER.

hommages désigne des marques de respect qui souvent supposent une estime réelle, mais qui pourtant peuvent n'être inspirées que par le désir de plaire ou de se rendre favorable la personne qui en est l'objet; il convient bien en s'adressant à une femme. **Respects** se dit d'hommages spontanés, imposés en quelque sorte par l'admiration, par la reconnaissance d'un mérite qui éclate aux yeux; on l'emploie généralem. d'inférieur à supérieur ou à l'égard d'une personne plus âgée. **Civilités,** employé aussi au pluriel et dans ce sens, implique essentiellement un acte de politesse, le plus souvent d'égal à égal. **Devoirs** est à peu près syn. de *respects;* il suppose une subordination due à la situation de dépendance, à l'âge.

homme. V. ÉPOUX et PERSONNE.

homme de lettres. V. AUTEUR.

homme lige. V. PARTISAN.

homogène (du préf. *homo,* semblable, et du grec *génos,* genre), terme didactique, se dit de ce qui est de même nature ou formé de parties de même nature : *Tous les éléments constitutifs d'une substance homogène sont de même nature.* **Similaire** (du lat. *similis,* semblable), moins usité dans ce sens, implique essentiellement un tout qui est de la même nature que chacune de ses parties, ou de parties qui sont chacune de la même nature que leur tout : *Une masse d'or est un tout similaire, parce que chacune de ses parties est or.* (V. SEMBLABLE.)

homologuer. V. SANCTIONNER.

hongre. V. CHÂTRÉ.

honnête, qui se dit de celui dont la conduite est digne d'être honorée, estimée ou même admirée, fait surtout penser aux sentiments moraux dont l'âme est remplie : *L'homme honnête est celui qui pratique le bien prescrit par la morale.* **Intègre** désigne celui qui fait toujours tout ce qu'il doit; il suppose une honnêteté intacte, que rien n'a terni jusqu'à ce jour et qui paraît capable de résister à toutes les tentatives de corruption : *Un juge se doit d'être toujours intègre.* **Probe** implique une qualité presque inactive qui fait qu'on s'abstient avec soin de tout ce qui pourrait ressembler au vol, à l'injustice : *L'homme probe respecte le bien d'autrui.* **Vertueux** enchérit sur ces termes; il se dit de celui qui est bon sous tous les rapports, de l'homme du devoir et du sacrifice : *L'homme vertueux a la force de vaincre les passions et l'entraînement du mauvais exemple.* (V. CONSCIENCIEUX.)

V. aussi DÉCENT.

honneur. V. GLOIRE.

honnir. V. HUER.

honoraires. V. RÉTRIBUTION.

honorer, c'est louer hautement, c'est proclamer l'excellence de ce qui nous est supérieur : *On honore les saints.* **Respecter,** c'est regarder quelqu'un ou quelque chose comme sacré pour nous : *On respecte la vertu; On respecte les parents.* **Vénérer,** c'est rendre un hommage respectueux à ce qui nous en paraît digne : *On vénère la vieillesse.* **Révérer,** c'est avoir une crainte religieuse, un saint respect pour les personnes et pour les choses : *On révère la mémoire de ses ancêtres.* **Adorer,** qui exprime un respect, un amour et une reconnaissance sans bornes, enchérit sur tous ces termes; c'est offrir, consacrer ses pensées, ses actions et ses sentiments à ce qui nous paraît digne de cet entier sacrifice : *On adore Dieu.* **Rendre un culte,** c'est payer un tribut de respect, de vénération, surtout extérieur : *Au dieu du Nil le volage Israël — Rendit dans le désert un culte criminel* (*Racine*).

honte, qui implique diminution ou perte de la réputation, se rapporte à la conscience; c'est le sentiment humiliant qu'on éprouve de sa conduite : *Celui qui sent sa honte n'ose plus se regarder lui-même.* **Déshonneur** se rapporte à l'opinion d'autrui : *On est dans le déshonneur lorsqu'on a perdu l'estime des autres hommes.* **Ignominie** suppose qu'on est tombé dans un mépris profond; c'est le comble du déshonneur : *Lorsqu'une fille tombe dans l'abîme de l'ignominie, elle n'en revient point, a écrit Jean-Jacques Rousseau.* **Opprobre** se dit du déshonneur public : *On est blessé d'un opprobre comme d'une injure.* **Infamie** suppose une grande honte provenant de la conduite publique ou au moins de celle qui a eu beaucoup de témoins : *L'infamie est la flétrissure imprimée par la loi ou par l'opinion.* **Turpitude** diffère d'*infamie* en ce que c'est la honte attachée à des actions secrètes : *La turpitude est la laideur morale dans ce qu'elle a de plus honteux.*

V. aussi PUDEUR.

honteux. V. EMBARRASSÉ.

hôpital désigne l'établissement où l'on traite des malades, soit gratuitement, soit moyennant finances, et, en tout cas, pour un temps limité. **Infirmerie** dit beaucoup moins; c'est simplement le local destiné aux malades légers dans les communautés, les casernes, les collèges, les prisons. **Hospice** est le nom que l'on donne à la maison d'assistance qui prend complètement à sa charge, et indéfiniment, vieillards, infirmes, incurables, aliénés, etc. **Maison de santé** se dit de l'établissement privé pour malades payants, et réservé au traitement de maladies nerveuses ou d'affections qui nécessitent l'intervention chirurgicale. **Clinique,** établissement dans lequel les élèves médecins apprennent, au lit même des malades, l'art de connaître et de guérir les maladies, s'emploie aussi souvent auj. comme syn. de *maison de santé.* (A noter que *clinique* se dit encore du cabinet où le médecin donne des consultations gratuites ou d'un prix peu élevé.) **Hosteau** est syn. d'*hôpital* surtout dans l'argot militaire. V. LÉPROSERIE et SANATORIUM.)

horde. V. PEUPLADE et TROUPE.

horion. V. COUP.

horloge, qui peut se dire de toute machine qui marque les heures, s'applique plus particulièrem. aux grandes machines qui donnent et marquent, au moyen d'aiguilles indicatrices, l'heure pour le public. **Pendule** est le nom donné à une horloge portative réglée par un « pendule », et qu'on place dans les appartements.

hormis. V. EXCEPTÉ.

horoscope. V. PRÉDICTION.

horreur. V. ÉPOUVANTE.

horrible. V. EFFROYABLE et VILAIN.

horripiler. V. IRRITER.

hors. V. EXCEPTÉ.

hors-la-loi. V. RÉPROUVÉ.

horticulture. V. JARDINAGE.

hospice. V. HÔPITAL.

hostile. V. DÉFAVORABLE.

hostilité. V. GUERRE et RESSENTIMENT.

hôte désigne toute personne qui donne l'hospitalité, qui héberge, qui traite quelqu'un avec ou sans rétribution. **Maître de maison,** syn. d'*hôte,* ne se dit que de celui qui héberge gracieusement un ami, un invité. **Amphitryon** désigne le maître de maison chez qui l'on dîne, par allusion à un vers de l' « Amphitryon » de Molière : *Le véritable Amphitryon — Est l'Amphitryon où l'on dîne.*

V. aussi CONVIVE.

hôtel est le nom donné à une maison dans laquelle on loue des chambres, des appartements meublés, et où l'on sert des repas aux voyageurs. **Palace** (mot angl. signif. *palais*) ne se dit que d'un hôtel luxueux. **Pension de famille** désigne l'établissement où l'on loge et où l'on nourrit des personnes moyennant un prix fixé à l'avance et pour une durée le plus souvent déterminée. **Hôtellerie** (ou, sous sa forme vieillie, HOSTELLERIE) se dit surtout auj. d'un hôtel à la campagne. **Auberge** suppose moins de confort, plus de rusticité, une clientèle plus ordinaire, qu'*hôtellerie;* aussi n'y couche-t-on qu'accidentellement. **Motel** désigne un ensemble de pavillons situés sur une grande route, où les automobilistes peuvent préparer leurs repas, passer la nuit et garer leur voiture.

V. aussi IMMEUBLE.

hôtel de ville. V. MAIRIE.

hôtellerie. V. HÔTEL.

houle. V. FLOT.

houppe. V. TOUFFE.

hourvari. V. TAPAGE.

houspiller. V. MALMENER et RÉPRIMANDER.

housse. V. ENVELOPPE.

huche. V. COFFRE.

huer implique un concours de gens qui marquent leur dérision, leur improbation, par des cris divers : *On hue ce qui est ridicule.* **Conspuer** suppose plutôt du mépris ou de la haine qu'on témoigne à quelqu'un par des clameurs insultantes : *On conspue ce qui ne paraît pas digne d'égards.* **Honnir** implique de l'indignation : *On honnit pour faire honte, pour faire rougir d'une action mauvaise.* **Siffler,** c'est proprement marquer sa désapprobation en sifflant, c'est-à-dire en émettant un son aigu, soit avec les lèvres, soit en soufflant dans un sifflet, et, figurém., désapprouver avec mépris, dérision : *On siffle ce qui avait la prétention d'être applaudi.* (V. MALMENER et RAILLER.)

huguenot. V. PROTESTANT.

huileux. V. GRAISSEUX.

huis. V. PORTE.

huissier, qui désignait autrefois l'officier dont la charge était d'ouvrir la porte du cabinet du roi, de la reine et des princes, est le nom que l'on donne auj. à la personne qui se tient dans l'antichambre d'un ministre ou d'un haut fonctionnaire, pour introduire les visiteurs, comme à celle qui est préposée au service de certains corps, de certaines assemblées. **Appariteur** est plus partic.; c'est le nom donné aux huissiers attachés à une faculté, et aussi, dans certains départements, aux agents attachés à la mairie et chargés de la police subalterne. (Employé parfois encore comme syn. d'*huissier* pris dans son sens général, *appariteur* emporte toutefois une idée de moindre importance.) **Garçon de bureau** est le nom que l'on donne communément à l'employé chargé de tenir propres les bureaux d'une administration, d'un établissement industriel ou commercial, de faire des commissions, d'introduire les visiteurs, etc.

humain est du style relevé; il se dit de celui qui, étant sensible à la pitié et marquant en tout de la tolérance, est doux, compatissant à tous. **Bon,** syn. d'*humain,* est du langage ordinaire. (V. CHARITÉ.)

humanité. V. CHARITÉ.

humble. V. MODESTE.

humecter. V. ARROSER.

humer. V. AVALER et SENTIR.

humeur se dit figurément d'une disposition, soit naturelle, soit accidentelle, du tempérament ou de l'esprit. **Caractère** désigne l'humeur constante qui fait que l'on est volontairement tel ou tel : *On est de caractère affable par principe, parce qu'on veut être ainsi, alors que l'on est d'humeur affable par l'inclination d'une nature accueillante.*

V. aussi BOUDERIE et FANTAISIE.

humilier, c'est causer de la confusion

en donnant à autrui sentiment de son infériorité, de son impuissance. **Avilir** emporte l'idée de honte, d'ignominie due à nous-même : *Nous pouvons être humiliés par quelque chose qui est en dehors de nous, mais nous ne pouvons être avilis que par nos propres actes.* **Mortifier** enchérit sur *humilier;* c'est humilier dans la vanité, dans l'amour-propre : *On trouve plaisir à mortifier les personnes prétentieuses.* **Dégrader** emporte l'idée de déchéance; c'est faire tomber dans un état d'avilissement moral ou intellectuel : *Le propre du despotisme est de dégrader les âmes.* **Confondre,** c'est humilier en jetant le trouble : *Dieu se plaît à confondre l'orgueil des peuples.* (V. ABAISSER.)

humour. V. ESPRIT.

humus. V. TERRE.

huppe. V. TOUFFE.

huppé. V. RICHE.

hurler. V. CRIER.

hurluberlu. V. ÉTOURDI.

hutte. V. CABANE.

hybride. V. MÉTIS.

hygiène (du grec *hugiainein,* se bien porter) désigne la partie de la médecine qui enseigne les mesures propres à conserver la santé, notamment en luttant contre les influences nocives des milieux avec lesquels l'homme est en contact. **Diététique** (du grec *diaita,* régime) est beaucoup plus particulier; c'est uniquement la partie de la médecine et de l'hygiène qui s'occupe d'adapter le régime alimentaire aux besoins particuliers des malades. **Salubrité** (du lat. *salus,* santé), qui désigne la qualité de ce qui est favorable à la santé, se dit particulièrement en parlant des soins que l'administration prend de la santé publique.

hymen, hyménée. V. MARIAGE.

hymne, nom donné particulièrement, chez les Anciens, à un chant en l'honneur des dieux, des héros, s'applique plus spécialement auj. à un chant national; il est masculin dans ce sens. **Péan,** hymne en l'honneur d'Apollon dans l'Antiquité grecque, puis, par ext., chant en l'honneur d'autres divinités ou de héros, s'emploie encore parfois, dans le style recherché ou littéraire, en parlant d'un chant de guerre, de victoire, de fête ou d'allégresse.

V. aussi CANTIQUE.

hyperbolique. V. EXCESSIF.

hypnotique. V. NARCOTIQUE.

hypnotiser. V. ENDORMIR.

hypocondriaque. V. ACARIÂTRE.

hypocrisie. V. FAUSSETÉ.

hypogée. V. TOMBE.

hypothèse. V. SUPPOSITION.

I

ici marque le lieu où se trouve la personne qui parle. **Là** désigne un lieu autre que celui où se trouve la personne qui parle. **Céans,** qui signifie *ici dedans,* ne se dit que du lieu où l'on est quand on parle; il est vieilli et ne s'emploie plus guère que dans la comédie ou le conte.

idéal se dit de ce qui n'existe que dans « l'idée », dans l'imagination, dans l'entendement, de ce qui est conçu sans être réel : *Chacun se représente à sa façon l'être idéal.* **Absolu** (du lat. *absolutus,* achevé) désigne ce qui est complètement indépendant de tout être, de tout accident, ce qui subsiste par lui-même, ainsi dit-on que : *Dieu seul est absolu.*

V. aussi ACCOMPLI.

idée désigne tout fait de l'intelligence par lequel les choses sont rendues présentes à notre esprit. **Conception** se dit de l'acte par lequel on saisit une idée; il suppose une combinaison d'idées produisant certains effets. **Concept** est un terme didact. qui ne s'applique qu'à une vue de l'esprit, à l'idée qu'on se fait d'une chose en la détachant de son objet réel.

V. aussi CONNAISSANCE et PENSÉE.

identifier. V. RECONNAÎTRE.
identique. V. SEMBLABLE.
idiome. V. LANGUE.
idiot. V. STUPIDE.
idiotisme. V. EXPRESSION.
idoine. V. APPROPRIÉ.
idolâtre. V. PAÏEN.
idolâtrer. V. AIMER.
idolâtrie. V. ADORATION.
idylle. V. PASTORALE.
ignare. V. IGNORANT.
ignition. V. COMBUSTION.
ignoble. V. ABJECT.
ignominie. V. HONTE.

ignorant désigne celui qui est sans savoir, sans études, sans connaissances. **Illettré** implique surtout l'absence d'études; il convient bien en parlant de ceux qui ne savent ni lire ni écrire. **Analphabète,** si nous en croyons Albert Dauzat, est un terme plus précis qu'*illettré* pour désigner celui qui ne sait ni lire ni écrire. **Indocte** est un syn. d'*ignorant* qui est très peu usité. **Ignare** et **âne** sont familiers et toujours employés péjorativement.

ignoré. V. INCONNU.
illettré. V. IGNORANT.
illicite. V. DÉFENDU.
illimité. V. DÉMESURÉ et INFINI.

illisible est le terme général qui s'applique à tout ce qui ne peut être lu, que l'on parle soit de caractères écrits ou tracés, soit du fond ou de la forme d'un écrit : *Inscription, livre illisible.* **Indéchiffrable** se dit de ce qu'on ne peut parvenir à lire, soit parce que l'écriture ou la langue nous sont inconnues, soit parce que les caractères sont informes : *Cryptogramme, lettre, passage indéchiffrable.* (V. INCOMPRÉHENSIBLE.)

illuminé. V. VISIONNAIRE.
illuminer. V. ÉCLAIRER.

illusion désigne l'effet que certaines choses réellement existantes produisent sur l'esprit de ceux qui les voient mal; c'est l'état d'une âme à laquelle les objets en imposent ou qui s'en impose elle-même, parce que ses passions l'aveuglent ou lui font prêter aux objets de fausses couleurs. **Chimère** se dit de l'objet que l'esprit crée de toutes pièces; c'est un pur fantôme qui s'évanouit dès que la vérité nous est connue; dans ce sens, on dit aussi assez souvent, dans le lang. ordin. et plus simplement, **rêve** et **rêverie,** le second impliquant quelque chose de moins suivi, de plus vague, de plus extravagant aussi que le premier. **Songe** s'emploie parfois aussi figurément comme syn. de *chimère;* il implique des espérances vaines. **Utopie,** syn. de *chimère,* suppose généralement la conception d'un idéal irréalisable. **Imagination** s'emploie parfois pour désigner une chimère due à une fausse croyance qu'on s'est faite. **Prestige,** qui désigne une illusion attribuée à la magie, à quelque sortilège, se dit aussi, par ext., des illusions qu'on sait être produites par des moyens naturels. (V. VISION.)

illusionniste. V. PRESTIDIGITATEUR.

illustre marque une réputation fondée sur le mérite et toujours accompagnée de dignité et d'éclat : *Illustres sont les grands capitaines et les hommes d'Etat qui ont bien servi leur pays.* **Célèbre** offre l'idée d'une réputation acquise par des actes remarqués à quelque titre que ce soit, des talents réels ou supposés, bons ou mauvais, mais n'emporte pas celle de dignité : *On parle beaucoup, et surtout parmi les personnes instruites, de ce qui est célèbre.* **Fameux,** qui s'emploie aussi en bonne comme en mauv. part, ne désigne que l'étendue de la réputation, sans distinguer si celle-ci est fondée sur de louables ou répréhensibles actions : *On parle partout de ce qui est fameux.* **Renommé,** comme *fameux,* n'a rapport qu'à l'étendue de la réputation; il se prend toutefois toujours en bonne part et se dit plutôt des petites choses que des grandes : *Nombreux sont en France les vins renommés.*

image, lorsqu'il désigne la représentation vive et sensible des choses de la nature par le discours, n'implique pas un grand développement; il suppose simplement quelques traits rapides qui font apparaître dans l'esprit les formes de l'objet à représenter : *Dans le style, l'image donne à une idée abstraite la forme d'un objet sensible.* **Description** emporte l'idée d'une exposition beaucoup plus détaillée, laquelle considère surtout l'action et celui qui la fait. **Tableau,** par contre, a plutôt trait à la chose ou à ce d'après quoi elle a été faite, et suppose, peut-être plus que *description,* un apport personnel de celui qui la peint; c'est en général la description d'un ensemble, d'une scène demandant une animation qui n'est pas nécessaire dans la description : *Une description peut être sèche, sans intérêt, jamais un tableau.* **Peinture** se dit aussi figurém. d'une description vive et imagée par le discours écrit ou parlé : *Rien ne reprend mieux la plupart des hommes que la peinture de leurs défauts, a dit Molière.*

V. aussi ALLÉGORIE, PORTRAIT, REPRÉSENTATION et RESSEMBLANCE.

imaginaire désigne ce qui est produit par l'imagination seule, ce qui n'a pas actuellement d'existence réelle : *Ce qui est imaginaire n'existe pas.* **Chimérique** représente les choses comme fausses ou vaines sous le rapport des résultats qu'on en attend, ou comme ne pouvant être réalisées dans l'avenir : *Ce qui est chimérique n'est pas fondé en raison.* **Utopique** suppose la conception imaginaire d'une réalisation impossible : *Ce qui est utopique est irréalisable.* **Fantastique** marque seulement ce qui existe dans la fantaisie, c'est-à-dire dans une imagination bizarre, qui tient du caprice : *Ce qui est fantastique est incohérent, déraisonnable.* **Fabuleux** se dit de ce qui est imaginaire, comme les choses de la Fable : *Ce qui est fabuleux dépasse la croyance.*

imagination. V. ESPRIT, ILLUSION et PENSÉE.

imaginer marque simplement l'action de l'imagination qui invente ou qui suppose, mais sans faire entendre qu'elle prenne faussement l'illusion pour la réalité. **S'imaginer** indique que l'on crée entièrement dans son esprit une chose dont rien de sérieux n'annonce l'existence, et dont on veut cependant se persuader qu'elle est réelle, afin d'y ajouter foi. **Se figurer,** c'est se représenter d'une certaine manière ce qui existe réellement, mais sous une forme différente peut-être de la réalité; il laisse entendre que tout n'est pas complètement imaginaire dans l'idée qu'on se forme.

V. aussi INVENTER.

imbécile. V. SOT.

imberbe. V. GLABRE.

imbiber. V. TREMPER.

S'imbiber. V. ABSORBER.

imbroglio. V. DÉSORDRE.

imbu. V. PLEIN.

imiter, c'est reproduire librement, sans s'astreindre à l'exactitude et en s'écartant du modèle là où cela convient. **Copier,** c'est reproduire exactement, sans s'écarter en rien du modèle. **Pasticher** est plus partic.; c'est imiter le style, la manière d'un écrivain, le faire du peintre; il suppose non seulement l'exactitude, comme *copier,* mais encore la faculté d'inventer et l'adresse à imiter, sans forcément impliquer l'intention de dénigrer. **Contrefaire** se prend en mauv. part; c'est imiter par fraude ou par dérision. **Parodier,** c'est soit imiter d'une façon burlesque, soit imiter, contrefaire les gestes, le langage, la conduite de; il suppose un travestissement portant aussi bien sur le fond que sur la forme, qui est propre à ridiculiser une chose sérieuse. **Plagier,** comme **piller,** est très particulier et des plus péjoratifs; c'est, en littérature, contrefaire en empruntant à d'autres auteurs des passages de quelque importance que l'on donne comme siens. **Pirater,** ainsi que **picorer** qui est familier, sont des syn. peu usités de *plagier.* **Singer,** c'est imiter par dérision ou par vanité, et plutôt maladroitement. **Mimer,** c'est imiter, contrefaire d'une façon plaisante seulement l'air, les gestes, les manières de quelqu'un.

immanquablement. V. ASSURÉMENT.

immédiatement, qui implique une succession rapide d'événements, entre lesquels il ne peut rien y avoir, suppose toutefois que ceux-ci sont distincts et ne forment pas un tout continu. **Sur-le-champ** marque surtout l'absence d'hésitation. **Aussitôt,** c'est à la même heure, dans le même temps; il suppose quelque chose d'antérieur, ce qui n'est pas le cas des termes précédents. **A l'instant,** comme **instantanément,** implique un intervalle moindre encore qu'*aussitôt.* **Incontinent,** qui n'est pas d'usage courant, emporte une idée de continuité dans des événements analogues. **Tout de suite** est du langage courant et fam. **Illico** est populaire.

immense se dit de ce qui semble sans bornes, dont la grandeur est considérable. **Infini,** qui enchérit sur *immense,* s'applique à ce qui n'a pas du tout de bornes et n'en saurait avoir, à ce qui a un commencement, mais pas de fin. (V. DÉMESURÉ.)

immerger. V. PLONGER.

immeuble, terme de jurisprudence qui désigne tout bien que la loi ne considère pas comme transportable d'un lieu à un autre, s'applique le plus souvent, dans le lang. cour., à une propriété bâtie d'une certaine importance, dont l'usage est commercial ou locatif. **Maison de rapport** se dit d'un immeuble à usage uniquement locatif. **Hôtel,** qui désigne encore parfois la grande maison d'un riche particulier, se dit aussi de certains immeubles destinés à des administrations publiques. **Building** (mot angl. signif. *construction*) est le nom que l'on donne parfois auj. à des immeubles de vastes proportions. **Gratte-ciel** est très partic.; il désigne seulement les immeubles à multiples étages des villes américaines. (V. HABITATION.)

immigration. V. ÉMIGRATION.

imminent (qui vient du lat. *imminere,* menacer) suppose étymologiquement quelque chose de menaçant et de dangereux, un péril qui est sur le point de fondre sur nous. **Instant** annonce un événement moins proche qu'*imminent* et n'implique pas forcément un malheur. — Lorsque, par ext., IMMINENT s'applique, sans idée de malheur, à une chose quelconque qui est sur le point de survenir, il se rapproche de **proche** et de **prochain** (v. ce terme), sur lesquels il enchérit quant à l'idée de courte durée.

immiscer (s'). V. INSINUER (s').

immobiliser. V. ARRÊTER.

immodéré. V. DÉMESURÉ.

immoler. V. SACRIFIER.

immonde. V. MALPROPRE.

immondices. V. ORDURE.

immoral. V. AMORAL.

immortel. V. ÉTERNEL.

immuniser. V. INOCULER et PROTÉGER.

immunité. V. DISPENSE.

impact. V. HEURT.

impartial. V. ÉQUITABLE.

impasse désigne une petite rue sans issue. **Cul-de-sac,** plus employé autref. qu'*impasse,* est vieilli auj., quoiqu'il s'emploie encore parfois dans le langage commun : *Une rue sans issue ne ressemble en rien à un cul-de-sac; un honnête homme aurait pu appeler ces rues des impasses; la populace les a nommées culs, et les reines ont été obligées de les nommer ainsi, s'indignait déjà en son temps M. de Voltaire.* (V. RUE.)

impassible désigne celui qui, ne se laissant influencer par aucune considération étrangère et domptant ses émotions, garde un calme absolu, quoi qu'il arrive. **Flegmatique** suppose plus que *impassible* une qualité inhérente à l'individu. **Imperturbable** désigne essentiellement celui qui ne se laisse troubler par rien. **Froid** emporte surtout l'idée d'indifférence. **Calme** suppose un état d'impassibilité relatif plutôt qu'absolu, ce qui est calme actuellement ayant pu être ou pouvant devenir agité. **Impavide** est surtout dominé par l'idée d'absence de peur; il convient bien en parlant de celui qui reste impassible devant le danger. **Pisse-froid** est populaire.

impatienter. V. ÉNERVER.

impatroniser (s'). V. INSINUER (S').

impavide. V. IMPASSIBLE.

impavidité. V. HARDIESSE.

impayable. V. COMIQUE.

impeccable. V. IRRÉPROCHABLE et PARFAIT.

impécuniosité. V. PAUVRETÉ.

impensable. V. INCOMPRÉHENSIBLE.

impératif. V. IMPÉRIEUX.

imperceptible désigne ce qui échappe à la vue par sa petitesse extrême, à moins qu'on ne puisse le grossir par quelque appareil d'optique. **Invisible** se dit de ce qui, par sa nature ou sa situation, échappe à la vue; il fait souvent penser à un obstacle qui empêche de voir ce qui, sans lui, serait parfaitement visible.

imperfection. V. DÉFAUT.

impérieux se dit de celui qui exige qu'on lui cède et qualifie surtout le ton, les manières. **Absolu** appartient plus au caractère et convient bien en parlant de celui qui veut être obéi avec exactitude : *Un homme impérieux* *laisse supposer une irritation perpétuelle; Un caractère absolu peut être poli et même doux dans la forme.* **Impératif** marque un empire moins considérable qu'*impérieux : Il faut prendre le ton impératif avec les enfants, même quand on n'a ni l'intention ni le pouvoir d'employer la force pour les contraindre.* **Autoritaire** s'applique à celui qui, aimant l'autorité et en usant volontiers, n'admet pas les contestations : *Un ton autoritaire en impose souvent aux contradicteurs.*

impérissable. V. ÉTERNEL.

impéritie. V. INAPTITUDE.

impertinent. V. INSOLENT.

imperturbable. V. IMPASSIBLE.

impétrant. V. POSTULANT.

impétrer. V. OBTENIR.

impétuosité. V. FOUGUE.

impie. V. IRRÉLIGIEUX.

impitoyable, implacable. V. INHUMAIN.

implanter. V. ÉTABLIR.

implexe. V. COMPLIQUÉ.

implorer. V. PRIER.

impoli implique l'absence complète de politesse et regarde toujours les procédés d'une personne envers les autres. **Mal poli** dit moins; il désigne seulement celui qui n'est pas suffisamment poli. **Malappris** enchérit au contraire sur *impoli;* il implique non seulement l'absence de politesse, mais encore celle d'éducation, l'ignorance des bonnes manières. **Malhonnête,** syn. d'*impoli,* est très employé dans le langage courant et suit généralement, dans ce sens, les noms de personnes auxquels on le joint. **Discourtois** est moins fort qu'*impoli;* c'est un terme du langage relevé qui suppose surtout l'absence de politesse raffinée dans les rapports avec le monde. **Incivil,** syn. de *discourtois,* est peu us. (V. GROSSIER, IMPUDENT et INSOLENT.)

importance se dit de ce qui fait qu'une chose est d'un grand intérêt et ne saurait, de ce fait, être négligée — et concerne essentiellement la chose elle-même. **Conséquence** fait penser plus à l'importance des effets et des suites de la chose digne d'intérêt, qu'à la chose elle-même, qui peut être indifférente : *Un secret est d'une grande importance et sa divulgation souvent d'une grande conséquence.*

important est le terme général et vague qui désigne ce qui, ayant un grand intérêt dans l'immédiat comme dans le futur, ne saurait être négligé. **Grave** fait essentiellement penser aux circonstances qui accompagnent l'action et à l'importance des conséquences qui peuvent en résulter. **Sérieux** se rapporte à la fois à l'importance des choses et à leur vérité. (V. DÉCISIF et PRINCIPAL.) — **Conséquent,** qui ne s'applique qu'aux personnes, lorsque celles-ci raisonnent, agissent avec logique, est souvent employé à tort en parlant de choses importantes ou graves; c'est, dans ce sens, **de conséquence** qu'il faut dire (v. art. précéd.).
V. aussi GRAND et VANITEUX.

importateur. V. ACHETEUR.

importer. V. ACHETER, APPORTER et INTÉRESSER.

importun, qui se dit de ce qui déplaît, fatigue, ennuie, apporte le trouble, parce qu'étant mal venu, mal à propos, et cela à un point tel qu'on voudrait en être débarrassé, s'applique aux personnes comme aux choses. **Fâcheux** ne se rapporte pas, comme *importun,* à l'action, mais à la nature, à l'essence même des choses : *On est importun accidentellement, mais fâcheux par nature.* **Intempestif** est essentiellement dominé par l'idée de temps, de moment mal choisi pour faire quelque chose : *Ce qui est intempestif est importun parce que se produisant à contretemps.* **Gêneur,** empl. substantivement seulement et appliqué uniquement aux personnes, est un syn. plutôt familier d'*importun.* **Intrus** est assez partic.; il désigne celui qui se montre importun, gêneur, en s'introduisant dans une société sans avoir qualité pour y être admis. **Casse-pieds** et **poison** sont des synonymes populaires d'*importun* appliqué à une personne, ainsi que **crampon** qui s'applique plus spécialement à celui qui importune et dont on à peine à se défaire.

importuner. V. ENNUYER.

imposant se dit de ce qui, par sa grandeur, commande soit de la considération, soit de la crainte. **Auguste** convient bien en parlant de choses abstraites qui, par leur noblesse, leur sainteté même, inspirent le respect. **Majestueux** s'applique plutôt à ce qui témoigne extérieurement une noble grandeur. **Grandiose,** mot empr. de l'italien qui désigne ce qui est imposant, ce qui frappe l'imagination par un caractère de grandeur, de noblesse, de majesté, est surtout d'usage dans les beaux-arts. **Solennel** emporte l'idée d'apparat, de pompe donnant à la personne ou à la chose une importance considérable.

imposer, c'est infliger à quelqu'un une chose incommode, pénible ou difficile, par ruse ou par force : *On impose une obligation, une pénitence.* **Dicter,** c'est imposer d'une manière impérative, parce qu'on se sait le plus fort : *On dicte sa volonté.* (V. COMMANDEMENT.)

imposition. V. IMPÔT.

imposteur désigne celui qui en impose, qui trompe par de fausses apparences, par des mensonges, qui abuse de n'importe quelle façon de la confiance ou de la bêtise des hommes pour les tromper. **Charlatan** se dit surtout, dans ce sens, de l'imposteur qui exploite la crédulité publique en vantant ses produits, sa science, ses qualités.

impôt désigne la charge publique, le droit imposé sur certaines choses pour subvenir aux dépenses de l'Etat. **Imposition** fait surtout penser à l'action même de l'autorité qui impose une charge. **Taxe** désigne la part assignée à chaque contribuable dans le paiement des impôts, à moins que ce ne soit un impôt particulier établi sur certaines denrées ou certains animaux. **Cote** se dit uniquement de la quote-part imposée à chaque contribuable. **Tribut** désigne parfois, dans le lang. relevé, l'impôt en général, et concerne alors le produit des impôts comme fournissant à l'Etat les sommes dont il a besoin pour veiller à la sûreté générale et payer tous les fonctionnaires; dans le lang. cour., il se dit surtout d'un impôt sans contrepartie de service, tel celui versé par des vaincus à leurs vainqueurs. **Contribution** est beaucoup plus général; il se dit aussi bien de l'impôt obligatoire payé à l'Etat que de la part volontaire que chacun apporte à une dépense commune. **Subside** et **subvention,** peu usités auj. dans ce sens, se disent plutôt de secours occasionnels consentis par le peuple, que de véritables impôts; essentiellement transitoires et ne pouvant devenir obligatoires qu'après avoir été librement acceptés, le *subside* comme la *subvention* doivent cesser avec leur cause : *Le subside est plus considérable que la subvention et il dure plus longtemps.* (V. CHARGE)

impotent. V. PARALYTIQUE.

imprécation. V. MALÉDICTION.

imprécis. V. VAGUE.

impression. V. ÉDITION et EFFET.

impressionnable. V. SENSIBLE.

impressionner. V. ÉMOUVOIR.

imprévu, qui regarde les choses qui font l'objet particulier de notre prévoyance, suppose de l'étourderie ou au moins un degré insuffisant de prudence: *Tout est imprévu pour qui ne s'occupe de rien.* **Inattendu,** qui regarde les choses qui font l'objet particulier de notre attente, marque un certain dérangement dans le cours ordinaire des choses : *Tout est inattendu pour qui ne compte sur rien.* **Inespéré** regarde les choses qui, faisant l'objet de nos espérances et de nos désirs, surprennent par cela même qu'on ne comptait pas d'avance sur ce bonheur : *Tout est inespéré pour qui n'ose se flatter de rien.* **Inopiné** regarde les choses qui ne peuvent nous venir dans l'esprit, qui sont le sujet de notre surprise; il suppose presque toujours un événement subit auquel nous n'avions pas même pensé : *Tout est inopiné pour qui ne sait rien.* (V. SOUDAIN.)

imprimer, c'est faire, en pressant un corps, une impression superficielle qui y laisse des images, par une matière nouvelle qui s'y applique. **Empreindre** implique une trace plus précise, plus facile à reconnaître qu'*imprimer;* c'est pénétrer dans la nature d'un corps pour y former une image soit en relief, soit en creux : *Pour empreindre, il faut imprimer de manière que l'impression laisse l'empreinte ou l'image de la chose.* **Graver,** c'est empreindre fortement et nettement. **Estamper,** qui ne s'emploie qu'au propre dans ce sens, est un terme d'arts; c'est faire une empreinte de quelque matière dure et gravée sur une matière plus molle : *On estampe la monnaie avec le balancier.* **Marquer**

est de tous ces termes le plus général; c'est imprimer une empreinte quelconque avec ou sans pression. **Tirer,** syn. d'*imprimer,* est un terme du langage technique : *On tire une épreuve, une estampe.*

impromptu. V. IMPROVISÉ.

improuver. V. DÉSAPPROUVER.

improvisé se dit de ce qui est fait sans préparation et sur-le-champ. **Impromptu,** emprunté au latin, est plutôt du langage relevé et, employé adjectivement, toujours invariable.

improviste (à l'). V. COUP (TOUT À).

imprudent. V. ÉTOURDI.

impudent désigne celui qui ne respecte ni les choses, ni les hommes, ni lui-même. **Effronté** se dit de celui qui affronte tout ce qu'il devrait respecter. **Ehonté** enchérit sur ces termes; il désigne celui qui, n'ayant pas de sentiment, brave de sang-froid le vice comme la honte qui en résulte. **Cynique** (lat. *cynicus;* grec *kunikos,* relatif au chien), qui désigne une secte de philosophes anciens à qui l'on reprochait d'être sans pudeur, comme les chiens, s'emploie dans le langage courant comme syn. des termes précédents. (V. GROSSIER, IMPOLI, INSOLENT et OBSCÈNE.)

impudique. V. OBSCÈNE.

impuissance désigne, dans le langage médical, l'incapacité de celui ou de celle qui ne peut accomplir l'acte générateur. **Stérilité,** comme **infécondité,** n'implique pas forcément impuissance, mais seulement impossibilité de se reproduire.

impulsif. V. SPONTANÉ.

impur. V. OBSCÈNE.

imputation. V. REPROCHE.

imputer, c'est rendre quelqu'un responsable d'une action, qu'il l'ait commise ou non, et toujours avec une idée de blâme. **Attribuer** a un sens très général et n'emporte ni l'idée de blâme, ni celle d'éloge : *La partialité impute; l'opinion attribue.* **Prêter** emporte l'idée d'une attribution toute personnelle et plus ou moins complaisante : *L'adulateur prête aux grands les qualités qui leur manquent, a dit Massillon.* **Référer,** syn. d'*attribuer,* est plutôt du style relevé : *Référer à quelqu'un l'honneur d'une entreprise.*

inabordable suppose des obstacles matériels qui empêchent d'approcher : *Un lieu entouré de marécages est inabordable.* **Inaccessible** fait plutôt penser à l'absence ou à la non-préparation de moyens qui faciliteraient l'approche : *Une montagne est inaccessible jusqu'à ce qu'on ait tracé un chemin praticable.* — En parlant des personnes, INABORDABLE tient au caractère, et INACCESSIBLE aux affaires, au rang. (A noter qu'*inaccessible* s'emploie de préférence en indiquant par un complément le moyen dont on peut essayer de se servir pour arriver près de la personne ou pour obtenir sa faveur : *Inaccessible à la corruption, aux prières.*)

inaccessible. V. INABORDABLE.

inaccoutumé. V. RARE.

inactif. V. INERTE.

inaction suppose une cause extérieure qui fait que, pour un temps, on n'agit pas, parce que quelque chose en empêche. **Inactivité** se dit d'une inaction durable, devenue une habitude, et qui vient souvent du caractère. **Inertie** désigne l'inactivité complète, absolue, laquelle suppose jusqu'à l'impuissance d'agir. — **Désœuvrement,** qui implique l'absence d'action faute d'un travail réglé, marque un état plus passager que **désoccupation,** qui suppose une inaction durable et est d'ailleurs très peu employé. **Oisiveté** emporte l'idée d'un caractère enclin à la paresse. **Farniente** (mot ital.; de *far,* faire, et *niente,* rien) se dit d'une douce et voluptueuse oisiveté. **Loisir** désigne une halte dans les occupations ordinaires, un repos souvent nécessaire.

inactivité. V. INACTION.

inadvertance. V. DISTRACTION.

inaptitude désigne le manque d'une disposition naturelle et particulière qui rend propre à faire une chose. **Incapacité** fait penser au peu d'étendue de l'esprit; c'est la nullité, la complète impuissance. **Insuffisance** s'applique au défaut de proportion entre les moyens que l'on a et le but qu'on se propose; il est dominé par l'idée d'une infériorité qui n'exclut pas cependant un certain pouvoir. **Impéritie** désigne l'ignorance de l'art qu'on professe ou le défaut des connaissances nécessaires pour les fonctions qu'on exerce. (V. MALADROIT.)

inattendu. V. IMPRÉVU.
inattention. V. ÉTOURDERIE.
incantation. V. CHARME.
incapacité. V. INAPTITUDE.
incarcération. V. EMPRISONNEMENT.
incarcérer. V. EMPRISONNER.
incarnat. V. ROUGE.

incartade se dit d'une boutade généralement blessante, faite inconsidérément et brusquement, alors que l'on ne s'y attendait pas. **Algarade** implique une réprimande très dure, souvent peu motivée, et toujours inattendue. **Sortie** est familier; il se dit d'une algarade motivée ou non. (V. OFFENSE.)

incendie se dit d'un feu violent qui s'étend au loin et consume des bâtiments, des villes, des forêts, etc.; explicatif et descriptif, il marque le fait et suppose un développement progressif. **Feu** s'emploie comme syn. d'*incendie* dans le langage ordinaire; il attire particulièrement l'attention sur le feu considéré comme agent de destruction. **Embrasement,** qui se dit de la plus haute période où puisse arriver l'incendie, a trait plutôt à l'effet qu'il considère comme vaste, total, funeste, à moins qu'il ne concerne le fait actuel que l'on voit tel qu'il est sous les yeux. **Conflagration** se dit d'un embrasement général. **Sinistre,** syn. d'*incendie,* attire surtout l'attention sur les grandes pertes matérielles causées. **Brûlement** n'est guère usité. (V. BRÛLER et COMBUSTION.)

incertain. V. DOUTEUX et VAGUE.

incertitude se rapporte à l'intelligence; il suppose ignorance de ce qui est ou de ce qui sera, et marque l'embarras qui résulte de cette ignorance : *On est dans l'incertitude sur l'issue d'un procès.* **Doute** désigne l'état d'un esprit qui hésite entre l'affirmative et la négative, parce qu'il voit des raisons pour l'une en même temps que pour l'autre : *On est dans le doute de ce qu'on doit croire ou faire.* (V. INDÉCISION.)

incessamment. V. TOUJOURS.
incident. V. AVENTURE.
incidenter. V. CHICANER.
incinérer. V. BRÛLER.
incisif. V. MORDANT.
incisive. V. DENT.
inciter. V. ENCOURAGER.
incivil. V. IMPOLI.
inclément. V. RIGOUREUX.
inclinaison. V. PENCHANT.
inclination. V. AFFECTION et PENCHANT.

incliner, c'est mettre dans une position oblique par rapport au plan de l'horizon, être porté ou tendre d'un côté ou d'un autre; il fait penser « au point de départ, à la perpendiculaire, d'où s'éloigne la chose », dit Lafaye : *On incline une bouteille pour verser le liquide qu'elle renferme.* **Pencher,** qui enchérit sur *incliner,* est relatif au point vers lequel la chose se dirige ou est dirigée; c'est incliner beaucoup vers une chose qui est en bas : *On se penche à la fenêtre pour regarder dans la rue.* — Au fig., ces deux termes emportent la même gradation, PENCHER enchérissant sur INCLINER.

inclure. V. INTRODUIRE.

incommodé suppose quelque chose qui est contraire à notre tempérament, à nos habitudes : *Une personne délicate est incommodée par une odeur désagréable, par un bruit ennuyeux.* **Indisposé** implique un malaise général qu'on éprouve, voire une petite maladie ou les premières atteintes d'une maladie qui est sur le point de se déclarer, et dont on ne peut préciser la cause : *Les personnes sanguines sont indisposées par la chaleur. Dès qu'elles se sentent indisposées, les personnes douillettes appellent le médecin.* (V. MALADE.)

incompréhensible désigne ce que notre esprit ne peut comprendre, soit parce que cela dépasse notre portée par l'étendue, soit parce qu'il se cache là un mystère que nous ne pouvons nous expliquer, soit enfin parce qu'il faudrait considérer la chose d'un point de vue qui nous échappe. **Inconcevable** se dit de la chose que nous ne pouvons nous représenter sous une forme qui la rende croyable : *La conduite d'un homme est incompréhensible quand elle paraît un mystère; elle est inconcevable lorsqu'on n'aurait jamais cru qu'elle pût être telle.* **Inintelligible** ne s'applique qu'au style, au discours, écrit ou parlé, et il signifie qu'on ne peut parvenir à saisir le sens que les mots représentent : *La mauvaise pré-*

sentation d'un discours le rend toujours inintelligible. **Impensable,** syn. d'*inconcevable,* est un néol. qui est à déconseiller, sauf pour qualifier une idée ou une chose que la pensée ne peut pas saisir : *Pour un athée, Dieu est impensable.* (V. ILLISIBLE, OBSCUR et VAGUE.)

inconcevable. V. INCOMPRÉHENSIBLE.

incongruité. V. INCORRECTION.

inconnu se dit simplement de ce qui n'est pas connu, de ce qui n'a pas de renommée, de réputation. **Ignoré** désigne ce qui n'est pas connu, par « ignorance », par manque d'étude, de curiosité, parfois aussi parce que caché. **Méconnu** implique une qualité, un mérite qui, à tort, n'est pas apprécié ; c'est ce qui est connu, mais non estimé à sa juste valeur. **Obscur** se dit de ce qui est peu connu parce que caché. **Oublié** s'applique à ce qui, après avoir été connu, voire très connu, ne l'est plus, le souvenir en ayant été perdu.

inconscient. V. FOU.

inconséquent, inconsidéré. V. ÉTOURDI.

inconstant. V. CHANGEANT.

incontestablement. V. ASSURÉMENT.

incontinent. V. IMMÉDIATEMENT.

inconvenance. V. INCORRECTION.

inconvénient. V. GÊNER.

incorrection est très général ; il implique violation de toute règle, de tout usage. **Inconvenance** est plus partic. ; il se dit uniquement d'une incorrection qui heurte les convenances, les usages de la société. **Incongruité,** qui désigne la manière de parler et d'agir contraire au bon sens, à la bienséance, s'applique plus ordinairement, et par euphémisme, à certaines choses sales qu'on ne saurait faire et même nommer en bonne compagnie.

incrédule (du lat. *in,* priv., et *credere,* croire) désigne, d'une façon générale, celui qui ne croit que difficilement, qu'on a peine à persuader ou à convaincre. **Sceptique** (du grec *skeptikos,* qui examine, qui s'informe) s'applique surtout à celui qui refuse son adhésion à des croyances admises par la plupart.
V. aussi IRRÉLIGIEUX.

incriminer. V. ACCUSER.

incroyable. V. INVRAISEMBLABLE.

incroyant. V. IRRÉLIGIEUX.

inculpé désigne toute personne soupçonnée d'un délit ou d'un crime, en vertu de certains indices qui la font mettre en état d'accusation et envoyer, par le ministère public, devant un juge d'instruction. **Prévenu** désigne l'inculpé qui, reconnu coupable par l'instruction, est renvoyé devant les tribunaux correctionnels ou de simple police. **Accusé** se dit de l'inculpé reconnu coupable et renvoyé devant la cour d'assises. (V. COUPABLE et MEURTRIER.)

inculper. V. ACCUSER.

incurable se dit par rapport à l'art médical ; il marque l'inutilité des secours de la médecine, l'impossibilité d'être guéri par les moyens ordinaires. **Inguérissable,** qui a rapport à la nature, dit plus encore, puisqu'il implique une impossibilité absolue de guérir : *La folie est un mal incurable, parce que les médecins n'ont pas encore trouvé le moyen de la guérir, mais elle n'est pas inguérissable, puisqu'on en guérit quelquefois par l'effort seul de la nature.*

incurie. V. NÉGLIGENCE.

incursion désigne l'entrée de gens de guerre sur un territoire ennemi, en vue du pillage ou pour opérer une diversion, mais sans aucun dessein d'occuper le pays ou d'y faire un long séjour : *Des brigands qui ne cherchent que du butin font des incursions.* **Raid** est un mot angl. qui se dit d'une incursion rapide exécutée en territoire ennemi : *Un raid de cavaliers, d'avions.* **Razzia** est un mot arabe qui s'applique à une incursion de pillards faite dans le but d'enlever des troupeaux, des récoltes : *Une razzia n'est au fond qu'un pillage exécuté sur des peuples nomades, qu'il est impossible d'atteindre autrement que par la destruction de leurs récoltes et de leurs troupeaux, dit Bescherelle.* **Irruption** exprime une action impétueuse, une attaque subite et violente, qui détruit tout sur son passage, et qui amène souvent un établissement définitif, voire une nouvelle marche en avant pour pousser plus loin ses ravages : *Des barbares qui ne savent que ravager et détruire font une irruption.* **Invasion** exprime une action générale par laquelle on se rend maître de tout un pays, d'un lieu, alors qu'**envahissement** désigne uniquement l'action de faire irruption dans, d'occuper par force. V. aussi VOYAGE.

indécent. V. OBSCÈNE.

indéchiffrable. V. ILLISIBLE.

indécis. V. VAGUE.

indécision suppose un jugement faible qui ne sait pas distinguer ce qui est le plus raisonnable; c'est le défaut de celui qui change d'idée facilement. **Indétermination** marque, d'une manière générale, un état flottant du jugement, de la volonté. **Irrésolution** fait surtout penser à la faiblesse de l'âme, de la volonté, de celui qui craint tout, qui se laisse influencer par toutes les circonstances extérieures ou par la mobilité de son humeur. **Hésitation** s'applique surtout à l'irrésolution dans laquelle on est à propos de ce que l'on doit faire ou dire, cela parce qu'il semble nécessaire de peser auparavant le pour et le contre. **Scrupule** fait essentiellement penser à une hésitation, non pas de l'intérêt, mais de la conscience. **Perplexité** emporte l'idée d'une situation embrouillée, difficile, où l'on est tiraillé vivement en divers sens. (A noter que ces trois derniers termes n'emportent pas la nuance défavorable qui s'attache aux trois premiers.) [V. INCERTITUDE.]

indéfini. V. VAGUE.

indélébile. V. INEFFAÇABLE.

indélicatesse. V. VOL.

indemne. V. SAUF.

indemnité. V. COMPENSATION.

indépendamment. V. OUTRE.

indépendant. V. LIBRE.

indétermination. V. INDÉCISION.

indéterminé. V. VAGUE.

index. V. TABLE.

indicateur. V. ESPION.

indication. V. INDICE.

indice suppose un léger signe qui réside souvent dans l'objet même, et qui, sans en être une preuve convaincante, tend à établir un fait par un simple soupçon. **Indication** implique un signe plus positif qu'*indice,* lequel peut être fourni par quelque objet étranger : *Les terrains, a dit Buffon, fournissent des indices, et les minéralogistes qui les ont visités, des indications des mines qui s'y trouvent.* (V. SIGNE.)

indicible. V. INEXPRIMABLE.

Indien, nom donné aux habitants ou natifs de l'Inde, désigne aussi abusivem., les indigènes de l'Amérique, pays que les premiers navigateurs prirent pour les Indes. **Hindou,** qui ne se dit que des habitants ou natifs de l'Inde asiatique, est très usité en français, justement pour éviter toute confusion avec les indigène de l'Amérique. (A noter que, dans notre langue, ce terme n'emporte pas l'intention péjorative que lui donnent les originaires de l'Inde.)

indifférence. V. APATHIE.

indifférent implique l'absence d'intérêt, d'attachement pour qui ou quoi que ce soit, souvent parce que cela est dans la nature. **Blasé** suppose une indifférence acquise à la suite d'excès de jouissance tels que, croyant tout connaître, on ne s'intéresse plus à rien. **Détaché** implique une indifférence due à la perte du plaisir que l'on trouvait auparavant à quelque chose, sans que ce soit par suite d'abus.

indigence. V. PAUVRETÉ.

indigène désigne ce qui est d'un pays, qui en est originaire et n'a pas été apporté d'une autre contrée (objets, plantes, coutumes, animaux, hommes) ; appliqué aux peuples, on l'emploie généralem. par opposition aux habitants qui ne sont établis dans le pays que depuis une certaine époque. **Naturel** ne s'applique qu'aux individus nés dans un endroit déterminé; il s'emploie rarement au singulier, et, si ce n'est par ironie, on ne le dit pas des habitants des pays civilisés. **Aborigène,** syn. moins usité d'*indigène* en histoire naturelle, désigne, substantivement, les habitants originaires ou primitifs d'une région, par opposition aux colonies qui s'y sont établies plus tard. **Autochtone,** syn. d'*indigène* et d'*aborigène,* est peu usité.

indigné. V. OUTRÉ.

indignité. V. OFFENSE.

indiquer, c'est dire où est une chose, une personne, montrer dans quelle direction elle se trouve, mettre sur la voie pour la faire trouver : *La table d'un livre indique la division et la place des matières; Une carte, un sergent de ville nous indique notre route.*

Montrer, c'est faire voir une chose par son évidence, sans aucun dessein de direction : *On montre quelqu'un du doigt.* **Signaler,** proprement indiquer par un signe, c'est aussi montrer en attirant particulièrem. l'attention : *On signale en montrant spécialement ce qu'on veut faire connaître.* **Désigner,** c'est faire connaître par un signe, c'est faire penser à une chose au moyen d'une autre chose qui la rappelle : *Le signalement désigne la personne; L'enseigne désigne le marchand.* **Marquer** a une valeur beaucoup plus précise; c'est distinguer une chose de toutes les autres, la mettre sous les yeux et la faire positivement reconnaître : *Le cadran marque les heures; Le thermomètre marque les degrés de la température.* (V. PRÉCISER.)

Indiquer, c'est aussi faire connaître l'existence d'une chose, être l'indice : *Le visage indique le caractère; Paroles qui indiquent de la fierté.* **Dénoter,** c'est indiquer comme caractéristique : *Les égards pour les femmes dénotent toujours l'homme de bonne compagnie* (*Mme Campan*). **Accuser** est syn. de *dénoter,* mais avec une nuance de réprobation : *Cette action accuse de la folie.* (V. RÉVÉLER.)

indirect, qui se dit de ce qui ne conduit pas au but directement, de ce qui ne va pas droit, n'a rapport qu'à la direction. **Détourné** ajoute à *indirect* l'idée d'éloignement et de dissimulation; il s'applique à ce qui est hors de la vue et généralement caché : *La route indirecte est la route la plus longue; le chemin le moins connu.* — Au fig., c'est-à-dire au sens moral, INDIRECT suppose que l'on ne va pas droit au but, sans avoir pour cela d'intentions cachées ou mauvaises. DÉTOURNÉ, par contre, emporte toujours l'idée de secret; il implique l'intention de dérober avec soin à la vue. **Oblique** est nettement péjoratif; il suppose l'absence de droiture, une certaine fausseté.

indisciplinable. V. INDOCILE.

indiscret désigne celui qui manque de retenue, de modération, de réserve dans les discours et dans les actions, et, de ce fait, blesse bien souvent les convenances. **Curieux** n'emporte pas forcément le même sens défavorable, puisqu'il peut supposer simplement l'envie de savoir, de voir, de découvrir les choses rares, intéressantes, etc.; il n'est vraiment synonyme d'*indiscret* que lorsqu'il ajoute à l'idée de simple curiosité le désir de connaître, de pénétrer les secrets d'autrui. **Fureteur** désigne celui qui s'enquiert de tout, qui cherche à tout savoir, soit par curiosité, indiscrète ou non, soit pour son profit. **Fouinard** (ou **fouineur**) est familier; il enchérit plutôt sur les termes précédents, auxquels il ajoute l'idée de ruse, de rouerie.

indispensablement implique une manière d'agir dont on ne peut pas se passer, se dispenser ou s'affranchir, cela tout au moins par rapport à soi : *On est indispensablement engagé parce qu'on a promis.* **Nécessairement** a trait à la nature, aux besoins naturels : *On doit nécessairement se couvrir chaudement pendant l'hiver.* **Absolument** est impératif; il suppose qu'il n'existe pas d'autre manière d'agir : *Il faut absolument apprendre pour savoir.*

indisposé. V. INCOMMODÉ.

individu. V. PERSONNE.

indocile se dit de celui qui est difficile à instruire, à gouverner, qui se refuse à suivre le moindre conseil; il suppose proprement une résistance passive. **Indisciplinable** se dit de celui qui non seulement ne se plie à aucune loi, à aucune règle, mais encore lui résiste activement; il suppose une insurrection, des excès. **Récalcitrant** convient bien en parlant de celui qui, étant volontaire et indisciplinable, résiste avec opiniâtreté et humeur. **Regimbeur,** syn. de *récalcitrant,* est familier. **Indomptable** désigne ce qu'on ne peut dompter, soumettre à l'obéissance. **Rétif,** syn. d'*indocile,* convient bien en parlant de celui qui est difficile à conduire, à persuader. **Rebelle** dit plus; il suppose généralement le refus d'obéissance à une autorité légitime. **Réfractaire,** syn. de *rebelle,* ne se dit guère que des personnes.

indocte. V. IGNORANT.

indolence. V. APATHIE.

indolent, indolore. V. INSENSIBLE.

indomptable. V. INDOCILE.

indubitablement. V. ASSURÉMENT.

induire. V. CONCLURE et INVITER.

induire en erreur. V. TROMPER.

indulgent annonce cette disposition de l'esprit qui nous fait supporter les défauts d'autrui et ouvrir les yeux plutôt sur le bon que sur le mauvais. **Clément** implique une vertu, celle qui consiste, lorsqu'on possède un certain pouvoir, à pardonner les offenses et à modérer les châtiments : *L'homme indulgent est ainsi parce que la nature l'a fait tel; on est clément lorsqu'on a la volonté de ne jamais se laisser aller à aucun ressentiment.* **Tolérant,** qui se dit quelquefois d'un homme indulgent dans le commerce de la vie, s'emploie plus particulièrement en matière de religion ou d'opinion : *Une personne tolérante pour les défauts d'autrui; Les philosophes aiment les princes tolérants.* **Bénin** est un syn. auj. peu usité d'*indulgent;* il suppose le plus souvent une indulgence poussée jusqu'à la faiblesse ou l'aveuglement volontaire : *Les maris les plus bénins du monde* (*Molière*). [V. CONCILIANT.]

industrie. V. ADRESSE.

industrieux. V. ADROIT.

inébranlable. V. CONSTANT.

inédit. V. ORIGINAL.

ineffable. V. INEXPRIMABLE.

ineffaçable se dit de ce qui pourra toujours être reconnu, la forme apparente subsistant toujours et l'objet restant toujours le même, même si la matière changeait : *Une inscription gravée en caractères ineffaçables pourra se lire jusque dans les temps les plus éloignés.* **Indélébile** s'applique à ce qui ne peut jamais disparaître entièrement, la matière, le fond restant toujours le même, la forme seule pouvant changer : *Le baptême imprime un caractère indélébile, l'homme baptisé restant toujours chrétien, même si sa conduite extérieure ne permet plus de reconnaître à quelle religion il appartient.*

inégalité marque la différence en quantité, en degré, ou bien se rapporte à un changement qui empêche une chose d'être conséquente avec elle-même. **Disparité** se dit d'une inégalité qui empêche deux choses de s'accorder; il fait plutôt penser à une différence en qualité et, désignant ce qui empêche les choses d'être semblables, il suppose toujours que celles-ci paraîtraient telles si l'on ne montrait pas en quoi elles diffèrent. **Disproportion** implique une inégalité anormale et excessive de rapport et de convenance entre différentes choses ou entre les parties d'une même chose. (V. DIFFÉRENCE, IRRÉGULIER et SÉPARATION.)

inéluctable. V. INÉVITABLE.

inénarrable. V. COMIQUE et INEXPRIMABLE.

inepte. V. STUPIDE.

inépuisable se dit de ce qui se remplit invisiblement, comme une mare, un puits. **Intarissable** se dit de ce qui coule de source, comme une fontaine : *Une mine de sel est inépuisable, une source de pétrole intarissable.*

inerte, qui désigne ce qui est sans activité, sans mouvement propre, implique l'impuissance absolue d'agir. **Inactif** dit moins; il fait simplement penser à une inertie passagère, due généralement à une cause extérieure, à quelque chose qui empêche d'agir. **Passif,** terme didact. qui se dit de ce qui souffre, subit l'action, l'impression, par opposition à « actif », s'emploie parfois aussi, et par ext., dans le lang. ord., pour désigner ce qui n'agit pas. **Atone,** dans ce sens, suppose simplement l'absence d'énergie.

inertie. V. APATHIE.

inespéré. V. IMPRÉVU.

inévitable est très général; il se dit de ce que l'on ne peut éviter, de ce dont on ne peut se garantir. **Fatal** enchérit plutôt sur *inévitable* et suppose le plus souvent une conséquence importante; il convient bien en parlant d'un événement fâcheux que l'on estime fixé irrévocablement par le sort, le destin. **Forcé** concerne ce qui, n'étant pas l'effet de la volonté, est inévitable. **Obligatoire,** qui dit moins que *forcé,* est plus particulier; il suppose une loi, un motif quelconque qui fait qu'on ne peut se soustraire à une chose. **Inéluctable** (lat. *ineluctabilis;* du préfixe *in,* et de *luctari,* lutter) est plutôt du style recherché; il se dit de ce contre quoi l'on ne peut lutter et qui, de ce fait, est inévitable.

inexorable. V. INHUMAIN.

inexprimable se dit de ce qu'on ne peut « exprimer », dépeindre, par crainte de l'affaiblir : *Le plaisir de la* *bienfaisance est inexprimable.* **Indicible** s'applique à ce qui est caché, mal connu, dont on n'a pas une idée assez nette pour en parler d'une manière convenable et juste : *Les sentiments et les sensations qu'on ne peut pas définir sont indicibles.* **Inénarrable** se dit de ce que l'on ne peut « narrer », raconter; il implique une suite de faits qui composeraient un récit, si l'on pouvait les décrire : *La gloire de Dieu, les prodiges de la création, toutes les choses qui s'élèvent au-dessus de l'esprit et du langage humain sont inénarrables.* **Ineffable** suppose seulement du mystère ou un profond respect, quelquefois même un simple sentiment d'admiration mêlée de tendresse : *Les mystères de la religion, les grâces divines, etc., sont ineffables : on ne les comprend pas.* (A noter qu'*inexprimable* est de tous les styles, *indicible* du style ordinaire, *inénarrable* et *ineffable* plutôt du style religieux.)

inextricable. V. OBSCUR.

infailliblement. V. ASSURÉMENT.

infâme. V. ABJECT.

infamie. V. HONTE.

infatuer (s'). V. ENGOUER (S').

infécond. V. STÉRILE.

infécondité. V. IMPUISSANCE.

infecter. V. EMPOISONNER.

infection est le nom que l'on donne à l'odeur mauvaise, désagréable, qui s'exhale d'un corps quelconque et se transmet aux lieux environnants, odeur accompagnée parfois d'une dispersion de germes pathogènes susceptibles d'engendrer des maladies ou des épidémies. **Puanteur** est du langage ordinaire et n'implique pas l'idée d'insalubrité, de contagion, qu'exprime généralement *infection.* **Fétidité** est surtout un terme d'hist. nat. et de chimie. **Pestilence,** qui désignait autrefois la peste et toute maladie contagieuse en général, emporte toujours aujourd'hui l'idée de contagion. (V. MALODORANT.)

V. aussi CONTAMINATION.

inférer. V. CONCLURE.

inférieur désigne celui qui est au-dessous d'un autre, en rang, en dignité, et ordinairement avec dépendance directe ou indirecte : *Le jugement des supérieurs se trouve dans la confiance de leurs inférieurs.* **Subordonné** emporte toujours l'idée de dépendance directe : *Les lieutenants, les adjudants, les sergents et les caporaux sont les subordonnés du capitaine.* **Subalterne** ajoute à l'idée de subordination celle d'infériorité, de moindre valeur : *On est toujours le subalterne de quelqu'un.* **Sous-ordre,** comme **sous-verge** (celui-ci fam.), est du langage ordinaire; il se dit de celui qui vient en second rang, parce que soumis directement aux ordres d'un autre, ou travaillant sous lui à une affaire quelconque. **Sous-fifre,** qui est aussi familier, se dit simplement, avec une nuance péjorative, d'un individu qui occupe un emploi tout à fait secondaire, sans attirer l'attention sur le supérieur dont il dépend d'une façon aussi nette que les termes précédents.

V. aussi BAS.

infernal. V. DIABOLIQUE

infertile. V. STÉRILE.

infester. V. RAVAGER.

infidèle. V. DÉLOYAL et PAÏEN.

infiltrer (s'). V. GLISSER (SE).

infime. V. BAS et PETIT.

infini suppose une grandeur sans limites, sans bornes. **Absolu** se dit de ce qui est, en soi, complet, parfait, sans augmentation possible : *La puissance de Dieu est infinie, mais sa connaissance est absolue.* **Illimité** implique l'absence de limites, de bornes, mais moins catégoriquement qu'*infini : Un pouvoir illimité est celui qui n'est pas borné par un autre pouvoir, mais qui ne saurait cependant prétendre à la puissance infinie, absolue.*

V. aussi IMMENSE.

infirme. V. MALADIF.

infirmer. V. ANNULER.

infirmerie. V. HÔPITAL.

infirmière est le nom donné à une personne qui soigne les malades dans une infirmerie, un hôpital, etc.; il implique généralement un enseignement préalable préparant à une telle tâche et sanctionné par un diplôme. **Garde-malade** dit moins; il suppose simplement la garde d'un seul malade à qui l'on donne les soins, les remèdes prescrits par le médecin, sans avoir soi-même pour cela de sérieuses connaissances médicales. **Nurse** est syn. d'*in-*

firmière, de *garde-malade*, en Angleterre et en Amérique.

inflammable est un terme du langage courant qui désigne ce qui s'enflamme, ce qui prend feu violemment et brûle rapidement ; il implique toujours la crainte du danger d'incendie : *Le soufre, l'éther sont inflammables.* **Combustible** est plutôt un terme didactique qui se dit de ce qui donne lieu à la production du feu, de ce qui a la propriété de brûler, et cela généralement lentement et régulièrement : *Le bois sec, la poix sont des matières très combustibles.*

inflexible. V. CONSTANT et INHUMAIN.

influence désigne l'action que l'on a sur l'esprit ou la volonté de quelqu'un. **Ascendant** suppose une espèce de charme, de fascination irrésistible, laquelle donne de l'influence sur autrui. **Prestige** ajoute à l'idée d'*ascendant* celle de grandeur. **Crédit** se dit de l'influence qu'on exerce auprès d'une personne détenant un pouvoir, et qu'on dirige dans la dispensation de ses bienfaits. **Mainmise** s'emploie parfois figurém. pour désigner une influence impérieuse, excessive, fâcheuse. **Tyrannie** suppose une influence, un pouvoir irrésistible, qui nous rend esclave : *La tyrannie de l'opinion, de la mode.* — **Emprise,** par un abus de plus en plus répandu, résultant d'une obscure confusion avec « empreinte », se prend souvent auj. dans le sens d'*influence*, d'*ascendant*, de *mainmise*, alors qu'il ne devrait s'appliquer qu'à l'action de prendre des terrains par expropriation. (V AUTORITÉ.)

influencer. V. INFLUER.

influer, c'est faire impression sur une personne ou sur une chose, exercer sur elle une action qui tend à la modifier ; il suppose généralement une action secrète, non apparente ou peu sensible : *L'éducation influe sur toute la vie.* **Influencer,** c'est influer d'une manière humaine, volontaire, réfléchie, et dans un but déterminé : *Côme de Médicis influença trente années la République florentine.*

information. V. ENQUÊTE et NOUVELLE.

informer. V. AVERTIR et SAVOIR (FAIRE).

S'informer. V. ENQUÉRIR (S').

infortune. V. MALHEUR.

infraction. V. VIOLATION.

infructueux. V. STÉRILE.

infusé, infusion. V. TISANE.

ingambe. V. AGILE et VALIDE.

ingénieur désigne celui qui, à l'aide de l'application des sciences mathématiques ou physico-mathématiques, dirige des constructions, invente des machines, des instruments, etc., et fournit les plans et dessins nécessaires à leur exécution ; il suppose souvent la possession d'un diplôme officiel. **Constructeur** dit moins ; c'est simplement le nom que l'on donne à celui qui, diplômé ou non, bâtit, construit, avec de la pierre, du bois, du métal, etc., d'après un plan déterminé, établi par lui ou par d'autres ; il emporte plus l'idée d'exécution que celle d'invention.

ingénieux. V. ADROIT et SPIRITUEL.

ingénuité. V. CANDEUR.

ingérer. V. AVALER.

S'ingérer. V. INSINUER (S').

ingrat. V. STÉRILE.

ingratitude. V. OUBLI.

inguérissable. V. INCURABLE.

ingurgiter. V. AVALER.

inhabile. V. MALADROIT.

inhabité n'offre à l'esprit aucune autre idée que celle du manque d'habitants : *On s'enfuit jusque dans les lieux inhabités pour se soustraire à la persécution.* **Désert** exprime proprement l'idée d'abandon, en représentant les lieux comme nus, incultes, n'offrant pas les ressources nécessaires pour la vie, ou bien comme ayant été délaissés par suite de quelque grande calamité : *On peut, dans une contrée déserte, trouver des peuplades, mais elles sont rares, pauvres, nomades, barbares.* **Solitaire** marque l'éloignement du monde, l'isolement, en même temps que l'absence d'habitants : *Le lieu solitaire n'est pas fréquenté.* **Sauvage** suppose quelque chose d'inculte, d'effrayant : *Les régions sauvages sont souvent habitées par des bêtes féroces.* (V. ISOLÉ.)

inhabituel. V. RARE.

inhérence. V. ADHÉRENCE.

inhibé. V. DÉFENDU.

inhumain désigne celui qui reste insensible aux souffrances des autres, qui ne veut pas les soulager ou qui se plaît même à les faire naître. **Impitoyable** se dit de celui qui est inaccessible à la pitié, qui voit d'un œil sec les maux dont sa dureté est la cause. **Implacable** suppose de la colère, du ressentiment; il s'applique à celui qui est irrité et décidé à punir, sans qu'on puisse l'apaiser, même par la plus complète des soumissions. **Inflexible** désigne celui qui ne fléchit pas, qu'on ne peut plier par quelque moyen que ce soit, et qui fera ce qu'il a résolu, lors même que ses propres intérêts ou ceux de ses proches devraient en souffrir. **Inexorable** se dit de celui qu'on ne gagne pas, qu'on ne fait pas fléchir par des prières. **Dur** désigne celui qui, étant ferme et insensible, est difficile à pénétrer moralement; il implique, plus qu'une véritable inhumanité, de la sévérité, et cela bien souvent autant pour soi-même que pour les autres. **Maupiteux,** syn. d'*impitoyable,* vieillit. (V. CRUAUTÉ.)

inhumanité. V. BRUTALITÉ.

inhumer. V. ENTERRER.

inimaginable. V. INVRAISEMBLABLE.

inimitié. V. RESSENTIMENT.

inintelligible. V. INCOMPRÉHENSIBLE.

inique. V. INJUSTE.

initiale. V. MAJUSCULE.

initiation. V. ADMISSION.

initier. V. RENSEIGNER.

injonction. V. COMMANDEMENT.

injure se dit proprement des paroles offensantes, des qualifications, des accusations outrageantes, qui ne peuvent s'adresser qu'à des personnes, et se rapporte surtout au sens même de ces paroles, de ces qualifications ou de ces accusations. **Invective** fait plutôt penser à la manière dont les paroles sont exprimées, et se rapporte aussi bien aux choses, aux abus, aux vices qu'aux personnes : *L'injure peut être dite de sang-froid, alors que l'invective est toujours passionnée.* **Insulte** ajoute à l'idée exprimée par *injure* le dessein prémédité d'offenser : *Toute insulte réclame réparation.* **Vilenie,** nom donné parfois à une parole injurieuse, attire surtout l'attention sur le caractère « vil », sur la méchanceté de celui qui injurie : *Dire toutes sortes de vilenies à quelqu'un.* **Pouille,** qui est familier et ne s'emploie plus guère que dans la locution : *Chanter pouilles* (ou *pouille*) *à,* se dit en parlant de certaines petites injures qu'on se permet en riant, ou d'injures grossières dont on ne parle que pour s'en moquer. **Sottise** est un synonyme populaire de ces termes et s'emploie surtout alors au pluriel; il représente celui qui profère les injures comme ne mesurant qu'à moitié la portée de ses paroles. **Engueulade** est populaire et grossier. — Aux verbes correspondant à certains de ces termes : **injurier, invectiver, insulter, chanter pouille, engueuler,** il convient d'ajouter **agonir** qui, assez familier, signifie accabler d'injures, de sottises. (V. INVECTIVER.)

V. aussi OFFENSE.

injuste a un sens très étendu; il se dit de toute personne qui ne suit pas les lois de la justice, de l'équité, quelle que soit la manière dont elle agit. **Partial** dit moins; il suppose que, prenant parti pour une personne, un groupe de personnes, une opinion, etc., on exprime une préférence qui risque de conduire à l'injustice vis-à-vis de ceux qui n'en bénéficient pas : *Un arbitre n'a pas le droit d'être partial.* **Inique** a un sens des plus restreints; il désigne essentiellement celui qui agit contre la loi : *On dit un homme injuste et un juge inique.*

inné, terme didactique désignant ce qui est né avec nous, ce que nous apportons en naissant, et, en philosophie, ce qui est inhérent à l'esprit humain naissant et non acquis par l'expérience, s'emploie aussi parfois dans le langage ordinaire, mais en se rapportant toujours aux choses morales, bonnes ou mauvaises. **Naturel** est syn. d'*inné* dans le langage courant et s'emploie bien par opposition à ce qui vient de l'éducation, de la coutume. **Congénital** est surtout un terme de pathologie qui s'applique aux maladies qu'on apporte en naissant; il se dit aussi, dans le langage courant et par ext., de toutes les dispositions dont on est gratifié en naissant, et principalement des défauts physiques. (V. HÉRÉDITÉ et SPONTANÉ.)

innocence. V. CANDEUR.

innocent. V. NIAIS.

innocenter. V. JUSTIFIER.

innovation. V. CHANGEMENT.

inoccupé. V. VACANT.

inoculer, c'est introduire dans l'organisme d'un être vivant le microbe ou le virus d'une maladie, soit accidentellement, dans le cas de transmission d'infection (rage, tétanos, syphilis, etc.), soit volontairement et dans un but thérapeutique : *On peut inoculer pour souiller comme pour guérir ou prévenir.* **Vacciner** implique toujours une opération thérapeutique; c'est inoculer un vaccin ou un virus atténué pour préserver d'une maladie. **Immuniser,** c'est, pris dans ce sens particulier, rendre réfractaire à une maladie soit par vaccination, soit par absorption de médicament ou tout autre moyen.

inoffensif se dit de ce qui n'offense pas, de ce qui ne peut offenser, de ce qui ne fait de mal à personne. **Anodin,** syn. d'*inoffensif,* ajoute à ce terme l'idée d'insignifiance. **Bénin,** syn. d'*anodin,* s'emploie surtout, dans ce sens, en termes de médecine, où, sans impliquer évidemment l'idée d'absence complète de mal, il suppose au moins le manque certain de gravité.

inondation se dit de l'eau qui, ayant dépassé le bord de ce qui la contient, se disperse partout jusqu'à une certaine hauteur. **Débordement** désigne simplement l'action des eaux qui sortent de leur contenant, qui en franchissent les bords : *Le débordement précède l'inondation.* **Déluge** se dit d'une très grande inondation accompagnée de pluie. **Cataclysme** (du grec *kata,* sur, et *klugein,* inonder) est un synonyme vieilli de *déluge;* il ne se dit plus proprem. auj. que d'un bouleversement de la surface du globe quel qu'il soit.

inonder, c'est couvrir entièrement d'eau un terrain, un pays. **Noyer,** dans ce sens, ajoute à l'idée d'*inonder* celle d'une dévastation entraînant le plus souvent mort d'hommes. **Submerger** enchérit sur *inonder* et *noyer;* c'est ensevelir sous l'eau, et généralem. pendant un assez long temps, ou bien noyer en engloutissant. — Au fig., ces termes emportent les mêmes gradations; on peut y ajouter **déborder** qui suppose une sorte d'envahissement contre lequel on est impuissant : *On est débordé de travail à partir du moment où l'on est incapable de l'exécuter.*
V. aussi TREMPER.

inopiné. V. IMPRÉVU.

inopinément. V. COUP (TOUT À).

inouï. V. INVRAISEMBLABLE.

inquiétant se dit de ce qui interdit tout repos moral par le souci qu'il cause. **Menaçant** suppose quelque chose de plus matériel qu'*inquiétant : Ce qui est inquiétant peut l'être seulement par l'idée qu'on s'en fait; ce qui est menaçant l'est par le mal qu'il annonce et qu'il peut réellement faire.* **Sinistre** s'applique à ce qui annonce ou fait craindre quelque malheur; c'est plus une apparence, un pressentiment qu'une certitude. **Comminatoire,** terme de jurisprud., se dit aussi, dans un sens général, de ce qui implique ou contient une menace. **Sombre** s'emploie parfois comme syn. de ces termes, mais seulement en parlant des choses. **Patibulaire** (du lat. *patibulum,* gibet) est du langage recherché; il se dit surtout de l'air, de la mine, de la physionomie d'un homme digne de la potence et, de ce fait, inquiétant, menaçant. (V. ÉPOUVANTE.)

inquiéter. V. TOURMENTER.

inquiétude. V. CRAINTE.

insane. V. DÉRAISONNABLE.

inscription désigne l'ensemble de caractères écrits ou gravés sur un monument ou une médaille, pour consacrer le souvenir de quelqu'un ou de quelque chose. **Epigraphe** se dit d'une inscription sur un édifice, d'une citation en tête d'un livre. **Exergue** désigne une inscription, une devise, une date, au bas d'une médaille. **Epitaphe** s'applique à une inscription funéraire. (V. ÉCRITEAU.)

inscrire. V. ÉCRIRE.

insensé. V. ABSURDE et FOU.

insensibilité. V. APATHIE.

insensible se dit, en termes de médecine, du malade qui ne perçoit pas les impressions qui seraient douloureuses pour un individu à l'état normal. **Indolore** suppose simplement une lésion quelconque qui ne cause pas de douleur. **Indolent,** syn. d'*indolore,* est vx.

insensiblement. V. LENTEMENT.

insérer. V. INTRODUIRE.

insidieux. V. TROMPEUR.

insigne. V. REMARQUABLE.

insignifiant se dit de ce qui est sans importance, sans caractère particulier, sans valeur, et que, de ce fait, on remarque à peine. **Falot** est plus péjoratif et s'applique à ce qui est insignifiant jusqu'à en devenir ridicule, surtout en parlant des personnes. (V. FADE.)

insinuant. V. ENGAGEANT.

insinuer. V. INSPIRER.

S'insinuer, c'est, en parlant des personnes, s'introduire avec adresse. **S'ingérer,** c'est s'introduire indûment. **S'immiscer** emporte une idée d'empiétement et d'usurpation; c'est s'insinuer dans les affaires des autres, généralem. pour y jeter le trouble ou pour obtenir des avantages auxquels on n'a pas droit. **Se mêler** est surtout dominé par l'idée d'indiscrétion; il suppose de la maladresse, une certaine légèreté qui fait que l'on s'occupe de choses qui ne nous regardent pas. **S'impatroniser,** qui est familier et se prend toujours en mauv. part, implique un certain éclat; c'est s'introduire en maître, avec une telle autorité qu'on ne tarde pas à tout gouverner. (V. GLISSER [SE].)

insipide. V. FADE.

insistance désigne l'action d'appuyer avec force sur un ordre, une demande, et cela en y revenant fréquemment. **Instance** suppose plutôt une pression vive et immédiate en vue de la rapide exécution de ce qu'on demande.

insister, c'est s'arrêter principalement ou avec force sur quelque chose, sur un point, un argument; il implique le désir de convaincre, de persuader. **Appuyer** suppose plutôt le besoin d'approfondir, de bien faire comprendre les choses : *On insiste dans une poursuite, mais on appuie dans une explication.*

insociable. V. FAROUCHE.

insolent désigne celui qui prodigue l'insulte ou le dédain parce qu'il veut blesser, parce qu'il a de la haine ou parce qu'il trouve son plaisir dans la peine que peuvent faire ses insolences; il implique l'audace de se mettre au-dessus de quelqu'un qui nous est supérieur et même de l'outrager : *L'insolent est odieux et punissable; il insulte et blesse.* **Impertinent** fait plutôt songer à une présomption ridicule; il se dit de celui qui oublie le respect qu'il doit aux autres parce qu'il s'estime trop lui-même : *L'impertinent est ridicule et désagréable; il choque, il agace.* **Arrogant** suppose des prétentions mal fondées, exprimées d'une façon hautaine : *Rien n'est plus insupportable qu'un gueux arrogant, a dit Lesage.* **Cassant,** qui emporte plus l'idée d'arrogance que d'insolence, ne se dit qu'en parlant de celui qui affecte une autorité intransigeante : *L'homme cassant est dur et péremptoire; il n'admet pas de réplique.* **Rogue** ajoute à *arrogant* une idée de raideur et de rudesse : *L'homme rogue est un arrogant qui affecte une démarche raide et un ton de voix brusque.* **Cavalier,** syn. d'*impertinent,* ne s'emploie qu'adjectivement : *Réponse, manière d'agir cavalière.* (V. FIER, GROSSIER, IMPOLI, IMPUDENT et VANITEUX.)

insolite. V. BIZARRE et INUSITÉ.

insoumission désigne, dans le lang. jurid., l'état d'un soldat qui n'a pas rejoint son corps dans le délai fixé par l'ordre de route. **Désertion** dit plus; ce peut être non seulement l'action de se soustraire au service militaire, mais encore celle d'abandonner lâchement son poste, voire de passer à l'ennemi : *La désertion à l'ennemi est punie de mort.*

inspecter. V. EXAMINER.

inspection. V. REVUE.

inspirateur. V. CONSEILLER.

inspirer, c'est inciter quelqu'un à prendre de bonnes ou de mauvaises résolutions par l'influence qu'on exerce sur lui et qui va jusqu'à lui faire accepter nos pensées sans les examiner, par une sorte de fascination. **Insinuer** suppose de l'adresse, l'art de déguiser ce qui pourrait mettre en défiance; c'est introduire dans l'esprit d'une manière sinueuse, détournée. **Suggérer,** c'est faire entrer dans l'esprit d'une manière également cachée, mais plus directe, et plus complète aussi, plus décisive. (A noter que ce terme se prend parfois en mauv. part, quoiqu'on puisse suggérer à quelqu'un un moyen de sortir d'embarras, et alors *suggérer* ne diffère d'*inspirer* qu'en ajoutant à l'action l'idée d'une chose faite comme par hasard.) **Souffler** est un syn. couramment employé dans le langage ordinaire, comme syn. d'*inspirer* comme de *suggérer.* **Persuader** implique une puissante action sur les convictions, soit par l'éloquence, soit par la voix de la raison. **Instiguer** suppose un moyen stimulant et pressant d'exciter secrètement quelqu'un à faire ce à quoi il répugne et résiste; il est vieux, alors qu'on emploie très couramment par contre le substantif INSTIGATION. **Instiller,** syn. d'*insinuer,* est peu usité.

V. aussi ASPIRER.

installer. V. PLACER.

instance. V. INSISTANCE.

1. **instant.** V. MOMENT.

2. **instant.** V. IMMINENT et PRESSANT.

instant (à l'). V. IMMÉDIATEMENT.

instaurer. V. ÉTABLIR.

instigateur, qui désigne celui qui incite, qui pousse à faire quelque chose, se prend parfois en mauv. part. **Promoteur** s'emploie au contraire généralem. en bonne part et convient bien en parlant de celui qui donne la première impulsion, qui est la cause principale : *Le promoteur prend le plus souvent une part personnelle à l'action, alors que l'instigateur ne fait qu'y pousser les autres.* (V. MOTEUR et PROTAGONISTE.)

instigation, instiguer, instiller. V. INSPIRER.

instinct. V. PENCHANT.

instinctif. V. MACHINAL.

instituer. V. ÉTABLIR.

institut. V. ÉCOLE.

instituteur. V. MAÎTRE.

institution. V. PENSION.

instructeur se dit particulièrem. de celui qui est chargé d'enseigner aux jeunes soldats l'exercice et le maniement des armes. **Moniteur** est le nom donné au soldat ou gradé employé comme auxiliaire par les instructeurs chargés d'enseigner la gymnastique, l'escrime, la natation. (A noter que, dans le lang. cour., les deux termes se confondent, *moniteur* étant meme plus usité qu'*instructeur* et s'employant en dehors de l'armée, surtout dans les organisations d'éducation physique.)

instruction désigne l'ensemble des avis, des explications qu'une personne donne à une autre pour la conduite de quelque affaire, de quelque entreprise. **Directive,** mot empr. à la techn. milit. allem., suppose des instructions générales données par l'autorité militaire, politique, religieuse, etc., ou par un courant d'opinion, lesquelles laissent toutefois une certaine possibilité d'initiative personnelle à celui qui les reçoit. (A noter que, dans ce sens, *instruction* et *directive* s'emploient le plus souvent au plur.) **Consigne** se dit proprement de l'instruction formelle donnée à une sentinelle, au chef d'une troupe, etc., et, par ext., d'une instruction quelconque donnée à un subalterne. **Ordre,** plus que ses synonymes, plus même que *consigne,* implique des instructions formelles, impératives et absolues, émanant d'une autorité supérieure.

Instruction désigne aussi l'action de former l'esprit de quelqu'un (des jeunes surtout) par des leçons, des préceptes. **Education,** pris dans son sens absolu et général, fait penser plus à la formation morale qu'à la formation intellectuelle : *L'éducation est le complément nécessaire de l'instruction.* **Enseignement** s'applique à l'instruction donnée par les maîtres, les professeurs : *L'enseignement est l'action de communiquer à quelqu'un une science, un art, par des leçons régulières.* **Pédagogie** (du grec *pais, paidos,* enfant, et *agein,* conduire) est le terme didactique qui sert à désigner l'art d'instruire et d'éduquer les enfants; il implique une méthode, un système : *La pédagogie exige beaucoup de préparation, de lumières et d'expérience, ainsi qu'une grande sagacité d'esprit et une haute moralité de cœur.*

V. aussi ENQUÊTE, LEÇON et SAVOIR.

instruire. V. APPRENDRE.

S'instruire. V. ÉTUDIER.

instruit désigne celui qui a beaucoup étudié et dont la mémoire est richement pourvue de notions littéraires, historiques, scientifiques, etc. **Eclairé** dit plus; il s'applique à celui qui connaît ce qu'il faut savoir, tout en ayant en outre l'intelligence nécessaire pour en tirer bon parti. **Calé,** syn. d'*instruit,* est familier. (V. SAVANT.)

instrument désigne l'invention adroite, ingénieuse, dont les arts les plus relevés se servent pour faire des opérations d'un ordre supérieur. **Outil** se dit d'une invention utile, usuelle, simple, qui sert à faire des ouvrages communs : *Le luthier fait des instruments de musique avec des outils.* (A noter que seul le premier de ces termes s'emploie fréquemment au fig., précisément parce qu'il est moins vulgaire). **Ustensile,** nom donné à des objets servant aux usages domestiques et principalement à la cuisine, désigne aussi parfois des instruments propres à certains arts, à certaines professions : *Des ustensiles de jardinage.* **Clou** est populairem. syn. d'*outil* chez les ouvriers.

insuccès. V. ÉCHEC.

insuffisance. V. INAPTITUDE.

insuffler. V. ASPIRER.

insulte. V. INJURE et OFFENSE.

insupportable. V. INTOLÉRABLE.

insurgé. V. RÉVOLUTIONNAIRE.

insurrection. V. RÉVOLTE.

intact. V. ENTIER, PUR et SAUF.

intactile. V. INTOUCHABLE.

intangible. V. INTOUCHABLE et SACRÉ.

intarissable. V. INÉPUISABLE.

intégral. V. ENTIER.

intègre. V. HONNÊTE.

intégrité. V. PURETÉ.

intellect. V. CONCEPTION.

intelligence. V. CONCEPTION et UNION.

intelligent. V. ADROIT.

intelligible. V. COMPRÉHENSIBLE.

intempestif. V. IMPORTUN.

intense. V. EXTRÊME.

intensifier. V. AUGMENTER.

intention. V. BUT et VOLONTÉ.

intercaler, c'est introduire, après coup, une chose entre deux autres, ou bien dans une série. **Interposer,** c'est seulement poser, placer entre ; c'est un terme du lang. didact. **Interpoler** ne se dit qu'en parlant d'un texte, d'un livre, dans lequel on intercale par erreur ou par fraude un mot, une phrase, etc., qui n'en fait pas partie. (V. INTRODUIRE.)

intercéder. V. INTERVENIR.

interdit. V. ANATHÈME, DÉCONCERTÉ et DÉFENDU.

intéressant se dit de ce qui fixe l'attention, de ce qui pique la curiosité, ou qui est de nature à le faire. **Captivant** dit plus ; il convient bien en parlant de ce qui intéresse à un point tel qu'on ne se soucie plus de rien d'autre. **Passionnant** enchérit à son tour sur les termes précédents en ajoutant aux idées qu'ils expriment celle de fougue, d'enthousiasme. (V. ATTRAYANT.)

intéressé désigne, de la façon la plus générale, celui qui agit seulement en vue de son intérêt, de son avantage personnel. **Mercenaire,** qui suppose surtout une infériorité de position, se dit de celui qui se met à la disposition de toute personne qui le paie. **Vénal** est plus péjoratif et exprime une véritable immoralité ; il implique des sentiments vils, une disposition à se vendre soi-même au plus offrant.

V. aussi AVARE.

intéresser, c'est être de quelque importance pour quelqu'un : *Le blé est sans contredit, de toutes les plantes, a dit Bernardin de Saint-Pierre, celle qui nous intéresse davantage.* **Importer,** syn. d'*intéresser,* ne s'emploie qu'à l'infinitif, au part. prés. et aux troisièmes personnes : *Le temps, les lieux, les hommes, les choses, tout ce qui est, tout ce qui sera, importe à chacun de nous, a dit J.-J. Rousseau.* **Chaloir** est un ancien verbe qui n'est plus employé qu'impersonnellement dans des phrases négatives : *Il ne m'en chaut ; Peu me chaut.*

intérêt désigne, d'une façon générale, le profit qu'on retire d'un prêt quelconque et qui peut ne pas être arrivé encore à échéance. **Arrérages,** qui s'emploie toujours au pluriel, se dit seulement de ce qui est échu, souvent depuis quelque temps et en parlant d'un revenu, d'une rente, d'un loyer. **Usure,** qui s'est dit autref. de l'intérêt d'un capital prêté, ne s'emploie plus auj. que péjorativement ; c'est l'intérêt perçu au-delà du taux légal.

V. aussi CURIOSITÉ et SYMPATHIE.

intérieur exprime simplement l'idée d'être placé au-dedans, et non à la surface ou au-dehors. **Intime,** qui enchérit sur *intérieur* et suppose quelque chose placé très au-dedans, ne se dit guère que de certaines choses abstraites, comme la nature, la vie, le bonheur, etc. **Interne,** qui est du langage scientifique, ajoute à *intérieur* l'idée d'occuper une place bien déterminée au-dedans, et souvent très éloignée de la surface ; il convient bien en parlant de ce qui est non seulement caché à nos regards, mais encore difficile à découvrir quand on entre dans les choses mêmes. **Intrin-**

sèque, terme de philosophie et d'économie politique, se dit de ce qui est inhérent et essentiel, de ce qui fait le fond, par opposition à ce qui est accidentel et adventif : *La valeur intrinsèque d'une pièce de monnaie est exactement celle d'un morceau quelconque du même métal ayant le même poids.*

V. aussi DEDANS et MAISON.

intérimaire. V. PASSAGER.

interlope. V. SUSPECT.

interloqué. V. ÉBAHI.

intermède. V. SAYNÈTE.

intermédiaire, terme très général qui se dit substantivement de toute personne entremise, interposée, dont on se sert pour arriver à tel ou tel résultat, a pour syn. **truchement** qui se dit surtout de l'intermédiaire qui a pour tâche d'expliquer, d'interpréter les pensées de quelqu'un.

Intermédiaire, dans le langage commercial a pour syn. **commissionnaire,** qui désigne l'intermédiaire faisant des affaires pour le compte d'un commettant dont il est parfois caution (**ducroire**) envers celui à qui il achète. **Courtier** désigne l'intermédiaire qui se borne à s'entremettre entre les parties, à les mettre en rapport pour qu'elles contractent, et à constater la convention intervenue, sans jamais contracter lui-même, ni en son nom ni au nom de l'une des parties. **Mandataire** est le nom donné au commissionnaire qui reçoit un « mandat », un pouvoir assez étendu de son commettant. (V. REPRÉSENTANT.)

V. aussi ENTREMISE.

intermittent. V. DISCONTINU.

interne des hôpitaux. V. MÉDECIN.

interné. V. FOU et PRISONNIER.

interpeller, c'est adresser la parole à quelqu'un, d'une façon plus ou moins brusque, pour lui demander quelque chose. **Apostropher,** syn. d'*interpeller,* suppose une interpellation vive, peu courtoise, souvent même un trait mortifiant, injurieux. **Appeler,** c'est simplement inviter quelqu'un à venir ou à prêter attention, au moyen d'une parole, d'un cri, voire d'un signe quelconque; il n'emporte pas l'idée de brusquerie qui domine *interpeller.* **Héler** (du verbe angl. *to hail,* appeler), terme de mar. qui implique un appel lancé à un navire, à une embarcation, au moyen d'un porte-voix, signif. aussi, par ext. et dans le langage courant, appeler de loin.

interpoler, interposer. V. INTERCALER.

interprète. V. ACTEUR et TRADUCTEUR.

interpréter. V. EXPLIQUER.

interroger. V. DEMANDER.

interrompre suppose une contrainte extérieure; c'est ne plus faire quelque chose pour un temps, parce qu'on en est empêché par une cause quelconque: *Maladie qui oblige à interrompre le travail.* **Cesser,** c'est simplement ne pas continuer, abandonner une chose qu'on avait commencée, cela volontairement : *On cesse son travail pour aller déjeuner.* **Arrêter,** syn. de *cesser* dans ce sens, est d'un emploi particulièrement fréquent à l'impératif : *Arrêtez de travailler, nous allons sortir.* **Discontinuer** implique abandon momentané à la suite de l'action; c'est cesser pour quelque temps, avec l'intention de reprendre la chose plus tard : *On discontinue un travail pendant quelques mois, faute de persévérance.* **Suspendre** n'implique pas d'une façon aussi nette que *discontinuer* l'idée d'arrêts et de reprises plus ou moins régulières : *La suspension d'un travail peut être très longue, unique et même définitive.*

interruption, qui est un terme du langage courant, suppose la cessation brusque ou accidentelle, et sans périodicité, de quelque chose qui reprend ou continue ensuite. **Intermittence** est un terme didactique qui se dit de ce qui discontinue et reprend par intervalles; il implique le plus souvent un état d'une certaine durée. **Intermission,** syn. d'*intermittence,* n'est guère usité qu'en médecine.

interstice, intervalle. V. ESPACE.

intervenir, c'est prendre part à une affaire, une discussion, même sans y être convoqué, en général pour en modifier la gestion, pour agir comme médiateur ou pour y mettre fin. **Intercéder** emporte l'idée de sollicitation, de prière en faveur de quelqu'un, que n'implique pas *intervenir;* c'est excuser une personne auprès d'une autre, demander grâce pour elle. **S'entremettre,** c'est simplement s'employer pour le succès d'une affaire qui intéresse d'autres personnes.

intervertir. V. DÉPLACER.

interview. V. CONVERSATION.

intestin, qui désigne proprement le conduit tubulaire logé dans la cavité abdominale et dans lequel passent les produits de la digestion stomacale, est un terme d'anatomie, que l'on emploie de préférence et particulièrement au singulier en parlant de l'homme. **Boyau** est du langage vulgaire et se dit surtout des intestins des animaux. **Tripe,** qui s'emploie généralement au pluriel, se dit soit des boyaux, soit de l'estomac d'un animal considéré comme un aliment; appliqué à l'homme, il est — comme *boyau* — plutôt trivial. **Entrailles,** employé toujours au pluriel, est le nom que l'on donne non seulement aux intestins proprement dits, mais encore aux parties enfermées dans le tronc de l'homme et des animaux (poumons, cœur, foie, rate) ; il marque en outre, au fig., les sentiments d'affection dont le cœur est le siège. **Viscère** est le nom générique des organes principaux situés dans les grandes cavités du corps, particulièrement dans l'abdomen.

intime. V. INTÉRIEUR.

intimer. V. NOTIFIER.

intimider, c'est enlever l'assurance, la hardiesse, en inspirant la crainte de soi. **Troubler** enchérit sur *intimider;* c'est intimider au point d'altérer la mémoire, le jugement, et ôter ainsi la présence d'esprit nécessaire : *On ne saurait cacher que l'on est troublé par la présence de quelqu'un, alors qu'on peut ne pas laisser voir que celle-ci vous intimide.*

intimité suppose une liaison étroite entre personnes éprouvant les unes pour les autres une affection très forte jointe à une confiance réciproque, une liberté d'expression qui n'exclut pas le respect, la déférence. **Familiarité,** qui se dit d'une grande intimité, implique des manières assez libres, trop libres souvent même.

intolérable, qui se dit de ce que l'on ne peut permettre, contre quoi notre conscience se révolte, convient bien en parlant de ce qui est déplaisant, désagréable, au point de ne pouvoir être un seul instant accepté. **Insupportable** dit moins; il désigne simplement ce que l'on ne peut endurer parce que contraire à notre bien-être ou à notre quiétude : *Ce ne sont pas les besoins du corps, a dit Bernardin de Saint-Pierre, qui sont les plus insupportables; ce sont les peines de l'âme qui sont intolérables, c'est le mépris, c'est l'abandon.*

intolérant. V. FANATIQUE.

intouchable est le terme du langage ordinaire qui se dit de ce qui ne peut être touché : *Les parias de l'Inde sont des intouchables.* **Intangible** est le terme didactique qui s'applique à ce qui échappe au sens du toucher : *Les atomes sont intangibles.* **Intactile,** qui vieillit, dit plus; il s'applique à ce qui échappe non seulement au toucher, mais aussi au tact, c'est-à-dire au sens qui reçoit l'impression des objets, y compris la vue, l'ouïe, le goût et l'odorat : *L'âme est intactile.*

intoxiquer. V. EMPOISONNER.

intraitable se dit de celui avec qui l'on ne peut traiter sur une chose déterminée, soit parce qu'il n'admet pas la discussion, soit parce qu'il est fermement décidé à ne pas se laisser fléchir. **Intransigeant** se dit surtout de celui qui est intraitable sur les règles, les principes. **Irréductible,** syn. d'*intransigeant,* est du langage relevé; il désigne plutôt celui qu'il est impossible de faire fléchir par des arguments.

intransigeant. V. INTRAITABLE.

intrépidité. V. HARDIESSE.

intrigant désigne celui qui emploie sous main tous les ressorts, tous les moyens, licites ou non, nécessaires pour atteindre son but. **Arriviste** se dit bien d'un intrigant, d'un ambitieux sans scrupules, qui veut « arriver », réussir à tout prix, surtout dans les affaires ou bien en politique. **Aventurier,** syn., dans son acception la plus commune, d'*intrigant,* se dit aussi, dans un sens moins péjoratif, de celui qui aime les entreprises hardies et dangereuses, et qui s'y engage volontiers; on dit encore parfois dans ce sens, **condottiere.** **Rastaquouère,** ou plus couramment **rasta,** nom donné à un étranger qui étale un luxe suspect, se dit aussi de tout aventurier, d'un intrigant dont on ne connaît pas les moyens d'existence. **Faiseur,** syn. d'*intrigant,* est moins du langage courant. (V. ESCROC et PIRATE, sens figuré.)

intrigue se dit de la conduite détournée d'une ou de plusieurs personnes qui cherchent à parvenir ou à supplanter leurs adversaires par d'obscures manœuvres : *L'intrigue, secrète et ténébreuse, embrasse toutes sortes de mauvais desseins.* **Trame** suppose une intrigue extrêmement compliquée, que l'on a longuement et subtilement ourdie : *La trame criminelle des méchants.* **Cabale** implique une intrigue à laquelle concourent plusieurs individus, laquelle peut avoir recours à la violence et même être bruyante : *La cabale réunit les efforts de plusieurs personnes pour en perdre une autre.* **Brigue** désigne l'intrigue par laquelle, dans un but d'ambition, on met plusieurs personnes dans ses intérêts : *La brigue tend à obtenir ou à faire obtenir des places, des honneurs, etc.* (V. COMPLOT.)

V. aussi TRAME.

Intrigues. V. AGISSEMENTS.

intrinsèque. V. INTÉRIEUR.

introduction. V. PRÉFACE.

introduire, c'est faire entrer une chose dans une autre. **Glisser,** c'est introduire doucement et furtivement. **Fourrer,** introduire comme dans un « fourreau », est familier et se prend souvent en mauv. part **Insérer,** c'est introduire une chose dans une autre, mais de façon à ce qu'elle forme un tout avec elle; il convient bien en parlant de livres ou d'écrits. **Inclure,** syn. d'*insérer,* n'est guère usité qu'au part. passé et le plus souvent précédé de « ci ». **Encarter** est un terme de reliure ou d'imprimerie; c'est soit insérer un carton dans une feuille, soit un prospectus, un catalogue, etc., dans un livre, une revue. (V. INTERCALER.)

Introduire, c'est aussi, en parlant des personnes, donner accès dans le monde, dans un salon, en présentant une fois, en faisant connaître et admettre. **Produire,** c'est non seulement introduire une personne dans le monde, mais l'y conduire plusieurs fois, en faisant tout ce qui est nécessaire pour lui assurer du succès.

S'introduire. V. ENTRER.

intrus. V. IMPORTUN.

intuition. V. PRESSENTIMENT.

inusité, terme du langage courant, se dit de ce qu'on ne fait guère, de ce qu'on n'emploie presque jamais. **Insolite** (lat. *insolitus,* non accoutumé) désigne ce qui est contraire à l'usage, aux règles établies; il s'emploie moins couramment qu'*inusité* et emporte souvent une idée défavorable de surprise, d'étrangeté, d'irrégularité, que n'implique pas son synonyme.

inutile se dit de tout ce qui ne sert à rien, n'offre aucune utilité, qui ne rapporte aucun profit, aucun avantage; il convient bien en parlant des choses auxquelles on ne trouve aucune application. **Vain** s'applique à ce qui est, contre tout espoir, sans effet, qui ne produit rien, et qui, par cela même, est inutile; il regarde surtout l'âme, ses sentiments, ses dispositions : *Jean-Jacques Rousseau aimait à affirmer qu'il n'avait pas la vaine curiosité d'éclaircir des questions inutiles.* **Superflu** est dominé par l'idée de surabondance; il se dit de ce qui est de trop et, par ce fait, inutile : *Ce qui est superflu, dit Lafaye, ne fait pas ou ne fait plus besoin; on s'en passera bien ou l'on s'en est passé.* **Oiseux,** syn. de ces termes, convient bien en parlant de ce qui, de son fait, ne saurait avoir de résultat . *Des questions oiseuses sont des questions qui ne peuvent pas susciter des réponses utiles.*

invalider. V. ANNULER.

invasion. V. INCURSION.

invective. V. INJURE.

invectiver, c'est proférer des expressions injurieuses contre quelqu'un ou quelque chose; il suppose un discours amer et violent. **Fulminer,** c'est invectiver contre quelqu'un avec menaces. **Tempêter** est dominé par l'idée de bruit; c'est invectiver bruyamment, par mécontentement ou colère. **Tonner,** c'est invectiver avec beaucoup de force et de véhémence; il suppose généralem. un ressentiment, une indignation véhémente contre quelqu'un ou quelque chose. **Pester** est familier; il suppose que l'on manifeste sa mauvaise humeur, le mécontentement qu'on a de quelqu'un ou de quelque chose, par des paroles aigres ou injurieuses. (V. CRIER et INJURE.)

inventaire. V. DÉNOMBREMENT et LISTE.

inventer, c'est créer une chose qui n'existait pas; il suppose un acte ingénieux de l'esprit, de l'imagination, qui crée un objet nouveau. **Imaginer** n'implique pas la création, la réalisation, comme *inventer : On invente un appareil; on imagine une théorie.* **Découvrir** s'applique aux choses qui étaient cachées, secrètes, inconnues, et suppose une recherche : *On découvre une île.* (A noter qu'on a employé aussi, dans ce sens, *inventer;* on appelle d'ailleurs encore « inventeur » celui qui trouve un objet perdu.) **Trouver,** c'est apercevoir et remarquer une chose qui existait déjà : *On trouve la solution d'un problème, mais on invente une nouvelle solution d'un problème.* (V. CRÉER.)

Inventer, c'est aussi présenter comme réelle une chose qu'on a créée de toutes pièces : *On invente une fausseté, une calomnie.* **Imaginer,** c'est bâtir dans son esprit une histoire, une trame quelconque, sans pour cela la donner comme réelle : *Imaginer de belles aventures.* **Controuver,** c'est inventer une fausseté, principalem. dans le dessein de nuire à quelqu'un; il s'emploie surtout au part. passé : *Un fait controuvé est un fait médité, imaginé, concerté pour arriver à un but.* **Forger** est fam.; c'est inventer de façon abstraite ou concrète: *On forge des systèmes, des nouvelles, et aussi des documents, un ouvrage apocryphe.* **Fabriquer** se rapporte surtout à la façon d'inventer et s'emploie de préférence, si nous en croyons Lafaye, quand on veut marquer le temps, le mode ou l'auteur de la « fabrication » : *Il est des gens qui fabriquent des nouvelles à plaisir.* **Broder** est familier et dit moins; ce n'est pas inventer, imaginer entièrement, mais seulement amplifier un récit en y ajoutant des détails, des circonstances plus ou moins imaginées, plus ingénieuses que vraies, qui ont pour but de le rendre plus intéressant, plus attrayant : *Il a très joliment brodé cette petite histoire.*

invention, terme de littérature et de beaux-arts, désigne la partie de la composition qui consiste à imaginer le sujet et à créer ses développements : *L'invention est surtout essentielle au théâtre.* **Fiction** se dit d'une invention fabuleuse, d'une production des arts qui n'a pas de modèle complet dans la nature : *Les fictions de la mythologie.*

V. aussi DÉCOUVERTE.

inventorier. V. COMPTER.

inverse. V. OPPOSÉ.

inverser. V. DÉPLACER.

investigation. V. RECHERCHE.

investir. V. CERNER et POURVOIR.

inviolable. V. SACRÉ.

invisible. V. IMPERCEPTIBLE.

invité. V. CONVIVE.

inviter, c'est, d'une façon générale, prier de venir en un lieu, d'assister à; il suppose toujours quelque chose d'assez solennel, de cérémonieux. **Convier,** qui signifie littéralement inviter à un repas, s'applique à d'autres objets et implique une sorte d'intimité : *C'est la politique ou les simples convenances qui invitent, mais c'est l'affection, l'amitié qui convie.* (*Inviter* et *convier* s'employant souvent quand il s'agit de repas ou de manifestations quelconques, ont alors pour syn. **prier à,** qui implique une invitation officielle, et **prier de,** qui suppose une invitation beaucoup moins cérémonieuse.) **Engager** laisse entendre qu'on expose les raisons qui doivent déterminer à agir : *On engage un camarade à dîner pour y retrouver d'autres amis.* **Induire** se prend presque toujours en mauv. part : *On induit à faire ce qui sera nuisible.*

V. aussi CONVOQUER.

involontaire. V. MACHINAL.

invoquer. V. ÉVOQUER et PRIER.

invraisemblable se dit de ce qui n'a pas l'apparence de la vérité, parce que contraire à la raison, tout en pouvant cependant être vrai. **Inimaginable** emporte la même idée qu'*invraisemblable,* mais relativement à l'imagination au lieu de la raison. **Incroyable** convient bien en parlant de ce qui est invraisemblable surtout parce qu'extraordinaire, excessif. **Inouï** suppose quelque chose d'étrange, de singulier; c'est ce qui est tel qu'on n'a jamais rien « ouï », entendu de semblable. **Paradoxal** concerne ce qui est invraisemblable parce que contraire à l'opinion commune ou aux idées reçues. **Rocambolesque** se dit de ce qui tient, par ses invraisemblances, des aventures du héros de Ponson du Terrail, Rocambole. **Ebouriffant** est un synonyme plutôt familier d'*incroyable*. (V. ÉTONNANT et INCOMPRÉHENSIBLE.)

irascible. V. COLÉREUX.

ire. V. COLÈRE.

ironie. V. RAILLERIE.

irraisonnable, irrationnel. V. DÉRAISONNABLE.

irréductible. V. INTRAITABLE.

irrégulier est un terme très général qui s'applique à ce qui n'est pas conforme aux règles établies comme aux objets dont les parties devraient avoir ensemble des rapports réguliers, alors qu'elles ne les ont pas. **Biscornu** se dit de ce qui a une forme irrégulière, ordinairement par le fait du hasard. **Anormal** désigne ce qui est irrégulier parce que contraire aux règles et dépassant la commune mesure. **Anomal,** terme didactique, suppose quelque chose d'exceptionnel qui s'écarte de la règle ou du fait habituel. (V. BIZARRE et INÉGALITÉ.)

irréligieux désigne simplement celui qui n'a pas de conviction religieuse. **Incroyant** implique l'absence de foi. **Incrédule** se dit de celui qui rejette telles révélations, telles vérités, sans pour cela être hostile délibérément à la religion. **Athée** est le nom que l'on donne à celui qui nie l'existence de Dieu, sans plus. (On dit aussi, parfois, **sans-Dieu.**) **Libre penseur** désigne celui qui s'est affranchi de tout dogme religieux. **Mécréant,** syn. de *libre penseur,* est péjoratif : *Le mécréant s'affranchit des devoirs moraux que le libre penseur accepte souvent.* **Libertin** est un syn. vieilli de *libre penseur.* **Impie** s'applique à celui qui met son plaisir à attaquer la religion, et même à blasphémer contre la Divinité : *On peut être impie, même quand on croit, si on est animé de sentiments de révolte qui font fouler aux pieds les croyances.* **Antireligieux** désigne celui qui non seulement attaque la religion, mais encore combat la foi chez les autres. **Antéchrist,** nom donné proprement au personnage mystérieux qui, suivant l'Apocalypse, doit venir quelque temps avant la fin du monde pour remplir la terre de crimes et d'impiété, et enfin être vaincu par le Christ lui-même, s'emploie parfois aussi, figurément et substantivement, pour désigner un athée, un impie. **Parpaillot,** sobriquet donné aux calvinistes, est quelquefois usité aussi, par ext. et familièrement, comme synonyme d'*irréligieux.*

irrépréhensible. V. IRRÉPROCHABLE.

irréprochable se dit de ce qui ne mérite pas de reproche, de ce qui ne donne pas motif à reprendre, surtout relativement à la tenue, à la conduite que l'on doit avoir vis-à-vis d'autrui; il n'implique pas l'incapacité de pécher, mais la volonté de ne pas le faire. **Irrépréhensible,** qui s'applique à ce qui est sans défaut, accompli, enchérit sur *irréprochable;* il suppose non seulement l'absence de défauts, mais encore la possession de qualités qui valent de servir d'exemple : *Un militaire qui n'enfreint jamais la discipline et ne commet pas de fautes graves, est irréprochable; Un saint prêtre, modèle de toutes les vertus, est irrépréhensible* (*Lafaye*). **Impeccable** est un terme de théol. qui désigne celui qui est incapable de pécher : *Il n'y a que Dieu qui soit impeccable par nature; la Vierge n'a pu être impeccable que par grâce;* — il s'emploie aussi dans le langage courant en parlant de celui qui est incapable de faillir et, par ext., de ce qui est absolument régulier, correct : *Les supérieurs ne sont point impeccables, non plus que les inférieurs, a dit Bourdaloue; Vers d'une forme impeccable.*

irrésolution. V. INDÉCISION.

irrigation. V. ARROSAGE.

irriguer. V. ARROSER.

irritable. V. SUSCEPTIBLE.

irriter, c'est provoquer de la colère, sans pour cela faire perdre le sang-froid. **Exacerber** dit plus; c'est pousser à un très haut degré d'irritation. **Exaspérer,** c'est irriter violemment, au point de faire perdre le contrôle de soi-même; il suppose le plus souvent une idée de répétition dans l'irritation, d'impuissance à prendre sa revanche. **Excéder,** c'est exaspérer jusqu'à dépasser la limite de ce que quelqu'un peut supporter. **Horripiler,** c'est excéder par son insistance, et cela jusqu'à ébranler le système nerveux. (V. ÉNERVER, ENNUYER et FÂCHER.)

V. aussi OFFENSER.

irruption. V. INCURSION.

isolé, comme **écarté** et **retiré,** marque l'éloignement des voies fréquentées, mais non le manque d'habitants : *Une ferme isolée dans la campagne.*

V. aussi INHABITÉ et SEUL.

isoler. V. ÉCARTER.

israélite désigne celui qui appartient à la religion judaïque, sans la moindre idée péjorative, alors que **juif** concerne surtout la race et se prend souvent en mauvaise part. **Hébreu** est syn. d'*israélite* dans le langage biblique. **Sémite,** qui — employé au pluriel — désigne proprement la famille ethnographique et linguistique comprenant les divers peuples parlant ou ayant parlé l'araméen, le syrien, le chaldaïque, l'assyrien, l'hébreu, l'arabe, l'himyarite, s'applique aussi parfois, dans le langage courant, aux Hébreux seuls et même aux israélites actuels considérés plus dans leur race que dans leur religion : il est alors à l'origine des expressions : *philosémite, antisémite,* etc. **Youdi, youpin, youtre** sont populaires et toujours péjoratifs, ainsi que **polaque** (ou **polak**) appliqué à un juif polonais. **Guinal** est un terme d'argot peu usité.

issue. V. RÉSULTAT et SORTIE.

ivraie appliqué à une mauvaise plante qui pousse parmi les céréales, a pour synonyme biblique **zizanie.**

ivre se dit, au propre, de celui qui est pris de boisson, et **soûl,** plus familier et plus péjoratif, de celui qui en est gorgé : *L'homme ivre chancelle, ses idées sont plus ou moins troublées; L'homme soûl tombe dans un coin, il n'a plus ses idées.* **Eméché,** familier, dit moins; il implique seulement un état voisin de l'ivresse; on dit aussi, dans ce sens, **gris** et **pompette. Brindezingue, noir, paf** et **rond,** syn. populaires d'*ivre,* s'emploient surtout dans les loc. : *Etre brindezingue, en brindezingue, dans les brindezingues; Etre noir; Etre paf; Etre rond.* **Schlasse** est de l'argot. — Au fig., IVRE et SOÛL ont des acceptions très différentes, le premier se prenant quelquefois en bonne part pour marquer le transport de la joie, et le second ne s'employant que pour exprimer le dégoût, l'ennui : *On est ivre de gloire quand on a l'esprit troublé, exalté par la passion de la gloire, et l'on est soûl de gloire quand on en est saturé, rassasié.*

ivresse désigne l'état d'une personne dont la raison est plus ou moins troublée par les fumées du vin ou d'une liqueur spiritueuse. **Ebriété** suppose plutôt une légère ivresse. **Enivrement** est un syn. peu usité d'*ivresse.* **Cuite** est populaire. (V. IVRE et IVROGNE.)

V. aussi VERTIGE.

ivrogne désigne celui qui, ayant l'habitude de s'enivrer ou de boire avec excès, du vin surtout, dissimule difficilement son vice. **Alcoolique** est moins péjoratif, et se dit aussi et surtout de celui qui, sans forcément s'enivrer, fait abus d'une façon habituelle de boissons alcooliques. **Ethylique,** syn. d'*alcoolique* en physiologie, s'emploie aussi parfois, dans le langage choisi, par euphémisme. **Dipsomane** est un terme médical qui sert à désigner un malade chez qui le besoin de boire avec excès des boissons alcoolisées se manifeste par intermittence avec la violence d'une impulsion irrésistible. **Pochard, poivrot, soûlard, soûlaud, boitout** (celui-ci peu us.), syn. d'*ivrogne,* sont populaires. **Imbriaque** est vieux.

J

jaboter. V. BAVARDER.

jacasse. V. BABILLARD.

jacasser. V. BAVARDER.

jachère désigne une terre labourable qu'on laisse temporairement sans produire de récolte. **Guéret** s'applique plus généralement à une terre labourée mais non ensemencée, bien qu'il se dise parfois aussi d'une terre laissée en jachère. **Friche** se dit de terrains peu étendus jamais cultivés ou restés longtemps sans culture, mais qui pourraient être rendus productifs si l'on se donnait la peine d'enlever les mauvaises herbes, les racines, les pierres, etc., qui les couvrent. (V. LANDE.)

jacter. V. PARLER.

jadis. V. ANCIENNEMENT.

jaillir désigne l'action d'un liquide, d'un fluide ou, par ext., d'un solide qui s'élance avec impétuosité et pour lequel le mouvement semble être quelque chose de naturel; il marque une action simple, absolue et directe. **Rejaillir** exprime l'action de jaillir plusieurs fois et de divers côtés; il se dit d'un liquide, d'un fluide ou d'un solide qui est renvoyé, repoussé, réfléchi : *Le liquide d'un jet d'eau jaillit en s'échappant d'un ajutage, puis, se divisant en filets différents, comme une gerbe, rejaillit sur divers points du bassin.* **Gicler,** c'est rejaillir de manière à éclabousser : *Voitures qui font gicler de la boue sur les passants.* **Saillir,** dans le sens de *jaillir,* n'est guère usité auj.; il ne peut s'employer d'ailleurs qu'en parlant des liquides qui jaillissent, sortent avec impétuosité et par secousses : *Quand Moïse frappa le rocher, il en saillit une source d'eau vive.* (V. SORTIR.) — Au fig. : *Les idées jaillissent d'un esprit fécond, d'une bouche éloquente; La gloire d'un grand homme rejaillit sur la ville qui lui a donné le jour.*

jaillissement. V. ÉRUPTION

jalousie. V. ENVIE et VOLET.

jambe est le terme qui sert à désigner la partie du membre inférieur de l'homme qui continue la cuisse du genou jusqu'au pied, et, par ext., le membre entier. **Patte,** syn. de *jambe* appliqué à l'homme, est familier; **fumeron, gambette, gigue, guibole** et **quille** sont populaires, ainsi que **flûte** qui s'emploie surtout au pluriel et implique des jambes longues et minces.
V. aussi PATTE.

jappement. V. ABOIEMENT.

jardin est le nom donné à un lieu ordinairement clos, planté soit de végétaux utiles, soit de végétaux d'agrément. **Parc** se dit d'un grand jardin d'agrément, privé ou public, qui peut comprendre des bois, des prairies, et souvent aussi des pièces d'eau. **Square** (mot angl. signifiant pièce carrée) désigne un petit jardin d'agrément, public, en général établi au milieu d'une place et entouré d'une grille. (V. TERRE.)

jardinage, qui désigne l'art de cultiver les jardins, se dit auj. surtout de la culture des plantes potagères. **Horticulture,** qui désigne proprement aussi l'art de cultiver les jardins, s'emploie plus spécialement auj. en parlant de la culture des fleurs. **Culture maraîchère** se dit de la culture intensive des plantes potagères qui se pratique surtout aux alentours des grandes villes. **Maraîchage** est un terme employé quelquefois (par assimilation avec *jardinage*) comme synonyme de *culture maraîchère.*

jargon désigne le langage d'une personne qui emploie des expressions recherchées, qui arrange les mots d'une façon bizarre, qui affecte des locutions ou des tours extraordinaires. **Argot,** est le nom que l'on donne au vocabulaire particulier d'un petit groupe social, dont quelques termes du reste peuvent à l'occasion passer dans le langage général. **Langue verte** est un terme artificiel et quelque peu flottant qui s'applique, de nos jours, à un ensemble de locutions imagées, tirées du vocabulaire des halles, des faubourgs, des ateliers. **Javanais** désigne spécialement le langage plaisamment conventionnel qui consiste à intercaler dans les mots les syllabes « va » ou « av », de manière à ne pas être compris de ceux qui ne sont pas initiés à cette façon de parler. **Largonji** (beaucoup plus rare et purement argot.) se dit aussi d'un argot composé de mots déformés, mais cette fois par la substitution de la lettre « l » à la consonne initiale, le transport de cette initiale à la fin du mot, et par l'addition des désinences « em », « é », « i », « oque », « uche », « ard », etc. (C'est ainsi que *largonji,* d'après ce procédé, n'est autre chose que le mot *jargon* lui-même.) **Bigorne** est un syn. vieilli d'*argot.* **Narquois** est vieux aussi; c'est particulièrem. le nom que l'on donnait au XVIIe siècle au jargon qu'employaient entre eux les voleurs et les escrocs. **Sabir,** qui se dit d'un mélange d'arabe, de français, d'italien, d'espagnol, parlé en Algérie et dans le Levant, par les marins, les marchands, etc., est le nom que l'on donne aussi parfois à tout langage factice composé d'éléments variés. (V. LANGUE.)

V. aussi GALIMATIAS.

jaser. V. BAVARDER.

jasper. V. BARIOLER.

jaspiner. V. BAVARDER.

jaspineur. V. BABILLARD.

javanais. V. JARGON.

javeline. V. FLÈCHE.

javelle. V. FAGOT.

javelot. V. FLÈCHE.

jérémiade. V. PLAINTE.

jésuitisme. V. FAUSSETÉ.

jetée. V. DIGUE.

jeter, pris dans son sens le plus général, exprime simplement l'idée de diriger vivement et sans précaution sur : *On jette un objet sur le sol.* **Lancer,** c'est jeter en avant, avec assez de force pour atteindre le but visé : *On lance une pierre sur quelqu'un.* **Projeter,** c'est jeter en avant ou en l'air, naturellement ou volontairement : *Par la force d'une explosion, les corps environnants sont souvent projetés fort loin.* **Flanquer** est familier; c'est jeter, lancer rudement : *On flanque quelque chose par terre.*

Jeter emporte aussi, plus spécialement l'idée de se débarrasser : *On jette des fruits gâtés, des papiers compromettants.* **Rejeter,** pris dans ce sens, c'est soit jeter à sa place antérieure, soit jeter en renvoyant hors de soi : *On rejette dans l'eau un poisson trop petit; On rejette la nourriture prise.* **Balancer,** syn. de *jeter,* est très fam. : *On balance ce dont on ne veut plus.* (V. REPOUSSER.)

jeter à bas. V. RENVERSER.

jeter son dévolu sur. V. CHOISIR.

jeton de présence. V. RÉTRIBUTION.

jeu. V. RÉCRÉATION.

jeune, jeune homme. V. ADOLESCENT.

jeûne est un terme général qui désigne la privation volontaire d'aliments pendant un temps déterminé, laquelle est faite soit en vue d'un résultat hygiénique ou thérapeutique, soit par esprit de mortification. **Diète** n'est syn. de *jeûne* que dans son premier sens. **Inédie** est un terme du langage médical, auj. d'ailleurs à peu près inusité. — **Abstinence** s'emploie spécialement pour désigner la privation de la viande et des aliments gras prescrite par l'Eglise catholique à certains jours, laquelle n'implique toutefois pas le jeûne absolu. **Carême** se dit de l'abstinence obligatoire qui, pour les catholiques, dure quarante-six jours, depuis le mercredi des Cendres jusqu'au jour de Pâques.

jeunesse désigne l'âge de la vie qui suit la première enfance : de sept ans environ à vingt-cinq ans pour les femmes et trente ans pour les hommes, si nous en croyons les biologistes. **Adolescence** s'applique seulement à une période de la jeunesse qui va de douze à vingt ans pour les femmes et de quatorze à vingt-deux ans pour les hommes; il attire particulièrement l'attention sur les transformations psychologiques et corporelles qui se produisent entre l'enfance et l'âge adulte (v. NUBILITÉ). **Juvénilité** est le nom que l'on donne à l'état de celui qui est ou demeure jeune : *On peut, après avoir franchi le cap de la jeunesse, conserver de nombreuses années encore une grande juvénilité.*

jiu-jitsu. V. LUTTE.

joaillier. V. BIJOUTIER.

jobard, jocrisse. V. NIAIS.

joie implique une émotion délicieuse et difficile à cacher, ressentie en général lorsque nos désirs s'accomplissent, ou lorsqu'un événement heureux nous arrive. **Plaisir** se rapporte surtout à l'esprit et peut être personnel, voire caché : *On éprouve du plaisir et non de la joie à la lecture d'un bon livre; On éprouve de la joie et non du plaisir lorsqu'on échappe à un danger.* **Contentement** se rapporte à l'âme, à la sensibilité; il implique une joie calme d'une certaine durée, et suppose presque de la félicité. **Satisfaction** marque un état de joie, de plaisir moins vif, plus relatif, plus objectif, et se rapporte plutôt au goût ou à l'esprit. **Allégresse** enchérit sur *joie;* il se dit d'une joie vive, expansive, bruyante, le plus souvent publique, qui se manifeste, qui éclate au dehors et qui est en général communicative. **Liesse** ne s'applique qu'à une joie débordante et collective, et s'emploie seulement avec la préposition « en » : *Un peuple, une foule en* *liesse.* **Jubilation** suppose une joie, une allégresse extrême, laquelle peut être intérieure, bien qu'on ait toujours beaucoup de mal à la dissimuler. (V. BONHEUR et EUPHORIE.)

V. aussi GAIETÉ et PLAISIR.

joignant. V. PROCHE.

joindre, c'est, d'une façon générale, approcher deux choses en sorte qu'elles se touchent ou qu'elles se tiennent. **Accoupler,** c'est joindre ensemble deux à deux. **Jumeler,** c'est accoupler deux objets semblables et semblablement disposés. **Abouter,** c'est joindre par les deux bouts. **Aboucher,** syn. d'*abouter,* est moins usité. **Ajointer** est du langage technique. **Raccorder,** c'est joindre par une liaison quelconque des parties séparées ou dissemblables, ou qui faisaient disparates.

Joindre, c'est aussi ajouter une chose à une autre, qu'il y ait entre celles-ci égalité ou non, de manière qu'elles fassent un tout. **Rattacher,** c'est joindre une chose à une autre principale, pour qu'elle en dépende. **Annexer,** syn. de *rattacher,* est un terme jurid. ou relevé.

V. ABORDER, ASSEMBLER et REJOINDRE.

jointure. V. ARTICULATION.

joli. V. BEAU.

jonc. V. ANNEAU.

joncher. V. RECOUVRIR.

jonction fait penser au rapprochement des choses qui se sont jointes, alors qu'elles étaient d'abord séparées. **Union** exprime l'état de choses différentes qui se trouvent bien ensemble : *On dit la jonction des armées et l'union des couleurs.* (A noter que si *union* s'emploie souvent au figuré, on ne se sert de *jonction* que dans le sens littéral.)

jongleur. V. TROUBADOUR.

joufflu. V. BOUFFI.

joug. V. SUBORDINATION.

jouissance désigne l'usage d'une chose dont on tire des profits, des avantages; il emporte l'idée de satisfaction, de bonheur. **Possession** est dominé par l'idée de richesse; il se dit de la faculté actuelle de disposer en fait d'un bien, sans impliquer toujours pour cela qu'on puisse en jouir : *Ayant la possession d'un beau tableau, un aveugle n'en aura malheureusement jamais la jouissance.* **Propriété** implique une possession non seulement de fait, mais de droit : *Il faut bien distinguer la possession, qui n'est que l'effet de la force ou le droit du premier occupant, de la propriété, qui ne peut être fondée que sur un titre positif, a dit J.-J. Rousseau.* **Usufruit** est plus partic.; c'est un terme de jurisprudence qui désigne la jouissance des fruits, du revenu d'une terre, des intérêts d'un capital, dont la propriété appartient à un autre : *En cas d'usufruit, le propriétaire ne conserve que la nue propriété, l'usage, la jouissance appartenant à un autre.* **Usage** diffère dans ce sens d'*usufruit,* en ce que celui qui n'a que l'usage d'une chose peut se servir seulement de cette chose pour son utilité, sans pouvoir la louer, la céder gratuitement, ni vendre les fruits superflus, au lieu que l'usufruitier peut vendre ces derniers, et céder gratuitement ou louer à un autre l'usage de la chose dont il a l'usufruit : *Le droit d'usage peut dériver de la loi, de la convention, ou d'une possession suffisante pour prescrire.*

V. aussi PLAISIR.

jour, qui est absolu, exprime surtout une unité de temps qui sert à mesurer la vie de l'homme ou celle du monde lui-même : *La semaine se compose de sept jours.* **Journée** est relatif et s'applique de préférence à l'emploi qu'on fait de ce jour, à la série des événements qui le remplissent : *La journée, espace de temps qui s'écoule depuis l'heure où l'on se lève jusqu'à celle où l'on se couche, est d'une durée excessivement variable.*

Jours. V. VIE.

jour (point et **pointe du).** V. AUBE.

journal se dit particulièrement d'une publication quotidienne ou périodique donnant les nouvelles et les accompagnant ou non d'articles raisonnés sur la politique, les lettres, les arts, les sciences, etc. **Gazette,** nom donné aux premiers journaux, emporte souvent auj. un sens quelque peu péjoratif, sauf quand il est conservé comme titre du journal (« La Gazette des Tribunaux », par ex.). **Organe,** employé dans le sens de *journal,* attire l'attention sur l'instrument, le moyen d'action que la publication représente pour exprimer ses volontés ou manifester ses opinions. **Feuille,** syn. de *journal,* est familier, cependant que **feuille de chou,** qui se dit familièrement et populairement d'un journal sans importance et sans crédit, est nettement péjoratif. **Canard** est un terme d'argot généralement péjoratif.

journaleux. V. JOURNALISTE.

journalier se dit de ce qui arrive à peu près tous les jours, ou bien de ce qui est observé tous les jours, mais avec des changements qui peuvent être considérables. **Quotidien** a une signification beaucoup plus précise ; il ne se dit que des choses qui arrivent, qui paraissent ou dont on a besoin tous les jours régulièrement : *Nous demandons à Dieu notre pain quotidien, parce que nos besoins, soit temporels, soit spirituels, renaissent chaque jour; mais on fait quelquefois trêve à ses occupations journalières pour se reposer ou se distraire.* **Diurne** est un mot didactique qui désigne ce qui revient régulièrement chaque jour et en occupe toute la durée, soit qu'on entende par là une révolution de vingt-quatre heures, soit qu'on ne désigne que la partie de cette révolution pendant laquelle le soleil est au-dessus de l'horizon : *Le mouvement diurne de la terre.*

journaliste est le nom que l'on donne couramment auj. à celui dont la profession est d'écrire dans les journaux. **Rédacteur,** qui est plus général et se dit de toute personne qui met par écrit, en bon ordre, dans un style clair et convenable, des lois, des règlements, des décisions, des résolutions prises dans une assemblée, ou les matériaux d'un ouvrage, ou encore les idées fournies en commun pour quelque écrit que ce soit, désigne aussi, dans un sens particulier, tout collaborateur régulier d'un journal, d'une revue. **Publiciste,** après avoir désigné jadis celui qui écrivait sur le droit public, se dit auj. surtout du journaliste qui écrit sur les matières politiques et sociales, et même, abusivement, sur toutes les matières non littéraires. **Nouvelliste,** dans ce sens peu usité, ne se dit guère que du rédacteur d'anecdotes, d'échos, dans un journal. **Reporter** (de l'angl. *to report,* rapporter) est très particulier; c'est le nom couramment donné auj. au journaliste d'information qui va recueillir au-dehors, souvent même en province et à l'étranger (*grand reporter*), des nouvelles, des renseignements qu'il présente d'une façon personnelle et vivante. **Pamphlétaire,** qui s'emploie souvent dans un sens défavorable, désigne un journaliste satirique, violent et généralement politique. **Journaleux** se dit péjorativement et par dénigrement d'un mauvais journaliste ou du rédacteur d'une feuille insignifiante. **Folliculaire** s'applique, péjorativement aussi, à un journaliste, à un pamphlétaire sans talent, ne s'embarrassant pas de scrupules en ce qui concerne la sûreté de ses informations et la bonne foi la plus élémentaire.

journée. V. JOUR.

jouvenceau. V. ADOLESCENT.

jovial. V. GAI.

joyau. V. BIJOU.

joyeuseté. V. PLAISANTERIE.

joyeux. V. GAI.

jubilation. V. JOIE.

jucher (se). V. PERCHER (SE).

judas. V. DÉLOYAL.

juge, qui désigne celui qui rend la justice, qui a le droit de juger, est le nom que l'on donne, dans le langage courant, à celui qui est préposé par l'autorité publique pour juger, pour rendre la justice aux particuliers. **Magistrat,** nom donné à tout officier civil revêtu d'une autorité administrative (maire, conseiller municipal, etc.), s'emploie aussi, plus particulièrement, pour désigner les membres de l'ordre judiciaire (juges, conseillers, procureurs, etc.) ; il attire, plus que *juge,* l'attention sur la dignité de la fonction exercée. **Justicier** se dit de celui qui aime à rendre, à faire justice; on l'emploie surtout auj. pour désigner celui qui s'octroie le droit de rendre la justice, sans y avoir jamais été préposé par l'autorité.

jugement, qui désigne, dans son sens général, toute décision d'une autorité judiciaire, se dit plus spécialement des décisions rendues par les tribunaux civils de première instance et le tribunal de commerce. **Arrêt** convient bien en parlant des décisions d'un tribunal supérieur, comme la Cour de Cassation, la Cour des Comptes, les cours d'appel. (Il est à noter qu'on faisait autref. une distinction entre les *jugements* et les *arrêts,* en fonction de laquelle les premiers concernaient des décisions intervenues dans un procès écrit et sur enquête, et les seconds des décisions rendues après avoir entendu les avocats.) **Verdict,** qui est le nom donné à la déclaration d'un jury de cour d'assises, à la réponse qu'il fait aux questions de la cour, est employé aussi parfois comme syn. de *jugement* pris dans son sens général. **Ordonnance** diffère de *jugement* en ce qu'il se dit d'une décision émanant non pas d'un tribunal entier, mais d'un président ou d'un juge statuant seul. **Sentence** se dit surtout du jugement rendu par un arbitre; pris dans le sens général de *jugement,* il est plus du langage recherché.

V. aussi SENS.

jugeote. V. SENS.

juger désigne l'action généralement lente et réfléchie de l'esprit qui prend son parti sur une chose après l'avoir examinée, et qui prend ce parti pour lui seul, sans même toujours le communiquer à d'autres. **Décider** marque une action plus prompte et souvent peu réfléchie. **Prononcer,** c'est exprimer avec une sorte de solennité le jugement ou la décision : *L'Eglise, le tribunal prononce.* (*Décider* se prend aussi quelquefois dans le sens de formuler une décision, mais il diffère toujours de *prononcer* en ce qu'il ne suppose rien de solennel, mais plutôt quelque chose de bref.) **Statuer,** c'est non seulement décider, mais encore établir d'une manière précise et durable ce qui doit régir les personnes, les choses dans tel ou tel cas, cela parce qu'on a autorité ou qualité pour le faire; il s'applique à ce qui se fera et non à ce qui est fait : *La loi statue sur les choses.* (V. DÉCIDER et RÉSOUDRE.)

Juger, c'est aussi, dans un sens plus restreint, prononcer en qualité de juge sur une affaire ou même une personne : *On juge un procès, un criminel.* **Arbitrer** (qui ne se dit jamais des personnes), c'est évaluer, régler une affaire, sur la demande des parties intéressées : *On arbitre un différend, une dépense.*

V. aussi CROIRE.

juguler. V. ENRAYER.

juif. V. ISRAÉLITE.

jumeau désigne ceux qui sont nés d'un même accouchement, en parlant de deux ou de plusieurs enfants. **Besson** est dial. **Gémeau,** syn. de *jumeau,* est vieilli et ne s'emploie plus qu'au pluriel pour désigner l'un des douze signes du zodiaque.

jumeler. V. JOINDRE.

jumelle. V. LUNETTE.

jument est le nom donné à la femelle du cheval. **Pouliche** désigne une jument qui n'a pas l'âge adulte, c'est-à-dire trois ans. **Haquenée** est le nom donné à une jument (ou à un cheval) de moyenne taille, que montaient autrefois les dames et qui allait ordinairement l'amble. **Cavale,** syn. de *jument,* est du langage poétique. (V. CHEVAL.)

junior. V. CADET.

jurement. V. BLASPHÈME et SERMENT.

jurer. V. AFFIRMER, CONTRASTER et PROMETTRE.

jurisconsulte, juriste. V. LÉGISTE.

juron. V. BLASPHÈME.

jusant. V. REFLUX.

jussion. V. COMMANDEMENT.

juste. V. ÉQUITABLE et VRAI.

justesse, en parlant de l'esprit et du style, suppose qu'on ne dit que ce qu'il faut, afin que rien ne vienne embrouiller l'image que l'on veut donner des choses: *La justesse rejette tout ce qui est inutile.* **Précision** implique le choix des expressions les plus propres à désigner les objets : *La précision est l'ennemie de l'à-peu-près.* **Exactitude** désigne la qualité qui fait que l'on dit les choses telles qu'elles sont et sans rien omettre : *L'exactitude est l'ennemie de la négligence.* — En parlant de la manière dont on exécute un mouvement ou une opération, JUSTESSE suppose l'absence d'écart, une action faite en allant droit au but, sans se tromper, tandis que PRÉCISION implique l'absence d'embarras et la régularité matérielle, et EXACTITUDE la précision dans le calcul ou la régularité dans le temps.

justice désigne la qualité qui consiste à rendre et à conserver à chacun ce qui lui est dû. **Droit** se dit de la chose qui est due à chacun : *L'homme voulut, dit De Barante, que la justice, ce sentiment universel, cet axiome ineffaçable de l'âme humaine, devînt le droit, c'est-à-dire fût réciproquement reconnu par tous les membres de la société.*

V. aussi DROITURE.

justicier. V. JUGE.

justification. V. APOLOGIE.

justifier, c'est, sans nier le fait, prouver qu'il a été commis innocemment, en montrant que ce qui est reproché comme une faute n'en est pas une, voire que l'action accomplie était juste et légitime ; il convient bien en parlant de la conduite. **Disculper,** syn. de *justifier,* se dit des personnes. **Décharger,** c'est seulement essayer de disculper quelqu'un, en témoignant en sa faveur. **Innocenter** dit plus ; c'est établir d'une façon péremptoire que le sujet n'a pas commis l'acte qu'on lui reproche. **Blanchir, dédouaner** et **laver** sont des synonymes familiers de *disculper.*

V. aussi PROUVER.

juvénilité. V. JEUNESSE.

K

kandjar. V. POIGNARD.

kermesse. V. FÊTE.

kidnapper. V. ENLEVER.

kiosque. V. ÉDICULE et PAVILLON.

kobold, korrigan. V. LUTIN.

krach. V. FAILLITE.

kriss. V. POIGNARD.

kyrielle. V. SÉRIE.

L

là. V. ICI.

labadens. V. COMPAGNON.

label. V. MARQUE.

labeur. V. TRAVAIL.

laboratoire, qui désigne le lieu où travaillent les savants s'adonnant aux sciences expérimentales et où ils font leurs observations et leurs expériences, se dit aussi, par ext., des ateliers où les pharmaciens, les distillateurs, les confiseurs, etc., font leurs préparations. **Officine** ne se dit que d'un laboratoire de pharmacien.

laborieux. V. DIFFICILE.

laboureur. V. AGRICULTEUR.

labre. V. LÈVRE.

labyrinthe désigne un édifice, un lieu plein de détours, où il est presque impossible de se reconnaître ; il ne concentre l'attention que sur l'enchevêtrement même dont on parle, tandis qu'employé figurément, il est moins poétique que son syn. **dédale,** qui fait surtout penser à l'art avec lequel a été créé l'enchevêtrement : *Le labyrinthe est inextricable ; le dédale est ingénieux, habile.*

lac. V. ÉTANG.

lacérer. V. DÉCHIRER.

lâche désigne celui qui manque totalement d'énergie, de cœur, de courage, au point même de se dégrader complètement : *Le péril effraie tellement le lâche qu'il ne conçoit pas même l'idée de résistance.* **Pleutre,** syn. de *lâche,* est essentiellement un terme de mépris. **Couard** (de l'ancienne forme *coue,* de *queue*) se dit proprement de l'animal qui, par l'effet de la peur, tient sa queue entre ses jambes et n'avance qu'en tremblant ; appliqué aux hommes, il est familier et s'emploie surtout en plaisantant. **Cerf,** syn. de *lâche* (parce qu'un cerf est un animal timide), est peu usité. **Pied-plat,** syn. de *pleutre,* est familier, ainsi que **jean-fesse,** plus vulgaire, cependant que **jean-foutre** est populaire et encore plus grossier, plus injurieux. **Dégonflé,** populaire aussi, se dit de celui qui se montre lâche en ne faisant pas ce qu'il avait promis ou ce qu'on lui demande de faire. (V. POLTRON.)

lâcher, c'est détendre, desserrer quelque chose qui était tendu. **Relâcher,** c'est lâcher un peu ce qui était trop tendu : *Une bride lâchée flotte; un lacet relâché est seulement moins tendu.*

V. aussi ABANDONNER, LIVRER et RELÂCHER.

lâcher de l'eau. V. URINER.

lâcher pied. V. RECULER.

laconique. V. COURT.

lacs. V. FILETS.

lacune. V. OMISSION.

ladre. V. CHICHE et LÉPREUX.

ladrerie. V. LÉPROSERIE.

lagune. V. ÉTANG.

laid. V. VILAIN.

laine. V POIL.

lais. V. ALLUVION.

laisse. V. ALLUVION et STANCE.

laisser, c'est se séparer d'une personne ou d'une chose qui reste dans l'endroit dont on s'éloigne; il est relatif et fait penser à ce qui demeure après soi. **Quitter,** c'est simplement s'en aller d'auprès, ne pas continuer à être avec; absolu, il marque uniquement la séparation et fait seulement penser au sujet qui s'éloigne : *On laisse des personnes ou des choses, qui, elles, ne sortent pas du lieu que nous quittons, dit Lafaye.* **Plaquer,** c'est, familièrement et plutôt vulgairement, laisser, quitter brusquement : *On plaque ses amis en les quittant au moment où ils ne s'y attendaient pas.* (V. ABANDONNER.)

V. aussi CONFIER et LIVRER.

laisser-aller. V. NÉGLIGENCE.

laissez-passer est un terme très général qui désigne une autorisation écrite en vertu de laquelle on doit laisser entrer, sortir, circuler librement une personne et même une chose. **Passe** se dit d'un laissez-passer autorisant à prendre passage. **Passavant** est un terme d'administr. qui, en matière de douanes ou de contributions indirectes, désigne un laissez-passer autorisant le transport, d'un lieu à un autre, de marchandises ou de boissons qui ont déjà payé un droit ou qui en sont exemptées. **Coupe-file** se dit d'un laissez-passer très particulier délivré par une préfecture, et qui permet à une personne nommément désignée de circuler librement, de couper les files de voitures, les barrages d'agents, etc. **Sauf-conduit** est le nom donné à une sorte de laissez-passer délivré surtout en temps de guerre, par lequel il est permis à une personne d'aller en quelque endroit, d'y demeurer un certain temps, et de s'en retourner librement, sans crainte d'être arrêtée. **Passeport** se dit essentiellement auj. d'une pièce délivrée par les autorités du pays d'origine et visée par les autorités des pays de séjour et qui, en fixant l'identité du détenteur, lui sert de laissez-passer en lui permettant de voyager en pays étrangers.

laïus. V. DISCOURS.

lambeau. V. MORCEAU et PARTIE.

lambin. V. LENT.

lambiner. V. TRAÎNER.

lame. V. FLOT.

lamentable. V. PITOYABLE.

lamentation. V. PLAINTE.

lamper. V. BOIRE.

lancement. V. PUBLICATION.

lancer exprime simplement l'action de jeter en avant avec force, au propre comme au figuré. **Décocher,** c'est lancer par une brusque détente; il suppose figurément quelque intention maligne ou sournoise. **Darder** ajoute à l'idée de lancer celle de percer, de pénétrer dans un corps et d'y produire une impression souvent pénible; figurément, c'est lancer vivement des rayons, des regards, voire aussi *décocher.*

V. aussi JETER.

lande désigne un grand espace de terre naturellement improductif où ne croissent que des plantes sauvages, broussailles, bruyères, genêts, ajoncs, etc. **Garrigue** est le nom donné, dans le Midi surtout, à une lande couverte de taillis peu épais de chênes, chênes verts, etc. **Maquis** désigne, en Corse, un vaste terrain sauvage et inculte couvert d'épaisses broussailles, d'arbrisseaux très serrés qui forment des fourrés impénétrables. **Brousse** se dit d'une région chaude (Sénégal, Nouvelle-Calédonie, etc.) couverte d'épaisses broussailles. (V. JACHÈRE.)

lange. V. COUCHE.

langue désigne l'ensemble des mots et des constructions dont se sert une nation pour exprimer sa pensée par la parole d'après des principes communs à toutes les grammaires. **Langage** a le même sens que *langue,* ou bien désigne soit un système de signes quelconques propres à exprimer la pensée (geste, parole, écriture), soit la manière dont on se sert de la langue dans telle ou telle circonstance particulière : *Deux écrivains qui parlent la même langue tiennent différents langages quand ils ne pensent pas de la même façon.* **Idiome** se dit de la langue considérée dans ce qu'elle a de particulier par ses tournures, par ses manières d'associer les mots, ou bien encore d'une langue dont l'usage est peu répandu. **Parler** désigne le langage propre à telle classe d'individus, à telle région, à telle province. (V. DIALECTE et JARGON.)

langue verte. V. JARGON.

langueur. V. APATHIE.

lanière. V. COURROIE.

lanterne est un terme très général qui désigne tout ustensile fait ou garni d'une matière transparente, dans lequel on met une lumière à l'abri. **Falot** est le nom donné à une sorte de lanterne portative. **Fanal** se dit d'une grosse lanterne dans laquelle on allume une bougie ou quelquefois une mèche alimentée par un réservoir d'huile. **Phare** est plus particulier; il se dit d'un fanal, d'une grosse lanterne, souvent électrique et toujours puissante, servant généralement à guider les bateaux, les avions, les automobiles dans la nuit.

lanterner. V. REMETTRE et TRAÎNER.

lapalissade. V. VÉRITÉ.

laper. V. BOIRE.

lapidaire. V. COURT.

lapider. V. MALMENER et TUER.

laps. V. APOSTAT.

lapsus. V. FAUTE.

laquais. V. SERVITEUR.

laque. V. RÉSINE.

larcin. V. VOL.

lard est le nom donné à la substance grasse, renfermée dans le tissu cellulaire sous-cutané de certains quadrupèdes à peau épaisse, particulièrement le porc. **Bacon,** vieux mot venant de l'anc. allem. *bakko,* jambon, qui signifiait lard, pièce de porc salé, et passé en Angleterre au Moyen Age, avec la même signification, nous est revenu aujourd'hui avec la prononciation « békeun' » pour désigner du lard très maigre.

lardon. V. BÉBÉ et RAILLERIE.

lares. V. MAISON.

large. V. AMPLE.

largement. V. BEAUCOUP.

largesse. V. LIBÉRALITÉ.

larme désigne l'humeur liquide qui s'échappe des yeux, par l'effet d'une impression vive, soit physique, soit morale, et, dans ce cas, quelle que soit la nature du sentiment dont l'âme est affectée : joie ou tristesse. **Pleur** s'emploie presque toujours au pluriel et ne se dit que des larmes qui sont l'expression d'une violente douleur et qui, s'accompagnant souvent de sanglots, s'échappent avec bruit, avec éclat : *Les larmes soulagent; les pleurs semblent aigrir la douleur.*

larmoyer. V. PLEURER.

larron. V. ESCROC.

larve. V. FANTÔME.

larvé. V. DISCONTINU.

las implique une sorte d'indisposition générale, qui rend le corps inapte au mouvement et à l'action, abstraction faite de toute cause. **Fatigué** suppose que l'on s'est mis dans le même état par excès de quelque exercice, cause de la diminution des forces. **Harassé,** comme **brisé, fourbu** et **rompu,** implique une fatigue physique extrême, qui va au-delà des bornes ordinaires et laisse sans force. **Excédé** emporte l'idée d'une charge trop lourde, d'une multiplicité excessive de choses quelconques qui fatiguent par leur quantité, par leur trop grand nombre. **Rendu** se dit de l'homme ou de l'animal qui a beaucoup marché et qui demande grâce parce que ses jambes lui refusent tout service. **Recru** (de l'anc. verbe *se recroire,* s'avouer vaincu, lâcher prise) est un syn. auj. à peu près inusité de *rendu.* **Epuisé** et **exténué** enchérissent sur tous ces termes, en impliquant non seulement une extrême fatigue, mais encore l'affaiblissement complet du corps, de l'énergie vitale. **Ereinté** est familier et suppose une grande fatigue. **Flapi,** syn. de *fatigué*, d'*éreinté*, et **vanné,** syn. de *harassé*, sont populaires. **Claqué, crevé** et **pompé,** syn. d'*épuisé*, d'*exténué*, sont argotiques. (V. FATIGUER [SE].)

lascar. V. LURON.

lascif. V. LUXURIEUX.

lasser. V. ENNUYER.

Se lasser. V. DÉCOURAGER (SE).

latent. V. CACHÉ.

latrines. V. LIEUX D'AISANCES.

laudateur. V. FLATTER.

laudatif. V. LOUANGEUR.

lavage est un terme très général qui désigne toute action qui a pour but de nettoyer avec de l'eau ou avec un autre liquide. **Lavement,** lorsqu'il n'est pas pris dans son sens médical, est du langage relevé et s'emploie surtout dans des locutions qui appartiennent au langage de l'Eglise : *Lavement du baptême, des autels, des pieds.* **Ablution,** qui se dit d'une pratique commandée par quelques religions, et consiste à se laver diverses parties du corps à des heures déterminées, s'emploie aussi auj., dans le langage familier, pour désigner l'action de se laver le corps, indépendamment de toute pratique religieuse.

lavandière. V. LAVEUSE.

lavement est le terme couramment employé de nos jours par les médecins pour désigner le remède liquide qu'on introduit par l'anus dans l'intestin. **Remède** se dit parfois particulièrem., et tant soit peu par pudibonderie, d'un lavement. **Clystère** (du grec *kluzein,* laver) fut le premier mot employé par les médecins pour désigner le lavement; il s'emploie surtout aujourd'hui par plaisanterie.

V. aussi LAVAGE.

laver, c'est, d'une façon générale, rendre net, propre, avec de l'eau ou tout autre liquide, le plus souvent savonneux. **Lessiver,** c'est laver avec une dissolution aqueuse de potasse ou de soude appelée « lessive ». **Rincer,** c'est soit faire un dernier lavage dans une eau sans savon, soit nettoyer en lavant et en frottant, surtout en parlant de récipients, tels les vases, les bouteilles, les verres, etc. (V. NETTOYER.)

V. aussi JUSTIFIER.

laveuse désigne toute personne qui nettoie des objets, quels qu'ils soient, avec de l'eau. **Blanchisseuse** désigne la femme dont le métier est de laver le linge ou les toiles, et très souvent de les repasser. **Lavandière,** employé surtout auj. dans le langage poétique, convient en parlant d'une femme qui lave le linge à l'eau courante, dans une rivière. **Lessivière,** syn. dialectal de *blanchisseuse,* sert à désigner aussi l'ouvrière qui, dans un ménage, dans un lavoir public, lave et lessive le linge.

laxatif. V. PURGE.

layon. V. CHEMIN.

lazaret. V. LÉPROSERIE.

lazzi. V. PLAISANTERIE.

leader. V. ARTICLE.

lécher, passer la langue sur quelque chose, a pour syn. populaires **licher** et **lichailler,** ce dernier emportant une nuance péjorative ou d'affaiblissement.

V. aussi PARFAIRE.

lécheur. V. FLATTER.

leçon suppose une connaissance, une expérience, une sagesse qui nous est communiquée par autrui et dont le sens net et précis nous laisse une forte impression. **Enseignement** désigne un ensemble de leçons qui s'adresse plus au jugement, à la réflexion, qu'à l'imagination et à la sensibilité. **Instruction** a un sens plus étendu que ces deux termes; il se dit de toute connaissance, de tout éclaircissement donné sur des objets inconnus, sur des choses qu'on ignore : *La leçon frappe et fait craindre; l'enseignement exhorte et fait réfléchir; l'instruction éclaire et donne à connaître, dit Lafaye.* (A noter que l'*instruction* peut s'acquérir par l'expérience, le travail, sans maître, alors que la *leçon,* l'*enseignement* supposent un maître parlant ou un livre didactique.)

Leçon, lorsqu'il désigne spécialement l'exercice dans lequel un maître, un professeur enseigne ou fait étudier telle ou telle partie d'une science, d'un art, a pour syn. **cours** qui implique une suite de leçons formant un enseignement régulier sur quelque matière, et est plus du langage recherché.

lecteur se dit soit de celui qui lit à haute voix et devant d'autres personnes, soit de celui dont la fonction est de lire; il désigne aussi, particulièrement, celui qui lit pour son instruction ou son amusement. **Liseur** est familier et s'applique surtout en mauv. part à celui qui, se livrant passionnément à la lecture, lit beaucoup et même trop. (A noter que *liseur* a eu autref. le sens de lecteur à haute voix.) **Anagnoste** (du grec *anagnostês*, lecteur), nom donné autref., à Rome, à l'esclave chargé de lire à haute voix pendant le bain, le repos ou certaines réunions littéraires, s'emploie parfois encore auj., dans le langage recherché ou littéraire, appliqué à celui qui lit à haute voix pour d'autres.

légal. V. PERMIS.

légat, qui désignait autref. un cardinal préposé par le pape pour gouverner quelque province de l'Etat ecclésiastique, est le nom donné auj. au cardinal muni de pouvoirs extraordinaires qui est envoyé, à titre exceptionnel, par le pape auprès d'un gouvernement, à un concile, etc. **Nonce** n'implique pas une mission spéciale, déterminée ; c'est simplement le titre que porte le prélat accrédité comme représentant diplomatique du pape auprès d'un gouvernement étranger, et cela pour une durée non limitée.

légende est le nom donné à un récit merveilleux et populaire reposant sur un fond historique. **Mythe** se dit d'un récit composé d'éléments purement divins, sans fond historique, au moins pour le principal. **Tradition** désigne les histoires, les récits transmis non pas par écrit ou grâce à des documents authentiques, mais seulement oralement. (V. CONTE et FABLE.)

léger se dit de celui qui n'accorde d'importance à rien, qui ne se soucie jamais des conséquences de ses actes. **Superficiel** n'implique pas la même insouciance ; il suppose simplement que celui qui est ainsi s'arrête seulement à l'extérieur des choses, effleurant celles-ci, sans tenter à aucun moment de les approfondir. **Freluquet,** qui ne s'emploie, dans ce sens, que substantivement, en parlant d'un homme léger, ajoute à l'idée de légèreté celle d'absence de valeur ou tout au moins de mince valeur. (V. ÉTOURDI et FRIVOLE.)

V. aussi AGILE, BADIN, CHANGEANT et LIBRE.

légion. V. MULTITUDE et TROUPE.

légiste, qui désigne celui qui connaît ou qui étudie les lois, fait surtout penser à la profession, à la carrière de l'homme. **Juriste** est le nom que l'on donne à celui qui, connaissant les lois, passe sa vie à les appliquer ou à les étudier, mais sans donner d'avis au public. **Jurisconsulte** se dit de celui qui, étant versé dans la connaissance de la jurisprudence, conseille ceux qui font appel à son autorité dans la matière. (A noter que les deux premiers termes seulement s'emploient parfois quelque peu en mauvaise part : *Des arguties de légiste, de juriste.*)

légitime. V. PERMIS.

légitimiste. V. ROYALISTE.

legs. V. DONATION.

leitmotiv. V. RÉPÉTITION.

lendemain. V. AVENIR.

lénifier. V. ADOUCIR.

lent désigne celui qui n'agit pas avec promptitude, qui tarde, parce que cela est dans sa nature. **Long** a trait non pas à la manière d'agir, mais au résultat de l'action, lequel peut être dû aux circonstances, à des difficultés ou des complications : *Celui qui agit avec trop de mollesse, pas assez d'activité, dans les affaires, est lent, et long celui qui se laisse entraîner et retarder par les détails.* **Tardif** se dit de qui est lent à se mouvoir : *Le bœuf est un animal tardif ; La justice humaine est souvent par trop tardive.* **Lambin** est familier et implique surtout un manque de volonté : *Un enfant lambin est tel surtout par inapplication ou légèreté.* **Gnangnan** (ou GNIANGNIAN), familier aussi, se dit de celui qui est lent et geint au moindre effort : *Une personne gnangnan.* **Traînard** convient bien en parlant de celui qui traîne toujours parce qu'il n'a pas assez de cœur pour accepter franchement les fatigues que son état lui impose : *Un soldat traînard.* **Traîneur,** qui ne s'emploie que substantivement, est un syn. peu usité de *traînard.* (V. FLÂNEUR et MOU.)

lentement, qui est verbal et subjectif, marque l'action progressive de ce qui prend beaucoup de temps, de ce qui tarde, au lieu d'aller vite. **Doucement** ajoute, dans ce sens, l'idée de silence, d'absence de bruit, à celle de lenteur. **Insensiblement** suppose une lenteur si grande que l'action n'est même pas sensible, visible à celui qui y assiste.

Piano est un syn. familier de *doucement*. **Pianissimo** se dit familièrement aussi pour tout doucement, presque insensiblement. **Piane-piane** est un syn. très familier de très lentement, tout doucement. (V. PROGRESSIVEMENT.)

lépreux est le nom donné aux hommes atteints de la lèpre, maladie infectieuse et contagieuse, caractérisée par des pustules de la peau, qui ronge lentement les chairs. **Ladre,** syn. vieilli de *lépreux* en parlant des hommes, ne s'emploie plus guère, dans ce sens, qu'appliqué aux animaux, surtout aux porcs.

léproserie, nom donné à l'hôpital et surtout à l'établissement d'isolement réservé aux lépreux, a pour syn. vieillis **lazaret, ladrerie** et **maladrerie.**

léser. V. BLESSER et NUIRE.

lésineur. V. CHICHE.

lésion. V. BLESSURE et PRÉJUDICE.

lessiver. V. LAVER.

lessivière. V. LAVEUSE.

leste. V. AGILE et GAILLARD.

léthargie. V. ASSOUPISSEMENT.

lettre est le terme que l'on emploie couramment pour désigner toute communication par écrit, au moyen de laquelle on fait savoir quelque chose à une personne absente. **Epître** est du style relevé et fait surtout penser aux lettres des Anciens : *Epîtres de Cicéron, de saint Paul, etc.;* on l'emploie parfois encore dans le langage familier courant, avec une nuance d'ironie, en parlant d'une lettre ordinaire. **Missive** emporte ordinairement aussi une nuance d'ironie; il ne peut se dire que d'une lettre expédiée (lat. *missus,* envoyé). **Message** est plus général; il se dit d'une lettre ou de toute commission transmise par un tiers. **Pli** ne se dit que d'une lettre dans son enveloppe ou formant elle-même enveloppe. **Billet** désigne une courte lettre dans laquelle on peut se dispenser des formules de compliments usités dans les lettres ordinaires. **Mot,** syn. de *billet,* est familier. **Poulet** est ironique et se dit surtout d'un **billet doux,** d'un billet galant. **Babillarde, bafouille** et **bifton,** syn. de *lettre,* sont argotiques. **Epistole,** syn. de *lettre,* d'*épître,* est vx. (V. DÉPÊCHE.)

V. aussi CARACTÈRE.

Lettres. V. CORRESPONDANCE et LITTÉRATURE.

lettre (à la). V. LITTÉRALEMENT.

lettré. V. SAVANT.

lettres (homme de). V. AUTEUR.

lettrine. V. MAJUSCULE.

leurre. V. APPÂT et ATTRAPE.

leurrer. V. TROMPER.

levain. V. FERMENT.

levant. V. ORIENT.

lever marque un changement dans la position; c'est faire quitter la terre ou mettre droit ce qui était couché, sur le sol ou baissé. **Relever,** c'est lever de nouveau, remettre dans son état naturel ce qui était tombé. **Redresser,** c'est relever une chose tombée, laquelle est généralement rigide et lourde. **Enlever,** c'est lever avec force ou violence, en prenant possession de l'objet. **Elever,** c'est lever au milieu de quelque chose et faire en sorte que la chose domine, prenne le dessus. **Soulever,** c'est soit lever en agissant par-dessous, soit élever à une petite hauteur. **Hisser** est assez particulier; c'est élever, tirer en haut, surtout en termes de marine : *Hisser une voile, un pavillon.* (V. HAUSSER.)

lever le pied. V. FUIR.

lèvre est le nom donné aux deux parties charnues qui forment l'entrée de la bouche. **Lippe,** qui se dit spécialem. d'une lèvre inférieure épaisse et avançant trop, désigne aussi les deux lèvres. **Babine,** qui s'emploie le plus souvent au pluriel, désigne la lèvre pendante de certains animaux; il se dit aussi parfois, populairement et trivialement, des lèvres d'une personne. **Badigoinces,** syn. vieilli de *lèvres,* s'emploie encore auj. populairement. **Labre** est le nom donné à la lèvre supérieure chez les mammifères, ainsi qu'à la pièce impaire de la bouche des insectes, faisant office de lèvre supérieure, et placée en avant ou au-dessous de l'épistome.

levure. V. FERMENT.

lexique. V. DICTIONNAIRE.

lézarde. V. FENTE.

liaison exprime simplement la manière dont les choses sont jointes. **Lien** suppose une liaison durable, laquelle n'est pas accidentelle ou passagère. **Affinité** se dit d'une liaison naturelle, essentielle, laquelle est généralement une qualité. **Connexité** dénote une simple liaison de dépendance entre les choses. **Connexion** suppose, par contre, un lien plus effectif. (A noter que l'on ne se sert guère de ces deux derniers mots qu'en termes de métaphysique ou de pratique.) [V. RAPPORT et UNION.]

liant. V. AFFABLE.

liardeur. V. CHICHE

libelle. V. SATIRE.

libeller. V. ÉCRIRE.

libéralité implique un don fait gratuitement, librement, généreusement, alors qu'il n'est pas dû ; il se dit du penchant à donner comme du don lui-même fait avec générosité. **Largesse** enchérit sur *libéralité ;* il suppose un don assez important et fait surtout sans compter, parce que la richesse le permet : *L'économie peut suffire pour les libéralités; pour des largesses, il faut de l'opulence.* **Munificence** s'applique non pas au don lui-même mais à la vertu, à la disposition qui porte à faire de grandes libéralités : *Hôpital dû à la munificence d'un simple particulier.* **Prodigalité,** qui est l'opposé d'« avarice », suppose un excès de libéralité ou de dépense qui attire l'attention sur le caractère de la personne prodigue. **Profusion** se dit plutôt de la manière d'agir et convient bien en parlant d'un fait accidentel plus souvent motivé que naturel : *La prodigalité du Régent et la profusion de Law, écrit Marmontel, avaient jeté autour d'eux, pour acheter des partisans, une quantité énorme de billets.* (V. AUMÔNE, DON, DONATION, et GRATIFICATION.)

libérateur désigne celui qui délivre de toutes sortes de maux, même de ceux qui ne sont que gênants ou embarrassants. **Sauveur** dit plus; il s'applique à celui qui délivre de maux si graves qu'ils menacent la vie même.

libérer. V. AFFRANCHIR et RELÂCHER.

Se libérer, c'est se débarrasser de ce qui embarrasse ou incommode. **Se délivrer,** c'est surtout se libérer d'une charge, d'un souci. **Se décharger,** c'est plutôt se libérer d'une responsabilité. **Se dégager,** c'est se libérer d'une obligation. **S'acquitter,** c'est soit se libérer d'une obligation en l'accomplissant, soit se débarrasser d'une dette en la payant.

libertaire. V. ANARCHISTE.

liberté se dit de toute faculté de faire accordée ou usurpée. **Droit** désigne la faculté de faire ou d'exiger ce qui est autorisé par la loi ou ce qui est permis par celui qui délègue à un autre une partie de cette faculté : *La liberté a pour limites les droits d'autrui.* **Licence** est, dans ce sens, toujours péjoratif et implique l'usage immodéré d'une liberté concédée : *La liberté n'est pas la licence.*

libertin. V. IRRÉLIGIEUX.

libertinage. V. DÉBAUCHE.

libidineux. V. ÉROTIQUE.

libre, qui exprime une idée positive : celle du pouvoir de faire, implique la jouissance pleine et entière de ses droits. **Franc,** que domine une idée négative : la dispense de faire, suppose seulement certaines immunités, certains privilèges : *Un port libre est celui où tous les navires marchands peuvent entrer; Un port franc est celui où les navires qui y entrent n'ont aucune taxe à payer.* **Autonome** (du grec *autos,* soi-même, et *nomos,* loi) emporte l'idée de liberté essentiellement par le droit de se gouverner soi-même qu'il implique, cela dans le cadre d'une organisation plus vaste que régit un pouvoir central; il se dit spécialement d'organismes politiques, administratifs ou financiers : *Quelques villes grecques, bien que conquises par les Romains, restèrent autonomes.*

Libre suppose aussi l'exemption de toute contrainte matérielle et de toute domination contraire aux droits naturels. **Indépendant,** dans ce sens, dit plus; il implique l'exemption de toute influence extérieure sur la volonté et sur les actes, ou tout au moins l'affranchissement de la plupart des influences étrangères aux lois et aux mœurs, entre autres les préjugés : *L'homme soumis aux lois et aux principes de la morale est libre s'il n'est pas en prison, mais il n'est pas indépendant dans le sens absolu du mot.*

Libre, appliqué aux mœurs, fait penser à la licence que l'on se donne d'agir sans contrainte, quitte à être parfois quelque peu inconvenant. **Léger,** dans ce sens, s'emploie surtout, plus ou moins par euphémisme d'ailleurs, pour désigner ce qui est trop libre sous le rapport des mœurs; il enchérit péjorativement sur *libre*. (V. GAILLARD.)

V. aussi VACANT.

libre penseur. V. IRRÉLIGIEUX.

librettiste. V. PAROLIER.

licence. V. LIBERTÉ et PERMISSION.

licencier. V. CONGÉDIER.

licencieux. V. OBSCÈNE.

licitation. V. ENCHÈRE.

licite. V. PERMIS.

licou (ou **licol**). V. RÊNE.

lie est le nom que l'on donne à la matière qui est en suspension dans les liqueurs fermentées, et, absolument, à celle qui se forme ainsi dans le vin. **Sédiment** se dit plus généralement d'une matière qui était en suspension dans un liquide quelconque. **Précipité** est un terme de chimie; il désigne la matière qui tombe au fond d'un vase lorsqu'on la désunit de son dissolvant par le moyen d'un réactif. **Résidu,** dans ce sens, se dit de toute matière qui reste après une opération chimique, une manipulation industrielle, etc. **Dépôt,** syn. de ces termes, est du langage courant; il désigne d'une façon générale les matières solides qu'abandonne un liquide en repos.

V. aussi REBUT.

lied. V. MÉLODIE.

lien. V. LIAISON.

Liens exprime d'une manière générale tout ce qui sert à lier, à attacher : *Il y a des liens qui n'ont pas beaucoup de force et que le moindre effort peut rompre.* **Chaînes** dit plus; il implique toujours des liens solides composés d'anneaux métalliques entrelacés. **Fers** emporte non seulement l'idée de solidité, mais encore celle de dureté; il suppose les liens les plus lourds de tous, les plus difficiles à rompre. — Au fig., LIENS implique un simple assujettissement comme CHAÎNES, FERS une servitude, *chaînes* convenant mieux toutefois lorsqu'on parle de servitudes acceptées, dans lesquelles même on se complaît, et *fers* s'appliquant plutôt aux servitudes que l'on trouve odieuses et dont on sent tout le poids : *Les liens de l'amitié; les chaînes de l'amour; les fers de l'esclavage.*

lier. V. ATTACHER.

liesse. V. JOIE.

lieu indique un certain espace pris dans son ensemble. **Endroit** a un sens moins étendu et marque seulement un point particulier dans un lieu : *Voici un lieu fort agréable, mais c'est cet endroit-ci qui m'en plaît le mieux.* **Place** ajoute à l'idée de lieu celle d'occupation, soit actuelle, soit future; il exprime le plus souvent aussi une idée d'ordre, d'arrangement : *La place d'honneur n'est pas toujours celle où l'on est le mieux à son aise.*

Lieu, dans un autre sens, a rapport à la simple possibilité qui permet qu'une chose puisse exister ou soit faite. **Occasion** est relatif au temps et indique à propos de quoi une chose arrive : *Donner occasion à la raillerie, c'est y fournir une circonstance propre, faire qu'elle ait lieu en un certain moment, dit Lafaye.* **Sujet** exprime quelque chose de plus direct, de plus essentiel, l'objet même qui fait que la chose a lieu : *On donne sujet à la raillerie quand on fait des actions qui sont l'objet de la raillerie.* (V. CAUSE.)

V. aussi PAYS.

lieu commun. V. PONCIF.

lieu que (au), qui marque toujours opposition, contraste, signifie « mais au contraire », cela abstraction faite de toute circonstance de temps : *Il ne songe qu'à ses plaisirs, au lieu qu'il devrait veiller à ses affaires.* **Tandis que** a toujours rapport au temps et ajoute à l'idée exprimée par *au lieu que* celle de simultanéité : *Tout le monde le croit heureux, tandis qu'il est plein de soucis.*

lieux d'aisances, et, elliptiquement, **lieux,** est le nom que l'on donne aux **latrines,** endroit aménagé pour satisfaire aux besoins naturels. **Cabinets d'aisances,** ou simplement **cabinets,** implique une petite pièce fermée. **Water-closet,** par abrév. **W.-C.,** est un mot angl. (de *water,* eau, et *closet,* cabinet) couramment employé en France dans le sens de *cabinet d'aisances.* **Feuillée,** terme du langage militaire, s'applique à une tranchée ou fosse destinée à servir temporairement de latrines aux troupes en campagne. **Privé,** syn. de *cabinet d'aisances,* est moins usité, tandis que **garde-robe** vieillit. **Commodités,** syn. de *lieux d'aisances,* est d'un usage plus rare, alors que **communs** est dialectal. **Petit endroit** et **numéro cent** (ce dernier moins us.) sont familiers, **buen-retiro** est ironique, **chiottes** et **gogueneaux** sont des termes d'argot triviaux. (V. FOSSE D'AISANCES et URINOIR.)

ligament. V. TENDON.

lignage. V. RACE.

ligne. V. MAINTIEN et TRAIT.

lignée. V. RACE.

ligoter. V. ATTACHER.

ligue. V. COALITION.

liguer. V. UNIR.

lilliputien. V. NAIN.

limaçon. V. ESCARGOT.

limer. V. PARFAIRE.

limier. V. POLICIER.

limite. V. FRONTIÈRE et TERME.

limiter, c'est, figurément, assigner une limite, un point déterminé à une chose; il convient bien en parlant, entre autres, du prix et de la quantité des choses, du nombre des personnes, de la durée du temps. **Restreindre,** c'est ramener à des limites étroites : *On restreint le temps de vacances précédemment limitées à un mois.*

V. aussi LOCALISER.

limitrophe. V. PROCHE.

limon est le nom donné à la terre molle qu'entraînent les eaux courantes. **Vase** désigne le limon qui se dépose au fond des eaux. **Bourbe** se dit de la vase noire et épaisse qui s'accumule au fond des eaux stagnantes. (V. BOUE.)

limpide. V. TRANSPARENT.

linceul (du lat. *linteum,* linge, drap), qui a particulièrement signifié drap de lit et n'est plus guère usité dans ce sens que dialectalement, désigne couramment le drap de toile dont on se sert pour ensevelir un mort. **Suaire** (lat. *sudarium;* de *sudor,* sueur), nom donné dans l'antiquité à un linge, à un mouchoir propre à essuyer la sueur de la tête ou du visage, est de nos jours syn. de *linceul,* drap mortuaire, surtout dans le style soutenu.

linéament. V. TRAIT.

linguistique désigne l'étude ou la science comparative des langues, de plusieurs idiomes quelconques ou même de toutes les langues connues. **Philologie,** dans son sens restreint moderne, est le nom donné à l'étude d'une langue particulière, considérée sous les divers rapports de la grammaire, de l'étymologie, de la lexicologie, de la filiation, de l'interprétation et de la critique des textes. **Grammaire comparée** désigne la linguistique limitée à des langues appartenant à la même famille et généralement composées des mêmes radicaux. (V. LITTÉRATURE.)

liniment est un terme de médecine qui désigne un médicament fait d'huile et d'autres substances, qui s'emploie en frictions ou en applications pour adoucir et amollir. **Onguent,** qui se disait autref. des produits aromatiques, des essences dont on se parfumait et dont on embaumait les corps, s'applique à un médicament d'une consistance molle, que l'on obtient en faisant fondre des corps gras et des résines, et que l'on applique sur les plaies, les tumeurs, etc. **Embrocation** se dit d'un liquide gras, huileux, dont on se sert pour faire des applications externes sur une partie du corps, pour en fortifier les muscles.

linotte (tête de). V. ÉTOURDI.

lippe. V. GRIMACE et LÈVRE.

liquidation judiciaire. V. FAILLITE.

liquide. V. FLUIDE.

lire, c'est prendre connaissance du contenu d'un livre, d'un écrit. **Dévorer** est fam., et s'emploie surtout en parlant d'un livre; c'est lire avec empressement, avidité, épuiser rapidement la matière que contient un ouvrage. **Parcourir,** c'est lire rapidement et de façon non suivie, soit incomplètement. **Bouquiner,** syn. de *lire,* est un terme d'argot des écoles qui s'emploie aussi auj. couramment dans le langage familier. (V. FEUILLETER.)

liseur. V. LECTEUR.

lisière. V. BORDURE.

lisse implique l'absence de toute rugosité, et cela le plus souvent naturellement. **Uni** se dit de ce qui est lisse généralem. parce qu'on l'a rendu tel, parce qu'on l'a aplani, qu'on en a supprimé toutes les aspérités. **Poli** ajoute à l'idée exprimée par *uni* celle de luisant, de brillant; il se dit particulièrement des choses dures rendues unies et luisantes par le frottement.

liste désigne purement et simplement une suite de noms, une **nomenclature** de personnes ou de choses, sans impliquer de détails ou d'explications. **Rôle** se dit d'une liste qui marque le tour ou la part de chacun ou de chaque chose. **Tableau** est le nom donné à la liste, dans l'ordre de leur réception, des membres d'une compagnie. **Matricule** désigne la liste sur laquelle sont inscrits les noms des personnes qui entrent dans un hôpital, un régiment, une prison, etc., les noms des personnes d'une société, d'une compagnie, d'un corps, etc. **Etat** est le nom donné à une liste précise qui tend à faire connaître l'exacte situation des choses, afin que la réflexion puisse ensuite s'exercer à les modifier s'il y a lieu, à les perfectionner, à les comparer avec d'autres choses de même nature. **Mémoire** se dit d'un état de sommes dues à un marchand, à un artisan ou à un homme de loi. **Inventaire** désigne la liste des objets tels qu'on les trouve soit après la mort d'une personne, soit dans les magasins et dans les caisses d'un négociant ; il implique la détermination de la valeur totale des objets mentionnés. (V. CATALOGUE.)

lit est le nom donné au meuble sur lequel on se couche pour dormir ou pour se reposer, y compris généralement ce qui le compose : cadre de bois ou de métal, sommier, matelas, draps, traversin, couvertures, etc. **Couche,** syn. de *lit,* n'est guère d'usage qu'en poésie et dans le style soutenu. **Couchette** se dit d'une petite couche, d'un petit lit simple, sans rideau et, plus spécialement, d'un lit de bord ou de chemin de fer. **Grabat,** qui se disait originairement d'un petit lit sans rideau, est péjoratif depuis le XVIe s., époque à partir de laquelle on l'employa pour désigner tout lit misérable, lit de domestique, de pauvre, de prisonnier. **Dodo** est syn. de *lit* dans le langage des enfants. **Peautre,** appliqué à un mauvais lit, à un *grabat,* est vx. **Padoque, page, pageot, pagne, pieu, plume, plumard, pucier,** syn. de *lit,* sont des termes d'argot.

lit (se mettre au; prendre, garder le). V. COUCHER (SE).

litanies. V. PRIÈRE.

litige. V. CONTESTATION.

litigieux. V. CONTENTIEUX.

littéralement, c'est selon la valeur des paroles ou des mots, cela quant à la forme, relativement à l'interprétation logique et grammaticale. **A la lettre** regarde la valeur du discours par rapport à l'esprit ou à l'idée : *Il ne faut pas prendre littéralement ce qui ne se dit que par métaphore; il ne faut pas prendre à la lettre ce qui ne se dit qu'en plaisantant, dit Roubaud.*

littérateur. V. AUTEUR.

littérature désigne l'ensemble des productions littéraires d'un siècle, d'une nation, d'une époque. **Belles-lettres,** ou simplement **lettres,** s'applique aux travaux, à la culture de l'esprit, particulièrement en ce qui regarde l'art de parler ou d'écrire. **Philologie,** pris dans son sens primitif, auj. vieilli, désigne la science qui envisage les œuvres littéraires sous le rapport de l'érudition, de la critique des textes et de la grammaire. (V. LINGUISTIQUE.)

littoral. V. BORD.

livide. V. PÂLE.

livre est le nom donné à un assemblage de plusieurs feuilles de papier imprimées, brochées ou reliées ensemble ; il a rapport aussi bien au contenu qu'à l'objet : *On met de nombreux livres dans une bibliothèque, dont ceux des auteurs que l'on aime.* **Volume** s'emploie mieux pour désigner l'objet, sans rapport au contenu ou à l'auteur. **Tome** se dit d'un volume séparé qui fait partie d'une œuvre imprimée comprenant plusieurs livres : *Le volume est généralement une division matérielle qui dépend du brochage ou de la reliure, alors que le tome est plutôt une division faite par l'auteur lui-même, comme celle du livre ou du chapitre.* **Ouvrage** fait surtout penser à l'auteur, à une production de l'esprit qu'il suppose assez étendue : *Les longs ouvrages faisaient peur à La Fontaine.* **Ecrit,** plutôt vieilli dans ce sens, désigne un ouvrage de l'esprit de peu d'étendue : *Un écrit qui sent le travail n'est pas assez travaillé, a dit Latena.* **Grimoire** (pour *gramoire,* forme dialectale de *grammaire,* qui, au Moyen Age, désignait la grammaire latine, que le vulgaire ne pouvait comprendre) s'applique, dans le langage courant et péjorativement, à un livre, à un écrit, généralement ancien et peu intelligible, voire indéchiffrable. **Bouquin** (d'un diminutif néerlandais de *boek,* livre) se dit familièrement soit d'un vieux livre dont on fait peu de cas, soit d'un livre en général, surtout alors dans le lang. des écoles. (V. BROCHURE.)

livrer, c'est mettre une chose ou une personne entre les mains de quelqu'un, de façon qu'il en devienne maître. **Abandonner** dit moins et suppose quelque chose de moins positif que *livrer;* c'est simplement livrer parce qu'on ne défend pas. **Céder,** c'est livrer par le fait d'une renonciation; il emporte généralement l'idée de concurrence, de compétition non soutenue. **Lâcher,** c'est livrer parce qu'on ne sait pas garder, retenir, parce qu'on laisse échapper. **Laisser,** c'est livrer en se retirant.

V. aussi CONFIER et DÉLIVRER.

Se livrer. V. ADONNER (S') et CONFIER (SE).

livret. V. CAHIER.

localiser, c'est fixer dans un lieu, sur un point déterminé : *On localise un mal.* **Limiter,** c'est assigner un point extrême qu'on ne peut ou qu'on ne veut pas dépasser : *On limite son effort au but à atteindre.* **Borner,** c'est limiter d'une façon très précise et plus réduite : *On borne ses aspirations.* **Circonscrire,** c'est fixer les limites à l'intérieur desquelles on veut exercer une action quelconque : *On circonscrit des recherches.*

localité. V. VILLE.

lock-out. V. GRÈVE.

locution. V. EXPRESSION.

logement. V. APPARTEMENT.

loger. V. PLACER.

logique. V. DIALECTIQUE.

logis. V. APPARTEMENT et HABITATION.

logogriphe. V. ÉNIGME.

logomachie. V. DISCUSSION.

loi désigne la prescription de l'autorité souveraine qui, étendant son empire sur tous les citoyens, règle, ordonne, permet ou défend; il suppose un acte de volonté de l'Etat qui aide à l'élaboration de l'ordre juridique par l'établissement de nouvelles règles. **Décret** dit moins; c'est simplement l'application de la loi à un cas particulier, un ordre qui, émis par le pouvoir exécutif, a souvent besoin d'une sanction pour devenir obligatoire, et dont l'objet est d'assurer le fonctionnement des services publics ou l'exécution des lois : *Un décret est toujours un acte administratif, susceptible de recours juridictionnel en Conseil d'Etat, et qui ne peut jamais s'opposer valablement à un texte de loi.* **Décret-loi** désigne un décret émis par le gouvernement dans des matières auparavant réservées au législateur, et qui a force de loi : *Lorsque la séparation des pouvoirs est d'ordre constitutionnel, les décrets-lois empiètent sur les attributions du pouvoir législatif.* **Ordonnance,** nom donné à une prescription d'une autorité supérieure, et spécialement, autrefois, à une loi générale émanant du pouvoir royal, s'emploie parfois encore auj. dans un sens voisin de *décret,* voire de *décret-loi : Les ordonnances de Saint-Louis; Les ordonnances du gouvernement provisoire de la République française.* **Edit** est vx; nom donné, dans l'Antiquité romaine, à une ordonnance rendue par un magistrat, édile, préteur, consul, etc. ou par l'empereur, il désignait, sous les rois de France, une loi royale relative à un objet particulier ou applicable à une partie seulement du royaume, alors que le terme *ordonnance* était réservé à toute loi générale contenant plusieurs dispositions sur des matières différentes et applicables à tout le royaume : *L'édit de Nantes; Les édits contre le duel.* (V. RÈGLEMENT.)

V. aussi AUTORITÉ, RÈGLE et RÈGLEMENT.

lointain. V. ÉLOIGNÉ.

loisible. V. PERMIS.

loisir. V. INACTION.

lombes. V. REIN.

long. V. LENT.

longévité se dit bien en parlant de la durée de la vie lorsque celle-ci est naturellement longue. **Macrobie** diffère de *longévité* en ce qu'il s'applique, de préférence, à la vie prolongée par des moyens artificiels.

lopin. V. MORCEAU.

loquacité. V. ÉLOQUENCE.

loque. V. GUENILLE.

loqueteux. V. DÉGUENILLÉ.

lorette. V. FILLE LÉGÈRE.

lorgner. V. CONVOITER et REGARDER.

lorgnette. V. LUNETTE.

lorgnon, comme **pince-nez,** désigne une petite lunette à deux verres, sans branches, qui s'adapte par un ressort sur le nez. **Binocle** est le nom donné à une sorte de lorgnon qui se maintient sur le nez par la pression d'un ressort ou bien que l'on tient à la main à l'aide d'un manche. **Face-à-main** ne se dit que d'un binocle à manche. (V. LUNETTE.)

lorsque. V. QUAND.

lot. V. PART et PARTAGE.

louange. V. ÉLOGE.

louanger. V. FLATTER.

louangeur se dit de ce qui a le caractère de la louange, de ce qui loue actuellement. **Laudatif,** qui ne s'applique qu'aux paroles, aux discours, désigne plutôt ceux-ci comme propres à la louange que comme faisant expressément l'action de louer : *Une épigramme ne peut pas être laudative, puisqu'elle n'est épigramme que parce qu'elle exprime le blâme ou la moquerie; mais on peut concevoir une épigramme louangeuse, quand elle ne fait ressortir un défaut que pour faire penser à une qualité dont ce défaut est la conséquence.* (V. ÉLOGE et FLATTER.)

louche. V. AMBIGU et SUSPECT.

loucher, c'est avoir des yeux qui regardent chacun dans une direction différente. **Bigler** est familier.

1. **louer** exprime l'action par laquelle le propriétaire d'une chose quelconque en cède à un autre la jouissance et l'usufruit, moyennant une certaine somme et pendant un temps qui peut être court. **Affermer** se dit principalement des biens de la campagne, terres, bois, prairies, et en général des choses dont on abandonne la jouissance pour un temps d'ordinaire assez long : *On loue des maisons et on afferme des bois.* **Amodier** (du lat. *ad,* à, et *modium,* boisseau), c'est louer à quelqu'un une terre moyennant une redevance en denrées ou en argent; il est peu usité, ainsi d'ailleurs qu'**arrenter,** donner à rente une ferme, une pièce de terre, des vignes. (V. FRÉTER.)

2. **louer.** V. VANTER.

loup. V. MASQUE.

loup de mer. V. MATELOT.

loup-garou. V. ÉPOUVANTAIL.

lourd se dit de ce qui manque de légèreté, d'élégance, de finesse. **Grossier** enchérit sur *lourd* et convient bien en parlant de choses mal façonnées, rudimentaires. **Mastoc,** syn. de *lourd* comme de *grossier,* est populaire.

V. aussi BALOURD, MALADROIT et PESANT.

lourdaud. V. BALOURD.

loustic. V. BOUFFON et LURON.

louvoyer. V. BIAISER.

loyal, comme **fidèle,** désigne celui qui tient sa parole, qui fait honneur à ses engagements; il implique une noblesse de caractère, des sentiments d'honneur qui font se conduire, se comporter toujours conformément aux règles du devoir. **Droit** suppose des intentions pures, qui font agir sans jamais chercher à tromper. **Vrai** s'applique à celui qui aime la vérité par principe, qui est probe parce que l'injustice s'appuie toujours sur une erreur morale : *Si l'homme loyal est proprement celui qui demeure fidèle à la loi qu'il a acceptée, l'homme vrai est proprement celui qui, soit dans ses paroles, soit dans ses actions, se montre réellement ce qu'il est, et l'homme droit l'homme sans détours.* **Féal,** syn. de *loyal* et de *fidèle,* est surtout usité en termes d'histoire. (V. FRANC.)

lubie. V. FANTAISIE.

lubrique. V. LUXURIEUX.

lucarne désigne une petite fenêtre de forme variée, pratiquée ordinairement au toit d'une maison pour donner du jour dans les greniers, dans les chambres de combles, ou pour y introduire certaines choses. **Œil-de-bœuf** est le nom donné à une lucarne ronde ou ovale pratiquée dans un dôme, un pignon, un comble, un fronton, etc. **Tabatière** (par ellipse de FENÊTRE À TABATIÈRE) se dit d'une lucarne qui est composée de deux cadres superposés, dont l'un est fixe et offre la même pente que le toit, cependant que l'autre, mobile **(vasistas),** peut se relever à l'aide d'une crémaillère. (V. FENÊTRE.)

lucidité. V. CLAIRVOYANCE.

lucre. V. GAIN.

lueur, au fig., se dit généralement de quelque chose de plus ou moins vain qui s'achève, qui s'éteint, et indique un reste, alors que **rayon** s'emploie plutôt pour marquer un commencement et quelque chose de solide : *Une dernière lueur, un premier rayon d'espérance.*

V. aussi LUMIÈRE.

lugubre. V. TRISTE.

lui ou **elle,** dans le sens de sa propre personne, n'ont plus auj. **soi** comme syn. que pour rappeler un sujet de sens général : *chacun, on,* etc.; c'est ainsi qu'on ne dirait plus, avec La Bruyère, « Gnathon ne vit que pour soi », mais *Gnathon ne vit que pour lui.* (A noter cependant que *soi* s'emploie encore pour rappeler un nom déterminé quand l'emploi d'un autre pronom prêterait à une équivoque; c'est ainsi qu'on dirait encore, avec La Bruyère : *Il tousse sous son chapeau; il crache presque sur soi,* car alors *lui*, pouvant se rapporter à chapeau, risquerait de faire équivoque.)

luire. V. BRILLER.

lumière est le terme général qui désigne ce au moyen de quoi les objets sont visibles, ce qui rend ceux-ci propres à frapper la vue. **Clarté** se dit d'une lumière suffisante, mais qui peut être de courte durée. **Lueur** s'applique à un commencement de clarté, à une lumière faible qui est le plus souvent passagère et fugitive. **Rayon** concerne un simple trait de lumière, mais vif, éclatant. **Eclat** se dit d'une grande lumière, forte et très brillante, d'une clarté aussi abondante que vive. **Splendeur** désigne la plus grande lumière, un éclat éblouissant, la plénitude de la lumière et de l'éclat : *La clarté est une lumière assez vive et plus ou moins pure; la lueur est une lumière faible et légère: le rayon une ligne lumineuse considérée comme isolée; l'éclat une lumière brillante ou une vive clarté; la splendeur la plus grande lumière et le plus vif éclat.*

lunatique. V. CAPRICIEUX.

lunch. V. REPAS.

lune. V. MANIE.

lunette est le terme général qui désigne tout instrument d'optique destiné à grossir ou rapprocher les objets éloignés (V. LORGNON). **Lunette d'approche, longue-vue, lunette terrestre** désignent des lunettes de précision servant à regarder des objets éloignés à la surface de la terre. **Lunette astronomique** est le nom donné à l'instrument d'optique qui sert à l'observation des astres, et dont le **télescope** diffère par la substitution d'un miroir concave à la lentille objective. — **Lorgnette,** nom donné autref. à une petite lunette d'approche permettant de voir de côté, se dit uniquement auj. d'une petite lunette portative, simple ou surtout double, dont on se sert principalement au théâtre. **Jumelle** s'applique à une double lorgnette qui sert au spectacle ou bien qu'utilisent les officiers, les sportifs.

luron est le nom que l'on donne à un homme vigoureux et déterminé, bon vivant, toujours joyeux et sans souci. **Gaillard** a un sens analogue, mais comporte surtout l'idée de vigueur, de hardiesse de parole, voire de gauloiserie. **Lascar** implique moins l'idée de vigueur que celle de gaieté et même de sans-gêne. **Loustic** se dit surtout, dans ce sens, de celui qui plaisante de tout; il est familier, comme ses syn. **bon** ou **joyeux drille. Bougre,** syn. de *luron, gaillard,* est très populaire, presque trivial. **Zigoto** est un terme d'argot; il emporte le plus souvent l'idée d'excentricités. (V. BOUFFON, COMIQUE, ESPIÈGLE et GAI.)

lustre. V. BRILLANT.

lutin désigne, avec les **esprits follets** et les **farfadets,** une nombreuse famille d'êtres fantastiques dont l'imagination du Moyen Age avait peuplé les airs, et dont le caractère variait avec celui des populations elles-mêmes, êtres fantastiques qui existaient sous différents noms dans toutes les parties de l'Europe : **alfs** en Danemark, **elfes** et **kobolds** en Allemagne et en Ecosse, **drows** en Irlande, **effrits** et **djinns** chez les Arabes, **trolls** dans les pays scandinaves. **Korrigan** est le nom donné, dans les traditions populaires de la Bretagne, à des esprits malfaisants. **Gnome** désigne des génies qui, selon les cabalistes, habitaient l'intérieur de la terre. **Goguelin** se dit d'êtres fantastiques qui, dans les légendes de matelots, ont la cale comme domaine.

V. aussi ESPIÈGLE.

lutiner. V. TAQUINER.

lutte se dit d'une sorte d'exercice de combat, où deux hommes se prennent corps à corps et cherchent à se terrasser l'un l'autre. **Pugilat** implique une lutte à coups de poings. **Pancrace** désigne un combat gymnique qui combine la lutte et le pugilat. **Jiu-jitsu** (mot japonais signifie art de la souplesse) est le nom donné à un système particulier de lutte, fort en honneur au Japon, destiné à permettre le triomphe de l'adresse et de l'agilité sur la force brutale. **Catch** (pour CATCH AS CATCH CAN, attrape comme tu peux) se dit d'une lutte américaine qui autorise la plupart des pratiques dangereuses interdites par la lutte gréco-romaine : bras retournés, crocs en jambe, etc.

V. aussi COMBAT.

lutter, proprement se prendre corps à corps avec quelqu'un pour le terrasser (v. art. précéd.), s'emploie aussi figurément lorsqu'il s'agit de toute sorte de lutte, de guerre, de dispute, de controverse, de conflit; il indique une opposition de force, d'autorité. **Disputer de** s'emploie pour exprimer que les choses ou les personnes dont il s'agit paraissent avoir des qualités si égales que l'on ne sait laquelle l'emporte. **Rivaliser** suppose une compétition d'efforts pour dépasser un adversaire; c'est disputer de talent, de mérite, etc., avec quelqu'un.

V. aussi ACCOUPLER (S').

luxe suppose le goût pour les choses coûteuses et recherchées dont est privé le plus grand nombre; il implique généralem. des dépenses excessives, désordonnées et un besoin immodéré d'aises et de commodités surtout intérieures. **Faste** a plus rapport aux choses de l'extérieur; il emporte l'idée de dépenses d'apparat, d'éclat, et fait souvent penser à un dérèglement d'esprit et de conduite qui souhaite la grandeur, la majesté. **Magnificence** annonce toujours un grand air et souvent une manière noble, généreuse, belle. **Somptuosité** (du lat. *sumptus,* dépense), qui emporte l'idée de libéralités, exprime la qualité coûteuse des choses. **Splendeur** annonce une manière brillante, illustre. (V. APPARAT.)

luxer. V. DISLOQUER.

luxurieux désigne celui qui se livre sans retenue aux plaisirs de la chair, et ce considéré principalement au point de vue de la morale chrétienne. **Lascif** joint à l'idée de luxure celle d'une excitation galante. **Voluptueux** implique un certain choix dans le goût du plaisir et une recherche raffinée des jouissances. **Sensuel** fait uniquement penser à l'attachement naturel éprouvé pour les plaisirs des sens, lequel est plus instinctif que raisonné; il n'emporte pas l'idée de recherche et de délicatesses dans ces plaisirs qu'implique *voluptueux.* **Lubrique** suppose aussi une disposition du tempérament, un caractère physique qui entraîne avec force vers la luxure, mais avec un sens plus péjoratif que *sensuel.* **Sadique** est péj.; il ajoute à l'idée de lubricité celle de cruauté. **Paillard,** syn. de *luxurieux,* est familier. **Salace,** syn. de *lubrique,* de *lascif,* est moins usité. (V. ÉROTIQUE, OBSCÈNE et VICIEUX.)

lycée. V. ÉCOLE.

lycéen. V. ÉLÈVE.

lymphatique. V. FAIBLE.

lyrisme. V. ENTHOUSIASME.

M

macaque. V. VILAIN.

macéré. V. TISANE.

macérer (lat. *macerare,* amaigrir), c'est, à proprement parler, rendre maigre, soit, en parlant des substances, particulièrement des plantes, les amaigrir en quelque sorte en les faisant infuser à froid dans un liquide quelconque, afin de les décharger de leurs sucs : *On macère les substances en enlevant leurs principes solubles.* **Mortifier,** c'est, dans son sens primitif, rendre « mort », opérer la destruction : *On mortifie des viandes en produisant chez elles un commencement de décomposition.* **Mater,** c'est, primitivement aussi, réduire le roi à ne pouvoir sortir de sa place au jeu des échecs, et, au fig., ôter toute force, tout ressort : *On mate les animaux en épuisant leur force de* *résistance*. — Dans le style religieux, où ces termes sont vraiment synonymes, on MACÈRE son corps par le jeûne, les privations, les veilles, par les exercices qui l'exténuent et le tiennent dans un état d'affaiblissement. On MORTIFIE non seulement le corps, mais aussi l'esprit, les passions, la convoitise, la concupiscence, en en réprimant les désirs. MATER se dit de l'homme charnel lorsqu'on parvient à le dompter, à faire taire ses appétits dépravés, au moyen de tous les exercices de la pénitence susceptibles de le rendre docile et incapable de résistance.

mâchelière. V. DENT.

mâcher, c'est briser, broyer les aliments ou toute autre chose sous les dents. **Mastiquer,** c'est mâcher longuement, avec un certain effort et en mélangeant de la salive, surtout dans le but de faciliter la digestion. **Mâchonner,** c'est mâcher avec difficulté ou négligence.

machiavélisme. V. RUSE.

machinal se dit d'un acte accompli sans y penser, sans que la volonté intervienne pour ou contre. **Automatique,** comme **mécanique,** ajoute à l'idée exprimée par *machinal* celle d'habitude acquise. **Involontaire** s'applique à ce que l'on fait malgré soi, contre sa volonté. **Instinctif** désigne l'acte, le mouvement provoqué par un réflexe.

machinations. V. AGISSEMENTS.

machine désigne tout instrument propre à communiquer un mouvement, ou à saisir ou à prendre, ou bien à mettre en jeu quelque agent naturel, comme l'eau, le vent, etc. **Mécanique** est plus du langage techn. et suppose un assemblage de pièces, de ressorts, etc., plus compliqué que *machine*. **Engin,** sous l'influence sans doute de son étymologie (du lat. *ingenium,* talent, adresse), suppose généralement auj., dans le langage courant une machine assez compliquée et emporte souvent en outre une idée péjorative. **Appareil,** qui est plus général, peut désigner aussi bien un assemblage d'organes mécaniques que d'organes non mécaniques.

V. aussi AUTOMATE.

machiner. V. OURDIR.

machiniste, qui se dit de celui qui conduit une machine, fait uniquement penser à l'occupation manuelle restreinte aux opérations du **conducteur,** terme qui, lui, attire au contraire l'attention sur l'opération de l'esprit qui permet de diriger. **Mécanicien** désigne un homme qui développe plus d'intelligence encore, plus d'invention surtout, et qui, tout en pratiquant, s'élève jusqu'à la théorie. **Mécano** s'emploie familièrement et par abréviation, dans le langage courant, pour désigner surtout un mécanicien d'automobile, d'avion.

mâchoire est le nom donné à deux pièces osseuses qui supportent les dents chez les vertébrés, et qu'on distingue en mâchoire supérieure et en mâchoire inférieure. **Mandibule,** terme d'hist. nat. qui désigne chacune des deux parties formant le bec des oiseaux, se dit aussi, par analogie et familièrement, de la mâchoire humaine et surtout de la mâchoire inférieure; il s'emploie alors plutôt au pluriel.

mâchonner. V. MÂCHER.

macule. V. TACHE.

maculer. V. SALIR.

madré. V MALIN.

maestria. V. ADRESSE.

maestro. V. MUSICIEN.

mafia (ou MAFFIA). V. COTERIE.

mafflé (ou **mafflu**). V. BOUFFI.

magasin. V. BOUTIQUE.

magazine. V. REVUE.

mage. V. MAGICIEN.

magicien est le nom donné à celui que certains croient capable, par sa connaissance des sciences occultes, d'exercer sa puissance sur la nature elle-même ou sur les esprits en les rendant dociles à ses ordres, et que l'on considérait autref. comme un savant. **Sorcier** est plus péjoratif; il s'applique bien à celui qui fait usage des secrets de la magie, c'est-à-dire de l'art prétendu de produire, au moyen de pratiques le plus souvent bizarres, des effets contraires aux lois naturelles, pour nuire à ses semblables et pour se rendre lui-même un objet de terreur : *La puissance du magicien est merveilleuse; celle du sorcier diabolique et infernale*. (C'est ainsi qu'au fig., MAGICIEN, dominé par l'idée de séduction, est plus noble que *sorcier*, qui suppose de l'habileté.) **Thaumaturge** ne s'emploie guère aussi que dans un sens défavorable pour désigner ceux qui ont la prétention de faire des miracles. **Mage** était le nom donné, dans l'Antiquité, au magicien savant dans les sciences occultes, et que l'on emploie quelquefois encore auj. dans ce sens. **Nécromancien** ou **nécromant,** syn. de *magicien,* n'est pas du langage courant. (V. CHARME et DEVIN.)

magister. V. MAÎTRE et PÉDANT.

magistral. V. SUPÉRIEUR.

magistrat. V. JUGE.

magma. V. MÉLANGE.

magnanimité. V. GÉNÉROSITÉ.

magnificence. V. LUXE.

magnifier. V. GLORIFIER.

magnifique. V. ADMIRABLE.

1. **magot.** V. TRÉSOR.

2. **magot.** V. VILAIN.

maie. V. HUCHE.

maigre est un terme général qui se dit de tout ce qui n'a pas de graisse ou qui en a très peu. **Sec,** syn. de *maigre* en parlant des êtres humains, est plutôt péjoratif, tandis que **sécot** est familier. **Décharné** enchérit sur *maigre* et *sec;* il suppose une maigreur extrême due généralement à la maladie ou à des privations. **Etique,** syn. de *décharné,* s'emploie bien dans le langage littéraire. **Maigrelet** (ou **maigret,** peu us. auj.), **maigrichon** et **maigriot** sont familiers et désignent, généralement avec une nuance défavorable, celui qui est un peu trop maigre. — **Grande bringue,** aussi familier et assez péjoratif, est plus partic.; il se dit surtout d'une grande fille, maigre et alerte. (V. MINCE.)

maigrelet, maigret. V. MAIGRE.

maigreur. V. AMAIGRISSEMENT.

maigrichon, maigriot. V. MAIGRE.

mail. V. PROMENADE.

maille, qui désigne chaque boucle que forme le fil, la soie, la laine, etc., dans les tissus plus ou moins lâches, comme les tricots, se dit aussi, par ext., de chacun des petits annelets de métal dont l'ensemble forme une chaîne. **Maillon,** comme **chaînon,** est syn. de *maille* seulement dans son second sens.

maillon. V. MAILLE.

maillot. V. CHANDAIL.

mainmise. V. INFLUENCE et SAISIE.

maint. V. PLUSIEURS.

maintenant. V. ACTUELLEMENT.

maintenir. V. CONSERVER, RETENIR et SOUTENIR.

maintien désigne la manière de se tenir due le plus souvent à l'éducation : *On voit à son maintien qu'il a été bien élevé.* **Port** se dit de la manière naturelle de porter la tête, de marcher, de se présenter : *Un port simple, digne, indécis, embarrassé.* **Prestance** (lat. *praestantia;* de *prae,* avant, et *stare,* se tenir debout) s'applique à un maintien imposant et martial : *La prestance de Louis XIV.* **Contenance** désigne la manière de se tenir de l'homme dans une circonstance particulière : *Bonne, mauvaise contenance.* **Tenue** est le nom donné à la manière de se tenir et surtout de se vêtir, surtout au point de vue des convenances : *Manquer de tenue; Avoir une excellente, une déplorable tenue.* **Représentation** est le nom que l'on donne à une tenue pleine de dignité, laquelle rend propre à jouer un rôle dans un rang élevé : *Un homme d'une belle représentation.* **Tournure** s'applique au maintien eu égard surtout à la manière dont une personne est « tournée », faite : *Il y a de certaines tournures d'hommes qu'on n'oublie point, a écrit Marivaux.* **Ligne,** qui est familier, se dit, pour une personne, soit de sa silhouette lorsque celle-ci est fine, élégante, soit de son port, lorsqu'il marque une bonne filiation, l'excellence de la race : *Avoir de la ligne.* **Touche,** qui est pop., fait surtout penser à la façon de se présenter, généralement avec une nuance péjorative : *Avoir une drôle de touche.* (V. AIR, ALLURE et ATTITUDE.)

mairie est le nom donné au bâtiment qui contient les bureaux de l'administration municipale. **Hôtel de ville** ne se dit guère que de la mairie d'une grande commune, d'une ville importante. **Maison commune** comme **maison de ville,** syn. de *mairie,* sont peu usités.

maison fait penser, dans un sens étendu, à ceux qui demeurent et vivent ensemble dans une même demeure, qui y composent une même famille, et plus particulièrem. à tout ce qui a rapport aux affaires domestiques. **Foyer,** qui au sing. se dit surtout de la famille, du ménage, s'emploie bien au plur. pour désigner soit la demeure familiale, soit le pays natal. **Ménage** attire l'attention sur le gouvernement domestique et tout ce qui concerne la dépense et l'entretien de la famille. **Intérieur** fait penser surtout, dans ce sens, à la vie domestique au-dedans même de la maison. **Domestique,** syn. de *ménage,* d'*intérieur,* est peu usité auj. **Pénates** (divinités protectrices du foyer chez les Romains et les Etrusques) est un syn. poétique de *foyer* domestique qui s'emploie aussi auj. familièrement. **Lares** (lat. *lar, laris;* d'un mot étrusque signif. chef) est un syn. peu usité de *pénates.* **Home** est un mot angl. signif. *maison,* et qu'on emploie parfois familièrement en France pour désigner le **chez-soi,** c'est-à-dire la maison considérée relativement à la famille, à la vie intime. (On dit aussi AT HOME, à la maison, chez soi.)

V. aussi ÉTABLISSEMENT, HABITATION et RACE.

maison centrale. V. PRISON.

maison commune. V. MAIRIE.

maison d'arrêt. V. PRISON.

maison de rapport. V. IMMEUBLE.

maison de santé. V. HÔPITAL.

maison de ville. V. MAIRIE.

maisonnée. V. FAMILLE.

maître est un terme très général désignant celui qui enseigne quelque art ou quelque science. **Enseigneur,** qui est moins du langage courant, insiste essentiellement sur l'utilité, la grandeur, la noblesse de la tâche du maître : *Georges Duhamel aime à louer les ouvrages d'illustres savants qui furent aussi des maîtres au vrai sens du mot, c'est-à-dire des enseigneurs.* **Instituteur** est un syn. auj. très couramment employé de **maître d'école,** nom donné à celui dont l'école est destinée à donner aux enfants les connaissances les plus élémentaires. **Professeur,** syn. de *maître,* est très employé auj. et semble d'un langage plus relevé ; il implique généralement le droit officiel d'enseigner. **Précepteur** désigne le maître qui à la fois instruit et éduque un enfant, un jeune homme ; il suppose un enseignement particulier et non collectif. **Gouverneur** est vx ; il se disait autref. de celui qui était commis à l'instruction et à l'éducation d'un jeune prince ou d'un jeune homme de grande famille. **Magister** est vx aussi ; il désignait autref. un maître d'école de village, alors que **régent** s'appliquait à un professeur qui enseignait dans un collège. **Préfet des études** (ou PRÉFET) est le nom que l'on donnait autref. au maître chargé de la direction des études et de la discipline dans un collège. **Pédagogue,** nom donné au maître, au précepteur qui enseigne des enfants et qui a soin de leur éducation, n'est plus guère usité auj. en ce sens, si ce n'est par dérision (V. PÉDANT). **Pet-de-loup** s'emploie populairement et péjorativement en parlant d'un professeur d'université, alors que **pion,** syn. surtout d'*instituteur,* est un terme d'argot scolaire. (V. SURVEILLANT.)

V. aussi PATRON, PROPRIÉTAIRE et VIRTUOSE.

maître de maison. V. HÔTE.

maître queux. V. CUISINIER.

maître-d'étude. V. SURVEILLANT.

maîtresse. V. AMANTE.

maîtrise. V. ADRESSE.

maîtriser. V. SURMONTER.

majesté. V. DIGNITÉ.

majestueux. V. IMPOSANT.

majorer, c'est évaluer un objet au dessus de sa valeur véritable dans un apport, une vente, etc., et, par ext., simplement rendre plus élevé le prix d'un produit, d'une denrée, surtout dans le langage administratif. **Augmenter,** syn. de *majorer* dans son sens étendu, est du langage courant. **Hausser,** qui est plutôt vieilli, s'emploie toutefois encore pour indiquer une augmentation anormale de prix. **Valoriser,** terme de commerce et de finance, implique la hausse factice d'une marchandise ou d'une valeur fiduciaire, provoquée au moyen de manœuvres économiques ou boursières. **Revaloriser,** proprement, et en termes de finance, rendre sa valeur à une monnaie dépréciée, s'emploie aussi parfois, dans le langage commercial et même courant, avec le sens général d'accroître la valeur d'un produit, d'une marchandise, en augmentant son prix ; on le dit aussi des salaires que l'on augmente, pour les mettre en rapport avec l'augmentation du coût de la vie.

majuscule se dit des lettres plus grandes que les autres et de forme différente qui se mettent au commencement des chapitres, des phrases, des vers, des noms propres, etc., et cela surtout en termes d'écriture. **Capitale** s'emploie de préférence en termes d'imprimerie. **Initiale,** qui se dit particulièrement des lettres, des syllabes qui commencent un mot, comme de la première lettre majuscule des noms propres, désigne, en termes de calligraphie et d'écriture, la lettre qui, commençant un livre, un chapitre, est ordinairem. plus grande encore que les majuscules du texte, et quelquefois accompagnée d'ornements. **Lettrine,** syn. d'*initiale* en termes d'imprimerie, se dit aussi des lettres majuscules imprimées en haut des pages ou des colonnes d'un dictionnaire, pour indiquer les initiales des mots qu'elles renferment.

mal. V. DIFFICULTÉ, MALADIE et PEINE.

mal bâti. V. DIFFORME.

mal de cœur est le terme du langage courant qui désigne l'envie de vomir. **Nausée** est plus du langage recherché ; empr. du lat. *nausea,* proprement mal de mer, il se disait plus spécialement autrefois de l'envie de vomir que donne le **mal de mer,** malaise qu'éprouvent les personnes qui n'ont pas l'habitude de naviguer. **Haut-le-cœur,** soulèvement de cœur, *nausée,* est familier. (V. VOMIR.)

mal de mer. V. MAL DE CŒUR.

mal fait. V. DIFFORME.

mal poli. V IMPOLI.

mal proportionné. V. DÉMESURÉ.

malade désigne celui dont la santé est altérée, qui éprouve quelque trouble dans les fonctions de ses organes. **Souffrant,** syn. de *malade,* implique généralem. une maladie sans gravité. **Indisposé** dit moins encore ; il suppose seulement une altération légère et passagère de la santé. **Dolent** (du lat. *dolere,* souffrir) est moins usité dans ce sens et implique simplement qu'on est mal à son aise. **Mal fichu** et **patraque,** syn. de *souffrant,* d'*indisposé,* sont familiers ; **mal foutu** est populaire et grossier. **Pâle,** syn. de *malade,* est un terme d'argot militaire employé surtout dans la loc. : *Se faire porter pâle.* (V. GÂTEUX, INCOMMODÉ et MALADIF.)

V. aussi FOU.

maladie, qui désigne une altération plus ou moins profonde de la santé, a pour syn. **affection.** (A noter toutefois que certains médecins font une distinction entre ces deux termes, le premier désignant un état général dont le second indique la localisation : *La tuberculose est une maladie, la tuberculose pulmonaire une affection.*) **Mal,** qui s'emploie aussi parfois comme syn. de *maladie* ou d'*affection,* fait surtout penser à la douleur physique ressentie.

maladif désigne celui qui porte en lui un principe effectif et actif de maladie et qui, par ce fait, est sujet à tomber malade. **Infirme,** qui se dit plus particulièrem. d'une personne affectée d'une affection congénitale ou accidentelle gênant ou empêchant le fonctionnement de telle ou telle partie de son organisme, s'applique aussi, d'une façon générale, à celui qui est faible, maladif ; il emporte alors l'idée d'une débilité constante qui rend impropre au travail et oblige même souvent à garder le lit. **Cacochyme** (du gr. *kakos,* mauvais, et *chumos,* humeur), qui marque proprement la corruption des humeurs et se dit surtout des vieillards qui toussent, qui crachent sans cesse, s'emploie souvent par plaisanterie ou dénigrement. **Valétudinaire,** qui dit moins que les autres termes, s'applique, dans le langage courant seulement, à une personne âgée qui a une santé chancelante. **Souffreteux** se dit bien de celui qui est habituellement souffrant ; il suppose une santé débile. **Egrotant,** syn. de *maladif,* n'est guère usité aujourd'hui. (V. FAIBLE et MALADE.)

maladrerie. V. LÉPROSERIE.

maladroit implique le manque d'adresse ordinairem. dans un acte particulier ; c'est celui qui s'y prend mal pour faire ou dire quelque chose. **Malhabile** suppose une manière habituelle d'agir marquée par une insuffisance d'adresse, d' « habileté ». **Inhabile** enchérit sur *malhabile* en emportant l'idée d'absence complète d'adresse, d' « habileté » : *Une personne malhabile n'est pas encore capable de faire quelque chose; Une personne inhabile est incapable de bien faire quoi que ce soit.* **Mazette,** qui ne s'emploie que substantivement et se dit d'une personne sans capacité, s'applique plus spécialement à un joueur inhabile. **Gauche** a plus généralement trait aux manières : il se dit de celui qui ne fait rien avec grâce, dont tous les mouvements paraissent embarrassés. **Lourd** concerne généralement l'esprit et fait surtout penser alors à l'absence de finesse, de délicatesse. **Gaffeur** se dit familièrement seulement de celui qui se montre maladroit en agissant ou parlant sans réflexion, sottement. **Manchot,** comme **pataud,** syn. de *gauche,* est familier, ainsi que **godiche** qui implique une gaucherie ridicule. **Gourde,** syn. d'*inhabile,* de *lourd,* et **empoté,** syn. de *gauche,* sur lequel il enchérirait plutôt, sont populaires. **Cartonnier** se dit parfois, dans le langage populaire aussi, de celui qui est maladroit dans son métier. (V. INAPTITUDE.)

malaisé. V. DIFFICILE.

malandrin. V. BANDIT.

malappris. V. IMPOLI.

malavisé. V. ÉTOURDI.

malaxer. V. PÉTRIR.

malchance se dit aussi bien d'une suite de mésaventures que d'une seule de celles-ci; c'est le résultat d'un ensemble de circonstances amenées par le hasard seul, lesquelles nous sont défavorables. **Déveine,** qui est familier, s'applique à une malchance persistante, surtout au jeu. **Guigne,** comme **guignon,** familier aussi, suppose généralement une malchance habituelle, une mauvaise chance qui ne cesse de poursuivre quelqu'un. **Cerise** et **poisse** (ce dernier très us.) sont des termes d'argot. (V. MALHEUR et MÉSAVENTURE.)

maldonne. V. ERREUR.

mâle se dit surtout figurément de ce qui annonce de la force matérielle : *Un visage mâle.* **Viril,** qui est du langage relevé, s'applique bien à ce qui dénote de l'énergie : *Un caractère viril.* (A noter que si, dans la pratique, les deux mots sont parfois pris indifféremment, *mâle* semble toujours s'employer, dans le sens de *viril,* avant le nom qu'il qualifie : *Un mâle courage.*)

malédiction (action de dire mal) désigne généralement un simple souhait de malheur, lequel est plutôt prononcé par un supérieur contre un inférieur. (A noter que *malédiction* se prend aussi dans le sens d'un malheur considéré comme l'effet d'une malédiction première qui en est la cause : *Une terre de malédiction est une terre qui a été ou qui semble avoir été maudite, et qui est ainsi condamnée à une continuité de maux et de misères.*) **Imprécation** (action de prier contre) dit plus encore; il suppose un appel à la divinité pour qu'elle accable de maux l'objet de notre colère. **Exécration** (action de « désacrer » ou, pour parler français, d'attirer ou de provoquer contre quelqu'un la vengeance céleste) enchérit à son tour sur *imprécation;* il emporte l'idée d'une haine plus profonde qui appelle les maux les plus horribles.

malefaim. V. FAIM.

maléfice. V. CHARME.

malencontre. V. MÉSAVENTURE.

malentendu suppose des paroles ou des actions prises dans un autre sens que celui où elles ont été dites ou faites, avec toutes les conséquences qui peuvent en découler : *Il y a malentendu lorsqu'on entend une chose de travers.* **Mécompte** implique une erreur de compte ou de calcul; il emporte l'idée d'une opération particulière de l'esprit qui, par inadvertance, trompe un espoir, suscite une déception : *Il y a mécompte lorsqu'on fait un calcul erroné.* **Confusion** indique un défaut de compréhension qui fait prendre une chose pour une autre : *Il y a confusion lorsqu'on mêle plusieurs choses ensemble.* (V. ERREUR.)

malfaisant. V. NUISIBLE.

malfaiteur est un terme général qui désigne toute personne dont les habitudes ou les actions sont criminelles. **Rôdeur** (DE BARRIÈRE, DE NUIT) est plus partic.; il se dit, dans ce sens, d'un malfaiteur qui, dans un lieu solitaire ou à la faveur de l'obscurité, cherche quelqu'un à dévaliser. **Apache** est le nom que l'on donne à un rôdeur de grande ville, toujours prêt à faire un mauvais coup. **Gangster** (de l'américain *gang,* bande) s'emploie parfois auj., populairement, comme syn. de *malfaiteur,* par allusion aux membres d'une association de malfaiteurs ainsi appelés en Amérique. **Tire-laine** est vx; il se disait autref. d'un rôdeur de nuit qui volait les manteaux. (V. BANDIT, ESCROC, VAURIEN et VOLEUR.)

malgré signif. contre la volonté et exprime une opposition réelle, une résistance soutenue, mais sans effet; il se met bien devant les noms de personnes : *Malgré les protestations et les menaces, il a accompli son dessein jusqu'au bout; Jeune homme qui se marie malgré son père.* **Contre** implique surtout que l'on ne se conforme pas à la règle, à un usage, à une volonté ; il suppose, dit Lafaye, quelque chose d'idéal, au préjudice de quoi on agit : *On s'insurge contre les lois, l'évidence, la raison, les conseils de quelqu'un.* **En dépit de** ajoute à l'idée exprimée par *malgré* celle du peu de souci que l'on a de peiner la personne qui prétend s'opposer à l'action, de lui causer du « dépit » : *On ne peut pas dire en dépit de mon crime, comme on dit malgré mon crime, quel qu'ait été mon crime, parce qu'un crime n'a point de dépit; on dit bien en dépit de ma haine, de mon amour, parce que les passions se personnifient, a fait observer Voltaire.* **Nonobstant** (empr. au part. prés. du verbe lat. *obstare,* s'opposer) donne simplement à entendre qu'une chose est ou agit, sans qu'une autre chose puisse l'en empêcher : *On ne l'a point vu dans cette ville, nonobstant le bruit qui a couru.* (A noter que ce terme, qui a vieilli, n'est plus guère employé qu'en style de palais.)

malgré tout, qui signifie en dépit de tout ce qui peut s'opposer à ce que l'on affirme, suppose une contradiction. **Absolument,** qui implique que l'on ne tient compte d'aucune restriction, n'emporte pas, par contre, comme *malgré tout,* l'idée de contradiction.

malhabile. V. MALADROIT.

malheur est un terme très général qui se dit de tout événement fâcheux et affligeant qui nous arrive. **Epreuve** se dit particulièrem. d'un malheur où il est nécessaire de montrer de la fermeté, du courage, de la constance. **Tribulation,** qui s'emploie surtout au pluriel et a le sens d'affliction, de tourment moral, et souvent aussi d'*épreuve,* désigne plus spécialement des adversités considérées comme des épreuves voulues par Dieu. **Infortune,** syn. poétique de *malheur,* s'applique surtout à une suite d'événements fâcheux d'une certaine importance. **Adversité** suppose un état malheureux dans lequel on a le sort contre soi ; il emporte une idée de lutte contre le malheur qui nous poursuit. **Disgrâce** désigne la perte d'un état heureux d'où l'on est déchu. **Misère** implique un grand dénuement ou une grande souffrance. **Détresse** emporte l'idée d'une situation poignante qui, toutefois, peut être momentanée, si l'on réussit à obtenir un prompt secours. **Mélasse,** syn. de *misère,* est un terme d'argot. **Méchef,** syn. de *malheur,* est vieux. (V. CATASTROPHE, ÉCHEC, MALCHANCE, MÉSAVENTURE et PEINE.)

malheureux. V. MISÉRABLE.

malhonnête. V. DÉSHONNÊTE et IMPOLI.

malice suppose un défaut qui tient moins au caractère qu'à l'esprit, lequel cherche le mal surtout pour le plaisir de montrer sa finesse ou sa puissance ; il arrive le plus souvent d'ailleurs que ce terme ait un sens presque favorable : celui d'espièglerie, de bon tour dont on peut tirer parti par la suite. **Malignité** implique toujours, au contraire, un penchant qui est plus dans le caractère que dans l'esprit ; il emporte l'idée d'une dissimulation qui a pour but, comme pour effet naturel, de nuire par des moyens détournés. (V. RUSE.) **Méchanceté** dit plus ; c'est le goût mauvais qui fait faire ouvertement le mal, généralement d'une façon violente et brutale : *Une malice peut être innocente, tandis qu'il peut exister de noires malignités et des méchancetés atroces.* **Rosserie,** est familier ; il se dit bien d'une méchanceté spirituelle qui, parfois même, peut être dite avec une gentillesse apparente ; il suppose souvent un cynisme mordant qui ne se soucie pas des convenances sociales : *La rosserie des chansonniers montmartrois est légendaire.* **Saloperie** et **vacherie,** syn. de *méchanceté* sur lequel ils enchérissent, sont des termes d'argot.

malicieux. V. MALIN.

malignité. V. MALICE.

malin suppose de l'ingéniosité ou, au moins, une certaine finesse : *Le malin l'est de sang-froid, aussi faut-il s'en défier.* **Malicieux** dit moins ; il désigne celui qui ne fait pas le mal pour lui-même, mais pour le plaisir qu'il retire du bon tour qu'il joue, lequel fait du reste bien souvent rire ceux-là mêmes qui en sont les victimes. **Futé,** syn. familier de *malicieux,* convient bien en parlant d'un enfant. **Rusé,** qui emporte l'idée de tromperie, est péjoratif. **Narquois,** qui ne s'emploie qu'adjectivement, ajoute à l'idée de ruse celle de moquerie, de malice railleuse (V. RAILLERIE). **Roué,** qui vieillit, se dit d'un individu naturellement très rusé, à qui l'on ne peut vraiment se fier. **Finaud** se dit de celui qui est malin sous un certain air de simplicité, ou bien encore de celui qui est rusé dans les petites choses. **Retors** ajoute à *rusé* une idée de complications créées justement dans le but de mieux tromper. **Ficelle** se dit familièrement d'une personne qui emploie des procédés retors, voire indélicats. **Madré** et **matois,** syn. familiers de *finaud,* ont un caractère quelque peu paysan. **Renard,** syn. de *rusé,* est du langage imagé. **Débrouillard** se dit, toujours familièrement, de celui qui se montre malin surtout par le fait qu'il sait habilement se tirer d'affaire, d'embarras. **Roublard,** syn. de *malin,* de *rusé,* est populaire et emporte presque toujours un sens péjoratif ; il se dit particulièrement bien d'une personne habile, qui sait toujours tirer son épingle du jeu, souvent en employant des moyens peu délicats. **Zigoto,** syn. populaire de *malin,* s'emploie surtout dans l'expression : *Faire le zigoto.* **Marle,** syn. de *malin,* est un terme d'argot ainsi que **mariol,** qui est péjoratif. (V. MÉCHANT et SOURNOIS.)

malingre. V. FAIBLE.

malintentionné. V. MALVEILLANT.

malle désigne un coffre de cuir, de bois, d'osier, solide, résistant et lourd, où l'on enferme les objets que l'on emporte en voyage. **Marmotte** est le nom donné à une malle formée de deux caisses emboîtées l'une dans l'autre, et spécialement à la grande boîte à échantillons des voyageurs de commerce. **Valise,** proprement long sac de cuir disposé pour être porté en croupe, se dit auj. d'une petite malle très légère, toujours souple et parfois à soufflet, qui se porte à la main par une poignée. **Mallette** convient bien en parlant d'une petite malle ou d'une valise rigide, à coins carrés. **Cantine** est plus partic. ; il ne se dit que d'une petite malle d'officier.

malmener, c'est en user durement, en paroles ou en actions, généralement avec un inférieur ; il suppose un avantage de celui qui agit de la sorte sur la personne « malmenée ». **Maltraiter** ajoute généralem. à l'idée exprimée par *malmener* celle d'outrage fait aussi bien à un égal qu'à un inférieur ; lorsqu'il s'agit d'actions, on bouscule celui que l'on malmène, mais on donne des coups à celui que l'on maltraite. **Houspiller,** c'est maltraiter en secouant, en tiraillant. **Molester,** qui signif. autref. « tourmenter », s'emploie plus ordinairement auj. dans le sens de maltraiter, houspiller en paroles ou en actions. **Lapider** (du lat. *lapis,* pierre), proprement tuer à coups de pierre et, par ext., poursuivre à coups de pierre, s'emploie aussi figurément, et non sans recherche, dans le sens de maltraiter violemment par paroles ou par écrits. **Brutaliser,** c'est maltraiter surtout en actions et violemment, avec emportement. **Rudoyer,** traiter avec rudesse, ne se dit généralement que du mauvais traitement qui se fait en paroles. **Vilipender** est plus littéraire ; c'est traiter de « vil », maltraiter seulement en paroles ou par écrit, déconsidérer sous une avalanche de remarques méprisantes, le plus souvent animé par un sentiment de jalousie ou un manque de générosité. **Tympaniser,** c'est étymologiquement (du lat. *tympanizare,* battre le tambour) vilipender publiquement et partout ; il vieillit. **Tarabuster,** traiter rudement quelqu'un, le molester, est familier, ainsi qu'**étriller,** syn. de *maltraiter,* cependant que **régaler** s'emploie surtout ironiquement. (V. BATTRE, DISCRÉDITER, HUER et RAILLER.)

malodorant est le terme du langage recherché qui se dit, d'une façon générale, de tout ce qui a une mauvaise odeur. **Puant** est plus du langage commun et enchérit sur *malodorant* en impliquant toujours une odeur forte et répugnante. **Fétide** est un syn. de *puant* plus spécialement employé dans le langage scientifique ou littéraire. **Méphitique** (du lat. *mephitis,* exhalaisons infectes) est aussi un terme du langage didact. qui s'applique à ce qui a une odeur à la fois répugnante et malfaisante. **Nidoreux,** syn. de **puant,** est un terme de pathologie. (V. INFECTION.)

malotru. V. GROSSIER.

malplaisant. V. DÉSAGRÉABLE.

malpropre se dit de ce qui pourrait être propre et ne l'est pas, ou tout au moins pas suffisamment; il est surtout dominé par l'idée de négligence. **Sale** s'applique à ce qui n'est pas propre du tout et fait plutôt penser à l'absence de netteté. (A noter que *malpropre* indique généralem. un défaut constant, et *sale* un défaut accidentel.) **Dégoûtant** se dit de ce qui est extrêmement malpropre ou sale, au point d'écœurer. **Répugnant** enchérit à son tour sur *dégoûtant;* il implique un état de malpropreté, de saleté, qui va jusqu'à causer une véritable répulsion. **Sordide** suppose quelque chose de répugnant, une saleté habituelle due plus à la pauvreté ou à l'avarice qu'à une véritable négligence. **Immonde,** syn. de *répugnant,* est moins du langage ordinaire. **Souillon** s'emploie pour désigner celui qui tache, qui salit ses vêtements, qui est malpropre dans sa tenue, il est essentiellement dominé par l'idée de manque de soin. **Crasseux** suppose une saleté progressivement amassée. **Pouacre,** syn. de *sale,* de *dégoûtant,* vieillit. **Cochon** et **sagouin,** syn. de *malpropre* et de *sale,* sont populaires. **Crapoteux** et **craspeck** sont des termes d'argot. **Dégueulasse,** syn. de *dégoûtant* et de *répugnant,* est trivial. — La plupart de ces termes, appliqués figurément au moral, emportent les mêmes nuances; on peut y ajouter, employés substantivement et en parlant des personnes, les syn. familiers et extrêmement péjoratifs : **salaud** (ou plus rarement SALOP, fém. *salope*), **salopiaud** (ou **salopiat**) et **saligaud,** peu usités au sens propre, sauf *salope* appliquée à une fille, à une femme très sale. (V. ÉCŒURANT.)

malsain se dit proprement de ce qui renferme en soi le germe de quelque maladie, et, figurément, de ce qui est nuisible au point de vue moral. **Morbide** (du lat. *morbus,* maladie) enchérit sur *malsain;* moins du langage ordinaire, il désigne ce qui appartient à l'état de maladie, ce qui caractérise celui-ci ou en résulte, et, figurément, ce qui est en proie à une sorte de maladie morale. (V. NUISIBLE.)

maltraiter. V. MALMENER.

malveillance. V. RESSENTIMENT.

malveillant indique, d'une manière générale, le mauvais vouloir d'une personne pour une ou plusieurs autres personnes; il convient bien en parlant de celui qui blâme tout et voudrait voir échouer ce que font les autres. **Malintentionné** s'applique à un cas particulier et peut fort bien convenir pour désigner celui qui, sans avoir l'esprit malveillant, est cependant mal disposé à l'égard de quelqu'un en particulier, dont il croit avoir à se plaindre. **Venimeux** ajoute à l'idée de malveillance celle de malignité et de médisance. (V. MÉCHANT.)

malversation. V. CONCUSSION.

maman. V. MÈRE.

mamelle. V. SEIN.

mamelon. V. BUTTE, SEIN et SOMMET.

manant. V. GROSSIER et PAYSAN.

manche. V. DÉTROIT.

mandataire. V. ENVOYÉ et INTERMÉDIAIRE.

mandater. V. DÉLÉGUER.

mandement. V. BREF.

mander. V. CONVOQUER et SAVOIR (FAIRE).

mandibule. V. MÂCHOIRE.

manèges. V. AGISSEMENTS.

mânes. V. ÂME.

mangeoire. V. AUGE.

manger désigne l'action de mâcher et d'avaler les aliments. **Dévorer,** c'est soit manger en déchirant avec les dents, soit manger avidement, le plus souvent sans rien laisser. **S'empiffrer,** c'est se gorger, se bourrer de nourriture; il est fam. et péj., comme **goinfrer** qui implique qu'on mange non seulement avec avidité, mais encore d'une façon répugnante. **Croquer,** c'est soit manger une chose qui fait un bruit sec sous la dent, soit, familièrement, manger avidement. **Chipoter,** c'est au contraire manger du bout des dents, lentement et sans appétit; on dit aussi parfois, dans ce sens, mais familièrement, **pignocher. Grignoter,** c'est manger doucement, en rongeant. **Becqueter, boulotter, boustifailler, brouter, se caler les joues, se les caler, casser la croûte, croûter** et **tortiller** (celui-ci moins usité), syn. de *manger,* sont des termes populaires ou argotiques. **Bouffer,** c'est, populairement, manger avidement. **Bâfrer** est un synonyme populaire de *s'empiffrer,* ainsi que **brifer,** qui s'emploie aussi dans le sens général de *manger,* sans idée défavorable.

Faire miam-miam, syn. de *manger,* est du langage enfantin. (V. NOURRIR.)

maniable. V. SOUPLE.

manie suppose un travers de l'esprit plus ou moins volontaire, lequel nous entraîne à des habitudes bizarres, ridicules, et qui est assez souvent semblable à une passion. **Tic** est moins péj.; il se dit, figurément, de certaines habitudes de gestes ou de paroles, ridicules ou fâcheuses, contractées généralement inconsciemment. **Marotte** implique une sorte d'idée fixe, une opinion, un sentiment dont on s'est engoué, et qu'on adapte à toutes les circonstances et dont on ne cesse de parler. **Toquade** (ou TOCADE) est familier et se dit d'une fantaisie pour une personne, une chose, qui est devenue chez quelqu'un une idée fixe, une manie. **Dada,** comme **turlutaine** (moins us.), syn. de *marotte,* est aussi du langage familier. (V. FANTAISIE et OBSESSION.)

manier, c'est prendre un objet avec la main, et même avec le dedans de celle-ci : *On manie une étoffe pour connaître si elle a du corps ou de la force.* **Manipuler,** syn. de *manier,* lorsqu'il n'est pas employé péjorativement, s'emploie bien en parlant de choses qu'on arrange, de substances qu'on extrait, qu'on décompose, d'appareils qu'on fait fonctionner : *On manipule des drogues, un appareil télégraphique.* **Tripoter** est familier et péjoratif ; c'est manier avec insistance et plus ou moins de soin : *Il ne faut pas trop tripoter ce que l'on veut conserver.* **Tripatouiller,** syn. de *tripoter,* est populaire, comme **patouiller,** manier, tripoter d'une façon maladroite ou indiscrète. **Patrouiller,** populaire aussi, c'est manier, tripoter surtout malproprement, en gâtant ce que l'on touche. (V. TOUCHER.)

manière. V. ESPÈCE et FAÇON.

manière d'être. V. QUALITÉ.

maniéré. V. AFFECTÉ.

manifeste désigne ce qui est mis au jour, révélé, rendu patent : *Il est facile de connaître ce qui est manifeste, parce qu'il paraît à découvert, que rien ne le cache, ne le dissimule.* **Evident** se dit de ce qui a un tel caractère de certitude qu'il n'a pas besoin d'être prouvé et qu'il apparaît à tous les yeux : *La croyance comme l'assentiment sont déterminés par cela même qui est évident.* **Notoire** (du lat. *notorius,* qui fait connaître) veut dire proprement reconnu, admis comme vrai, sans être contesté par un grand nombre : *La chose notoire n'est plus incertaine et a, en quelque sorte, un caractère légal, authentique, qui la met hors de doute et la certifie.* **Public** présente le même sens que *notoire,* avec cette différence que c'est tout le monde qui connaît, qui admet : *La chose publique n'est pas secrète; on ne saurait se taire sur elle.* (V. VISIBLE.)

V. aussi CLAIR.

manifestement. V. ASSURÉMENT.

manifester. V. ANNONCER et EXPRIMER.

manigancer. V. OURDIR.

manigances. V. AGISSEMENTS.

manipuler. V. MANIER.

manœuvre. V. TRAVAILLEUR.

Manœuvres. V. AGISSEMENTS.

manoir. V. CHÂTEAU.

manouvrier. V. TRAVAILLEUR.

manque désigne ce dont il s'en faut qu'une chose soit entière. **Absence** indique simplement la non-présence d'une chose. **Privation** fait entendre que celui à qui la chose manque, ou lui a été ôtée, en souffre, en est affecté. **Défaut** ajoute à l'idée de *manque,* d'*absence,* celle d'un mal, d'une imperfection. **Faute** enchérit sur *défaut;* il suppose quelque chose d'essentiellement imparfait, de défectueux, et ne s'emploie que dans certaines locutions elliptiques où on peut le supposer précédé de la préposition « par ». **Manquement,** par contre, dit moins que *faute* et même que *défaut;* ce n'est qu'une faute légère, peu grave, due le plus souvent à un oubli ou à une désobéissance. **Carence** implique un manque qui provoque une privation. **Déficience,** qui est un terme plutôt didact., dit moins que *carence,* et suppose plutôt une insuffisance. **Disette** et **pénurie** pris figurément, sont auj., le second surtout, d'un usage courant comme syn. de *manque,* d'*absence,* en parlant des choses nécessaires. **Paupérisme,** qui se dit proprement d'un état permanent de pauvreté dans un Etat ou dans une partie d'un Etat, s'emploie parfois aussi figurém. pour désigner une privation presque complète.

manquement. V. MANQUE et VIOLATION.

manquer, c'est proprement, et en parlant des personnes, tomber en faute ; il est peu usité auj. dans ce sens. **Faillir,** d'un usage plus courant, ne s'emploie guère toutefois qu'à l'infinitif et au passé simple.

Manquer, c'est aussi ne pas réussir dans ce qu'on a entrepris, ne pas rencontrer ce qu'on cherchait, laisser échapper ce qu'on poursuivait. **Rater** est familier et **louper** populaire. (V. ÉCHOUER et GÂCHER.)

Manquer de (ou elliptiquem. MANQUER), suivi d'un infinitif, signifie courir quelque risque, être sur le point d'éprouver quelque accident ou mésaventure. **Faillir,** aussi suivi d'un infinitif, suppose quelque chose de plus proche encore ; c'est manquer de peu.

V. aussi ABSENTER (S').

mansarde désigne une chambre lambrissée, située sous le toit d'une maison, d'un édifice. **Combles,** qui ne s'emploie dans ce sens qu'au plur., est le nom donné à l'ensemble des chambres, des logements situés immédiatement sous le toit d'un édifice. **Grenier,** qui désigne la partie généralement supérieure d'un bâtiment servant à serrer les grains, fourrages, etc., se dit aussi de l'étage supérieur d'une maison, sous le toit, qui sert surtout de débarras, plutôt que de logement. **Galetas,** logement situé immédiatement sous le toit, fait penser le plus souvent auj. à une pièce misérable et sordide : *Le galetas, au Moyen Age, tenait la place de ce que nous appelons de nos jours le grenier.* **Solier,** qui a désigné, au Moyen Age et jusqu'à la fin du XVIe siècle, une sorte de grenier servant de chambre à coucher, s'emploie encore auj. comme syn. de *grenier* en Normandie.

mansuétude. V. DOUCEUR.

manteau désigne, d'une façon générale, tout vêtement de dessus, avec ou sans manches, qui prend depuis les épaules jusqu'au dessous des genoux, et qui sert à se garantir du froid et de la pluie. **Pardessus** est le nom donné couramment auj. à un manteau d'homme, à manches. **Paletot** désigne le vêtement à manches, le plus souvent à poches extérieures sur les côtés, que les hommes et les femmes portent par-dessus les autres vêtements. **Pelisse** ne se dit que d'un manteau ouaté ou garni de fourrure. **Cape** est plus partic. ; il se dit auj. de tout vêtement rappelant plus ou moins la sorte de manteau avec ou sans capuchon, ample et sans manches, porté autref. par les personnes des deux sexes. **Capote,** gros manteau à capuchon, désigne plus particulièrem. l'épais manteau, très ample et très long, des soldats. **Caban** est le nom donné à une capote de grosse étoffe, à manches et capuchon, utilisée principalement par les marins. **Pardosse,** syn. de *pardessus,* est un terme d'argot.

V. aussi VOILE.

mantille. V. FANCHON.

manufacture. V. ATELIER.

manuscrit. V. TEXTE.

mappemonde. V. PLANISPHÈRE.

maquette. V. CANEVAS et MODÈLE.

maquiller. V. DÉGUISER et FALSIFIER.

Se maquiller, c'est s'enduire la peau, pour la colorer ou la protéger, d'une substance appelée fard. **Se farder,** syn. de *se maquiller,* est plutôt moins us. auj. ; il suppose souvent quelque chose de moins artistique, de plus grossier. **Se grimer** est un syn. fort vieilli de *se maquiller,* en parlant des artistes de théâtre. **Se plâtrer** est familier ; c'est se farder avec exagération.

maquis. V. LANDE.

maraîchage. V. JARDINAGE.

marais donne l'idée d'une vaste étendue d'eau sans écoulement, mais qui toutefois peut être assez profonde. **Marécage** éveille par contre l'idée d'eau peu profonde et suppose le plus souvent un sol spongieux, avec végétation abondante : *On peut naviguer sur un marais, mais jamais sur un marécage.* **Palud** et **palus** (ce dernier qui est surtout us. dans le nom ancien de la mer d'Azov : *Le Palus Méotide,* ou mer Putride des Anciens) sont des syn. vieillis de *marais,* employés parfois encore cependant dialectalement. (V. ÉTANG et MARE.)

marasme. V. AMAIGRISSEMENT, APATHIE et STAGNATION.

marâtre. V. MÈRE.

maraud. V. COQUIN.

maraudage, maraude, maraudérie. V. VOL.

marauder. V. DÉROBER.

marbrer. V. BARIOLER.

marchand est un terme très général qui se dit aussi bien de la personne qui fait profession d'acheter que de celle qui vend, sans l'adjonction d'aucune autre idée. (A noter que le mot *marchand,* pris dans le Code de commerce comme syn. de *commerçant* [v. plus loin], désigne plutôt, dans le lang. cour., les petits commerçants au détail.) **Vendeur,** qui ne se dit évidemment que du marchand qui vend, c'est-à-dire qui cède une marchandise moyennant un prix convenu, s'applique plus spécialem. à l'employé chargé de la vente dans une maison de commerce. **Commerçant** implique généralement une installation, une boutique, où l'on achète et où l'on vend des choses définies, souvent secondé par un personnel; il suppose une certaine connaissance et aussi de l'habileté dans le maniement des affaires. **Négociant** s'emploie bien en parlant d'un commerçant qui vend en gros ou en demi-gros; il emporte l'idée d'un commerce important et fait penser à des démarches, à des calculs, à des transactions multiples, pour placer les marchandises : *Les négociants sont les hommes d'affaires du commerce.* **Débitant,** qui désigne généralement le marchand ayant une boutique accessible au public et vendant d'une façon continue, répétée, surtout au détail, est le nom que l'on donne aussi, plus spécialement, au marchand de boissons au détail. **Trafiquant** emporte presque toujours auj. un sens péj., en supposant un commerce indélicat, voire même illicite. **Margoulin,** péj. aussi, se dit d'un marchand de peu d'importance et de peu de foi. **Mercanti,** marchand dans les bazars d'Orient et d'Afrique, ou bien à la suite d'armées en campagne, s'emploie couramm. auj. pour désigner un marchand malhonnête. **Chand** est une abréviation populaire de *marchand : Chand d'habits; Chand de vins.*

V. aussi ACHETEUR.

marchandise désigne tout produit acheté pour être revendu, toute chose dont on trafique, tout ce qui peut faire l'objet d'un commerce; il implique une matière première manufacturée. **Denrée** s'applique plus spécialement aux productions de la terre propres à entrer dans la consommation ordinaire des hommes ou des animaux. **Produit,** appliqué aussi bien aux productions de la terre qu'à celles de l'industrie, fait penser plus à la marchandise elle-même, quant à sa qualité et à sa valeur propre, qu'à la transaction qu'elle permet. **Camelote** est fam. et péj.; il se dit d'une marchandise de mauvaise qualité ou de peu de valeur. **Pacotille,** proprem. marchandises à vendre que pouvaient embarquer autref., sans payer de fret, les gens de l'équipage ou les passagers d'un bateau, se dit auj., par ext., d'un assortiment de marchandises à vendre, et, plus couramm. encore et familièrement, d'une marchandise sans valeur.

1. **marche.** V. ALLURE, AVANCEMENT, DEGRÉ et MOUVEMENT.

2. **marche.** V. FRONTIÈRE.

marché désigne le lieu public, en plein air ou couvert, où l'on vend et où l'on achète les choses nécessaires pour la subsistance et pour les différents besoins de la vie. **Halle** se dit de la place publique, ordinairem. couverte, où se tient un marché en général important de marchandises souvent déterminées. **Foire** implique un grand marché public où l'on vend toutes sortes de marchandises, marché qui se tient à des dates régulières, une ou plusieurs fois l'année, et qui donne souvent lieu à diverses réjouissances; plus spécialement il désigne un marché où l'on vend des bestiaux ou certaines marchandises : *Foire aux chevaux, aux jambons.* **Braderie** est le nom donné, surtout dans le nord de la France, et spécialement à Lille, à une foire annuelle au cours de laquelle les habitants vendent à bas prix des vêtements hors de service. **Bazar** est le nom donné en Orient aux marchés publics et couverts. **Souk** est syn. arabe de *marché,* surtout employé en Afrique du Nord.

V. aussi CONVENTION et TRANSACTION.

marchepied. V. DEGRÉ.

marcher, c'est s'avancer d'un lieu à un autre par le mouvement progressif des jambes. **Déambuler,** c'est marcher çà et là, selon sa fantaisie, sans un but précis. **Se promener,** c'est marcher sans se presser, pour faire un exercice agréable et salutaire. **Cheminer,** c'est marcher sur un « chemin », une route, à pas lents et réguliers. **Arpenter,** c'est au contraire marcher à grands pas, à l'intérieur comme au dehors. **Trotter,** c'est marcher vivement et beaucoup, généralem. pour atteindre un but déterminé. **Trottiner,** c'est marcher d'un pas très court et pressé ; emportant l'idée de légèreté et de charme, il convient bien en parlant d'une femme, d'une jeune fille, d'un enfant. **Trimer,** qui a signifié populairem. marcher beaucoup et avec fatigue, n'est plus guère usité auj. dans ce sens. **Se baguenauder** et **se balader** sont des syn. pop. de *se promener,* qui supposent généralement une promenade sans but. **Vadrouiller** est un terme d'argot ; c'est soit se promener tumultueusement en bande, soit se promener en recherchant des endroits mal famés. (V. ERRER et FLÂNER.)

Marcher, c'est aussi **fonctionner** régulièrement, en parlant de tout ce qui est mécanisme ou qui suggère l'idée d'un mécanisme. **Aller,** dans ce sens, est plus familier et plus vague.

marcotte. V. BOUTURE.

mare se dit d'un petit dépôt d'eau dormante. **Flaque** désigne seulement une petite mare. (V. ÉTANG et MARAIS.)

marécage. V. MARAIS

marge. V. BORD.

margotin. V. FAGOT.

margoulin. V. MARCHAND.

mari. V. ÉPOUX.

mariage s'emploie d'une façon générale et absolue pour désigner la société de l'homme et de la femme qui s'unissent légalement par le lien conjugal pour perpétuer leur espèce et s'aider l'un l'autre dans leur commune destinée. **Union,** syn. de *mariage,* ajoute à ce terme l'idée des rapports existant entre les conjoints du fait de leur caractère et de leurs qualités respectives. **Alliance** fait penser surtout aux convenances extérieures, de famille ou de condition. **Hymen** (ou **hyménée**) est syn. de *mariage* dans le langage poétique, par allusion au dieu de la mythologie grecque qui portait ce nom. **Conjungo,** syn. de *mariage,* est populaire.

Mariage se dit aussi de la célébration de l'union de l'homme et de la femme soit par l'autorité civile, soit par l'autorité religieuse, soit par les deux ; il implique une cérémonie. **Noce,** syn. de *mariage* dans ce sens, s'emploie plutôt au pluriel ; au singulier, il fait penser au festin, aux réjouissances qui accompagnent le mariage. **Epousailles** est employé parfois, à la campagne, comme syn. de *mariage.*

marin se dit de ce qui appartient à la mer, qui est formé par la mer : *Monstre, sel marin.* **Maritime,** qui marque un rapport moins spécial avec la mer, annonce plutôt le voisinage de celle-ci ou les choses pour lesquelles elle est un moyen et non un but ; il convient bien en parlant de ce qui se fait sur mer, ou même sur les côtes, dans les ports : *Commerce, province maritime.*

V. aussi MATELOT.

marinier désigne celui dont le métier est de conduire ou d'aider à conduire des bateaux affectés à la navigation fluviale ou au service des ports, tels les remorqueurs, les péniches, etc. **Batelier** dit généralement moins ; il s'applique plutôt aux mariniers naviguant sur les rivières ou les canaux, et principalement à bord de péniches.

marionnette. V. PANTIN.

maritime. V. MARIN.

maritorne. V. SERVANTE et VIRAGO.

marivauder. V. FOLÂTRER.

marmaille. V. ENFANT et FAMILLE.

marmelade. V. CONFITURE.

marmiteux. V. MISÉRABLE.

marmiton. V. CUISINIER.

marmonner. V. MURMURER.

marmot. V. ENFANT.

marmotte. V. FANCHON et MALLE.

marmotter, maronner. V. MURMURER.

marotte. V. MANIE.

maroufle. V. COQUIN et GROSSIER.

marquant. V. REMARQUABLE.

marque est un terme très général qui désigne tout signe qui sert, d'une façon quelconque, à faire connaître ou à désigner un objet. **Cachet** suppose une marque très caractéristique dont, au propre comme au fig., l'empreinte est durable. **Timbre** est un terme d'administr. qui désigne soit la marque imprimée qui, apposée sur les papiers destinés à la rédaction d'un acte, représente le paiement d'une taxe perçue au profit du Trésor, soit la marque particulière que chaque bureau de poste appose sur les lettres pour indiquer le lieu et la date du départ, et le lieu et la date d'arrivée, soit enfin la marque, le cachet d'une administration ou même d'une maison de commerce. **Sceau,** syn. de *cachet,* est du langage relevé. **Estampille** se dit d'une marque spéciale apposée généralem. dans le but d'authentifier ou de constater l'acquittement d'un droit. **Poinçon** est le nom donné dans ce sens, et surtout en termes de commerce, à la marque apposée en creux sur une matière, soit pour en certifier la qualité, soit pour en indiquer la provenance. **Griffe** désigne une marque personnelle ayant surtout pour but d'éviter la contrefaçon. **Label** est plus partic. encore ; c'est le nom donné à la marque spéciale que certains syndicats ouvriers font apposer sur les travaux accomplis par leurs adhérents. — **Repère,** très différent, se dit seulement d'une marque faite sur un mur, sur un jalon, sur un terrain, pour donner un alignement, arrêter une mesure d'une certaine distance, ou pour marquer des traits de niveau.

V. aussi TÉMOIGNAGE et TRACE.

marquer. V. ÉCRIRE, IMPRIMER et INDIQUER.

marqueter, c'est marquer de taches, de couleurs, de dessins variés. **Tacheter,** c'est seulement marquer de diverses taches. **Diaprer,** c'est surtout marquer, parsemer de couleurs diverses. **Moucheter,** c'est marquer de petits points, de petits dessins isolés et disposés symétriquement. **Pommeler,** c'est marquer de petites taches rondes ; il ne se dit guère que des petits nuages blancs et grisâtres, ordinairement arrondis, qui paraissent quelquefois dans le ciel, ou du ciel lui-même quand il se couvre de tels nuages, — et des marques mêlées de gris et de blanc qui se forment par rouelles sur certains chevaux. **Taveler,** syn. de *tacheter,* de *moucheter,* est du langage technique. — **Truité,** qui ne s'emploie qu'adjectivem., suppose de petites taches rougeâtres, comme celles de la truite, et ne se dit que de certains chevaux ou de certains chiens dont le poil est ainsi tacheté. (V. BARIOLER.)

marraine désigne proprement la femme qui tient un enfant sur les fonts baptismaux. **Commère,** qui est peu us., est le nom donné familièrement à la marraine par rapport au parrain ou au père, dit « compère ».

marri. V. FÂCHÉ.

marron. V. CHÂTAIGNE.

martial. V. GUERRIER.

martyr. V. VICTIME.

martyre. V. SUPPLICE.

marxisme. V. SOCIALISME.

mascarade. V. DÉFILÉ.

mascotte. V. FÉTICHE.

masque se dit d'un faux visage de carton ou d'autre matière dont on se couvre la figure pour se déguiser. **Loup** désigne le demi-masque de velours ou de satin noir que les dames de qualité mettaient autref. lorsqu'elles sortaient, et qu'on met encore auj. au bal masqué en temps de carnaval. (Le nom de *loup* vient de ce que ce masque faisait peur aux petits enfants.) **Touret de nez** est vx ; c'était le nom donné, au XVIe siècle, à un masque qui ne cachait que le nez et les joues.

V. aussi VOILE.

masquer. V. DÉGUISER.

massacre. V. CARNAGE.

massacrer. V. TUER.

masse. V. AMAS, MULTITUDE et POPULACE.

masser. V. FRICTIONNER.

massif. V. BOSQUET et PESANT.

mastiquer. V. MÂCHER.

mastoc. V. LOURD.

mastodonte. V. GROS.

masure. V. BARAQUE.

mat. V. TERNE.

matamore. V. BRAVACHE.

match. V. COMPÉTITION.

matelot est le nom donné au simple soldat de l'armée de mer qui fait partie de l'équipage d'un bâtiment. **Marin,** syn. de *matelot,* tend à devenir d'un usage plus courant auj. (A noter qu'on emploie aussi ce terme pour désigner d'une façon générale toute personne, officier ou homme d'équipage, qui sert sur un bâtiment de guerre ou un navire de commerce.) **Mousse,** nom donné proprement à un jeune garçon de moins de seize ans qui fait sur un navire l'apprentissage du métier de marin, s'emploie aussi, par ext. et ironiquement, en parlant d'un marin novice dans son métier. **Moussaillon,** syn. de *mousse,* est souvent empl. par dénigrement. **Loup de mer** se dit au contraire, familièrement, soit d'un vieux marin expérimenté et intrépide, soit d'un marin qu'un séjour constant sur mer a rendu un peu gauche et farouche. **Marsouin** est un syn. populaire de *loup de mer,* cependant que **mathurin,** syn. de *matelot,* est un terme de l'argot des marins.

mater. V. MACÉRER et SURMONTER.

mathématique. V. PRÉCIS.

matière indique d'une manière générale le genre de la chose sur laquelle on parle ou l'on discute, en même temps que le fond même des idées que l'on développe. **Fond,** lorsqu'il désigne, en termes de littérature, l'idée d'un ouvrage, s'emploie surtout par opposition à « style » (forme). **Sujet,** plus précis, marque positivement la chose ou la personne sur laquelle on a résolu de faire rouler le discours actuel. **Propos,** dans ce sens, se dit plus spécialem. d'un sujet d'entretien ou de dissertation. **Thème** suppose une matière, un sujet que l'on entreprend de prouver ou d'éclaircir; c'est aussi, plus particulièrem., un sujet de composition scolaire. **Chapitre** se dit de certaines parties distinctes d'un sujet, surtout quand ces parties sont envisagées sous le rapport des développements que leur donne un auteur. **Article** a également rapport à des parties distinctes, mais plus restreintes ou étendues et considérées en elles-mêmes comme ayant plus ou moins d'importance. **Point** diffère d'*article* en ce qu'il éveille dans l'esprit l'idée d'une chose sur laquelle il y a des doutes et que la discussion seule peut éclaircir; il est aussi consacré par l'usage pour désigner les principales divisions d'un discours, d'un sermon. **Chef** se dit d'un point essentiel, capital.

V. aussi SUBSTANCE.

matière fécale. V. EXCRÉMENT.

matin, qui est absolu et désigne les premières heures de la journée, exprime l'unité de temps : *Un événement a lieu le matin de tel jour.* **Matinée** est relatif; il marque la durée déterminée et divisible du matin, considérée par rapport aux événements, aux occupations : *La matinée est belle, pluvieuse, froide, ou bien heureuse ou malheureuse, à raison des événements ou des choses qui s'y passent et touchent les individus.*

matinal convient bien en parlant de ce qui est « propre au matin », et plus particulièrem. de celui qui se lève matin, plutôt par hasard d'ailleurs que par habitude. **Matineux** marque par contre, ce que ne fait pas autant *matinal,* l'habitude de se lever matin. **Matinier** ne s'emploie guère que dans la loc. : *Etoile matinière,* qui veut dire étoile du matin.

matinée. V. MATIN.

matineux, matinier. V. MATINAL.

matois. V. MALIN.

matoiserie. V. RUSE.

matrice. V. UTÉRUS.

matricule. V. LISTE.

matrimonial, qui se dit de ce qui appartient au mariage, est surtout employé en termes de jurisprudence. **Conjugal,** d'un usage plus courant, rappelle surtout, si nous en croyons Lafaye, l'état qui suit la célébration du mariage et dans lequel vivent les époux. **Nuptial** dit moins; il fait seulement penser au fait et aux circonstances de cette célébration.

matrone. V. ENTREMETTEUSE et SAGE-FEMME.

maudire. V. CONDAMNER et DÉTESTER.

maudit. V. ABOMINABLE et RÉPROUVÉ.

maugréer. V. MURMURER.

maupiteux. V. INHUMAIN.

mausolée. V. TOMBE.

maussade suppose une mauvaise humeur due généralement à un mécontentement, à un ennui passager, et qui se manifeste particulièrement dans l'accueil peu gracieux, désagréable même, que l'on réserve alors à autrui. **Morose** implique plutôt de la tristesse, de la mélancolie, généralement apparente sur le visage, qui fait que l'on repousse tout ce qui pourrait nous distraire, nous redonner une meilleure humeur. **Renfrogné** se rapporte essentiellement à l'air du visage, et suppose un mécontentement intérieur provenant aussi des choses ou du caractère plus que des personnes avec qui l'on est en rapport. **Chagrin** est moins us. dans ce sens; il emporte l'idée d'une humeur sombre et difficile qui fait considérer les choses avec amertume. **Grimaud,** appliqué populairement à une personne d'humeur maussade, est peu employé aujourd'hui. (V. ACARIÂTRE, BOURRU, MÉLANCOLIQUE, PESSIMISTE et TRISTE.)

mauvais, qui est l'opposé de « bon », se dit de toute espèce d'objets qui, ayant des défauts, est en outre sans valeur réelle : *Une mauvaise nourriture est contraire à la santé.* **Méchant** ne s'applique qu'aux choses faites par l'homme ou qui sont propres à son usage; il est un peu moins fort que *mauvais,* et signifie simplement, dans ce sens, qui a peu de valeur, peu de mérite. **Chétif** désigne ce qui laisse à désirer pour la qualité ou pour la quantité parce que faible et insuffisant : *Une méchante ou chétive nourriture est maigre ou pas assez abondante.*

V. aussi ABOMINABLE, MÉCHANT et NUISIBLE.

mauviette. V. ALOUETTE et FAIBLE.

maxime. V. PENSÉE et RÈGLE.

mazette. V. CHEVAL et MALADROIT.

mea-culpa. V. AVEU.

méandrique. V. SINUEUX.

mécanicien. V. MACHINISTE.

mécanique. V. MACHINAL et MACHINE.

mécène. V. PROTECTEUR.

méchanceté. V. MALICE et VILENIE.

méchant renferme l'idée positive du mal, principalement en parlant des choses humaines et des individus chez qui il suppose alors réflexion et plaisir à faire le mal. **Mauvais** se dit de toutes sortes de choses, spécialement des choses naturelles; appliqué aux personnes, il implique surtout l'instinct de faire le mal : *Le méchant est mauvais quand il a l'occasion de faire du mal; mais, de plus, il cherche les occasions d'en faire.* **Vilain** apparaît, dans le lang. cour., comme un atténuatif de *méchant,* surtout appliqué aux enfants; en parlant des personnes ou des actions, il est dominé par l'idée de laideur morale et fait penser au mépris que celle-ci suscite : *Un vilain individu comme une vilaine action sont blâmés par tous les honnêtes gens.* **Sans-cœur** est fam.; il se dit bien de celui qui est méchant parce qu'étant sans cœur, sans sensibilité. **Pervers,** qui est du langage relevé, implique une méchanceté raffinée; à noter que, dans le lang. médical, ce terme indique une tendance congénitale à faire le mal. **Rosse** et **rossard,** comme **teigne,** syn. de *méchant,* sont populaires. **Salaud** et **vache** sont des termes d'argot qui ajoutent à l'idée de méchanceté celle d'absence de droiture pour le premier, et de dureté, voire de cruauté, pour le second. (V. MALIN, MALVEILLANT et SOURNOIS.)

V. aussi MAUVAIS.

mécompte. V. DÉCEPTION et MALENTENDU.

mécompter (se). V. TROMPER (SE).

méconnaissance. V. OUBLI.

méconnu. V. INCONNU.

mécontentement fait ordinairement penser à une espérance frustrée venant de personnes; il suppose qu'ayant le droit d'attendre une autre conduite, on a de justes raisons pour n'être pas content. **Déplaisir** se dit simplement d'un sentiment pénible, d'une contrariété qui peut venir des personnes comme des choses. **Désagrément** suppose un déplaisir léger causé par un événement qui contrarie. **Bile** implique l'idée d'ennui, d'inquiétude, qu'on tire surtout de soi-même. **Dépit** ajoute à l'idée de mécontentement celle d'irritation vive ou légère; il convient bien pour désigner la petite colère, généralement intérieure, d'une personne mécontente parce que son amour-propre ou son amour a été blessé. (V. COLÈRE, DÉCEPTION, EXASPÉRATION et FUREUR.)

mécréant. V. IRRÉLIGIEUX.

médecin est le nom que l'on donne à celui qui pratique, qui exerce légalement, la science, l'art ayant pour but la conservation ou le rétablissement de la santé. **Docteur,** abrév. courante de DOCTEUR MÉDECIN OU EN MÉDECINE, qui fait surtout penser au titre même décerné par une faculté de médecine, s'emploie aussi absolument comme syn. de *médecin.* **Chirurgien** est plus partic.; il se dit seulement du médecin spécialisé dans la partie thérapeutique qui consiste à faire avec la main ou à l'aide d'instruments certaines opérations sur le corps de l'homme. **Praticien,** en termes de médecine, se dit spécialement du médecin qui soigne les malades, par opposition à celui qui se consacre à l'étude théorique des maladies et aux recherches de laboratoire. **Clinicien** s'applique essentiellement au médecin de clinique ou d'hôpital **Empirique** est le nom donné au médecin qui traite les maladies d'après les seules données de l'expérience. **Thérapeute** n'est guère employé que dans le langage médical; il se dit d'un médecin qui pratique la thérapeutique, c'est-à-dire la partie de la médecine qui s'occupe de la connaissance des agents curatifs et de leur emploi rationnel pour soulager ou guérir les malades. **Faculté,** qui, avec une majuscule et absolument, s'applique spécialement à la faculté de médecine, s'emploie aussi parfois, au sens concret et familièrement, pour désigner le ou les médecins : *On consulte la Faculté; La Faculté nous ordonne tel ou tel régime.* **Morticole** (du lat. *mors, mortis,* mort, et *colere,* cultiver) est un mot créé par Léon Daudet dans son roman « les Morticoles », que l'on emploie parfois péjorativement maintenant comme syn. de *médecin,* avec **médicastre** et **charlatan** qui désignent surtout un médecin ignorant et impudent. **Mire** et **physicien,** syn. de *médecin,* sont vx. **Toubib,** terme d'argot militaire, s'applique souvent aussi auj., populairement et familièrement, à un médecin civil. — **Carabin** est assez partic.; c'est seulement le nom donné, familièrement, aux étudiants en médecine ou en chirurgie, cependant qu'**interne** (DES HÔPITAUX) désigne, dans le langage médical, l'élève en médecine ou en chirurgie logé et nourri dans un hôpital où il est chargé de seconder le personnel médical traitant, et **externe** (DES HÔPITAUX) l'élève attaché aussi à un service hospitalier, mais ne restant pas à l'hôpital en dehors des heures de service. (V. GUÉRISSEUR.)

médecine. V. PURGE.

médiation. V. ENTREMISE.

médical, qui se dit de ce qui tient à la médecine et aux médecins, s'applique aux objets généraux de la science. **Médicinal** est plus partic.; il se dit de ce qui a des propriétés médicamenteuses, c'est-à-dire essentiellement de ce qui sert de remède, de ce qui est employé en médecine pour combattre les causes morbifiques.

médicament ne se dit que des substances administrées ou appliquées dans un but thérapeutique. **Remède,** employé dans ce sens de moyen curatif, dit plus que *médicament;* il désigne tout ce qui peut déterminer un changement salutaire dans l'économie ou dans un organe particulier : *Le bon air, la culture physique, les bains, l'électricité sont des remèdes, mais non pas des médicaments.* (A noter que *remède* peut même s'employer par opposition à *médicament,* et cela conformément à l'étymologie propre de ces deux mots, le premier dérivant du lat. *mederi,* guérir, et le second de *medicari,* traiter un malade : *Le remède est ce qui guérit, ce qui rétablit la santé, et le médicament ce qui est donné dans le but de guérir, quoique ce but ne soit pas toujours atteint.*) **Spécifique** désigne un médicament propre à quelque maladie : *La quinine est un spécifique contre la fièvre paludéenne.* **Potion** se dit d'un médicament liquide qu'on n'administre ordinairem. que par cuillerées. **Drogue,** syn. de *médicament,* s'emploie généralement en mauv. part. **Panacée** (du grec *pan,* tout, et *akos,* remède), nom donné jadis, en termes de pharmacie, à certains médicaments efficaces contre plusieurs affections, se dit aussi, dans le langage courant et souvent ironiquement, d'un remède supposé universel contre tous les maux physiques ou moraux.

médicastre. V. MÉDECIN.

médication. V. TRAITEMENT.

médicinal. V. MÉDICAL.

médiocre. V. MOYEN.

médire, c'est dire de quelqu'un, avec une intention mauvaise, un mal qui est vrai. **Calomnier** dit plus; c'est attaquer, blesser la réputation, l'honneur de quelqu'un par des imputations graves, que, de plus, on sait fausses : *Le moyen sûr de ne jamais calomnier, c'est de ne jamais médire.* **Cancaner, commérer** et **ragoter** (celui-ci moins usité) sont familiers; c'est médire ou calomnier par des bavardages malveillants. **Potiner,** syn. de *commérer,* est plutôt moins péjoratif. **Déblatérer contre,** c'est médire ou calomnier en se répandant en violences, en invectives; il est familier. **Baver sur** est un syn. populaire de *calomnier;* **bêcher, casser du sucre, clabauder, éreinter** le sont plutôt de *médire.* (V. DISCRÉDITER.)

méditatif. V. RÊVEUR.
méditation. V. ATTENTION.
méditer. V. PENSER.
médusé. V. ÉBAHI.
meeting. V. RÉUNION.
méfait. V. DOMMAGE.

méfiant se dit de celui qui accorde difficilement sa confiance, qui est misanthrope parce que, ayant mauvaise opinion de tout le monde, il croirait faire une sottise en attribuant les actions des autres à des motifs désintéressés. **Défiant** dit moins; il convient bien en parlant de celui qui ne se fie qu'avec précaution. **Ombrageux** désigne celui qui, étant susceptible, s'effraye facilement, voit partout des dangers et des pièges, cela le plus souvent à cause de son peu de courage à supporter les moindres contrariétés. **Soupçonneux** s'applique à celui qui va lui-même au devant des raisons qui peuvent le mettre en défiance, en les inventant même lorsqu'il n'y en a pas de réelles. **Cauteleux** se prend toujours en mauv. part et suppose une défiance prudente mêlée d'habileté, voire de ruse. (V. FAROUCHE et SOURNOIS.)

mégarde. V. DISTRACTION.

mégère se dit, dans le langage courant, d'une femme acariâtre, criarde, emportée, méchante. **Furie, harpie** et aussi, figurément, **sorcière** (on dit surtout *vieille sorcière,* en parlant d'une vieille et méchante femme) semblent enchérir sur *mégère.* **Bacchante** et **ménade,** moins usités dans le langage courant, se disent d'une femme que l'ivresse ou la passion jette dans une fureur ou des transports désordonnés. **Chipie** et **poison,** syn. de ces termes, sont populaires. (V. VIRAGO.)

méjuger. V. TROMPER (SE).

mélancolie. V. CHAGRIN.

mélancolique se dit de celui qui est enclin à une disposition triste, laquelle vient de quelque cause morale et lui fait généralem. rechercher la solitude; dans un sens plus fort, ce terme peut impliquer une maladie nerveuse, un délire partiel sans fièvre, accompagné d'une tristesse profonde et d'une crainte continuelle et imaginaire. **Neurasthénique** est un terme de pathologie qui implique un trouble plus ou moins durable du système nerveux se manifestant surtout par de la mélancolie, un grand amour de la solitude. **Nostalgique** est assez particulier; il suppose le plus souvent une mélancolie causée par un vif désir de revoir sa patrie, appelé communément « mal du pays ». **Ténébreux,** syn. de *mélancolique,* est du style recherché et s'emploie surtout dans les loc. : *Etre sombre et ténébreux; Avoir l'air sombre et ténébreux;* familièrement et substantivement, il sert à désigner parfois un amoureux taciturne et mélancolique : *Un beau ténébreux.* (V. CHAGRIN, MAUSSADE, PEINE, PESSIMISTE et TRISTE.)

mélange est le nom donné d'une façon générale à toute confusion de choses mêlées ensemble. **Combinaison** suppose un certain ordre, un arrangement voulu que n'implique pas *mélange.* (Au sens chimique, le *mélange* diffère de la *combinaison* par le fait que les propriétés de ses éléments sont masquées, mais non changées d'une manière durable, alors que celles de la combinaison le sont.) **Composition,** syn. de *combinaison,* fait penser à la proportion des éléments qui entrent dans un corps composé. **Alliage** se dit proprement d'un mélange de plusieurs métaux ou de leurs combinaisons et parfois de certains métalloïdes qui, mêlés, n'en forment plus qu'un; au figuré, il désigne un mélange qui altère la pureté. **Mixture,** bien que se disant abusivem. et péjorativem. d'un mélange quelconque, s'applique surtout à un mélange, homogène ou non, de substances liquides. **Mixtion** est un terme didactique qui désigne un mélange de plusieurs substances dans un liquide, pour la composition d'un médicament. **Amalgame,** terme de chimie qui se dit d'une combinaison de mercure avec un autre métal, s'emploie aussi, figurément et familièrement, pour désigner un mélange de choses et de personnes qui, étant de nature, d'espèce différente, ne sont pas ordinairement unies. **Magma** désigne, en chimie, un mélange formant une masse pâteuse, épaisse, visqueuse; au fig., il désigne un mélange désordonné et inextricable. **Ripopée,** proprement mélange de différentes sortes de vins, de sauces, se dit aussi, par ext., d'un mélange de choses disparates, incohérentes, surtout en parlant des choses de l'esprit; il est peu usité auj. **Pêle-mêle,** péjoratif aussi, suppose un mélange des plus confus, d'où le moindre soupçon d'ordre est absent, mais où chaque objet reste intact. **Promiscuité** (du lat. *promiscuus,* proprement mêlé), mélange confus, est très particulier; il se dit surtout d'un mélange choquant de personnes de sexes différents, de conditions, de nationalités diverses. **Méli-mélo, salade** et **salmigondis** (moins us.), syn. de *pêle-mêle,* sont familiers. **Cocktail,** proprement boisson stimulante, mélange capiteux de liqueurs diverses importé des Etats-Unis en Europe, s'emploie parfois aussi figurément et familièrement aujourd'hui comme syn. de *mélange* pris dans son sens général.

Mélanges, au plur., désigne généralem. en littérature un recueil d'articles, de petits ouvrages, soit de vers, soit de prose, sur des sujets différents. **Miscellanées** est un syn. beaucoup moins us. de *mélanges.* **Rapsodie,** qui se dit parfois d'un ouvrage de littérature fait de parties disparates, s'emploie surtout en termes de musique pour désigner une œuvre composée de plusieurs motifs présentés les uns après les autres. **Centon** est beaucoup plus partic.; il se dit soit d'un ouvrage de poésie composé de vers ou fragments de vers pris dans un ou plusieurs auteurs célèbres, soit, par ext., d'un ouvrage littéraire ou musical composé de morceaux empruntés. **Macédoine,** familier et péjoratif, se dit d'un ouvrage composé de divers morceaux en prose ou en vers, formant un tout des plus disparates. **Pot-pourri,** qui désigne le plus souvent un morceau de musique composé d'un mélange choisi d'airs empruntés à un même auteur ou à une même partition, se dit aussi parfois, familièrement et péjorativement, d'un livre ou de tout autre ouvrage de l'esprit constitué par divers morceaux assemblés sans ordre, sans liaison, et le plus souvent sans choix. (V. ANTHOLOGIE et COLLECTION.)

mélanger. V. MÊLER.

mêlée. V. COMBAT.

mêler est un terme très général; c'est, en parlant de toutes sortes de choses, les mettre ensemble, cela à dessein ou sans dessein, avec art ou sans art, de quelque manière que ce soit. **Mélanger,** c'est assembler, assortir ou composer, combiner à dessein et avec art, des choses qui doivent naturellement se convenir, pour obtenir, par leur agrégation et leur variété, un résultat avantageux et un nouveau tout : *On mêle le vin avec l'eau pour le boire; on mélange deux sortes de vins pour les améliorer l'un par l'autre et en faire un autre vin.* **Confondre,** c'est mêler des choses et même des personnes jusqu'à effacer les différences, de manière à ne former qu'un tout : *Deux fleuves qui confondent leurs eaux.* **Mixtionner,** syn. de *mélanger,* est du langage scientifique; il s'emploie surtout en parlant de substances étrangères que l'on mélange les unes aux autres, que l'on fond ou confond ensemble, de manière qu'elles restent incorporées, et que la composition ainsi obtenue produise des effets particuliers : *On mixtionne des drogues.* **Brouiller,** c'est mêler de manière à rendre trouble ou confus : *On brouille du vin, les couleurs d'un tableau, les fils d'un écheveau.*

mêler à (se). V. PARTICIPER.

mêler de (se). V. INSINUER (S').

méli-mélo. V. MÉLANGES.

melliflue. V. DOUCEREUX.

mélodie se dit d'un chant agréable, régulier et doux; c'est aussi le nom donné à une pièce de musique vocale avec accompagnement. **Romance** désigne une chanson tendre ou plaintive. **Ariette** se dit d'un petit air de proportions réduites qui se rapproche du cadre de la romance, tantôt tendre et expressif, tantôt gai, vif et enjoué. **Cantilène** se dit d'un air chantant, et plus spécialement d'un chant monotone. **Complainte** désigne une mélodie populaire, contenant un récit émouvant, voire tragique, ou pieux. **Barcarolle** est le nom donné aux romances appropriées aux promenades sur l'eau, et rappelant par le rythme les barcarolles de Venise. **Lied** s'applique aux mélodies vocales de compositeurs allemands. (V. CHANT.)

V. aussi HARMONIE.

mélodrame. V. DRAME.

mélopée. V. CHANT.

membre est le terme général qui désigne la personne qui fait partie d'un tout, d'une famille, d'un corps politique ou savant, d'une association. **Recrue** est le nom que l'on donne plus particulièrement à un nouveau membre admis dans une société, dans un corps savant ou politique. **Adhérent** et **sociétaire** sont syn. de *membre* lorsqu'il s'agit d'une association ou d'une société, le second emportant souvent l'idée d'une sorte de titularisation. (V. PARTISAN.)

même que (de). V. AINSI QUE.

1. **mémoire** désigne la faculté qui retient les choses, et **souvenir** le résultat de l'exercice de cette faculté. (Généralem. confondus dans l'emploi, ces deux mots expriment alors l'action de notre esprit qui se reporte en arrière et qui rappelle à son attention des personnes ou des choses dont il s'est déjà occupé dans le passé, *mémoire* supposant un objet plus important, plus étendu, plus vague aussi quelquefois, et *souvenir* quelque chose de plus restreint, de plus précis.) **Ressouvenir,** comme **ressouvenance,** est le nom donné au souvenir d'une chose qu'on avait complètement perdue de vue et qu'une circonstance fortuite présente de nouveau à notre pensée. **Réminiscence** suppose un ressouvenir incomplet, une trace confuse laissée dans notre esprit, et que nous prenons quelquefois pour une de nos pensées propres. **Souvenance** exprime un souvenir ancien, qui dure depuis longtemps. **Remembrance,** syn. de *souvenir,* est vieux.

V. aussi COMMÉMORATION.

2. **mémoire.** V. COMPTE, LISTE et TRAITÉ.

Mémoires, au plur., désigne un récit personnel où celui qui écrit conte ce qu'il a vu, ce qu'il a fait, ce qu'il a pensé, afin que cela puisse servir de matériaux pour l'histoire. **Souvenirs** se dit d'un ouvrage de même genre que des mémoires, mais plus personnel et moins important. **Commentaires,** peu us., suppose généralement des mémoires sommaires qui fournissent le fond ou la matière de l'histoire. **Autobiographie** est le nom donné à des mémoires où le narrateur fait moins intervenir l'histoire de son temps que les faits mêmes de sa propre vie. (V. ANNALES et HISTOIRE.)

menaçant. V. INQUIÉTANT.

menacer. V. BRAVER.

ménade. V. MÉGÈRE.

ménage. V. ÉCONOMIE, FAMILLE et MAISON.

ménagement. V. ÉGARD.

ménager, c'est, de la façon la plus générale, utiliser avec circonspection, prudence. **Epargner,** c'est ménager en réservant. **Economiser,** c'est épargner dans la dépense. **Thésauriser** est généralement péjoratif et plus partic.; c'est non seulement épargner de l'argent, mais encore l'amasser pour le conserver.

mendiant se dit positivement de celui qui demande l'aumône, soit par fainéantise, soit par nécessité. **Gueux** enchérit sur *mendiant;* il implique le plus extrême dénuement et convient bien en parlant de celui qui est réduit à mendier, le plus souvent par fainéantise et sous les dehors les plus sales et les plus répugnants. **Mendigot** est pop.; il suppose généralement un mendiant professionnel qui exploite la charité publique. **Pilon,** syn. de *mendiant,* est argotique, tandis que **gredin** est vx, ainsi que **truand** qui se disait au Moyen Age surtout, d'un mendiant de profession. (V. MISÉRABLE et VAGABOND.)

mendier. V. SOLLICITER.

menées. V. AGISSEMENTS.

mener. V. AMENER et CONDUIRE.

ménestrel. V. TRAVAILLEUR et TROUBADOUR.

meneur. V. PROTAGONISTE et RÉVOLUTIONNAIRE.

meneur de jeu. V. PROTAGONISTE.

ménorrhée. V. MENSTRUES.

mensonge, qui est de tous les styles, désigne l'action d'altérer sciemment la vérité; présentant cette action comme mauvaise en soi, il convient bien en parlant de choses graves et lorsqu'on ne cherche pas à excuser le menteur. **Menterie** est du style familier; il se dit d'un petit mensonge, le plus souvent sans mauvaise intention, et ne s'emploie guère que dans la conversation et en plaisantant. **Contrevérité** ferait plutôt penser, dans ce sens, à un mensonge inconscient : c'est alors l'action de dire quelque chose de contraire à la vérité, en croyant pourtant, respecter celle-ci. (A noter que, dans le langage courant, *contrevérité* est de plus en plus employé, par euphémisme, comme syn. de *mensonge*). **Craque,** syn. de *mensonge,* est familier, et **bourrage de crâne** pop. (V. CONTE et EUPHÉMISME.)

mensonger. V. TROMPEUR.

menstrues est un terme de médecine qui désigne l'écoulement de sang auquel les femmes qui ne sont pas enceintes sont sujettes mensuellement, depuis l'âge de la puberté jusqu'à la ménopause. **Flux cataménial** et **ménorrhée** sont des syn. de *menstrues* aussi dans le langage médical. **Epoques, mois** et surtout **règles** sont du langage courant. **Anglais, affaires, histoires, ours, tante Rose** sont populaires.

menterie. V. MENSONGE.

menteur. V. TROMPEUR.

mentionner. V. CITER.

mentor. V. CONSEILLER.

menu, qui s'oppose à « gros », se dit d'un objet qui a un très petit volume, qui occupe peu de place en tous sens. **Mince** est opposé à « épais »; il ne limite l'étendue que dans une seule dimension, sans rien déterminer quant à la longueur ou à la largeur. **Fluet** désigne ce qui est à la fois mince et allongé. **Ténu** est un terme savant, qui s'emploie surtout en parlant des liquides ou des fluides considérés comme étant composés de parties plus ou moins subtiles. **Grêle** se dit, en hist. nat. ou en anatomie, des parties qui sont en même temps menues et faibles; il emporte souvent un sens péjoratif. **Gracile** exprime en bonne part la même idée que *grêle.* (V. DÉLIÉ, FAIBLE, FRAGILE et RABOUGRI.)

menuaille. V. FRETIN.

méphitique. V. MALODORANT et NUISIBLE.

méprendre (se). V. TROMPER (SE).

méprisable. V. ABJECT.

méprisant est le nom donné, dans le langage courant, à celui qui juge ou affecte de juger une personne ou une chose indigne d'estime, de considération ou d'attention. **Contempteur** est d'un emploi plus rare; il suppose le plus souvent un objet qui ne peut susciter du mépris que chez des personnes capables de discerner ce qui échappe au plus grand nombre. (V. MÉPRISER.)

méprise est le nom donné à l'erreur, à l'illusion qui consiste à prendre une chose pour ce qu'elle n'est pas, soit qu'on la prenne ou qu'on la donne pour une autre, soit qu'on se trompe sur ses qualités, sur le temps ou sur toute autre chose. **Quiproquo,** qui est plus familier et s'emploie souvent en plaisantant, se dit seulement d'une méprise par laquelle une personne ou une chose est prise pour une autre.

V. aussi ERREUR.

mépriser suppose que, jugeant un objet en lui-même, on le trouve vil, indigne d'être prisé ou estimé. **Dédaigner** ne suppose pas que l'objet soit mauvais en lui-même, mais seulement qu'on le juge indigne de son attention, par suite de la haute idée qu'on a de soi-même : *L'homme le plus modeste et le plus simple est obligé de mépriser certaines personnes et certaines actions; pour dédaigner, par contre, on ne saurait être exempt d'une certaine fierté, peu ou prou prétentieuse, au point d'être quelquefois elle-même un sentiment méprisable.* **Faire fi de** enchérit quelque peu sur *dédaigner;* il suppose généralement un dédain apparent, public.

mer est le nom donné, d'une façon générale, à l'ensemble des eaux salées du globe, par opposition à la terre ferme, et, dans un sens plus restreint, à chacune des parties de ce domaine maritime général, déterminées par des limites géographiques le plus souvent précises qui leur constituent une sorte d'individualité : Méditerranée, Manche, Baltique, etc. (A noter qu'il est des mers qui prennent parfois, plus ou moins abusivem., le nom de BAIE : *baie d'Hudson,* ou de GOLFE : *golfe du Mexique.*) **Océan** implique une plus vaste étendue d'eau que *mer* pris dans son sens restreint; il se dit d'un grand espace maritime dont la constitution est ou paraît sensiblement uniforme : Atlantique, Pacifique, etc.

mercanti. V. MARCHAND.

mercenaire. V. INTÉRESSÉ, SOLDAT et TRAVAILLEUR.

merci. V. MISÉRICORDE.

mercuriale. V. REPROCHE.

mercurialiser. V. RÉPRIMANDER.

mère désigne une femme qui a mis au monde un ou plusieurs enfants. **Maman** (onomatopée enfantine, commune à plusieurs langues) est le terme dont se servent couramment et familièrement les enfants et ceux qui leur parlent, au lieu du mot *mère*. **Marâtre,** nom donné à la femme du père par rapport aux enfants d'un mariage précédent, se dit aussi, par ext. et avec un sens nettement péjoratif, d'une mère dénaturée. **Daronne** est un terme d'argot. (V. PARENT.)

méridienne. V. CANAPÉ et SOMMEIL.

méridional. V. SUD.

mérite. V. VALEUR.

mériter, c'est avoir droit à quelque chose par ses actions, par sa conduite; il est relatif à un fait, à une circonstance. **Etre digne** est absolu et se rapporte à l'essence même des choses; c'est avoir droit par ses qualités, par sa nature : *Par suite de circonstances heureuses un élève médiocre peut fort bien mériter un prix dans un concours, sans en être pour cela digne au point de vue de son talent réel.*

merveille se dit d'une œuvre qui, tout en pouvant être conforme aux lois de la nature, dépasse les choses du même genre et éveille notre attention soit par sa beauté, son éclat, soit parce qu'elle excite notre étonnement admiratif. **Miracle** désigne proprement un événement surnaturel, contraire aux lois connues de la nature, qui rend manifeste à nos yeux la puissance divine; on donne aussi ce nom, par ext., à une chose dont la cause est inconnue et paraît comme mystérieuse. **Prodige** enchérit sur *miracle;* c'est le nom donné à un miracle éclatant, grandiose, public, qui, sortant du cours ordinaire des choses, surpasse les idées communes : *Une industrie rare fait des merveilles, une puissance extraordinaire des miracles, une cause cachée des prodiges.*

merveilleux. V. ADMIRABLE.

mésaventure se dit d'une fâcheuse aventure, presque toujours présentée comme quelque chose de comique; c'est plus qu'un simple fait, c'est une chose qui peut être l'objet d'un récit détaillé. **Déconvenue** suppose une espérance trompée; on s'attendait au bien et on trouve le mal. **Malencontre,** qui est peu usité auj., désigne quelque chose de malheureux qui arrive au moment où on ne l'attendait pas et qui met dans l'embarras. **Tuile** se dit familièrement d'une mésaventure, d'un accident imprévu et désagréable, par comparaison avec une tuile qui tomberait d'un toit sur la tête de quelqu'un. **Avaro,** dans le sens de *mésaventure,* de *tuile,* est populaire. **Méchef,** appliqué à un accident fâcheux, est vx. — AVATAR, trop couramment employé auj. dans le sens de *mésaventure* (sans doute sous l'influence d'*avaro*), est un barbarisme qu'il est bon de condamner, afin de laisser à ce terme son sens exact de transformation, de « métamorphose » (v. ce mot). [V. AVENTURE, MALCHANCE et MALHEUR.]

mésintelligence implique un défaut d'intelligence, d'entente entre deux ou plusieurs personnes, le plus souvent parce que celles-ci conçoivent les choses différemment. **Désunion** a plutôt rapport au cœur et à la volonté qu'à l'intelligence. **Zizanie,** qui ne s'emploie plus dans son sens propre d'ivraie, de mauvaise graine qui vient parmi le bon grain, se dit bien par contre, dans un sens fig., de la mésintelligence, de la désunion que l'on crée, que l'on fait naître chez des gens unis : *Semer la zizanie dans une société.* **Désaccord** suppose une simple différence, laquelle peut être momentanée et limitée à un seul point, dans les avis, les sentiments. **Dissentiment** emporte l'idée d'un désaccord assez profond et qui peut être de longue durée, dû surtout à des différences d'opinion. **Dissension** implique un désaccord violent : *La dissension commence lorsque les dissentiments se manifestent au-dehors, par actions ou paroles plus ou moins vives.* **Division** exprime essentiellement une diversité de parti; il suppose que, ne faisant pas cause commune, l'on est sur le point de s'opposer. **Discorde** dit plus encore; il implique une diversité de passion qui est source d'inimitié et de haine. **Rupture** se dit d'un fait accidentel qui brise les liens unissant jusqu'alors des associés, des amis ou des parents; enchérissant sur les termes précédents, il suppose le plus souvent une séparation effective que n'indique pas *mésintelligence*. **Brouille** implique une altération souvent durable de rapports précédemment affectueux, laquelle entraîne une rupture momentanée.

Brouillerie dit moins; c'est une petite brouille, une simple fâcherie, dont les motifs sont légers, et qui, de ce fait, ne saurait durer. **Pique,** qui est familier, convient bien en parlant d'une brouillerie occasionnée par l'humeur ou la susceptibilité des sujets. **Froid,** familier aussi, suppose un simple affaiblissement de sentiments affectueux ou amicaux réciproques.

mesquin. V. CHICHE.

mesquinerie. V. PETITESSE.

mess. V. RÉFECTOIRE.

message. V. DISCOURS et LETTRE.

messager, qui est plutôt du lang. relevé, auj. surtout, est le nom donné à toute personne ayant la charge de dire ou de porter quelque chose d'une certaine importance à quelqu'un, sur l'ordre ou la prière d'une autre personne. **Envoyé,** syn. de *messager,* est du langage ordinaire. **Emissaire,** qui se prend ordinairem. en mauv. part, est le nom que l'on donne à une personne envoyée secrètement pour sonder les sentiments et les desseins d'autrui, pour faire quelque proposition, quelque ouverture, pour répandre des bruits, épier les actions d'un ennemi ou d'un parti contraire. **Commissionnaire** convient bien en parlant d'un messager rétribué, et généralement lorsqu'il s'agit de choses courantes, d'une importance limitée. **Courrier** désigne un messager chargé d'accomplir sa mission par des moyens rapides. **Exprès** est le nom donné à un courrier chargé d'une mission particulière, précise et déterminée. **Estafette** est plus partic.; il s'emploie surtout dans le langage militaire pour désigner un soldat ou un officier porteur d'un message, d'une dépêche d'un poste à un autre.

mesure, qui est positif, désigne le moyen que l'on prend pour atteindre un but. **Précaution** est négatif; il se dit de moyens pris par prévoyance, pour éviter un mal ou y remédier : *L'ambitieux doit prendre des mesures pour parvenir, et l'homme en place des précautions pour n'être pas évincé, dit Lafaye.*

V. aussi DIMENSION et RETENUE.

métachronisme. V. ANACHRONISME.

métamorphose, qui désigne particulièrement les changements de forme opérés par les dieux du paganisme, s'emploie aussi quand la forme antérieure devient tout à fait méconnaissable, notamment pour peindre le passage d'un état à un autre chez les insectes ou d'autres animaux et dans certaines parties des plantes; au fig., il se dit du changement complet d'une personne ou d'une chose, quant à l'extérieur, au caractère, etc. **Transformation** est du langage commun et s'applique à un phénomène ou à un fait qui peut être parfaitement naturel : *Une métamorphose diffère en général d'une simple transformation en ce qu'elle est plus merveilleuse et plus complète.* **Avatar** (du sanscrit *avâtara,* incarnation successive de divinité; sens fig. fin XIXe s.), nom générique des incarnations divines s'appliquant surtout dans l'hindouïsme aux incarnations de Vichnou, se dit parfois, par ext. et familièrem., du changement ou de la transformation d'un objet ou d'une personne qui en a déjà subi plusieurs : *Innombrables sont les avatars de certains hommes politiques.* **Transmutation** est plus particulier; c'est un terme didactique qui désigne la métamorphose, la transformation d'une substance en une autre : *La transmutation des métaux en or était l'objet des recherches des alchimistes.* (V. CHANGEMENT.)

métaphore. V. ALLÉGORIE.

métayer. V. FERMIER.

métèque. V. ÉTRANGER.

méthode, c'est, dans un sens restreint et si nous en croyons Littré, l'ordre des vérités et l'ensemble des explications qui constituent un certain enseignement. **Procédé** se dit de la manière dont le maître communique et fait comprendre à ses élèves les vérités qu'il leur enseigne; désignant la méthode qu'il faut suivre pour exécuter quelque ouvrage, pour faire quelque opération, il suppose plutôt une pratique matérielle. **Technique** se dit essentiellement de l'ensemble des procédés pratiques d'un art, d'un métier. — **Système** n'implique pas, comme *méthode,* un ensemble de rapports réels; il se dit d'un assemblage de propositions, de principes vrais ou faux mis dans un certain ordre et enchaînés ensemble de manière à en tirer des conséquences et à s'en servir pour établir une opinion, un enseignement, une doctrine. **Théorie** désigne un système d'idées concernant tel ou tel problème particulier, en dehors de toute application pratique.

méthodique. V. RÉGLÉ.

méticuleux. V. CONSCIENCIEUX.

métier. V. PROFESSION.

métis est le nom donné au produit du croisement de races différentes appartenant à la même espèce. **Hybride** désigne, par contre, le croisement de sujets appartenant à des espèces différentes : *Les métis sont féconds entre eux, mais il n'y a chez eux, ni chez leurs descendants, fusion des caractères comme on l'observe, au contraire, chez les hybrides.* (A noter qu'*hybride* se dit plus souvent des plantes que des animaux.) **Bâtard,** syn. d'*hybride,* est du langage courant et s'applique aux plantes comme aux animaux ; il est souvent péjoratif et suppose des croisements anormaux ou des ascendants inconnus.

Métis, en parlant des personnes, désigne, d'une façon générale, celui qui est né de parents de races différentes, et, plus spécialement, celui qui est né d'un blanc et d'une femme de couleur ou d'un homme de couleur et d'une blanche. (A noter que ce terme s'est longtemps appliqué, dans ce sens, uniquement à l'individu issu de l'union d'un blanc avec une Indienne ou d'une blanche avec un Indien.) **Mulâtre** est le nom donné seulement à un métis né d'un blanc et d'une négresse ou d'un nègre et d'une blanche. **Tierceron** implique le croisement d'un métis avec une race parente, cependant que **quarteron** s'applique au métis possédant un quart de sang d'une race et trois quarts de sang d'une autre race. **Octavon** désigne celui qui est né de parents dont l'un est quarteron et l'autre un blanc. **Sang-mêlé** est un syn. moins usité de *métis.* — **Créole,** confondu souvent, à tort, avec *métis,* se dit au contraire d'une personne de pure race blanche, née dans les colonies espagnoles de l'Amérique ou, par ext., dans certaines colonies européennes intertropicales. (Observons toutefois qu'on emploie parfois l'expression : *Nègre créole,* pour distinguer le noir né aux colonies du noir venu d'Afrique.)

métromane. V. POÈTE.

métropole. V. CAPITALE.

mets désigne tout aliment apprêté, quel qu'il soit, que l'on sert aux repas. **Plat,** proprem. pièce de vaisselle de grande dimension et un peu creuse, sur laquelle on sert les mets, se dit aussi, par ext., du mets lui-même qui est contenu dans un plat. **Ragoût** est plus partic. ; il s'applique à un plat de viande, de légumes ou de poisson, coupés en morceaux et cuits dans une sauce épicée. **Ratatouille,** qui ne se dit que d'un ragoût grossier, est péjoratif. **Fricot** est populaire ; il se dit d'un ragoût de viande fricassée ou autre ; cependant que, dans l'argot militaire, il désigne, comme **frichti** et **rata,** n'importe quel mets. (V. ALIMENT et CUISINE.)

mettre, qui est un terme très général, signif. simplement faire en sorte qu'une chose soit quelque part, sans ajouter à cette idée rien de particulier. **Poser** présente une idée d'immobilité succédant à un état de mouvement ou de stabilité plus ou moins durable. **Placer** indique plus de précision dans le choix du lieu et marque une idée d'ordre et d'arrangement. **Déposer,** c'est mettre, poser une chose en quelque endroit, surtout en parlant de ce qui ne doit rester qu'un certain temps, souvent assez court, dans le lieu où on l'a mis. **Fourrer** est familier ; c'est mettre parmi d'autres choses. **Foutre,** mettre brusquement, est populaire.

mettre à bas. V. RENVERSER.

mettre à genoux (se). V. AGENOUILLER (S').

mettre auprès. V. APPROCHER.

mettre en quatre (se). V. EMPRESSER (S').

mettre en rapport (se), c'est établir des relations avec quelqu'un. **S'aboucher** est moins usité et emporte souvent une nuance péjorative. **Prendre langue** suppose qu'on se met en rapport avec quelqu'un pour entrer en pourparlers, pour demander des renseignements.

meurtrier est le nom donné à celui qui, bien que tuant sans préméditation, a toutefois, dans le moment où il agit, l'intention de commettre son acte. **Assassin** se dit de celui qui tue ayant la volonté de tuer et avec la circonstance aggravante de préméditation et de guet-apens. **Criminel,** syn. de *meurtrier,* principalement dans le langage juridique, se dit aussi abusivement d'un simple accusé ou prévenu (V. INCULPÉ). **Homicide,** peu usité dans le langage courant, s'emploie surtout dans le style soutenu. **Escarpe** est le nom donné à celui qui tue pour voler; il convient bien en parlant d'un assassin de profession opérant dans les villes. **Tueur** s'applique populairement à celui qui a l'habitude de tuer, qui est plusieurs fois assassin. **Sicaire** se dit d'un assassin gagé. **Scélérat** (du lat, *scelus, eris,* crime), s'il se dit bien de celui qui a commis un crime, peut aussi simplement s'appliquer à celui qui est capable d'en commettre un. **Spadassin,** proprement bretteur, ferrailleur habile qui recherche les duels, se dit parfois aussi, par ext., d'un assassin à gages. **Bravo** (plur. *bravi*) est un mot italien qui s'emploie en français, dans le style littéraire surtout, pour désigner un assassin à gages, un spadassin. (V. COUPABLE et INCULPÉ.)

meurtrir, c'est, en parlant des fruits, des légumes, etc., endommager ceux-ci par des chocs ou par le contact : *Pêches que la grêle a meurtries.* **Taler** est syn. de *meurtrir* surtout en parlant de fruits légèrement écrasés : *On a craint d'abord que le voyage par chemin de fer ne talât les fruits.* (V. AVARIER et POURRIR.)
V. aussi DÉTÉRIORER.

meurtrissure. V. CONTUSION.

mezzanine. V. ENTRESOL.

miasmes. V. EFFLUVE.

micheline. V. AUTOMOTRICE.

micmacs. V. AGISSEMENTS.

microbe est le nom donné d'une façon générale, dans le langage courant, à l'organisme microscopique ou même ultramicroscopique, unicellulaire, très répandu dans la nature où il intervient sur la végétation et cause les fermentations et les maladies. **Bactérie** est le nom scientifique de tous les organismes ou microbes unicellulaires : *Toutes les bactéries sont des microbes, mais tous les microbes ne sont pas des bactéries, certains pouvant être des champignons, des algues, des protozoaires.* **Bacille** désigne une bactérie en forme de bâtonnet isolé ou articulé à d'autres.

midi. V. SUD.

midinette (dont l'origine semble être un jeu de mots : *midinette,* celle qui se contente d'une « dînette » à midi) est le nom donné familièrement à Paris aux jeunes ouvrières de la couture et de la mode. **Cousette** ne se dit, familièrement aussi, que d'une jeune ouvrière de la couture. **Trottin,** plus familier encore, s'applique à la midinette qui fait aussi des courses. — **Petite-main** est le terme de métier désignant une jeune ouvrière qui, dans la couture, sort d'apprentissage et à laquelle on confie les travaux les moins difficiles. (V. COUTURIÈRE.)

mielleux. V. DOUCEREUX.

miette. V. MORCEAU.

mieux. V. PLUS.

mièvre. V. FRAGILE et GENTIL.

mièvrerie. V. AFFECTATION.

mignard, mignon. V. GENTIL.

mignoter. V. FLATTER et SOIGNER.

migration. V. ÉMIGRATION.

mijaurée. V. PIMBÊCHE.

mijoter. V. CUIRE et PRÉPARER.

milice. V. TROUPE.

milieu désigne, dans le langage courant et d'une façon générale, l'ensemble des conditions où nous vivons. **Atmosphère** convient bien en parlant du milieu dans lequel on vit, considéré comme exerçant une influence. **Ambiance** fait penser à la fois à l'état d'esprit général, aux circonstances matérielles de la vie, aux êtres qui vivent autour de nous. **Climat,** lorsqu'il désigne une ambiance intellectuelle et morale, est du style littéraire.
V. aussi CENTRE, ENTOURAGE et MONDE.

militaire. V. SOLDAT.

militant. V. GUERRIER et PARTISAN.

mime. V. ACTEUR.

mimer. V. IMITER.

mimique. V. GESTE.

minable. V. MISÉRABLE.

minauderies est le nom donné à l'air, aux paroles, aux gestes de la personne qui fait des manières pour se rendre agréable; il s'applique bien aux femmes qui usent de coquetterie pour plaire. **Simagrées** se dit d'un faux-semblant et suppose surtout des apparences trompeuses, de l'affectation : *Ce* *qu'il y a de plus caractéristique dans les minauderies, c'est la fadeur; dans les simagrées, c'est la fausseté, dit Lafaye.* **Mines,** au plur., s'emploie parfois aussi dans le sens de *minauderies,* de *simagrées : Les mines d'une coquette, d'une prude.*

mince, appliqué aux personnes, ne fait penser qu'au peu d'épaisseur de la taille. **Elancé** suppose une taille à la fois mince et haute : *Une personne petite peut être mince; elle ne saurait être élancée.* **Svelte** implique une minceur dégagée et élégante, sans considération de la hauteur de la taille : *Des jeunes gens et des jeunes filles sveltes.* — **Flandrin,** qui ne s'emploie que substantivement et familièrement, généralement avec l'épithète « grand », est le sobriquet que l'on donne aux hommes minces, élancés, qui n'ont pas de contenance. (V. MAIGRE.)

V. aussi MENU.

mine. V. AIR.

mines. V. MINAUDERIES.

miner, creuser en dessous, suppose un écroulement plus ou moins éloigné. **Saper,** c'est creuser, miner des fondements progressivement; il suppose, plus que *miner,* une construction déjà existante : *L'eau mine la pierre; On sape des murs, une tour.* (V. CREUSER.) Au fig., MINER, c'est consumer peu à peu, et SAPER, travailler énergiquement et sans relâche à la ruine : *La langueur mine les facultés; On sape les fondements d'une doctrine.*

miniature (de *minium,* substance fréquemment employée par les enlumineurs de manuscrits), nom donné aux fines peintures de petits sujets qui ornent les anciens manuscrits, est un terme qui n'est guère entré dans l'usage de la langue avant la fin du XVIe siècle; il implique généralem. l'idée de petites figures, de petits ornements, d'où son extension à la désignation, en termes de peinture, des aquarelles de très petite dimension, exécutées avec une délicatesse particulière, et, au fig., des choses de petite dimension, travaillées avec un art délicat. **Enluminure,** nom donné avant le XVIe siècle aux miniatures, fait surtout songer au bariolage des couleurs.

minime (du lat. *minimum,* superlatif de *parvus,* petit) désigne ce qui est peu considérable, surtout quant à l'importance. **Petit**, dans ce sens, dit moins et est plus du langage ordinaire. **Modique** s'applique surtout à ce qui est peu considérable pécuniairement. **Dérisoire** s'emploie avec un sens péjoratif; désignant proprement ce qui est fait par « dérision », il se dit aussi, par extension, de ce qui est très minime, petit, modique jusqu'à en être insignifiant et ridicule.

minimiser. V. RÉDUIRE.

ministère. V. EMPLOI.

minois. V. FIGURE.

minuscule. V. PETIT.

minutie. V. RIEN et SOIN.

minutieux. V. CONSCIENCIEUX.

miracle. V. MERVEILLE.

mirage. V. VISION.

mirer. V. REGARDER et VISER.

mirifique. V. ADMIRABLE.

mirobolant. V. ÉTONNANT.

miroir. V. GLACE.

miroiter. V. BRILLER.

misanthrope. V. FAROUCHE.

miscellanées. V. MÉLANGES.

mise bas est du langage ordinaire; c'est faire des petits en parlant des animaux. **Parturition** et **délivrance** sont plutôt des termes d'art vétérinaire, que la mise bas soit naturelle ou aidée. **Accouchement,** dans ce sens, n'est guère usité. **Agnelage, vêlage** (ou **vêlement**) et **poulinement** sont des syn. de *parturition* en parlant respectivement de la brebis, de la vache et de la jument.

misérable, qui se dit aussi bien des personnes que des choses, emporte l'idée d'une extrême indigence ou d'absence de valeur. **Pauvre** dit moins; il implique surtout l'absence de richesse, de valeur, en supposant cependant de minimes ressources ou possibilités. **Malheureux,** syn. de *pauvre,* suppose surtout, appliqué aux choses, l'absence d'importance, l'impossibilité de faire cas, alors qu'en parlant des personnes et employé substantivement, il est dominé par l'idée de pitié, de compassion, à l'égard de la personne qui n'a que de minimes ressources. **Piètre** (du lat. *pedestris,* qui va à pied, puis pauvre, misérable) convient en parlant de ce qui n'a aucune valeur ou très peu de valeur dans son genre. **Minable** s'applique essentiellement à l'apparence de misère, de pauvreté extérieure. **Miteux,** syn. de *minable,* emporte l'idée de manque de soin dans la tenue ou d'un aspect extérieur misérable. **Pouilleux,** qui est familier et péjoratif, ajoute à l'idée exprimée par *misérable* celle d'une basse condition lorsqu'il s'agit des hommes; appliqué aux choses, il suppose et de la misère et de la saleté. **Chétif** est un syn. moins usité de *minable* qui emporte une idée de faiblesse. — **Déshérité,** qui est plutôt du langage relevé, ne se dit que des personnes dépourvues de dons naturels ou de certains biens que les autres possèdent. **Besogneux** se prend généralement dans un sens défavorable et ne s'applique aussi qu'aux personnes; il suppose que celles-ci, le plus souvent faute de savoir administrer leurs ressources ou faute de savoir y accommoder leurs besoins, sont toujours dans la gêne et recourent sans cesse aux autres. **Paria** est le nom que l'on donne parfois à un homme misérable, dédaigné, repoussé par les autres hommes : *Le pauvre est le paria de la création, a dit Lamennais.* **Miséreux,** qui se dit familièrement de celui qui est dans la misère, qui est pauvre, sans ressources, est un vx mot repris de nos jours pour donner à *misérable* un syn. sans le sens de vil, de méprisable : *Il est d'autres parias que les miséreux en bourgeron, a dit Séverine.* **Gueux,** qui s'emploie surtout auj. dans le sens de « mendiant » (v. ce mot), est moins usité comme syn. de *misérable,* appliqué aux personnes; il en va de même pour **marmiteux,** syn. de *chétif.* **Pauvre diable** et **pauvre drille** sont des expressions familières qui servent à désigner un homme misérable, avec une nuance très nette de commisération. **Fauché,** comme **panné** (moins us.), se dit populairement de celui qui est sans argent, sans ressources, pour le moment du moins. **Meurt-la-faim,** comme **crève-la-faim,** pop. aussi, suppose une misère qui fait que l'on ne peut même pas se nourrir. **Purotin,** syn. de *pauvre,* surtout en parlant des personnes, est un terme d'argot péjoratif. (V. DÉCHU, DÉNUÉ, MENDIANT, PAUVRETÉ, RUINÉ et VAGABOND.)

V. aussi ABJECT.

misère. V. MALHEUR, PAUVRETÉ et RIEN.

miséreux. V. MISÉRABLE.

miséricorde suppose que l'on demande grâce quand on a mérité une peine sévère ou quand on se voit menacé d'un sort digne de pitié. **Merci,** qui ne s'emploie plus guère auj. dans ce sens que dans certaines locutions, implique simplement qu'on réclame un peu de complaisance, un peu de ménagement : *Le criminel demande miséricorde, le faible demande merci.* (A noter qu'on dit encore *être à la merci de quelqu'un, à la merci des flots ou des tempêtes,* sans qu'il y ait là aucune idée de miséricorde, mais uniquement celle de pouvoir et de dépendance.) [V. PARDON.]

V. aussi PITIÉ.

mission est le nom donné, dans le lang. religieux, à une suite de prédications faites en quelques endroits par des missionnaires diocésains, dans le but de convertir des infidèles ou des pécheurs. **Apostolat** se dit surtout, dans ce sens, de la mission d'un ou des apôtres. — Au fig. MISSION désigne le but généralement élevé, difficile ou dangereux, que l'on propose à quelqu'un ou que l'on s'impose à soi-même. APOSTOLAT se dit, dans ce sens étendu, de la mission que l'on s'est donnée à soi-même de propager une idée, une théorie de caractère élevé, désintéressé, et que l'on accomplit malgré toutes les difficultés.

V. aussi TRAVAIL.

missive. V. LETTRE.

mistral. V. VENT.

mitaine. V. GANT.

mitan. V. CENTRE.

miteux. V. MISÉRABLE.

mitiger. V. ADOUCIR.

mitonner. V. CUIRE, PRÉPARER et SOIGNER.

mitrailler. V. TIRER.

mitraillette. V. FUSIL.

mixtion, mixture. V. MÉLANGE.

mobile. V. CAUSE et MOTEUR.

modalité. V. CONDITION et QUALITÉ.

mode est le nom donné à un usage passager introduit dans la société par le goût, la fantaisie, le caprice : *Ce qui est à la mode a plu d'abord à quelques personnes, et tout le monde, poussé par l'habitude de l'imitation, s'est mis ensuite à trouver cela charmant.* (On dit aussi parfois **goût du jour.**) **Vogue** suppose un succès d'estime, de préférence, auquel le caprice n'est pas toujours étranger, mais qui implique toutefois une certaine attention à estimer les choses selon leur valeur : *Ce qui est en vogue passe pour valoir mieux que beaucoup d'autres objets de même nature, et c'est pour cela que tout le monde veut l'avoir.*

V. aussi QUALITÉ.

modèle (du lat. *modus,* manière) désigne proprement l'objet qu'on a sous les yeux quand on veut en former un semblable; il suppose de l'art chez celui qui imite et des règles qui peuvent être bien ou mal suivies. **Type** (du grec *tupos,* empreinte) se dit de l'objet qui produit lui-même sa propre image et qui la multiplie exactement, soit par l'impression, soit par le moulage. **Prototype** enchérit sur *type* en ce sens qu'il se dit uniquement du premier type, du modèle original : *Médaille qui est le prototype sur lequel on a modelé les autres.* **Patron,** syn. de *modèle,* s'emploie surtout dans le langage des tailleurs et des couturières. **Gabarit,** aussi syn. de *modèle,* est un terme de technologie. **Maquette** est le nom donné, en termes d'art décoratif, à un modèle réduit de décoration intérieure théâtrale, tel qu'il doit être exécuté; ce peut être aussi, en termes d'imprimerie, un modèle de mise en pages. (V. ÉCHANTILLON.) — Au fig., le MODÈLE est quelque chose de réel qu'on se propose d'imiter, et le TYPE quelque chose d'idéal dont on cherche seulement à approcher. (A noter encore que *modèle* appartient au langage ordinaire, et *type* à celui de la science et de la philosophie.)

V. aussi EXEMPLE.

modeleur. V. SCULPTEUR.

modération. V. RETENUE.

modérer est un terme très général; c'est supprimer ou tout au moins corriger un excès, quel qu'il soit, en ramenant à une juste mesure. **Tempérer,** c'est modérer ce qui est trop fort, trop violent, trop ardent. **Adoucir,** c'est modérer en rendant plus doux ce qui est âpre, sauvage, au propre comme au figuré. **Mitiger,** c'est modérer ce qui est trop sévère, comme une règle ou une loi. **Atténuer,** c'est modérer en rendant moins dur, moins brutal. **Pallier,** qui signifie en termes de médecine atténuer momentanément une maladie, s'emploie parfois aussi dans le langage ordinaire comme syn. d'*atténuer.* (A noter qu'on ne doit jamais dire « pallier à ».) **Amortir,** c'est modérer ce qui est trop vif, trop rapide, en diminuant les effets. **Freiner,** proprement modérer ou arrêter la marche d'une machine au moyen du frein, s'emploie aussi, dans le langage courant et familièrement, comme syn. de *modérer* pris dans son sens général. (V. ADOUCIR et ENRAYER.)

moderne. V. RÉCENT.

modeste suppose surtout la crainte d'être remarqué; il emporte l'idée de grande retenue, l'absence de tout excès. **Réservé** est essentiellement dominé par l'idée de discrétion. **Effacé** se dit de celui qui n'attire pas l'attention sur lui, non pas tellement par modestie que par manque de caractères saillants. **Humble,** qui se dit de celui qui a de l'humilité, emporte souvent un sens quelque peu péj.; il désigne alors celui qui porte trop loin la déférence et le respect. **Simple** se prend toujours en bonne part dans ce sens; il implique surtout l'absence d'ornement, de faste, de recherche, d'apprêt, d'affectation. **Bonhomme** suppose une simplicité familière, aimable. **Bonasse** fait penser à une bonhomie qui peut aller jusqu'à la faiblesse.

modestie. V. DÉCENCE.

modification. V. CHANGEMENT.

modique. V. MINIME.

moelle. V. QUINTESSENCE.

mœurs désigne tout ce qui se fait par instinct, par tradition, par adaptation spontanée au milieu. **Moralité** se rapporte au caractère et non pas à la conduite humaine dans ce qu'elle a d'inconscient : *Les animaux ont des mœurs, l'homme seul a de la moralité.*

V. aussi HABITUDE.

moine. V. RELIGIEUX.

moineau, nom donné à un genre d'oiseaux passereaux conirostres, très répandus dans tous les pays, a pour syn. vulgaire **pierrot** et pop. **piaffe.**

moïse. V. BERCEAU.

moisir (de *mucus*), c'est se couvrir d'une mousse blanche ou verdâtre, qui indique une altération, une corruption déjà avancée. **Chancir,** peu us. auj., s'applique plutôt aux premiers signes de changement; il suppose simplement un commencement d'altération. (V. POURRIR.)

moissonner. V. RÉCOLTER.

molaire. V. DENT.

môle est le nom couramm. donné auj. à un ouvrage en maçonnerie, parfois très long, construit à l'entrée d'un port, à la tête d'une jetée. **Musoir** désigne simplement l'extrémité d'une jetée, d'une digue, où viennent se briser les vagues. (V. DIGUE.)

molécule. V. PARTICULE.

molester. V. MALMENER et TOURMENTER.

mollasse. V. FLASQUE et MOU.

mollesse. V. APATHIE.

moment et **instant** expriment de petites parties de la durée, mais un *instant* est toujours très court, tandis qu'un *moment* peut être un peu prolongé : *L'instant est la plus petite partie du temps qu'il soit possible de considérer; le moment est bien court aussi, mais il a pourtant assez de durée pour qu'on puisse arrêter son esprit sur les faits.*

V. aussi ÉPOQUE.

moments (derniers). V. AGONIE.

momentané. V. PASSAGER.

monacal. V. MONASTIQUE.

monarchiste. V. ROYALISTE.

monarque (du préf. *mon* et du grec *archos,* chef) désigne au sens propre, étymologique, celui qui gouverne seul; il fait penser au genre de gouvernement qui est celui d'un seul. **Roi** (du lat. *regere,* régir) est le nom donné à celui qui guide, dirige, régit; il n'implique pas forcément, comme *monarque,* l'idée de commander seul à un grand nombre de sujets, et fait surtout penser à la fonction ou à l'office qui est de diriger, de conduire : *Un roi n'est pas monarque si les pouvoirs politiques sont partagés.* **Souverain** (du lat. pop. *superanus,* dérivé de *super,* sur, au-dessus) désigne un roi considéré comme ayant sous lui des ministres, des agents nombreux, des cours de justice, des conseils qui délibèrent. **Prince** (du lat. *princeps,* premier), pris dans son sens général, se dit de celui qui, possédant une souveraineté ou étant d'une maison souveraine, est le premier; il fait essentiellement penser au rang : *Dans une démocratie le peuple est le prince, comme le roi l'est dans une monarchie, car il y a partout un chef, une souveraineté.* (A noter que *prince* n'est souvent aussi qu'un titre d'honneur, sans autorité, qui se donne aux premiers sujets d'un royaume.) **Potentat** (du lat. *potens, entis,* puissant) est le nom que l'on donne au souverain d'un grand Etat, considéré comme ayant une immense puissance et pouvant à son gré lever de très forts subsides et des armées nombreuses. **Empereur** (du lat. *imperator,* général en chef, de *imperare,* commander), qui désignait chez les Romains un chef militaire, un général, fait penser à la charge ou à l'autorité, cette autorité étant le droit de commander; c'est le titre pris par le chef souverain de certains Etats, généralement vastes et dans lesquels sont souvent réunis ou rassemblés divers peuples : *L'empereur est un grand potentat par sa vaste domination, ou un grand prince par sa vaste suprématie; il aura une grande puissance s'il est monarque, et seulement une grande dignité s'il n'est que le chef d'une grande confédération de princes et de rois, a écrit Beauzée.* (A noter que, pris dans leur relation mutuelle, ces mots ont des nuances de sens particulières : le *prince* est moindre que le *roi,* qui lui-même est moindre que l'*empereur;* quant à *souverain, monarque* et *potentat,* ils ne font guère que remplacer emphatiquement les autres.) **César** est plus partic.; c'est la qualification oratoire et poétique des monarques qui ont le titre d'empereur. **Autocrate** (du grec *autos,* soi-même, et *kratos,* puissance) dit plus que *potentat;* c'est le nom donné à celui dont la puissance est complètement indépendante et absolue, particulièrement en parlant d'un monarque qui a un pouvoir sans contrôle : *On appelait le tsar l'autocrate de toutes les Russies.* **Dynaste** est très spécial; terme d'histoire ancienne désignant un petit souverain qui gouvernait selon le bon plaisir d'un Etat plus puissant, s'emploie parfois encore auj., en histoire moderne, dans un sens analogue.

monastère. V. CLOÎTRE.

monastique se rapporte au fond même des choses, aux mœurs, à l'esprit qui doit animer les moines. **Monacal** a rapport à la forme et se prend généralem. en mauv. part : *Vie monastique; Intrigues monacales.* **Monial** est une forme ancienne de *monacal.*

monceau. V. AMAS.

monde désigne aussi bien l'ensemble des hommes en général qu'un ensemble d'individus constituant un groupement humain déterminé : *Le monde est souvent un assemblage d'égoïsmes; Le monde du théâtre, des affaires.* **Société** est plus précis et plus du langage recherché; il se dit soit du monde considéré comme corps social, c'est-à-dire vivant sous des lois, des règles communes, soit d'un ensemble de personnes unies par un genre de vie analogue, un but commun, ou par des liens de sympathie, d'amitié : *Nous avons des devoirs envers la société; On se plaît dans la société des artistes.* **Milieu** désigne l'ensemble de personnes de niveau social, intellectuel, semblable, d'occupations analogues; il implique, plus que *monde,* une idée de communication entre les individus qui le forment : *Le milieu artiste, littéraire, ouvrier.* (V. ENTOURAGE.) — A noter qu'employés absolument **le monde** ou **le grand monde, la société** ou **la haute société,** servent à désigner plus particulièrement l'ensemble des personnes les plus marquantes par leurs origines, leurs dignités et leur fortune, cependant que **le beau monde** s'applique mieux à l'élite du monde poli, à la société la plus brillante : *C'est la naissance et le rang qui font le grand monde; c'est une politesse aisée, l'urbanité dans le langage et l'élégance dans les manières qui font le beau monde.* (On dit aussi parfois, dans le sens de *beau monde,* **gentry,** mot angl. qui désigne outre-Manche la haute bourgeoisie, par opposition à « nobility », noblesse, et à « people », peuple.) **Le milieu** désigne au contraire, employé absolument et populairement, le monde de la pègre : *Les apaches et les souteneurs sont des gens du milieu.*

V. aussi TERRE et UNIVERS.

mondial. V. UNIVERSEL.

moniteur. V. INSTRUCTEUR.

monnaie. V. ARGENT.

monocorde. V. UNIFORME.

monologue, qui est d'un usage beaucoup plus courant que son syn. **soliloque,** est le seul terme qui convienne pour désigner le discours d'une certaine importance qu'un acteur se tient à lui-même, pour mettre le public au courant d'intentions, de sentiments, qu'il lui est nécessaire de connaître pour l'intelligence de la pièce. (Dans le lang. ordin., *soliloque* s'emploie quelquefois pour désigner certaines réflexions qu'on se fait à soi-même sans que personne y fasse attention; le *monologue,* au contraire, suppose des auditeurs et se fait remarquer comme la preuve d'une vive préoccupation.) **Aparté** se dit, dans ce sens, d'un monologue prononcé par un acteur de manière à être entendu des spectateurs, mais qu'on suppose ne l'être pas des autres acteurs qui sont en scène.

monopole. V. PRIVILÈGE.

monopoliser. V. ACCAPARER.

monotone. V. UNIFORME.

monstre. V. PHÉNOMÈNE.

monstrueux. V. EFFROYABLE.

mont, qui est opposé à « val » ou à « vallon », désigne une grande élévation naturelle au-dessus du sol environnant; il implique une masse simple, isolée, détachée de toute autre, soit physiquement, soit idéalement, qui s'aperçoit ou est supposée s'apercevoir d'un seul coup d'œil. **Montagne,** qui s'oppose plutôt à « plaine », présente l'idée générale et commune de masse, sans aucune distinction individuelle; il dit plus que *mont* et s'emploie pour indiquer des élévations qui sont de nature et de formes différentes, et qui souvent se suivent par une espèce d'enchaînement dans des espaces plus ou moins longs : *Les parties des montagnes considérées à part s'appellent monts; considérées comme jointes entre elles, on les nomme montagnes.* (A noter que *montagne* ne formant qu'une appellation vague, doit être suivie de la préposition « de » pour être appliquée à des massifs individuels : *Montagnes d'Auvergne; Montagnes des Pyrénées.*) **Pic** est plus partic.; il se dit d'une montagne isolée ou détachée d'une chaîne, et qui finit ou paraît finir en pointe. **Puy** est le nom donné aux montagnes volcaniques de certaines contrées du centre de la France. **Ballon** désigne, dans les Vosges, une montagne présentant un sommet de forme arrondie. (V. BUTTE, COLLINE et SOMMET.)

montage. V. ASSEMBLAGE.

montagne. V. MONT.

montant. V. SOMME.

montée désigne, d'une façon générale, un lieu qui va en montant, une pente à gravir. **Côte** se dit de la montée créée par le penchant d'une colline, d'une montagne. **Rampe** est surtout un terme des Ponts et Chaussées. **Raidillon** s'applique plus particulièrement à un petit chemin en pente raide. **Grimpette** est le nom que l'on donne aussi parfois, familièrement, à un chemin assez court, en pente rapide.

V. aussi ESCALIER.

monter, c'est, d'une façon générale, se transporter dans un lieu plus haut que celui où l'on était. **Grimper** implique un effort que ne suppose pas toujours *monter*. **Gravir** enchérit à son tour sur *grimper* quant à l'idée de l'effort accompli, et convient bien en parlant de quelque endroit escarpé. **Escalader,** c'est monter dans une maison, franchir un mur de clôture, etc., soit à l'aide d'une échelle, soit en grimpant ou de quelque manière semblable; ce peut être aussi gravir un escarpement présentant des anfractuosités servant d'échelons.

V. aussi ACCOUPLER (s').

montgolfière. V. BALLON.

monticule. V. BUTTE.

montre désigne une petite horloge portative, combinée de façon à pouvoir fonctionner dans toutes les positions, et disposée pour pouvoir être mise commodément dans la poche. **Chronomètre** se dit d'une montre de précision, construite pour donner le temps d'une manière parfaitement exacte, et qui n'est soumise ni aux variations magnétiques, ni aux variations de température. **Chronographe,** qui est le nom donné aux divers appareils destinés à faire constater, par des procédés graphiques, le temps que dure un phénomène, désigne aussi, par ext., un chronomètre permettant d'enregistrer, par la mise en mouvement puis l'arrêt d'une aiguille spéciale, la durée d'un fait quelconque (éclair et tonnerre, départ et arrivée d'une course sportive, etc.). **Oignon,** grosse montre ancienne et fort bombée, se dit aussi par ext. d'une mauvaise montre. **Coucou** et **tocante,** syn. de *montre,* sont des termes d'argot généralement péjoratifs.

V. aussi ÉTALAGE et PARADE.

montrer, c'est, d'une façon générale, faire voir. **Présenter,** c'est montrer avec l'intention d'intéresser. **Exposer** suppose une disposition destinée à bien mettre en vue. **Etaler,** c'est montrer avec ostentation. **Exhiber,** c'est montrer avec l'intention de produire un certain effet. **Prodiguer,** c'est montrer, étaler avec une excessive complaisance.

V. aussi APPRENDRE, INDIQUER et PROUVER.

Se montrer, c'est simplement se faire voir; il implique souvent aussi, dans un sens plus fort, le fait d'aller dans le monde, de fréquenter assidûment la société, mais cela d'une façon durable. **S'étaler** est péjoratif; c'est se montrer avec ostentation, sans la moindre modestie. **S'exhiber,** syn. de *s'étaler,* est souvent employé ironiquement. **Parader,** c'est s'exhiber surtout pour se faire admirer, pour se faire valoir.

V. aussi PARAÎTRE.

monument. V. BÂTIMENT.

monumental. V. COLOSSAL.

moquer. V. RAILLER.

moquerie. V. RAILLERIE.

moquette. V. TAPIS.

morale est le nom donné à la science ou doctrine qui détermine les règles de nos actions. **Ethique,** qui se dit adjectivem. de ce qui a rapport à la morale, s'emploie aussi comme nom féminin par certains auteurs pour désigner la science de la morale ou un ouvrage traitant de cette science.

moralité. V. MŒURS.

morbide. V. MALSAIN.

morceau désigne la partie séparée d'un corps solide et continu. **Bout,** syn. de *morceau,* est plutôt du langage ordinaire; il convient bien en parlant d'un morceau qui reste de quelque chose. **Bribe** ne se dit guère, dans ce sens, que du morceau d'une chose comestible, et s'emploie surtout alors au plur. **Miette,** qui désigne proprem. une des petites parties qui tombent du pain quand on le coupe, ou qui restent quand on a mangé, se dit aussi, par ext., soit d'un très petit morceau de quelque chose à manger, soit même, mais familièrem., d'un très petit morceau d'un objet quelconque. **Débris** est plus partic.; il s'applique aux morceaux qui restent d'une chose brisée ou en partie détruite. (En parlant de débris de bouteille, de verre cassé, on dit **tesson; têt,** dans ce sens, est vx.) **Pièce** concerne chacune des parties, des morceaux d'une chose cassée ou déchirée. **Lambeau** est le nom que l'on donne soit au morceau d'une étoffe déchirée, soit à un morceau de chair arraché, déchiqueté. **Lichette** et **loquette** (moins us.) sont populaires et désignent toujours un petit morceau. **Chicot,** qui se dit surtout du morceau, du fragment d'une dent cassée ou cariée, qui reste dans la gencive, s'emploie parfois aussi populairement comme syn. de *morceau,* de *débris.* **Quignon** est très partic.; il se dit seulement et familièrement d'un morceau de pain plus ou moins gros. **Chanteau** se dit parfois d'un morceau coupé à un grand pain ou à une pièce d'étoffe. **Lopin,** morceau qu'on a pour sa part, vieillit, sauf en parlant d'un terrain (v. art. suivant). [V. TRANCHE.]

Morceau se dit aussi, dans une autre acception, de la partie d'un tout, distincte sans être séparée, et surtout en parlant de terrain. **Pièce** convient bien, dans ce sens, en parlant d'un morceau considéré séparément d'autres de même nature et formant un tout par lui-même. **Lopin** se dit d'un petit morceau de terrain, que l'on a pour sa part. **Parcelle,** en termes d'agriculture et de cadastre, désigne chaque petit morceau de terre, distincte des terres voisines et appartenant à un propriétaire différent.

V. aussi PARTIE.

morceler. V. PARTAGER.

mordant, appliqué figurément à l'esprit, suppose, plutôt qu'un sentiment hostile, un penchant qui, par des paroles ou des écrits, s'exerce aux dépens des personnes et cherche moins leur humiliation que l'amusement des auditeurs ou des lecteurs. **Piquant** implique des traits d'esprit, qui, volontairement ou non, blessent peu ou prou. **Cuisant** enchérit sur *piquant* quant à la profondeur et à la durée de l'humiliation. **Caustique** désigne ce qui, dans l'intention de nuire, est mordant dans la moquerie, dans la plaisanterie. **Satirique** n'emporte pas la même idée de malignité méchante; il peut se prendre en bonne part et suppose surtout le désir de démasquer avec esprit les vices et les ridicules, pour engager les hommes à s'en corriger. **Incisif** implique une satire, une critique nette et tranchante, qui peut être dénuée de toute méchanceté. **Acéré,** syn. de *piquant,* d'*incisif,* suppose au contraire implicitement la volonté de blesser, de faire mal moralement et profondément.

V. aussi VIF.

morfondu. V. TRANSI.

morgue. V. ORGUEIL.

moribond, comme **agonisant,** désigne celui qui est près de mourir, quoique sa fin puisse encore tarder. **Mourant** se dit de celui qui se meurt vraiment au moment où l'on parle.

moricaud. V. NÈGRE.

morigéner. V. RÉPRIMANDER.

morne. V. TRISTE.

mornifle. V. GIFLE.

morose. V. MAUSSADE.

mort se dit, d'une façon générale, de toute personne privée de vie. **Cadavre** désigne le corps aussi bien d'un homme que d'un animal privé de vie, bien qu'en ce dernier sens il ne s'applique guère qu'au corps mort des gros animaux. **Corps,** employé dans le sens de CORPS MORT, s'applique essentiellement au corps humain. **Dépouille mortelle,** ou simplement DÉPOUILLE, syn. de *cadavre,* est du langage relevé. **Restes mortels,** ou simplement RESTES, est plus général; désignant tout ce qui « reste » d'une personne après sa mort, il se dit aussi bien du cadavre que des ossements ou même des cendres. **Charogne,** qui désigne proprement un corps de bête morte, et qui entre en putréfaction, se dit aussi parfois, par dénigrement, d'un cadavre humain. **Macchabée,** syn. de *cadavre,* en parlant de personnes (et spécialem. de noyés), est argotique, cependant que **dégelé,** d'ailleurs peu usité, est populaire.

V. aussi DÉCÉDÉ et DÉCÈS.

mortel. V. PERSONNE.

morticole. V. MÉDECIN.

mortifier. V. HUMILIER et MACÉRER.

mortuaire. V. FUNÈBRE.

mot se dit proprement d'un assemblage de sons ou de lettres propre à telle ou telle langue, et qui est court ou long, dur, doux ou sonore à l'oreille : *La pureté et l'harmonie du langage dépendent du choix des mots.* **Terme** désigne le mot qui fixe la pensée, qui en donne une idée nette, précise, et qui, juste ou non, est généralement déterminé par un usage tout spécial ; c'est ainsi que chaque art, chaque métier a ses termes propres, qui restent souvent peu connus des profanes : *La précision du style dépend du choix des termes.* **Expression** est le nom donné au mot, au terme qui rend plus ou moins bien la pensée au point de vue de l'art et de l'effet produit sur ceux qui l'entendent ou le lisent, et qui est considéré comme étant bien ou mal choisi par celui qui l'emploie : *L'éclat, le brillant du style dépend du choix des expressions.* **Vocable,** syn. de *mot,* est un terme de grammaire.

V. aussi LETTRE, MOT D'ESPRIT et PAROLE.

mot d'esprit, bon mot, mot pour rire, ou simplement **mot,** désignent une parole qui a quelque chose de piquant ou d'ingénieux ; c'est un mot qui porte à rire, une plaisanterie spirituelle. **Saillie** suppose un mot brillant et imprévu, jailli spontanément. **Trait,** quand il n'est pas tout à fait syn. de *saillie,* implique une raillerie peu ou prou maligne. **Bluette** se dit parfois d'un trait d'esprit vif et léger. **Pointe** emporte l'idée d'un trait assez blessant. (V. ESPRIT, PLAISANTERIE, RAILLERIE et SATIRE.)

mots (jeu de) suppose une plaisanterie reposant sur une allusion fondée sur une ressemblance quelconque des mots : *Un jeu de mots peut provoquer une confusion voulue d'idées, comme « c'est le commencement de la fin* (*ou de la faim*) ». **Calembour** se dit d'un jeu de mots fondé uniquement sur une similitude de sons, sans égard à l'orthographe ni au sens, et qui vise souvent au grotesque : *Un effet de l'art* (*un nez fait de lard*) *est un calembour.*

motet. V. CANTIQUE.

motel. V. HÔTEL.

moteur se dit de ce qui donne le mouvement à une chose, et qui en est le soutien essentiel, l'auteur, tout en pouvant cependant être caché. **Mobile** suppose une action, un mouvement moins immédiat que *moteur : Le premier moteur d'une entreprise la fait être, alors que son premier mobile contribue seulement à la faire être.* — **Promoteur,** qui s'emploie surtout en parlant des personnes, est plutôt, si nous en croyons Lafaye, le propagateur, celui qui fait croître, valoir ou prospérer, cela d'une façon évidente, visible à tous : *On est le promoteur d'une entreprise lorsqu'on lui donne sa première impulsion.* **Ame** diffère de *promoteur* en ce qu'il est dominé plus par l'idée d'intelligence, de pensée, que par celle d'impulsion : *Un homme est appelé l'âme d'une grande entreprise, lorsque sa mort ou sa disparition la font échouer, quoique rien d'autre ne soit changé.* (V. INSTIGATEUR et PROTAGONISTE.)

motif. V. CAUSE.

motion. V. PROPOSITION.

motus. V. PAIX.

mou, pris au sens figuré, implique l'absence d'énergie, de volonté. **Faible** emporte non seulement l'idée de mollesse, mais suppose le plus souvent en outre un naturel qui porte à changer facilement d'inclinations, parce qu'on n'a pas la force de résister soit aux attaques qui nous sont portées, soit au contraire à la séduction. **Veule** est plus péj. ; il ajoute généralement à l'idée de faiblesse celle d'absence de courage, d'entrain. **Aboulique** est un terme du langage médical impliquant une sorte de névrose où le symptôme dominant est l'absence morbide de volonté. **Amorphe** et **chiffe,** syn. de *veule,* sont familiers, ainsi que **mollasse** et **mollasson,** syn. de *mou,* qui emportent un sens péjoratif. **Soliveau** se dit, familièrement aussi et par allusion à la fable de La Fontaine « les Grenouilles qui demandent un roi », d'un homme sans énergie et sans autorité ; il fait penser à une médiocrité ou à une nullité presque complète. **Panade,** appliqué à un homme mou, sans énergie, est pop., ainsi que **nouille** qui, plus employé, ajoute souvent à l'idée de mollesse, d'absence d'énergie, celle de bêtise. — **Flandrin** (dér. de *Flandre,* à cause de la longue taille et de la mollesse des Flamands) s'emploie substantivement et familièrement en parlant d'un homme ayant un grand corps mou, sans énergie; il implique une tournure gauche, de la lenteur dans les mouvements, et s'emploie généralement avec l'épithète « grand ». (V. APATHIE et ENDORMI.)

V. aussi FLASQUE.

mouchard, mouche. V. ESPION.

mouche à miel. V. ABEILLE.

moucheter. V. MARQUETER.

moudre. V. PILER.

moue. V. GRIMACE.

moufle. V. GANT.

mouiller. V. ARROSER et TREMPER.

mourant. V. MORIBOND.

mourir, c'est, d'une façon générale, cesser de vivre, perdre la vie. **S'éteindre** est plus partic.; il se dit bien en parlant soit d'une personne qui s'affaiblit très sensiblement et qui touche à sa fin, soit, et c'est alors qu'il est à peu près syn. de *mourir,* d'une personne qui meurt lentement et presque sans s'en apercevoir. **Expirer** fait surtout penser au moment précis où le mourant exhale son dernier soupir. **Périr,** c'est prendre fin, cesser d'être; il implique une fin malheureuse, violente. **Rendre l'âme, rendre le dernier soupir, rendre l'esprit,** syn. de *mourir,* d'*expirer,* sont du langage relevé. **Trépasser** est plutôt du style soutenu ou pompeux, **passer** est peu usité. **Succomber,** syn. de *mourir,* de *périr,* s'emploie seulement absolument; il suppose souvent une mort pénible, longue à venir. **Crever,** mourir en parlant des animaux, est familier et péjoratif appliqué aux personnes. **Casser sa pipe** et **dégeler** sont populaires; **calancher, claboter, clamecer** (ou CLAMSER), **claquer** et **crampser** sont des termes d'argot.

mousquet, mousqueton. V. FUSIL.

moussaillon. V. MOUSSE.

I. **mousse** est le nom donné, d'une façon générale, à la matière très légère, neigeuse, qui se forme parfois très abondamment à la surface des liquides contenant des gaz que la compression à forcés à se dissoudre, et qui, redevenant libres, donnent lieu à une effervescence souvent considérable, quand cette compression vient à cesser. **Ecume** désigne particulièrem. la mousse plus ou moins impure qui se forme et surnage à la surface d'un liquide qu'on agite, qu'on chauffe ou qui fermente.

2. **mousse.** V. MATELOT.

mousson. V. VENT.

moustachu. V. POILU.

moutier. V. CLOÎTRE.

mouvement désigne le déplacement, quel qu'il soit, d'un corps ou de quelqu'une de ses parties. **Marche** se dit d'un mouvement qui amène un déplacement soit en avant, soit en arrière : *On dira le mouvement du balancier d'une pendule et la marche des aiguilles.* **Course** se dit d'une marche rapide : *La course précipitée du temps.* **Motion,** syn. didact. de *mouvement,* est vieux.

V. aussi ANIMATION.

mouvoir, c'est donner quelque impulsion, faire agir, cela sans violence. **Actionner** s'emploie surtout en mécanique, pour désigner l'action de mettre en mouvement une machine, un appareil, etc. **Animer** se dit normalement d'un corps organisé et il signifie alors non seulement mouvoir, mais encore douer de vie; appliqué à des choses, il implique que l'on donne, si ce n'est la vie, tout au moins l'apparence de vie. **Emouvoir,** vieilli dans le sens de mettre en mouvement, supposait généralement une impulsion plus forte que *mouvoir.*

V. aussi PORTER.

moyen (du lat. *medianus,* qui est au milieu) se dit adjectivement de ce qui est également éloigné du parfait et du mauvais : *On peut se contenter de choses de qualité moyenne.* **Ordinaire** insiste plus encore que *moyen* sur l'idée de banalité : *Ce qui est ordinaire ne se remarque pas.* **Médiocre** a le même sens que *moyen,* mais avec une nuance assez péjorative : *Ce qui est médiocre n'est pas recherché, on l'écarte même.*

Moyen, désignant ce qui est au milieu, se dit aussi, mais substantivem., de ce qui sert d'intermédiaire, et dont le propre est d'exécuter, de produire un effet; il suppose la force, une puissance mise en œuvre pour faire une action. **Voie** (du lat. *via,* route, chemin, endroit par où l'on passe) désigne le chemin, la route, la carrière à parcourir par une suite d'actions, et dont le propre est de tracer notre marche, ce que nous avons à faire : *Il y a différentes voies pour parvenir; le moyen le plus sûr, quelque voie que l'on prenne, est une volonté ferme, inébranlable.*

Moyens. V. RICHESSE.

Moyen-Orient. V. ORIENT.

muer. V. TRANSFORMER.

muet. V. SILENCIEUX.

mufle. V. GROSSIER et MUSEAU.

muid. V. TONNEAU.

mulâtre. V. MÉTIS.

mule. V. CHAUSSON.

multiplicité. V. MULTITUDE.

multiplier indique simplement l'apparition d'êtres, d'éléments, de faits semblables aux premiers. **Proliférer,** c'est se multiplier par génération; il ne se dit que des êtres organisés.

multitude, qui exprime l'idée d'une réunion nombreuse et s'emploie bien au pluriel, se rapporte uniquement à la quantité : *La multitude occupe un grand espace.* **Multiplicité** ne s'emploie qu'au singulier et emporte souvent l'idée d'un mal ou d'un excès, d'une multiplication regrettable, que n'implique pas forcément *multitude : On reproche à l'administration la multiplicité de ses écritures.* **Foule** exprime une idée de tumulte, de cohue de personnes : *Il y a toujours foule à la sortie des théâtres.* **Concours** ajoute une idée de mouvement à celle de quantité; il représente l'action simultanée et accidentelle de personnes qui se rendent vers un même endroit, dans une certaine occasion : *Fête qui attire un grand concours de peuple.* **Affluence** exprime non pas une arrivée en masse comme *concours,* mais une arrivée successive, qui a lieu d'une manière durable, continue : *Paris est accoutumé à recevoir une grande affluence d'étrangers.* **Nuée,** employé au fig., est du langage imagé et convient bien en parlant d'une multitude qui vient s'abattre sur un lieu : *Des nuées de barbares envahirent l'empire romain;* il s'applique aussi à un grand nombre qui se répand : *Une nuée de témoins.* **Essaim** se dit figurément d'une très grande multitude de personnes qui marchent, qui s'agitent : *Un essaim de jeunes filles.* **Fourmilière,** au figuré, est familier et fait penser aussi à une multitude de gens qui s'agitent : *Je trouvai une fourmilière de fripiers toute en armes* (*Retz*). **Légion** se dit, familièrement aussi, d'un grand nombre d'êtres vivants : *Des légions de moustiques volent au-dessus des marécages.* **Masse,** employé familièrement dans le sens de grand nombre, de grande quantité, convient bien en parlant de la totalité d'une chose dont les parties sont de même nature : *Recevoir des masses de lettres, de visiteurs.* **Régiment** s'emploie parfois figurément et familièrement pour désigner une multitude de personnes; on dit aussi d'ailleurs **armée,** les deux termes emportant évidemment l'idée d'un certain ordre : *Un régiment de cousins; Une armée de domestiques.* **Foultitude** est un mot burlesque syn. de multitude : *Donner une foultitude de raisons.* **Flopée, tapée** et **tripotée** sont populaires et font penser à une grande quantité, sans idée accessoire. (V. QUANTITÉ et SÉRIE.)

munificence. V. LIBÉRALITÉ.

munir de. V. PROCURER.

mur se dit d'un ouvrage de maçonnerie qui se qualifie surtout par son mode de construction, par les matières employées. **Muraille** désigne un ensemble, une suite de murs, une sorte d'édifice, qui se qualifie par la force, par la grandeur plus ou moins imposante : *Le mur arrête, sépare, partage, ferme; la muraille couvre, défend, fortifie et sert de rempart.* **Cloison,** comme **paroi,** est plus partic.; il se dit d'un mur de faible épaisseur, que l'on élève sur les planchers pour distribuer un appartement en un certain nombre de pièces, et qui peut être en maçonnerie, en menuiserie, ou métallique.

muraille. V. MUR et REMPART.

mûrir. V. PRÉPARER.

murmurer, c'est faire entendre un bruit de voix sourd et prolongé. **Chuchoter,** c'est parler bas et mystérieusement, en remuant à peine les lèvres. **Susurrer,** c'est murmurer doucement, en ouvrant à peine la bouche. **Marmotter,** c'est murmurer confusément et entre ses dents; il est familier. **Bam-**

bonner, parler entre ses dents, n'est guère employé.

Murmurer, comme **grogner** (plus familier), c'est aussi faire entendre une plainte sourde, un bruit confus marquant la désapprobation. **Gronder,** c'est murmurer avec aigreur. **Bougonner,** comme **grommeler,** est familier; c'est gronder entre ses dents. **Marmonner,** c'est murmurer sourdement et d'une façon hostile. **Maugréer,** c'est manifester une très mauvaise humeur, en parlant ou plus souvent en grommelant. **Maronner, renauder, rogner** et **ronchonner,** syn. de *maugréer,* sont populaires, ainsi que **grognasser** et **groumer,** syn. de *gronder.* (V. PROTESTER et RECHIGNER.)

musarder. V. FLÂNER.

museau désigne la partie saillante, allongée et plus ou moins pointue de la face de certains mammifères, de certains poissons. **Mufle** se dit seulement de l'extrémité du museau de certains mammifères, particulièrement des ruminants, des carnassiers, des rongeurs. **Groin** s'applique seulement au museau du cochon ou du sanglier, souvent appelé aussi, lorsqu'il s'agit de ce dernier animal, **boutoir.** (V. NEZ.)

musée (grec *mouseion;* lat. *museum;* proprem. temple des muses, des arts) désigne un lieu public renfermant une grande collection d'objets, de documents, etc., relatifs aux arts et aux sciences, et pouvant servir à leur histoire. **Muséum** est le nom donné à un musée particulièrement destiné aux études scientifiques. **Cabinet,** syn. de *musée,* est vieilli. **Galerie** se dit spécialement des salles de palais, de musées, plus longues que larges, où se trouvent exposées des collections de tableaux et d'œuvres d'art. (A noter que ce terme désigne aussi la collection même de tableaux que la galerie renferme.) **Pinacothèque** (du grec *pinax, akos,* tableau, et *thêkê,* boîte) est le nom donné à certains musées de peinture. **Glyptothèque** (du grec *gluptos,* gravé, et *thêkê,* boîte), qui désigne proprement un musée de pierres gravées, s'emploie aussi, assez abusivement, pour désigner un musée ou une collection de sculptures (par opposition à *pinacothèque,* musée de peinture). **Protomothèque** (du grec *protomê,* buste, et *thêkê,* boîte) est le nom donné à la salle où se trouve une collection de bustes. **Conservatoire** est beaucoup plus partic.; il est surtout employé comme nom propre pour désigner soit le *Conservatoire des Arts et Métiers,* établissement public parisien où sont gardés les modèles des machines, instruments, etc., ainsi que les échantillons des divers produits de l'industrie, et où se font des cours sur les arts et les métiers, soit le *Conservatoire de Musique et de Déclamation* (ou absolument *Conservatoire*), établissement destiné à maintenir les traditions de l'art musical et de l'art dramatique français, auquel cas il est plus syn. d'« école » que de *musée.*

muser. V. FLÂNER.

musette. V. BAL, CORNEMUSE et GIBECIÈRE.

musicien désigne celui qui s'adonne par goût à la musique comme celui qui fait profession de composer ou d'exécuter de la musique. **Compositeur** ne se dit évidemment que de celui qui « compose » de la musique, c'est-à-dire qui produit quelque air, quelque chant. **Maestro,** mot ital. signif. *maître,* est le nom donné à tout compositeur de musique auteur d'œuvres importantes; il est plutôt vieilli d'ailleurs. **Virtuose,** par contre, ne fait penser qu'à l'exécution; il se dit alors particulièrem. de celui qui a un talent exceptionnel d'exécution musicale. **Musicastre** est péjoratif; il s'applique à un mauvais musicien.

musoir. V. MÔLE.

mutation. V. CHANGEMENT.

mutilation. V. AMPUTATION.

mutiler, c'est, proprement, retrancher du corps un ou plusieurs membres ou organes, de quelque façon que ce soit. **Amputer** implique une opération chirurgicale faite à l'aide d'instruments tranchants. **Estropier** dit beaucoup moins et n'implique pas forcément le retranchement d'un membre, mais seulement la privation de son usage, soit par blessure, soit par maladie, etc. **Tronquer,** mutiler un corps en enlevant la tête, les membres, n'est guère usité auj. qu'en parlant d'une statue. — Au fig. et dans un sens étendu, MUTILER, c'est faire subir une altération par le retranchement d'une partie. TRONQUER enchérit sur *mutiler* et s'emploie bien en parlant du tout : *On mutile la vérité en gardant le silence, et on la tronque par des suppressions et des falsifications.* AMPUTER, syn. de *tronquer,* est du langage ordinaire. ESTROPIER fait plutôt penser à une altération due à une mauvaise exécution ou à une mauvaise interprétation, sans qu'il y ait forcément retranchement : *Les ciseaux de la censure mutilent ou tronquent une pièce de théâtre; de mauvais acteurs l'estropient, dit Lafaye.*

mutin. V. ESPIÈGLE.

mutinerie. V. ÉMEUTE.

mutuel. V. RÉCIPROQUE.

mutuelle. V. SYNDICAT.

myrmidon. V. NAIN.

mystère. V. SECRET.

mystérieux. V. CACHÉ et OBSCUR.

mysticisme désigne un état, une manière déterminée de sentir, de penser et de vivre, conformément à une doctrine métaphysique religieuse, d'après laquelle la perfection consiste en une sorte de contemplation qui va jusqu'à l'extase et unit mystérieusement l'homme à Dieu. **Mysticité** est le nom donné à la qualité de ceux qui pratiquent le mysticisme, ainsi qu'à leurs sentiments et à leur conduite : *Toute chose qui se rapporte aux mystères se présente nécessairement avec le caractère de la mysticité; pour qu'il y ait mysticisme, il faut qu'on y reconnaisse une tendance décidée à rapporter aux mystères non seulement cette chose-là même, mais tout en général.*

mysticité. V. MYSTICISME.

mystification. V. ATTRAPE.

mystifier. V. TROMPER.

mystique. V. CROYANT.

mythe. V. LÉGENDE.

N

nabab. V. RICHE.

nabot. V. NAIN et TRAPU.

nacelle. V. EMBARCATION.

naguère. V. ANCIENNEMENT et RÉCEMMENT.

naïade. V. NYMPHE.

naïf. V. NIAIS.

nain est le terme employé dans le langage ordinaire pour désigner un homme dont la taille est très inférieure à la moyenne. **Nabot** est familier et péjoratif. **Gnome,** terme de mythol., désignant un génie de très petite taille (V. LUTIN), se dit aussi par analogie, dans le langage recherché, d'un nain, d'un être petit et difforme, et ce toujours péjorativement. **Pygmée** et **myrmidon,** qui rappellent des souvenirs de la Fable ou de l'histoire ancienne, sont surtout usités en littérature; employés dans le langage de la conversation, ils sont pédants. (A noter que *myrmidon* enchérit toujours sur *pygmée,* puisque les pygmées avaient une coudée de hauteur, tandis que les myrmidons, issus de fourmis changées en hommes, semblent n'être pas plus grands que ces insectes.) **Lilliputien** se dit parfois aussi d'une personne de très petite taille, par allusion littéraire au pays imaginaire de Lilliput, dans le roman de Swift : « les Voyages de Gulliver ». **Tom-pouce** (du nom angl. *Tom Thumb,* signifiant *Thomas Pouce,* et dont on a fait le nom de plusieurs nains dans les contes anglais, puis celui d'un nain célèbre) est le nom que l'on donne parfois, dans le langage familier, à une personne de très petite taille.

naissance, pris dans le sens de venue au monde, est un terme ordinaire et commun qui s'applique indifféremment à toute créature humaine. **Nativité** est un terme de rituel consacré par l'Eglise pour désigner la naissance de Jésus-Christ, de la Sainte Vierge, de saint Jean-Baptiste, etc. (A noter que si *naissance* peut s'employer au fig., *nativité* ne se dit qu'au propre.)

Naissance, au point de vue des liens

de parenté, fait surtout penser aux derniers parents, à la famille d'où est issue la personne en cause. **Origine** a rapport à l'ancienneté de la famille, de la race, aux parents primitifs : *Nous tenons à nos parents par la naissance, à Adam et à Dieu par notre origine, dit Lafaye.* **Extraction** concerne non pas tellement le commencement ou la fin de la suite des parents que toute la succession des ancêtres : *La noblesse de l'extraction, dit encore Lafaye, fait penser à ce qu'ont été tous les membres d'une famille depuis l'origine jusqu'à la naissance de la personne dont il est question.* **Parage,** qui est vx, n'est plus guère usité que dans l'expression : *De haut parage,* dans le sens de « de grande naissance ». (V. RACE.)

V. aussi COMMENCEMENT.

naître. V. VENIR.

naïveté. V. CANDEUR et SIMPLICITÉ.

nantir de. V. PROCURER.

nantissement. V. GAGE.

narcose. V. ASSOUPISSEMENT.

narcotique est un terme de physiologie désignant les substances qui produisent l'assoupissement, engourdissent la sensibilité, parfois jusqu'à l'anesthésie, et dont certaines entraînent la résolution musculaire. **Soporifique,** nom donné à tout médicament qui provoque le sommeil, appartient à la fois au lang. de la science et au langage comm. **Somnifère,** comme **soporifère** (moins us.) est surtout du langage scientif. **Hypnotique** s'emploie bien en termes de pharmacie. **Soporatif** ne met pas tant en évidence l'effet produit par la substance, comme le font les termes précédents, que la puissance qui est en celle-ci. **Soporeux,** qui ne s'emploie qu'adjectivem., est peu usité ; il marque un effet plus intense, un assoupissement plus lourd, plus complet. **Dormitif** dit plus encore ; il implique un sommeil complet.

narguer. V. BRAVER.

narquois. V. MALIN.

narration. V. RÉCIT et RÉDACTION.

narré. V. RÉDACTION.

narrer. V. CONTER.

narthex. V. PORTIQUE.

nasarde. V. CHIQUENAUDE.

nasse. V. PIÈGE.

natif suppose, à l'encontre de **né,** le domicile fixe des parents ; il se dit de celui qui est né, qui a reçu la naissance dans un lieu déterminé. **Originaire** peut aussi bien faire penser au lieu de naisance de la personne dont on parle, qu'à celui de sa famille : *On peut être né à Paris et être originaire de la Provence par sa famille.*

nation désigne une réunion de personnes unies sur le même territoire par l'identité de l'origine, du langage et de la conformation physique, par une longue communauté d'intérêts et de sentiments. **Etat** (qui, dans ce sens, prend toujours une majuscule) est le nom donné à une communauté indépendante, organisée d'une manière permanente sur un territoire et soumise aux mêmes lois politiques ; c'est ainsi que si un Etat peut comprendre plusieurs nations (ex. : l'Etat autrichien d'avant 1918), une nation peut être répartie entre plusieurs Etats (ex. : la nation polonaise d'avant 1918) : *La nation ne se confond avec l'Etat fondé sur la force, l'intérêt, le lien dynastique ou les nécessités géographiques, que lorsque les limites de l'une ou l'autre coïncident.* (Remarquons encore que si *nation* suppose un organisme concret, à la fois plein de vitalité humaine et lourd de souvenirs et d'histoire, *Etat* fait plutôt penser au contraire à quelque chose d'abstrait, de mécanique, d'essentiellement administratif et politique.) **Patrie** se différencie de *nation* en ce qu'il implique, avec l'idée d'attachement, d'affection, la volonté de vivre dans la même communauté politique : *Actuellement, la patrie suisse comprend des éléments empruntés à trois nations.* (A noter que, dans le style soutenu, *patrie* fait surtout penser au territoire considéré quant à ses richesses physiques et artistiques et aux hommes qui y ont vécu, y vivent et y vivront, et cela en fonction de leur apport au patrimoine spirituel et moral de la nation.) **Pays** désigne, dans ce sens, l'ensemble des personnes qui sont associées de cœur et de volonté à l'existence d'un Etat indépendant, et fait surtout penser à la région physique, au lieu où l'on est né ; il emporte parfois aussi le sens de *patrie* dans le langage poétique. **Peuple,** syn. de *nation,* fait essentiellement penser à la population fixe d'un pays, en tant que celle-ci forme un ensemble, un tout solidaire sous le même gouvernement : *Ce qui fait la nation, dit Lafaye, c'est la communauté de langue, de tradition, de culte, de coutumes, et de certaines qualités naturelles, l'humeur, le caractère, l'esprit; ce qui fait le peuple, c'est la réunion en un même lieu et l'obéissance aux mêmes règlements.*

nationaliste. V. PATRIOTE.

nativité. V. NAISSANCE.

natter. V. TRESSER.

naturalisation, en hist. nat., se distingue d'**acclimatation** en ce que l'espèce naturalisée conserve ses caractères différentiels et ne se distingue pas des individus primitivement apportés : *La naturalisation est une acclimatation durable d'une espèce animale, végétale, dans une contrée qui lui était étrangère.*

nature désigne l'organisation particulière, physique et morale, des êtres animés, le mouvement qui les porte vers les choses nécessaires à leur conservation: *Chaque être a sa nature particulière.* **Constitution** concerne uniquement le physique; c'est la composition et l'ordonnance des différents éléments du corps, des différentes parties du tout qui le constituent ou l'établissent tel : *La constitution, qui résulte surtout de la force ou de la faiblesse des membres, est en quelque sorte visible.* **Complexion,** qui, comme *tempérament,* s'emploie dans les deux sens, indique proprem. les habitudes formées, les plis pris, les penchants ou les dispositions habituelles : *La complexion suppose une tendance douce qui ne se produit pas au-dehors par des éclats, par des saillies.* **Tempérament** se dit de l'habitude ou de la disposition du corps ou de l'esprit qui résulte du mélange des humeurs qui se « tempèrent » l'une l'autre, et dont ordinairement une domine : *Le tempérament se rapproche beaucoup de la complexion, mais on y attache souvent l'idée de force ou de vigueur.* **Trempe** se dit aussi bien de la constitution physique de l'homme que de la constitution morale, intellectuelle, de son âme, de son caractère : *Rien ne saurait altérer un corps ou un esprit d'une bonne trempe.*

V. aussi ESSENCE, NATUREL et UNIVERS.

naturel désigne l'ensemble des qualités innées, bonnes ou mauvaises, qui distinguent l'esprit d'un être vivant : *Naturel timide, paresseux, hardi.* **Caractère** se dit de l'ensemble des qualités innées et acquises, particulièrem. des qualités positives, agissantes : *Caractère aimable, ferme, intransigeant.* **Nature** attire surtout l'attention sur le penchant inné résultant des conditions aussi bien physiques que morales (par opposition à l'éducation, la coutume) de l'être humain pris en particulier : *Nature énergique, bilieuse.* (V. l'art. précédent.)

V. aussi INDIGÈNE, INNÉ, SIMPLICITÉ et SPONTANÉ.

nauséabond. V. ÉCŒURANT.

nausée. V. MAL DE CŒUR et RÉPUGNANCE.

nauséeux. V. ÉCŒURANT.

nautonier. V. PILOTE.

navaja. V. POIGNARD.

naviguer, c'est se déplacer dans une embarcation, sur mer, un lac, une rivière, au moyen d'un moteur quelconque. **Voguer,** qui signifie être poussé sur l'eau à l'aide de rames, s'emploie aussi, par ext., comme synonyme poétique de *naviguer,* et en parlant surtout de petites embarcations qui se laissent emporter au gré des eaux et des vents.

V. aussi VOYAGER.

navire. V. BATEAU.

navrer. V. ATTRISTER.

né. V. NATIF.

néanmoins. V. CEPENDANT.

néant. V. RIEN.

nébuleux. V. OBSCUR.

nécessaire. V. TROUSSE.

nécessairement. V. INDISPENSABLEMENT.

nécessité désigne la sensation pressante d'un manque ou d'un malaise, qui porte les êtres vivants à certains actes indispensables à l'entretien de la vie. **Besoin,** syn. de *nécessité* dans ce sens, présente la même idée sans impliquer toutefois un caractère d'urgence aussi extrême.

V. aussi GÊNE et PAUVRETÉ.

nécessiter. V. OBLIGER.

nécromancien, nécromant. V. DEVIN et MAGICIEN.

nécropole. V. CIMETIÈRE.

nectar. V. BOISSON.

neek. V. NYMPHE.

nef. V. EMBARCATION.

néfaste. V. FATAL.

négligence se dit d'un défaut de soin, d'exactitude, d'application. **Laisser-aller** suppose surtout de la négligence dans les manières, dans la conduite. **Abandon** enchérit sur *négligence,* à moins qu'il ne s'applique à un laisser-aller gracieux, auquel cas il suppose surtout absence d'apprêt, d'effort, de calcul. **Incurie** est des plus péj.; il implique une négligence extrême, un manque complet d'application. (V. OMISSION et OUBLI.)

négoce. V. COMMERCE.

négociant. V. MARCHAND.

négociateur. V. DIPLOMATE.

nègre désigne proprement l'homme qui appartient à la race noire. (Les indigènes prenant souvent le terme *nègre* dans une acception péjorative, son emploi est à éviter dans le langage courant.) **Noir** fait plus penser à la couleur de la peau qu'à la race elle-même : *Vous opposez les noirs aux blancs, et vous traitez souvent les nègres comme une sorte de bétail, écrivait Boiste au XVIII*e *siècle.* **Nègre créole** est le nom que l'on donne parfois, pour le distinguer du noir d'Afrique, au nègre né aux colonies. **Bamboula,** syn. de *nègre,* est fam., ainsi que **moricaud** souvent péj.

nemrod. V. CHASSEUR.

néophyte. V. NOVICE.

népotisme. V. FAVORITISME.

nerf. V. TENDON.

nervi. V. PORTEUR et VAURIEN.

nervosisme. V. NERVOSITÉ.

nervosité, qui désigne l'état d'irritation des nerfs, implique une excitabilité passagère. **Fébrilité** emporte l'idée d'une excitabilité assez semblable à celle causée par la nervosité, mais due plus à la fièvre qu'aux nerfs. **Agitation** est plus général dans ce sens pathol.; il s'applique à un mouvement maladif, nerveux, continuel et irrégulier du corps, presque toujours accompagné d'une inquiétude pénible de l'esprit et suscité par une cause déterminée. **Nervosisme** (ou **névrosisme**) dit plus; c'est le terme de pathol. qui sert à désigner l'état morbide caractérisé par des troubles du système nerveux, dont la *nervosité* n'est qu'une disposition.

net fait penser à ce qui pourrait souiller et ternir, et il signifie qu'il n'y a rien de tel, que toute souillure, toute matière étrangère a été soigneusement écartée. **Propre** ajoute à l'idée de netteté celle d'arrangement, d'usage; il s'applique à ce qui est mis en bon état ou dans un état convenable de netteté et d'ordre : *On dit d'un gros mangeur qui ne laisse rien dans les plats, qu'il fait les plats nets, mais ces plats ne sont propres que lorsqu'ils ont été lavés.* **Propret,** syn. de *propre,* emporte une nuance soit de simplicité, soit de recherche et de coquetterie : *Loger dans une chambre proprette.* (On a dit aussi PROPET.) **Blanc,** qui est beaucoup plus partic., n'est syn. de *net* et de *propre* qu'en parlant du linge, et plus généralement de tout ce qui, pour être net, a besoin de passer à la lessive; il signifie donc en réalité qu'une chose conserve encore la netteté que la lessive lui a donnée : *Des draps blancs sont des draps qui ont été convenablement lavés.* (A noter que, de ces termes, *propre* et *propret* sont les seuls qui puissent se dire d'une personne pour marquer l'habitude de la netteté et du soin dans la manière de se vêtir.)

V. aussi CATÉGORIQUE.

nettoiement désigne simplement l'action de nettoyer (v. l'art. suiv.), et il peut se dire quelle que soit la chose nettoyée. **Nettoyage** est le nom que l'on donne à l'action de nettoyer considérée comme exigeant une série d'opérations que les gens du métier seuls connaissent. (A noter que si, dans le lang. cour., *nettoyage* tend à prendre la place de *nettoiement,* mieux vaut au fig. et dans le style soutenu employer ce dernier.)

nettoyer, c'est rendre net, c'est-à-dire débarrasser de toute souillure, de toute matière étrangère. **Décrasser,** c'est nettoyer de la crasse, de la saleté, de l'ordure progressivement amassée. **Approprier,** c'est non seulement nettoyer, mais encore arranger, mettre en ordre, en état. **Balayer** est plus partic.; c'est nettoyer avec un « balai », afin d'enlever la poussière, de pousser les ordures hors du lieu où elles sont. **Essuyer,** c'est nettoyer, débarrasser de la poussière, de l'eau, en frottant, passer quelque chose qui enlève ce qui salissait.

Curer, c'est nettoyer quelque chose de creux, en ôter les boues, les ordures, les immondices, la saleté. **Ecurer,** c'est curer complètement, surtout en parlant de la batterie de cuisine ou d'autres ustensiles de même nature. **Récurer,** c'est écurer en frottant. **Torchonner,** c'est seulement essuyer avec un « torchon » la vaisselle, les meubles, etc. **Torcher** (de *torche,* linge pour essuyer) dit plus que *torchonner;* c'est nettoyer, surtout ce qui est malpropre, avec un linge, un papier, etc. (On l'emploie parfois avec trivialité.) [V. FROTTER et LAVER.]

V. aussi DÉBARRASSER.

neuf. V. NOUVEAU.

neurasthénique. V. MÉLANCOLIQUE.

neutraliser. V. ENRAYER.

neveux. V. POSTÉRITÉ.

névrosisme. V. NERVOSITÉ.

nez désigne l'organe, la partie saillante du visage au-dessus de la bouche, et siège de l'odorat. **Reniflant** et **renifloir,** syn. de *nez,* sont populaires, ainsi que **piton,** qui se dit d'un gros nez, et **truffe,** qui implique un nez gros et rond. **Blair, nase, pif** et **tarin** sont des termes d'argot.

V. aussi CLAIRVOYANCE et ODORAT.

niais (bas lat. *nidacem,* de *nidus,* proprem. qui n'a pas encore quitté le nid) désigne celui qui est novice comme un enfant, sans malice et sans défense contre des ruses qu'il ne soupçonne pas, incapable de se tirer d'affaire dans les cas difficiles : *Le niais a l'air simple, les propos naïfs, les gestes abandonnés.* **Naïf,** pris en mauv. part, emporte l'idée d'une simplicité naturelle excessive, d'une candeur niaise : *Le naïf est la proie facile des aigrefins.* **Simpliste,** qui suppose une simplicité outrée, emporte cependant une nuance moins péj. que *niais.* **Simplet** fait surtout penser à une simplicité, à une naïveté enfantine. **Simple d'esprit,** comme **innocent,** enchérit par contre sur *niais;* il suppose un esprit pour toujours des plus bornés : *Un simple d'esprit, un innocent se laisse prendre aux pièges les plus grossiers.* **Fada** (proprement touché des fées) est syn. de *simple d'esprit,* d'*innocent,* dans le Midi. **Nigaud** est le nom donné à un niais que ni l'âge ni l'expérience n'ont pu déniaiser : *Le nigaud est un grand innocent que l'on reconnaît à son manque d'usage.* **Benêt,** comme **jocrisse,** suppose une niaiserie, une bêtise due souvent à un excès de simplicité, voire même de bonté : *Le benêt se laisse dominer et mener par le bout du nez.* **Dadais** est le nom que l'on donne à un jeune homme niais, nigaud, embarrassé dans son maintien : *Le dadais se tient mal.* **Dandin** suppose de la gaucherie surtout dans les mouvements : *Le dandin a une démarche niaise.* **Bébête** est fam.; il s'applique à celui qui pousse l'enfantillage jusqu'à la niaiserie. **Bêta** est syn. de *bébête* avec une nuance d'affection. **Jobard,** familier aussi, est le nom donné au naïf qui se laisse sottement duper; on dit, dans un sens assez voisin, **gogo** (du nom d'un personnage de la comédie « Robert Macaire »), terme qui désigne plus spécialement une personne extrêmement crédule qui, ayant de l'argent, se laisse facilement tromper, voler : *Financier qui recherche les gogos.* **Gobe-mouches** désigne le niais qui croit tout ce qu'on lui dit. **Calino** et **cantaloup** (peu us.), **colas, coquebin, daim, dindon, jean-jean, serin,** syn. de *niais,* de *nigaud,* sont familiers. **Bégaud** (peu us.), **cornichon, couenne, godiche, godichon, gourde, gourdée, gourdiflot, niguedouille, nouille, (du) schnoque** sont populaires ou argotiques, ainsi que **pigeon** et **poire,** surtout syn. de *jobard.* **Nice,** syn. de *niais,* est vx. (V. ABSURDE, BALOURD, SOT et STUPIDE.)

niaiserie. V. BÊTISE et RIEN.

niche. V. ATTRAPE.

nicher. V. PLACER.

nichons. V. SEINS.

nid est le nom donné à l'espèce de berceau, de logement que les oiseaux construisent pour y déposer leurs œufs et y élever leurs petits. **Aire** ne se dit que du nid des grands oiseaux de proie, qui nichent souvent sur un espace plat

nidoreux. V. MALODORANT.

nielle. V. BROUILLARD et PLUIE.

nier, c'est simplement déclarer que quelque chose n'est pas. **Dénier,** c'est nier de manière à faire éprouver une privation à une personne, à lui enlever quelque chose. **Contester,** c'est nier la justesse ou la vérité d'un fait, d'un principe, d'une maxime.

nigaud. V. NIAIS.

nimbe (du lat. *nimbus,* nuage) est le nom donné, en termes de bx-arts, au cercle lumineux mis par les peintres et les sculpteurs de l'antiquité autour de la tête des dieux, et par ceux d'auj. autour de la tête des personnes divines et des saints. **Auréole** (du lat. *aureola,* sous-ent. *corona,* couronne d'or) se dit surtout du nimbe qui entoure la tête de Dieu, de la Vierge et des saints. **Gloire** est syn. d'*auréole* seulement en termes de peinture. **Diadème** est vx; il s'est dit jusqu'au XVIe siècle du nimbe circulaire des saints et carré des personnages vivants.

nipper. V. VÊTIR.

nippes. V. VÊTEMENT.

nixe. V. NYMPHE.

noble. V. ARISTOCRATE et ÉLEVÉ.

noce. V. DÉBAUCHE et MARIAGE.

noceur. V. VIVEUR.

nocher. V. PILOTE.

nocif. V. NUISIBLE.

noël. V. CANTIQUE.

noir. V. NÈGRE.

noircir. V. DISCRÉDITER.

noise. V. DISPUTE.

noisetier est le nom donné à un genre d'arbrisseaux, de la famille des cupulifères. **Coudrier,** nom vulgaire du *noisetier,* désigne l'arbre même, alors que **coudre** s'applique plutôt au bois utilisable de cet arbre.

noliser. V. FRÉTER.

nom, lorsqu'il se dit du mot qui sert à désigner les êtres, les objets, les idées, a pour syn. **substantif,** qui est essentiellement du style grammatical.

Nom, lorsqu'il désigne un mot choisi arbitrairement pour être le signe d'une idée, a pour syn. **dénomination** qui, s'appliquant à la manière de désigner une chose d'après ses qualités, dit plus. (On dit aussi parfois, dans ce dernier sens, **appellation.**)

V. aussi RÉPUTATION.

nomade est le nom donné, en termes de droit, à tout individu qui, quelle que soit sa nationalité, circule en France sans avoir un domicile ou une résidence fixe. **Forain** désigne l'individu de nationalité française qui, n'ayant en France ni domicile ni résidence fixe, se transporte habituellement dans les villes et les villages les jours de marché, de foire ou de fête locale, pour exercer son industrie ou son commerce. **Ambulant** se dit de celui qui a un domicile ou une résidence fixe où il revient périodiquement dans l'intervalle de ses tournées.

V. aussi VAGABOND.

nombre désigne le rapport entre une quantité et une autre quantité prise comme terme de comparaison, et que l'on appelle « unité ». **Chiffre** se dit du signe servant à représenter les nombres. **Numéro** désigne le nombre, le chiffre qui indique la place d'une personne, d'un objet parmi les autres.

V. aussi QUANTITÉ.

nombrer. V. COMPTER.

nombril est le nom donné, dans le langage courant, à la partie du ventre de l'homme et des mammifères, où se trouve la cicatrice du cordon ombilical par lequel le fœtus recevait sa nourriture dans le sein de la mère. **Ombilic** est synonyme de *nombril* surtout en termes d'anatomie.

nomenclature. V. LISTE.

nommer. V. APPELER.

nonce. V. LÉGAT.

nonchalance, nonchaloir. V. APATHIE.

nonobstant. V. CEPENDANT et MALGRÉ.

non-sens. V. CONTRESENS.

nord désigne, dans le langage courant comme en géographie et en termes de marine, la partie du ciel ou de la terre que nous voyons quand nous nous tournons vers le pôle arctique ou boréal. **Septentrion** est moins usité; il s'emploie surtout dans le style soutenu ou en parlant de l'antiquité classique. (Il est à noter en outre que si *nord* est précis, *septentrion,* par contre, est vague : *Les peuples du septentrion ne sont pas nécessairement et absolument du nord; ils sont seulement plus près du nord que tout autre, dans une certaine région actuellement considérée.*)

normal. V. RÉGULIER.

normalisation. V. STANDARDISATION.

norme. V. RÈGLE.

nostalgique. V. MÉLANCOLIQUE.

notabilité. V. PERSONNALITÉ.

notable. V. PERSONNALITÉ et REMARQUABLE.

notaire est le nom donné à l'officier public ou ministériel chargé de recevoir et de rédiger les actes, contrats, etc., auxquels les particuliers veulent donner un caractère authentique. **Tabellion,** qui désignait autref. (jusqu'en 1560) le fonctionnaire chargé de mettre en grosse les actes dont les minutes étaient dressées par les notaires, s'emploie parfois auj. et par plaisanterie comme syn. de *notaire.*

note se dit d'un commentaire sommaire destiné à éclaircir un texte, et, particulièrem., d'une explication placée au bas des pages ou à la fin d'un volume. **Annotation** désigne une note généralem. personnelle mise par le lecteur en marge d'un texte; c'est le plus souvent une observation, une réflexion, plutôt qu'un éclaircissement. **Glose** (du grec *glôssa,* proprem. langue, puis mot étranger obscur, enfin interprétation, commentaire) se dit d'une note en général très concise, que porte un texte, soit au-dessus du mot qu'elle explique, soit en face et en marge. (A noter que, dans certains manuscrits, les gloses s'étant parfois introduites dans le texte, il est alors difficile de les discerner.) **Apostille** est un syn. vieilli d'*annotation.* **Scolie** (du grec *skholion,* note) est un terme de philologie désignant les notes grammaticales ou critiques destinées à expliquer les textes des auteurs anciens, particulièrement des Grecs. (V. EXÉGÈSE et EXPLIQUER.)

Notes. V. PENSÉES.

noter. V. ÉCRIRE et SOULIGNER.

notice. V. ABRÉGÉ et PRÉFACE.

notifier veut dire simplement faire savoir officiellement. **Signifier** ajoute à cette idée celle d'injonction à se soumettre à la volonté, à l'ordre, à la loi que l'on fait connaître : *A l'égard de ce qui vous a été notifié, vous n'êtes plus dans l'ignorance; à l'égard de ce qui vous a été signifié, vous n'êtes plus libre, il faut obéir.* **Intimer,** c'est notifier avec autorité, dans le langage courant, et, en termes de droit, signifier légalement : *Intimer à quelqu'un l'ordre de partir; Il lui a intimé la vente de ses meubles.* (V. COMMANDEMENT.)

notion. V. CONNAISSANCE.

notoire. V. MANIFESTE.

notoriété. V. RÉPUTATION.

nourrain. V. FRETIN.

nourrice est le nom donné à toute femme qui allaite un enfant, surtout celui d'un autre. **Nounou** est du langage enfantin. (V. BONNE D'ENFANT.)

nourricier. V. NOURRISSANT.

nourrir exprime directement l'idée d'entretenir la vie, de fournir au corps les substances que celui-ci a besoin de s'assimiler non seulement pour ne pas mourir, mais encore pour recevoir tous les développements que demande sa nature. **Alimenter** a quelque chose de technique en ce sens; il fait surtout penser aux moyens, aux approvisionnements qui permettent de se nourrir : *La terre nourrit de ses fruits ceux qui la cultivent; le commerce alimente la consommation de tous les pays par le transport et l'échange des denrées, dit Lafaye.* **Sustenter** dit moins que *nourrir;* il suppose un état de faiblesse ou de besoin, en impliquant qu'on donne le soutien nécessaire pour empêcher qu'on ne succombe : *On nourrit ses enfants et on sustente un indigent.* **Restaurer** se dit spécialement dans le sens de rétablir ses forces en prenant de la nourriture : *On prend un bouillon pour se restaurer.* (V. APPROVISIONNER et RASSASIÉ.) — Au fig., NOURRIR et ALIMENTER emportent la même différence qu'au propre : *Ce qui nourrit produit effectivement, et de quelque manière que ce soit, l'entretien ou la conservation de la substance de la force, de l'état ordinaire des choses; ce qui alimente communique des matériaux ou des moyens d'entretien ou de conservation.* (*Lafaye.*)

nourrissant marque l'effet et se dit ordinairement des aliments qui nourrissent beaucoup : *Le pain de froment est plus nourrissant que le pain de seigle.* **Nutritif** marque la faculté et non l'action de nourrir; il se dit de toute espèce de substance propre à servir d'aliment fortifiant. **Nourricier,** qui marque l'action, se dit de ce qui concourt à la nutrition : *Les vaisseaux nourriciers d'un organe sont ceux qui lui portent le sang où il puisera les éléments nutritifs qui lui sont nécessaires.* **Substantiel,** qui enchérit sur *nutritif,* annonce quelque chose de solide et de très réconfortant : *L'homme ne pourrait pas se nourrir d'herbe seule; il périrait d'inanition s'il ne prenait des aliments plus substantiels, a dit Buffon.*

nourrisson. V. BÉBÉ.

nourriture. V. ALIMENT.

nouveau se dit des choses qui viennent de paraître, qui ne sont pas connues depuis longtemps; appliqué aux productions de l'esprit, il a rapport aux idées. **Neuf,** qui désigne ce qui n'a pas encore servi, n'implique aucune trace d'usure, à moins qu'il annonce soit une main novice, soit au contraire une certaine hardiesse d'exécution; appliqué aux choses de l'esprit, il a plutôt rapport à l'expression : *Un livre est nouveau par la nouveauté des pensées mêmes; il est neuf par le tour que l'auteur a su lui donner.* (V. ORIGINAL et RÉCENT.)

nouvelle est le terme qui sert à désigner, d'une façon générale, l'annonce d'une chose arrivée récemment, faite à quelqu'un qui n'en a pas encore eu connaissance, que cela soit particulier ou général. **Information,** qui ne s'emploie guère dans ce sens qu'au pluriel, est surtout un terme du style du journalisme ou du langage radiophonique qui s'applique à l'annonce d'événements présentant un caractère d'intérêt général.

V. aussi CONTE.

nouvellement. V. RÉCEMMENT.

nouvelliste. V. JOURNALISTE.

novice se dit, d'une façon générale, de celui qui, abordant, entreprenant quelque chose de nouveau, est inexpérimenté. **Néophyte,** qui se dit surtout des nouveaux adeptes d'une religion, d'une doctrine, d'un système, s'emploie parfois dans le langage recherché, comme syn. de *novice.* **Débutant,** qui désigne proprement celui qui fait son premier essai, ses premiers pas dans le monde, dans une carrière, particulièrement au théâtre, s'emploie aussi familièrement, dans le sens plus péj. et plus général de novice, d'homme sans expérience. **Apprenti,** nom donné proprement à celui qui apprend un métier, une profession sous un maître, désigne aussi, familièrement et figurément, une personne ignorante ou peu habile dans les choses dont elle se mêle. **Béjaune,** nom donné à un nouveau venu dans une corporation, désigne aussi, par ext., un novice, surtout en parlant d'un jeune homme inexpérimenté ou un peu simple. **Blanc-bec** ne se dit figurément que d'un jeune homme sans expérience. **Conscrit,** nom donné proprement à celui qui était appelé par voie de tirage au sort au service militaire, s'emploie parfois aussi, figurément et familièrement dans le langage courant et souvent avec une nuance péjorative, pour désigner un homme inexpérimenté; on dit aussi, dans ce sens, mais souvent alors avec une idée d'indulgence, **bleu.**

noyer. V. INONDER.

nuage est le nom donné à un amas de vapeurs condensées et suspendues dans l'atmosphère, ces vapeurs étant considérées surtout quant à l'épaisseur et l'obscurité qu'elles engendrent. **Nuée** fait plutôt penser à la quantité et au contenu de ces mêmes vapeurs, cependant que **nue** considère surtout leur élévation. (A noter que *nuée* a plutôt vieilli, excepté quand on veut désigner les nuages qui s'accumulent dans le ciel avant l'orage, cependant que *nue* ne s'emploie guère que dans le style soutenu, sauf dans certaines expressions proverbiales figurées et familières.) — Au fig., NUAGE convient bien en parlant de ce qui obscurcit, de ce qui diminue l'éclat : *Un nuage de poussière nous empêche de voir au loin;* cependant que NUÉE exprime plutôt l'idée d'une grande quantité ou de quelque chose de sinistre : *Une nuée d'hommes, d'oiseaux; L'horizon social est chargé de nuées;* — et NUE l'idée de hauteur : *On élève très haut ce qu'on porte jusqu'aux nues.*

nuance. V. COULEUR et DIFFÉRENCE.

nuancer, c'est assortir les nuances d'une même couleur, ou différentes couleurs entre elles; il suppose une œuvre d'art pour laquelle l'artiste semble avoir calculé le mélange insensible des couleurs en vue de l'effet qu'il voulait produire. **Nuer,** qui est peu us., implique quelque chose de moins fin, de moins habile; il ne s'emploie guère qu'en parlant de l'assortiment des couleurs dans les ouvrages de laine et de soie, particulièrement en langage de brodeur.

nubilité marque le temps où l'on est en âge de contracter légalement mariage, parce que apte et mûr pour la reproduction. **Puberté** dit moins; il désigne l'époque de la vie antérieure à la nubilité, durant laquelle s'observe chez un individu la série des phénomènes qui, première manifestation de la virtualité créatrice, impliquent l'aptitude physique à l'acte de la génération : *Sous le climat de la France, les phénomènes caractéristiques de la puberté apparaissent vers l'âge de quatorze à seize ans, chez l'homme, et de douze à quinze ans chez la femme; la nubilité n'est parfaitement établie, par contre, que de vingt et un à vingt-cinq ans pour le sexe masculin, et de dix-huit à vingt et un ans pour le sexe féminin.* **Aphrodisie,** syn. de *puberté,* n'est guère usité. (V. JEUNESSE.)

nue. V. NUAGE.

nuée. V. MULTITUDE et NUAGE.

nuer. V. NUANCER.

nuire, c'est faire tort, porter dommage, cela de n'importe quelle façon. **Desservir,** c'est nuire à quelqu'un en lui rendant de mauvais offices. **Léser,** c'est surtout nuire dans les intérêts matériels; il implique une perte certaine. (V. GÊNER et PRÉJUDICE.)

nuisible, qui se dit de ce qui est propre à faire tort, à porter dommage, s'oppose à « utile »; il convient en parlant de ce qui altère le bien ou en empêche le maintien ou les progrès. **Pernicieux** enchérit sur *nuisible;* il désigne ce qui est propre à causer à la fin la corruption, la destruction, la perte, la ruine totale. **Malfaisant** diffère de *nuisible* et de *pernicieux* en ce qu'il renferme l'idée d'action, alors que ceux-ci qualifient plutôt la nature, la manière d'être, l'influence des objets; il se dit bien en parlant de ce qui fait du mal par sa nature, qui aime à faire du mal. **Dangereux** emporte l'idée d'un doute; ce qui est dangereux n'est pas formellement nuisible, mais risque de le devenir. **Nocif,** syn. de *nuisible,* de *malfaisant,* est un terme de médecine ou du langage recherché. **Délétère** (du grec *dêlêtêrios,* destructeur) est proprement un terme scientifique qui s'applique à ce qui est nuisible au point de mettre la santé et même la vie en danger; figurément, il désigne ce qui corrompt le cœur ou l'esprit par sa malfaisante influence. **Méphitique** se dit proprem. d'une odeur répugnante ou malfaisante, et figurément de ce qui est malfaisant, parce que corrompant le cœur ou l'esprit. **Mauvais,** qui s'oppose à « bon », est, de tous ces termes, le plus général; il en représente l'idée commune et péjorative sans aucun accessoire. (V. MALSAIN.)

nuit. V. OBSCURITÉ.

nuit (bonne). V. ADIEU.

nul, contenant déjà par lui-même un élément négatif, nie essentiellement, alors qu'**aucun,** ayant signifié primitivem. « quelqu'un » et conservant encore ce sens dans des phrases interrogatives ou dubitatives (*Croyez-vous qu'aucun d'eux soit averti?*), a besoin d'être accompagné d'une négation pour devenir syn. de *nul,* sauf quand il constitue à lui tout seul la réponse à une question et cesse alors de s'appuyer sur un verbe : *Quelqu'un d'entre vous a-t-il répondu? Aucun.*

numéraire. V. ARGENT.

numéral signifie qui désigne un nombre, et **numérique** qui a rapport aux nombres : *Un adjectif numéral est tel parce qu'il sert à exprimer un nombre, alors qu'une opération numérique est celle dans laquelle les nombres eux-mêmes, considérés avec leurs valeurs respectives, sont soumis à diverses combinaisons.*

numérique. V. NUMÉRAL.

numéro. V. NOMBRE.

numéroter, c'est distinguer par un chiffre des choses de même ordre. **Folioter,** comme **paginer,** c'est numéroter la suite des feuilles, des pages d'un manuscrit, d'un cahier, d'un livre, etc. **Coter,** c'est faire rentrer dans une catégorie en numérotant ou bien en marquant de lettres.

nuptial. V. MATRIMONIAL.

nurse. V. BONNE D'ENFANT, GOUVERNANTE et INFIRMIÈRE.

nutritif. V. NOURRISSANT.

nymphe est le nom donné, dans la mythol. grecque, aux divinités — filles de Zeus, suivant Homère — qui, personnifiant les forces vives de la nature, représentent la vie des eaux et de la végétation. **Naïade** se dit des nymphes des sources et des fontaines. **Dryade** désigne les nymphes qui présidaient aux bois et aux arbres en général, et qui différaient des **hamadryades** en ce qu'elles n'étaient pas des prisonnières faisant corps avec les arbres (surtout les chênes) et mourant avec eux. **Oréade** est le nom donné aux nymphes des grottes et des montagnes. **Nixe** ou **neek** désigne la nymphe des eaux chez les Germains.

O

obédience. V. OBÉISSANCE.

obéir, c'est, d'une façon générale, exécuter les ordres de quelqu'un, faire ce qui nous est commandé, sans plus. **Se soumettre,** c'est obéir, le plus souvent parce qu'on renonce à résister. **Obtempérer,** syn. d'*obéir* et de *se soumettre,* ne se dit guère qu'en termes de droit et de police. (V. CÉDER et FLÉCHIR.)

obéissance désigne l'acte de celui qui fait ce qui lui est commandé; il marque particulièrement l'obligation d'obéir aux ordres à mesure qu'ils sont donnés. **Soumission** se dit du sentiment qui fait qu'on obéit ou qu'on est prêt à obéir; il indique une disposition générale et permanente à se conformer à toutes les volontés : *De la soumission découle toujours l'obéissance, mais l'obéissance est loin de comporter toujours la soumission.* **Obédience,** syn. d'*obéissance,* de *soumission,* ne se dit ordinairement qu'en parlant des religieux : *La pauvreté, l'obédience et la chasteté sont les règles primordiales de la vie religieuse.* **Servilité** s'applique péjorativement à la basse soumission de celui qui a le caractère, l'esprit de dépendance qui conviendrait à un esclave : *La servilité rend l'homme méprisable.*

obéissant. V. SOUPLE.

obérer. V. ENDETTER.

obèse. V. GROS.

objecter. V. PRÉTEXTER et RÉPONDRE.

objectif. V. BUT.

objection désigne la raison que l'on oppose à une affirmation, à une proposition, à une demande, et que l'on considère simplement en fonction de sa manifestation, soit qu'elle se rapporte à la forme seule, soit qu'elle regarde la forme et le fond. **Difficulté** se dit d'une raison semblable, mais considérée en elle-même, pour ses qualités, et seulement quant au fond : *C'est la dialectique, dit Lafaye, qui apprend l'art de réfuter les objections, et la logique qui enseigne celui de résoudre les difficultés.* (A noter que si l'*objection* est toujours créée par un opposant, la *difficulté* peut exister préalablement et naturellement.)

objet, sous l'influence de la préposition lat. *ob,* devant soi, désigne ce à quoi l'on vise : *Ce qu'on appelle objet se présente à nous de lui-même et nous en faisons la matière de nos discours ou de nos recherches dans le but de le mieux connaître.* **Sujet** (préposition *sub,* sur quoi) s'applique plus particulièrem. à ce sur quoi l'on travaille : *C'est nous qui choisissons le sujet dont nous voulons nous occuper; il est à notre disposition et c'est la connaissance que nous en avons qui est la cause de tous nos développements.* (A noter que, dans le langage courant, ces deux termes sont employés indifféremment.)
V. aussi BUT.

objurgation. V. REPROCHE.

oblation. V. DON.

obligation. V. DEVOIR.

obligatoire. V. INÉVITABLE.

obligeant. V. COMPLAISANT.

obliger, qui rappelle l'idée d'un devoir moral, exprime l'absence de liberté, du moins après l'obligation contractée, laquelle est due le plus souvent d'ailleurs à une nécessité imposée par les circonstances. **Engager** a beaucoup moins de force qu'*obliger;* il exprime un devoir moins strict, moins précis, quelquefois même une simple convenance. **Astreindre** enchérit, par contre, sur *obliger;* il emporte l'idée d'une obligation dont il est difficile ou pénible de s'acquitter. **Réduire à,** c'est obliger par nécessité. **Contraindre** suppose un acte de persécution ou d'obsession qui arrache plutôt qu'il n'obtient un consentement ; c'est restreindre la liberté, ne laisser le pouvoir de faire qu'une seule chose qui n'est pas celle qu'on préfère. **Forcer** implique un acte de puissance qui, par son énergie, détruit celle d'une volonté opposée. **Violenter** ressemble à *forcer,* mais il exprime une force brutale, matérielle, et il suppose une tentative ou au moins une pensée de résistance ; il s'emploie bien en parlant des mauvais traitements et des outrages qui violent, pour ainsi dire, notre volonté et notre liberté. **Nécessiter,** syn. d'*obliger* et de *contraindre,* est vieux.

oblique. V. INDIRECT.

oblitérer. V. EFFACER.

obnubiler. V. OBSCURCIR.

obole. V. AUMÔNE.

obreptice, terme du langage juridique, suppose simplement que l'on cache ce qui pourrait nuire au droit que l'on prétend avoir. **Subreptice** enchérit sur *obreptice,* en emportant l'idée d'une fraude grave ; il implique que l'on allègue une chose fausse, que l'on produit un titre faux. (A noter qu'*obreptice* étant beaucoup moins péj. que *subreptice,* il arrive même qu'on l'applique parfois aux avantages obtenus par suite d'une ignorance involontaire.)

obscène se dit de ce qui blesse ouvertement, de ce qui révolte la pudeur. **Indécent** dit moins qu'*obscène,* en ce sens qu'il n'implique pas forcément un acte volontaire d'impudeur : *On est obscène parce qu'on éprouve du plaisir à être ainsi, alors qu'on peut être indécent inconsciemment.* **Impudique** convient bien en parlant surtout de ce qui blesse la chasteté : *Une femme impudique est la honte de sa famille.* **Impur,** syn. d'*impudique,* s'emploie surtout en parlant des choses : *Mœurs, pensées impures.* **Polisson** implique une trop grande liberté, des propos inconvenants qui choquent l'honnêteté : *Lecture polissonne.* **Licencieux** désigne ce qui étant contraire à la pudeur, s'exprime cependant sans grossièreté, d'une façon plus ou moins voilée. **Graveleux** suppose, au contraire, des détails assez grossiers. **Ordurier,** syn. d'*obscène,* implique aussi beaucoup de grossièreté, de vulgarité, surtout dans le style, le langage. **Pornographique** (du grec *pornê,* prostituée, et *graphein,* écrire) est syn. d'*obscène* particulièrement lorsqu'il s'agit de la prostitution, et s'applique surtout aux œuvres littéraires et artistiques, ou à leurs auteurs : *Livre, gravure, écrivain pornographique.* **Sale,** syn. d'*obscène,* et **salé, pimenté** et **poivré,** syn. de *licencieux,* sont familiers. **Cochon,** syn. d'*obscène,* de *polisson,* est populaire. — **Satyre** ne s'emploie que substantivement pour désigner un homme d'une obscénité cynique. (V. ÉROTIQUE, IMPUDENT, LUXURIEUX et VICIEUX.)

obscur se dit figurément de ce qui manque de clarté, d'évidence, de ce qui est difficile à comprendre. **Nébuleux** désigne ce qui est caché en partie, voilé comme par un nuage. **Confus** s'applique à ce qui est si intimement mélangé qu'on ne peut l'analyser. **Embrouillé** désigne ce qui est enchevêtré et dont on ne peut trouver le fil conducteur. **Amphigourique** se dit bien soit d'un langage ou d'un écrit volontairement obscur, embrouillé, peu intelligible, soit d'un langage ou d'un écrit dont les phrases, contre l'intention de l'auteur, ne présentent que des idées sans suite et n'offrant dès lors aucun sens raisonnable. **Inextricable** enchérit sur *embrouillé;* se disant proprement de ce qui ne peut être démêlé, de ce dont on ne peut se tirer, il s'applique bien figurément en parlant de ce qui est tellement embrouillé qu'il est impossible de s'y reconnaître. **Entortillé** désigne ce qui est obscur, embrouillé, confus, souvent parce que trop recherché, cela soit à dessein, soit par défaut de netteté dans les idées. **Touffu** se dit figurément de ce qui est embrouillé, confus, parce que chargé, encombré à l'excès d'événements, de détails. **Ténébreux** enchérit sur obscur, il emporte souvent l'idée de secret voulu, voire de machinations secrètes ; il se rapproche alors de **mystérieux** qui implique une obscurité volontaire, en général créée dans un but déterminé par ceux qui peuvent y avoir profit. **Hermétique** ajoute aussi à l'idée d'obscurité celle de mystère, de secret. **Abstrus,** syn. d'*obscur,* est du lang. recherché; **fuligineux,** proprem. noirâtre comme la suie, est du lang. littér. ou précieux; **abscons** est peu us.; **filandreux** et **fumeux** sont fam.; **vaseux** est pop. (V. CACHÉ, INCOMPRÉHENSIBLE, PROFOND et VAGUE.)

V. aussi INCONNU et SOMBRE.

obscurcir se dit simplement de l'action qui diminue l'éclat; c'est rendre obscur, réduire la clarté, en agissant sur l'objet lui-même, en le rendant moins lumineux. **Offusquer,** c'est empêcher la lumière de paraître, de se répandre, par l'interposition de quelque objet, et, d'une façon plus générale, empêcher de voir en cachant. **Eclipser** dit plus; c'est surpasser par quelque qualité brillante et souvent passagère, dont l'éclat empêche complètement de voir ce qui frappait les yeux auparavant. **Effacer** enchérit à son tour sur *éclipser;* c'est rendre nul pour ainsi dire, faire qu'on n'aperçoive plus, annihiler ce qui pourtant n'est pas sans valeur réelle. **Obnubiler** est plus partic.; c'est obscurcir en couvrant d'une sorte de nuage, en parlant proprement de la vue, et au fig., des facultés mentales. (V. CACHER.)

obscurité est un terme abstrait qui marque simplement l'état dû au manque de lumière. **Ténèbres,** qui enchérit souvent sur *obscurité* et marque une privation de lumière plus complète, est concret et fait considérer la lumière, dont il est l'opposé, comme un objet réel. **Nuit** se distingue surtout par l'étendue et la durée qu'il suppose; c'est la cessation du jour, c'est-à-dire le temps où le soleil n'éclaire plus. (A noter que *nuit,* qui proprem. désigne la partie des vingt-quatre heures de la journée s'écoulant depuis le coucher jusqu'au lever du soleil, s'emploie au fig. chaque fois qu'on veut représenter l'obscurité dont on parle comme ayant plus ou moins de durée.)

obséder. V. TOURMENTER.

obsèques. V. ENTERREMENT.

obséquieux. V. POLI et SERVILE.

observance, dans le lang. relig., se dit de l'état de celui qui accomplit fidèlement ses devoirs religieux : *Notre repos est dans l'observance exacte de la loi de Dieu, a dit Bossuet.* **Observation,** dans ce sens, suppose non pas, comme *observance,* l'exécution habituelle de la règle, mais simplement une action particulière, un acte distinct se rapportant à un précepte particulier : *Il y a des commandements dont l'observation est plus difficile que celle des autres.* (A noter qu'*observance* signifie quelquefois aussi la chose même, la loi qui doit être observée, mais toujours dans les choses de religion.)

observation désigne le moyen par lequel on remarque, on aperçoit des choses visibles, apparentes. **Expérience** enchérit sur *observation;* il se dit du moyen par lequel on oblige la nature à révéler ses secrets : *On recueille des observations, il n'y a qu'à ramasser, pour ainsi dire; on fait ou on tente des expériences, il faut pour cela une intention plus formelle de rechercher et plus d'art dans la manière de procéder, note Lafaye.*

V. aussi OBSERVANCE et REPROCHE.

Observations. V. PENSÉES.

observer marque la fidélité à son devoir; c'est suivre avec une attention réelle, effective et minutieuse, ce qui est prescrit par quelque loi, quelque règle. **Garder** dit moins dans ce sens; il exprime seulement l'idée négative de ne pas violer, de ne pas transgresser une loi, une règle. **Accomplir** suppose la perfection et la consommation de l'œuvre, c'est remplir exactement et entièrement tout ce qu'une loi, une règle ou même simplement la conscience ordonne : *Une conscience exacte observe fidèlement les règles; Une conscience timorée garde scrupuleusement les lois; Une conscience droite donne la force d'accomplir sans trouble tous les devoirs, même ceux qui sont en dehors des règles et des lois.* (*Figarol.*)

V. aussi REGARDER et SURVEILLER.

obsession, terme de pathologie, désigne le trouble de la volonté qui se manifeste par une idée fixe, une crainte, une impulsion motrice irrésistible. **Psychose,** qui, en termes de médecine, est le nom donné à toute maladie mentale, désigne plus particulièrement dans le langage usuel, un trouble des fonctions intellectuelles qui, n'étant pas proprement la démence, est plutôt l'obsession. (V. MANIE.)

V. aussi SOUCI.

obsolète. V. DÉSUET.

obstacle est un terme très général qui se dit surtout au propre de ce qui, naturellement ou artificiellement, empêche de passer. **Barrage,** dans ce sens, suppose plutôt un obstacle artificiel, au moyen duquel on coupe une voie de communication. **Barrière** est plus partic.; il se dit d'un assemblage de plusieurs pièces de bois servant à fermer un passage. **Barricade** emporte l'idée de défense; il suppose un amas de matériaux de rencontre (pavés, voitures, arbres abattus) qu'on entasse hâtivement pour interdire à un ennemi l'accès d'une rue, d'un passage. (A noter que, par analogie, *barrière* et *barricade* s'emploient parfois aussi, en géographie, pour désigner un obstacle naturel qui empêche d'accéder facilement d'un lieu à un autre : *La barrière des Pyrénées; Le golfe du Mexique est fermé par la longue barricade que constituent les îles Lucaye.*)

V. aussi EMPÊCHEMENT.

obstiné. V. TÊTU.

obstruer. V. BOUCHER.

obtempérer. V. OBÉIR.

obtenir, c'est, d'une façon générale, se faire accorder ce qu'on demande. **Acquérir,** c'est obtenir le plus souvent contre quelque chose d'autre ou grâce à un effort, un travail. **Gagner,** c'est obtenir une richesse quelconque, soit par un effort, soit gratuitement ou presque (loterie, spéculation, etc.). **Conquérir,** c'est gagner à la suite d'une lutte. **Soutirer,** obtenir par finesse ou par importunité, emporte toujours un sens péjoratif. **Accrocher,** c'est, familièrement, obtenir par ruse. **Décrocher,** fam. aussi, c'est obtenir habilement. — **Impétrer** est beaucoup plus partic.; c'est un terme de droit signif. obtenir d'une autorité compétente une chose que l'on avait sollicitée.

obturer. V. BOUCHER.

obtus. V. BALOURD et ÉMOUSSÉ.

obus. V. PROJECTILE.

obvier. V. ÉVITER.

occasion. V. CAS et LIEU.

occasionner, c'est simplement donner lieu à une chose, en être l'occasion, volontairement ou non : *L'étude de la nature, a dit Figuier, est un travail qui n'occasionne aucune fatigue.* **Causer** indique une intervention plus efficace qu'*occasionner : On cause des ennuis à quelqu'un.* **Entraîner,** être la cause de, implique une conséquence forcée, fatale : *La guerre entraîne bien des maux.* **Déterminer,** c'est occasionner, faire qu'une chose arrive, qu'elle ait son accomplissement : *Une petite étincelle peut déterminer parfois une terrible explosion.* **Procurer,** c'est être la cause déterminante d'une chose généralement favorable que l'on fait avoir : *La sobriété et l'exercice procurent la santé.* **Amener,** c'est occasionner en entraînant avec soi, souvent involontairement : *Intervention qui amène des difficultés.* **Créer,** c'est faire naître, causer ce qui n'existait pas, et cela de propos délibéré, par un effort, un travail d'organisation : *On crée des difficultés à ceux dont on veut entraver l'action.* **Produire** s'emploie parfois aussi comme syn. de ces termes, mais toujours alors avec un nom de chose pour sujet : *Les excès produisent à la fois souffrance et satiété.* **Attirer,** c'est amener volontairement, souvent même en faisant effort pour cela : *Les méchants se plaisent à attirer des désagréments à ceux qu'ils n'aiment pas.* **Provoquer,** c'est occasionner en appelant, en faisant venir ce qui, sans cela, ne serait pas venu naturellement, qu'il s'agisse de choses bonnes ou mauvaises : *On provoque une réaction salutaire aussi bien qu'un mouvement de répulsion.* **Susciter,** syn. de *provoquer,* s'emploie généralem. en mauv. part : *On suscite des oppositions.* **Déchaîner** enchérit sur tous ces termes; c'est occasionner en excitant, en soulevant : *On déchaîne la haine, les passions.* (V. EXCITER.)

occident, comme **couchant,** désigne le côté tout entier où le soleil se couche, alors que **ouest** se dit proprem. seulement du point où le soleil se couche à l'équinoxe. (A noter que, dans le langage courant, ces sens se confondent très facilement, *occident* n'étant cependant jamais employé lorsqu'on parle des points cardinaux.) **Ponant** (de l'ital. *ponente,* couchant) est une ancienne appellation méditerranéenne de l'Océan ou de l'occident, par opposition au levant.

occire. V. TUER.

occulte. V. CACHÉ.

occulter. V. CACHER.

occupation. V. TRAVAIL.

occuper, c'est être en possession d'une place et la tenir, de quelque façon que ce soit. **Remplir** dit plus; il ajoute à l'idée exprimée par *occuper* celle des qualités que réclame la place occupée : *Il est difficile, a dit Marmontel, d'occuper décemment les grandes places sans les remplir.*

Occuper, c'est aussi, dans une autre acception, simplement faire travailler, donner quelque chose à faire à quelqu'un : *On occupe un enfant, des personnes inactives.* **Employer,** c'est occuper à un travail déterminé et d'une façon assez prolongée : *On emploie un nombreux personnel.*

S'occuper de, c'est penser à quelque chose, en avoir la tête remplie, chercher les moyens d'y réussir et agir, travailler en conséquence. **S'appliquer,** c'est s'occuper d'une chose en s'y attachant fortement, en y donnant beaucoup de soin, d'attention. **Vaquer,** c'est avoir le loisir de s'occuper à quelque chose; il suppose un état de liberté qui permet de s'occuper de ce à quoi l'on s'intéresse. (V. TRAVAILLER.)

occurrence. V. CAS.

océan. V. MER.

octavon. V. MÉTIS.

octroyer. V. CONCÉDER.

odeur désigne l'impression particulière, bonne ou mauvaise, que produisent sur l'organe de l'odorat les émanations des corps. **Senteur** se dit plutôt d'une odeur agréable. **Relent** ne se dit au contraire que d'une mauvaise odeur. **Remugle** désigne l'odeur particulière que contractent les objets longtemps renfermés ou exposés à un air vicié. (V. PARFUM.)

odieux. V. DÉTESTABLE.

odorant désigne ce qui exhale une odeur, odeur qui peut toutefois avoir besoin d'être flairée pour être ressentie. **Odoriférant** dit plus; il s'applique à ce qui porte en soi la faculté de répandre au loin son odeur. (A noter que, pouvant être opposé à « inodore », *odorant* se dit aussi bien d'une odeur agréable que d'une odeur désagréable, alors qu'*odoriférant* se prend toujours en bonne part.)

odorat est le terme qui sert à désigner, d'une façon générale, celui des cinq sens qui perçoit les odeurs. **Olfaction** est le terme de physiol. qui se dit de la fonction grâce à laquelle les odeurs sont perçues : *L'odorat désigne le phénomène de la perception des odeurs; l'olfaction est la fonction grâce à laquelle ce phénomène est possible.* **Odoration** est un syn. moins us. d'*olfaction.* **Nez,** employé dans le sens d'odorat, est du langage commun. **Flair,** qui se dit particulièrement de l'odorat du chien, désigne aussi quelquefois, très familièrement d'ailleurs, l'odorat en général; il emporte alors l'idée d'une extrême sensibilité olfactive.

odoriférant. V. ODORANT.

œil. V. BOURGEON, REGARD et YEUX.

œil (à l'). V. GRATUITEMENT.

œil-de-bœuf. V. LUCARNE.

œil-de-perdrix. V. COR.

œillade. V. REGARD.

œillette. V. PAVOT.

œuf. V. OVULE.

œuvre, nom féminin, a rapport à l'action de la puissance qui agit, qui produit. **Ouvrage** se dit du résultat de l'œuvre; c'est le travail exécuté, l'objet réalisé : *L'œuvre de la création dura six jours, et l'ouvrage qui sortit des mains de Dieu est la nature entière.* (A noter qu'*œuvre,* au masculin, désigne l'ensemble des ouvrages d'un écrivain, d'un artiste, aussi bien que *œuvres,* nom fém. plur., tous deux éveillant surtout l'idée d'une matière qui a reçu telle ou telle forme particulière, alors qu'*ouvrage,* dans la même acception et même employé au pluriel, a un sens plus concret, plus matériel, en attirant spécialement l'attention sur les volumes, les travaux eux-mêmes, pris séparément.) V. aussi TRAVAIL.

œuvrer. V. TRAVAILLER.

offense suppose un procédé blessant pour la dignité, qu'il soit volontaire ou non : *Un bienfait reproché tient toujours lieu d'offense* (*Racine*). **Injure,** s'il peut se dire de toute action offensante faite à dessein, s'applique toutefois plus spécialement à une parole offensante : *Les injures sont les raisons de ceux qui ont tort* (*J.-J. Rousseau*). **Insulte** ajoute à l'idée exprimée par *injure* celle d'attaque insolente, que l'on repousse souvent d'ailleurs avec vivacité. **Outrage** enchérit sur *injure;* il suppose un excès de violence qui, sans ménagement, à la fois irrite et cause un grand dommage. **Affront,** qui implique un trait de reproche ou de mépris lancé publiquement, en présence de témoins, fait penser plus à celui qui le reçoit qu'à celui qui le fait : *Il faut répondre froidement à l'insulte; Il est d'un chrétien de supporter patiemment les outrages; Il ne faut jamais se mettre dans le cas d'essuyer un affront* (*Figarol*). **Avanie** convient bien en parlant d'un traitement humiliant, d'un affront qui expose au mépris et aux railleries du public : *Quand on est en butte au peuple, il faut s'attendre aux avanies, ou ne se point montrer, prétendait Guizot*. **Camouflet,** syn. d'*affront,* est familier : *Recevoir un camouflet.* (V. HUMILIER et INCARTADE.)

offenser (s'), c'est s'indigner d'un traitement que l'on considère comme injurieux. **Se froisser,** comme **se piquer,** dirait plutôt moins que *s'offenser;* il suppose une indignation passagère due au fait qu'on se sent offensé, à tort ou à raison d'ailleurs. **Se blesser,** comme **se vexer,** c'est soit s'offenser avec juste raison, soit simplement se croire offensé. **Se formaliser** est plus partic.; c'est seulement s'offenser de choses faites contre les « formes », contre les règles établies. **Se choquer,** syn. de *se formaliser,* suppose souvent une indignation exagérée. **Se scandaliser,** c'est s'offenser extrêmement de choses se rapportant surtout à la conduite, aux mœurs. (V. OUTRÉ.)

offensive. V. ASSAUT.

office. V. CHARGE.

office (bon). V. SERVICE.

officiel est un terme d'administration qui désigne, d'une façon générale, tout ce qui a la sanction de l'autorité compétente. **Authentique,** dans ce sens, convient bien en parlant de ce dont la certitude est garantie par un acte dressé selon les formes requises. **Officieux** est plus partic. et dit moins qu'*officiel;* il s'applique ordinairement à propos de renseignements qui, tout en venant de source autorisée, ne sont cependant pas donnés officiellement, mais seulement à titre de complaisance.

officieux. V. COMPLAISANT et OFFICIEL.

officine. V. LABORATOIRE.

offrande. V. DON.

offrir, c'est mettre au service de quelqu'un, lui présenter quelque chose, qu'il l'accepte ou le refuse. **Proposer** se dit plutôt lorsqu'il s'agit d'un avis, d'un projet que l'on donne dans l'intention de le voir accepter : *On offre son aide à un ami et on lui propose une affaire.* **Soumettre** emporte une idée d'infériorité ou de dépendance; c'est proposer au choix, au jugement de quelqu'un que l'on considère comme supérieur : *On soumet un projet à ses chefs.*

V. aussi DONNER.

S'offrir. V. ACHETER.

offusquer. V. DÉPLAIRE et OBSCURCIR.

ogre. V. ANTHROPOPHAGE.

oignon. V. BULBE.

oindre. V. FRICTIONNER, GRAISSER et SACRER.

oiseau est le terme générique qui désigne tous les vertébrés ovipares, couverts de plumes, à respiration pulmonaire et sang chaud, dont les membres postérieurs servent seuls à la marche, et dont les membres antérieurs ou ailes servent au vol. **Oisillon** et **oiselet** (moins us.) s'appliquent à un petit oiseau. **Volatile** désigne surtout un oiseau domestique.

oiseux, qui veut souvent dire inutile, marque seulement l'habitude de l'inaction lorsqu'il est syn. d'*oisif,* lequel n'exprime alors que l'absence actuelle de travail : *Une vie oiseuse est complètement stérile et ne saurait devenir utile, alors qu'une vie oisive, qui ne sert à rien dans son état actuel, pourrait toutefois devenir active.* (V. PARESSEUX.)

V. aussi INUTILE

oisif. V. OISEUX.

oisiveté. V. INACTION.

olibrius. V. BRAVACHE et ORIGINAL.

olympe. V. CIEL.

ombilic. V. NOMBRIL.

ombrage. V. OMBRE.

ombrageux. V. MÉFIANT et SUSCEPTIBLE.

ombre désigne l'obscurité causée par l'interception de la lumière et qui peut être produite par un corps simple ou de peu d'étendue. **Pénombre** (du lat. *paene,* presque, et *umbra,* ombre) dit moins; il s'applique seulement à l'état d'une surface incomplètement éclairée par une source lumineuse, dont un corps opaque intercepte en partie les rayons. **Opacité,** au contraire, dit plus et implique une ombre des plus épaisses. **Ombrage** est plus partic.; nom donné à l'ombre résultant de l'ensemble ou de la réunion des branches et des feuilles des arbres, il suppose toujours quelque étendue.

V. aussi FANTÔME.

ombre (mettre à l'). V. EMPRISONNER.

ombrelle. V. PARASOL.

omission désigne simplement l'action de négliger, de laisser une chose de côté, que ce soit volontairement ou non. **Oubli** dit plus; il convient bien, dans ce sens assez accentué, en parlant d'un égarement momentané, d'une inattention qui peut être l'occasion d'un acte coupable. **Prétérition,** figure de rhétor. par le moyen de laquelle on feint de passer sous silence ou de ne toucher que légèrement des choses sur lesquelles on appuie cependant, se dit aussi parfois, par ext. et dans le style recherché, d'une omission quelconque; c'est aussi, en termes de droit romain, l'omission faite par un testateur d'un de ses fils ou d'un autre héritier nécessaire. **Lacune** est plus partic.; il implique un vide laissé dans un écrit, par suite d'une difficulté de rédaction ou de copie, mais que l'on se propose de remplir ultérieurement, et, par ext. et figurément, de ce qui manque pour compléter une chose quelconque.

omnipotent. V. ABSOLU.

omniscience. V. SCIENCE

omniscient. V. SAVANT.

onction. V. DOUCEUR.

onctueux. V. GRAISSEUX.

onde. V. FLOT.

ondée. V. PLUIE.

ondoyant. V. CHANGEANT et ONDULÉ.

ondoyer. V. FLOTTER.

ondulé, qui est passif, se dit d'une chose sur laquelle se trouvent imprimées des lignes sinueuses en forme de petites ondes. **Ondulant,** par contre, implique un mouvement et est actif. **Onduleux,** syn. d'*ondulé,* emporte l'idée d'une multiplication des lignes sinueuses. **Ondoyant** dit plus; il ajoute à *onduleux* l'idée de mouvement, de déplacement des ondes formées.

onduler. V. FRISER.

onéreux. V. COÛTEUX.

ongle désigne la lame dure, cornée, demi-transparente, qui revêt l'extrémité dorsale des doigts et des orteils, surtout en parlant de l'homme. **Griffe** se dit d'un ongle allongé, aplati en une lame plus ou moins tranchante, et terminé par une pointe recourbée, qui est propre à certains animaux, tels que le tigre, le lion, le chat, etc., ou à des oiseaux de proie, comme l'épervier, le faucon, etc. **Serre** ne se dit que des griffes des oiseaux de proie. **Ergot** est plus partic.; c'est le nom donné à l'espèce de petit ongle pointu que quelques mammifères et oiseaux, tels le chien, le coq, etc., ont derrière le pied.

onguent. V. LINIMENT.

opacité. V. OMBRE.

opéra (ou **drame lyrique**) est le nom donné à un poème dramatique mis en musique, sans dialogue parlé, et composé de récitatifs et de chants soutenus par un orchestre, quelquefois mêlés de danses. (A noter qu'on dit souvent, dans ce sens, **grand opéra.**) **Opéra-comique** se dit d'une œuvre mixte qui tient de l'opéra par le chant et de la comédie par le dialogue, son action — plus souvent dramatique que comique dans le répertoire moderne — comportant à la fois du chant et du dialogue parlé. **Opéra bouffe** se dit d'un genre d'opéra importé d'Italie en France, que l'on oppose au genre sérieux ou *grand opéra,* son action étant essentiellement comique. **Opérette** s'applique à une forme de théâtre lyrique plus légère que l'*opéra-comique* auquel elle se rattache pourtant directement, et qui met en honneur la chanson à couplets.

opéra bouffe, opéra-comique. V. OPÉRA.

opérer. V. AGIR.

opérette. V. OPÉRA.

opiler. V. BOUCHER.

opiner du bonnet. V. CONSENTIR.

opiniâtre. V. TÊTU.

opinion se dit d'une manière de voir commune à un certain nombre de personnes. **Sentiment** suppose quelque chose de particulier, de personnel, à une seule personne ou à quelques-uns : *La créance de la résurrection, a dit Bourdaloue, n'a pas seulement été une opinion populaire, mais le sentiment des sages et des savants.* **Pensée** se dit d'une première idée, d'une première opinion, laquelle n'est quelquefois qu'une conjecture sur laquelle on raisonne : *Les Anciens n'étaient-ils pas excusables dans la pensée qu'ils ont eue pour la voie lactée, nous dit Pascal.* **Avis** s'applique à une manière de voir par rapport à ce qu'on doit faire; il suppose non plus quelque chose de théorique, mais quelque chose de pratique : *On suit, on écoute un avis, on en profite, et c'est agir conformément à ce qu'il recommande, dit Lafaye.* **Thèse,** terme didactique, s'emploie aussi dans le langage courant pour désigner une opinion, un avis avancés par quelqu'un et soutenus par lui contre ceux qui les contestent : *On a une opinion, un avis; On soutient, on défend une thèse.*

V. aussi CROYANCE.

opposé se dit simplement de ce qui ne va pas avec une autre chose, qui est d'un autre côté. **Contraire** enchérit sur *opposé* auquel il ajoute une idée d'hostilité : *Le nord et le sud sont opposés; le chaud et le froid sont contraires.* **Adverse,** syn. de ces termes, ne s'emploie guère que dans les loc. : *Fortune adverse; Partie adverse; Avocat adverse.* **Inverse** se dit bien en parlant de ce qui est opposé par rapport à l'ordre, au sens, à la direction actuelle ou naturelle des choses : *Les antipodes sont dans une position inverse de la nôtre.* **Contradictoire** est plus partic.; c'est un terme de dialectique s'appliquant aux propositions, aux termes qui expriment des choses directement opposées l'une à l'autre : « *Oui* » *et* « *non* » *sont des termes contradictoires.* **Opposiste,** syn. vieilli d'*opposé,* ne s'emploie plus guère auj. que dans la loc. adv. *à l'opposite* et substantivem. : *Ce qu'on pense aujourd'hui est souvent l'opposite de ce qu'on pensait hier.*

opposer. V. PRÉTEXTER.

opposite. V. OPPOSÉ.

opposite (à l'). V. VIS-À-VIS.

opposition est un terme très général qui désigne le rapport existant entre des choses éloignées les unes des autres, soit par leurs qualités, soit par leur manière d'être. **Contraste,** particulièrement employé dans le langage des arts, convient en parlant d'oppositions esthétiques créées par le rapprochement de choses essentiellement différentes. **Antithèse** se dit, en termes de rhétorique, de la figure par laquelle on oppose, dans un discours, des choses contraires les unes aux autres, pour leur donner plus de relief, et, par ext., de toute espèce d'opposition frappante.

V. aussi RÉSISTANCE.

oppresser. V. OPPRIMER.

opprimer, qui exprime l'abus injuste et violent d'une autorité, se prend toujours en mauv. part. **Accabler,** qui a un sens plus vague qu'*opprimer,* peut se prendre en bonne ou en mauv. part, au physique et au moral : *On n'est opprimé que par des causes réelles nées de la volonté des supérieurs, alors qu'on peut être accablé sans que personne y contribue volontairement.* **Subjuguer,** c'est mettre sous le joug, réduire en sujétion ce qui accepte de s'humilier et de plier sous la volonté du vainqueur : *Une nation est subjuguée quand elle n'est plus capable de résister.* **Asservir** exprime un abus, une tyrannie, une oppression violente qui réduit celui qui en est victime, parfois par lâcheté ou manque de caractère, à une extrême dépendance : *Un peuple asservi ne peut être abaissé davantage, car il est devenu esclave.* **Soumettre** dit beaucoup moins que tous ces termes; il marque une domination plus vague, laquelle peut être acceptée contraint et forcé, mais aussi librement, spontanément, voire même volontairement. **Assujettir** suppose une soumission forcée : *Avant d'assujettir les peuples vaincus, il faut les avoir entièrement soumis.* **Courber,** c'est soumettre par sa volonté : *On courbe les peuples sous sa loi.* **Fouler,** c'est, figurém., opprimer par des exactions, surcharger d'impôts : *La veuve,* *l'orphelin, tous ceux qu'on foule* (*Massillon*). **Oppresser,** syn. vieilli d'*opprimer* (*Juda est rempli de force, les royaumes qui l'ont oppressé sont humiliés, dit Bossuet*) ne s'emploie guère auj. qu'en parlant d'une douleur, d'une angoisse qui pèse, qui accable, physiquement ou moralement : *Les souvenirs quelquefois nous oppressent.* **Tyranniser** convient bien en parlant surtout du pouvoir d'un seul exercé d'une manière oppressive, contre tout droit et raison : *Tyranniser les peuples, sa famille, les consciences.*

opprobre. V. HONTE.

opter. V. CHOISIR.

option. V. ÉLECTION.

opulence. V. RICHESSE.

opuscule. V. BROCHURE.

orage. V. TEMPÊTE.

oraison. V. DISCOURS et PRIÈRE.

orateur est le nom donné à celui qui compose et prononce des discours, des ouvrages d'éloquence. **Conférencier,** qui désigne le plus généralement un orateur parlant dans une réunion publique sur des sujets qu'il croit propres à intéresser ou à amuser les auditeurs, n'emporte pas obligatoirement l'idée d'éloquence. **Tribun,** au contraire, est dominé par l'idée d'une éloquence imagée et persuasive, et s'applique surtout à un orateur politique qui s'érige en défenseur des droits, des intérêts du peuple. **Debater** est un mot angl. employé quelquefois en France pour désigner un orateur versé dans la discussion politique. **Cicéron** (du nom du célèbre orateur romain) est le nom parfois donné familièrement, en bonne part ou ironiquement, à un orateur particulièrem. éloquent. **Rhéteur,** syn. d'*orateur,* est péj.; il désigne un orateur dont toute l'éloquence consiste dans un style emphatique et déclamatoire, mais vide. **Déclamateur,** moins us., est aussi péj.; il se dit d'un orateur emphatique, outré dans ses expressions. **Prédicateur** est beaucoup plus particulier; il se dit proprement de l'orateur ecclésiastique qui annonce la parole de Dieu sous forme de sermon, et, par ext., seulement, de tout orateur qui instruit, exhorte par des discours semblables à des sermons. **Prédicant** s'emploie parfois comme synonyme péjoratif de *prédicateur,* pris dans son sens étendu.

oratoire. V. ÉGLISE.

orbe, orbite. V. ROND.

ordinaire, qui se dit de ce qui est conforme à l'usage courant, convient bien en parlant de ce que l'on fait, alors qu'**accoutumé** s'applique plutôt à ce qu'on éprouve, à ce qu'on ressent : *On exécute ses exercices ordinaires, et l'on reçoit sa portion accoutumée.* (Lorsqu'il s'agit des qualités des personnes, on appelle *ordinaires,* note Lafaye, celles qui font qu'on se conduit d'une certaine manière — et *accoutumées* celles qui consistent à s'abstenir ou à supporter: *Le duc d'Orléans traita avec sa bonté ordinaire Law tombé dans la disgrâce, et que sa disgrâce n'avait fait sortir en rien de son sang-froid accoutumé* (*Saint-Simon*). **Habituel** est d'un usage plus courant, moins recherché, qu'*accoutumé;* il suppose généralement une disposition acquise par des actes réitérés : *On fait souvent machinalement ce qui est habituel.* **Courant** est syn. d'*ordinaire,* d'*habituel,* en parlant des affaires : *Etre chargé des affaires courantes.*

V. aussi COMMUN et MOYEN.

ordo. V. CALENDRIER.

ordonnance ne s'applique qu'à une seule chose, dont les parties sont placées de façon à former selon l'ordre, la convenance, un ensemble régulier. **Arrangement** suppose différents objets placés agréablement, suivant un plan ou un système déterminé; il implique quelque chose qui se fait, un travail : *L'arrangement des plats contribue à la bonne ordonnance d'un festin.* **Ordre,** qui se dit bien en parlant de choses assez importantes, fait surtout penser au résultat de l'arrangement; c'est ce qui est fait, établi, et que l'on considère en soi, et non relativement à une action : *Dieu, a dit Massillon, saura bien tirer du trouble même et de la confusion, où sont la plupart des peuples de l'Europe, l'arrangement qui doit y établir l'ordre et la tranquillité.* **Disposition,** qui, comme *arrangement,* peut s'employer au plur., fait penser plus à l'utilité qu'à la beauté : *Un général observe dans sa marche l'ordonnance de bataille qu'il a choisie pour combattre, afin de n'avoir* *pas à changer la disposition de ses troupes en présence de l'ennemi.*

V. aussi JUGEMENT et RÈGLEMENT.

ordonné. V. RÉGLÉ.

ordonner. V. RANGER.

ordre, opposé à « confusion », désigne la bonne ordonnance, la sage disposition des choses dans lesquelles se trouve un pays, une ville, une armée. **Tranquillité,** qui s'oppose à « agitation », fait plutôt penser à un état de paix ou de repos : *Dans les Etats, rien de plus nuisible à l'ordre que le gaspillage et l'anarchie, et, sous le point de vue de la tranquillité, rien de plus funeste que les révoltes et la guerre, dit Lafaye.* **Police** (du grec *politeia,* proprem. art de gouverner la cité) se dit de l'ordre établi dans un Etat, dans une ville, pour tout ce qui regarde la tranquillité, la sûreté et la commodité des citoyens, des habitants : *Les lois de la police concernent l'homme civil dans ses rapports avec la société.* **Discipline** (du lat. *discere,* apprendre) convient bien en parlant des règles de conduite communes à tous ceux qui font partie d'un corps, d'un ordre, etc. : *La discipline ne se borne pas comme la police à empêcher, dit Lafaye, elle apprend à faire ce qu'on doit et la manière de le faire.* **Subordination** (du lat. *sub,* sous, et *ordinatio,* disposition, arrangement) désigne l'ordre établi entre les personnes qui rend les unes dépendantes des autres; il est essentiellement relatif au rang et suppose toujours des supérieurs : *La subordination est l'âme de la discipline militaire.*

V. aussi CLASSE, COMMANDEMENT, COMMUNAUTÉ, CORPORATION, INSTRUCTION, ORDONNANCE, RANG et RÈGLE.

ordure, qui se dit, d'une façon générale, de tout ce qui est malpropre, désigne plus particulièrem. et au plur. tout ce qui salit un appartement, un escalier, une maison, et qui se compose le plus souvent de poussière, de fétus, que l'on enlève en époussetant ou en balayant, voire de tous les petits objets ou déchets sans utilité dont on se débarrasse (vieux emballages, épluchures, etc.). **Immondices,** syn. d'*ordure,* qui, dans ce sens, s'emploie aussi au plur., désigne principalement les ordures, les débris de toute sorte entassés dans les rues. **Détritus** est le nom donné à tous les matériaux qui, réduits à l'état de poussière ou de boue, ne sont plus que des ordures. **Balayures** se dit, au plur. aussi, des ordures amassées et rejetées avec le balai, et cela d'où qu'elles viennent. **Bourrier** est dialectal; il ne se dit que des ordures ménagères. (V. MALPROPRE.)

ordurier. V. OBSCÈNE.

oréade. V. NYMPHE.

orée. V. BORDURE.

orfèvre. V. BIJOUTIER.

organe. V. JOURNAL et REVUE.

organiser. V. PRÉPARER.

orgelet (du lat. *hordeolum,* petit grain d'orge) est le nom donné à une petite tumeur inflammatoire, de la nature du furoncle et de la grosseur d'un grain d'orge, qui se développe sur le bord libre de la paupière. (On a écrit quelquefois ORGEOLET.) **Compère-loriot** est le nom vulgaire de l'orgelet. **Hordéole** est essentiellement un terme d'ophtalmologie. (V. FURONCLE et TUMEUR.)

orgie. V. DÉBAUCHE.

orgueil se dit d'un sentiment exalté qu'on a de sa propre valeur, de son importance dans le monde, sentiment qui s'accompagne généralement de dédain à l'égard d'autrui. **Amour-propre** suppose un orgueil moins hautain, mais sensible, irritable, susceptible, qui craint surtout les comparaisons avec autrui, le ridicule que ces dernières peuvent faire rejaillir sur nous, l'état d'infériorité où elles peuvent nous mettre. **Superbe** est le nom donné à l'orgueil dans le langage de la dévotion, auquel on l'emprunte dans le langage courant, en donnant au mot une nuance d'ironie. **Morgue** se dit d'un orgueil qui traduit par la froideur de l'expression ou la raideur de l'attitude un sentiment de supériorité à l'égard d'une nation, d'une race étrangère ou surtout d'une classe sociale qui n'est pas la nôtre. **Vanité** convient bien en parlant d'un orgueil tel qu'on recherche surtout l'admiration ou l'intérêt d'autrui, qui fait que l'on désire occuper la pensée de tout le monde. **Gloriole** est le nom que l'on donne à la vanité que l'on tire de petites choses. **Présomption** enchérit sur *orgueil;* il suppose qu'on porte son espérance audacieuse bien au-delà de ses forces et de sa puissance, et que, à la fois orgueilleux et hardi à entreprendre, on s'imagine pouvoir venir à bout de tout. **Prétention,** syn. de ***présomption,*** est plus du langage ordinaire. **Fatuité,** comme **suffisance,** attire surtout l'attention sur la manière d'agir et de parler de celui qui est content de soi-même et qui le laisse voir. **Outrecuidance** suppose une confiance excessive en soi-même jointe à des manières souvent arrogantes. **Ostentation** suppose une vanité qui s'exprime par l'étalage affecté et le plus souvent déplacé d'un avantage ou d'une quantité ; il implique essentiellement le désir non dissimulé de paraître. (V. AMBITION.)

orgueilleux. V. VANITEUX.

orient, qui désigne la partie de l'horizon où le soleil se lève, s'emploie plutôt dans le lang. relevé et s'applique particulièrem. au ciel. **Levant** est du style technique et de marine. **Est,** terme couramment très usité, fait surtout penser à la situation ou à la direction. (A noter que EST, qui est un des points cardinaux, désigne dans son sens propre, le point de l'équateur céleste où le soleil se lève, alors que LEVANT et ORIENT se disent de l'espace compris entre les deux tropiques, aussi — dit Littré — y a-t-il un levant d'hiver et un levant d'été, alors qu'il n'y a qu'un est.) — Pris dans leur sens géographique et employés alors avec une majuscule, LEVANT et ORIENT ont longtemps désigné, le premier la côte occidentale, c'est-à-dire méditerranéenne de l'Asie, et le second la partie de l'Asie qui est au-delà, soit de la Perse (l'Iran) au Japon ; auj. il semble que les géographes s'entendent sur une division qui place plus spécialement dans le **Levant** le Liban et la Syrie ; dans le **Proche-Orient** les Balkans, la Turquie, les pays de la Méditerranée orientale et l'Egypte ; dans le **Moyen-Orient** l'Irak, l'Iran, l'Afghanistan et l'Arabie ; et enfin dans l'**Extrême-Orient** l'Indochine, la Chine et le Japon.

orifice. V. TROU.

originaire. V. NATIF.

original se dit de ce qui est nouveau par sa conception, sa réalisation, qui n'a pas eu de modèle et peut en être un. **Inédit,** qui s'emploie proprement pour désigner ce qui n'a point été imprimé, publié, se dit aussi, familièrement et abusivement, de ce qui est nouveau, original, parce que jusqu'à présent inusité. (V. NOUVEAU et RÉCENT.)

Original, appliqué aux personnes et employé substantivement, se dit de celles qui ne ressemblent pas au plus grand nombre, qui ont quelque chose de particulier, de curieux, sans pour cela emporter forcément une idée péjorative. **Excentrique,** par contre, s'emploie toujours en mauv. part ; il désigne surtout un original qui agit, qui parle contrairement aux formes normales, habituelles. **Type** se dit d'un homme, d'un personnage d'une originalité vigoureusement tranchée ; en mauv. part, il est familier et s'applique à une personne excentrique et bizarre. **Olibrius,** familier, ajoute à l'idée d'originalité celle de ridicule ; il s'emploie le plus souvent pour désigner un individu qui, peu ou prou fanfaron, se donne des airs avantageux et fait des embarras. (V. BIZARRE.)

V. aussi TEXTE.

origine se dit du premier commencement des choses qui ont une suite : *L'origine nous apprend dans quel temps, en quel lieu, de quelle manière les objets ont paru au jour.* **Principe** désigne ce qui est au commencement d'une chose qui elle-même en découle. **Source** est le nom que l'on donne au principe d'où provient une succession de choses : *La source nous découvre le principe fécond d'où les choses découlent, procèdent, émanent avec plus ou moins de continuité ou d'abondance.* **Germe,** comme **racine,** se dit parfois figurém. du principe, du commencement d'une chose : *Il faut étouffer le mal dans son germe; Tout mal a pour racine quelque erreur, a dit Bernardin de Saint-Pierre.* (A noter que le *germe* semble précéder la *racine,* du fait que, proprem., le germe est l'origine première d'une chose, alors que la racine est ce qui reste après l'ablation du tronc et qui peut repousser.) [V. COMMENCEMENT.]

V. aussi NAISSANCE.

oripeau. V. GUENILLE.

orléaniste. V. ROYALISTE.

orner, c'est arranger, disposer, avec l'idée particulière d'ordre, d'addition, de valeur. **Parer,** c'est préparer, apprêter; il emporte essentiellement l'idée particulière de grâce, d'élégance, de fête, de cérémonie. **Décorer** fait penser à quelque chose de grand, d'éclatant, de précieux; c'est aussi ajouter à un objet des choses qui plaisent à la vue. **Embellir** signifie proprement rendre beau; il exprime comme une chose positive ce que les trois autres verbes ne font qu'indiquer sous différentes nuances. **Agrémenter,** c'est relever une chose par des ornements vrais ou faux. **Enjoliver,** c'est orner de tout ce qui peut rendre plus joli, plus agréable à l'œil. (A noter qu'en parlant du style, ce terme emporte souvent une idée péjorative, en supposant qu'on ajoute des détails plus ou moins superflus dans l'espoir de rendre plus intéressant ce qu'on expose.) **Garnir** se dit souvent en parlant des choses que l'on joint à une autre comme ornement, généralem. accessoire d'ailleurs. **Adorner** et **ourler,** syn. d'*orner,* sont vieux.

ornière. V. ROUTINE et TRACE.

orphelin est le nom que l'on donne, dans le langage courant, à l'enfant qui a perdu son père et sa mère, ou l'un des deux. **Pupille** est le terme de droit servant à désigner un orphelin mineur placé sous la direction d'un tuteur ou adopté par une nation, une municipalité, un corps, etc.

orthographier. V. ÉCRIRE.

os désigne, considérées par rapport à la place qu'elles occupent dans le corps, à la fonction qu'elles y remplissent, les parties dures des vertébrés qui servent à attacher et à soutenir toutes les autres parties. **Ossement** (qui s'emploie surtout au plur.) se dit des os desséchés, dépouillés de chair, séparés les uns des autres, et considérés abstraction faite des corps auxquels ils ont appartenu.

oscillation désigne le mouvement relativement lent d'un corps qui repasse alternativement par les mêmes positions. **Vibration** suppose, par contre, un mouvement extrêmement rapide. (On a dit quelquefois la vibration d'un pendule, mais c'était abusivement, note Littré.) [V. BALANCER.]

osciller. V. BALANCER et HÉSITER.

osé. V. HARDI.

ossature. V. CARCASSE.

ossement. V. OS et RELIQUES.

ossuaire. V. CIMETIÈRE.

ostensible. V. VISIBLE.

ostentation. V. ORGUEIL et PARADE.

ostraciser. V. BANNIR et REPOUSSER.

otage. V. COMPTABLE.

ôter, c'est tirer une chose de la place où elle est, en parlant aussi bien des personnes que des animaux. **Enlever** s'emploie comme syn. d'*ôter* en parlant de choses que l'on peut déplacer sans effort. **Retirer,** c'est en général ôter, enlever ce qui avait été donné, accordé. **Confisquer** s'emploie surtout en parlant d'écoliers, d'enfants, auxquels on ôte, on enlève, des objets interdits. (V. QUITTER et RETRANCHER.)

oubli désigne simplement le manque de souvenir. **Ingratitude** ajoute à l'idée d'oubli celle d'absence de reconnaissance; c'est le vice de celui qui reste indifférent aux bienfaits, qui les oublie, qui rend même quelquefois le mal pour le bien. **Méconnaissance,** qui se dit souvent de l'effet de l'oubli, de l'indifférence, marque plus de légèreté et moins de vice qu'*ingratitude.* (V. NÉGLIGENCE.)

V. aussi OMISSION.

oublié. V. INCONNU.

oubliettes. V. CELLULE.

ouest. V. OCCIDENT.

ouïes. V. BRANCHIES.

ouïr. V. ENTENDRE.

ouragan. V. BOURRASQUE.

ourdir, c'est, proprem., disposer des fils pour faire une toile. **Tramer** dit plus; c'est passer des fils entre et à travers les fils tendus sur le métier.

Ourdir, c'est, figurément, prendre les premières mesures qui pourront conduire à l'exécution d'un dessein, lequel n'est pas forcément mauvais. **Tramer** enchérit sur *ourdir;* il suppose un dessein plus arrêté, une intrigue plus forte, des mesures plus concertées, des apprêts plus avancés pour l'exécution d'une chose le plus souvent mauvaise, particulièrement un complot. **Machiner** a plus de force encore que *tramer* et marque quelque chose de plus profond et de plus odieux; ce n'est plus une trame qu'on ourdit, c'est une machine qu'on monte à grands frais et pour produire un effet désastreux. **Brasser** est un syn. familier et péjoratif de *tramer,* comme **manigancer** qui peut s'appliquer à des choses de peu d'importance. **Combiner,** syn. d'*ourdir,* est aussi du langage familier

outil. V. INSTRUMENT.

outlaw. V. RÉPROUVÉ.

outrage. V. OFFENSE.

outrageant implique l'effort actuel ou tout au plus l'effet habituel de ce qui fait injure. **Outrageux** dit plus ; il marque la nature même de la chose qui consiste à être elle-même un outrage : *Ce qui est outrageant l'est par application à quelqu'un; ce qui est outrageux l'est par soi-même.* (A noter qu'*outrageux* peut seul se dire des personnes, et qu'alors il les représente comme mettant leur plaisir à outrager le monde.)

outrancier. V. EXCESSIF.

outre annonce une addition de choses quelconques, généralement de même nature : *On apporte, outre les témoignages, des preuves écrites.* **Indépendamment** s'emploie pour exprimer une addition de choses différentes de celles dont il a été question, qui n'en sont pas la suite, qui sont à part : *Indépendamment de ses piquants, l'ourson a, comme le castor, une double fourrure* (*Buffon*). **Par-dessus** indique une chose faite au-delà de ce qu'on est obligé de faire, quelque chose d'ajouté à la mesure convenue, ordinaire ou suffisante : *Donnez ce qu'on vous demande et quelque chose encore par-dessus.*

outre (en), outre cela. V. AILLEURS (D').

outré, porté outre, poussé à bout, exprime un sentiment de douleur et de colère qui se rapporte à nos intérêts personnels, à notre dignité blessée. **Indigné** implique un sentiment de mépris et de colère excité par une chose moralement blâmable ; c'est l'effet produit sur nous par un acte qui révolte notre sentiment intime de la justice et du devoir : *Nous sommes outrés d'un mauvais traitement lorsqu'il est fait à nous-mêmes; nous sommes indignés lorsqu'il est fait à autrui sous nos yeux.* **Révolté** enchérit sur *indigné;* il suppose une très grande indignation : *Le bon sens est révolté par l'absurdité.* **Scandalisé** exprime surtout le sentiment d'indignation que cause ce que l'on considère comme un mauvais exemple : *On est scandalisé par la mauvaise tenue de certaines personnes devant des enfants.*

V. aussi EXCESSIF.

outrecuidance. V. ORGUEIL.

outrepasser. V. PASSER.

outrer. V. EXAGÉRER.

ouvert suppose une ouverture, un orifice d'une certaine dimension. **Béant,** qui enchérit sur *ouvert* et implique une très grande ouverture, peut même suggérer parfois un danger possible.

V. aussi FRANC.

ouverture. V. TROU.

ouvrage, qui désigne ce qui résulte d'un travail, fait surtout considérer l'exécution de celui-ci. **Production** fait plutôt penser à la force qui produit, au génie qui crée : *L'ouvrage, dit Lafaye, suppose un « ouvrier » qui façonne une matière, et la production un principe « productif », générateur ou fécond, d'où elle émane, d'où elle tire son être ou sa substance même.*

V. aussi LIVRE, ŒUVRE et TRAVAIL.

ouvrager, ouvrer. V. TRAVAILLER.

ouvrier. V. ARTISAN et TRAVAILLEUR.

ouvrir à (s'). V. CONFIER (SE).

ouvroir. V. ATELIER.

ovale se dit surtout des figures en plan et des objets de peu de relief ou de faible épaisseur dont la courbure rappelle celle d'un œuf, c'est-à-dire plus en pointe d'un côté que de l'autre. **Ové,** comme **ovoïde,** s'applique bien aux objets qui présentent les trois dimensions et qui ont, par conséquent, la forme d'un œuf entier. **Oviforme** est un syn. moins us. d'*ové* et d'*ovoïde.* **Ellipse,** qui est surtout un terme de géométrie, se dit seulement d'une courbe plane dont chaque point est tel que la somme de ses distances à deux points fixes est constante.

ovation (faire une), ovationner. V. ACCLAMER.

ové, oviforme, ovoïde. V. OVALE.

ovule, terme d'embryol., se dit du germe arrivé à maturité et renfermé dans l'ovaire. **Œuf** désigne l'ovule fécondé et arrivé dans la matrice

P

pacage. V. PÂTURAGE.
pacifier. V. APAISER.
pacifique, pacifiste. V. PAISIBLE.
pacotille. V. MARCHANDISE.
pacte. V. CONVENTION.
pagaie. V. RAME.
pagaille. V. DÉSORDRE.
page. V. FEUILLE.
paginer. V. NUMÉROTER.

païen, qui s'oppose à « chrétien », s'emploie bien en parlant surtout de ceux qui adorent de faux dieux. **Gentil** s'oppose à « juif »; c'est le nom donné à ceux qui adoraient d'autres dieux que l'Etre suprême, du temps où le peuple juif occupait encore la Palestine, ou qui, aux premiers temps du christianisme, étaient infidèles. **Idolâtre** suppose formellement un culte rendu à des idoles, c'est-à-dire à des simulacres taillés de la main des hommes. **Mécréant** se disait autrefois, dans ce sens, de toute personne qui n'avait pas la vraie foi, surtout en parlant des mahométans. **Infidèle,** de tous ces termes le plus général, est le nom que l'on donne à ceux qui n'ont pas la vraie foi ou qui l'ont rejetée. (V. IRRÉLIGIEUX.)

paillard. V. LUXURIEUX.
paillasse. V. CLOWN.
paillote. V. CABANE.
paire. V. COUPLE.

paisible s'applique à celui qui aime la paix et la tranquillité. **Pacifique** suppose des efforts pour faire régner la paix : *On est plutôt paisible de fait et pacifique par le caractère, les vues, les intentions.* (Appliqués à un pays, à une époque, PACIFIQUE marque simplement l'absence de guerre, tandis que PAISIBLE suppose en outre l'absence de toute agitation politique ou morale : *Un règne pacifique est celui qui n'a eu nulle guerre à subir; un règne paisible est celui qui n'est agité par aucun trouble révolutionnaire.*) **Pacifiste,** syn. de *pacifique,* s'emploie le plus souvent en mauv. part pour désigner celui qui veut la paix à n'importe quel prix, dût-il tout y perdre. **Pantouflard,** qui ne s'emploie que substantivement, se dit proprement d'un homme « casanier » (v. ce mot) qui aime à passer sa vie les pieds dans ses pantoufles, et, par ext. et familièrement, d'un homme paisible.

V. aussi CALME.

paître, c'est, en parlant des animaux, manger ce qui est à terre, particulièrement de l'herbe. **Brouter** suppose plus de difficultés que *paître;* c'est, pour un animal, rechercher sa pâture au sol ou à hauteur de gueule, selon qu'il s'agit d'herbe ou de broussailles, de haies, d'arbustes : *La vache pesante paît au fond des vallées; la brebis légère sur les flancs des collines; la chèvre grimpante broute les arbrisseaux des rochers* (*Bernardin de Saint-Pierre*). **Repaître,** qui ne s'emploie dans ce sens qu'intransitivement, est peu usité auj. en parlant des animaux; il implique essentiellement la nécessité de reprendre des forces, le besoin de prendre une réfection en mangeant : *Les cerfs sortent, le soir, des bois pour repaître.*

paix est une interjection qui invite à la fois à se taire, à ne pas faire de bruit, et à rester tranquille. **Silence** demande surtout que l'on se taise, que l'on reste muet, afin que l'on puisse entendre une autre personne. **Chut** réclame principalement la discrétion et rappelle l'intérêt que l'on peut avoir à se taire. **Motus** (de *mot,* avec une terminaison latine) est un synonyme familier de *silence* et aussi quelquefois de *chut.*

V. aussi TRANQUILLITÉ.

pal. V. PIEU.
palabre. V. DISCUSSION.
palabrer. V. DISCOURIR.
palace. V. HÔTEL.
paladin. V. CHEVALIER.
palais. V. CHÂTEAU.

pâle exprime l'absence ou l'effacement du coloris, sans y ajouter forcément une idée péjorative. **Blafard** désigne ce qui est pâle jusqu'à l'affadissement, dont la blancheur se présente comme quelque chose de désagréable à la vue. **Blême** qui, proprement, s'applique surtout au visage, au teint, lorsque ceux-ci deviennent très pâles par l'effet d'une maladie, de la peur, se dit parfois aussi, figurém., des choses, principalement de la lumière du jour, et s'emploie alors dans le style soutenu. **Livide** marque une pâleur où l'on distingue des points ou des lignes plombées, bleuâtres ; c'est la pâleur des cadavres. **Bleu** est syn. de *livide* en parlant de la peau pâlie par le froid, la colère ou la peur ; on dit aussi parfois, dans ce sens, **vert** et **terreux,** qui supposent une couleur verdâtre ou jaunâtre du visage et impliquent un mal ou un malaise physique. **Hâve,** qui ne s'applique aussi qu'aux personnes, ajoute à l'idée de pâleur celle de maigreur et de décharnement.

palefroi. V. CHEVAL.

paletot. V. MANTEAU.

palier est un terme de construction qui désigne l'espace uni et plan ménagé pour servir de repos, le plus souvent au niveau de chaque étage de maison, dans un escalier ou une montée. **Carré** se dit seulement d'un palier, carré ou rectangulaire, ménagé au haut d'un escalier, et sur lequel s'ouvrent les portes d'un même étage : *Habiter le même carré.* (On dit aussi d'ailleurs, dans ce sens, **étage,** qui fait plus spécialement penser à ce que ce terme désigne exactement, c'est-à-dire l'ensemble des diverses pièces ou appartements situés de plain-pied et occupant l'intervalle compris entre deux planchers.)

V. aussi PHASE.

palingénésie. V. RENAISSANCE.

palinodie. V. RÉTRACTATION.

palis. V. CLÔTURE et PIEU.

palissade. V. CLÔTURE.

palladium. V. GARANTIE.

pallier. V. DÉGUISER et MODÉRER.

palombe. V. PIGEON.

palpable. V. SENSIBLE.

palper. V. TOUCHER.

palpiter. V. VIBRER.

paltoquet. V. GROSSIER.

pâmoison. V. ÉVANOUISSEMENT.

pamphlet. V. BROCHURE et SATIRE.

pamphlétaire. V. JOURNALISTE.

pan. V. FILET.

panacée. V. MÉDICAMENT et REMÈDE.

panache. V. PLUMET.

panache (faire). V. CULBUTER.

panacher. V. BARIOLER.

panaris. V. ABCÈS.

pancarte. V. ÉCRITEAU.

pancrace. V. LUTTE.

pandémique. V. ÉPIDÉMIQUE.

panégyrique. V. ÉLOGE.

panetière. V. GIBECIÈRE.

panier est le nom donné à un réceptacle en osier, en jonc ou en autre matière tressée, ayant généralement des anses et servant à transporter ou serrer des provisions, des denrées, etc. **Corbeille** se dit d'une sorte de panier sans anse ou n'ayant que de petites anses sur les côtés ou sur les bords, et qui n'est pas destiné au transport. (V. CABAS.)

paniquard. V. PESSIMISTE.

panique. V. ÉPOUVANTE.

panneau. V. FILET.

panorama. V. VUE.

panse. V. VENTRE.

pansu. V. GROS.

pantalon. V. CULOTTE.

pantelant. V. ÉMU.

panteler. V. RESPIRER.

pantin, nom donné proprement à une figure burlesque de carton ou de bois mince et coloré, dont on fait le plus souvent mouvoir les membres par le moyen d'un fil, et qui sert de jouet aux enfants, se dit, figurément et familièrement, d'un individu qui gesticule sans motif et ridiculement ; c'est le nom que l'on donne encore, toujours figurément, à une personne flottant sans cesse d'une opinion à l'autre. **Marionnette,** petite figure d'homme ou de femme, burlesque ou non, en bois ou en carton, que l'on fait mouvoir avec des fils ou à la main, désigne, figurément, une personne légère, frivole, sans caractère, qui cède facilement aux impulsions étrangères. **Fantoche,** syn. moins usité de *marionnette,* s'emploie surtout au fig. pour désigner une personne peu sérieuse, sans volonté propre, à laquelle on ne saurait se fier. **Polichinelle,** nom donné proprement à la marionnette de bois, bossue par devant et par derrière, représentant un des personnages du théâtre des marionnettes, désigne, figurément et familièrement, un homme sans consistance, sans fixité dans le caractère, les opinions; on dit aussi, dans ce sens fig. et familièrement, **girouette. Guignol** est le nom donné à une marionnette qui n'a qu'une tête et des mains de bois, le corps étant une poche dans laquelle on passe la main, de façon que le pouce et le médius simulent les bras et que l'index maintienne et fasse mouvoir la tête; figurém., il emporte à peu près le même sens que *marionnette,* avec toutefois une idée très marquée de comique, de ridicule. **Burattino** et **pupazzo** désignent des marionnettes italiennes. **Bamboche,** syn. de *marionnette,* est vieux.

pantois. V. DÉCONCERTÉ.

pantomime. V. ACTEUR et GESTE.

pantouflard. V. CASANIER et PAISIBLE.

pantoufle. V. CHAUSSON.

papa. V. PÈRE.

pape, nom donné primitivement à tous les évêques, fut plus tard réservé au seul évêque de Rome, chef de l'Eglise catholique romaine. **Vicaire de Jésus-Christ, successeur de saint Pierre,** et surtout **souverain pontife** et **saint-père,** sont des expressions couramment employées pour désigner le pape; **évêque universel** et **pasteur suprême** sont moins us. **Très-Saint-Père** est l'expression dont on se sert lorsqu'on s'adresse au pape, cependant que l'on désigne sa personne par les mots **Sa Sainteté. Serviteur des serviteurs du Christ** est le qualificatif que, depuis saint Grégoire le Grand (590-604), les papes prennent dans leurs bulles.

papelard. V. DOUCEREUX.

papelardise. V. FAUSSETÉ.

paperasse. V. PAPIER.

papier est un terme très général qui désigne toute feuille sèche et mince, faite avec diverses substances végétales réduites en pâte, et qui sert à écrire, à imprimer, à envelopper, etc. **Paperasse** se dit d'un papier écrit ou imprimé qu'on regarde comme inutile. **Papelard** est un syn. argot. de *papier.*

V. aussi ARTICLE.

papier-monnaie. V. BILLET.

papillonner. V. FOLÂTRER.

papilloter. V. VACILLER.

papoter. V. BAVARDER.

paquebot. V. BATEAU.

paquet désigne la réunion de plusieurs choses attachées ou enveloppées ensemble. **Colis** s'emploie surtout pour désigner un paquet que l'on expédie. **Balle** se dit d'un gros paquet de marchandises. **Ballot** désigne une petite balle de marchandises ou d'effets. **Baluchon** est un terme fam. qui se dit d'un paquet d'effets ou de linge. **Ballotin,** diminutif de *ballot,* est peu us. **Pacson** est pop.

paquetage. V. BAGAGE.

parabellum. V. PISTOLET.

parabole. V FABLE.

parachever. V. PARFAIRE.

parachronisme. V. ANACHRONISME.

parade désigne l'action de montrer quelque chose pour en tirer vanité, quoiqu'il n'y ait en cela rien de vraiment utile. **Etalage** suppose qu'une chose est montrée, déployée dans toute son étendue, afin d'en faire ressortir la quantité et l'ampleur. **Montre** ne renferme rien de plus que l'idée de montrer, d'exposer aux regards. (A noter que si l'expression *faire montre* implique quelque chose qui sent l'affectation, c'est que l'usage s'est introduit de ne l'employer que dans ce sens, mais cela ne résulte nullement de la valeur du mot.) **Ostentation** n'est guère syn. de ces termes que par son étymologie (du lat. *ostentare,* montrer avec affectation) qui désigne le sentiment de celui qui montre quelque chose et qui s'en prévaut pour humilier les autres hommes; en fait, ce mot est plutôt syn., rigoureusement parlant, de « vanité » et d' « orgueil » (v. ce mot). **Parement** est un syn. vieilli de *parade,* d'*étalage.*

V. aussi REVUE.

parader. V. MONTRER (SE).

paradis, terme de théologie désignant le séjour des bienheureux après la mort, se dit figurément et familièrement, d'un séjour délicieux, plein de charmes, orné par la nature ou l'art. **Eden,** proprement paradis terrestre, séjour habité par le premier homme avant sa désobéissance, s'emploie aussi par analogie, pour désigner un lieu, un séjour agréable, ravissant, orné surtout par la nature.

V. aussi CIEL.

paradoxal. V. INVRAISEMBLABLE.

paradoxe. V. CONTRESENS.

1. **parage.** V. NAISSANCE.

2. **parage.** V. PAYS.

paraître, c'est devenir visible, **se montrer,** lorsqu'il s'agit de choses ordinaires qui se voient habituellement. **Apparaître** convient mieux en parlant de choses qui, par leur nature ou leur rareté, éveillent la surprise : *Le soleil paraît, se montre à l'horizon; De temps à autre, il apparaît de nouvelles étoiles dans le ciel.* **Surgir,** c'est paraître, se montrer brusquement, le plus souvent en s'élevant : *La voile d'un bateau surgit à l'horizon.* **Poindre,** qui s'emploie surtout à l'infinitif et au futur, c'est seulement commencer à paraître, se montrer quelque peu : *Le jour bientôt va poindre.*

V. aussi ASPECT et SEMBLER.

parallèle. V. COMPARAISON.

paralogisme. V. SOPHISME.

paralysé. V. PARALYTIQUE.

paralyser. V. ARRÊTER.

paralysie est un terme de pathologie qui désigne la diminution ou l'abolition de la motricité, due à des lésions des nerfs moteurs ou à des lésions musculaires propres. **Parésie** se dit d'une paralysie incomplète qui consiste simplement en une diminution de la contractilité musculaire. **Hémiplégie** désigne la paralysie complète ou incomplète d'une moitié latérale du corps. **Paraplégie** s'applique à une paralysie complète ou incomplète, frappant de préférence les deux membres inférieurs, mais pouvant également frapper les deux membres supérieurs, ou encore les quatre membres. **Engourdissement** dit beaucoup moins; c'est une sorte de paralysie passagère dans une partie du corps, d'un membre par exemple. **Catalepsie** suppose seulement une cessation brusque et ordinairement courte des mouvements volontaires, sans qu'il y ait toutefois lésion des muscles, les membres et le tronc conservant généralement les positions données ou celles dans lesquelles l'individu se trouvait au moment de l'attaque.

paralytique, qui désigne celui qui est atteint de paralysie (v. art. précéd.), fait penser à l'état lui-même, indépendamment de quoi que ce soit. **Paralysé** suppose une attaque de paralysie, quelque chose d'accidentel : *On peut être paralytique de naissance; on devient paralysé.* **Perclus** implique un état bien moins grave et n'emporte pas l'idée d'une véritable paralysie, au sens médical du terme; il suppose simplement une grande difficulté à se mouvoir par suite de douleurs : *On trouve, dit Lafaye, beaucoup de gens paralytiques dans les hospices et beaucoup de gens perclus dans les établissements d'eaux thermales.* **Impotent** se dit de celui qui est privé de l'usage d'un ou de plusieurs membres, soit par vice de nature, soit par maladie ou accident, et qui, de ce fait, ne peut pas se mouvoir ou se meut difficilement : *Les vieillards sont souvent impotents.*

parangon. V. EXEMPLE.

parapet. V. BALUSTRADE.

paraphe. V. SIGNATURE.

paraphrase. V. TRADUCTION.

paraplégie. V. PARALYSIE.

parapluie est le nom donné à un petit abri portatif, formé d'un manche et d'une étoffe légère et arrondie recouvrant des tiges flexibles, que l'on déploie au-dessus de sa tête pour se préserver de la pluie. **En-cas** désigne une sorte d'ombrelle (v. PARASOL) susceptible d'abriter de la pluie. **Tom-pouce** est un terme de modes désignant un parapluie de femme très court. **Pépin,** syn. de *parapluie,* est familier et **pébroque** populaire. **Riflard,** populaire aussi, se dit d'un grand parapluie.

parasite. V. CONVIVE.

parasol désigne un petit abri portatif, analogue au parapluie (v. ce mot), qu'on ouvre au-dessus de sa tête pour se garantir du soleil et qu'on emploie surtout dans les pays chauds, où il est souvent d'ailleurs une marque d'autorité. (Il se dit aussi d'un objet analogue, mais non portatif, et assez grand, utilisé dans les cafés, les restaurants en plein air, les jardins, pour abriter du soleil.) **Ombrelle** est le nom donné, dans nos contrées, au petit parasol dont se servent surtout les femmes en promenade. **En-cas,** V. PARAPLUIE.

parc. V. JARDIN et PÂTURAGE.

parcelle. V. MORCEAU et PARTIE.

parce que est une loc. conj. qui sert à marquer la raison de ce qu'on a dit, le motif de ce qu'on a fait, la cause d'un événement; ayant rapport aux idées, il a pour objet de répondre par avance à un pourquoi. **A cause que,** syn. de *parce que,* est familier. **Car** a rapport au jugement et appelle généralement une preuve précise, dont la vérité est nettement apparente. **En effet** implique une preuve largement développée et annonce le plus souvent des déductions. **Puisque** suppose une raison, un argument que l'on considère comme incontestable. **Vu que** est du langage ordinaire et emporte l'idée d'une considération intellectuelle moins sérieuse, moins approfondie qu'**attendu que,** lequel est plutôt du langage juridique ou d'administration.

parchemin. V. DIPLÔME.

parcimonie. V. ÉCONOMIE.

parcimonieux. V. CHICHE.

parcourir, c'est traverser un espace en divers sens. **Sillonner** emporte l'idée d'une trace, d'un sillon laissé; il se dit surtout d'un bateau qui parcourt les eaux.

V. aussi LIRE.

parcours. V. TRAJET.

pardessus. V. MANTEAU.

par-dessus. V. OUTRE.

pardon implique la renonciation formelle au droit et au pouvoir de punir une injure, une faute, un crime, et ce dans le but d'empêcher ou de faire cesser le châtiment. **Rémission** diffère de *pardon* en ce qu'il suppose un simple désistement de la peine qu'on peut faire infliger à quelqu'un; c'est un acte de clémence partielle : *Le pardon est un oubli complet de l'offense; la rémission préserve du châtiment, mais elle conserve le souvenir de la culpabilité.* **Grâce** se dit d'un pardon solennel, d'un acte de clémence exercé par une autorité supérieure, généralement après la condamnation : *La grâce n'efface pas les souillures du jugement dont elle annule ou interrompt l'exécution.* **Absolution** offre un caractère particulier que l'on ne trouve ni dans *pardon,* ni dans *grâce,* et qui fait qu'on rend libre un coupable, sans le punir et sans le pardonner : *L'absolution a lieu lorsqu'il n'existe pas de dispositions dans les lois pour la punition d'un délit ou d'un crime qui a amené un prévenu devant les tribunaux.* (En termes de théologie, l'*absolution* est l'acte par lequel le prêtre, représentant de Jésus-Christ, remet au pécheur repentant les fautes dont il s'est rendu coupable et les censures qu'il a encourues.) **Abolition** s'est dit d'un acte de clémence absolu, ne laissant aucun vestige de la faute : *L'abolition était le pardon que le prince accordait pour un crime qui, par les ordonnances, n'était pas rémissible.*

V. aussi FÊTE et PÈLERINAGE.

pardonner, c'est ne pas tenir rigueur d'une faute grave, d'une injure dont on aurait le droit de se tenir offensé; il suppose une preuve de générosité, de grandeur d'âme. **Excuser** s'applique mieux lorsqu'il s'agit d'une faute légère, d'un oubli, d'une étourderie; il implique surtout l'absence d'excessive susceptibilité, l'idée que la part des circonstances est naturellement faite. **Absoudre,** qui convient bien en parlant soit d'un jugement qui renvoie de l'accusation un accusé déclaré coupable, parce que le crime imputé n'est pas prévu par la loi, soit, en termes de théologie, de la rémission des péchés au pénitent, s'emploie aussi, dans un sens général, comme syn. de *pardonner* et d'*excuser;* il est plutôt alors du style grandiloquent. **Acquitter,** c'est absoudre quelqu'un que l'on reconnaît innocent ou excusable de ce dont il est accusé.

pareil. V. SEMBLABLE.

parement. V. PARURE et REVERS.

parent (du lat. *parere,* enfanter) est le terme général et du lang. cour. désignant celui qui est de la même famille que quelqu'un par le sang ou par alliance; plus spécialement et au masc. plur., c'est le nom donné à ceux à qui l'on doit le jour : le père et la mère. **Collatéral** (du préf. *co,* et de *latéral*), terme de généalogie et de droit, se dit seulement des frères, des sœurs d'une personne, et de leurs descendants et ascendants, par opposition aux ascendants et descendants directs. **Proche,** employé substantivement et dans le sens général de *parent,* n'est guère usité qu'au pluriel. **Affin,** syn. de *parent,* est peu us. (V. AÏEUX, MÈRE, PÈRE et POSTÉRITÉ.)

parenté. V. ANALOGIE et CONSANGUINITÉ.

parentèle. V. CONSANGUINITÉ.

parenthèse. V. DIGRESSION.

1. **parer,** qui se dit des choses comme des personnes, implique une préparation ayant pour but de donner meilleure apparence, de rendre plus agréable à la vue ou plus élégant. **Arranger** est du lang. cour. et emporte d'abord l'idée de mise, voire de remise en état, avant celle de parure, laquelle ne vient qu'en second lieu. **Endimancher,** proprem. revêtir d'habits du dimanche, d'habits de fête, c'est aussi, par ext., parer pour une fête, en parlant d'une personne. **Attifer** ne s'emploie guère qu'en mauv. part et familièrement, toujours en parlant des personnes; c'est parer avec une recherche de mauvais goût, agrémenter de détails de costume qui surprennent par leur bizarrerie. **Pomponner,** parer, ajuster avec raffinement, est familier, et convient bien lorsqu'il s'agit d'une femme qui met avec soin la dernière main à sa toilette. **Adoniser,** c'est aussi parer avec beaucoup de soin et de recherche, surtout en parlant d'un homme; il est peu usité auj. **Poupiner,** peu us. aussi, c'est parer d'une manière enfantine ou recherchée. **Afistoler,** populairement parer, endimancher sans goût, vieillit.

V. aussi ORNER.

2. **parer.** V. ÉVITER.

parésie. V. PARALYSIE.

paresseux désigne celui qui, naturellement enclin à éviter l'action, le travail, est lent dans ses opérations et fait traîner l'ouvrage; il implique le désir de s'épargner tout effort, le refus de se donner de la peine, par crainte de la fatigue. **Fainéant** suppose une lâcheté de l'âme allant jusqu'à l'habitude d'une vie oisive, par haine du travail : *Faute de bonne volonté, d'émulation, d'âme, le fainéant reste là, désœuvré, non comme le paresseux qui n'a pas le courage d'entreprendre, parce qu'il a une volonté décidée de ne rien faire.* (A noter que si *fainéant* se prononce communément *fé-gnan,* les personnes cultivées, si nous en croyons Martinon, ont droit d'articuler *fai-né-ant.*) **Cancre** se dit surtout d'un écolier dont on ne peut rien faire à cause de sa paresse. **Câlin,** syn. de *paresseux,* est vieilli ou dialectal; **flémard** et **lézard** sont familiers, **clampin, cossard** et **gouapeur** pop. **Cagnard** est un syn. familier et inusité auj. de *fainéant.* **Feignasson** et **rossard,** syn. aussi de *fainéant,* sont populaires.

parfaire, c'est achever, mener à son complet développement, en sorte qu'il ne manque rien. **Parachever** enchérit sur *parfaire;* c'est achever avec un soin particulier et avec une idée de perfectionnement extrême. **Fignoler** dit plus encore et emporte presque l'idée d'excès; c'est parachever un ouvrage, spécialem. un ouvrage manuel ou délicat, avec un soin méticuleux, excessif. **Perler** est quelque peu différent; c'est exécuter à la perfection dès le début, le plus souvent en parlant de travaux délicats. **Lécher,** c'est, surtout en termes de littér. ou de bx-arts, finir un ouvrage avec un soin minutieux et aussi excessif; il est assez fam. **Châtier,** qui s'applique essentiellement aux productions de l'esprit, fait penser à l'auteur qui cherche avec la plus sévère attention à éviter tout ce qui n'est pas bon, cela le travail en cours, aussi bien que terminé. **Limer,** comme **ciseler,** c'est travailler avec soin, revenir souvent sur toutes les parties d'un ouvrage sérieux, afin de les rendre irréprochables. **Polir,** c'est donner plus d'élégance, rendre plus brillant, plus pur, ôter toute trace de rudesse, mettre la dernière main. (V. FINIR et REVOIR.)

parfait se dit de ce qui réunit toutes les qualités, sans mélange de défauts, et contre lequel on n'a, de ce fait, absolument rien à redire. **Bien** dirait plutôt moins que *parfait;* il s'oppose surtout à « mal », sans y joindre forcément l'idée de perfection absolue. **Impeccable,** proprem. terme de théologie désignant celui qui est incapable de pécher, s'applique aussi, par ext. et dans le langage courant, à ce qui est absolument parfait, parce que sans le moindre défaut. (V. PARFAIRE.)

V. aussi ACCOMPLI.

parfaitement. V. ABSOLUMENT.

parfois. V. QUELQUEFOIS.

parfum désigne la senteur qui s'élève d'un corps, laquelle peut être ajoutée, factice, et qui s'adresse plus spécialement à l'odorat. **Arôme** s'adresse plutôt au goût et implique une senteur propre à la chose et qui la distingue. **Aromate** ne se dit que des substances végétales, alors que *parfum* peut s'appliquer à tous les règnes. **Bouquet** est beaucoup plus particulier; il se dit seulement, par allusion au parfum des fleurs, du parfum qu'exhale le vin et qui permet d'en distinguer les qualités. **Fumet** s'applique à l'arôme de certaines viandes cuites et de certains vins, qui frappe agréablement l'odorat. **Fragrance,** syn. de *parfum,* est peu usité. (V. ODEUR.)

parfumer, c'est remplir, imprégner d'un parfum, quel qu'il soit. **Embaumer,** c'est parfumer seulement d'une bonne odeur. **Odorer,** syn. de *parfumer,* est peu usité.

paria. V. MISÉRABLE.

parier, c'est convenir avec une ou plusieurs personnes d'un enjeu à donner ou à recevoir par qui aura eu tort ou raison sur une matière contestée; il suppose généralement un enjeu égal des deux côtés, et dont le gain sera décidé par l'événement. (A noter que *parier* s'emploie aussi sans qu'il y ait aucun enjeu, mais alors il s'agit toujours d'un événement complètement indépendant de l'action du parieur.) **Gager** se rapporte surtout à l'événement futur en faveur duquel on donne sa parole ou son opinion, comme un gage qui doit le faire juger probable : *Un lutteur gage qu'il renversera son adversaire; les spectateurs parient pour l'un ou pour l'autre.*

parité. V. COMPARAISON et ÉGALITÉ.

parlementaire. V. ENVOYÉ.

parlementer. V. DÉBATTRE.

parler implique une action essentiellement personnelle; c'est prononcer des mots, des phrases, généralement afin d'exprimer sa pensée, que ce soit pour soi-même ou pour quelqu'un d'autre. **Causer** réclame toujours un partenaire; c'est parler à quelqu'un, en acceptant de l'écouter lorsqu'il parlera à son tour, cela afin de pouvoir lui répondre, car ce terme suppose toujours un échange, une alternance de propos, le plus souvent familiers d'ailleurs : *On peut parler seul; on cause toujours avec quelqu'un.* **Converser** fait penser aussi à un entretien familier et suivi, généralement d'une certaine durée. **Deviser,** syn. de *converser,* est du style relevé. **Conférer** diffère de *converser* en ce qu'il ne suppose jamais une conversation familière et à bâtons rompus, mais implique toujours au contraire l'examen de questions sérieuses et le plus souvent importantes. **Consulter,** employé intransitivement, est un syn. peu usité auj. de *conférer.* **S'entretenir** suppose aussi une conversation suivie, portant sur un sujet déterminé et généralement d'une certaine importance. **Confabuler,** causer familièrement avec quelqu'un, s'emploie rarement et seulement par ironie. **Jacter,** syn. de *parler,* est un terme d'argot. (V. BAVARDER et DISCOURIR.)

V. aussi DIALECTE et LANGUE.

parleur (beau). V. ÉLOQUENT.

parlote. V. CONVERSATION.

parmi diffère de **entre** en ce que ce dernier se dit proprement de deux objets seulement, et *parmi* d'un plus grand nombre. (A noter d'ailleurs que *parmi* ne s'emploie guère qu'avec un pluriel ou un nom collectif.)

parodier. V. IMITER.

paroi. V. MUR.

paroisse. V. ÉGLISE.

parole et **mot** ne peuvent se confondre complètement que lorsqu'ils signifient sentence, trait : *Une parole profonde; Mot profond;* mais, en général, quand *parole* se prend dans l'acception plus restreinte de *mot,* il marque quelque chose de moins bref : *Un mot n'est réellement qu'un seul terme ou une simple phrase facile à retenir dans la mémoire, tandis que la parole peut s'entendre de tout ce qu'un homme dit dans une circonstance.*

V. aussi ÉLOCUTION.

parole (donner sa). V. PROMETTRE.

parolier est le nom que l'on donne surtout à l'auteur de paroles sur lesquelles est composée une chanson. **Librettiste** (de *libretto,* mot ital. diminutif de *libro,* livre) s'applique à l'auteur dramatique qui écrit les paroles d'un opéra, d'un opéra-comique, d'une opérette. (V. AUTEUR.)

paroxysme. V. EXACERBATION.

parpaillot. V. IRRÉLIGIEUX et PROTESTANT.

parquer. V. ENFERMER.

parquet. V. PLANCHER et TRIBUNAL.

parrain désigne proprement celui qui tient un enfant sur les fonts du baptême. **Compère** est peu usité dans ce sens et familier; c'est le nom donné au parrain d'un enfant, par rapport à la marraine, qui est dite sa commère.

parsemer. V. RECOUVRIR.

part désigne la portion de quelque chose qui se divise entre plusieurs personnes. **Partage** est un mot tout verbal qui s'applique à la division qui se fait de cette chose. **Lot,** qui fait penser à l'objet même qui échoit, se dit soit de la proportion d'un tout que l'on partage entre plusieurs personnes et peut emporter alors un sens péj. qui n'existe jamais dans *partage,* soit, plus particulièrement, de la part qui échoit dans une loterie à chacun des billets gagnants. **Contingent,** terme de droit ou d'économie, est le nom que l'on donne à la part que chacun doit recevoir ou fournir dans une répartition.

V. aussi PARTIE et PORTION.

partage désigne la division, généralem. imposée de l'extérieur, d'un territoire en plusieurs régions dotées de régimes politiques différents. **Partition** s'applique plutôt à un partage librement consenti : *Le partage de la Pologne; la partition de l'Inde.*

V. aussi PART.

partager, qui est faire des parts, emporte une idée d'attribution, de destination particulière. **Diviser** exprime aussi l'action de résoudre un tout en des parties, celles-ci conservant toutefois leurs rapports avec le tout, ou bien n'étant considérées que d'une manière spéculative. **Fragmenter,** syn. de *partager,* emporte l'idée d'un grand nombre de petites parts plus ou moins inégales. **Morceler** peut s'appliquer à une division en quelques parties seulement, égales ou non. **Démembrer** est péj. et plus particulier, il se dit surtout de la division d'une terre, d'un domaine, d'un territoire, d'un grand corps politique.

V. aussi DISTRIBUER et SÉPARER.

partant. V. AINSI.

partenaire. V. ALLIÉ.

parterre est le terme général désignant, en horticulture, la partie d'un jardin ornée de compartiments de fleurs ou de gazon, quelle qu'en soit la disposition. **Plate-bande** est plus partic.; il ne se dit que d'un terrain étroit entourant un carré de jardin et destiné à recevoir des fleurs, des arbustes, etc.

parti, qui désigne l'union de plusieurs personnes ou du moins leur opposition à quelques vues différentes des leurs, n'indique proprem. qu'une division dans les opinions. **Faction** se prend toujours en mauv. part; il annonce de l'activité, une machination secrète contraire aux vues de ceux qui n'en sont pas. (A noter que *parti* suppose généralem. un plus grand nombre d'adhérents et une organisation que n'implique pas *faction.*) **Clan,** syn. de *parti,* est péj. **Secte** est assez partic.; c'est un terme didactique désignant un ensemble de personnes qui professent une doctrine particulière, religieuse, philosophique, etc., et, plus spécialement encore, généralement avec un sens nettement péjoratif, ceux qui se sont détachés d'une communion principale, cela avec une idée de fanatisme que n'emporte pas forcément *parti.* (V. COTERIE.)

V. aussi PROFIT et RÉSOLUTION.

partial. V. INJUSTE.

participer, c'est n'être pas étranger à une chose, y contribuer d'une façon réelle et personnelle, sans qu'il y ait forcément pour cela intervention formelle de la volonté. **Avoir part** dit moins; c'est participer seulement dans un certain cas, suivant telles conditions et dans une certaine mesure : *Celui qui participe à un crime devient criminel lui-même; celui qui ne fait qu'y avoir part n'est pas exempt de reproche, il a fait quelque chose de blâmable, mais cela ne va pas jusqu'à la complicité.* **Prendre part** suppose une action volontaire et fait surtout penser à la chose partagée : *On participe à un complot lorsqu'on est au nombre de ceux qui le forment; on y prend part quand on les seconde.* **Se mêler,** syn. de *prendre part,* s'emploie surtout lorsqu'il s'agit de la conversation ou d'une discussion. **Partager** enchérit sur *prendre part* et attire plus particulièrement l'attention sur ceux avec qui l'on entre en partage : *Partager le travail de ceux qu'on emploie est la meilleure façon pour le leur faire aimer.*

V. aussi CONTRIBUER À.

particulariser. V. PRÉCISER.

Se particulariser. V. SINGULARISER (SE).

particule, terme du langage courant, désigne toute très petite partie d'une substance. **Molécule** est un terme du langage scientifique; il se dit de chacune des parties constituantes d'un corps chimique. **Atome** s'applique à la particule d'un élément chimique qui reste indivisible tant qu'on n'effectue pas de transmutation : *La molécule est la plus petite quantité de matière qui existe à l'état de liberté, tandis que l'atome est le plus petit poids de matière qui puisse entrer en combinaison.* **Corpuscule** désigne un très petit corps pourvu d'une constitution propre : cristal, corps organisé, etc. (V. PARTIE.)

particulier implique une distinction avec un autre objet de même nature, sans rien ajouter d'autre. **Singulier** dit plus; il suppose à la fois une distinction et une qualité, une originalité qui fait remarquer : *Des vues particulières, dit Lafaye, sont propres à quelqu'un ou à quelques-uns, et non communes à tous; des vues singulières sont surprenantes ou bizarres.* **Spécial** ajoute à l'idée exprimée par *particulier* celle d'une application à quelque chose de déterminé, d'exclusif : *Faire d'une science l'objet spécial de ses études.*

V. aussi PERSONNE et PERSONNEL.

partie désigne l'élément qu'on sépare du tout, considéré par rapport à celui-ci. **Part** éveille l'idée du droit qu'on avait ou qu'on a encore à entrer en partage. **Portion,** qui fait surtout penser à la quantité que l'on reçoit, diffère de *partie* en ce qu'il marque une division toute factice, toute spéciale, tandis que les parties peuvent coexister naturellement ou par quelque agrégation très ancienne : *Dans la coutume de Normandie, les filles ne pouvaient pas avoir pour leur part d'héritage plus de la troisième partie des biens, laquelle se partageait entre elles par égales portions.* **Pièce** se dit le plus souvent de la partie d'un tout séparée de celui-ci et considérée comme formant un tout par elle-même : *Cela coûte dix francs la pièce.* **Morceau** désigne une partie séparée ou non, mais distincte et considérée à part, d'un tout solide et continu : *Un morceau de pain, de bois, de terre.* **Fraction,** qui est dominé par l'idée de division, fait généralement penser à une petite partie, à une petite portion : *Le sou est une fraction du franc.* **Fragment** se dit surtout en parlant de la petite portion d'une chose rompue, au propre comme au fig., et souvent par opposition au tout : *Les fragments d'une lettre.* **Eclat** est assez partic.; il se dit seulement, dans ce sens, d'un fragment d'objet brisé ou fendu : *Des éclats de verre, de bois.* **Parcelle,** qui se dit d'une petite partie, s'emploie plus spécialement, en termes d'agriculture, pour désigner un champ provenant d'une terre, d'un domaine partagé. **Lambeau,** qui se dit proprement d'un morceau d'étoffe déchirée, et, par ext., d'un morceau de chair déchirée, arrachée, s'emploie parfois aussi figurément pour désigner la partie, le fragment détaché d'un tout : *Plusieurs Etats se formèrent des lambeaux de l'Empire romain.* **Bribe,** proprement et surtout au pluriel : morceau d'une chose comestible, se dit aussi, par ext. et familièrem., d'une petite quantité, d'un petit morceau de quelque chose : *Quelques bribes d'étoffe, de fortune.* (V. MORCEAU, PART et PARTICULE.)

V. aussi PROFESSION et RÉCRÉATION.

parti pris. V. PRÉJUGÉ.

partir, comme **s'en aller,** c'est d'une façon générale, quitter un lieu pour se diriger vers un autre. (A noter qu'il peut y avoir dans *partir* une idée de départ organisé, prévu, laquelle n'est pas dans *s'en aller* qui, dans ce sens, implique parfois un départ définitif, sans faire penser par contre, comme son syn., à la longueur du voyage.) **Se retirer** est du style relevé et attire seulement l'attention sur le départ de la personne qui s'en va, le plus souvent par discrétion. **S'en retourner,** c'est s'en aller, en se dirigeant vers le lieu d'où l'on vient. **Filer,** c'est s'en aller rapidement, en cachette. **Décamper,** quitter la place en partant précipitamment, est familier. **Déguerpir,** c'est décamper, généralement contraint et forcé. **Prendre le large,** proprement s'en aller vers la pleine mer, s'emploie parfois aussi, familièrement, dans le sens général de *s'en aller,* avec l'idée dominante de s'éloigner. **Se barrer, se**

calter, se carapater, se carrer, se cavaler, se débiner, décaniller, décarrer, ficher ou **foutre le camp, jouer ripe, mettre les bouts (de bois), mettre les voiles** (ou absolument **les mettre**), **prendre ses cliques et ses claques, riper, se tailler, se tirer des pieds** (ou **des pattes**), ou simplement **se tirer, se trisser** et **se trotter,** c'est s'en aller promptement, en termes populaires ou d'argot. (V. DISPARAÎTRE et FUIR.)

V. aussi VENIR.

partisan est le nom que l'on donne à celui qui est attaché à la fortune d'une personne, d'un « parti », d'une doctrine, qui en épouse les intérêts, qui en prend la défense. **Féal** ne se dit plus auj. qu'en plaisantant d'un partisan extrêmement dévoué et fidèle à une personne. **Adepte** s'applique à celui qui fait partie d'une secte, d'une coterie, ou au partisan d'une doctrine, d'une théorie : *On est partisan d'une personne et adepte d'une doctrine.* **Recrue** désigne parfois, familièrement, un nouvel adepte. **Prosélyte** (grec *prosêlutos,* proprem. qui est venu s'ajouter) se dit couramment d'une personne nouvellement convertie à la foi religieuse, et aussi, par ext., d'un adepte gagné à une secte, à une doctrine, à un parti. **Militant** dit plus; il suppose non seulement qu'on est partisan d'une idée, d'une opinion, mais encore qu'on combat, qu'on lutte pour son triomphe, cela sans nuance défavorable. **Sectateur** est le nom donné au partisan déclaré de la doctrine, de l'opinion de quelqu'un qu'il se donne pour chef ou pour maître; il est souvent dominé par l'idée d'une sorte de fanatisme. **Homme lige** implique le plus extrême dévouement à une personne, à un groupement, auquel on est comme inféodé. **Adhérent** dirait plutôt moins que ces termes, plus dominé qu'il est par l'idée de simple adhésion à un groupement, à un parti, que par celle de dévouement ou de véritable foi. **Affilié,** syn. d'*adhérent,* est souvent employé péjorativement. **Suppôt,** qui s'emploie toujours en mauv. part, s'applique au partisan des mauvais desseins de quelqu'un. — **Séquelle** est plus partic.; il ne se dit que d'une suite de gens attachés à quelqu'un ou adhérents à un parti — et emporte toujours un sens péjoratif. (V. MEMBRE.)

partition. V. PARTAGE.

parturition. V. ENFANTEMENT et MISE BAS.

parure désigne ce qu'on ajoute d'apparent et de superflu, avec l'intention d'orner; il emporte une idée de frivolité ou de vanité. **Ajustement** s'applique simplement à ce qui appartient à l'habillement complet, quel qu'il soit, simple ou orné : *Un ajustement de bon goût est plus avantageux à la beauté qu'une riche parure.* **Parement,** qui est d'un usage plus limité, se dit d'une parure riche et distinguée, destinée à des objets relevés : *Un parement de velours, en broderie.* **Atour** ne s'emploie guère qu'au plur. et surtout en plaisantant pour parler de la parure des femmes : *Dame qui a ses plus beaux atours.*

parvenir. V. ARRIVER et RÉUSSIR.

Parvenir à. V. RÉUSSIR À.

parvenu. V. RICHE.

1. **pas,** qui n'exprime plus aujourd'hui, comme au XVIIe siècle, une négation moins forte que **point,** est plus couramment employé dans la langue parlée que son synonyme, lequel, tout en gardant une valeur littéraire, a souvent une nuance archaïque ou rustique. (Notons encore qu'on préfère *pas* à *point* devant « plus », « mieux », « moins », « si », « fort », « aussi », « autant », « toujours », « beaucoup », « peu » et « assez »).

2. **pas.** V. ALLURE, COL et DÉTROIT.

pasquin. V. BOUFFON et SATIRE.

pasquinade. V. RAILLERIE.

passable se dit de ce qui peut « passer », être accepté, supporté, si l'on a quelque indulgence. **Potable** (du lat. *potare,* boire), qui désigne proprement ce qu'on peut boire, s'applique aussi, figurément et familièrement, à ce dont on peut se contenter, bien que n'étant pas parfait.

passade. V. CAPRICE.

passage, terme très général qui se dit de tout endroit par où l'on passe, désigne plus particulièrem. un dégagement permettant de passer d'un lieu à un autre. **Boyau** se dit, d'une façon générale, de tout passage ou espace long et étroit; il est plutôt péj. **Couloir,** qui se dit d'un passage étroit et assez long, s'applique plus spécialement à un passage de dégagement, couvert, qui sert à passer d'une pièce d'un édifice dans une autre. **Corridor** désigne un passage qui règne le long de plusieurs appartements d'un même étage, de plusieurs pièces d'un même appartement, pour leur servir de dégagement. (A noter une forme pop. assez répandue de ce terme : COLLIDOR, par dissimilation). **Galerie,** syn. de *corridor,* n'emporte pas l'idée d'étroitesse qui s'attache souvent à ce terme.

V. aussi CANAL et RUE.

passager est un terme très général qui se dit de ce qui ne dure pas toujours, tout en pouvant cependant rester un assez long temps. **Provisoire** convient bien en parlant surtout de ce qui est passager parce que se faisant en attendant une autre chose qui sera généralement définitive. **Momentané** fait essentiellement penser au temps, lequel est alors très court. **Ephémère,** qui se dit proprement de ce qui ne vit qu'un jour, enchérit figurément sur *momentané,* en supposant un temps plus bref encore. **Fugitif,** qui désigne ce qui dure peu, qui passe, disparaît rapidement, mais dont on a cependant le temps de prendre conscience, est dominé par l'idée d'une fuite contre laquelle on ne peut généralement rien. **Fugace** s'applique à ce qui passe tellement rapidement qu'on s'en aperçoit à peine. **Transitoire,** syn. de *provisoire,* est didactique. **Précaire** est syn. de *passager* autant qu'il suppose quelque chose n'offrant aucune garantie de durée. **Temporaire,** comme **intérimaire** qui lui s'emploie surtout lorsqu'il s'agit de fonction, se dit de ce qui est seulement pour un temps, et de ce fait passager.

V. aussi PASSANT.

passant, lorsqu'il se dit d'un endroit où il passe beaucoup de monde, a pour synonyme familier, considéré d'ailleurs comme incorrect, **passager.**

V. aussi PROMENEUR.

passavant. V. LAISSEZ-PASSER.

passe. V. CANAL et LAISSEZ-PASSER.

passé. V. FANÉ.

passe-droit. V. PRIVILÈGE.

passeport. V. LAISSEZ-PASSER.

passer exprime simplement l'idée de ne pas s'arrêter là où s'arrêtent d'autres personnes ou objets. **Dépasser** exprime la même idée, mais avec plus de force; il peint l'objet comme formant saillie, et il s'emploie également bien dans quelque sens qu'ait lieu l'extension, à droite, à gauche, en haut, en bas, etc. **Surpasser,** au contraire, suppose une extension à laquelle on attache toujours une idée de hauteur physique ou morale. **Outrepasser** présente une idée d'excès, souvent digne de blâme, et offrant quelque chose d'extraordinaire. **Excéder,** c'est soit dépasser en hauteur, soit outrepasser, aller au-delà de certaines bornes, ou même outrepasser en valeur, en nombre. **Gratter** syn. de *dépasser,* lorsqu'il s'agit de la marche, est familier. (V. PRÉCÉDER.)

V. aussi MOURIR, TAMISER, TRANSMETTRE et TRAVERSER.

Se passer. V. ABSTENIR (S').

passer par les armes. V. TUER.

passerelle. V. PONT.

passeur se dit de celui qui conduit un bac, un bateau pour passer l'eau. **Batelier,** qui désigne, d'une façon générale, celui dont la profession est de conduire un bateau, principalement sur une rivière ou un canal, est le nom que l'on donne aussi parfois, dans un sens plus particulier, plus restreint, à un passeur.

passif. V. INERTE.

passion. V. AFFECTION et FUREUR.

passionnant. V. INTÉRESSANT.

passionné. V. ENTHOUSIASTE.

pasteur. V. BERGER et PRÊTRE.

pasticher. V. IMITER.

pastoral. V. CHAMPÊTRE.

pastorale, nom que l'on donne en littérature à toute sorte d'ouvrages où est représentée la vie champêtre, en particulier celle des bergers et des bergères, implique le plus souvent une composition de longue haleine, développée sous la forme dramatique, épique ou romanesque. **Bergerie,** syn. de *pastorale,* se prend facilement en mauv. part. **Idylle** se dit d'un petit poème, presque toujours amoureux, dont le sujet est ordinairement pastoral ou champêtre. **Eglogue** suppose moins d'élégance, d'éclat qu'*idylle;* il implique même beaucoup de simplicité. **Bucolique,** qui se dit adjectivement de ce qui appartient à la poésie pastorale, s'emploie aussi substantivement, au plur., surtout en parlant des « Bucoliques » de Virgile.

pastoureau. V. BERGER.

patache. V. VOITURE.

patapouf. V. GROS.

pataquès. V. GALIMATIAS.

pataud. V. MALADROIT.

patauger, c'est proprem. piétiner dans une matière détrempée, et, figurément et familièrement, s'embarrasser dans un discours, dans un raisonnement, dans une affaire. **Barboter,** s'agiter dans l'eau en la remuant et en la troublant, s'emploie aussi parfois, par ext., comme syn. de *patauger,* au propre comme au figuré. **Patouiller,** syn. de *patauger* pris dans son sens propre, est très familier, et **patrouiller** peu usité.

patelin. V. COMPATRIOTE, DOUCEREUX et PAYS.

patelinage. V. FAUSSETÉ.

patelineur. V. DOUCEREUX.

patenôtre. V. PRIÈRE.

patent. V. ÉVIDENT.

paterne. V. DOUCEREUX.

pâteux. V. ÉPAIS.

pathétique. V. ÉMOUVANT.

pathos. V. GALIMATIAS.

patibulaire. V. INQUIÉTANT.

patience. V. PERSÉVÉRANCE.

patient marque plus particulièrement une disposition naturelle; il se dit de celui qui, par caractère, par force d'âme, par raison, commande à l'impétuosité de ses désirs ou de ses goûts. **Endurant** emporte surtout une idée de fermeté, de volonté, voire de contrainte ou d'intérêt; il désigne celui qui supporte sans colère les injures, les injustices, les fautes des autres, et qui, s'il les ressent peut-être intérieurement, n'en laisse cependant rien voir, cela par courage, prudence, faiblesse ou même lâcheté. (V. INDULGENT.)

pâtir. V. SOUFFRIR.

pâtis. V. PÂTURAGE.

patois. V. DIALECTE.

patouiller. V. MANIER et PATAUGER.

patraque. V. MALADE.

pâtre. V. BERGER.

patriarche. V. VIEILLARD.

patricien. V. ARISTOCRATE.

patrie. V. NATION.

patrimoine. V. BIEN et SUCCESSION.

patriote désigne celui qui, aimant ardemment sa patrie, cherche sans cesse à lui être utile, à la bien servir (v. art. suiv.). **Nationaliste,** syn. de *patriote,* est plus partic.; il implique un sentiment qui, consistant dans l'exaltation de l'idée nationale, fait considérer et traiter les affaires intérieures du pays en fonction de son indépendance extérieure. **Patriotard** est fam. et péj.; il s'applique à celui qui affiche des sentiments exagérés, bruyants, de patriotisme, sans toujours joindre pour cela les actes à la parole. **Chauvin** (du nom d'un brave soldat de la République et de l'Empire, porté à la scène par Scribe, dans « le Soldat laboureur ») suppose aussi un patriotisme exalté et s'emploie toujours dans un esprit de dénigrement; il convient bien en parlant de celui qui a une telle admiration pour son pays qu'il ne reconnaît plus la valeur des autres. **Cocardier** désigne celui qui exprime son patriotisme surtout par l'amour de l'armée, de l'uniforme, du panache, de la gloire militaire; il est fam. et souvent quelque peu péjoratif.

patriotisme, mot de tous les temps qui désigne l'amour de la patrie en général, fait toutefois spécialement penser à la vertu de celui qui, tout dévoué à son pays non seulement considéré en soi, mais aussi en regard des nations étrangères, est prêt à consentir les sacrifices les plus grands, et de tous ordres, pour la sauvegarde du patrimoine matériel et moral légué par ses ancêtres. **Civisme,** terme qui date seulement de la Révolution française, est d'usage moins courant et fait simplement penser au zèle du bon citoyen pour l'intérêt public.

patron (lat. *patronus;* de *pater,* père), proprem. protecteur, est le nom que l'on donne couramment auj. au chef d'une entreprise industrielle, commerciale, artisanale, d'une maison employant des domestiques, cela par rapport aux ouvriers, aux employés, au personnel. **Maître,** qui emporte une idée de domination, se dit surtout auj. du patron par rapport aux domestiques, à moins que ce ne soit de la personne pour laquelle un ouvrier travaille exclusivement, particulièrement dans une exploitation agricole : *Quand deux ouvriers courent après un maître, a dit Bastiat, les salaires baissent.* **Singe,** syn. de *patron,* est un terme d'argot, généralement péjoratif.

V. aussi CHEF, MODÈLE et TENANCIER.

patronage. V. AUSPICES.

patte est le terme général qui sert à désigner le membre de l'animal servant à marcher ou à saisir. **Jambe** s'applique seulement à chacun des quatre membres qui, terminés par des sabots, servent à certains quadrupèdes à se soutenir et à marcher : *Les pattes d'un chien, d'un poulet; Les jambes d'un bœuf, d'un cheval, d'un cerf.* (A noter que *jambe* désigne encore, plus spécialement, chez le cheval la région comprise entre le jarret et le sabot, chez les crustacés la quatrième pièce des pattes simples, chez les insectes le troisième article principal de la patte.)

V. aussi JAMBE.

patte-d'oie. V. CARREFOUR.

patte-pelu. V. DOUCEREUX.

pattes de mouche. V. BARBOUILLAGE.

pâturage est le nom le plus couramment donné à un terrain où l'on entretient l'herbe avec soin, afin d'y mettre des bestiaux qui trouvent là leur nourriture habituelle; il marque l'abondance de la production de la terre propre au bétail. **Prairie** désigne une surface de terre enherbée, dont la totalité ou une partie du produit est fauchée et convertie en foin, l'autre partie, lorsqu'il y en a une, devant être consommée sur place par les bestiaux. **Pré** est le nom donné à une petite prairie. **Herbage** se dit d'un bon pâturage, caractérisé par la vigueur et la continuité de la végétation, par la qualité de l'herbe. **Alpage** désigne un pâturage situé en coteau, dans les hauteurs. **Embouche** s'applique à une plaine fertile où les bestiaux, en particulier les bovidés, s'engraissent rapidement. **Pâtis** désigne un lieu (bruyères et landes) qui fournit naturellement aux bestiaux une nourriture abondante; il appelle l'action de paître. **Parc** se dit d'un pâtis entouré de fossés, où les bestiaux sont soumis à l'engraissement. **Pâture,** nom donné proprem. à la nourriture des animaux en général, et, plus particulièrement, à l'herbe coupée qu'on donne aux bestiaux, désigne aussi une terre donnant de l'herbe sans culture et en petite quantité, où paissent les bestiaux. **Pacage** est un terme de coutume vieilli qui fait surtout penser au but particulier que se propose le propriétaire des bestiaux en les menant paître; il attire surtout l'attention sur la qualité de la terre et la production. **Pasquier,** syn. de *pâtis,* est dialectal. (V. TERRE.)

pâture. V. PÂTURAGE.

paupérisme. V. MANQUE et PAUVRETÉ.

pause se dit d'un **arrêt** quelconque, lequel n'implique pas toujours cependant cessation définitive dans la marche, l'activité : *On fait une pause en mangeant, en parlant, dans son travail.* **Station** indique uniquement un arrêt qu'on fait dans une marche, un chemin qu'on parcourt : *On fait une station prolongée dans un endroit.* **Halte** se dit bien, proprement, d'un arrêt pendant une course, un voyage, une marche, généralement dans le but de se reposer; il s'emploie aussi, figurément, pour désigner, d'une façon générale, une interruption momentanée dans ce qu'on fait : *On fait une halte pour reprendre souffle, pour s'accorder un moment de détente.* (V. INTERRUPTION et STAGNATION.)

pauvre. V. MISÉRABLE et STÉRILE.

pauvre d'esprit. V. SOT.

pauvreté, terme très général qui s'oppose à « richesse », marque simplement la condition des personnes qui possèdent peu d'argent, peu de bien d'une sorte quelconque. **Besoin** appelle l'attention sur les choses qui manquent et dont on ne peut être privé sans souffrir. **Gêne** dit moins que *besoin;* il suppose la privation de choses utiles certes, mais toutefois pas absolument indispensables. **Nécessité,** au contraire, dit plus que *besoin;* il implique des besoins si pressants qu'il faut de toute « nécessité » venir au secours de celui qui est dans cette situation. **Dénuement** semble indiquer un état antérieur où l'on possédait ce qu'on a perdu depuis. **Indigence** se dit d'une pauvreté qui se fait sentir, qui engendre des besoins; il fait penser aux besoins du pauvre, à ses souffrances, et convient bien en parlant de celui qui est dans un état de peine, qui pâtit. **Misère** implique une indigence extrême, qui rend malheureux, qui excite la pitié ; c'est la privation des choses les plus nécessaires, indispensables à la vie. **Pénurie,** syn. de *pauvreté*, fait essentiellement penser au manque de ce dont on a besoin, de ce qui est absolument nécessaire pour vivre. **Impécuniosité** n'est relatif qu'à l'argent qu'on n'a pas ou dont on a peu. **Paupérisme** est beaucoup plus partic. ; c'est un terme didact. qui désigne un état permanent de pauvreté dans un Etat ou dans une partie d'un Etat. **Débine, dèche, mistoufle, mouise, mouscaille, panade, panne, pétrin** et **purée,** syn. de *misère,* sont populaires ou argotiques. (V. MISÉRABLE et RUINÉ.)

pavaner (se). V. POSER.

pavillon se dit d'un bâtiment isolé dans une cour, un jardin. **Kiosque** est le nom que l'on donne à un pavillon dans le goût oriental, qui décore les jardins ou les terrasses. **Belvédère** se dit spécialement d'un pavillon construit dans un lieu d'où la vue est agréable et étendue, ou au sommet d'un édifice d'où la vue est seulement étendue.

V. aussi DRAPEAU, TENTE et VILLA.

pavot est le nom donné en bot. à un genre de papavéracées, propre aux régions tempérées ou tropicales de l'Ancien Monde. **Œillette** désigne une variété à graines noires ou grises du pavot. **Coquelicot** se dit d'une espèce de pavot rouge des champs, appelé aussi parfois **ponceau.**

paye. V. RÉTRIBUTION.

payer, c'est, d'une façon générale, donner le prix convenu d'une chose, remplir la condition d'un marché, en remettant le prix fixé. **Acquitter,** comme S'ACQUITTER, implique au propre et au fig. la libération d'une obligation, d'une charge imposée, de manière à être quitte envers celui pour qui elle était imposée, le premier faisant penser à la chose que l'on acquitte, et le second à la personne qui acquitte : *On paye une dette en donnant une somme en retour de ce qu'on a reçu; On acquitte une dette en s'acquittant du devoir, de l'obligation qu'elle représente.* **Régler,** c'est payer ce qu'on doit, le plus souvent un compte. **Solder** est un terme de commerce qui implique l'entier paiement d'une dette, d'un compte déjà acquitté pour une part. **Verser,** plus partic., est un terme de commerce et de finance employé en parlant d'argent qu'on apporte à une caisse ou à une personne, soit comme paiement, soit comme dépôt, soit comme mise de fonds.

Payer, lorsqu'il signifie donner à une personne ce qui lui est dû, a pour syn. **rémunérer** qui fait surtout penser au paiement de services rendus par un personnel salarié. **Régler,** dans ce sens, implique généralement un paiement intégral. **Défrayer,** c'est payer les frais, les dépenses le plus souvent accessoires de quelqu'un.

Payer, employé absolument et en parlant de l'argent, a pour syn. fam. **financer** et pour syn. argotique **casquer, cracher, douiller** et **raquer. Régaler** et aussi **bégaler,** payer à boire, sont populaires.

V. aussi RÉCOMPENSER.

Se payer. V. ACHETER.

pays désigne une partie déterminée de la terre considérée surtout au point de vue de ses habitants, de leurs mœurs, de leur civilisation : *Un pays est barbare, civilisé, protestant, catholique.* **Contrée** s'emploie bien en parlant d'une partie de la terre habitable, considérée sous le rapport de son aspect apparent : *Une contrée est fertile ou stérile, riante ou sauvage.* **Région** fait surtout penser à la situation géographique ou économique : *Une région est basse ou haute, chaude ou froide, riche ou pauvre.* **Lieu** se dit de la portion de l'espace, de la région, soit prise en elle-même, soit considérée par rapport à ce qui l'occupe : *Lieu agréable, charmant; L'on dépend des lieux pour l'esprit, l'humeur, la passion, a écrit La Bruyère.* **Climat,** qui désigne proprem. l'ensemble des conditions atmosphériques et météorologiques d'un pays, se dit parfois aussi, par ext., du pays lui-même : *La raison, si nous en croyons encore La Bruyère, est de tous les climats.* **Terroir,** nom donné à la terre considérée par rapport à la culture, se dit aussi parfois, familièrem. et par ext., du pays d'origine, du pays où l'on a vécu, où l'on vit . *Etre marqué par l'empreinte du terroir natal; Avoir l'accent de son terroir.* **Parage** est assez partic. ; proprement et surtout au pluriel, régions maritimes, étendue de côtes, espace de mer, il s'emploie aussi parfois, par ext. et familièrement, pour désigner un lieu où l'on est, une région dont on parle : *Quand viendrez-vous dans nos parages?* **Patelin,** terme d'argot, se dit soit du pays natal, soit d'un pays quelconque.

V. aussi COMPATRIOTE et NATION.

paysage. V. VUE.

paysan est un terme général qui désigne toute personne vivant à la campagne et s'occupant des travaux de la terre. (A noter que c'est bien à tort qu'on donne parfois à ce terme un sens péj. qu'il ne devrait jamais emporter.) **Homme des champs,** syn. de *paysan,* est moins usité; il est plutôt du style littéraire. **Campagnard** et **homme de la campagne** supposent la vie à la campagne, mais n'impliquent pas forcément les travaux des champs. **Rural,** qui désigne adjectivem. ce qui est relatif aux champs, à la campagne, s'emploie aussi substantivement au masc. plur. comme syn. de *campagnard,* surtout par opposition à « citadin ». **Villageois** s'emploie parfois comme syn. de *campagnard* dans le style soutenu ou littéraire. **Terrien,** syn. de *rural,* fait penser essentiellement à la propriété du sol, de la terre, sans forcément impliquer la présence. **Rustique,** syn. de *paysan* comme de *campagnard,* est du langage littéraire ou poétique. **Rustre** est un syn. auj. péj. de *paysan* et de *campagnard;* il implique généralement une certaine grossièreté, voire de la brutalité. **Serf** est un terme d'histoire féodale désignant le paysan qui, sans être esclave, était attaché au domaine qu'il cultivait moyennant redevance au seigneur. **Vilain,** comme **roturier,** s'oppose à *serf,* dans la mesure où il concerne un paysan libre. **Manant,** qui désignait jadis les habitants des bourgs et des villages, est employé parfois encore auj., abusivement, comme syn. de *paysan,* mais toujours alors en mauv. part. **Jacques** est le sobriquet du paysan français. (On dit plus souvent d'ailleurs **Jacques Bonhomme.**) **Bouseux, croquant, cul terreux, pedzouille, péquenot, pétrousquin,** sont des termes populaires que l'on emploie soit péjorativement, soit ironiquement, comme syn. de *paysan,* ainsi que **cambrousard** et **cambrousien** (celui-ci moins us.), syn. de *campagnard.* (V. AGRICULTEUR et FERMIER.)

péan. V. HYMNE.

peau, nom donné à la membrane qui recouvre le corps de l'homme et de nombreux animaux, se dit improprement, dans le langage courant, pour **épiderme,** couche extérieure de la peau. (A noter qu'*épiderme,* qui est plutôt du langage relevé, semble particulièrement réservé à la peau de l'homme.) **Derme** est un terme d'anatomie qui désigne la couche profonde de la peau située sous l'épiderme. **Tégument** (du lat. *tegumentum,* ce qui couvre), terme d'anatomie désignant l'ensemble des tissus qui recouvrent le corps des animaux (peau, poils, plumes, écailles, etc.), se dit toutefois de la peau surtout. **Couenne,** nom donné proprement à la peau du porc, surtout lorsqu'elle a été raclée, et, plus généralement, à une peau épaisse comme celle du porc, s'applique aussi à la peau, à la chair de l'homme, en termes d'argot. **Cuir,** syn. vieilli de *peau,* se retrouve encore dans quelques expressions comme : *Cuir chevelu; Entre cuir et chair,* etc.; il se dit aussi de la peau épaisse de certains animaux : *L'âne et le mulet ont le cuir extrêmement épais et dur.*

Peau se dit aussi de la peau d'un animal séparée de son corps, laquelle peut être encore recouverte de poils ou bien corroyée. **Cuir** désigne, dans son sens le plus courant, la peau des animaux séparée de la chair et corroyée.

peau d'âne. V. DIPLÔME.

peccadille, péché. V. FAUTE.

pêcher. V. TROUVER.

pécore se dit, figurément et familièrement, d'une femme à la fois sotte et impertinente. **Péronnelle,** aussi péj. et fam., ajoute à l'idée de sottise plus celle de bavardage, de besoin de parler à tort et à travers, que d'impertinence véritablement voulue. **Pecque,** moins usité, se dit d'une femme sotte qui fait l'entendue, la précieuse, cela le plus souvent par pure prétention; il emporte l'idée de ridicule achevé. (V. PIMBÊCHE et SOT.)

V. aussi ANIMAL.

péculat. V. CONCUSSION.

pécule. V. ÉCONOMIE.

pécune. V. ARGENT.

pécunieux. V. RICHE.

pédagogie. V. INSTRUCTION.

pédagogue. V. MAÎTRE et PÉDANT.

pédant (de l'ital. *pedante,* celui qui instruit les enfants), qui s'est dit autref. de celui qui enseigne, s'emploie auj., couramment, pour désigner celui qui affecte de faire la leçon à tout le monde; il est essentiellement dominé par l'idée de suffisance. **Magister,** dans ce sens péjoratif, se dit de celui qui fait parade de sa science, dans l'espoir d'en imposer; il implique un pédantisme ridicule. **Pédagogue,** syn. de *magister,* est moins usité. **Savant en us** est familier et désigne un pédant qui affecte de se servir d'expressions latines. **Savantasse** s'emploie bien, par dénigrement, pour désigner le pédant qui affecte de paraître savant, alors qu'il n'a qu'un savoir confus. **Pontife,** syn. de ces termes, emporte l'idée de manières, de ton solennels et emphatiques; il s'emploie bien en parlant d'un homme qui se donne des airs d'importance. **Bonze,** employé substantivement, est un syn. fam. de *pontife.* **Cuistre,** lorsqu'il ne s'applique pas particulièrement à un pédant d'école, ajoute généralement à l'idée de pédanterie celle d'un manque de savoir-vivre. **Grimaud,** appliqué à un pédant de collège, vieillit. (V. VANITEUX.)

pédicule. V. TIGE.

pègre (basse). V. POPULACE.

peigner, c'est simplement arranger les cheveux, la barbe, afin qu'ils ne soient pas emmêlés. **Coiffer** ne se dit que des cheveux et suppose toujours un arrangement, une disposition artistique, ou qui tend tout au moins à l'être. **Babichonner,** syn. de *coiffer,* est fam. et moins employé; **testonner** est vieux.

peindre, c'est représenter, figurer, reproduire les objets par les traits, les couleurs, les formes, la situation. **Brosser,** syn. de *peindre,* suppose une exécution rapide et peu soignée. **Pignocher,** c'est peindre à petits coups de pinceau. **Peinturlurer** et **barbouiller** sont familiers; c'est peindre sans connaissance de la peinture et sans goût, avec des couleurs criardes et souvent par simple amusement ou distraction. **Portraicturer** est plus partic. et d'ailleurs peu usité; c'est seulement faire le portrait de quelqu'un. **Portraire,** comme **pourtraire,** syn. de *portraicturer,* est vieux.

Peindre, c'est aussi, figurément, représenter vivement par le discours, par la pensée, soit ce que les yeux voient, soit ce que la pensée se représente. **Dépeindre** est plus précis que *peindre;* il implique qu'on forme une image nette, relativement exacte, quoique personnelle, et qui ne peut être confondue avec aucune autre, d'une chose qui existe. **Décrire** n'emporte pas l'idée d'image comme *dépeindre;* il suppose une œuvre d'analyste strictement objective où l'imagination n'entre pour aucune part : *Buffon dépeint, Daubenton décrit, nous dit Lafaye.* **Brosser** s'emploie parfois aussi auj. dans ce sens fig. de *peindre,* mais c'est un néologisme; il signifie surtout peindre à grands traits, sans détails, esquisser. (V. CONTER et RACONTER.)

peine désigne le sentiment que l'on éprouve devant quelque chose de très fâcheux, d'infiniment désagréable à l'esprit et à l'âme, et qui fait obstacle au bonheur. **Mal** suppose le plus souvent une peine morale qui n'est pas sans action sur l'organisme physique. **Douleur** désigne le sentiment pénible que fait éprouver ce qui enlève à l'âme l'objet de ses affections, de ses espérances, etc. **Crève-cœur** se dit bien d'une douleur morale mêlée de dépit. **Souffrance** marque l'idée de maux moins vifs, mais continus. **Amertume** suppose une peine extrêmement désagréable, « amère », mais moins grave, moins profonde, que la souffrance. **Tourment** se dit de la peine, de la douleur, qui tracasse, torture même. **Affliction** implique une peine produite par un revers de fortune, une catastrophe, la perte d'un être cher; c'est une peine profonde qui déprime et qu'il est difficile de consoler. **Désolation** désigne une extrême affliction. **Tribulation,** qui s'emploie surtout au plur., se dit d'un tourment moral, d'une affliction due généralem. à des persécutions, à des traverses. **Croix** se dit au figuré d'une peine, d'une affliction que Dieu envoie aux chrétiens pour les éprouver. (V. CHAGRIN et MALHEUR.)

V. aussi DIFFICULTÉ et PUNITION

peiner. V. ATTRISTER et FATIGUER (SE).

peintre est le nom que l'on donne aussi bien à celui qui exerce l'art de la peinture, en représentant, en reproduisant les objets par les traits, les couleurs, les formes et la situation, qu'à l'ouvrier qui enduit de couleurs, sans que celles-ci représentent aucune figure. **Barbouilleur** est un syn. fam. et péj. de *peintre* dans ses deux sens. **Badigeonneur,** spécialement et proprement nom donné au peintre qui peint les murailles avec une couleur en détrempe, jaunâtre ou grise, se dit aussi, en mauv. part, d'un ouvrier peintre en général. **Rapin,** qui désigne proprement un jeune élève que l'on charge, dans un atelier de peinture, des travaux les plus grossiers et des commissions, se dit aussi, dans le langage courant et familier, avec un sens péjoratif ou non, d'un artiste peintre, d'allure généralement bohème.

peinture. V. IMAGE et TABLEAU.

peinturlurer. V. PEINDRE.

péjoratif. V. DÉFAVORABLE.

pelage. V. POIL.

pêle-mêle. V. DÉSORDRE et MÉLANGE.

peler. V. ÉPLUCHER.

pèlerinage implique un voyage, individuel ou collectif, fait par piété à un lieu de dévotion. **Pardon,** syn. de *pèlerinage,* à cause des indulgences qui y sont attachées, est propre à la péninsule armoricaine, que l'on a pu justement appeler « la Terre des pardons », et suppose la réunion d'un grand nombre de pèlerins. (V. DÉFILÉ.)

V. aussi VOYAGE.

pelisse. V. MANTEAU.

pelle est le nom donné, d'une façon générale, à un outil formé d'une palette de fer ou de bois, ajustée à un manche, et qui sert à enlever la terre, le sable, le charbon, etc. **Bêche** est plus partic. ; il se dit d'un instrument assez semblable à la pelle, formé d'une lame de fer, plate et tranchante, adaptée à un fort manche, qui sert essentiellement à couper et à retourner la terre.

pellicule, proprem. peau, membrane très mince, est le nom que l'on donne, en photographie et en cinématographie, à une feuille mince et souple de gélatine, de collodion, ou plus généralement d'acétocellulose, sur laquelle se forme l'image. **Film** (mot angl. signif. *pellicule*) désigne surtout la bande pelliculaire en usage dans les appareils cinématographiques ; on dit aussi parfois d'ailleurs, dans ce sens, simplement **bande.**

pelote. V. BALLE.

peloter. V. EFFLEURER et FLATTER.

pelotonner (se). V. BLOTTIR (SE).

penaille. V. GUENILLE.

penaillon. V. GUENILLE et RELIGIEUX.

pénalisation, pénalité. V. PUNITION.

pénates. V. MAISON.

penaud. V. DÉCONCERTÉ.

penchant, pris dans son sens propre, implique une direction vers le bas ; il donne l'idée de chute. **Pente** suppose un abaissement progressif qui mène de haut en bas ; il fait penser à la facilité à descendre. **Déclivité,** syn. de *pente,* appartient surtout au langage technique. **Inclinaison** attire l'attention sur l'obliquité des lignes droites ou des surfaces planes par rapport au plan de l'horizon ; comme ses synonymes, il concerne l'état, alors qu'**inclination** ne s'applique plus auj. qu'à l'action. (V. TALUS.)

Penchant fait penser, au fig., au tempérament, aux sens qui nous entraînent vers un objet souvent considéré d'ailleurs comme mauvais. **Pente** suppose moins de violence que *penchant;* c'est plutôt un simple glissement qu'une véritable chute. **Inclination** dit aussi quelque chose de moins que *penchant* et s'emploie bien en bonne part ; c'est l'effet d'une impression, due généralement à l'éducation, qui nous pousse vers un objet honnête. **Faible** suppose une inclination mêlée d'indulgence, voire de partialité. **Disposition** fait penser à une puissance éloignée ; souvent mal définie, et s'applique bien en parlant des enfants ou des novices, et de la manière dont ils répondent aux soins qu'on prend de les instruire. **Aptitude,** comme **prédisposition,** implique une disposition définie et naturelle. **Tendance** se dit de la disposition en vertu de laquelle un être se sent attiré vers une fin. **Goût** suppose un choix ; c'est ce qui, en fonction de nos propres idées, nous entraîne vers quelqu'un ou quelque chose. **Propension,** employé comme syn. de *penchant,* d'*inclination,* suppose un puissant attrait. **Vocation** désigne le penchant, l'inclination qu'on se sent pour un état, un certain genre de vie; c'est l'attrait que nous offre telle carrière, telle occupation.

pencher. V. INCLINER.

pendant marque un moment, une époque, ou une durée susceptible d'interruption : *Il suffit qu'une chose arrive à l'un des instants compris dans une durée beaucoup plus longue, pour qu'on puisse dire qu'elle est arrivée pendant cette durée.* **Durant** exprime une simultanéité, une continuité plus persistante, plus complète, que *pendant : Habiter la campagne durant l'hiver, c'est y demeurer tant que dure cette saison.* (Ajoutons toutefois que, malgré l'exactitude de cette distinction, il est rare que les écrivains, même les meilleurs, en tiennent compte : le plus souvent ils emploient indifféremment l'une ou l'autre de ces deux prépositions.)

pendant que, qui s'emploie pour désigner la circonstance ou l'époque d'un événement, d'un fait, d'une chose, marque simplement la simultanéité, sans aucune idée accessoire : *Pendant que les uns se reposent, les autres travaillent.* **Tandis que** ajoute à l'idée de simultanéité une idée d'opposition, de contraste, à moins qu'il ne signifie pendant tout le temps que; il marque les rapports moraux entre deux choses et fait ressortir leurs contrastes, comme si l'on disait « au contraire » ou « au rebours » : *Tandis que les uns travaillent en paix, les autres sont dans le tumulte.*

pendard. V. COQUIN.

pendre. V. ACCROCHER, ÉTRANGLER et TUER.

pendule. V. BALANCIER et HORLOGE.

pénétrable est un terme du langage ordinaire qui se dit d'une chose dans laquelle une autre peut se glisser, s'insinuer : *Une éponge est pénétrable à l'eau, car celle-ci se loge dans les cellules dont elle est criblée.* **Perméable** désigne une chose au travers de laquelle il est possible de passer pour aller ensuite au-delà : *Le verre, l'eau sont perméables à la lumière, parce que celle-ci, après les avoir traversés, répand encore sa clarté sur les objets placés derrière.*

pénétrant. V. PERÇANT et VIF.

pénétration. V. CLAIRVOYANCE.

pénétrer. V. ENTRER.

Se pénétrer. V. ABSORBER.

pénible. V. DIFFICILE.

péniche. V. CHALAND.

pénitence. V. PUNITION.

pénitencier. V. BAGNE et PRISON.

pénombre. V. OMBRE.

pensée, qui désigne l'ensemble des opérations de l'esprit, suppose un jugement; c'est le résultat de la comparaison des idées, comparaison dans laquelle notre volonté ou nos sentiments jouent un rôle. **Idée** dit moins; c'est simplement l'image qui se peint dans notre esprit en présence des objets ou des faits, image qui nous arrive sans effort, par la faculté même que nous possédons de recevoir des impressions et d'être modifiés par le jeu intérieur de celles-ci : *On exprime sa pensée; on a des idées.* **Imagination** s'emploie bien en parlant de la combinaison d'idées que notre esprit fait en lui-même, sans se préoccuper de leur réalité : *Il y a des imaginations grandes et belles, mais il y en a d'étranges, de vaines, d'extravagantes, et ce sont alors de pures rêveries.* (V. ILLUSION.)

Pensée, lorsqu'il désigne une vérité morale, courte et précise, exprimée avec beaucoup de pureté et d'élégance, a pour syn. **maxime** qui s'applique surtout à une pensée importante au point de vue pratique. **Sentence** se dit d'une maxime considérée au point de vue littéraire ou oratoire. **Aphorisme** désigne une maxime d'ordre philosophique ou médical. **Axiome** est le nom que l'on donne à une vérité scientifique indéniable et évidente. **Apophtegme** désigne une pensée, une parole mémorable d'un Ancien, ou imitée des Anciens. **Devise** se dit d'une espèce de sentence personnelle qui exprime en quelques mots les manières de penser, de sentir, d'agir de quelqu'un; c'est aussi, en termes de blason, la sentence qui accompagne les armoiries. — **Adage** désigne toujours une sentence directe, généralem. brève et piquante, exprimée par des mots ayant leur sens propre, et qui fait appel à la consécration du temps pour se propager, se populariser et acquérir la force d'une vérité démontrée. **Proverbe** est le nom donné à une pensée courte et d'une portée générale, devenue rapidement familière ou populaire, bien qu'elle ait souvent une forme parabolique ou métaphorique. **Dicton** désigne une sentence qui a passé en proverbe, et qui, généralement, se rattache exclusivement à certaines localités, alors que le *proverbe* est particulier à toute une nation, dont il forme en quelque sorte le code de sagesse pratique. **Dit,** syn. de *maxime,* de *sentence,* est vieux.

V. aussi OPINION.

Pensées, employé au pluriel et pris dans sa signification littéraire, se dit simplement des choses venues à l'esprit d'un homme, de n'importe quelle manière, et communiquées aux autres hommes, afin qu'ils les méditent, sous une forme concise, brève, détachée, facile à comprendre. **Réflexions** s'applique le plus souvent aux pensées qui ont été le fruit d'une méditation intime et qui ont pour but de faire réfléchir, de faire pénétrer autrui plus avant sur tel ou tel point de morale, sur telle ou telle question. **Remarques** désigne les choses plus ou moins intéressantes qui ont frappé l'esprit à la lecture d'un livre, dans un voyage, dans une suite de faits connus du public, etc. **Observations** convient bien en parlant du résultat de recherches savantes ou profondes, entreprises parce qu'on a voulu connaître, « observer ». **Considérations** suppose une sorte de dissertation d'une certaine étendue sur un sujet donné, qui réclame un esprit profond, pénétrant, ainsi qu'un ordre logique dans le développement, qui étudie les effets et les causes. **Notes** dit beaucoup moins; il implique seulement des explications détachées qui, dans un texte, ont pour objet d'éclaircir ou d'expliquer quelques points obscurs, quelques passages difficiles.

penser désigne simplement l'action de notre esprit qui se dirige sur un objet ou qui s'en fait un à lui-même, et cela sans cesse. **Rêver** ajoute à l'idée de *penser* celle de se laisser absorber par le sujet dont on s'occupe et de s'abandonner à un courant d'idées qui naissent les unes des autres sans que notre volonté les appelle. (Ce terme convient parfaitement lorsqu'il s'agit de pensées d'avenir, de projets, d'événements auxquels on pense, mais qui ne se réaliseront peut-être jamais.) **Rêvasser** est plutôt péj.; c'est penser vaguement à quelque chose, laisser son imagination s'abandonner à des pensées riantes ou sombres, dans lesquelles elle se complaît. **Songer** marque le soin, l'inquiétude, l'intérêt qu'on a à fixer sa pensée sur un objet, soit pour prévoir ce qui doit arriver, soit pour chercher ce que la sagesse nous commande de faire. (A noter que si *penser* peut n'exprimer qu'une seule pensée n'ayant qu'un moment de durée, *songer* suppose une suite de pensées ou une pensée qui se continue.) **Réfléchir,** c'est penser longuement, mûrement, et plus d'une fois, à quelque chose de déterminé. **Méditer** suppose des pensées profondes, abstraites, qui font que l'homme vit en lui-même et se détache de tous les intérêts extérieurs. **Spéculer,** c'est méditer attentivement, profondément même, sur quelque matière, la métaphysique, par exemple. **Se recueillir** implique, dans le langage ordinaire, que l'on rassemble toute son attention pour ne penser qu'à une seule chose; dans le langage mystique, c'est se replier sur soi-même, se concentrer en soi, dans une méditation religieuse. **Délibérer,** moins usité dans ce sens, suppose aussi, comme *méditer,* une réflexion approfondie; c'est essentiellement réfléchir en examinant, en pesant en soi-même une décision à prendre. **Ruminer,** syn. de *méditer,* est très familier et souvent péjoratif. **Cogiter,** syn. de *penser,* de *réfléchir,* est vieux. (V. RAISONNER.)

V. aussi CROIRE.

penseur, pensif. V. RÊVEUR.

pension, qui désigne particulièrement un établissement où des enfants sont élevés, instruits, nourris et logés, moyennant une certaine somme ordinairem. payée par trimestre, fait surtout penser aux soins matériels que reçoivent les élèves. **Pensionnat,** syn. de *pension,* appelle plutôt l'attention sur le local et l'ensemble des enfants qui y sont accueillis et élevés. **Internat,** pension où les élèves demeurent, s'emploie surtout par opposition à « externat », maison d'éducation et d'instruction fréquentée par des élèves qui mangent et habitent chez eux. **Institution** est plus général; il se dit d'un établissement destiné à la fois à l'éducation et à l'instruction de la jeunesse, lequel peut être aussi bien un internat qu'un externat, voire l'un et l'autre.

V. aussi REVENU.

pension de famille. V. HÔTEL.

pensionnat. V. PENSION.

pensum. V. PUNITION.

pente. V. PENCHANT.

pénultième. V. AVANT-DERNIER.

pénurie. V. DISETTE, MANQUE et PAUVRETÉ.

pépiniériste est le nom que l'on donne à celui qui cultive une pépinière, c'est-à-dire un terrain où sont faits des semis d'arbres de tout genre. **Arboriculteur,** qui se dit de celui qui cultive les arbres, concerne l'exploitation de ces derniers considérés individuellement et ne comprenant que les arbres ou arbrisseaux à fruits de table ou destinés à l'ornementation des parcs et des jardins. **Sylviculteur** (du lat. *sylva,* forêt, et *cultura,* science) est le nom donné à celui qui assure l'exploitation des arbres considérés en masse; c'est, pour mieux dire, l'arboriculteur forestier.

perçant se dit de ce qui entre vivement, tout d'un coup; il marque une action vive qui va droit au but et loin. **Pénétrant** marque une action plus lente, moins directe, mais qui se fait en tout sens et va jusqu'au fond : *Un esprit perçant voit promptement les choses à travers les voiles qui les couvrent; Un esprit pénétrant approfondit patiemment les choses et en saisit les différents rapports.*

V. aussi CRIARD et VIF.

percée. V. TROU.

perceptible. V. VISIBLE.

perception désigne un acte de l'esprit qui prend possession d'une chose par l'idée qu'il s'en forme et qui reste en lui : *La perception est claire ou obscure, vraie ou fausse.* **Sensation** suppose simplement une impression faite sur nous par ce qui est hors de nous ou au moins hors de notre dépendance : *Une sensation est agréable ou pénible, et elle disparaît avec la cause qui la produit.* **Sentiment** convient bien en parlant de sensations internes, à la fois plus intimes et plus durables que des impressions venues du dehors, dont elles sont souvent d'ailleurs la conséquence : *Un sentiment est superficiel ou profond, personnel ou partagé.* (A noter qu'il existe des sentiments dont l'origine peut être aussi dans nos perceptions, tels les sentiments moraux ou religieux, par exemple.)

percer, c'est traverser en faisant une ouverture, un trou, petit ou grand. **Transpercer,** c'est percer de part en part. **Cribler,** c'est percer en beaucoup d'endroits, surtout de petits trous. **Forer,** syn. de *percer,* est un terme technique, et **perforer** un terme didactique ou de médecine et de chirurgie. **Piquer** dit beaucoup moins; c'est seulement percer légèrement avec quelque chose de pointu. **Trouer** enchérit, au contraire, sur tous ces termes; il suppose généralement une ouverture assez grande faite dans un corps et dont la largeur et la longueur sont à peu près égales, sans impliquer par contre l'effort auquel fait souvent penser *percer.* **Tarauder,** terme de technique signifiant creuser en spirale une pièce de bois, de métal, pour y pratiquer un pas de vis (on dit mieux, dans ce sens, **fileter**), s'emploie aussi parfois, par ext., dans le sens général de *percer.*

Percer, au fig., exprime de la part des choses l'action de se manifester, de se faire, d'arriver à être connues, nous dit Lafaye; il emporte alors pour idée accessoire celle du milieu par lequel passent les choses : *A la longue la vérité finit toujours par percer.* **Transpirer,** qui signifie proprement s'exhaler, sortir du corps par les pores, convient bien en parlant de ce qui perce à l'extérieur, de ce qui se répand ici ou là, particulièrement lorsqu'il s'agit de ce qu'on s'efforce de tenir secret, mais dont une partie commence à être connue, divulguée, révélée : *Un secret commence à transpirer dès qu'il est connu de personnes autres que les initiés.*

V. aussi DÉCOUVRIR et RÉUSSIR.

percevable. V. VISIBLE.

percevoir convient bien en parlant de l'impression que l'on reçoit des objets, de l'idée qu'on en conçoit, de la sensation qu'on en éprouve. **Distinguer,** c'est percevoir un objet au milieu d'autres. **Remarquer,** c'est distinguer, parmi plusieurs autres personnes ou plusieurs autres choses, surtout ce qui présente des particularités différentes.

Discerner suppose une opération plus difficile, plus délicate que *distinguer* et *remarquer;* c'est distinguer grâce à sa finesse, à sa subtilité. **Saisir** implique une perception prompte, rapide, et généralement nette.

V. aussi TOUCHER et VOIR.

perche est le nom que l'on donne à une pièce ronde de bois, maniable, et longue d'au moins 2 mètres. **Gaule** se dit d'une grande perche mince, servant plus particulièrement à abattre les fruits que l'on ne peut cueillir à la main. **Gaffe** désigne une perche munie d'un croc de fer à deux branches, dont l'une est droite et l'autre courbe, et dont on se sert pour pousser une barque ou pour tirer quelque chose à bord.

percher (se), c'est proprement se poser sur une perche, sur une branche d'arbre, sur une baguette, en parlant d'un oiseau, — et, figurément, lorsqu'il s'agit des personnes, se mettre sur quelque endroit élevé, pour mieux voir ou mieux entendre. **Se jucher,** c'est, au sens propre et en parlant surtout de la volaille, se percher sur le « juc » ou juchoir, perche ou bâton préparé à cet effet dans la basse-cour, et, figurément et familièrement, pour les personnes, se mettre aussi sur un endroit élevé, mais avec une idée d'effort qu'emporte moins *se percher*.

perclus. V. PARALYTIQUE.

percussion. V. HEURT.

percuter. V. HEURTER.

perdant. V. REFLUX.

perdition, s'il suppose une ruine, une disparition complète, fait toutefois envisager celle-ci comme s'opérant progressivement, par degrés. **Perte** est plus absolu; il présente l'acte comme accompli. (A noter que *perdition* est surtout employé en termes de religion ou de morale.)

perdre, c'est, par sa propre faute ou non et presque toujours définitivement, être privé de quelque chose qu'on avait, que l'on possédait. **Egarer,** c'est perdre soi-même et généralement momentanément, jusqu'à ce que l'on ait retrouvé. **Adirer,** syn. de ces termes, est du langage administratif ou judiciaire. **Paumer** est populaire.

V. aussi GÂTER.

Se perdre. V. ÉGARER (S').

perdre l'esprit. V. DÉRAISONNER.

perdre la tête. V. AFFOLER (S').

père est le nom que l'on donne à celui qui a engendré un ou plusieurs enfants. **Papa** est syn. de *père* surtout dans le lang. enfantin. **Géniteur** s'emploie ironiquement. **Paternel** est familier, **vieux** péjoratif, **dab** et **daron** sont des termes d'argot. (V. PARENT.)

Pères. V. AÏEUX.

pérégrination. V. VOYAGE.

péremption. V. PRESCRIPTION.

péremptoire. V. DÉCISIF.

pérenne. V. DURABLE et ÉTERNEL.

péréquation. V. RÉPARTITION.

perfectionner. V. AMÉLIORER.

perfide. V. DÉLOYAL.

perfidie. V. RUSE.

perforer. V. PERCER.

performance (mot angl. signif. exécution, achèvement; de *to perform,* accomplir entièrement), qui se dit proprem. du résultat obtenu par un cheval de course dans chacune de ses exhibitions, désigne aussi, par analogie, tout exploit remarquable accompli par un sportif. **Record** (mot angl. signif. enregistrement) dit plus que *performance;* désignant l'exploit sportif officiellement constaté et surpassant tout ce qui a été fait précédemment dans le même genre, il implique généralement une compétition : *Ce qui peut être pour soi-même une performance, n'est pas forcément pour les autres un record.* (V. EXPLOIT.)

péricliter. V. DÉCLINER.

péril. V. DANGER.

périmètre. V. TOUR.

période. V. ÈRE et PHASE.

péripétie. V. AVENTURE.

périphérie. V. BANLIEUE et TOUR.

périphrase est le nom donné à un procédé de grammaire ou de style qui consiste à exprimer en plusieurs mots ce qu'on aurait pu dire en quelques-uns ou même en un seul. **Circonlocution** implique une expression détournée, substituée à l'expression naturelle, par convenance ou par utilité : *On se sert de périphrases pour embellir le discours, l'orner, le rendre plus frappant et plus pittoresque, mais on emploie des circonlocutions soit pour adoucir ce qui blesserait ou écarter des idées basses, désagréables, peu honnêtes, soit pour* *faciliter l'intelligence des choses.* (V. EUPHÉMISME.)

périple. V. TOUR et VOYAGE.

périr. V. MOURIR.

périssable, qui se dit de ce qui est sujet à être détruit, anéanti, à ne pas se conserver, s'oppose soit à « immortel », surtout dans le langage religieux, soit à « incorruptible ». **Fragile,** plus usité dans le langage courant, se dit en parlant de ce qui n'est pas solide, pas résistant, et s'applique principalement aux manières d'être, aux qualités : *Plus l'existence est, pour un animal, fragile et passagère, plus il s'empresse de suppléer à sa destruction par sa fécondité; les plus périssables sont ceux dont l'espèce se régénère avec le plus de promptitude et d'abondance, a noté Marmontel.*

péristyle. V. PORTIQUE.

perler. V. PARFAIRE.

permanent. V. DURABLE.

perméable. V. PÉNÉTRABLE.

permettre, c'est, en parlant d'un supérieur par rapport à un inférieur, simplement donner la liberté, la licence de. **Autoriser** enchérit sur *permettre;* c'est donner le droit, principalement lorsqu'il s'agit de choses importantes. **Habiliter** est un terme juridique ou d'administration signifiant autoriser en accordant le pouvoir, la capacité nécessaire. (V. APPROUVER et CONSENTIR.)

V. aussi ADMETTRE et SOUFFRIR.

permis suppose une permission spéciale donnée par une autorité légitime, et, quand il s'emploie avec la négation, il implique le plus souvent une défense formelle. **Licite** est un terme de morale dogmatique ou de police générale; il se dit des choses que l'homme a le droit de faire en vertu de sa liberté naturelle, quand celle-ci ne se trouve en opposition avec aucune loi naturelle ou écrite. **Loisible** a vieilli, et ne s'emploie plus guère que familièrement. **Légitime** et **légal** disent plus, non seulement parce qu'ils supposent quelque chose qui n'est pas défendu, mais encore approuvé, recommandé à tel point qu'on est en défaut si l'on s'en écarte, le premier s'appliquant à ce qui est conforme au droit, à l'équité, et le second à ce qui est conforme aux prescriptions de la loi écrite. (A noter qu'il arrive parfois que la différence entre ces deux derniers termes peut être plus tranchée encore, *légal* allant jusqu'à désigner ce qui est réellement illégitime : *Une condamnation illégitime, c'est-à-dire injuste, peut être légale, et par cela même mettre l'innocent dans la nécessité de subir un châtiment que réprouve la conscience publique.*) [V. PERMETTRE.]

V. aussi PERMISSION.

permission désigne l'acte, l'écrit par lequel un supérieur donne à un inférieur le pouvoir, la liberté de faire, de dire, etc. **Autorisation** n'implique pas forcément la même idée de supériorité, mais seulement un droit dû généralement à des fonctions. **Permis** ne se dit que d'une permission, d'une autorisation écrite. **Congé** s'applique à une permission permettant d'aller, de venir, de s'absenter, de se retirer. **Licence,** syn. de *permission* pris dans son sens général, est peu usité; il se dit plus ordinairement d'une permission spéciale accordée par le gouvernement pour exporter ou pour vendre certaines marchandises. (V. APPROBATION.)

permutation. V. CHANGE.

permuter. V. CHANGER.

pernicieux. V. NUISIBLE.

péronnelle. V. PÉCORE.

péroraison. V. CONCLUSION.

pérorer. V. DISCOURIR.

perpendiculaire est un terme de géométrie qui désigne ce qui se dirige à angle droit vers une ligne, vers un plan, quel que soit le sens dans lequel se trouvent placés ceux-ci relativement à la terre. **Vertical** ne se dit que de ce qui est perpendiculaire au plan de l'horizon.

perpétrer. V. COMMETTRE.

perpétuel. V. ÉTERNEL.

perpétuer (se). V. DURER.

perplexité. V. INDÉCISION.

perquisitionner. V. RECHERCHER.

perruque. V. CHEVEUX et POSTICHE.

perruquier. V. COIFFEUR.

persécuter. V. TOURMENTER.

persévérance, qui est absolu et désigne la qualité, la vertu qui fait poursuivre ce qu'on a commencé, que l'on rencontre ou non des difficultés, s'applique surtout à la conduite, lorsque celle-ci est soutenue et ne se dément pas. **Constance,** qui indique un acte ou un trait de persévérance, est relatif; il emporte l'idée de lutte, de résistance surmontée : *La persévérance poursuit avec acharnement; la constance demeure inébranlable.* (A noter encore, après Lafaye, que si *persévérance* appelle l'attention sur la personne, *constance* fait surtout penser à ce qui s'y rapporte.) **Patience** se dit de la persévérance, de la constance, qui fait que l'on exécute une chose, que l'on poursuit un dessein, malgré la lenteur des progrès, malgré les difficultés, les obstacles, les peines, les dégoûts : *La patience vient à bout des travaux les plus longs et les plus pénibles.* (V. TÊTU.)

persévérer. V. CONTINUER.

persienne. V. VOLET.

persiflage. V. RAILLERIE.

persifler. V. RAILLER.

persister. V. CONTINUER et DURER.

personnage, lorsqu'il désigne l'objet d'une représentation sur la scène, est surtout relatif à la personne qui est mise en action ou à ses qualités : *Un personnage est noble, grand, intéressant, ou bas, odieux.* **Rôle** désigne proprement ce que dit le personnage et la manière dont il le dit; c'est aussi quelquefois ce qu'il fait, mais seulement quand on examine la manière dont il le fait : *Un rôle est difficile ou facile, bien ou mal joué.* (A noter que si l'on dit aussi qu'un acteur joue bien tel *personnage,* c'est que l'on veut faire entendre par là qu'il s'identifie complètement avec son *rôle,* que l'illusion produite est complète, qu'on oublie l'acteur pour ne plus voir que la personne, alors que dans le rôle on voit toujours l'acteur et on le juge comme tel.) — Au fig., PERSONNAGE exprime surtout la manière d'être ou de paraître, la qualité, le rang; RÔLE exprime la manière d'agir, la conduite : *On joue un beau personnage, quand on occupe dans le monde une place honorable; on joue un beau rôle dans une affaire, quand on s'y conduit en homme d'honneur.*

V. aussi PERSONNALITÉ et PERSONNE.

personnalité est le terme du langage courant qui sert à désigner, d'une façon générale, toute personne publiquement connue, homme ou femme, en attirant surtout l'attention sur sa valeur intellectuelle, morale ou politique. **Personnage,** pris en bonne part, est plutôt du style soutenu; il emporte une idée de grandeur, d'autorité, d'importance sociale, et convient bien en parlant d'une personne remarquable, illustre. **Notable** fait surtout penser à la situation sociale, laquelle, soit par la fonction, soit par la fortune, est importante; il se dit particulièrement bien des habitants importants d'une ville, d'une province. **Notabilité** est un syn. plus us. auj. de *notable,* dont le sens s'étend à tous les domaines : commerce, industrie, etc. **Grand,** moins us., se dit parfois encore cependant, substantivem., d'un homme qui occupe une grande position sociale, d'un haut personnage. **Sommité** s'emploie particulièrement bien en parlant d'un personnage qui, distingué pour ses talents, ses services, s'est élevé au sommet des dignités, de l'art ou de la science. **Quelqu'un,** employé absolument, se dit familièrement d'une personne d'importance, de mérite, de valeur. **Huile,** ainsi que **légume** et surtout (par un curieux changement de genre) **grosse légume,** sont populaires; ils se disent d'un personnage important, haut placé.

personne sert à désigner aussi bien un **homme** qu'une **femme. Personnage** se dit surtout en parlant des hommes, qu'il s'agisse d'une personne considérable (v. l'article précédent) ou d'une personne quelconque considérée au point de vue de sa valeur personnelle, auquel cas sa signification est ordinairement déterminée par une épithète. **Individu** désigne une personne considérée isolément par rapport à une collectivité, et principalement en termes de législation, d'administration ou de statistique, — ou bien, mais alors dans le lang. fam., un homme indéterminé que l'on ne connaît pas, qu'on ne veut pas ou qu'on ne peut pas nommer, ou dont on parle avec mépris. **Etre,** syn. de *personne,* est surtout du lang. philosophique ou scientifique. **Mortel,** syn. d'*homme* ou de *femme,* est poétique. **Pièce** est syn. de *personne* dans une locution familière comme : *Une bonne pièce.* **Quidam** s'emploie parfois dans le langage ordinaire, avec une nuance de mépris, pour désigner un individu dont on ignore le nom. **Particulier** est le nom que l'on donne à une personne privée, par opposition soit à une société, soit à une personne publique ou d'un rang très élevé; populairement, ce terme est syn. d'*individu* pris dans son sens défavorable. **Coco** se dit très familièrement d'une personne, d'un individu qui a une figure ou un caractère étrange, ou bien qui se conduit mal. **Créature** est un syn. fam. et souvent péj. de *personne;* **bipède, moineau, oiseau, paroissien, pierrot, type, zèbre, zigoto** (ou ZIGOTEAU) et **zigue,** sont populaires et employés souvent aussi péjorativement. **Bougre,** syn. d'*individu,* pris dans son sens familier, emporte souvent aussi une nuance péjorative très nette, à moins qu'il ne soit adouci par une épithète favorable; il est populaire, presque trivial. **Gonze** et **mec** se disent, en termes d'argot trivial, d'un individu en général, le plus souvent avec une idée péjorative.

Personnes. V. GENS.

personnel se dit de ce qui appartient à un sujet, **propre** désigne ce qui le caractérise, et **particulier** ce qui le distingue : *Toutes les qualités personnelles d'un sujet ne lui sont pas forcément propres, cependant que ses qualités propres peuvent fort bien ne pas être particulières, mais banales.*

Personnel désigne aussi celui qui, bien que songeant d'abord à lui-même, ne rapporte cependant pas tout à lui. **Egoïste** est plus absolu que *personnel;* il s'applique à celui qui non seulement ne pense qu'à lui, mais veut encore que tout le monde y pense aussi, les autres hommes n'existant que pour servir ses intérêts. **Egotiste** n'emporte pas l'idée de calcul qui domine souvent *égoïste;* il suppose seulement une exaltation du « moi », qui raffine tous ses sentiments, et s'efforce d'en jouir avec intensité. **Egocentrique,** qui enchérit sur *égoïste,* implique la tendance à faire de soi le centre de l'univers.

perspective. V. VUE.

perspicacité. V. CLAIRVOYANCE.

persuader. V. CONVAINCRE et INSPIRER.

persuasion. V. CONVICTION.

perte se dit, d'une façon générale, de la privation d'une chose bonne ou utile qu'on avait jusqu'alors; il est dominé par l'idée d'une suppression et relatif au seul effet qui résulte de cette dernière. **Dommage** dit moins; relatif à la cause, il suppose une perte partielle consistant en un déchet : *Le dommage causé à une fortune la diminue; la perte d'une fortune l'anéantit, note Lafaye.* **Sinistre** est un terme d'assurances qui sert à désigner la perte, le dommage arrivé aux objets assurés, qu'il s'agisse d'incendie ou de tout autre risque.

V. aussi DÉCÈS et PERDITION.

pertinent. V. APPROPRIÉ.

pertuis. V. DÉTROIT.

perturbation. V. DÉRANGEMENT.

perturber. V. TROUBLER.

pervers. V. MÉCHANT et VICIEUX.

pervertir. V. GÂTER.

pesant se dit de ce qui a beaucoup de poids, par sa nature même et quand on le compare à d'autres choses considérées sous le seul rapport de la force qui les attire ou les pousse vers la terre. **Lourd** s'applique au corps dont la pesanteur est considérable relativement à la masse ou à la force qu'on y oppose; il implique quelque chose de difficile à porter, une charge plus ou moins pénible : *Plusieurs hommes porteront des charges plus ou moins pesantes à raison de la différence de leurs forces; mais un homme faible trouvera trop lourd un fardeau qui ne serait qu'une charge légère pour un homme vigoureux.* **Massif** suppose une masse épaisse qui paraît pesante et lourde : *Ce qui est massif fait naître la pensée de l'effort pénible qui serait nécessaire pour le remuer.* **Pondéreux,** qui enchérit sur *pesant* et *lourd,* n'est guère usité. — Au fig. et appliqué à l'esprit, LOURD est plus péjoratif que PESANT : *La médiocrité est l'apanage des esprits pesants, mais on peut en tirer quelque parti; la stupidité est le caractère des esprits lourds, on n'en peut rien tirer.*

pesanteur est un terme du langage ordinaire désignant d'une manière abstraite et vague, sans la mesurer, la force qui fait tendre les corps vers le centre de la terre. **Poids** a plus de précision; c'est la pesanteur mesurée, évaluée, comparée, à moins que ce soit l'objet même qui sert à la mesurer dans les autres corps. **Gravité** est le terme scientifique qui exprime, au point de vue le plus général, la propriété qu'ont les corps d'être pesants.

pessimiste (du lat. *pessimus,* très mauvais) désigne simplement celui qui a tendance à voir tout en mal. **Alarmiste** dit plus; il s'applique à celui qui non seulement voit tout en mal et surtout tout en noir, mais encore se plaît à répandre de mauvaises nouvelles qui alarment, inquiètent. **Défaitiste** est très partic.; c'est le nom donné, en temps de guerre (depuis 1914-1918), aussi bien à celui qui manque de confiance en la victoire, qu'à celui qui propage l'opinion qu'une défaite est moins onéreuse que la continuation de la guerre. **Paniquard,** syn. d'*alarmiste,* sur lequel il enchérirait plutôt, est du langage familier. (V. MAUSSADE et MÉLANCOLIQUE.)

pester. V. INVECTIVER.

pestilence. V. INFECTION.

pétard. V. SCANDALE et TAPAGE.

péter. V. PÉTILLER et ROMPRE (SE).

pétiller, c'est, en parlant d'un corps qui brûle, éclater avec un petit bruit sec et répété, généralement en sautant. **Crépiter** suppose souvent un bruit plus sec, plus fréquemment répété aussi, que *pétiller.* **Péter,** assez familier, implique plutôt un seul bruit subit et éclatant, comme une sorte d'explosion.

V. aussi ÉTINCELER.

petit, qui est relatif à la grandeur, se dit de ce qui est de peu d'étendue ou de volume; il emporte plutôt l'idée de comparaison que celle de critique. **Exigu** est au contraire péj.; il est relatif à la suffisance et s'applique à ce qui est plus petit qu'il ne faudrait, donc insuffisant. **Minuscule** se dit de ce qui est extrêmement petit. **Infime** s'emploie couramment auj. comme syn. de tout petit, *minuscule,* alors qu'étymologiquement (lat. *infimus,* superlatif de *inferus,* placé en dessous), il ne devrait être que le superlatif d' « inférieur ».

V. aussi ENFANT, FILS et MINIME.

petit à petit. V. PROGRESSIVEMENT.

petite-main. V. COUTURIÈRE.

petitesse suppose, au fig., un ou des actes dépourvus de dignité morale, de noblesse, de générosité. **Etroitesse** convient bien en parlant de la petitesse de celui dont les vues, les idées ont peu d'étendue et qui se montre intolérant à l'égard de ce qu'il ne comprend pas. **Mesquinerie** emporte un sens encore plus péj.; c'est une petitesse provenant autant d'un calcul que de la nature : *La petitesse est un défaut naturel, la mesquinerie un défaut cultivé, voulu.*

pétition. V. REQUÊTE.

pétrifié. V. ÉBAHI.

pétrir, c'est détremper une substance avec de l'eau ou un autre liquide, puis la mêler, la remuer, de manière à faire de la pâte. **Malaxer** est plus partic.; c'est pétrir une matière pour la rendre plus molle, plus ductile, sans l'additionner nécessairement de liquide.

pétulant. V. TURBULENT.

peu est l'opposé de « beaucoup », pris absolument. **Guère,** qui — pour signifier une petite quantité — doit être précédé de la négation « ne », a une valeur moins positive que *peu;* il s'oppose à « beaucoup » pris relativement : *Un homme qui a peu d'argent, peut en avoir assez pour ses besoins; Un homme qui n'a guère d'argent, en manque pour ses besoins.*

peu à peu. V. PROGRESSIVEMENT.

peuplade est le nom que l'on donne à un groupe d'hommes, fixés ou errants, dans les pays non encore civilisés : *Les peuplades de l'intérieur de l'Afrique.* **Tribu,** agglomération plus ou moins nombreuse de peuplades ou de familles sous l'autorité d'un même chef, vivant dans la même contrée et tirant primitivement leur origine d'une même souche, désigne aussi parfois une peuplade considérée relativement à la grande nation dont elle fait partie : *Une tribu de Germains, de Tartares.* **Horde** est le nom donné d'abord aux tribus errantes de la Tartarie et appliqué plus tard à toute peuplade nomade : *Les hordes d'Alaric.* (V. PEUPLE.)

peuple implique une multitude d'hommes formant ou ayant formé une nation, indépendamment du lieu où ils vivent présentement. **Population** désigne l'ensemble des hommes vivant dans un pays, dans une ville, même si ces hommes sont de nationalités diverses. **Habitants** est le nom donné aux individus qui « habitent » dans un endroit et dont l'ensemble forme la population de cet endroit. **Peuplade,** dans le sens de *population,* est vieux.

V. aussi NATION et POPULACE.

peuplé se dit d'un lieu simplement pourvu d'habitants. **Populeux** s'applique à un lieu très peuplé. **Populaire** concerne un lieu habité par les gens du peuple : *Un village est peuplé, une ville populeuse, et un faubourg populaire.*

peur. V. CRAINTE.

peur (avoir). V. CRAINDRE.

peureux. V. POLTRON.

phalange. V. COALITION et TROUPE.

phantasme. V. VISION.

pharamineux. V. ÉTONNANT.

phare. V. LANTERNE.

pharisaïsme. V. FAUSSETÉ.

pharmacien est le nom que l'on donne à celui qui prépare et qui vend les médicaments. **Apothicaire,** syn. vieilli de *pharmacien,* s'emploie parfois auj. encore par plaisanterie ou dénigrement. **Potard** est un terme d'argot souvent péjoratif.

phase se dit des états successifs par lesquels passent certains phénomènes de la vie, de l'histoire, et qui présentent chacun un aspect différent du précédent. **Période** désigne simplement des espaces de temps successifs où un même état se reproduit, soit identiquement, soit différemment; c'est dans ce dernier sens qu'il peut se confondre avec *phase,* en impliquant toutefois quelque chose de plus stable, de plus continu : *La période de maladie comprend différentes phases.* **Degré,** dans ce sens, attire plus spécialement l'attention sur chacune des phases par où l'on passe d'un état dans un autre, cela en supposant quelque chose de progressif : *L'histoire des peuples, a écrit Chateaubriand, est une échelle de misère dont les révolutions forment les différents degrés.* (On dit aussi, dans un sens voisin, **échelon,** qui fait surtout penser au moyen de s'élever, à ce par quoi on s'élève ou on descend : *Chaque science est un échelon vers l'émancipation; Les échelons de la fortune;* et **palier,** qui suppose peut-être plus, sous l'influence du sens propre, un temps d'arrêt, une période stable, entre chaque élévation : *On progresse par paliers.*) **Etape** est plus du lang. ordin. que *degré;* il se dit de chacun des degrés par lesquels on atteint un but final : *Différentes sont les diverses étapes de la vie, mais toutes mènent à la mort.* **Stade,** syn. de *phase,* de *degré,* se dit bien de ce qui, dans un développement quelconque, peut être considéré comme formant une partie distincte : *Au second stade de son développement, l'homme, selon Haeckel, est un animal polycellulaire.*

phébus. V. GALIMATIAS et SOLEIL.

phénix. V. AIGLE.

phénoménal. V. ÉTONNANT.

phénomène est le nom que l'on donne, familièrem., à tout être qui surprend par ses actions, ses vertus, ses talents extraordinaires, voire ses anomalies physiques. **Monstre** emporte toujours un sens très défavorable; il suppose une conformation ou des actions contre nature. **Prodige,** syn. de *phénomène,* s'emploie plutôt, au contraire, dans un sens favorable.

phénomène sismique. V. SÉISME.

philanthropie. V. CHARITÉ.

philippique. V. SATIRE.

philologie. V. LINGUISTIQUE et LITTÉRATURE.

philosopher. V. RAISONNER.

philosophie. V. SENS.

phlegmon. V. ABCÈS.

phobie. V. CRAINTE.

phraseur. V. BABILLARD.

phtisie. V. TUBERCULOSE.

physionomie. V. AIR et FIGURE.

piaffer. V. PIÉTINER.

piane-piane, pianissimo, piano. V. LENTEMENT.

piauler. V. CRIER.

pic. V. MONT.

pic (à). V. ESCARPÉ.

pichenette. V. CHIQUENAUDE.

pickpocket. V. VOLEUR.

picoter. V. PIQUER et TAQUINER.

pie. V. BABILLARD.

pièce se dit particulièrement de chacune des différentes parties closes et couvertes d'un appartement ou d'une maison, considérée séparément comme formant un tout, un objet distinct et un, ayant un usage déterminé. **Salle** désigne surtout une grande pièce dans un appartement, une maison ou un édifice particulier, destinée à un usage déterminé et souvent d'une certaine importance. **Salon** désigne la pièce d'une maison, d'un appartement, ordinairement plus grande et plus ornée que les autres, et dans laquelle on reçoit les visites. **Chambre,** nom donné à une pièce réservée d'un appartement, particulièrement à celle où l'on couche, désigne aussi, plus spécialement une salle où l'on se réunit pour délibérer. **Carrée, cambriole** (inus.), **canfouine, crêche, piaule, taule** (ou TÔLE) et **turne** sont des termes péjoratifs d'argot désignant une chambre qui sert de logis.

Pièce, en termes de théâtre, se dit d'une œuvre théâtrale quelconque (tragédie, comédie, opéra, etc.), et attire l'attention aussi bien sur le dialogue que sur la mise en scène. **Scénario,** proprem. canevas d'une pièce, désigne aussi simplement la mise en scène : *Une pantomime, un ballet comportent un scénario mais ne constituent pas des pièces.* (A noter que *scénario* sert particulièrement à désigner auj. le plan détaillé des diverses scènes dont est composé un **film** cinématographique, **synopsis** (n. masc.) s'appliquant à la rédaction abrégée du sujet d'un film à partir duquel on établit le scénario, et **découpage** à la division d'un scénario en autant de scènes que le film devra en comporter, comme au texte lui-même qui en résulte.) [V. COMÉDIE, DRAME, SAYNÈTE et TRAME.]

V. aussi MORCEAU, PARTIE et TONNEAU.

pied est le terme général qui sert à désigner la partie de l'extrémité de la jambe qui sert à l'homme et aux animaux à se soutenir et à marcher. **Patte** se dit à la fois du pied et de la jambe des quadrupèdes et des oiseaux autres que les oiseaux de proie (*serres*), de certains reptiles, comme le lézard et le crocodile, de certains animaux aquatiques, comme l'écrevisse et le homard, de certains insectes, comme le hanneton, la mouche, etc.; appliqué au pied comme à la jambe de l'homme, il est fam. (Observons qu'en parlant des animaux, on dit généralement *pied* pour ceux qui ont des sabots, et *patte* pour les autres : *Les pieds d'un cheval; Les pattes d'un chien.*) **Peton** désigne familièrement un petit pied d'enfant ou de femme. **Fumeron, panard** et **ripaton,** pied d'homme, sont des termes d'argot.

pied-à-terre. V. APPARTEMENT.

piédestal (de l'ital. *piedestallo,* proprem. reposoir du pied) est un terme d'architect. et de sculpt. qui sert à désigner le support isolé, avec base et corniche, soutenant une statue, une colonne, un candélabre, etc. **Socle** (de l'ital. *zoccolo,* patin) se dit d'un petit piédestal, avec ou sans base et corniche, sur lequel on pose des bustes, des vases, des pendules, etc. **Piédouche** est le terme d'art qui sert à désigner la base, ronde ou carrée, sorte de petit piédestal, d'un buste, d'une figure de ronde bosse. **Scabellon** (de l'ital. *scabellone,* proprem. grand escabeau), syn. de *socle,* est inusité dans le langage courant.

piédouche. V. PIÉDESTAL.

pied-plat. V. LÂCHE et SERVILE.

piège, s'il marque — au propre comme au fig. — un artifice fin, subtil, ayant pour but de tromper, ne suppose toutefois aucune attaque, celui qui s'y laisse prendre se trouvant aussitôt réduit à l'impuissance. **Traquenard,** sorte de piège pour prendre les animaux nuisibles, s'emploie aussi couramm. comme syn. de *piège* pris dans son sens fig.; il suppose généralement alors un piège habile et soigneusement préparé à l'avance. **Embuscade** est plus partic.; c'est proprem. un terme de guerre, qui comprend dans sa signification les troupes qui se cachent pour surprendre l'ennemi, le lieu où elles se cachent et l'attaque même faite à l'improviste par ces troupes. **Embûche,** qui a eu longtemps le sens que nous donnons auj. à *embuscade,* emporte une idée de tromperie, d'attaque déloyale; il désigne tout moyen employé pour attirer celui à qui l'ont veut nuire dans un lieu où il ne pourra se défendre et où il devra succomber. **Attrape,** nom que l'on donne proprem. à toute espèce de piège servant à prendre des animaux, se dit, figurément et familièrement, d'une petite tromperie, d'un piège sans grande conséquence. **Attrapoire,** syn. d'*attrape,* est moins usité. **Trappe,** proprem. piège qui fonctionne quand l'animal met le pied dessus, est peu usité au fig. **Nasse** désigne soit un piège à poissons constitué par un panier conique d'osier, de jonc, de fil de fer galvanisé, soit un filet qui va en diminuant et qui sert à prendre les petits oiseaux;

au fig., c'est un piège où quelqu'un vient tomber de lui-même. **Chausse-trape,** proprem. et en art milit. d'autref. petite pièce de fer garnie de plusieurs pointes fortes et aiguës, dont il s'en trouve toujours une en haut, de quelque manière que soit jeté l'appareil, et, en termes de chasse, trou qui cache un piège, pour prendre les animaux malfaisants, s'emploie aussi parfois comme syn. de *piège* employé figurément. **Guêpier,** qui désigne proprement un nid de guêpes, se dit aussi, en termes d'économie rurale, d'un piège destiné à prendre les guêpes; au fig., il s'emploie dans un sens voisin de *piège* et implique alors une position, une situation difficile, désagréable, très embarrassante. (V. APPÂT, FILET et RUSE.)

pierre. V. CAILLOU.

pierrot. V. MOINEAU.

piété. V. RELIGION.

piétiner, c'est soit fouler aux pieds soit remuer, agiter les pieds sur place. **Piaffer,** qui se dit proprement du cheval qui frappe bruyamment du pied en relevant haut les jambes de devant, s'emploie aussi parfois, familièrement, en parlant des personnes qui piétinent, remuent les pieds sur place, d'impatience. **Trépigner,** c'est frapper du pied contre terre à plusieurs reprises, en parlant des personnes; en termes de manège, il s'applique au cheval ardent qui, sans bouger de place, lève et pose précipitamment ses extrémités, en grattant quelquefois le sol avec force.

piètre. V. MISÉRABLE.

pieu est le nom donné, d'une façon générale, à une pièce de bois pointue par un bout et fichée en terre, qui sert à divers usages. **Poteau** se dit plutôt d'un pieu long et gros. **Piquet** s'applique au contraire à un petit pieu. **Pal,** syn. peu us. de *pieu,* s'emploie spécialement surtout en parlant du supplice qui consiste à enfoncer un pieu dans le corps d'un condamné. **Palis** ne se dit que d'un pieu considéré comme faisant partie d'un ensemble formant une clôture (v. ce mot).

pieux. V. CROYANT.

pigeon désigne un oiseau appartenant à l'ordre des colombins ou colombiformes; c'est le nom vulgaire qu'on emploie lorsqu'il s'agit de circonstances ordinaires. **Colombe** sert à des fins plus relevées; c'est le nom poétique du pigeon, particulièrement du pigeon blanc. **Ramier** désigne le gros pigeon sauvage qui niche sur les arbres; on dit aussi **palombe,** surtout dans les provinces voisines des Pyrénées. (A noter que *palombe* s'emploie encore comme syn. de *colombe* dans le langage poétique.) **Tourterelle** se dit d'une espèce d'oiseau qui ressemble beaucoup au pigeon, mais qui est plus petit. **Tourte,** syn. de *tourterelle,* est vieilli.

pigeonnier est le nom donné à un petit bâtiment couvert, séparé des lieux d'habitation, où l'on rassemble et élève des pigeons domestiques. **Colombier** se dit surtout d'un pigeonnier d'une certaine importance; il impliquait autref. un bâtiment en forme de tour ronde ou carrée. **Fuie** désigne soit un colombier découvert, soit un endroit particulier dans une habitation, où l'on nourrit des pigeons.

pignocher. V. MANGER et PEINDRE.

pignouf. V. AVARE et GROSSIER.

pilastre. V. COLONNE.

pile. V. AMAS.

piler, c'est écraser, désagréger les molécules d'un corps, en le frappant avec un pilon, un marteau. **Pulvériser** suppose un écrasement plus complet que *piler;* c'est réduire en poudre. **Moudre,** c'est aussi pulvériser, mais à l'aide d'un moulin. **Atténuer,** syn. de *pulvériser,* n'est guère usité. (V. BROYER.)

pilier. V. COLONNE.

pillage, désigne l'action d'emporter violemment les biens d'une ville, d'une maison. **Saccagement,** comme **saccage,** ajoute à l'idée de pillage celle de dévastation, de détérioration; il fait essentiellement penser aux horreurs de l'action qu'il évoque. **Sac,** syn. de *saccagement,* désigne surtout le fait en lui-même. (V. RAVAGER.)

V. aussi RAPINE.

piller. V. IMITER et VOLER.

pilote est le nom que l'on donne proprement, dans le lang. ordin. comme en poésie et dans tous les styles, à l'homme qui est chargé de conduire un navire, ou du moins un assez grand bateau. **Timonier,** ou simplement **homme de barre,** est un terme de marine ancienne désignant le matelot qui tient la barre, le gouvernail : *Le pilote est celui qui tient en main le gouvernail ou qui commande au timonier tous les mouvements nécessaires.* **Lamaneur** désigne un pilote reçu et commissionné, d'après ses connaissances locales, pour le service de pilotage à l'entrée et à la sortie des rades, ports, baies, rivières, etc. ; il suppose des passages difficiles, des écueils. **Locman** est le nom donné au *lamaneur* dans les pays du Nord. **Nautonier** et **nocher,** syn. de *pilote,* sont du style soutenu.

piloter. V. GUIDER.

pimbêche est le nom que l'on donne péjorativement à une femme impertinente, qui se donne des airs de hauteur, qui fait des embarras. **Mijaurée,** qui s'emploie seulement aussi au fém., suppose surtout des petites manières affectées et ridicules qui témoignent de la prétention. **Chipie** est familier et ajoute à *pimbêche* l'idée de méchanceté. **Chichiteuse,** syn. de *mijaurée,* est populaire.

pinacle. V. SOMMET.

pinacle (être au). V. COMBLE.

pinacle (porter au). V. VANTER.

pinacothèque. V. MUSÉE.

pince-maille. V. AVARE.

pince-nez. V. LORGNON.

pincer. V. PIQUER et PRENDRE.

pindarique. V. AMPOULÉ.

pingre. V. CHICHE.

piocher. V. ÉTUDIER.

pionnier. V. DÉFRICHEUR.

pipe est le nom donné, d'une façon générale, à un tuyau terminé par un petit fourneau que l'on bourre de tabac ou d'autres substances, et qu'on allume pour en aspirer la fumée. **Brûle-gueule** désigne, populairement, une pipe ayant un très court tuyau. **Bouffarde,** pop. aussi, se dit surtout d'une grosse pipe. **Calumet,** proprem. grande pipe à long tuyau dont se servent notamment les Indiens de l'Amérique du Nord, s'emploie aussi parfois, familièrement et plaisamment, comme syn. de *pipe*. **Chibouque,** désigne la pipe turque, à long tuyau de bois. **Narguilé** est le nom donné à la pipe turque, persane ou hindoue, composée d'un flacon rempli d'eau parfumée, que la fumée traverse avant d'arriver à la bouche, et que l'on appelle aussi **kalioun. Chiffarde** est un syn. très peu usité de *pipe,* en termes d'argot.

pipeau. V. FLÛTE.

pipe-line. V. CONDUITE.

piquant se peut dire, figurément, aussi bien des choses qui déplaisent que de celles qui plaisent par le fait même des sentiments qu'elles excitent, tandis que **poignant** suppose toujours quelque chose de pénible et de douloureux. (A noter que, dans ce dernier sens, *piquant* est plus faible que *poignant : Ce qui est piquant cause d'abord une sensation douloureuse assez vive, mais la blessure est souvent légère, alors qu'elle est profonde et la souffrance durable pour ce qui est poignant.*)

V. aussi MORDANT, POINTU et VIF.

pique. V. MÉSINTELLIGENCE.

piqué. V. FOU.

pique-assiette. V. CONVIVE.

pique-nique. V. REPAS.

piquer, c'est percer, entamer légèrement avec quelque chose de pointu. **Picoter** suppose des piqûres répétées et superficielles. **Pincer** s'emploie quelquefois pour *piquer* pris dans un sens étendu, particulièrement lorsqu'on parle du froid, du vent qui pique fortement. **Poindre,** syn. de *piquer,* est vieux.

V. aussi ENCOURAGER, FROISSER et PERCER.

Se piquer. V. AFFECTER et OFFENSER (s').

piquer vers. V. ÉLANCER (s').

piquet. V. PIEU.

pirate, comme **forban, écumeur de mer** ou simplement **écumeur,** est le nom que l'on donnait autref. à celui qui courait les mers pour se livrer au brigandage. **Corsaire** n'est syn. de *pirate* qu'abusivement ; il se disait jadis de celui qui courait les mers avec l'autorisation de son gouvernement (lettre de marque) lui donnant officiellement le droit en temps de guerre de capturer les vaisseaux de commerce de la nation ennemie et d'en tirer profit. **Flibustier** désignait, aux XVIIe et XVIIIe siècles, un pirate de la mer des Antilles appelé aussi **frère de la côte.** — Au fig., et dans le langage courant familier, PIRATE se dit de tout homme qui pille, s'enrichit des dépouilles d'autrui. FORBAN est plus péjoratif encore ; il se dit de celui qui, ne respectant aucun droit, est capable de tous les méfaits, de tous les crimes. CORSAIRE dit moins ; il s'applique simplement à un homme cupide et dur, qui abuse de son droit pour se montrer impitoyable et inique. FLIBUSTIER désigne soit un aventurier qui vit de rapines, soit une personne qui cherche à tromper à son profit. (V. BANDIT, ESCROC, INTRIGANT et VOLEUR.)

pirater. V. IMITER.

pire, adj. comparatif de mauvais, opposé à « meilleur », ne doit pas être confondu avec **pis,** adverbe comparatif de mal, opposé à « mieux », qui signifie en pire état et ne s'emploie comme adjectif qu'avec des noms ou pronoms indéterminés : *Au pis aller; C'est pis; Rien de pis.* (A noter qu'à cause de sa dureté sans doute on évite de plus en plus l'emploi de *pis,* remplacé par **plus mal,** sauf dans les loc. : *De pis en pis; De mal en pis; Tant pis* — ou bien comme nom neutre: *Le pis de l'affaire.*)

pirouette. V. CABRIOLE.

1. **pis,** nom donné à la mamelle d'une femelle laitière : vache, chèvre, brebis, etc., a pour syn. **tétine,** qui se dit surtout du pis de la vache ou de la truie, à moins qu'il ne s'emploie absolument pour désigner la mamelle d'un animal quelconque considérée comme aliment. (V. SEIN.)

2. **pis.** V. PIRE.

piscine. V. BAIN.

pisser, pissoter. V. URINER.

pissotière. V. URINOIR.

piste. V. CHEMIN et TRACE.

pister. V. SUIVRE.

pistolet est le nom donné, d'une façon générale, à une arme à feu, courte et légère, dont on se sert d'une seule main. **Revolver** désigne une sorte de pistolet doté d'un mécanisme rotatif (barillet) permettant de tirer plusieurs coups sans recharger. **Browning** se dit de l'arme moderne à chargeur, qui remplace le revolver et dont le principal avantage est de pouvoir être chargé très rapidement. **Parabellum** désigne un pistolet automatique auquel peut être adaptée une crosse qui permet d'épauler. **Feu, pétard, rigolo** sont des termes d'argot. (V. FUSIL.)

pitance. V. ALIMENT.

piteux. V. PITOYABLE.

pitié est un terme très général qui désigne l'état habituel de l'âme, une disposition constante à soulager ceux qui souffrent ; il suppose un certain degré de sensibilité et exprime le désir d'alléger les maux d'autrui. **Miséricorde** se dit surtout de la pitié que Dieu éprouve pour les hommes, et se rapproche beaucoup de l'idée de clémence. **Compassion** désigne simplement le sentiment de peine, de pitié que nous éprouvons à la vue de la douleur ou de la souffrance d'autrui ; il suppose une manifestation, sinon moins vive, du moins plus accidentelle, plus éphémère et moins active, que *pitié.* **Commisération** dit plus, en ce sens que s'il exprime le même sentiment que *compassion;* c'est avec une idée bien moindre de passivité : *La compassion est souvent stérile, alors que la commisération se traduit généralement au-dehors par quelque acte qui a pour but de soulager l'être souffrant ou malheureux.* (V. BONTÉ, CHARITÉ et MANSUÉTUDE.)

piton. V. SOMMET.

pitoyable se dit simplement de ce qui est digne de pitié et ne s'applique guère qu'aux objets qui ont en eux-mêmes peu de noblesse. **Piteux** diffère de *pitoyable* qui s'applique aux objets qui doivent exciter la pitié, en ce qu'il se rapporte à ceux qui l'excitent réellement ; il est en outre plus fam. et s'emploie souvent d'une manière ironique. **Regrettable** désigne ce qui paraît digne de pitié relativement à la raison, l'esprit apercevant nettement les motifs pour lesquels il regrette. **Déplorable** suppose une pitié extrêmement regrettable, cependant que **lamentable** dit plus encore ; il s'applique à ce qui excite la sensibilité au point d'être susceptible d'arracher des « lamentations », c'est-à-dire des plaintes bruyantes et prolongées. **Moche** est populaire.

pitre. V. CLOWN.

pittoresque. V. COULEUR.

pivot. V. AXE et BASE.

pivoter. V. TOURNER.

placard. V. AFFICHE.

place. V. EMPLOI et LIEU.

placer, c'est, d'une façon générale, mettre dans un lieu convenable et d'une manière déterminée. **Situer** (qui s'emploie surtout au participe passé) est plus particulier; c'est placer à la place qui convient, par rapport à ce qui entoure, et surtout en parlant de choses importantes. **Installer** ajoute à l'idée de place celle d'arrangement et de durée. **Loger,** qui signifie proprem. installer dans des lieux préparés à dessein, s'emploie parfois aussi, par ext., comme syn. de *placer;* il attire alors l'attention sur l'endroit où l'on place. **Caser** est familier; c'est placer non sans difficultés. **Nicher,** syn. de *placer,* s'emploie surtout en plaisantant. **Coller,** dans ce sens, est populaire et emporte surtout l'idée de placer pour se débarrasser.

V. aussi METTRE.

placide. V. CALME.

placier. V. REPRÉSENTANT.

plafond est le terme couramment employé pour désigner la surface plane et horizontale qui forme, dans une construction, la partie supérieure d'un lieu couvert. **Plancher,** syn. de *plafond,* est moins usité. **Soffite** est essentiellement un terme d'architecture.

plage. V. BORD.

plagier. V. IMITER.

plaidoirie, plaidoyer. V. APOLOGIE.

plaie. V. BLESSURE.

plaie contuse. V. CONTUSION.

plaignant. V. ACCUSATEUR.

plain. V. ÉGAL.

plaindre. V. APITOYER (S') et REGRETTER.

plainte se dit simplement du cri, des quelques mots qu'arrache la souffrance physique ou le malheur. **Complainte,** peu us. dans ce sens propre, fait penser surtout à l'expression importune de plaintes insipides ou dénuées de tout fondement. **Gémissement** convient bien en parlant d'une plainte, d'un cri inarticulé. **Geignement** s'emploie parfois en parlant d'un gémissement émis d'une voix languissante et à différentes reprises. **Lamentation** dit plus; il suppose une longue plainte ou de grands gémissements. **Jérémiade** est familier et s'applique à une plainte importune et fréquente, renouvelée, presque sans fin, par allusion aux « lamentations de Jérémie ». **Doléances** ne s'emploie qu'au plur. et s'applique plus particulièrement aux plaintes (généralement timides ou relatives à de petites choses) qui suivent quelque grief subi. **Ejulation** n'est guère us. et suppose une plainte douloureuse. **Girie** est pop.; il se dit d'une plainte affectée, hypocrite ou sans sujet. **Quérimonie,** syn. de *plainte,* est vx. (V. PLEURER.)

V. aussi REPROCHE.

plainte (porter). V. ACCUSER.

plaire exprime, de la façon la plus simple, le fait d'être agréable, cela naturellement, par ses propres qualités. **Agréer,** c'est plaire uniquement parce qu'il n'y a rien à redire. **Satisfaire,** c'est plaire parce que répondant à une attente. **Convenir,** c'est plaire parce que répondant à une manière de voir. **Revenir** suppose une sorte d'intuition qui fait supposer qu'après examen on trouvera les qualités recherchées auprès de ce qui plaît de prime abord. **Sourire** s'emploie bien, dans ce sens, en parlant de ce qui plaît parce que présentant un aspect séduisant, mais seulement lorsqu'il s'agit de choses. **Complaire** est plus particulier; il ne se dit que des personnes et implique un effort, de l'attention, le désir d'être agréable et suppose qu'on s'accommode au goût, à l'humeur de quelqu'un pour lui plaire. (A noter que, pronominalement, SE PLAIRE à quelque chose, c'est l'aimer, et SE COMPLAIRE à quelque chose, c'est l'aimer avec excès, s'y attacher, y rester.) **Botter,** syn. de *convenir,* est très familier. (V. CHARMER et CONQUÉRIR.)

Se plaire à. V. GOÛTER.

plaisant. V. AIMABLE, AMUSANT, ATTRAYANT et COMIQUE.

plaisanter. V. RAILLER.

plaisanterie est le terme général qui désigne une chose dite ou faite pour amuser, faire rire : *Une plaisanterie peut être fine, décente, réellement amusante, pleine de sel et d'esprit.* **Badinage** se dit d'une plaisanterie légère, non dépourvue d'une certaine élégance de style, qui peut rebondir et durer un assez long temps. **Badinerie,** qui dit moins, ne fait pas penser à l'action, à la manière d'agir qu'implique *badinage,* mais seulement au produit, au résultat de celle-ci, lequel est simplement une saillie, un trait d'esprit. **Boutade** convient bien en parlant d'une plaisanterie vive, instantanée, irréfléchie, née généralement d'une imagination bouillante ou d'un esprit mordant, et qui, de ce fait, peut être cruelle. **Facétie** est le nom que l'on donne à une plaisanterie qui, tendant essentiellement à faire rire et se plaisant aux rapprochements à la fois inattendus et comiques, est très libre, voire peu délicate sur les convenances. **Joyeuseté,** syn. de *plaisanterie,* s'emploie souvent par raillerie; il est familier, comme **gaudriole** qui se dit surtout d'une plaisanterie portant sur un sujet assez libre. **Blague,** fam. aussi, désigne une plaisanterie où dominent le scepticisme et l'ironie. **Galéjade,** terme us. en Provence, s'emploie bien en parlant d'une plaisanterie faite avec une idée de mystification; il suppose une façon pour le moins exagérée de raconter ou de peindre les choses. **Bouffonnerie** est plus péj.; il se dit d'une plaisanterie grossière qui tient de la farce et cherche à provoquer le rire surtout par des moyens matériels, où les gestes et les grimaces interviennent. **Quolibet** est le nom que l'on donne à une plaisanterie sans sel, vulgaire et injurieuse. **Lazzi,** n. f. plur., s'applique à des plaisanteries, à des bouffonneries moqueuses et salées. **Couillonnade,** comme **couillonnerie,** est pop et triv.; il se dit surtout d'une grosse plaisanterie. **Canular** est le nom donné, dans l'argot des élèves de l'Ecole normale supérieure, à une plaisanterie collective faite aux dépens de quelqu'un. (V. ATTRAPE, ESPRIT, MOT D'ESPRIT, RAILLERIE et SATIRE.)

plaisantin. V. BOUFFON.

plaisir, qui a une signification très générale, se dit de toute sensation agréable, physique et morale, qu'on l'exprime ou non. **Agrément** attire essentiellement l'attention sur l'objet qui est la cause du plaisir. **Joie** suppose un plaisir vif, manifeste, extériorisé. **Délice,** qui s'emploie surtout au plur. dans ce sens, implique un plaisir extrême, lequel est intime et plein de douceur; l'idée exprimée par ce mot, tout en enchérissant sur celle de *plaisir* par la force du sentiment, se borne toutefois à la sensation. **Délectation** se dit d'un plaisir intérieur, conscient et vivement savouré. **Régal,** qui désigne particulièrem. un plaisir de la table, s'emploie aussi parfois, familièrement, pour désigner tout plaisir éprouvé. **Jouissance** convient bien en parlant d'un sentiment de plaisir intime, calme, et par là même prolongé, dans lequel on se complaît et dont on est tout pénétré. **Volupté** désigne particulièrem. un plaisir recherché, raffiné, par lequel on se laisse dominer, et presque toujours un plaisir sensuel, comme ceux de la table et surtout de l'amour. (A noter que si l'on donne parfois aux plaisirs de l'âme le nom de *volupté,* c'est qu'on les considère alors comme s'imposant à la volonté et capables de donner naissance à de véritables passions.) **Sensualité** n'emporte pas la même idée de raffinement que *volupté* et s'applique plutôt au goût du plaisir qu'au plaisir lui-même.

V. aussi JOIE, RÉCRÉATION et SERVICE.

plan. V. DESSEIN et ÉGAL.

planche est le terme générique courant qui désigne tout morceau de bois scié en long, ayant relativement peu d'épaisseur. **Ais** est un mot archaïque qui ne s'applique qu'à des planches ayant une destination particulière, comme cela a lieu chez les imprimeurs, les relieurs, les fondeurs, les vitriers, etc.

Planches. V. THÉÂTRE.

plancher est un terme de construction qui désigne, d'une façon générale, tout ouvrage de charpente, ordinairement recouvert de planches, formant plateforme sur l'aire d'un rez-de-chaussée ou séparant deux étages superposés d'un bâtiment. **Parquet** se dit de l'assemblage, généralement à rainure et languette, de planches en bois clouées sur des lambourdes et formant le plancher d'une pièce : *Un plancher peut être grossier, un parquet est toujours ajusté.*

V. aussi PLAFOND.

planisphère est le terme général qui désigne toute carte où les deux moitiés du globe terrestre ou céleste sont représentées sur une surface plane. **Mappemonde** se dit surtout d'un planisphère terrestre représentant toutes les parties du globe divisé en deux hémisphères enfermés chacun dans un grand cercle.

plante est le nom générique et commun de tout ce qui vit en étant fixé au sol par des racines. **Végétal** est plutôt du langage scientifique et suppose généralement une étude physiologique ou chimique.

planter. V. ÉLEVER et FICHER.

planter là. V. ABANDONNER.

plantureusement. V. BEAUCOUP.

plantureux. V. FERTILE et GRAS.

plaque. V. ÉCRITEAU.

plaquer. V. ABANDONNER, APPLIQUER et LAISSER.

plastronner. V. POSER.

plastronneur. V. VANITEUX.

plat. V. ÉGAL, FADE, METS et RAMPANT.

plateau. V. THÉÂTRE.

plate-bande. V. PARTERRE.

platitude. V. BASSESSE.

plâtras. V. RUINES.

plâtrer. V. DÉGUISER.

Se plâtrer. V. MAQUILLER (SE).

plausibilité. V. APPARENCE.

plausible se dit de ce qui, paraissant digne d'approbation, ne peut être blâmé ou déclaré faux. **Vraisemblable** se dit de ce qui se présente avec les apparences de la vérité, parce que conforme à la marche naturelle des choses; il suppose toutefois la nécessité d'un examen plus sérieux si l'on tient absolument à être certain de la vérité de la chose. **Probable** enchérit sur *vraisemblable;* il implique des raisons positives qui produisent presque la certitude ou qui font tout au moins pencher notre jugement vers la croyance à la réalité. (V. VRAI.)

plèbe. V. POPULACE.

plébiscite. V. VOTE.

plein, qui s'oppose à « vide » et a rapport à la capacité du récipient, marque l'état de ce qui contient tout ce qu'il peut contenir, cela sans plus. **Rempli,** qui a trait à ce qui doit être contenu dans la capacité du récipient, exprime une qualité acquise qui est l'effet d'une action, action à l'auteur de laquelle il fait généralement penser : *Un vase plein d'eau contient de l'eau jusqu'au bord; Un vase est rempli d'eau quand on y en a mis depuis le fond jusqu'au bord.* **Comble** enchérit sur *plein;* il se dit de ce qui est très ou trop plein, et s'applique proprement aux mesures des choses sèches, comme le blé, le seigle, la farine, etc., qui remplissent un récipient par-dessus ses bords, — et, par ext., à un lieu rempli de monde à ne pas pouvoir en tenir plus. **Complet** est syn. de *plein* en parlant surtout d'un lieu ou d'un véhicule : *Un théâtre est complet lorsque tous ses fauteuils et tous ses strapontins sont occupés; il est comble lorsqu'on a placé des spectateurs partout où ils pouvaient se tenir, assis ou debout, et qu'alors il n'y a plus un emplacement de libre; Train, autobus complet.* **Bondé** se dit de ce qui est rempli et tassé autant qu'il est possible : *Navire bondé de marchandises; Les wagons du métropolitain sont souvent bondés de monde.* — Au fig., les mêmes distinctions subsistent entre PLEIN et REMPLI : *Un homme plein de lui-même est tel par sa propre nature; Un homme rempli de lui-même est celui qu'un succès récent vient d'enorgueillir.* **Imbu,** participe passé de l'ancien verbe *imboire* (imbiber, imprégner) s'emploie auj. adjectivement et figurément pour désigner ce qui est rempli, pénétré d'une idée, d'un sentiment, ou bien encore, péjorativement, ce qui est infatué de : *On est imbu d'un principe, de son mérite.*

V. aussi GRAS.

pleinement. V. ABSOLUMENT.

plénier. V. ENTIER.

plénitude. V. ABONDANCE.

pléonasme se dit, d'une façon générale, de l'emploi simultané de mots ayant le même sens : *C'est faire un pléonasme que de parler d'une « hémorragie de sang ».* **Battologie** désigne la répétition inutile et fastidieuse du même mot, du même membre de phrase : *La battologie a trait non à la manière de prononcer, mais au discours.* **Tautologie** s'applique à la répétition oiseuse d'une même idée sous des termes différents ayant le même sens; il emporte une idée de pédanterie et suppose un esprit faux : *La tautologie est le défaut de celui qui fournit des explications qui tiennent beaucoup du cercle vicieux.* **Datisme** désigne une ridicule et oiseuse accumulation de synonymes : *Dire : « Je me réjouis beaucoup, je suis content, je suis satisfait, je suis ravi de vous voir », c'est du datisme.* (A noter que ce terme se dit aussi, par ext., d'un vice quelconque de prononciation ou de langage.) **Périssologie,** syn. de *pléonasme,* est un terme de rhétorique.

pléthore. V. ABONDANCE.

pleurer, c'est d'une façon générale, répandre des pleurs, verser des larmes, pour quelque raison que ce soit : souffrance physique ou douleur morale. **Sangloter,** proprem. pousser des sanglots, gémir d'une voix entrecoupée, s'emploie surtout comme superlatif de *pleurer;* c'est pleurer convulsivement et bruyamment, ou tout au moins en gémissant. **Larmoyer** se prend presque toujours en mauv. part ; c'est simplement avoir des larmes aux yeux d'une façon continue, le plus souvent dans le but d'être plaint. **Pleurnicher** est fam. et péj. aussi ; c'est soit affecter de pleurer, d'être triste, soit pleurer quelque peu et sans raison, comme un enfant qui veut qu'on s'attendrisse et qu'on lui cède. **Chigner** est un synonyme peu usité de *pleurnicher;* **couiner** est dialectal. **Chialer,** syn. de *pleurer,* est un terme d'argot. (V. PLAINTE.)

pleurs. V. LARME.

pleutre. V. LÂCHE.

pli. V. LETTRE.

plier, c'est mettre en double une ou plusieurs fois (une matière flexible, étoffe, papier, etc.) en rabattant une partie contre l'autre. **Ployer,** qui est plus du langage recherché, dit plutôt moins que *plier,* en ce sens qu'on ne joint pas ce que l'on ploie, mais qu'on en rapproche seulement les extrémités, lesquelles opposent généralem. une résistance. **Courber** se rapproche de *ployer,* mais si l'on ploie des choses susceptibles d'être pliées, on peut courber ce qui ne saurait être plié : les épaules, la tête, par exemple. **Fléchir** dit moins que *courber;* il suppose une légère courbure et s'emploie bien en parlant de corps raides et élastiques. — Lorsque, intransitivement, ces termes sont appliqués à des personnes ou à des choses qui fléchissent sous le poids, le fardeau qu'elles portent, ils ont pour syn. **succomber** qui, se rapprochant beaucoup de CÉDER, enchérit sur eux et laisse entendre l'impossibilité de continuer plus longtemps l'effort.

Se plier. V. CÉDER.

plis (mettre en). V. FRISER.

plisser, faire des plis, ne se dit proprem. qu'en parlant des plis que les tailleurs, les couturières, les lingères et les repasseurs font à certaines étoffes ou pièces de vêtement. **Froncer,** c'est plisser en contractant, en resserrant ; il s'emploie bien en parlant de certains plis petits et serrés que l'on fait à du linge ou à des étoffes. **Chiffonner,** c'est, en termes de couture, plisser ou froncer avec art.

plonger (du lat. *plumbum,* plomb), c'est enfoncer dans l'eau ou tout autre liquide (comme fait un filet garni de plomb). **Immerger** est syn. de *plonger* dans le langage didactique.

Se plonger. V. ABÎMER (S').

ploutocrate. V. RICHE.

ploutocratie (du grec *ploutos,* richesse, et *kratos,* pouvoir), qui désigne l'état d'une société dans laquelle les plus riches exercent plus ou moins directement le pouvoir politique ou jouissent d'une influence prépondérante, a pour synonyme, à peu près inusité d'ailleurs, **argyrocratie** (du grec *arguros,* argent, et *kratos,* pouvoir).

ployer. V. PLIER.

pluie est le nom donné à l'eau que la condensation des vapeurs qui forment les nuages fait tomber en gouttes sur la terre ; on dit aussi parfois d'ailleurs, dans ce sens, simplement **eau. Bruine** désigne une petite pluie très fine, résultat de la condensation du brouillard, qui est ordinairement froide et tombe lentement. **Crachin** se dit d'une petite pluie continue, fine et pénétrante, fréquente dans l'ouest de la France. **Ondée** désigne, au contraire, une grosse pluie subite et de peu de durée. **Grain** implique une pluie soudaine, généralem. de peu de durée, mais accompagnée de bourrasque. **Giboulée** est le nom que l'on donne à une grosse pluie de peu de durée et souvent accompagnée de grêle, voire de neige. **Averse** se dit d'une pluie subite, comme l'ondée, mais généralement plus considérable comme quantité d'eau et plus longue comme durée. **Déluge** désigne une pluie torrentielle et d'assez longue durée. **Nielle,** syn. de *bruine,* est vx. **Flotte** et **saucée,** syn. de *pluie,* sont populaires. (V. BROUILLARD.)

V. aussi ABONDANCE.

plume. V. AUTEUR, ÉCRITURE et STYLE.

plumer. V. DÉPOSSÉDER.

plumet se dit d'un bouquet de plumes servant d'ornement à un chapeau, et particulièrement à une coiffure militaire. **Panache** désigne généralement un grand plumet à plumes flottantes. **Aigrette,** nom donné au faisceau de plumes qui orne la tête de certains oiseaux, s'applique aussi, par comparaison, à un bouquet de plumes très fines, parfois rehaussé de pierres précieuses ou de perles, qui orne certaines coiffures de femme et d'homme.

plumitif. V. AUTEUR et BUREAUCRATE.

plus marque une supériorité reconnue par une comparaison qu'on s'est proposé d'établir dès le commencement de la phrase et dont le second terme vient souvent à la suite. **Davantage** précise d'une façon moins forte que *plus;* il n'implique qu'une comparaison venue à l'esprit d'une manière secondaire et presque toujours avec quelque chose qui a été exprimé en premier lieu : *On dira, dans la comparaison directe et explicite :* « *L'aîné est plus riche que le cadet* », *et, dans la comparaison inverse et implicite :* « *Le cadet est riche, mais l'aîné l'est davantage* ».

Plus, lorsqu'il se rapporte à la quantité, à l'extension, a pour syn. **mieux,** qui concerne essentiellement la qualité, la manière : *Une chose vaut plus qu'une autre quand elle est d'un prix plus élevé; elle vaut mieux qu'une autre lorsqu'elle est de meilleure qualité.*

plus (de). V. AILLEURS (D').

plusieurs, qui s'oppose à la fois à « un » et à « tous », est le terme courant qui marque simplement la pluralité; il suppose un nombre indéfini, mais supérieur à un ou, plus souvent, à deux. **Maint** (qui s'emploie indistinctement au sing. et au plur.) dit plus que *plusieurs,* en ce sens qu'il fait toujours penser à un assez grand nombre. **Quelques** et **certains** sont plus vagues, plus indéfinis encore que *plusieurs,* le premier ayant rapport à la quantité seule et le second aussi à la qualité : *Le jour n'est que de quelques heures dans certaines contrées.* **Beaucoup,** qui s'oppose à « peu », s'applique non seulement à ce qui peut être compté, comme ses syn., mais aussi à ce qui peut être estimé ou mesuré. **D'aucuns** s'emploie parfois comme syn. de *certains* dans le langage littéraire et emporte alors une idée d'affectation. **Force** est un nom de quantité indéfinie qui, ajouté à un nom à la façon d'un adjectif invariable, signifie *beaucoup,* un grand nombre. **Pas mal,** syn. de *beaucoup,* est fam. **Moult,** vx mot signifiant *beaucoup,* s'emploie parfois encore avec une nuance d'archaïsme comique.

plus mal. V. PIRE.

pneumatique. V. DÉPÊCHE.

pochade. V. TABLEAU.

pochard. V. IVROGNE.

poêle. V. DAIS.

poème se dit d'un morceau en vers d'une certaine étendue, alors que **poésie** s'applique mieux à une courte pièce de vers (comme le sonnet ou la ballade) et s'emploie surtout en parlant des modernes.

poésie. V. POÈME.

poète est le terme général et couramment employé pour désigner celui qui fait des vers, qui se consacre à la poésie, doué qu'il est pour cela. **Versificateur** s'emploie en parlant de celui qui, s'il fait facilement des vers, n'est pas forcément pourvu pour cela du génie poétique; il suppose — cf. le « Dictionnaire de l'Académie française » — plus d'habileté technique que d'imagination et de véritable don poétique : *On naît poète, et l'on devient versificateur.* **Chantre** est le nom que l'on donne surtout à un poète épique ou lyrique. **Barde,** poète et chanteur chez les Celtes, s'emploie aussi, par ext., pour désigner tout poète, tout écrivain héroïque ou lyrique. **Aède,** poète, chantre de l'époque primitive chez les anciens Grecs, est un syn. peu us. de *poète* pris dans son sens général. **Rapsode,** terme d'antiquité grecque, syn. de *aède* à l'origine, finit par ne plus désigner que celui qui faisait profession de réciter des poèmes dont il n'était pas l'auteur; on l'emploie quelquefois encore auj., dans le langage recherché, comme syn. de *poète.* **Amant, favori, nourrisson des Muses,** syn. de *poète,* sont aussi du langage recherché, parfois avec une idée d'ironie. **Rimeur,** syn. de *versificateur,* s'emploie souvent soit par ironie, soit par mépris. **Métromane** désigne celui qui a la manie de faire des vers. **Rimailleur** est fam. et ne s'applique qu'à celui qui fait de mauvais vers. **Cigale,** syn. fam. de *poète,* n'emporte pas d'idée véritablement péjorative, si ce n'est pour faire penser à l'imprévoyance légendaire des poètes. (V. TROUBADOUR.)

pogrom. V. ÉMEUTE.

poids. V. PESANTEUR.

poignant. V. PIQUANT.

poignard est le nom donné à une arme de main offensive, à lame aiguë, tranchante et très courte. **Dague** se dit d'un poignard à lame courte et large. **Stylet** désigne généralement un poignard à la lame très fine et triangulaire. **Baïonnette** se dit d'une sorte de long poignard qui s'adapte au bout d'un fusil. **Dirk, kriss, navaja** et **kandjar** sont les noms donnés à différentes sortes de poignards étrangers. **Coutille** et **miséricorde** sont des syn. anc. de *dague*. **Surin,** syn. de *poignard,* est argotique. (V. COUTEAU et ÉPÉE.)

poigne. V. ÉNERGIE.

poil est le nom que l'on donne à l'ensemble de la production filiforme qui couvre, en tout ou en partie, le corps d'un animal, considérée généralement quant à sa qualité ou sa couleur. **Pelage,** nom donné aussi à l'ensemble des poils d'un animal, s'applique surtout aux bêtes sauvages et se rapporte le plus souvent à la couleur. **Robe** est plus spécialement réservé aux espèces domestiques, considérées au point de vue de la couleur de leurs poils. **Fourrure** attire surtout l'attention sur la qualité des poils; il désigne en général la peau pourvue de ses poils. **Toison** s'emploie principalement en parlant du poil que l'on tond des moutons, des brebis; on dit aussi, dans ce sens, **laine** et **tonte.**

V. aussi CHEVEUX.

poilu se dit, d'une façon générale, de tout ce qui est garni, couvert de poils. **Velu,** s'il signifie aussi couvert de poils, s'applique surtout au corps humain, à l'exclusion de la tête, où il est remplacé par **chevelu, barbu, moustachu. Pubescent,** terme d'hist. nat., se dit de ce qui est garni de poils fins, courts et mous comme du duvet, plus ou moins rapprochés, mais distincts. **Villeux,** aussi terme d'hist. nat., implique au contraire des poils longs et touffus.

poinçon. V. MARQUE.

poindre. V. FROISSER, PARAÎTRE et PIQUER.

1. **point.** V. MATIÈRE.

2. **point.** V. PAS.

point de vue. V. VUE.

pointe. V. CAP, FICHU, MOT D'ESPRIT et SOMMET.

pointiller. V. CHICANER.

pointilleux. V. EXIGEANT.

pointu se dit de tout ce qui se termine en pointe, c'est-à-dire qui va en diminuant jusqu'à son extrémité. **Piquant** ajoute à *pointu* l'idée de piqûre : *Ce qui est piquant est toujours pointu, mais ce qui est pointu n'est pas toujours piquant* (*ex. : le menton, des souliers pointus*). **Aigu,** qui enchérit sur *piquant,* implique une pénétration qui peut se faire à la fois par la pointe et les côtés, le plus souvent en perçant et tranchant à la fois. **Acéré** se dit de ce qui est terminé par une pointe aiguë et très dure, comme une arme d'acier. **Acuminé** est beaucoup plus particulier; c'est un terme de botanique qui se dit de tout organe foliacé (feuille, fruit) dont le sommet est terminé en pointe; il désigne aussi, en médecine, les tumeurs en pointe.

poison (du lat. *potio,* boisson), qui désigne proprem. ce qu'on ne peut manger ou boire sans s'exposer à perdre la vie, suppose quelque chose de matériel, formé par la nature ou préparé à dessein. **Venin** (du lat. *venenum,* poison) se dit seulement, par contre, d'un suc intérieur contenu dans certaines parties de l'organisme d'un animal qui le communique à ses victimes par piqûre ou morsure. **Toxique** (du grec *toxon,* arc, à cause des poisons employés pour empoisonner les flèches) est le nom générique qui se donne, dans le langage didactique, à toutes sortes de poisons ou de venins. **Toxine** est un terme de pathologie désignant le poison produit par certaines décompositions organiques ou certains microbes. **Virus** (mot lat. signifiant *poison*) se dit d'une toxine agent de contagion des maladies infectieuses. — Au fig., ce qu'on appelle POISON se montre à découvert, pervertit réellement et directement les mœurs et les consciences; le VENIN est caché, paraît inoffensif, et ne produit ses funestes effets que d'une manière indirecte. VIRUS, syn. de *poison,* est du style relevé; il fait essentiellement penser à un principe, à une source de contagion morale.

poisseux. V. GLUANT.

poissonnaille. V. FRETIN.

poitrine désigne la partie du tronc, située entre le cou et l'abdomen, qui renferme les organes de la respiration et de la circulation. **Thorax** est le nom scientifique de la poitrine, lequel s'emploie spécialement pour désigner la partie du corps qui vient immédiatement après la tête, chez les insectes. **Coffre** est populaire et concerne essentiellement la cage thoracique de l'homme.
V. aussi SEIN.

polémique. V. DISCUSSION.

poli se dit de celui qui se montre fidèle observateur des convenances, des usages reçus dans la bonne compagnie; il suppose avant tout de l'éducation. **Affable,** s'il implique aussi de la politesse, se dit de celui qui attend cependant qu'on vienne à lui pour se montrer bienveillant; il a trait essentiellement à l'accueil. **Gracieux** enchérit au contraire sur *poli* et a principalement rapport à l'abord; il s'applique à celui qui, étant à la fois poli et prévenant, va au-devant de ce qui peut être agréable. (A noter que si l'on se sert plus particulièrement de *poli* lorsqu'il s'agit du langage et des manières qu'on acquiert par l'éducation et l'usage du monde, *affable* et *gracieux* supposent des qualités plus naturelles, souvent même innées.) **Courtois** emporte l'idée d'une politesse raffinée, laquelle peut aller parfois jusqu'à devenir exagérée et importune. **Galant** est plus partic. dans ce sens; il ne se dit que de celui qui est poli, empressé avec les dames. **Obséquieux** est péj.; il désigne celui qui porte la politesse, aussi la complaisance, les égards, le respect, jusqu'à l'excès le plus déplaisant, on peut même dire jusqu'à la bassesse. **Civil** et, plus encore, **honnête** sont des syn. vieillis de *poli.* (V. AIMABLE et COMPLAISANT.)
V. aussi CIVILISÉ et LISSE.

police. V. ORDRE.

policé. V. CIVILISÉ.

polichinelle. V. BOUFFON et PANTIN.

policier est le nom donné, d'une façon générale et ordinairem. avec une nuance péj., à tout homme attaché à la partie de l'administration d'une commune, d'une province, d'un pays, ayant pour objet d'assurer l'exécution des lois qui garantissent la tranquillité de l'Etat, le respect des propriétés, la sûreté des particuliers. **Détective,** mot empr. de l'angl., désigne, dans les ouvrages littéraires surtout, un policier employé à un service de recherches, le plus souvent privé. **Limier** est un syn. fam. de *détective,* qui emporte essentiellement l'idée de filature. **Sbire,** qui est péj., s'applique à un policier chargé d'opérations de basse police et généralement politiques; il est peu us. auj. **Bourre, bourrique, poulet** et **roussin,** syn. de *policier,* sont des termes d'argot. (V. AGENT DE POLICE et GENDARME.)

polir, c'est, d'une façon générale, rendre uni et luisant à force de frotter. **Adoucir** et **doucir** sont des termes techniques; c'est polir un corps en en enlevant les aspérités. (V. LISSER.)
V. aussi FROTTER et PARFAIRE.

polisson. V. ESPIÈGLE, GALOPIN et OBSCÈNE.

politesse. V. AFFABILITÉ et SAVOIR-VIVRE.

polluer. V. SALIR et SOUILLER.

poltron désigne celui qui se laisse effrayer par le péril, qui se sauve; il suppose une peur instinctive dont, avec un effort de volonté, on peut se guérir. **Peureux** se dit surtout de celui qui est sujet à la peur par caractère, et aussi souvent par habitude. **Capon** et **poule mouillée,** syn. de *poltron,* sont familiers, **froussard** est populaire, **foireux** et **péteux** sont triviaux, **taffeur** et **trouillard** sont des termes d'argot. (V. CRAINTIF et LÂCHE.)

polyphagie. V. FAIM.

pommeler. V. MARQUETER.

pompe. V. APPARAT.

pomper. V. ABSORBER, BOIRE et PUISER.

pompeux. V. AMPOULÉ.

pomponner. V. PARER.

1. **ponceau.** V. PONT.

2. **ponceau.** V. PAVOT.

poncif est le nom que l'on donne, en littérature ou en art, à toute œuvre, à toute expression, à tout dessin où l'on retrouve un type convenu, où l'on reconnaît une copie trop marquée, une routine dont l'écrivain ou l'artiste ne veut ou ne peut pas sortir. **Lieu commun,** qui ne s'emploie qu'en littérature, convient bien en parlant simplement d'une réflexion générale usée et rebattue appliquée à un sujet particulier. **Cliché** se dit familièrem. et couramm. auj. d'un lieu commun, d'une banalité qu'on redit souvent et dans les mêmes termes : *Le type du cliché, si nous en croyons Remy de Gourmont, c'est le proverbe immuable et raide, alors que le lieu commun prend autant de formes qu'il y a de combinaisons possibles dans une langue pour énoncer une sottise ou une incontestable vérité.* **Poncis** est un syn. actuellement moins usité de *poncif.*

ponctualité. V. EXACTITUDE.

pondération. V. RETENUE.

pondérer. V. ÉQUILIBRER.

pondéreux. V. PESANT.

pont est le terme général qui sert à désigner toute construction servant à passer d'un bord à l'autre d'un cours d'eau, d'un fossé, d'une dépression de terrain; c'est aussi le nom donné, en termes de marine, au plancher ou aux divers planchers établis dans la longueur d'un navire (à noter que lorsqu'on dit absolum. *le pont,* on entend généralem. le pont supérieur). **Ponceau** désigne un petit pont, ordinairement d'une seule arche. **Passerelle** se dit d'un pont étroit sur un cours d'eau, une voie ferrée, réservé aux piétons; en termes de marine, c'est soit le petit pont transversal placé devant la cheminée des navires à vapeur et sur lequel se tiennent le commandant, l'homme de barre et l'officier de quart, soit le passage étroit établi entre un bateau accosté et le point d'accostage. **Viaduc** est plus particulièrement employé pour désigner un pont très élevé, composé d'arches nombreuses, fréquemment superposées, à l'aide duquel les chemins de fer franchissent une vallée profonde, un cours d'eau.

pontife, nom donné à tout dignitaire religieux ayant juridiction et autorité, fait surtout penser à la puissance et à l'importance des fonctions exercées dans l'Eglise. **Prélat** attire surtout l'attention sur la dignité et le rang occupés dans la hiérarchie ecclésiastique : *La domination du pontife lui donne le droit de commander et de présider; la distinction du prélat lui attribue la préséance et des prérogatives honorifiques.* (V. PRÊTRE.)

V. aussi PÉDANT.

pontifiant. V. DOCTORAL.

pontifier. V. DISCOURIR.

popote. V. CUISINE et RÉFECTOIRE.

popotier. V. CUISINIER.

populace est le nom donné, d'une façon générale, à ce que l'on considère comme le bas peuple, par opposition aux classes cultivées ou dirigeantes de la société. **Populaire** paraît un atténuatif de *populace* dans ce que ce terme a de péjoratif; on l'oppose à la bourgeoisie, au monde. (On dit aussi, dans ce sens, simplement **peuple** qui désigne alors l'ensemble des petites gens contraints, pour vivre, de travailler à des métiers plus ou moins serviles et peu rémunérateurs, et cela sans idée péjorative; **prolétariat,** syn. de *peuple,* est un terme du langage politique qui est généralement dominé par l'idée de revendications.) **Commun** s'applique aux gens de petite condition et fait ainsi penser au plus grand nombre; il vieillit, comme **vulgaire** qui, employé substantivement aussi, attire surtout l'attention sur l'instruction et l'éducation considérées comme étant celles des gens du commun. **Masse** est un syn. de *commun* d'un usage auj. plus courant. **Roture** est essentiellement un terme d'histoire servant à désigner l'ensemble de ceux qui, avant la Révolution, n'étaient ni nobles, ni ecclésiastiques, c'est-à-dire aussi bien les gens du peuple que les bourgeois et les marchands; il n'est plus guère usité auj., rarement d'ailleurs, que dans un sens péjoratif. **Plèbe,** syn. de *populace,* est du style soutenu; il s'oppose surtout à « élite ». **Tourbe** (du lat. *turba,* troupe confuse), lorsqu'il désigne par dénigrem. le bas peuple, implique une multitude confuse de celui-ci. **Canaille,** très péjoratif convient en parlant d'une vile populace, sans honneur et sans probité, qui est l'opposition même des honnêtes gens. **Basse pègre** se rapproche de *canaille* en ce sens qu'il désigne, dans une société, la catégorie de gens de misérable condition et sans aveu qui vivent d'expédients plus ou moins malhonnêtes; on dit aussi populairement, dans ce sens, **vermine. Racaille** enchérit sur *canaille* en s'appliquant à la lie du bas peuple, à son rebut, à ce qu'il y a véritablement de plus méprisable dans la populace; autref. surtout, il s'opposait bien à « noblesse ». **Populo,** syn. de *populaire,* est familier et rarement péjoratif. (V. PEUPLE.)

populaire. V. PEUPLÉ, POPULACE et VULGAIRE.

populariser. V. PROPAGER.

popularité. V. RÉPUTATION.

population. V. PEUPLE.

populeux. V. PEUPLÉ.

porc, nom donné à un mammifère domestique de l'ordre des pachydermes, apparaît, dans le langage courant, moins vulgaire que son syn. **cochon;** il convient particulièrement bien, comme l'a noté Lafaye, pour désigner l'animal qui a acquis un développement le rendant propre à servir ou même lorsqu'il sert actuellement à la nourriture de l'homme. **Pourceau** est un syn. moins usité de *porc;* on l'emploie surtout en parlant de l'animal en cours d'élevage, d'engraissement. (A noter qu'en termes d'économie rurale, le porc mâle s'appelle **verrat,** la femelle **truie** ou **coche** [moins us.], et le petit **goret.**) **Porcin,** adj. désignant ce qui est relatif au porc, s'emploie aussi auj. substantivement, surtout en termes d'abattoir ou de statistique.

porche. V. PORTIQUE.

porcherie. V. ÉTABLE.

porcin. V. PORC.

pornographique. V. OBSCÈNE.

1. **port** est le nom que l'on donne à une portion de mer fermée ou presque fermée, naturellement ou artificiellement, dans laquelle les navires peuvent mouiller en toute sécurité. **Rade** désigne une portion de mer située le long d'une côte, où le peu de profondeur de l'eau et la nature des fonds permettent aux navires de jeter l'ancre à proximité du rivage; il implique un grand bassin naturel. **Havre,** syn. de *port,* s'emploie surtout auj. pour désigner un petit port très abrité, situé à l'embouchure d'une rivière.

V. aussi COL.

2. **port.** V. MAINTIEN.

portail. V. PORTE.

porte est le nom donné, d'une façon générale, aussi bien à l'ouverture, grande ou petite, donnant entrée dans un lieu fermé ou enclos, qu'à l'appareil mobile, de bois ou de fer, qui sert habituellement à fermer cette ouverture. **Portail,** qui désigne une grande porte extérieure, se dit plus spécialement de la porte principale et monumentale d'une église, d'une cathédrale, avec tout son appareil architectural. **Huis,** porte extérieure d'une maison, est vieilli; il est surtout usité auj. en littérature ou dans l'expression *huis clos,* termes de droit. **Poterne** est assez partic.; il se dit de la porte, souvent secrète, qui fait communiquer l'intérieur d'une place ou d'un ouvrage de fortification avec un fossé ou l'extérieur; il suppose généralement une voûte. **Lourde,** syn. de *porte,* dans sa seconde acception, est un terme d'argot. (V. PORTIQUE.)

porte (jeter, mettre à la). V. CONGÉDIER.

porte-bonheur. V. FÉTICHE

portefaix. V. PORTEUR.

porter marque seulement qu'on est chargé d'un fardeau. **Transporter** a rapport non seulement au fardeau, mais encore à la fois à l'endroit où l'on prend celui-ci et au lieu où on le porte. **Reporter,** c'est soit porter de nouveau, soit porter en sa place primitive; il attire surtout l'attention sur le lieu où l'on porte et ne peut être employé que lorsque l'objet qui change de lieu est réellement porté, comme un fardeau ou comme une charge. **Coltiner,** lorsqu'il n'est pas employé dans son sens propre de porter en s'aidant du « coltin » (large chapeau de cuir à l'usage des portefaix, protégeant la tête, le cou et les épaules), est un syn. pop. de *porter,* comme **trimballer** qui signifie porter partout avec soi. **Transférer** est beaucoup plus partic.; c'est un terme de jurisprudence ou d'administration qui, lorsqu'il ne suppose pas un simple changement de lieu, sans transport matériel, présente l'action de porter réellement d'un lieu à un autre comme faite d'après la décision d'une autorité supérieure. **Traduire,** qui est d'ailleurs vieilli dans ce sens, ne s'applique qu'aux personnes que l'on transfère d'un lieu dans un autre. (V. APPORTER, CHARRIER et ENVOYER.)

Porter, c'est aussi simplement avoir

sur soi ou tenir à la main, sans égard à la pesanteur de la chose : *On porte une canne, une serviette; On porte un livre dans sa poche.* **Arborer,** c'est porter sur soi quelque chose qui attire l'attention : *On arbore de grosses lunettes, un insigne à sa boutonnière.*

V. aussi SUPPORTER.

porter à. V. ENCOURAGER.

porteur désigne, d'une façon générale, celui qui fait métier de porter, d'apporter quelque chose : *Porteur des halles; Porteuse de pain; Porteur d'eau; Porteur de dépêches,* etc. **Facteur,** nom spécialement donné à l'employé de l'administration des Postes qui porte les lettres, les journaux, etc., à domicile, se dit aussi, dans le langage commercial, de l'agent d'un bureau de messageries de chemins de fer chargé de transporter les colis des bureaux au domicile du destinataire et « vice versa ». — **Portefaix** ne s'applique qu'à un porteur de charges pesantes. **Commissionnaire** désigne particulièrem. dans ce sens, un portefaix titulaire d'une médaille, insigne de sa profession, délivrée par l'Administration. **Fort de la halle** (ou **des Halles**), et même simplement **fort,** est le nom donné à un portefaix assermenté qui fait le service des Halles à Paris. **Coltineur** (de *coltin,* large chapeau de cuir protégeant la tête, le cou et les épaules) désigne un portefaix qui transporte son fardeau sur la tête et les épaules. **Crocheteur** s'applique à un portefaix qui use de crochets pour porter sa charge. **Déchargeur** se dit du portefaix qui fait métier de débarrasser de leur charge les bateaux, les voitures. **Débardeur** désigne surtout le portefaix, le déchargeur qui attend, principalement dans les ports fluviaux, l'arrivage des bateaux pour décharger et porter à terre les marchandises. **Docker** est le nom donné au portefaix employé, dans les ports maritimes, au chargement comme au déchargement des navires. **Coolie** désigne — surtout aux Indes et en Indochine — un porteur, un portefaix indigène. **Nervi** (du lat. *nervus,* nerf) est syn. de *portefaix* dans l'argot marseillais.

porte-veine. V. AMULETTE.

portier. V. CONCIERGE.

portion se dit particulièrement de la quantité de pain, de mets donnée, dans le repas, à chacun en particulier, spécialem. dans une communauté ou dans un restaurant; il ne s'applique pas à la boisson. **Ration,** qui se dit aussi de la boisson, emporte le plus souvent une idée de limitation que n'implique pas *portion;* c'est une quantité d'aliments ou de boisson déterminée qu'il n'est pas permis de dépasser : *On peut avoir deux portions, mais on n'a généralement qu'une ration.* **Part,** partie d'un mets qui revient à chacun dans un partage, est d'un emploi plus relevé que *portion.*

V. aussi PARTIE.

portique est un terme d'architecture qui désigne une galerie couverte dont la voûte est soutenue par des colonnes, des arcades. **Porche** est le nom donné à un portique, à un lieu couvert, fermé ou ouvert, qui se trouve à l'entrée d'un temple, d'une église, d'un palais, d'une maison importante. **Péristyle** se dit aussi bien d'une galerie à colonnes entourant une cour ou un édifice : *Le péristyle de la Madeleine,* que d'un ensemble de colonnes décorant la façade d'un monument : *Le péristyle du Panthéon.* **Narthex** est plus partic.; il désigne un portique fermé, élevé en avant de la nef, dans les anciennes basiliques chrétiennes. (V. PORTE.)

portraicturer. V. PEINDRE.

portrait est le nom donné à une œuvre d'art reproduisant trait pour trait une personne. **Effigie,** terme de numismatique et de droit, est d'usage bien moins courant que *portrait.* **Image** et **figure** sont au contraire des termes d'un emploi plus large, qui s'appliquent également aux personnes et aux choses, dont elles présentent surtout la forme, le contour, l'attitude, la *figure* étant toutefois toujours une représentation artificielle (c'est-à-dire faite de main d'homme) des objets, alors que l'*image* peut en être une représentation spontanée et naturelle, telle l'image de nous-même que nous voyons dans un miroir. **Portraiture,** syn. de *portrait,* est vx. (V. CARICATURE.) — Au fig., PORTRAIT et IMAGE désignent tous deux une espèce de description oratoire ou poétique, le premier représentant des personnes tant au physique qu'au moral, le second décrivant les choses et les faits : *Le portrait a quelque chose de* *plus travaillé et de plus fini que l'image qui frappe surtout par l'éclat, l'imprévu, la vivacité des couleurs.*

pose. V. ATTITUDE.

posé, appliqué à une personne ou à ce qui s'y rapporte, emporte l'idée d'une certaine lenteur qui fait supposer la réflexion : *Une personne posée va ou agit sans précipitation.* **Réfléchi,** par son étymologie même, est évidemment plus dominé par l'idée de réflexion que par celle de lenteur : *Un homme réfléchi, sans se précipiter, peut toutefois agir dans un laps de temps relativement court.* **Rassis** annonce formellement une agitation antérieure qui s'est calmée et après laquelle on est rentré dans son état naturel : *L'esprit rassis est plus l'apanage des gens mûrs que des jeunes hommes.* (V. CALME.)

poser, c'est porter sur quelque chose, être appuyé, en attirant l'attention sur l'objet qui sert de point d'appui. **Reposer** dit plus; il emporte l'idée de solidité : *Une poutre pose sur une traverse, et repose sur le mur* (*Lafaye*).

Poser, c'est, figurément, étudier ses attitudes, ses gestes, ses regards, pour produire de l'effet. **Se pavaner,** c'est faire le fier, en se posant d'une manière superbe, comme un paon qui fait la roue, ou comme celui qui danse la pavane. **Plastronner,** c'est poser en prenant une attitude fière et prétentieuse; il est fam. et assez péj. **Se rengorger,** c'est avancer la poitrine avec affectation, en retirant la tête un peu en arrière, et, figurément, faire l'important. **Crâner** est fam.; c'est proprem. faire le brave et, par ext. seulement, poser, faire le fier avec une idée d'orgueil, de prétention très poussée. **Faire le beau,** c'est, très familièrement, étaler avec complaisance ses grâces, réelles ou prétendues. **Pouffer,** dans le sens de *poser,* se donner des airs, est vieux.

V. aussi METTRE et SUPPOSER.

poseur. V. VANITEUX.

positif. V. ÉVIDENT et RÉEL.

position désigne une manière particulière d'être généralement choisie pour atteindre un but. **Disposition** marque la position combinée des différentes parties ou des divers objets qui doivent concourir au même dessein, selon une tendance particulière au but. **Situation** se dit d'une manière générale d'être en place; il indique une chose ou une personne qui se trouve avec ce qui l'entoure dans de certains rapports : *Une maison est en telle position, eu égard à son exposition; elle a une telle disposition, en fonction de la distribution des parties qui la composent; elle est enfin dans telle situation, relativement à ce qui l'environne.* **Assiette,** syn. de ces termes, indique une manière habituelle, durable, d'être stable; il est dominé par l'idée d'immobilité et de sûreté : *Château bâti à mi-côte et dans une fort belle assiette.*

V. aussi ATTITUDE et ÉTAT.

possédé. V. FURIEUX.

posséder enchérit sur **avoir** en ce sens que pour posséder il faut avoir pleinement, en maître, d'une manière propre, absolue; c'est ainsi que si le premier s'applique plutôt aux biens-fonds, à ce dont on a véritablement la propriété, le domaine, le second se dit en général de toutes sortes de biens, et en particulier de ce qui se rapporte à la personne physique ou morale.

V. aussi CONNAÎTRE.

possesseur. V. PROPRIÉTAIRE.

possession. V. JOUISSANCE.

possible, terme général, se dit de tout ce qui se peut, qui peut être, qui peut se faire, qui peut arriver, sans forcément impliquer d'ailleurs l'idée d'un agent d'exécution. **Faisable,** au contraire, attire particulièrement l'attention sur l'acte à exécuter, et, par conséquent, sur l'exécutant. **Réalisable** convient bien en parlant de ce qu'on peut exécuter, rendre réel, effectif rapidement. **Praticable,** qui est surtout dominé par l'idée de service, d'usage, suppose plutôt une réalisation lente, progressive.

poste. V. EMPLOI.

poster exprime une action ordinaire qui ne suppose de la part du sujet ni finesse, ni malveillance; c'est simplem. placer dans un lieu, pour un service de garde ou de surveillance. **Aposter** emporte, au contraire, une idée de ruse, de mystère, et suppose une intention bien déterminée de nuire : *On poste des soldats pour combattre l'ennemi; On aposte des assassins pour guetter quelqu'un et le tuer.*

postérieur. V. DERRIÈRE et SUIVANT.

postérité est le nom donné à la suite de ceux qui descendent d'une même branche. **Descendance,** comme **descendants,** est plus déterminé que *postérité,* et fait moins que ce dernier considérer l'ensemble des successeurs que les individus eux-mêmes. **Enfants, fils** (ou, familièrement et le plus souvent par plaisanterie, **progéniture**) et **neveux** (ce dernier employé surtout dans le style soutenu ou par ceux qui n'ont pas personnellement d'enfants) sont plus précis encore que *descendants;* ils ne s'appliquent qu'à la génération suivant immédiatement. (V. CONSANGUINITÉ et PARENT.)

V. aussi AVENIR.

postiche, qui — adjectivement — désigne toutes les choses artificielles que l'on emploie pour tenir la place de certaines choses naturelles manquantes, se dit seulement — substantivement — d'un ouvrage de faux cheveux, que celui-ci remplace partiellement ou non la chevelure. **Perruque** se dit d'une coiffure complète de faux cheveux. **Moumoute** est le nom donné populairem. simplement à un faux toupet. **Réchauffante,** syn. de *perruque,* est un terme d'argot.

V. aussi FACTICE.

postulant désigne, d'une façon générale, celui qui se met sur les rangs pour obtenir une place, un emploi, une faveur. **Prétendant** est dominé par l'idée d'aspiration, voire de revendication; il suppose généralement des aspirations plus relevées, moins matérielles que *postulant.* **Candidat** convient bien en parlant de celui qui postule des suffrages, qui subit un examen ou qui prend part à un concours. **Impétrant** dit plus; il s'applique spécialement au postulant, au candidat qui reçoit satisfaction, surtout lorsqu'il s'agit d'une charge, d'un titre. **Poursuivant,** dans le sens de *postulant,* est peu usité; il se dit parfois de celui qui recherche avec ardeur, qui cherche à obtenir un emploi — et emporte alors souvent l'idée de brigues et de manœuvres. **Outsider** (mot angl. signif. celui qui est en dehors), nom donné proprement, en termes de course, à un cheval qui, normalement, n'a pas chance de gagner, s'emploie parfois aussi figurément, auj., dans le langage ordinaire, pour désigner un candidat qui à priori à peu de chances de réussir.

postuler. V. SOLLICITER.

posture. V. ATTITUDE.

pot. V. RÉCIPIENT.

potable. V. PASSABLE.

potage. V. BOUILLON.

pot-de-vin. V. GRATIFICATION.

poteau. V. PIÈCE.

potelé. V. GRAS.

potence. V. GIBET.

potentat. V. MONARQUE.

poterne. V. PORTE.

potiner. V. MÉDIRE.

potion. V. MÉDICAMENT.

pouacre. V. AVARE et MALPROPRE.

poudre. V. POUSSIÈRE.

pouffer. V. RIRE.

pouille. V. INJURE.

pouilleux. V. MISÉRABLE.

poulain. V. CHEVAL.

pouliche. V. JUMENT.

poulinement. V. MISE BAS.

poupard, poupon. V. BÉBÉ.

pour, lorsqu'il équivaut à l'expression *à l'effet de,* désigne plutôt une intention qu'un but. **Afin de** a un sens plus déterminé, pouvant être traduit par les mots *dans le but de;* il marque le projet bien formel d'arriver à un résultat : *Si toutes les femmes se parent pour aller au bal, quelques-unes toutefois le font surtout afin d'éclipser les autres.* (A noter que la même différence subsiste entre *pour* et *afin* lorsqu'ils sont suivis de la conjonction *que : Le restaurateur donne des noms bizarres à ses mets pour qu'ils attirent l'attention, et il les présente avec art afin qu'ils paraissent plus beaux.*)

Pour, lorsqu'il appelle l'attention sur quelque chose de nouveau dont l'idée peut naturellement venir après ce dont on a déjà parlé, fait généralem. attendre certaines différences, mais sans les présenter comme étant bien tranchées. **Quant à,** qui est plutôt un terme didact., annonce des différences bien plus grandes et semble mettre à part la chose ou la personne qu'on va désigner : *Toute personne dira qu'elle en estime une autre pour ses qualités, écrit Lafaye, mais, en termes d'école, un philosophe étudie ou considère l'homme* *quant à sa nature et à ses facultés spirituelles.* (A noter que *pour* suivi de *moi* est de tous les langages, alors que *quant à moi* a quelque chose de prétentieux, voire de cassant, qui ne convient guère que dans la controverse ou le langage familier.)

pourboire. V. GRATIFICATION.

pourceau. V. PORC.

pourchasser. V. POURSUIVRE.

pourparlers. V. CONVERSATION.

pourpre. V. ROUGE et ROUGEUR.

pourquoi. V. CAUSE.

pourquoi (c'est). V. AINSI.

pourrir, terme du langage ordinaire, se dit proprement d'une substance qui est dans un état d'altération lente et progressive. **Se décomposer** fait surtout penser au commencement de la putréfaction. **Se gâter** suppose une altération qui finira par dénaturer la chose et l'amènera à se pourrir, si l'on n'y apporte pas remède. **Se corrompre** enchérit sur *se gâter* en présentant l'altération comme profonde et généralem. impossible à empêcher. **Croupir,** c'est se corrompre et pourrir dans une eau stagnante, en parlant de certaines matières. **Se putréfier** appartient au langage scientifique ; c'est le terme employé par les chimistes, les physiciens ou les anatomistes. **Se faisander** est plus partic. ; signifiant proprem. acquérir du fumet en se mortifiant comme la chair du « faisan », en parlant d'une pièce de gibier, il s'emploie parfois péjorativement en parlant de certaines viandes de boucherie qui commencent à se corrompre. — Aux adj. dérivés de ces verbes, il convient d'ajouter **putride** (du lat. *putris,* pourri), terme didact. qui sert à désigner ce qui est en état de putréfaction. (V. ALTÉRER et AVARIER.)

V. aussi GÂTER et MOISIR.

poursuivant. V. POSTULANT.

poursuivre, c'est suivre vivement, courir après pour atteindre. **Pourchasser** emporte une idée d'ardeur et de plus grande opiniâtreté encore que *poursuivre ;* c'est poursuivre avec obstination et sans répit. **Talonner,** c'est poursuivre quelqu'un de près, marcher sur ses « talons ». **Traquer,** c'est poursuivre avec acharnement et sans laisser d'issue pour s'échapper.

V. aussi CONTINUER, RECHERCHER et TOURMENTER.

pourtant. V. CEPENDANT.

pourtour. V. TOUR.

pourvoi. V. APPEL.

pourvoir, c'est mettre en possession, en parlant de bénéfices, d'offices, d'emplois. **Investir,** qui ne s'applique qu'à un pouvoir, une autorité, suppose un cérémonial que n'implique pas *pourvoir.*

pourvoir à. V. VEILLER À.

pourvoir de. V. PROCURER.

poussah. V. GROS.

pousse. V. BOURGEON.

poussée suppose une pression faite contre quelqu'un ou quelque chose, le plus souvent pour l'ôter de sa place. **Bourrade** est plus partic. ; il ne s'applique qu'aux personnes et suppose une poussée assez brutale.

pousser, c'est ôter, souvent avec effort ou violence, quelqu'un ou quelque chose de sa place, parce qu'il nous gêne : *On pousse quelqu'un pour passer.* **Repousser,** employé dans le sens de pousser à nouveau, signifie aussi pousser en arrière ; il convient bien en parlant de l'action de faire reculer quelqu'un, d'écarter de soi quelque chose : *On repousse ce que l'on ne veut pas.* **Rejeter,** c'est repousser violemment : *On rejette avec force.* **Chasser,** c'est repousser non par un effort contraire, mais par des coups, des injonctions, des menaces : *On chasse l'envahisseur.* **Refouler,** c'est repousser jusqu'à un point déterminé : *Charles-Martel refoula les Sarrasins d'Espagne.* **Bouter,** vx mot signifiant *pousser,* qu'on trouve dans Molière, et qui survit encore dans quelques régions, a repris un regain de vie dans les phrases calquées sur le mot de Jeanne d'Arc qui voulait *bouter* les Anglais hors de France : *Armées qui boutent l'envahisseur.*

Pousser à. V. ENCOURAGER.

poussier. V. POUSSIÈRE.

poussière, nom donné à la terre desséchée et réduite en petites molécules, se dit aussi, par analogie, d'une matière naturellement divisée en particules très minces. **Poudre** s'emploie surtout en parlant de matière pulvérisée mécaniquement ; employé dans le sens exact de *poussière,* il est du langage affecté ou du lang. biblique, auquel cas il désigne la poussière, la terre qui est l'origine et doit être la forme finale du corps humain. **Poussier** est plus partic.; c'est un terme de techn. qu'on emploie pour désigner les débris pulvérulents d'une matière accidentellement réduite en cet état, particulièrement du charbon.

pouvoir, c'est avoir la possibilité, le moyen de. **Savoir,** qui est plutôt du style relevé dans ce sens, ne s'emploie guère alors qu'avec le conditionnel et la négation « ne »; il suppose surtout de l'intelligence ou de la volonté, alors qu'il y a souvent, dans *pouvoir,* l'idée d'un élément extérieur, indépendant du sujet, qui écarte toute opération de l'esprit : *On ne peut pas lire longtemps lorsqu'on a la vue fatiguée; On ne saurait lire quand on n'a pas appris.*

V. aussi AUTORITÉ, FACULTÉ et INFLUENCE.

prairie. V. PÂTURAGE.

praticable. V. POSSIBLE.

praticien. V. MÉDECIN.

pratique. V. ACHETEUR, AISÉ, EXPÉRIENCE et HABITUDE.

Pratiques. V. AGISSEMENTS.

pratiquer, c'est réduire en acte les règles d'un art, les principes d'une science, se livrer à une activité, suivre une règle de conduite d'une façon habituelle. **Exercer,** c'est pratiquer d'une façon régulière, continue, et comme principale occupation. **Professer,** syn. d'*exercer,* est vieux.

V. aussi FRÉQUENTER.

pré. V. PÂTURAGE.

préalablement. V. AVANT.

préambule. V. PRÉFACE et PRÉLIMINAIRE.

prébende. V. REVENU.

précaire. V. PASSAGER.

précaution. V. MESURE.

précautionné. V. PRUDENT.

précautionner. V. PROTÉGER.

précautionneux. V. PRUDENT.

précédemment. V. AVANT.

précédent exprime une priorité immédiate d'ordre, de rang, de position : *Cela se trouve dans un des précédents chapitres de ce livre.* **Antérieur** annonce une priorité vague, qui suppose entre les deux choses plus ou moins d'intervalle : *La propriété n'est point antérieure à la société, a écrit Benjamin Constant.* **Antécédent** est un terme qui appartient spécialement au langage didactique, à la logique, à la théologie, à la jurisprudence : *La prédestination est une prédilection de Dieu, antécédente à tout mérite* (*Fénelon.*)

Précédents, employé substantivement et au pluriel, s'applique d'une manière spéciale aux actes antérieurs d'un être collectif, par ex. d'une assemblée délibérante, d'une cour judiciaire, aux décisions antérieurement prises, à la marche antérieurement suivie. **Antécédents** se dit des faits antérieurs qui peuvent fixer le jugement sur l'état actuel de moralité ou de santé d'une personne, d'un individu : *Une Chambre recherche ses précédents; Un homme a de fâcheux antécédents.* (A noter que ces termes s'emploient aussi au sing., avec des nuances analogues, pour désigner un fait antérieur qu'on invoque comme autorité ou sur lequel on appuie un raisonnement, une conclusion.)

précéder, c'est proprem. venir avant ou devant quelqu'un ou quelque chose, sans impliquer toutefois d'ailleurs une idée de mouvement; il marque une simple priorité de place ou d'existence, et non de supériorité. **Devancer,** c'est prendre les « devants », aller plus vite; dominé par l'idée de mouvement, il marque un avantage obtenu par l'activité, la diligence, et suppose toujours une certaine distance des objets qui restent en arrière : *On précède les autres quand on se place devant eux pour les conduire* (*ex. : les chefs d'une armée*) ; *On les devance quand on passe avant eux et qu'on les laisse derrière* (*ex. : les avant-gardes*). — Au fig., lorsqu'il s'agit d'un rapport de temps, PRÉCÉDER indique une priorité d'existence, de possession, d'ordre, DEVANCER une antériorité d'action, de progrès : *La nuit a précédé le jour; l'aurore devance le soleil.*

précepte. V. COMMANDEMENT.

précepteur. V. MAÎTRE.

prêche. V. SERMON.

prêcher. V. RECOMMANDER et VANTER.

prêchi-prêcha. V. RADOTAGE.

précieux se dit de ce à quoi nous

tenons, à cause du prix, de la valeur que nous lui accordons, de l'utilité que nous y trouvons. **Cher** convient mieux en parlant de ce que nous aimons, de ce que nous voulons conserver parce que satisfaisant notre cœur et nos sentiments.

V. aussi AFFECTÉ.

précipice. V. ABÎME.

précipitation. V. VITESSE.

précipité. V. LIE.

précipiter. V. ACCÉLÉRER.

Se précipiter. V. ÉLANCER (S').

précis se dit de ce qui est nettement déterminé. **Rigoureux,** enchérit sur *précis;* il convient bien en parlant de ce qui est tellement précis qu'il ne saurait soulever de réplique. **Mathématique,** syn. de ces termes dans le lang. cour., se dit de ce qui exclut tout doute, toute possibilité contraire.

V. aussi ABRÉGÉ, CATÉGORIQUE et CONCIS.

préciser, c'est présenter d'une manière précise, déterminer exactement, le plus souvent en détaillant. **Fixer** dit moins; c'est aussi déterminer d'une façon nette, mais le plus souvent toutefois sans entrer dans les détails. **Spécifier** enchérit au contraire sur *préciser;* c'est non seulement déterminer exactement, mais encore désigner par un trait spécifique, exprimer, déterminer en particulier. **Particulariser** est un syn. moins usité de *spécifier,* auquel il ajoute une idée de minutie.

précision. V. JUSTESSE.

précoce. V. HÂTIF.

préconiser. V. RECOMMANDER et VANTER.

prédécesseur, qui marque antériorité, est le nom que l'on donne à celui qui a précédé quelqu'un surtout dans un poste hiérarchisé, administratif. **Devancier,** qui semble moins relevé que *prédécesseur,* convient bien en parlant de celui qui a précédé quelqu'un dans une carrière qu'on court de soi-même, après d'autres : *Un souverain, un prélat, un magistrat ont des prédécesseurs; Des écrivains, des artistes ont des devanciers.*

Prédécesseurs. V. AÏEUX.

prédestiner. V. VOUER.

prédicant. V. ORATEUR et PRÊTRE.

prédicat. V. ADJECTIF.

prédicateur. V. ORATEUR.

prédication. V. SERMON.

prédiction se dit de l'annonce d'événements futurs faite par toute espèce de personnes; il suppose le plus souvent du calcul et du raisonnement. **Prophétie** (du gr. *prophêtês,* proprem. qui dit d'avance) est le nom que l'on donne surtout à une prédiction qui, censée provenir d'une inspiration surnaturelle, n'est le don que de certains personnages : *Les astrologues avaient fait un art de la prédiction, tandis que les prophètes avaient le don des prophéties.* **Horoscope** (du gr. *hôra,* heure, et *skopein,* regarder) est plus partic.; terme d'astrologie désignant l'observation de l'état des astres au moment de la naissance d'un enfant, d'après laquelle les astrologues prétendaient connaître à l'avance les événements de la vie, il se dit auj., familièrem. et par ext., de la prédiction qui est faite, par simple conjecture, sur le sort de quelqu'un ou sur le résultat de quelque chose : *L'horoscope d'un joueur n'est pas difficile à tirer : on peut prédire qu'il finira démuni de tout.*

prédilection. V. PRÉFÉRENCE.

prédire, c'est, dans le langage courant et d'une façon générale, dire ce qu'on prévoit devoir arriver, cela soit par conjecture, soit par raisonnement, attendu que l'on n'en a pas la connaissance naturelle. **Annoncer,** c'est simplement dire ce qui va arriver parce qu'on l'a décidé soi-même ou que l'on en a eu communication; il suppose une affirmation catégorique, formelle. **Pronostiquer,** c'est annoncer un événement à la suite d'un raisonnement appuyé sur l'étude, l'expérience. **Prophétiser,** proprement prédire l'avenir par inspiration divine, s'emploie parfois aussi, dans le lang. cour. et par ext., comme syn. de *prédire;* il suppose alors une certaine affectation, un ton plus ou moins emphatique. **Vaticiner** (du lat. *vates,* devin) se prend le plus souvent en mauv. part dans le sens de prédire l'avenir, *prophétiser.* (V. AUGURER.)

prédisposition. V. PENCHANT.

prédominer. V. PRÉVALOIR.

prééminence, préexcellence. V. SUPÉRIORITÉ.

préface est le nom donné aux lignes écrites en tête d'un livre, soit par l'auteur lui-même pour expliquer le plan et la contexture de l'ouvrage, soit par une personnalité, un maître, qui se charge par ce moyen de bien disposer le lecteur en faveur de l'œuvre qu'il présente et recommande. **Discours préliminaire,** nom donné autref. à une assez longue préface explicative, est peu usité auj.; on dit plutôt **introduction,** surtout lorsqu'il s'agit d'un ouvrage didactique. **Avant-propos** suppose, au contraire, un texte assez bref, placé en tête d'un livre pour préparer à sa lecture, soit en faisant connaître le but que s'est proposé l'auteur, comme dans la *préface,* soit par des notions préliminaires, comme dans l'*introduction.* **Préambule** se dit d'une courte préface, d'une sorte d'entrée en matière tendant plus à intéresser le lecteur à l'ouvrage qu'à l'instruire; il s'emploie aussi particulièrement bien pour désigner l'exposé des motifs par lequel on présente une loi. **Avertissement** s'applique à une petite préface, due plus souvent d'ailleurs à l'éditeur qu'à l'auteur, qui fixe l'attention sur des points particuliers de l'œuvre. **Notice** est le nom que l'on donne parfois à une sorte de préface servant à faire connaître l'auteur et son œuvre. **Avis** désigne un avertissement qui aborde des questions en marge du sujet traité : détails typographiques, renseignements bibliographiques, raisons de l'édition, etc. **Prologue,** dans le sens d'*avant-propos,* est peu usité auj.; il désigne plus ordinairement la première partie d'un roman ou d'une pièce dramatique dans laquelle il se passe des événements antérieurs à ceux de l'ouvrage proprement dit. **Prolégomènes,** moins employé, est un terme didactique qui se dit d'une longue préface dans laquelle sont données toutes les notions nécessaires à l'intelligence des matières traitées dans l'ouvrage. **Prodrome,** sorte d'introduction à l'étude d'une science, et **proème,** préambule d'un ouvrage, sont vieux.

V. aussi PRÉLIMINAIRE.

préféré. V. FAVORI.

préférence implique le choix d'une personne ou d'une chose plutôt que d'une autre, généralement pour une raison déterminée. **Prédilection** dit plutôt plus; il suppose une préférence nettement marquée et convient surtout en parlant d'une préférence d'affection, d'amitié, de goût. **Acception** est d'un usage plus restreint et s'emploie surtout en mauv. part et en parlant des personnes; usité le plus souvent dans la locution : *Faire acception de personnes,* il attire l'attention sur une préférence que l'on a ou qu'on pourrait avoir pour quelqu'un au préjudice d'un autre, cela généralement pour des motifs étrangers à la justice et au bon droit. (V. FAVORITISME.)

préférer (du lat. *praeferre,* porter en avant), c'est marquer le choix qu'on fait d'une personne ou d'une chose relativement à l'emploi ou à l'usage qu'on veut en faire et d'après ses sentiments personnels : *On préfère ce que l'on aime.* **Aimer mieux,** c'est préférer surtout par goût; il emporte une idée de comparaison : *On aime mieux ce qui plaît.* (V. CHOISIR.)

préfet des études. V. MAÎTRE.

préfet d'étude. V. SURVEILLANT.

préjudice implique une atteinte certaine à des droits réels, voire une usurpation : *Le préjudice nuit aux intérêts de celui à qui on le porte.* **Dommage** désigne le préjudice lui-même que l'on subit, ce en quoi les intérêts sont compromis; il s'applique particulièrement bien à une perte matérielle : *Le dommage cause une perte à celui qui le souffre.* **Tort** ajoute à l'idée de dommage celle d'être toujours causé par une personne et d'être fait avec injustice : *Le tort blesse le droit de celui à qui on le fait.* **Détriment** dit moins; c'est simplement l'impression que reçoit celui dont les intérêts sont compromis ou qui subit une perte quelconque : *Le détriment est un dommage plus ou moins éloigné, causé par contrecoup ou par intermédiaire.* **Lésion** est plus partic.; c'est essentiellement un terme de jurisprudence qui sert à désigner tout dommage souffert par suite d'une convention : *Il y a lésion toutes les fois que, dans un contrat commutatif, l'un des contractants ne reçoit pas exactement une valeur égale à celle dont il se dessaisit lui-même.* **Dam,** syn. de *préjudice,* de *dommage,* est vx. (V. GÊNER, NUIRE et PERTE.)

préjugé se dit d'une opinion formée sans examen préalable ou après un examen insuffisant, quelquefois par paresse d'esprit, et plus souvent par excès de confiance dans les lumières d'autrui ou par suite d'habitudes contractées : *Le préjugé témoigne d'un manque de personnalité.* **Prévention** est le nom que l'on donne à un jugement préconçu à l'égard des personnes ou des choses dont il s'agit de connaître le mérite ou la valeur; il suppose plus ou moins de partialité qui dispose d'une façon favorable ou défavorable : *La prévention est une erreur du cœur.* **Parti pris** implique une opinion préconçue, une résolution prise d'avance sur laquelle on ne revient pas; il emporte souvent aussi l'idée de partialité et surtout d'entêtement : *Le parti pris est une erreur de l'esprit.* **Préoccupation** est vieux dans ce sens; il s'appliquait bien pour désigner une sorte d'infatuation, de présomption qui, donnant une importance excessive à certaines idées, ne savait donner la moindre attention aux idées autres ou contraires, ou bien les considérait sous un faux point de vue : *La préoccupation de l'opinion commune.*

prélart. V. BÂCHE.

prélat. V. PONTIFE.

préliminaire désigne ce qui précède, ce qui prépare la matière principale, qu'il sert souvent d'ailleurs à éclaircir. **Prélude** se dit de ce qui précède quelque chose, surtout pour lui servir comme d'entrée et de préparation; il convient bien en parlant de ce qui annonce l'acte principal : *Rocroi fut le prélude des victoires de Condé.* **Prodrome,** proprem. terme de médecine désignant l'état d'indisposition, de malaise, qui est l'avant-coureur d'une maladie, se dit aussi, dans le langage courant, d'un fait qui présage quelque événement plus important. **Préface** (v. ce mot à son ordre) et **prologue,** employés figurément comme syn. de *préliminaire* ou de *prélude,* sont moins usités dans ce sens général. **Exorde** est plus partic.; désignant proprement, en termes de rhétorique, l'entrée en matière dans un discours de quelque étendue, il se dit aussi, par ext., de l'entrée en matière, des premières paroles d'une conversation : il emporte alors l'idée de prudence et suppose que l'on prend quelques précautions avant d'aborder son sujet. **Préambule,** appliqué à un discours, une conversation, suppose beaucoup de vague, rien de suffisamment déterminé, cependant qu'en termes de littérature, il désigne plus spécialement la première partie d'un roman ou d'une pièce dramatique, dans laquelle il se passe des événements antérieurs à ceux de l'ouvrage proprement dit. **Proème,** syn. d'*exorde,* est vx. (V. COMMENCEMENT.)

prélude. V. PRÉLIMINAIRE.

prématuré. V. HÂTIF.

préméditer. V. PROJETER.

prémices. V. COMMENCEMENT.

premier, adj. ordinal, fait connaître les choses par rapport à leur rang, à leur ordre, au temps où elles se sont passées; il convient bien, entre autres, en parlant de plusieurs êtres ou choses entièrement distincts les uns des autres, mais envisagés comme appartenant à une même suite. **Primitif,** adj. qualificatif, marque l'état ancien, les qualités anciennes, relativement à l'état présent, aux qualités actuelles : *La langue d'Adam et d'Eve, qui est la première des langues, est en outre le langage primitif du genre humain.* **Primordial,** qui est aussi un adj. qualificatif, a spécialement rapport à l'origine, à la source d'où dérivent d'autres choses : *Le mouflon paraît être la source primordiale de toutes nos races ovines.* (*Primitif* s'emploie souvent aussi d'ailleurs dans le sens de *primordial.*) **Initial** désigne ce qui se trouve au début de l'origine et suppose quelque chose qui a une suite : *La crédulité des hommes est une des causes initiales de leurs erreurs.* **Prime,** ancien mot signif. *premier,* n'est plus employé auj. que dans quelques locutions, telles : *De prime abord; De prime saut,* etc.

prémonition. V. PRESSENTIMENT.

prémunir. V. PROTÉGER.

prendre, c'est, d'une façon générale, attirer à soi, de n'importe quelle manière. **Saisir,** c'est prendre tout d'un coup, avec promptitude et le plus souvent avec vigueur; il fait penser surtout à l'objet saisi. **Se saisir,** qui attire essentiellement l'attention, au contraire, sur le sujet saisissant, enchérit sur *saisir* quant à l'idée de promptitude et de vigueur. **S'emparer de,** c'est prendre par force ou par adresse; il suppose généralement qu'on se rend maître de quelque chose en prévenant des concurrents, en écartant ceux qui ont quelque droit à y prétendre. **Aveindre,** aller prendre un objet à la place où il est rangé, est vx; on l'emploie toutefois encore dialectalement. — **Arrêter** est plus partic. dans ce sens; il ne se dit guère que des personnes dont on se saisit pour les mettre en prison. **Appréhender,** syn. d'*arrêter,* est moins du langage ordinaire. **Colleter** ne s'applique qu'aux personnes et emporte une idée de combat, de lutte; c'est saisir violemment quelqu'un au collet pour le terrasser. **Agrafer,** c'est saisir vivement quelqu'un; il est familier, ainsi que **pincer,** saisir, arrêter sur le fait, généralement en surprenant. **Empoigner** est pop.; c'est saisir quelqu'un pour l'arrêter ou l'expulser d'un endroit. **Harponner,** proprem. saisir, percer avec un harpon, en termes de pêche, s'emploie aussi parfois populairement dans le sens d'*arrêter,* d'*empoigner.* **Piger** et **piper,** syn. de *prendre,* de *saisir,* d'*arrêter,* sont aussi populaires; **chauffer, choper, paumer** et **poisser,** sont des termes d'argot. (V. ATTRAPER.)

V. aussi APPROPRIER (S') et CONGELER.

prendre langue. V. METTRE EN RAPPORT (SE).

prendre le large. V. PARTIR.

prendre part. V. PARTICIPER.

préoccupation. V. PRÉJUGÉ et SOUCI.

préoccuper. V. TOURMENTER.

préparatifs (du lat. *praeparare,* disposer d'avance), qui se dit de l'ensemble de tout ce que l'on fait pour préparer quelque chose, se rapporte à une action future. **Apprêts** suppose un événement moins lointain, plus proche que *préparatifs;* il désigne l'action de tenir prêt, en état pour l'usage qui va en être fait incessamment. **Appareil** est plus partic.; à l'inverse des deux autres termes, il ne s'emploie dans ce sens qu'au singulier, et est essentiellement relatif à l'aspect, à l'apparence des choses, à l'impression produite par leur ensemble, dit Lafaye : *Un cuisinier commence la veille les préparatifs d'un grand dîner, puis passe la journée à en faire les apprêts, pour enfin en dresser l'appareil au moment du service.*

préparer, c'est travailler d'avance à mettre en état des choses qui seront nécessaires dans un temps plus ou moins lointain. **Disposer,** c'est arranger d'une manière convenable les choses dont on aura incessamment besoin; il suppose généralement la préparation ordonnée et systématique d'une multiplicité de choses. **Apprêter,** c'est mettre une chose en état de servir immédiatement. **Organiser** est dominé par l'idée d'arrangement matériel; c'est disposer une chose pour ce à quoi elle est destinée. — **Elaborer** est un terme didact.; c'est préparer par un long travail, surtout en parlant des travaux de l'intelligence. **Concerter,** c'est préparer, arranger de concert avec une ou plusieurs personnes, ou même seul, un plan, un projet. **Combiner,** c'est disposer dans l'esprit, de manière à parvenir à un certain résultat. **Mûrir,** c'est laisser se préciser un projet dans notre esprit jusqu'à ce qu'il soit viable, en préparer la réalisation longtemps à l'avance et avec le maximum de soin et d'attention, en envisageant toutes les conséquences possibles. **Mijoter** est familier; c'est préparer dans l'esprit lentement et sans bruit. **Mitonner,** familier aussi, c'est préparer tout doucement et avec soin quelqu'un ou quelque chose pour un résultat. (V. OURDIR.)

prépondérance. V. SUPÉRIORITÉ.

préposé. V. EMPLOYÉ.

préposer, c'est mettre à la tête, établir quelqu'un avec autorité et d'une façon fixe, avec pouvoir de faire quelque chose, d'en prendre soin; il suppose généralement une certaine responsabilité. **Commettre** dit moins; c'est simplement charger quelqu'un d'une fonction, d'un travail déterminé, qui peut être de courte durée.

prépotence. V. AUTORITÉ et SUPÉRIORITÉ.

prérogative. V. PRIVILÈGE.

près. V. PROCHE.

près (à telle chose). V. EXCEPTÉ.

présage, nom que l'on donne à la prévision d'une chose à venir, d'un événement futur, s'applique uniquement à la réalité de ce qui est prévu. **Augure** concerne surtout le résultat, bon ou fâcheux, que produira cette chose, cet événement : *Le présage expli-*

que plutôt le signe, la chose d'après laquelle nous présumons, et l'augure notre présomption même.

présager. V. AUGURER.

prescience. V. PRÉVISION.

prescription est un terme de jurisprudence qui désigne soit la manière d'acquérir un droit par une possession non interrompue pendant un temps fixé par la loi, soit encore la libération d'une dette, d'une servitude, d'une peine, après un laps de temps déterminé. **Péremption** dit moins; il s'applique simplement à une sorte de prescription qui anéantit, après un certain délai, une procédure non continuée, un jugement par défaut non exécuté, une inscription hypothécaire non renouvelée.

V. aussi COMMANDEMENT et RÈGLEMENT.

1. **présent.** V. DON.

2. **présent.** V. ACTUEL.

présent (à), présentement. V. ACTUELLEMENT.

présente (être) convient bien en parlant d'une présence involontaire, due au seul hasard. **Assister** implique plutôt, au contraire, que l'on s'est rendu exprès, de dessein délibéré, dans un lieu, afin de prendre ou de pouvoir prendre part à ce qui s'y passe : *On est présent à un événement; on assiste à une cérémonie.*

présenter. V. DONNER et MONTRER.

Se présenter, c'est, d'une façon générale, paraître devant quelqu'un, le plus souvent de son plein gré. **Comparaître,** qui est plus partic., est essentiellement un terme de procédure; c'est paraître, se présenter par ordre, devant un juge, un officier de l'état-civil ou un officier ministériel. **Comparoir** est un syn. vieilli de *comparaître,* qui ne s'emploie plus que dans les locutions : *Etre assigné à comparoir; Recevoir une assignation à comparoir.*

préserver. V. PROTÉGER.

présides. V. BAGNE.

présomption. V. ORGUEIL.

présomptueux. V. VANITEUX.

presque, comme **à peu près,** qui signifie peu s'en faut et se rapporte plutôt à la mesure, à l'étendue, à la quantité, marque l'approximation. **Quasi,** qui s'emploie d'ailleurs beaucoup plus rarement, convient mieux en parlant de l'apparence, de la manière d'être; c'est un terme de similitude qui marque la ressemblance : *Un homme presque mort est tout près de mourir, n'a plus que quelques instants à vivre; un homme quasi mort est comme s'il était mort.* **Quasiment** est un syn. familier et assez vieilli de *quasi.*

pressant se dit des circonstances qui forcent à faire sans délai une chose exigeant une vive, une prompte exécution; il appelle l'attention sur les précautions qu'il importe de prendre rapidement. **Instant** suppose de l'insistance; il convient bien en parlant des prières, des sollicitations qu'on fait avec persévérance, pour arriver à ce qu'on désire. **Urgent,** qui a plus de force que *pressant* et suppose une nécessité plus complète, s'applique surtout aux choses, aux causes, aux besoins qui nous aiguillonnent au point de nous plonger dans la souffrance et dans le malheur si nous n'y pourvoyons pas. (V. PRESSÉ.)

presse. V. FOULE.

pressé se dit simplement de ce qui doit être hâté, accéléré. **Urgent** enchérit sur *pressé;* il semble souvent entendre que le moindre retard serait non seulement regrettable, mais aussi préjudiciable. (V. PRESSANT.)

pressentiment, sentiment secret de ce qui doit arriver, suppose un mouvement intérieur d'appréhension ou d'espérance, au sujet d'une chose que nous prévoyons confusément et sans en apprécier les raisons. **Intuition,** qui désigne proprem. la connaissance claire, directe, immédiate de la vérité, sans le secours du raisonnement, s'emploie aussi parfois, par ext., comme syn. de *pressentiment;* il est alors plutôt du langage relevé. **Prémonition** est le nom donné soit à une sensation particulière, à une espèce de pressentiment précédant un fait et l'annonçant en quelque sorte, soit à un avertissement mystérieux concernant l'avenir.

pressentir suppose un sentiment né dans l'âme d'une manière inexplicable, par une espèce d'inspiration, de divination, sentiment grâce auquel on peut prévoir, c'est-à-dire, concevoir par avance des choses futures. **Se douter** et **soupçonner** disent plus; ils s'appliquent non seulement aux choses futures, mais aussi aux choses présentes et même aux choses passées, le premier supposant de la pénétration, de la finesse dans l'esprit, alors que le second n'exprime que le résultat de certains indices qu'on a remarqués. **Deviner,** syn. de *se douter,* suppose une réalité plus certaine encore dans la chose soupçonnée. **Subodorer,** syn. de *pressentir,* est plutôt du langage pédant. **Flairer,** syn. de *se douter,* est familier.

presser, c'est rapprocher étroitement et avec une certaine force, une certaine vigueur, les différentes parties d'une chose ou différentes choses. **Serrer** dit moins que *presser;* il emporte plus l'idée de gêne que de force et s'emploie généralement dans ce sens avec une des prépositions « avec », « contre », « dans », « entre ». **Comprimer** est plus partic.; c'est presser avec force, de manière à réduire à un moindre volume. **Tasser,** c'est proprement mettre en tas, réduire de volume par compression, et, par ext. et familièrement, presser en parlant des personnes. **Fouler,** c'est presser fortement avec les pieds, les mains, ou à l'aide d'un mécanisme, une chose qui cède à la pression, de quelque manière que ce soit. **Pressurer** ne s'emploie guère, dans ce sens, qu'en parlant des fruits qu'on presse pour en exprimer le jus.

V. aussi ACCÉLÉRER.

pression. V. CONTRAINTE.

pressis. V. QUINTESSENCE.

pressurer. V. PRESSER.

prestance. V. MAINTIEN.

preste. V. AGILE.

prestesse. V. VITESSE.

prestidigitateur (de *prestidigitation,* mot créé en 1815 par Jules de Rovère; de *preste* et du lat. *digitus,* doigt) est le nom que l'on donne couramment auj. à celui qui possède l'art de produire des illusions, cela de différentes manières : adresse des mains, trucs, etc.; on dit aussi parfois **illusionniste. Escamoteur** dit moins; il désigne celui qui possède seulement l'art de faire disparaître des objets au cours de mouvements paraissant destinés à les mettre dans un endroit déterminé. **Physicien** est un syn. populaire de *prestidigitateur* peu usité aujourd'hui.

prestige. V. CHARME, ILLUSION et INFLUENCE.

prestolet. V. PRÊTRE.

présumer. V. AUGURER et SUPPOSER.

présupposer. V. SUPPOSER.

prétendant. V. POSTULANT.

prétendre. V. AFFIRMER, AMBITIONNER et TENDRE À.

prétendu implique, comme l'a justement fait observer Littré, que plusieurs personnes prétendent, soutiennent que tel ou tel caractère appartient à une personne. **Soi-disant** suppose seulement l'assertion de la personne dont il s'agit : *Une prétendue jolie femme est une femme qu'un certain nombre de gens veulent faire passer pour jolie; Une soi-disant jolie femme est une femme qui se donne pour jolie, et qui, là-dessus, pourrait être seule de son avis.*

V. aussi FIANCÉ.

prétentieux. V. AFFECTÉ et VANITEUX.

prétention. V. AMBITION et ORGUEIL.

prêter. V. CONFIER et IMPUTER.

Se prêter à. V. CONSENTIR.

prétérition. V. OMISSION.

prétexte. V. CAUSE.

prétexter, c'est invoquer une cause apparente, voire en simuler une, pour cacher le vrai motif d'un dessein, d'une action. **Alléguer** suppose quelque chose de plus solide, de plus convaincant que *prétexter;* c'est mettre en avant, avancer un fait, une excuse, une justification ou une raison qui représente un prétexte d'une certaine valeur, d'un certain poids. **Exciper,** c'est, surtout en termes de jurisprudence, alléguer une exception, une excuse, un moyen préjudiciel d'écarter provisoirement ou définitivement l'instance. **Objecter** dit plus; il suppose un prétexte, une raison qui paraît péremptoire à celui qui l'invoque, prétexte, raison qui est généralement une difficulté. **Opposer** enchérit à son tour sur ces termes, en impliquant un obstacle sérieux mis à la volonté d'autrui.

prêtre est le terme très général qui sert à désigner tout ministre d'une religion, quelle qu'elle soit; il fait penser surtout à l'exercice des fonctions sacerdotales. **Ecclésiastique,** terme qui ne s'emploie que dans la religion chrétienne, s'étend par contre à tous les membres du clergé, au pape, aux évêques, aussi bien qu'aux prêtres des paroisses, voire aux clercs initiés dans les premiers ordres; il attire principalement l'attention sur la classe sociale. **Curé** est beaucoup plus partic.; il ne s'applique qu'à un prêtre catholique chargé de la direction spirituelle d'une paroisse, sauf dans le langage populaire où il est employé comme syn., plutôt péjoratif d'ailleurs, d'*ecclésiastique* pris dans son sens général. **Abbé,** après avoir été le nom de celui qui dirigeait une abbaye, se dit auj., par ext., de tout prêtre qui, portant l'habit ecclésiastique, remplit ou se prépare à remplir les fonctions sacerdotales. **Vicaire** est le nom donné à un ecclésiastique desservant une paroisse sous l'autorité d'un curé. **Pasteur,** syn. de *prêtre,* est du style soutenu; dans le langage courant, il désigne spécialement un ministre de la religion protestante. **Prédicant,** nom donné au ministre de la religion protestante dont la fonction est de prêcher, ne s'est guère dit que des prédicateurs huguenots, et surtout de ceux qui prêchaient au village. **Capelan,** autref. prêtre pauvre, besogneux, est encore auj., dans le Midi, syn. de *prêtre* pris dans son sens général. **Prestolet** se dit familièrement et péjorativement d'un petit prêtre sans considération, sans importance. **Corbeau** et **ratichon,** qui s'appliquent surtout à un prêtre catholique, sont des termes d'argot toujours employés péjorativement, par dénigrement. (V. AUMÔNIER et PONTIFE.)

prêtrise. V. SACERDOCE.

preuve désigne ce qui établit, ce qui constate la vérité d'une proposition, d'un fait, de quelque façon que ce soit. **Démonstration,** qui se dit proprem. du raisonnement qui établit, d'une manière évidente et convaincante, la vérité de sa conclusion par déduction, s'emploie parfois aussi pour désigner tout ce qui sert de preuve à quelque chose. **Argument** s'applique, dans le langage ordinaire, à la preuve qui sert à affirmer ou à nier un fait.

V. aussi TÉMOIGNAGE.

preux. V. CHEVALIER.

prévaloir, avoir l'avantage, remporter l'avantage, se dit surtout des choses : *La raison doit prévaloir sur la routine.* **Prédominer** s'applique bien surtout, comme le note le « Dictionnaire de l'Académie », aux caractères physiques ou moraux qui prévalent sur les autres, qui se font le plus remarquer ou sentir : *Le temps agit sur les peuples comme sur l'homme : il les vieillit, il fait prédominer l'esprit aux dépens du cœur.* **L'emporter sur,** syn. de *prévaloir,* se dit des personnes comme des choses et emporte essentiellement une idée d'avantage dû à une supériorité : *Virgile et Horace l'emportent sur tous les poètes latins; La sagesse l'emporte toujours sur la folie.* (V. SURPASSER.)

Se prévaloir. V. FLATTER (SE).

prévarication. V. TRAHISON.

prévenant. V. COMPLAISANT.

prévenir. V. AVERTIR, DEVANCER et ÉVITER.

prévention. V. PRÉJUGÉ.

préventorium. V. SANATORIUM.

prévenu. V. INCULPÉ.

prévision désigne, d'une façon générale, la vue des choses futures, qu'elle soit surnaturelle ou bien qu'elle s'appuie sur certaines connaissances ou conjectures. **Prescience,** qui — en termes de théologie — ne se dit que de Dieu et concerne la connaissance divine de ce qui doit arriver, est le nom que l'on donne aussi, par ext. et dans le langage courant, à la prévision de l'avenir chez les hommes; il suppose quelque chose de plus instinctif, de moins raisonné, que *prévision.*

prévoir. V. PRESSENTIR.

prévoyant. V. PRUDENT.

prier, c'est, pris dans son sens absolu, accomplir un exercice de piété qui consiste soit à adorer Dieu, soit à lui demander des grâces; pris dans son sens relatif, c'est demander avec respect et instance une grâce, une faveur à un être quelconque. **Conjurer,** comme **adjurer,** c'est prier avec force, en employant tous les moyens propres à toucher. **Supplier** (lat. *supplicare,* proprem. plier le genou), c'est prier avec une très vive instance et dans une humble posture; il suppose une prière pour laquelle on est à genoux ou prêt à s'y mettre. **Implorer** (du lat. *plorare,* pleurer), c'est prier avec des larmes dans les yeux, ou tout au moins avec un vif sentiment de sa faiblesse, de sa misère, et toujours en cherchant à toucher. **Invoquer,** c'est prier en faisant appel à quelqu'un ou à quelque chose.

Prier à, prier de. V. INVITER.

prière est le terme du lang. cour. qui sert à désigner l'acte religieux par lequel on s'adresse à Dieu pour reconnaître son souverain domaine sur toutes les créatures et lui demander des grâces dont on a besoin. **Oraison,** syn. de *prière,* est surtout un terme de liturgie. **Litanies,** terme aussi de liturgie qui ne s'emploie qu'au plur. dans ce sens, désigne une prière formée de courtes invocations successives qui s'adressent à Dieu, à la Sainte Vierge ou aux saints. **Patenôtre,** nom donné autref. à l'oraison dominicale, ne s'emploie plus auj. que familièrement par raillerie et au plur., pour désigner une suite de prières.

Prière, lorsqu'il désigne, dans un sens plus étendu, une demande verbale faite à quelqu'un pour obtenir quelque chose, implique une certaine humilité, ou tout au moins de la déférence. **Requête** suppose une prière instante, souvent adressée à une autorité, à un personnage officiels. **Supplique** enchérit à son tour sur *requête* quant à l'idée d'instance; il est en outre, dans ce sens, plutôt familier. **Supplication** se dit, dans le langage courant, d'une prière à la fois instante et humble, tendant à émouvoir.

prieuré. V. CLOÎTRE et ÉGLISE.

primauté. V. SUPÉRIORITÉ.

prime. V. RÉCOMPENSE.

primer. V. SURPASSER.

primesautier. V. SPONTANÉ.

primitif. V. PREMIER et SIMPLE.

primordial. V. PREMIER (et PRINCIPAL).

prince. V. MONARQUE.

principal, lorsqu'il est adjectif, se dit de ce qui importe beaucoup parce que venant en première ligne. **Capital** enchérit sur *principal* en ce sens qu'il s'applique à ce qui importe plus que toute autre chose. **Cardinal** (lat. *cardinalis,* principal) ne s'emploie guère, avec le sens de *principal,* qu'en termes d'astronomie et de géographie (*points, vents cardinaux*) ou de religion (*autel cardinal; vertus cardinales*). **Essentiel** est surtout dominé par l'idée de nécessité, d'indispensabilité. **Fondamental** se dit de ce qui est essentiel parce que servant de base même à la chose. **Dominant** emporte l'idée d'une prépondérance due à l'influence, au nombre, à l'étendue. (V. DÉCISIF et IMPORTANT.) — PRIMORDIAL, couramment employé auj. dans le sens de *fondamental,* est fautif; venant du lat. *primordius,* commencement, il signifie uniquement en effet « primitif », qui vient en premier lieu, le plus ancien.

Principal, employé substantivem. et en termes de finance, est syn. de **capital,** fonds, argent que l'on possède, par opposition à « intérêts » et seulement en parlant du capital d'une dette.

principalement. V. SURTOUT.

principe est le nom que l'on donne à ce qui sert de base à une chose, ce sans quoi celle-ci ne pourrait exister ou sans quoi il serait impossible de la développer. **Elément** désigne la partie constituante des choses, partie d'ailleurs facile à distinguer et que l'on doit montrer la première lorsqu'on veut faire connaître peu à peu la nature de ces choses. **Rudiment** dit moins; c'est un élément encore informe, grossier, qui aura besoin d'être élaboré plus tard.

V. aussi ORIGINE et RÈGLE.

prise. V. CAPTURE et DISPUTE.

priser. V. ESTIMER.

prison est le nom que l'on donne, d'une façon générale, au lieu, au bâtiment aménagé pour enfermer et garder ceux qui se sont rendus coupables d'une infraction à la loi civile, militaire ou politique. **Pénitencier** est plus partic.; il désigne une prison dans laquelle non seulement on détient, mais encore l'on cherche à amender les condamnés. **Maison centrale** (ou **maison de force et de correction**), comme **maison d'arrêt, de justice et de correction,** sont les désignations administratives des **établissements pénitentiaires. Ballon, boîte** et **taule** (ou TÔLE), comme **collège** (moins us.), sont des syn. de *prison* en termes d'argot.

V. aussi CELLULE et EMPRISONNEMENT.

prisonnier, nom donné à celui qui est enfermé dans une prison (v. art. précéd.), n'emporte pas forcément une idée péjorative; c'est ainsi qu'il désigne aussi substantivement, et pour peindre leur état, les soldats qui se sont laissé prendre par l'ennemi, même s'ils ne sont pas enfermés dans une prison. **Détenu,** par contre, est nettement péjoratif substantivement, en ce sens qu'il implique arrestation et emprisonnement par ordre de justice. **Captif,** qui se dit proprement de celui qui est pris et retenu, est plutôt, employé comme syn. de *prisonnier,* du style soutenu, avec plus une nuance de commisération qu'un sens péjoratif. **Interné** dit beaucoup moins que *prisonnier;* il suppose simplement l'obligation de résider dans un lieu fixé, généralem. une localité, sans permission d'en sortir. **Esclave** est beaucoup plus partic.; il désigne le captif qui ne s'appartient plus, qui est devenu la propriété d'un maître. **Chétif,** syn. de *prisonnier* et de *captif,* est vx. — Au fig., CAPTIF marque seulement un attachement très fort, alors qu'ESCLAVE annonce un dévouement absolu, une abnégation complète de toute volonté personnelle.

privation. V. DÉFAUT.

privauté. V. FAMILIARITÉ.

priver, c'est ôter ou refuser à quelqu'un ce qu'il possédait ou ce qu'il désire, cela justement ou injustement, et souvent par un acte d'autorité : *On prive l'homme de sa liberté quand on le met en prison; On prive un enfant de dessert.* **Sevrer,** c'est, figurém,. priver quelqu'un des choses qu'il aimait et dont il était accoutumé à jouir; c'est le mettre dans un état nouveau où il ne connaît plus les mêmes jouissances : *On sèvre quelqu'un de ses plaisirs.* **Frustrer,** c'est priver quelqu'un de ce qui lui est dû, cela toujours avec une idée d'injustice ou de fourberie : *On frustre un associé de sa part.* **Frauder** est plus partic.; c'est frustrer furtivement de ce qui est dû, attendu ou promis; il est dominé par l'idée de mauvaise foi, de tromperie : *On fraude ses créanciers de ce qu'on leur doit; On fraude le fisc, la douane, des droits qu'ils doivent percevoir.* (V. DÉPOSSÉDER, DÉSHÉRITER et VOLER.)

V. aussi APPRIVOISER.

Se priver. V. ABSTENIR (S').

privilège est le nom que l'on donne surtout à un avantage matériel dont on est favorisé particulièrement, et qui exempte de la loi commune. **Prérogative** désigne plutôt un honneur, une dignité, un droit attaché à certaines conditions privilégiées : *La faculté de concéder des privilèges était une des prérogatives de la monarchie française.* **Passe-droit,** qui se disait autref. d'un privilège exorbitant, s'applique auj. à des choses moins importantes que *privilège;* il convient bien en parlant d'un avantage exceptionnel dont on est favorisé contre les règlements, contre l'usage ordinaire : *On accorde des passe-droits à ceux que l'on veut favoriser.* (V. FAVORISER.)

prix, lorsqu'il désigne la valeur vénale d'une chose relativement à l'achat ou à la vente de celle-ci, a pour syn. **coût,** qui se dit plus particulièrement de la somme payée en échange d'un objet, d'un travail. (V. SOMME.)

V. aussi RÉCOMPENSE et VALEUR.

prix de (au). V. COMPARAISON (EN).

probabilité. V. APPARENCE.

probable. V. PLAUSIBLE.

probant. V. DÉCISIF.

probe. V. HONNÊTE.

problématique. V. DOUTEUX.

procédé désigne la manière d'agir d'une personne à l'égard d'une autre et fait penser surtout à une action particulière. **Conduite** se dit aussi de la manière d'agir, mais par rapport à soi-même; il suppose une action suivie : c'est la façon de se gouverner tout au long de sa vie. **Errements,** toujours employé au plur., convient bien en parlant d'une manière d'agir habituelle. (A noter que ce terme, dont on use particulièrement lorsqu'il s'agit d'attirer l'attention sur la manière de conduire une affaire, emporte généralement un sens péjoratif, bien qu'il n'implique pas forcément une idée de blâme.) **Comportement** s'applique surtout à la manière dont on se conduit dans un cas déterminé. (V. AGISSEMENTS.)

V. aussi MÉTHODE.

procéder. V. ACCOMPLIR et DÉCOULER.

procès est le nom donné, d'une façon générale, à toute instance devant un juge sur un différend entre deux ou plusieurs parties. **Affaire,** syn. de *procès,* attire principalement l'attention sur tout ce qui appartient au contentieux, sur les questions mêmes qui sont du ressort des tribunaux. **Débat** implique une discussion publique; c'est, en termes de jurisprudence et employé alors au plur., la partie de l'instruction d'un procès qui se fait publiquement et qui comprend la lecture de l'acte d'accusation et de l'arrêt de renvoi, l'interrogatoire des témoins, le réquisitoire et les plaidoiries.

procession. V. DÉFILÉ et QUEUE.

processus. V. AVANCEMENT.

procès-verbal. V. CONTRAVENTION et RELATION.

prochain. V. IMMINENT et PROCHE.

proche, préposition, ne s'emploie qu'au propre et dans le style usuel, pour marquer une proximité de temps ou de lieu; il présente toujours à l'esprit non pas l'idée d'un rapport abstrait, mais de quelque chose de concret, de réel. **Près,** qui offre au contraire l'idée d'un rapport abstrait, s'emploie au propre et au fig., dans tous les styles et dans une foule d'acceptions. **Auprès,** qui enchérit sur *près,* emporte l'idée d'un plus étroit voisinage.

Proche, adjectif, implique une proximité de temps ou de lieu rigoureuse. **Prochain** indique la proximité d'une manière plus faible, moins directe, et est ordinairement plutôt une épithète qu'un attribut : *Deux maisons proches sont peu distantes l'une de l'autre; la maison prochaine peut être fort éloignée, si l'on est en pleine campagne.* (A noter qu'en parlant de la durée, on dit plutôt *prochain* que *proche.*) **Voisin** regarde seulement la situation et exprime une grande proximité locale : *La Suisse est voisine de la France.* (Lorsque *proche, prochain* et *voisin* marquent une proximité de personnes, le premier se dit de celles qui nous sont unies par les liens du sang, le second de celles qui nous sont unies par les liens de la charité, et le troisième enfin de celles qui logent près de nous.) **Avoisinant** est un peu moins précis que *voisin;* il admet une séparation plus grande : *Les terres avoisinantes d'une forêt sont celles qui sont aux alentours.* **Contigu** indique une limite commune, un contact : *Deux pièces contiguës ont la même cloison.* **Attenant** indique spécialement une dépendance contiguë : *Cimetière attenant à une église.* **Adjacent** est un terme spécial de géométrie et de géographie, s'appliquant à ce qui s'étend sur un espace contigu à quelque chose : *Angles adjacents; Iles, rues adjacentes.* **Limitrophe,** qui se dit des terres, des pays contigus, ne s'emploie qu'en termes de cadastre ou de géographie : *Le département des Alpes-Maritimes est limitrophe de l'Italie.* **Joignant** est un syn. vieilli de *contigu.* **Jouxte,** syn. de *proche,* est archaïque.

V. aussi IMMINENT et PARENT.

Proche-Orient. V. ORIENT.

prochronisme. V. ANACHRONISME.

proclamer. V. ANNONCER et DIVULGUER.

procréer. V. ENGENDRER.

procurer, c'est faire obtenir, agir en sorte qu'une personne ait ce dont elle a besoin, ou ce qui lui est agréable. **Fournir,** c'est procurer soi-même à quelqu'un : *On procure une situation à un ami par l'entremise d'un personnage influent; on lui fournit du travail en le lui donnant soi-même.* **Pourvoir de,** c'est fournir de ce qui est nécessaire, surtout dans le langage relevé : *On pourvoit de vivres.* **Munir de,** c'est pourvoir de ce dont on est susceptible d'avoir besoin; il emporte une idée de précaution : *On munit de médicaments, d'armes.* **Nantir de** suppose une garantie; c'est pourvoir de ce qui peut garantir contre le besoin : *On nantit d'une somme d'argent.* (V. APPROVISIONNER et GRATIFIER.)

prodigalité. V. LIBÉRALITÉ.

prodige. V. MERVEILLE et PHÉNOMÈNE.

prodigieux. V. ADMIRABLE et ÉTONNANT.

prodiguer. V. DÉPENSER et MONTRER.

prodrome. V. PRÉFACE, PRÉLIMINAIRE et SYMPTÔME.

production, lorsqu'il désigne la chose produite elle-même, fait considérer celle-ci comme ayant coûté des efforts ou comme une manifestation de force, de talent. **Produit** dit moins; c'est simplement la chose considérée en elle-même par rapport à sa valeur, à son usage : *Production évoque l'action qui aboutit au produit, lequel n'est jamais que le résultat.*

V. aussi OUVRAGE et RENDEMENT.

produire est un terme très général;

c'est faire naître, créer, en parlant des ouvrages de l'esprit et de l'art comme des travaux de l'industrie et de l'agriculture. **Composer,** c'est seulement produire une œuvre littéraire, artistique, un travail de l'esprit. **Faire,** syn. de *produire,* dans le langage commun, s'emploie particulièrement bien en parlant d'une œuvre matérielle. **Fabriquer,** qui est plus particulier, est surtout un terme d'industrie; c'est produire en exécutant certains ouvrages, certains travaux, suivant les procédés d'un art manuel et surtout mécanique. (V. ÉCRIRE, FORMER et TRAVAILLER.)

V. aussi CITER et OCCASIONNER.

produit désigne ce qui naît d'un travail, d'une activité quelconque de la nature ou de l'homme : *Les produits de la terre, d'une industrie.* **Résultat** se dit de la conséquence logique d'une action, d'un fait, d'un principe, d'une opération mathématique : *Les résultats d'un effort, d'une intervention.* **Fruit,** qui s'applique proprement à la production des végétaux succédant à la fleur et contenant la semence, désigne, figurément, le résultat avantageux qui vient récompenser un travail, un effort : *Les fruits d'une bonne conduite.*

V. aussi MARCHANDISE, PRODUCTION, RECETTE et RÉSULTAT.

profanation, qui se dit proprement de l'action de souiller un lieu saint, indique le fait seul, lequel peut consister en une simple irrévérence, conséquence d'un regrettable oubli ou de l'ignorance. **Sacrilège,** à l'origine : crime de ceux qui dépouillaient les temples, enchérit sur *profanation,* en représentant l'action, le fait comme criminels et méritant d'être punis; il implique toujours une intention arrêtée, une volonté nette de ne pas respecter ce qui est sacré. (A noter encore que si *profanation* peut signifier l'action pendant qu'elle se commet, *sacrilège* désigne l'acte sans faire penser au temps pendant lequel il est commis.)

profaner. V. SOUILLER et VIOLER.

proférer. V. PRONONCER.

professer. V. APPRENDRE et PRATIQUER.

professeur. V. MAÎTRE.

profession se dit de l'occupation, quelle qu'elle soit, par laquelle on gagne sa vie; il attire souvent l'attention sur la classe à laquelle on appartient du fait de cette occupation. **Métier,** qui désigne le plus souvent une profession manuelle, convient bien en parlant aussi de la partie technique ou de pure routine de toute profession. **Art** se rapporte ordinairement aux occupations de l'intelligence, y compris les travaux manuels qui exigent de l'habileté et du goût. **Etat,** qui est un syn. un peu ironique de *profession* ou plutôt vieilli de *métier,* s'emploie aussi pour désigner la profession par rapport à la position que l'on occupe dans la société. **Carrière** ne s'emploie qu'en parlant d'une profession d'un caractère assez important, et qui présente des étapes à parcourir (politique, diplomatie, armée, administration, littérature, arts, tout particulièrement). **Partie** a le sens de *profession,* avec l'idée de spécialité, dans quelques loc. comme : *Etre de la partie; Etre fort dans sa partie,* etc. **Parti** est vx; il désignait autrefois une profession embrassée après avoir délibéré sur les avantages et les inconvénients de plusieurs autres. (V. EMPLOI et ÉTAT.)

professionnel. V. SPÉCIALISTE.

profit est le nom donné à tout ce que rapporte une action, une entreprise quelconque. **Avantage** exprime l'honneur ou la commodité qu'on trouve dans une chose, plutôt que le gain. **Utilité** exprime simplement le service que l'on tire des choses. **Parti** se dit d'un profit ou d'un avantage qui n'apparaît pas à première vue et qu'on obtient d'une affaire qui se présentait comme médiocre ou mauvaise. **Aubaine,** qui est fam., se dit d'un profit inattendu, d'un avantage inespéré. — Aux adjectifs correspondant à ces termes, il faut ajouter **salutaire** qui désigne ce qui est avantageux, utile pour la conservation de la vie, de la santé, des biens, de l'honneur, pour le salut de l'âme.

V. aussi GAIN.

profond fait essentiellement penser au fond de la chose considérée, lequel est très éloigné de la superficie, de l'ouverture, du bord. **Creux** attire surtout l'attention sur la cavité qui constitue la profondeur. **Enfoncé** suppose généralement une comparaison; il se dit bien d'un lieu, d'une partie qui n'est pas au niveau du reste, qui forme cavité par rapport à quelque chose de régulier, ou d'un endroit profond au milieu d'autres qui ne le sont pas.

Profond désigne, au fig., ce qui est difficile à pénétrer, à connaître, souvent parce que savant et mûrement étudié. **Abstrait** emporte facilement un sens péjoratif ; il se dit alors des choses difficiles à concevoir, et signifie trop métaphysique, trop recherché, trop subtil : *Combien de gens se font abstraits pour paraître profonds! a dit Voltaire.* **Abstrus,** syn. d'*abstrait,* est plus nettement encore péjoratif, parce que dominé par l'idée d'obscurité. (V. OBSCUR.)

profusion. V. ABONDANCE et LIBÉRALITÉ.

progéniture. V. FILS et POSTÉRITÉ.

programme. V. DESSEIN et PROSPECTUS.

progrès, progression. V. AVANCEMENT.

progressivement se dit de ce qui, allant toujours en avant, avance sans interruption. **Graduellement,** que domine l'idée de degrés, suppose des étapes, des arrêts, le plus souvent réguliers et toujours prévus. **Peu à peu,** c'est progressivement et presque imperceptiblement. **Petit à petit,** c'est graduellement et lentement. (V. LENTEMENT.)

prohibé. V. DÉFENDU.

proie. V. BUTIN et VICTIME.

projectile désigne, d'une façon générale, tout corps lancé dans l'espace par une force quelconque contre quelqu'un ou quelque chose, et, plus particulièrement et en termes d'art militaire, une **balle** ou un **obus. Dragée** et **pruneau,** syn. de *balle,* sont populaires.

projeter, c'est penser à faire, à réaliser un projet, un dessein, une entreprise, en avoir simplement l'idée. **Méditer** dit plus; il implique une longue réflexion, l'examen approfondi des avantages et des inconvénients, des moyens permettant la réalisation de la chose projetée. **Préméditer** est à peu près synonyme de *méditer,* sauf qu'il s'emploie presque toujours en mauvaise part.

V. aussi JETER.

prolégomènes. V. PRÉFACE.

prolétaire. V. TRAVAILLEUR.

prolétariat. V. POPULACE.

prolifère. V. PROLIFIQUE.

proliférer. V. MULTIPLIER.

prolifique se dit de ce qui a la vertu d'engendrer, de produire, de ce qui est générateur par nature. **Prolifère,** moins us. dans le lang. cour. que *prolifique,* s'applique à ce qui engendre, produit des êtres qui lui sont semblables, et qu'on voit en quelque sorte engendrés, produits.

prolixe. V. DIFFUS.

prolixité. V. ÉLOQUENCE.

prologue. V. PRÉFACE et PRÉLIMINAIRE.

prolongation, prolongement. V. CONTINUATION.

prolonger, lorsqu'il s'agit de la durée, implique le recul volontaire du terme d'une chose par des moyens effectifs, et cela souvent avec une idée d'excès. **Allonger,** c'est augmenter le temps prévu, accordé, par un effet qui peut être ordinaire et ne pas dépasser les justes mesures : *On allonge un procès par des incidents qui en retardent la solution; on le prolonge en remettant de jour en jour le jugement qui doit le terminer.* **Proroger** est plus partic.; c'est un terme de jurisprudence qui implique non seulement une action volontaire, comme *prolonger,* mais encore l'acte légal d'une autorité qui maintient l'exercice ou la valeur d'une chose audelà de la durée prescrite : *On proroge une loi, un délai, une permission.*

V. aussi ALLONGER.

promenade désigne l'action d'effectuer soit un trajet relativement court, soit un voyage de peu de durée, à pied, à bicyclette, à cheval, en voiture, etc., dans l'intention d'accomplir un exercice agréable ou salutaire, ou pour connaître une contrée. **Excursion** ne se dit que d'une promenade de recherche, de découverte. **Randonnée,** comme **course,** désigne plutôt une promenade faite d'une traite. **Pérambulation,** syn. de *promenade,* d'*excursion,* n'est guère us. **Tournée** est familier, et **balade** un terme d'argot. **Vadrouille,** aussi terme d'argot, est péjoratif ; il se dit soit d'une promenade tumultueuse en bande, soit d'une promenade dans des endroits mal famés. (V. COURSE, TOUR et VOYAGE.)

Promenade se dit aussi d'une avenue

ou de tout autre lieu généralement planté d'arbres, servant à une ville de lieu de délassement et de réunion. **Cours** désigne une avenue servant de promenade publique et située dans la ville ou à proximité. **Mail** est le nom que l'on donne à une promenade publique où l'on jouait autref. au « mail », dans certaines villes. (A noter d'ailleurs que ces termes sont d'un emploi local, presque dialectal, plutôt que général.) [V. AVENUE.]

promener (se). V. MARCHER.

promeneur, qui désigne surtout celui qui se promène à pied, pour son plaisir, s'emploie bien au plur. par rapport aux lieux publics destinés à la promenade. **Passant** se dit de celui qui passe par une rue, un chemin, etc., soit en se promenant, soit pour aller à ses affaires. **Baladeur** est un terme d'argot; il s'applique bien à un promeneur qui se promène sans but. (V. FLÂNEUR.)

promettre, c'est s'obliger en paroles à faire quelque chose; il est plus souvent dominé par l'idée d'espérance que par celle d'un engagement sûr, à moins qu'il soit fortifié par une expression accessoire, comme lorsqu'on dit : *Je vous promets formellement, solennellement,* auquel cas il devient à peu près l'équivalent de *donner sa parole.* **Donner sa parole,** c'est promettre sur son honneur, c'est-à-dire contracter un engagement, donner un droit fondé sur la loyauté. **S'engager** enchérit sur ces termes; il implique qu'on donne naissance à un droit rigoureux, en promettant, en garantissant par serment, par écrit, par convention expresse, c'est-à-dire par un « gage ». **Jurer,** c'est promettre, s'engager par serment d'une façon catégorique et solennelle.

V. aussi AFFIRMER.

Se promettre. V. ESPÉRER.

promis. V. FIANCÉ.

promiscuité. V. MÉLANGE.

promontoire. V. CAP.

promoteur. V. INSTIGATEUR et MOTEUR.

prompt. V. DILIGENT.

promptement. V. TÔT.

promptitude. V. VITESSE.

prôner. V. VANTER.

prononcer, c'est, d'une façon générale, faire entendre des mots par le moyen de la voix, en exprimer les sons; ce peut être aussi dire hautement, solennellement en public. **Articuler,** c'est prononcer distinctement, nettement, en marquant les syllabes et les mots; ce peut être encore annoncer des choses précises, positives. **Proférer,** c'est soit prononcer à haute et intelligible voix, soit dire des injures, des blasphèmes, des mensonges, etc.

V. aussi JUGER et RÉCITER.

pronostiquer. V. PRÉDIRE.

pronunciamiento. V. COUP D'ÉTAT.

propagande. V. PUBLICITÉ.

propagation, qui se dit proprement de la multiplication par voie de génération, de reproduction, s'emploie aussi figurément et emporte alors l'idée d'extension, de progrès, d'accroissement, de développement par multiplication : *La propagation du christianisme est le fait des apôtres et des missionnaires.* **Expansion** désigne simplement l'action de se répandre sur une étendue plus ou moins grande : *La civilisation est une force d'expansion.* **Diffusion** ajoute à l'idée de propagation celle de pénétration dans les esprits : *La diffusion d'une doctrine politique.* (V. AVANCEMENT.)

propager, c'est s'efforcer de communiquer quelque chose partout. **Répandre,** c'est propager sur une large étendue. **Tambouriner** est fam. et ne se dit guère que d'une nouvelle qu'on répand bruyamment, à grand fracas, comme au son du tambour. **Diffuser,** c'est répandre dans tous les sens, en faisant pénétrer, se mêler. **Semer,** c'est propager, répandre çà et là, en disséminant. **Colporter** est plus partic.; c'est surtout propager en racontant de côté et d'autre. **Vulgariser** s'emploie surtout lorsqu'il s'agit de notions de science et d'art qu'on propage en les mettant à la portée de toutes les intelligences. **Populariser** est un syn. auj. moins usité de *vulgariser.* (V. DIVULGUER.)

propension. V. PENCHANT et TENDANCE.

prophète. V. DEVIN.

prophétie. V. PRÉDICTION

prophétiser. V. PRÉDIRE.

prophylaxie. V. PROTÉGER.

propice. V. FAVORABLE.

proportion. V. DIMENSION.

propos fait surtout penser à la matière de ce que l'on dit pour exprimer ce que l'on pense, et s'emploie assez souvent, absolument surtout, en mauv. part. **Discours** est plus relevé que *propos,* et moins souvent péj.; il concerne moins le sujet traité que l'action ou le fait de s'exprimer, de discourir, et plus la forme que la matière : *Un discours, nous dit Lafaye, est parlé ou écrit, long ou court, direct ou indirect; Un propos est sage ou imprudent, doux ou dur, décent ou malhonnête.* **Boniment,** qui s'applique proprement aux propos que débitent les saltimbanques, les camelots pour attirer les clients, se dit aussi, par analogie et péjorativement, de tout discours artificieux ayant pour but de convaincre ou de séduire quelqu'un. **Baratin,** syn. de *boniment,* est argotique.

V. aussi MATIÈRE et RÉSOLUTION.

propos (hors de). V. PROPOS (MAL À).

propos (mal à), qui est dominé par l'idée d'inopportunité, convient bien en parlant de ce qui est simplement mal placé ou ne vient pas à son heure. **Hors de propos** dit plus; s'appliquant à ce qui est en dehors du propos, on l'emploie en parlant plutôt de ce qui est déplacé que de ce qui est mal placé : *Qui se tourmente mal à propos le fait sans raison suffisante; qui se tourmente hors de propos n'a pour se tourmenter aucune raison* (*Lafaye*). **A contretemps,** syn. de *mal à propos,* n'a rapport qu'au temps, et non pas, comme les deux autres termes, à quelque rapport que ce soit : *On parle à contretemps lorsqu'on ne parle pas au moment où il faudrait, mais à un autre, inopportun.*

proposer. V. OFFRIR.

proposition est le terme général qui sert à désigner non seulement l'action de proposer, de soumettre à un examen, à une délibération, mais encore la chose elle-même qui a été proposée. **Motion** est plus partic.; il ne se dit que d'une proposition faite dans une assemblée délibérante, par un de ses membres. (V. OFFRIR.)

propre. V. NET et PERSONNEL.

propriétaire, désigne, d'une façon générale, celui à qui une chose appartient en propre et légitimement. **Possesseur** n'implique pas forcément le droit définitif à la chose possédée : *On peut être momentanément le possesseur d'une chose dont, s'en étant emparé, on n'est pas le légitime propriétaire.* **Maître,** syn. vieilli et peu usité auj. de *propriétaire,* n'est plus guère employé qu'à propos d'un animal. — **Vautour** (ou plus exactement **Monsieur Vautour,** type créé par Désaugiers) est le nom donné, populairement et péjorativement, à un propriétaire impitoyable pour ses locataires. **Probloque,** appliqué à un propriétaire d'immeuble ou d'hôtel meublé, est un terme d'argot.

propriété. V. BIEN, JOUISSANCE et QUALITÉ.

prorata. V. QUOTE-PART.

proroger. V. ALLONGER.

prosaïque. V. VULGAIRE.

prosateur. V. AUTEUR.

proscrire. V. BANNIR, CONDAMNER et REPOUSSER.

prose. V. CANTIQUE.

prosélyte. V. PARTISAN.

prosopopée. V. DISCOURS.

prospectus est le nom que l'on donne à toute espèce d'annonce imprimée, souvent une simple feuille, qui se publie et se répand avant qu'un ouvrage paraisse, qu'une entreprise se forme, et dans laquelle on donne une idée, un plan de cet ouvrage et de cette entreprise, afin d'y intéresser le plus de monde possible. **Tract** se dit d'un prospectus portant un texte concis de publicité commerciale ou de propagande politique ou religieuse, et que l'on diffuse à un très grand nombre d'exemplaires. **Programme** est beaucoup plus particulier; il se dit spécialement d'un écrit ou imprimé destiné à faire connaître les détails d'une cérémonie, d'un spectacle, d'un concours, d'un projet, etc. (V. BROCHURE.)

prospère. V. FAVORABLE.

prospérer. V. RÉUSSIR.

prospérité. V. BONHEUR et RICHESSE.

prosternation, qui désigne l'action de se coucher à terre, de courber son front jusqu'à terre, n'indique qu'un acte de respect. **Prosternement,** syn. de *prosternation,* est moins usité. **Prostration,** d'ailleurs peu us. aussi auj. dans ce sens propre, dit plus et marque une sorte de culte, une manifestation de piété : *Dans la prosternation on s'incline profondément et on se relève; dans la prostration, on reste profondément incliné.*

prosterner. V. AGENOUILLER (S').

prostituée est le nom que l'on donne couramment à une femme qui se livre à la débauche publique, qui se donne au premier venu pour de l'argent. **Courtisane,** s'il peut se dire d'une femme de mauvaise vie en général, s'applique toutefois plus particulièrem. à une femme qui vend ses faveurs en se distinguant des autres par l'élégance de ses manières; on dit aussi, dans ce sens, **femme galante,** et populairement **poule** ou **cocotte** qui vieillit. **Hétaïre** (du grec *hetaira,* compagne), nom donné dans l'Antiquité grecque à une courtisane d'un rang un peu relevé, se dit aussi parfois d'une courtisane moderne. **Femme de mauvaise vie** désigne simplement une femme de mœurs faciles, alors que **grue,** familier, implique toujours, comme *prostituée,* de la vénalité. **Catin** et **gourgandine,** appliqués à une femme de mauvaise vie, sont aussi du langage familier, et extrêmement péjoratifs. **Fille de joie, fille des rues, fille perdue, femme** ou **fille publique,** voire simplement **fille,** se disent d'une femme qui fait profession publique de débauche. (On dit **fille soumise** dans le langage administratif et de police.) **Raccrocheuse,** comme **racoleuse,** est le nom que l'on donne familièrement à une fille publique, à une fille des rues qui sollicite les passants, en les accostant au passage. **Péripatéticienne** et **belle-de-nuit,** syn. de *fille des rues,* sont du langage littéraire; **traînée des rues,** ou simplement **traînée,** est familier et péjoratif, cependant que **trimardeuse** et **tapineuse** sont des termes d'argot. **Garce,** fille, femme de mauvaise vie, est populaire. **Ribaude** (du moyen allem, *rîbe,* prostituée) est vx. **Morue, pouffiasse** et **roulure** sont des termes d'argot qui ne s'appliquent qu'à une prostituée de bas étage. **Pétasse, putain** et **pute** sont triviaux. (V. FILLE LÉGÈRE.)

prostration. V. DÉPRESSION et PROSTERNATION.

protagoniste, nom donné proprem. au principal personnage d'une pièce de théâtre, se dit aussi, par ext., dans le lang. cour., de la personne qui, dans une affaire quelconque, à laquelle d'ailleurs elle peut être la seule intéressée, joue le rôle principal. **Animateur** dit plus; il ajoute à l'idée exprimée par *protagoniste* celle de l'activité, de l'émulation transmise aux autres exécutants. **Meneur de jeu** est un syn. fam. d'*animateur* assez souvent us. auj. dans le lang. cour. en bonne comme en mauv. part, alors que **meneur,** employé seul, emporte essentiellement un sens péjoratif; il se dit de celui qui entraîne, dirige les autres, qui les engage dans quelque mauvaise entreprise : une cabale, un complot, par ex. — **Boute-en-train** est très partic. et emporte une idée favorable; c'est celui qui anime une société en y provoquant un joyeux entrain, qui met en gaieté ceux avec lesquels il se trouve. (V. INSTIGATEUR et MOTEUR.)
V. aussi ACTEUR.

protecteur désigne, d'une façon générale, celui qui prend soin des intérêts d'une personne, qui favorise l'accroissement, le progrès d'une chose. **Providence,** employé surtout dans l'expression : *Etre la providence de,* est familier; il convient bien en parlant de celui qui contribue beaucoup au bonheur de quelqu'un, en songeant pour lui à ce qui peut lui être utile ou agréable. **Mécène** se dit particulièrement d'un protecteur des sciences, des lettres et des arts, par allusion à Mécène, favori d'Auguste; il implique en général une aide financière. — **Tutélaire** est assez partic.; il n'est syn. de *protecteur* qu'adjectivement et se dit de ce qui tient sous sa garde, sa protection, en parlant des êtres et des choses : *Dieu, génie, bonté, puissance tutélaire.*

protection. V. APPUI et AUSPICES.

protégé désigne celui qui reçoit l'aide, l'appui d'une personne ayant quelque puissance. **Créature** convient bien en parlant d'une personne qui, devant sa situation à une autre, est entièrement dévouée à cette dernière; il est le plus souvent péjoratif. (V. FAVORI.)

protéger, c'est prêter appui et assistance à ce qui a besoin d'être encouragé, aidé; il implique supériorité et puissance. **Défendre** suppose un adversaire, un ennemi, quelque chose qui menace ou attaque, et contre quoi l'on peut être aidé, assisté par un égal.

Soutenir, c'est aider, seconder ce qui n'est pas assez fort par soi-même pour résister; tout en emportant l'idée d'une certaine faiblesse chez celui qui est soutenu, il implique cependant que celui-ci a déjà commencé à se défendre : *Un petit Etat, en temps de guerre, est défendu ouvertement ou soutenu secrètement par un plus grand, qui se contente de le protéger en temps de paix.*

Protéger, c'est aussi mettre à l'abri d'un danger qui menace. **Garantir,** c'est protéger efficacement contre un mal actuel ou dont l'approche est certaine, cela parce qu'on a la volonté ou la possibilité de le faire. **Préserver,** c'est protéger contre un mal futur et qui est seulement possible; il exprime l'idée d'une précaution inspirée par la sagesse ou par un intérêt prévoyant : *Pour protéger la jeunesse, il faut la préserver de quantité de désordres, en la garantissant sans cesse de toute corruption.* **Immuniser** est syn. de *préserver* surtout en termes de médecine : *On immunise un être vivant contre les agents pathogènes.* **Prémunir,** c'est garantir par certaines précautions; il est ordinairement suivi de la prépos. « contre » : *On prémunit quelqu'un contre une mauvaise doctrine.* **Sauver,** c'est non seulement protéger contre un grand mal, mais encore en délivrer, en opérant le salut : *Un remède approprié peut sauver un malade de la mort.* **Précautionner,** syn. de *prémunir,* est peu usité. — Aux substantifs correspondant à ces verbes, on peut ajouter le terme très particulier qu'est **prophylaxie** (du grec *pro,* avant, et *phulassein,* garantir), nom donné à la partie de la médecine qui a pour objet les précautions propres à garantir contre les maladies : *Les découvertes de Pasteur ont fait faire d'immenses progrès à la prophylaxie.*

protestant, qui désigna d'abord les luthériens et s'étendit aux calvinistes, est le nom donné auj., d'une façon générale, aux partisans de toutes les sectes religieuses qui se sont séparées de l'Eglise catholique depuis la Réforme : LUTHÉRIENS, CALVINISTES, ANGLICANS, PRESBYTÉRIENS, PURITAINS, MÉTHODISTES, CONGRÉGANISTES, FRÈRES MORAVES, PIÉTISTES, QUAKERS, etc. **Réformé,** comme **religionnaire,** est un syn. de *protestant* usité surtout en termes d'histoire. **Huguenot** est le sobriquet que l'on donnait autref. aux protestants et particulièrement aux calvinistes. **Parpaillot** est un terme péjoratif ou de raillerie employé pour désigner aussi les calvinistes. (V. HÉRÉTIQUE.)

protestation. V. DÉMONSTRATION.

protester, c'est s'élever contre une chose, déclarer qu'on la tient pour injuste, illégale. **Se récrier,** c'est protester en s'exclamant. **Réclamer** dit plus; c'est non seulement protester, mais encore demander autre chose. **Râler, ressauter, rouscailler** et **rouspéter,** syn. de *protester,* sont populaires. (V. MURMURER et RÉSISTER.)

V. aussi AFFIRMER.

protocole est le nom que l'on donne au recueil des règles établies pour les honneurs et les préséances dans les cérémonies officielles ou les réunions mondaines. **Cérémonial** se dit de l'ensemble des règles qui président aux cérémonies solennelles : civiles, militaires ou religieuses. **Etiquette** désigne soit le cérémonial en usage dans une cour, la maison d'un chef d'Etat, d'un grand personnage, soit des formes ou formules cérémonieuses usitées entre particuliers pour se témoigner mutuellement des égards.

V. aussi CONVENTION.

prototype. V. MODÈLE.

protubérance est un terme d'anatomie qui désigne particulièrement les saillies que l'on observe à la surface du crâne. **Bosse,** qui se dit en général de toute éminence sphérique, soit essentielle, soit accidentelle au corps où cette forme se remarque, désigne, en anatomie, l'éminence arrondie qu'on observe à la surface des os plats (front, nez, etc.), et, plus particulièrement encore et familièrement, les protubérances du crâne considérées comme indices des penchants, des dispositions morales (par allusion au système du Dr Gall).

prou. V. BEAUCOUP.

prouesse. V. EXPLOIT.

prouver est un terme général; c'est faire voir, de quelque manière que ce soit, qu'une chose est vraie ou certaine. **Démontrer,** c'est prouver clairement, de façon rigoureuse, à l'aide d'arguments, de raisons péremptoires. **Montrer** n'emporte pas l'idée de raisonnement, mais seulement celle de clarté due aux indications non équivoques que l'on fournit. **Etablir,** c'est prouver d'une façon solide et durable. **Justifier,** c'est soit prouver la vérité de ce qu'on avance, de ce qu'on allègue, soit prouver qu'une chose n'était pas fausse, erronée ou mal fondée. (V. CONFIRMER.)

V. aussi RÉVÉLER.

provenance. V. ORIGINE.

provende. V. PROVISION.

provenir. V. DÉCOULER.

proverbe. V. PENSÉE.

providence. V. DIEU et PROTECTEUR.

provision, qui se dit proprement d'un amas de choses nécessaires ou utiles, s'emploie plus spécialement comme nom collectif servant à désigner tout ce qui est compris dans la consommation alimentaire. **Approvisionnement,** employé surtout au pluriel, se dit bien de provisions réunies, alimentaires ou autres. **Victuaille,** provision alimentaire, n'est plus guère employé aussi qu'au pluriel. **Provende,** qui est familier et peu usité en parlant d'une provision de vivres, s'emploie bien, par contre, en termes d'économie rurale, pour désigner un mélange de fourrages hachés et de diverses graines concassées que l'on donne aux animaux pour les nourrir et les engraisser. **Viatique** est plus partic.; bien qu'il puisse se dire d'une provision de nourriture, il s'applique plus couramment à une provision d'argent que l'on donne à quelqu'un pour un voyage. (V. ALIMENT.)

V. aussi ACOMPTE et RÉSERVE.

provisoire. V. PASSAGER.

provoquer. V. ATTAQUER, BRAVER, EXCITER et OCCASIONNER.

proxénète. V. ENTREMETTEUSE.

prude, vieux mot qui désignait autref. une personne sage, vertueuse, circonspecte dans ses mœurs, s'applique auj. péjorativement à celle qui affecte une vertu austère, hautaine, dans ce qui touche à la pudeur et à la bienséance; il implique une affectation de sagesse, de décence, dans le langage et dans le maintien, dictée par le désir d'obtenir une bonne réputation plutôt que par celui de la mériter. **Pudique** n'emporte pas la même idée péj. que *prude;* il se dit simplement d'une personne naturellement chaste et modeste dans ses mœurs, dans ses actions, dans ses discours; il suppose une honte naturelle causée par tout ce qui peut blesser avec juste raison la pureté, l'honnêteté, la décence. **Puritain,** nom donné autrefois aux membres d'une secte protestante très rigide qui prétendait ramener le christianisme à sa pureté primitive, s'emploie encore figurém. auj. pour désigner une personne qui affecte une grande rigidité de principes. **Pudibond,** qui s'emploie surtout familièrement et par plaisanterie, emporte l'idée d'exagération; il se dit bien d'une personne pudique jusqu'au ridicule. **Collet monté,** syn. de *prude,* est familier; il s'applique particulièrement bien à une personne à laquelle la pruderie donne un air contraint et guindé. **Bégueule** est un syn. pop. de *pudibond.* (A noter que ce terme qui, substantivement, est fém. et se dit d'une femme dont la pruderie est non seulement excessive, mais aussi désagréable, s'emploie, adjectivement, au masc. comme au fém.)

prudent désigne celui qui, apportant en tout de la réflexion, évite de faire ce qui pourrait lui nuire, cela en calculant par avance la portée et les conséquences de ses actes; il suppose le soin de son intérêt personnel et un certain sentiment de crainte. **Raisonnable** implique l'habitude de toujours rester dans une juste mesure. **Sage** se dit de celui qui, guidé par la vertu et éclairé par la science, agit de la manière la plus conforme à la raison; il implique plus de grandeur et une raison plus élevée que *prudent.* **Avisé** convient bien en parlant surtout de celui dont l'imagination songe à tout. **Circonspect** se dit de celui qui, prêtant attention à tout, pesant le pour et le contre avant d'agir ou même de parler, ne fait rien au hasard. **Prévoyant** désigne celui qui, prenant des mesures, des précautions à effets lointains, est prudent pour l'avenir. **Réfléchi** suppose une prudence motivée par une méditation sérieuse, une considération attentive de ce qui est ou pourrait être; il implique l'absence d'emballement. **Précautionneux,** comme **précautionné** (moins us.), syn. de *prévoyant,* est familier.

prunelle. V. PUPILLE.

psalmodier. V. CHANTER et RÉCITER.

psaume. V. CANTIQUE.

pseudonyme (du grec *pseudos,* mensonge, et *onuma,* nom), appliqué à un ouvrage, implique que l'auteur, ne voulant pas signer l'œuvre de son nom, en a pris un supposé. **Cryptonyme** (du grec *kruptos,* caché, et *onuma,* nom) convient surtout lorsque le nom de l'auteur est déguisé par une anagramme. **Hétéronyme** (du grec *heteros,* autre, et *onuma,* nom) s'applique à un ouvrage écrit sous le nom d'une autre personne. (A noter au reste que, de ces termes, *pseudonyme* est à peu près le seul usité.)
V. aussi SURNOM.

psyché. V. GLACE.

psychiatre désigne un médecin spécialiste des maladies mentales, quelles qu'elles soient. **Psychanalyste** suppose la recherche de troubles mentaux essentiellement névrosiques.

psychose. V. OBSESSION.

puant. V. MALODORANT.

puanteur. V. INFECTION.

puberté. V. NUBILITÉ.

pubescent. V. POILU.

public. V. AUDITOIRE et MANIFESTE.

publication, terme très général qui désigne l'acte, quel qu'il soit, par lequel on rend public, on porte quelque chose à la connaissance de tous, se dit plus particulièrement de l'action de faire paraître un livre ou un périodique quelconque, et de le mettre en vente. **Edition** fait penser plus spécialement au choix et à l'impression du livre en vue de sa publication. **Apparition** s'applique plutôt à l'exposition en librairie, ainsi que **parution,** néol. à notre avis inutile, que l'on tend cependant à employer de plus en plus depuis quelques années. **Lancement** ajoute à *publication* l'idée de publicité commerciale plus ou moins tapageuse. (V. ÉDITION.)

publiciste. V. JOURNALISTE.

publicité désigne l'ensemble des moyens employés pour faire connaître une entreprise commerciale, industrielle, etc. **Réclame** se dit surtout d'une publicité considérable, bruyante et tapageuse. **Propagande** est le nom que l'on emploie surtout pour désigner la publicité faite pour propager, répandre une doctrine, des opinions. **Boom** est un mot anglo-américain qui implique une réclame excessivement bruyante faite en vue de lancer une affaire. **Battage** et **tam-tam** sont populaires et supposent aussi une réclame extrêmement tapageuse.

publier. V. DIVULGUER.

puceau, pucelle. V. VIERGE.

pudeur, qui se dit de la crainte que l'on a de perdre sa propre estime, de se dégrader à ses propres yeux, exprime toujours un sentiment éprouvé à la pensée d'une action mauvaise non encore réalisée. **Honte** désigne la crainte que l'on a de ne plus être honoré par les autres, de perdre l'estime publique; il implique un sentiment né de la conscience de notre indignité ou de notre faiblesse, qui se rattache à la fois au présent et au passé. **Vergogne,** syn. vieilli de ces termes, ne s'emploie guère aujourd'hui que négativement.
V. aussi DÉCENCE.

pudibond. V. PRUDE.

pudicité. V. DÉCENCE.

pudique. V. PRUDE.

puer, c'est sentir mauvais, exhaler une mauvaise odeur. (A noter que ce verbe n'est guère usité qu'au présent, à l'imparfait, au futur de l'indicatif, au conditionnel présent et à l'infinitif.) **Empester,** comme **empoisonner,** syn. de *puer,* suppose des émanations qui sont extrêmement infectes; il suggère une idée d'odeur méphitique susceptible de rendre malade. **Cocoter, fouetter, gazouiller** et **trouilloter,** syn. d'*empester,* sont pop., **chlinguer** et **cogner** sont des termes triviaux d'argot.

puérilité. V. ENFANTILLAGE.

pugilat. V. LUTTE.

pugnace. V. COMBATIF.

puîné. V. CADET.

puis indique soit la répétition fréquente d'un même événement, soit la succession très rapprochée de ses circonstances, soit encore une suite ininterrompue de petits faits à peu près semblables : *D'abord venait le ministre, puis le préfet, puis le maire.* (A noter qu'à la différence des termes suivants, *puis* n'est jamais le dernier mot de la phrase.) **Après** exprime un temps postérieur, mais en laissant subsister entre les deux choses l'idée d'un intervalle susceptible de plus ou de moins : *Vous irez devant, et lui après.* **Ensuite,** qui emporte une idée d'ordre, exprime aussi un temps postérieur, mais sans admettre d'intervalle, la suite d'une chose à une autre s'y trouvant naturellement adhérente : *Travaillez d'abord, ensuite vous vous amuserez.* **Subséquemment,** syn. d'*ensuite,* est didactique.

puiser, c'est prendre un liquide avec un récipient quelconque, en plongeant celui-ci dans le liquide. **Tirer** suppose un effort que n'implique pas forcément *puiser.* **Pomper,** c'est tirer au moyen d'une pompe qui aspire ou refoule le fluide traité. — Au figuré, PUISER signifie extraire avec plus d'effort, de recherche, que TIRER qui est presque synonyme de *prendre.*

puisque. V. PARCE QUE.

puissance. V. AUTORITÉ, FACULTÉ et FORCE.

puissant. V. FORT.

puits de science. V. SAVANT.

pull-over. V. CHANDAIL.

pulluler. V. ABONDER.

pulpe est du langage relevé; il désigne, en botanique, la substance charnue constituant la presque totalité de certains fruits, et, en art culinaire, non seulement les parties tendres, charnues des fruits, mais aussi celles des légumes et des viandes. **Chair** est du langage commun et se dit surtout de la pulpe considérée comme aliment.

pulvérisation. V. VAPORISATION.

pulvériser. V. DÉTRUIRE et MOUDRE.

punir, qui exprime purement et simplement le mal que supporte le coupable par suite de la faute, se dit des choses et des événements comme des personnes; il emporte l'idée de peine, d'expiation. **Châtier** marque l'action d'un supérieur qui inflige une peine dans l'intention de rendre meilleur celui qui a commis une faute; il implique surtout l'idée de correction : *Les parents qu'une tendresse aveugle empêche de châtier leurs enfants sont souvent punis de leur faiblesse par les vices et les défauts de ces enfants eux-mêmes.* **Corriger** diffère de *châtier* en ce qu'il ne se dit guère que des peines corporelles et en ce qu'il semble présenter l'amélioration recherchée comme plus prochaine et plus sûre: *On corrige un enfant pour qu'il ne recommence pas à mal faire.* (A noter qu'au passif, si ÊTRE CHÂTIÉ n'indique toujours que la punition reçue, ÊTRE CORRIGÉ peut signifier positivem. être devenu meilleur; il faut remarquer aussi que si l'on peut se corriger soi-même, on ne saurait se châtier : ce sont les autres qui s'en chargent.) **Frapper,** c'est punir en atteignant par une décision le plus souvent judiciaire : *La loi ne frappe pas toujours les vrais coupables.* **Sévir,** c'est punir sévèrement, avec rigueur, et généralement sur-le-champ : *Il faut sévir avec justice et discernement.* (V. PUNITION.)

punition désigne la mortification, le châtiment léger ou sévère, et généralement de courte durée, qu'on inflige, qu'on fait subir à quelqu'un qui a failli. **Pénitence,** qui désigne dans le langage religieux le repentir comme l'expiation du péché, se dit aussi, dans le langage courant, d'une punition imposée pour une faute quelconque et emporte souvent alors l'idée de durée. **Peine** enchérit sur *pénitence* en impliquant l'idée de souffrance physique ou morale, sans emporter forcément toutefois celle de durée. **Sanction** est plus partic.; il se dit surtout de la peine établie par une loi ou une autorité quelconque, pour réprimer un acte défendu. **Pensum,** nom donné au surcroît de travail imposé à un écolier pour le punir, désigne aussi, familièrement, une punition quelconque, relativement légère, mais ennuyeuse, assez semblabe au pensum de l'écolier. — **Pénalité,** terme didactique désignant le système de peines, de sanctions établies par la loi ou les règlements, est très spécial, ainsi que **pénalisation,** terme de sport qui se dit d'une sanction consistant en un désavantage infligé à un concurrent ayant commis une faute. (V. PUNIR.)

pupazzo. V. PANTIN.

1. **pupille** est un terme d'anatomie qui désigne l'ouverture située au milieu de la membrane de l'iris de l'œil, par laquelle passent les rayons lumineux qui vont impressionner la rétine. **Prunelle,** syn. de *pupille,* est du langage ordinaire.

2. **pupille.** V. ORPHELIN.

pur désigne ce qui est sans altération,

sans corruption, sans tache, sans souillure. **Intact** se dit bien surtout de ce qui a échappé à tout contact; il emporte l'idée d'intégrité matérielle que n'a pas forcément *pur*. **Vierge** s'emploie parfois figurément pour désigner ce qui est pur de toute souillure, ce qui est intact parce que n'ayant pas servi, n'ayant pas été touché.

V. aussi CHASTE.

purée. V. BOUILLIE et PAUVRETÉ.

purement. V. UNIQUEMENT.

pureté, appliqué au moral, se dit de ce qui est en soi exempt d'altération par addition ou mélange. **Intégrité** suppose une résistance à des attaques et convient mieux en parlant de ce qui n'est pas altéré par corruption : *On dit la pureté d'une doctrine, qui est exacte, remarque Lafaye, et l'intégrité d'un juge, dont la probité ne saurait être entamée, résiste aux sollicitations.*

purgatif, purgation. V. PURGE.

purge est le nom que l'on donne à tout remède servant à libérer le corps, en déterminant des évacuations par les voies inférieures. **Purgatif** et **purgation** sont des syn. de *purge* plutôt moins usités auj. **Laxatif** se dit surtout d'une purge légère. **Médecine,** syn. de *purge*, est archaïque.

purger. V. PURIFIER.

purification. V. ASSAINISSEMENT.

purifier, c'est dissiper, détruire ce qui s'est introduit de mauvais dans la substance de quelque chose; il marque une action qui fait disparaître les parties nuisibles d'une chose en les dissolvant, en les subtilisant : *Le vent purifie l'air qui se corrompt dans la stagnation; Le cœur se purifie par la pénitence.* **Epurer,** c'est purifier avec soin et entièrement, rendre la chose plus pure, lui donner un nouveau degré de pureté, par une opération généralement lente et plusieurs fois répétée : *Les métaux s'épurent par des fusions réitérées; Le cœur, les sentiments s'épurent en s'élevant et en se perfectionnant.* **Purger,** c'est débarrasser une chose de ce qui s'y trouve de sale, de nuisible : *On se purge en évacuant du corps ce qui est contraire à la santé; On purge une contrée des voleurs qui l'infestaient.* **Assainir,** c'est proprement faire disparaître les causes d'insalubrité, et, figurém. purifier au point de vue moral : *Le dessèchement des marais assainit un pays; La médecine ne possède pas les moyens d'assainir les esprits* (*Barbé*). **Clarifier,** c'est rendre claire une liqueur trouble, et, par ext., purifier une substance fluide : *On clarifie de l'eau, un sirop.* **Déféquer,** dans ce sens, est un terme de pharmacie; c'est rendre claire une liqueur, en la dégageant de ses impuretés. **Déterger** est syn. de *purifier* seulement en termes de médecine : *On déterge un ulcère, les intestins.*

puritain. V. PRUDE.

pus est le terme du lang. cour. qui sert à désigner la matière liquide, épaisse et de couleur jaunâtre, qui se forme à la suite d'un travail inflammatoire. **Sanie** se dit, en termes de médecine, du pus sanguinolent et d'odeur fétide qui sort des ulcères ou des plaies non soignées. **Humeur,** terme employé surtout dans l'ancienne médecine pour désigner toute substance liquide qui se trouve dans un corps organisé, s'emploie assez souvent aujourd'hui, dans le langage populaire et abusivement, comme syn. de *pus*.

pusillanime. V. CRAINTIF.

pustule. V. ABCÈS.

putréfier (se), putride. V. POURRIR.

putsch. V. COUP D'ÉTAT.

puy. V. MONT.

pygmée. V. NAIN.

pyramidal. V. ÉTONNANT.

pythie, pythonisse. V. DEVIN.

Q

qualificatif. V. ADJECTIF.
qualifier. V. APPELER.
qualité est le terme du langage ordinaire désignant d'une façon générale ce qui fait qu'une chose est telle ou telle, bonne ou mauvaise, grande ou petite, chaude ou froide, blanche ou noire, etc. **Propriété** se dit d'une qualité tellement propre à la chose qu'elle la distingue des autres, et lui permet généralement d'exercer une action qui lui est particulière. **Attribut** convient bien en parlant d'une propriété primitive, inhérente à la chose, et qui, de ce fait, lui est essentielle. **Vertu** s'applique à une propriété utile qui rend propre à produire un certain effet; il implique une puissance, un pouvoir pour le bien. **Manière d'être** s'applique simplement à l'état, à la forme passive qui fait que la chose est telle ou telle, cela sans idée accessoire. **Mode,** syn. de *manière d'être,* est usité surtout en logique et en philosophie. **Modalité,** dans ce sens, est ausssi un terme didactique. **Acabit,** qualité bonne ou mauvaise en parlant de certaines choses, est vx. (V. FACULTÉ et VALEUR.)

V. aussi CAPACITÉ et TITRE.

qualité (de), appliqué à une personne, se dit de celle qui appartient de naissance à la noblesse, tout en pouvant occuper un emploi subalterne, ou être pauvre. **De condition** s'applique à celui qui occupe un rang élevé, soit de par ses occupations, soit de par sa fortune. (A noter que, sous l'Ancien Régime, un homme *de qualité* était par rapport à un homme *de condition* celui dont la noblesse était déjà ancienne et illustre; auj. ces termes ne s'emploient d'ailleurs plus guère.)

quand est un terme très général qui signif. *dans le temps où;* il marque l'époque et peut s'appliquer à une circonstance future et hypothétique. **Lorsque** se rapporte souvent à un temps particulier, fixe, moins vague que *quand.* **Comme** est plus précis encore; il signifie *à l'instant même, au moment même où.*

quant à. V. POUR.
quant-à-moi, quant-à-soi. V. CIRCONSPECTION.
quantité éveille l'idée de masse plus ou moins grande, de groupement, d'entassement, susceptible d'augmentation comme de diminution : *Une grande quantité de vaisselle.* **Nombre** ne s'applique qu'à des êtres, des choses qui restent séparés : *Un grand nombre d'assiettes.* (V. MULTITUDE.)

Quantité appliqué, dans un sens plus restreint, à ce qui peut être mesuré ou compté, a pour syn. scientifique **dose,** qui désigne proprement la quantité d'un médicament simple ou composé que le médecin prescrit à un malade, et, par ext., la quantité déterminée d'une chose qui entre dans un composé quelconque : *La dose de cuivre qui entre dans le métal d'une cloche; La dose de poivre et de sel qu'il faut mettre dans une sauce.* (V. MULTITUDE.)

quart. V. GOBELET.
quartaut. V. TONNEAU.
quarteron. V. MÉTIS.
quartier. V. CAMP.
quasi, quasiment. V. PRESQUE.
quelquefois, qui signifie *de certaines fois, en certaines occasions,* fait souvent penser à quelque chose d'exceptionnel ou tout au moins d'assez rare. **Parfois** convient mieux en parlant d'une chose ordinaire qui arrive d'une façon relativement habituelle. **De temps en temps,** syn. de *parfois,* suppose des intervalles à peu près réguliers; il emporte l'idée d'une certaine périodicité que *parfois* n'exprime pas autant.

quelques. V. PLUSIEURS.
quémander. V. SOLLICITER.
quenotte. V. DENT.
querelle. V. DISPUTE.
quereller. V. RÉPRIMANDER.
quérir. V. CHERCHER.
question. V. SUPPLICE.
questionner. V. DEMANDER.
quête désigne l'action de demander et de recueillir des aumônes pour les

pauvres ou pour une bonne œuvre, le plus souvent religieuse. **Collecte** emporte moins une idée de charité que *quête;* c'est plutôt un acte de bienfaisance accompli dans un but humanitaire, social, au profit d'une œuvre laïque ou d'une personne.

quêter. V. CHERCHER et SOLLICITER.

queue. V. FILE.

quidam. V. PERSONNE.

quiétude. V. TRANQUILLITÉ.

quignon. V. MORCEAU.

quinaud. V. EMBARRASSÉ.

quinte. V. FANTAISIE.

quintessence, qui s'applique proprem. à la partie la plus subtile extraite de quelque corps, s'emploie aussi figurém. pour désigner ce qu'il y a de plus raffiné, de meilleur, de plus parfait, de plus précieux, dans quelque chose. **Suc,** nom donné, proprement, au liquide contenu dans les substances végétales et animales qui contient ce que celles-ci ont de plus substantiel, a rapport, au sens figuré, à ce qu'il y a de plus excellent, d'essentiel, de principal, dans la substance d'une chose; on dit aussi d'ailleurs, dans ce sens figuré, **substance. Moelle,** substance molle et grasse qui remplit la cavité des os, est familier, au fig., et s'applique bien à ce qu'il y a de plus instructif, d'essentiel dans les ouvrages de l'esprit. **Pressis,** jus de viande ou suc d'herbes pressées, s'emploie rarement figurément comme syn. de *quintessence;* c'est d'ailleurs un terme fort vieilli.

quinteux. V. ACARIÂTRE.

quiproquo. V. MÉPRISE.

quittance. V. REÇU.

quitte. V. ACQUITTÉ.

quitter, c'est simplement se séparer volontairement de quelqu'un ou de quelque chose, sans autre idée accessoire. **Abandonner,** quitter pour ne pas reprendre, présente généralement cette action comme pouvant avoir un résultat déterminé, heureux ou fâcheux. **Se débarrasser,** comme **se défaire,** c'est le plus souvent quitter, abandonner, une chose devenue gênante ou inutile. **Se dépouiller,** proprem. quitter ses vêtements, c'est aussi, par ext., et à l'inverse de *se débarrasser* et de *se défaire,* quitter, abandonner une chose commode ou utile; il emporte une idée de sacrifice. (V. ÔTER et RENONCER.) V. aussi LAISSER.

quoique est une conjonction d'emploi très général qui marque une idée de concession, de restriction. **Bien que,** qui a d'abord servi à remplacer *quoique,* pour des raisons d'euphonie, après « quoi », « que » ou « qui », reste d'un emploi plus recherché, plus distingué, sans doute parce que plus harmonieux que son syn. **Encore que** est vieilli et très peu usité aujourd'hui.

quolibet. V. PLAISANTERIE.

quote-part désigne la part de chacun dans la répartition d'une somme ou d'une quantité à recevoir ou à donner. **Quotité** est le nom donné à la somme fixe à laquelle monte chaque quote-part. **Contribution,** qui se dit de la part que chacun apporte à une dépense commune, s'emploie particulièrement bien en matière d'impôts. **Cotisation** suppose généralement un engagement préalable de payer volontairement une quote-part qui se renouvelle à périodes déterminées. **Ecot** se dit surtout de la quote-part due par chacun dans un repas ou un divertissement pris en commun. **Prorata,** employé comme syn. de *quote-part,* est peu usité.

quotidien. V. JOURNALIER.

quotité. V. QUOTE-PART.

R

rabâchage. V. RADOTAGE.

rabâcher. V. RÉPÉTER.

rabais. V. DIMINUTION.

rabaissement. V. BAISSE.

rabaisser. V. ABAISSER et BAISSER.

rabattre. V. ABAISSER.

rabelaisien. V. GAILLARD.

rabiot. V. SUPPLÉMENT.

râble. V. DOS et REIN.

râblé, râblu. V. TRAPU.

raboter. V. REVOIR.

raboteux. V. RUGUEUX.

rabougri, qui suppose un état naturel, désigne une personne qui non seulement n'est pas parvenue physiquement à sa juste grandeur, mais est de plus mal conformée et a mauvaise mine. **Rachitique** est un terme médical; il implique une maladie de la croissance, caractérisée essentiellement par des déformations et un ralentissement dans la consolidation du système osseux. **Ratatiné** est plus partic.; il se dit seulement et familièrement en parlant des personnes qui sont comme rapetissées, resserrées par l'âge ou la maladie. (V. DIFFORME, FAIBLE et MENU.)

rabrouer. V. REPOUSSER.

racaille. V. POPULACE.

raccommoder, d'une façon générale réparer, remettre en état, s'emploie plus particulièrement et plus couramment auj. en parlant de réparations à l'aiguille. **Repriser,** c'est raccommoder une étoffe, une dentelle qui a été déchirée, un tissu dont une maille s'est échappée. **Rapiécer,** c'est raccommoder en mettant une ou plusieurs pièces ou morceaux. **Rapiéceter,** c'est mettre beaucoup de petites pièces, ou bien mettre souvent des pièces à ce qui a déjà été rapiécé. **Rapetasser,** c'est mettre grossièrement des pièces, uniquement pour boucher des trous et sans tenir compte de l'élégance ni même de la propreté. **Ravauder,** syn. de *raccommoder,* convient bien en parlant de choses usées, fatiguées, que l'on essaye tant bien que mal de remettre en état. **Stopper** implique au contraire une reprise très soignée, presque invisible, faite le plus souvent par des gens de métier; c'est réparer une déchirure en refaisant la trame et la chaîne de l'étoffe. **Rentraire,** s'emploie surtout en parlant d'un stoppage fait lorsqu'une déchirure s'est produite pendant le tissage. **Resarcir,** syn. de *stopper,* est aussi un terme de techn., peu usité d'ailleurs.

V. aussi RÉCONCILIER et RÉPARER.

raccorder. V. JOINDRE.

raccourci. V. ABRÉGÉ.

raccourcir. V. DIMINUER.

raccrocheuse. V. PROSTITUÉE.

race est le terme général qui, se disant en bonne ou en mauv. part des animaux comme des hommes, a essentiellement trait à l'extraction; il suppose une communauté d'origine réelle, directe, envisagée par rapport à la source ou au fondateur. **Sang,** syn. de *race,* est du style relevé; il s'emploie particulièrement bien en parlant d'une race distinguée ou excellente. **Famille** dit moins; c'est simplement la réunion des personnes unies par les liens de la parenté, que l'on voit telle qu'elle est, sans remonter à sa source, à son fondateur, c'est-à-dire en fonction d'une vie, d'une existence commune : *Une femme entre dans la famille par le mariage, mais elle n'entre pas dans la race, bien que ses enfants en doivent faire partie.* **Maison,** pris ici dans un sens fig., désigne la famille dans ce qu'elle a de plus noble, dans ses traits particuliers qui attirent et fixent les regards, dans ce qui en fait comme un grand édifice durable : *Une famille est nombreuse, heureuse, honnête; Une maison est grande, ancienne, souveraine, auguste, dit Lafaye.* (D'une façon générale et bien qu'il n'y ait pas de règle absolue, on peut dire que l'emploi de *famille* est préférable quand on veut évoquer l'idée de personnes du même sang, vivant côte à côte, et celui de *maison* lorsqu'on considère ces personnes et leur descendance se succédant dans les temps en se transmettant leurs privilèges, leurs haines, etc.) **Souche,** lorsqu'on parle de la race, de la famille, de la maison, fait surtout penser à son origine : *On est issu d'une bonne souche.* **Estoc,** syn. de *souche,* est un terme de dr. anc. **Lignée** est auj. d'un emploi assez rare; c'est le terme concret qui, s'appliquant à la filiation, désigne proprem. la descendance, les enfants qui sont comme la « ligne », la trace qu'un homme laissera après lui — et qui constituent l'ensemble de ceux qui font partie d'une même race. **Lignage** est un terme collectif, vieilli lui aussi, qui désigne non pas les enfants, mais les ascendants : *On peut être de haut lignage et mourir sans lignée.* (V. CONSANGUINITÉ et NAISSANCE.)

Race s'applique aussi, par ext., à ceux qui montrent les mêmes qualités ou les mêmes défauts naturels; il a alors pour syn. **engeance,** qui est péjoratif, et **gent,** peu usité aujourd'hui : *La race, l'engeance des bavards, des médisants; La gent moutonnière.*

rachat se dit de l'action par laquelle on achète ce qu'on avait vendu. **Rédemption** est peu us. dans ce sens. **Réemption** désigne le rachat d'objets saisis. **Réméré** est un terme de jurisprudence qui s'applique au rachat d'un bien qu'on avait vendu, en se réservant la faculté de racheter.

Rachat désigne aussi l'action de libérer, de délivrer en payant une rançon, au propre comme au figuré. **Rédemption** se dit surtout proprement du rachat des captifs chrétiens au pouvoir des infidèles et, figurément, du rachat du genre humain par Jésus-Christ. **Salut** s'applique spécialement et figurément dans le langage religieux, non pas à l'action mais au fait d'échapper à la damnation et de parvenir à la félicité éternelle, par le rachat de son âme.

racheter. V. AFFRANCHIR.

rachitique. V. RABOUGRI.

racine est le nom que l'on donne à la partie inférieure d'un végétal qui fixe la plante au sol et y pompe sa nourriture. **Radicelle** s'applique seulement à une racine secondaire, ramification de la racine principale. **Souche** est plus partic.; c'est le bas du tronc d'un arbre accompagné de ses racines et séparé du reste de l'arbre, que l'on appelle aussi **estoc** en termes d'arboriculture.

V. aussi ORIGINE.

raclée. V. VOLÉE.

racler. V. GRATTER.

racoler. V. ABORDER et ENGAGER.

racoleuse. V. PROSTITUÉE.

racontar. V. CONTE.

raconter, c'est faire le récit de ce qu'on a vu, entendu, fait, ou même simplement appris; il suppose une présentation agréable et intéressante : *On raconte des aventures.* **Rapporter,** c'est surtout faire connaître ce dont on a été témoin; il implique l'apport de renseignements, de connaissances nouvelles : *On rapporte un événement.* **Rendre compte,** c'est soit rapporter à un supérieur, soit raconter en expliquant : *On rend compte de sa mission, d'un livre.* **Relater,** c'est rapporter en détail : *On relate un fait avec toutes les circonstances qui l'ont accompagné.* (V. ÉNONCER, EXPLIQUER, PEINDRE et RAPPELER.)

V. aussi CONTER.

racornir. V. SÉCHER.

rade. V. PORT.

radiant. V. RADIEUX.

radicalement. V. ABSOLUMENT.

radicelle. V. RACINE.

radier. V. EFFACER.

radieux marque la qualité essentielle de la chose qui est lumineuse par elle-même; il suppose un état constant, un éclat que rien n'obscurcit. **Rayonnant** suppose une qualité accidentelle, un fait qui peut n'être que passager : *Le soleil est radieux dans un ciel pur; il est rayonnant à travers des nuées transparentes.* **Radiant** est un terme didact. peu us. qui désigne un corps recevant sa lumière d'un autre corps : *Une glace est un corps radiant.*—Au fig., RADIEUX et RAYONNANT emportent les mêmes nuances : *Un visage radieux annonce une joie complète; Un visage rayonnant témoigne le contentement qu'on éprouve à l'occasion d'un fait particulier.*

radin. V. CHICHE.

radotage, qui se dit d'un discours sans suite et dépourvu de sens, signifie aussi **rabâchage** et implique surtout alors des redites fastidieuses, des répétitions fatigantes, lesquelles enlèvent de la clarté au discours. **Prêchi-prêcha** convient bien en parlant du radotage plus ou moins burlesque de certains sermonneurs.

radoter. V. DÉRAISONNER et RÉPÉTER.

rafale. V. BOURRASQUE.

raffermir. V. AFFERMIR.

raffinage. V. ÉPURATION.

raffinement. V. FINESSE.

raffoler de. V. GOÛTER.

raffut. V. TAPAGE.

rafiau. V. EMBARCATION.

rafistoler. V. RÉPARER.

rafler. V. ACCAPARER, APPROPRIER (S') et ENLEVER.

rafraîchir, c'est rendre ou tout au moins essayer de rendre sa fraîcheur première à une chose passée. **Raviver,** c'est rendre plus vif, plus éclatant ce qui commence à se ternir: *Une chose nor-*

malement terne peut être rafraîchie, mais jamais ravivée. (V. RANIMER.)

V. aussi REFROIDIR.

ragaillardir. V. REMONTER.

rage. V. FUREUR.

rager, c'est être en proie à une violente irritation, s'irriter contre quelqu'un ou quelque chose ; il suppose souvent une colère muette. **Enrager** ajoute généralement à l'idée de colère celle de dépit. **Ecumer** enchérit sur *rager;* il implique une fureur difficilement dissimulable. **Fumer** et **rogner,** syn. de *rager,* sont populaires, ainsi qu'**endêver** et **bisquer,** syn. d'*enrager*.

rageur. V. COLÉREUX.

1. **ragot.** V. TRAPU.

2. **ragot.** V. CONTE.

ragoter. V. MÉDIRE.

ragoût. V. METS.

ragoûtant. V. APPÉTISSANT.

raid. V. INCURSION.

raide (que quelques-uns écrivent encore et même prononcent **roide**) se dit proprem. de ce qu'on a de la peine à plier, généralement parce que très tendu ; il est essentiellement dominé par l'idée d'absence de souplesse. **Rigide** enchérit plutôt sur *raide;* il suppose le plus souvent un état naturel et implique alors l'impossibilité à peu près complète de plier : *Une corde tendue est raide; Une barre de fer est rigide.*

V. aussi AUSTÈRE et ESCARPÉ.

raidillon. V. MONTÉE.

raidir, c'est, de la façon la plus générale, rendre raide, c'est-à-dire difficile à plier. **Tendre,** c'est raidir un corps plus ou moins élastique en l'allongeant par une traction d'une extrémité à l'extrémité opposée. **Bander,** c'est raidir en tendant fortement. **Abraquer,** c'est uniquement raidir un cordage, en termes de marine.

raie se dit de toutes les lignes beaucoup plus longues que larges, soit naturelles comme celles qui se trouvent sur la peau de quelques animaux, sur les marbres, etc., soit artificielles comme celles qu'on fait sur les étoffes, pour les orner. **Rayure** désigne seulement une raie qui provient de l'action de rayer, particulièrement en parlant du tissage d'une étoffe.

V. aussi TRAIT.

railler, c'est rire de quelqu'un en le tournant en ridicule. **Plaisanter** est moins péj. ; c'est s'amuser de quelqu'un sans méchanceté, par simple badinage. **Moquer,** comme **se moquer,** enchérit sur *railler* en ce sens qu'il y ajoute l'idée d'insolence et de mépris. **Se gausser,** c'est se moquer de quelqu'un ouvertement, à son nez. **Satiriser,** railler quelqu'un d'une manière mordante, est peu us. **Bafouer,** c'est railler quelqu'un, le tourner en ridicule, en l'accablant d'injures et d'affronts. **Persifler,** c'est railler avec finesse, avec une fausse ingénuité, de manière à tromper sur la sincérité des choses flatteuses, des compliments qu'on adresse. **Blaguer** et **chiner,** c'est, familièrement, railler avec bonne humeur, cependant que **brocarder** implique une raillerie piquante. **Gouailler,** familier aussi, c'est railler, plaisanter sans délicatesse, cependant que **goguenarder** suppose une sorte d'affectation dans la plaisanterie. **Se payer la tête, se ficher** et **mettre en boîte,** syn. de *se moquer,* sont familiers ; **se foutre** est populaire ; **acheter, charrier** et **cherrer** sont des termes d'argot. **Dauber** et surtout **se gaudir** vieillissent. (V. DISCRÉDITER, HUER et MALMENER.)

raillerie se dit d'une action qui a simplement pour but de faire rire, d'amuser, sans intention véritable de nuire, et qui, si elle est modérée, ne blesse que les esprits mal faits, excessivement susceptibles. **Moquerie** désigne une raillerie moins fine, moins délicate, qui consiste proprem. à tourner en ridicule et va jusqu'à vouloir rabaisser ou offenser. **Dérision** exprime une moquerie indirecte, qui consiste surtout à montrer le peu de cas qu'on fait d'un objet ou d'une personne. **Persiflage** se dit d'une raillerie légère, qui permet de dire ingénument des choses flatteuses qui sont en contradiction avec l'opinion commune ou la vérité. **Ironie** désigne la forme de raillerie qui consiste à dire le contraire même de ce qu'on veut faire entendre ; c'est aussi le nom didactique de la raillerie dont on se sert quand on veut considérer celle-ci par rapport au caractère même de la phrase, du langage qu'elle emploie : *L'ironie est fine, délicate, transparente, voilée.* **Risée** porte toujours l'attention sur la personne aux dépens de laquelle les autres rient, et qui est alors présentée comme une victime. **Sarcasme** est péjoratif ; il implique une raillerie amère, une ironie mordante, acerbe. **Brocard** suppose surtout une pointe de raillerie piquante. **Lardon,** syn. de *brocard,* est fam. **Pasquinade** se dit parfois d'une raillerie bouffonne, voire triviale. **Gouaille** est un syn. familier de *raillerie.* **Gausserie, goguenarderie, goguenardise,** syn. de *raillerie,* de *moquerie,* sont peu usités. (V. ESPRIT, MOT D'ESPRIT, PLAISANTERIE et SATIRE.)

rainure. V. ENTAILLE.

raison, lorsqu'il s'applique à ce qu'on exige ou à ce qu'on fait pour accorder le pardon et l'oubli d'un affront, suppose généralement un recours à la force. **Réparation,** qui se rapporte surtout à l'effet produit par l'affront, implique quelque chose de positif, particulièrement la reconnaissance du mal causé et son complet désaveu. **Satisfaction,** qui a trait à la personne offensée, fait penser à des excuses, à une soumission réelle ou seulement apparente, qui calment et contentent tout au moins sur le moment.

V. aussi CAUSE, RAISONNEMENT et SENS.

raisonnable. V. PRUDENT.

raisonnement se dit d'une opération de l'esprit par laquelle un jugement ou plusieurs jugements étant donnés, on en fait sortir un autre jugement plus ou moins précis et convaincant. **Argument** s'applique plutôt à l'effet de cette opération, à sa conséquence ; souvent terme d'école, il s'emploie en outre plus facilement en mauv. part que *raisonnement* qui appartient au langage ordinaire. **Raison** suppose un argument bon ou mauvais qui se veut généralement une preuve et qu'on allègue pour soutenir son opinion, justifier sa conduite. (V. CONCLURE.)

V. aussi SENS.

raisonner, c'est se servir de ses facultés intellectuelles pour connaître, pour juger. **Philosopher** est plus partic. ; c'est soit raisonner sur des matières de morale ou de physique, soit raisonner doctement, subtilement. **Ratiociner** est péjoratif ; c'est raisonner d'une façon subtile et pédantesque. (V. PENSER.)

V. aussi RÉPONDRE.

râler. V. PROTESTER.

rallier. V. ASSEMBLER et REJOINDRE.

rallonge. V. AUGMENTATION.

rallonger. V. AUGMENTER.

ramas. V. AMAS et GROUPEMENT.

ramasser, c'est prendre à terre ce qui était tombé ; il se dit généralement d'une action ordinaire, naturelle. **Relever,** dans ce sens, convient mieux en parlant d'une action importante, exceptionnelle, emportant un certain caractère de noblesse : *On ramasse un objet ; On relève une personne.*

V. aussi AMASSER, ASSEMBLER et RÉCOLTER.

ramassis. V. AMAS.

rambarde. V. BALUSTRADE.

rame désigne la longue pièce de bois, en forme de pelle, dont on se sert pour faire marcher une embarcation, et dont la partie qui entre dans l'eau est plate et celle que l'on tient à la main arrondie ; c'est le terme couramment employé dans la navigation maritime et fluviale. **Aviron,** employé longtemps surtout dans la navigation maritime, est aussi auj. un syn. couramment usité de *rame,* lorsqu'il s'agit de la navigation fluviale. **Pagaie** désigne une petite rame à une ou deux palettes ovales et assez larges, dont se servent, sans l'appuyer sur le bord de l'embarcation, les naturels de certains pays pour faire voguer leurs pirogues, et les Européens pour manœuvrer les périssoires et canoës. **Godille** est plus partic. ; c'est l'aviron que l'on place à l'arrière d'un canot et auquel on imprime des mouvements hélicoïdaux pour faire avancer l'embarcation.

rameau, ramée. V. BRANCHE.

ramener. V. AMENER et RÉTABLIR.

ramier. V. PIGEON.

ramification. V. SUBDIVISION.

ramille. V. BRANCHE.

raminagrobis. V. CHAT.

ramollir. V. AMOLLIR.

rampant. V. SERVILE.

rampe. V. MONTÉE.

ramponneau. V. COUP.

ramure. V. BRANCHE.

rancune. V. RESSENTIMENT.

randonnée. V. COURSE et PROMENADE.

rang, lorsqu'il désigne la place occupée par une personne ou une chose dans la hiérarchie sociale ou l'estime des hommes, se rapporte surtout au cas que l'on en fait, à l'opinion qu'on en a. **Ordre** concerne plutôt la nature de la personne ou de la chose : *L'homme qui est d'un rang inférieur a peu de prix, est bas placé dans l'estime générale; celui qui est d'un ordre inférieur a peu de valeur, n'est rien moins qu'excellent, note Lafaye.* **Classe** fait particulièrem. penser aux différences de rang que la diversité, l'inégalité des conditions, établissent parmi les hommes réunis en société; par ext., il s'emploie aussi en parlant des personnes ou des choses qui ont entre elles une certaine conformité, qui sont de même nature. **Catégorie** ne se dit que d'une classe de personnes ou de choses de même nature. **Condition** ne s'applique qu'aux personnes et fait penser au rang occupé par suite de la naissance, de la fortune, de la profession. **Caste,** proprem. classe formant une des divisions hiérarchiques de la société, particulièrement chez les peuples de l'Inde, se dit aussi, par ext., d'une classe de citoyens qui se distingue des autres classes par ses privilèges, par les charges qui lui sont propres, même par des mœurs particulières; il emporte le plus souvent alors une nuance péjorative.

V. aussi FILLE et RANGÉE.

rangé. V. RÉGLÉ.

rangée, qui a un sens relatif et concret, exprime une disposition de fait et attire l'attention sur l'action de ranger ou sur les objets rangés. **Rang,** qui a un sens absolu et abstrait, indique une idée d'ordre et suppose une disposition essentielle, telle qu'elle doit être : *Il me semble, dit Condillac, que dans le rang les choses sont disposées suivant la place qu'elles méritent, et que dans la rangée elles sont seulement sur une même ligne.* (A noter encore que si l'on dit absolument : *Le premier rang, le second rang, être en rang,* il faut toujours joindre à *rangée* le nom des choses qui sont en rang : *Une rangée d'arbres, de chaises.*)

ranger, c'est mettre dans un certain rang, dans un certain ordre. **Aligner** est plus partic.; c'est seulement ranger sur une même ligne droite : *On range des troupes en bataille, mais on aligne des soldats sur le bord de la route.* ***Ranger,*** qui signifie aussi mettre pour la première fois une chose à sa place ou encore la remettre où elle était habituellement, suppose alors un simple travail manuel. **Arranger,** qui dit plus, exprime un acte de l'intelligence; c'est assigner aux choses une place convenable pour les mettre dans un ordre particulier : *On range tous les jours, mais on arrange une fois pour toutes, ou du moins pour longtemps.* **Ordonner,** c'est arranger méthodiquement : *Dieu a ordonné toute chose.* **Classer,** c'est ranger par classes, c'est-à-dire dans un ordre déterminé : *On classe ce qu'on veut retrouver facilement.* **Sérier** est plus partic.; c'est ranger, classer des questions d'après leur nature ou leur importance, généralement pour les examiner ou les régler les unes après les autres : *Ma méthode, disait Gambetta, consiste à sérier les questions à leur ordre.*

V. aussi ENFERMER.

ranimer, proprement rendre, redonner la vie, s'emploie aussi figurément en parlant des choses auxquelles on redonne activité, vigueur. **Raviver,** c'est rendre plus vif ce qui commençait à s'éteindre, à s'apaiser. **Réveiller,** c'est redonner l'animation à ce qui semblait endormi. **Revivifier,** c'est rendre la vie, l'animation à ce qui semblait mort.

rapacité. V. CONVOITISE.

râpé. V. USÉ.

rapetasser. V. RACCOMMODER

rapetisser. V. DIMINUER.

rapiat. V. CHICHE.

rapidement. V. TÔT.

rapidité. V. VITESSE.

rapiécer, rapiéceter. V. RACCOMMODER.

rapière. V. ÉPÉE.

rapin. V. PEINTRE.

rapine convient bien en parlant d'un vol commis avec violence. **Pillage** s'applique surtout à la rapine des soldats, ou, dans un sens plus général, à une rapine importante. **Brigandage** est plus péjoratif encore; il suppose le plus souvent une union de malfaiteurs. **Déprédation** implique un pillage accompagné de dégât. (V. BUTIN, CAPTURE et VOL.)

rappeler est un terme du langage courant ; c'est d'une façon générale, faire revenir dans les mémoires des choses qui en étaient sorties. **Retracer** est plus du style littéraire ; c'est raconter des choses passées et connues, les décrire, en renouveler la mémoire : *On rappelle des souvenirs de jeunesse, mais on retrace les exploits d'un héros.* **Evoquer** dit plus que *rappeler* et *retracer;* il implique un talent d'exposition qui fait comme apparaître ce dont on rappelle le souvenir : *On évoque les temps passés.* (V. PENDRE et RACONTER.)

Se rappeler, appeler de nouveau à soi, faire revenir dans son esprit, sa mémoire, ne se différencie de **se souvenir** que grammaticalement, en ce sens que, verbe transitif, il ne saurait se construire, comme son synonyme, avec un complément indirect de chose : *On se rappelle un événement, mais on se souvient d'une aventure.* (A noter toutefois que si *se rappeler de quelque chose* est une faute, l'usage tolère *se rappeler de* avec un infinitif : *On se rappelle avoir vu ou d'avoir vu telle chose.*) **Se remémorer,** syn. de ces termes, est plutôt du style relevé. **Se remembrer** et plus encore **se ramentevoir** sont vieux.

rapport exprime une liaison, d'ordre souvent mathématique, entre choses qui sont ou semblent différentes. **Analogie** suppose un rapport de ressemblance partielle qui suggère une ressemblance cachée plus complète. **Correspondance** s'applique à un rapport de conformité entre objets qui se correspondent. **Convenance** se dit d'un rapport entre choses qui vont bien ensemble. **Relation** désigne un rapport qui lie un objet à un autre. **Corrélation** est un terme didactique dont on se sert pour désigner la relation réciproque existant entre deux objets, deux termes, dont l'un appelle logiquement l'autre. (V. ANALOGIE, LIAISON et UNION.)

V. aussi RELATION et RENDEMENT.

rapport à (par). V. COMPARAISON (EN).

rapporter. V. ANNULER, APPORTER, CITER, RACONTER et RÉPÉTER.

rapporteur est le nom que l'on donne à celui qui, par légèreté ou par méchanceté, a coutume de « rapporter », de répéter ce qu'il a entendu dire contre quelqu'un. **Cafard, cafetière** et **cafteur** sont du langage des écoliers. **Casserole** est argotique. (V. ESPION.)

rapsode. V. POÈTE.

rapsodie. V. MÉLANGES.

rapt. V. ENLÈVEMENT.

rare se dit de ce qui n'est pas commun, pas ordinaire, de ce qui est **inhabituel, inaccoutumé,** surtout en parlant de ce qui se trouve difficilement. **Exceptionnel** enchérit sur *rare;* il convient bien en parlant surtout de ce qui est complètement hors de l'ordinaire et, de ce fait, très rare. **Unique** s'emploie parfois, par exagération, comme syn. d'*exceptionnel,* et se dit alors de ce à qui ou à quoi rien ne peut se comparer. **Curieux** est plus partic. ; il ajoute à l'idée de rareté celle de nouveauté et suppose alors quelque chose qui excite l'intérêt. **Extraordinaire,** dans ce sens, dit plus que *curieux* et s'applique à ce qui est en dehors de ce qu'on voit habituellement. **Epique,** qui se dit proprement de ce qui est digne d'être célébré en vers, s'emploie parfois aussi, familièrement et ironiquement, comme syn. d'*extraordinaire,* surtout en parlant d'aventures ou des récits qu'on en fait. (V. BIZARRE.)

raréfier. V. RÉDUIRE.

ras. V. ÉGAL.

raser. V. DÉMANTELER, ENNUYER, FRÔLER et TONDRE.

rassasié désigne celui qui, ayant suffisamment mangé, sent sa faim apaisée et son appétit satisfait. **Repu** emporte parfois, dans le langage courant, une idée de satiété plus complète que *rassasié,* et fait alors presque penser à un excès de nourriture. **Soûl** implique incontestablement cette idée d'excès que laisse seulement entendre *repu;* c'est être pleinement repu, rassasié au-delà de ce qui est raisonnable. — Au fig., ces termes ont la même gradation ; on peut y ajouter **saturé** comme synonyme de *repu.* (V. GORGÉ et NOURRIR.)

rassasier. V. ASSOUVIR.

rassemblement se dit d'une grande quantité de personnes assemblées, sans rapport à leurs intentions. **Attroupement** implique toujours une volonté de la part de ceux qui se rassemblent ; employé péjorativement, il désigne généralement un rassemblement tumultueux de gens réunis dans un mauvais dessein.

V. aussi GROUPEMENT.

rassembler. V. ASSEMBLER.
rasséréner. V. APAISER.
rassis. V. POSÉ.
rassurer, c'est redonner l'assurance, rendre la confiance. **Tranquilliser** enchérit quelque peu sur *rassurer;* c'est rendre pleine confiance, entière sécurité, en enlevant toute inquiétude, tout souci. (V. APAISER et CONSOLER.)
rastaquouère. V. INTRIGANT.
rat. V. CHICHE.
ratatiné. V. RABOUGRI.
ratatiner (se). RESSERRER (SE).
rater. V. ÉCHOUER et MANQUER.
ratiboiser. V. APPROPRIER (s') et TUER.
ratification. V. APPROBATION.
ratifier. V. SANCTIONNER.
ratiociner. V. RAISONNER.
ration. V. PORTION.
ratisser. V. GRATTER.
rattacher. V. JOINDRE.
rattraper. V. REJOINDRE.
raturer. V. EFFACER.
rauque (lat. *raucus,* enroué) se dit d'un son rude, âpre, qui manque de pureté. **Enroué** (même étymol. que *rauque*) se dit plus spécialement de la voix et suppose une altération de celle-ci rendue rauque et sourde par l'inflammation du larynx. **Guttural** (du lat. *guttur,* gosier) ne se dit que des sons formés par le gosier ou, plus exactement, le larynx.
ravager marque l'impétuosité de l'action par laquelle on cause du dommage; il semble que tout est alors emporté comme sur le passage d'un torrent que rien n'arrête. **Désoler,** en parlant d'un pays, c'est proprement y mettre la solitude ou au moins le réduire à un état tel que tous ses habitants soient malheureux et presque réduits au désespoir. **Dévaster** ne diffère guère de *désoler,* si ce n'est qu'il s'applique particulièrem. bien à un grand pays; c'est proprem. rendre vide un pays, au point d'en faire une sorte de désert, tout détruire en laissant le sol nu. **Infester,** c'est harceler par des incursions répétées, et, par suite, désoler sans cesse un pays. **Ruiner** marque la destruction de tout ce qui enrichissait un pays, de façon à n'y laisser plus que des débris, des « ruines ». **Saccager,** c'est mettre à sac, piller, livrer au carnage, employer le fer et le feu, traiter comme une ville prise d'assaut après une longue résistance. **Fourrager** est un synonyme moins usité de *ravager.* (V. DÉTRUIRE.)
ravaler. V. ABAISSER.
ravauder. V. RACCOMMODER.
ravi. V. CONTENT.
ravigoter. V. REMONTER.
ravin. V. CAVITÉ et CHEMIN.
ravine. V. CAVITÉ et COURS D'EAU.
ravir. V. APPROPRIER (S'), CHARMER et ENLEVER.
raviser (se). V. CHANGER D'AVIS.
ravissant. V. CHARMANT.
ravissement. V. ENLÈVEMENT et TRANSPORT.
ravitailler. V. APPROVISIONNEMENT.
raviver. V. RAFRAÎCHIR et RANIMER.
rayer. V. EFFACER.
rayon. V. LUEUR et LUMIÈRE.
rayonnant. V. RADIEUX.
rayure. V. RAIE.
raz de marée. V. TEMPÊTE.
razzia. V. INCURSION.
réagir. V. RÉSISTER.
réalisable. V. FAISABLE.
réaliser. V. ACCOMPLIR et COMPRENDRE.
réapparition. V. RETOUR.
rébarbatif. V. ACARIÂTRE.
rebattu s'emploie simplement pour désigner ce qui est redit, répété à satiété. **Usé** convient bien en parlant de ce qui, à force d'être répété ou employé, est devenu banal, tout en ayant pu cependant être original à l'origine. **Trivial,** peu us. auj. dans ce sens, ne se dit guère que des pensées et des expressions, lorsque celles-ci sont rebattues, usées à l'extrême. (V. COMMUN.)
rebelle. V. INDOCILE et RÉVOLUTIONNAIRE.
rébellion. V. RÉVOLTE.
rebéquer (se). V. RÉSISTER.
rebiffer. V. RECOMMENCER.
Se rebiffer. V. RÉSISTER.
rebondi. V. GRAS.
rebord. V. BORDURE.
rebours (à) se dit de ce qui est en sens contraire, au propre comme au figuré. **A contresens** emporte une idée

péjorative qui n'est pas forcément dans *à rebours;* il implique que l'on va dans une direction opposée au sens naturel, à la direction normale, et suppose une résistance à vaincre. **A contre-poil,** comme **à rebrousse-poil,** qui s'emploie surtout au propre, est très familier au figuré. **A contre-pied,** syn. d'*à rebours,* n'est usité qu'au figuré.

rebouteur, rebouteux. V. GUÉRISSEUR.

rebrousse-poil (à). V. REBOURS (À).

rebuffade. V. REFUS.

rebut se dit de ce dont on n'a pas voulu, de ce qu'il y a de plus mauvais en chaque espèce. **Lie,** qui désigne absolument le dépôt qui se forme dans le vin, s'emploie surtout figurément en parlant de ce qu'il y a non seulement de plus mauvais, mais aussi de plus vil. **Ecume,** mousse blanchâtre qui surnage sur un liquide agité, en ébullition ou en fermentation, se dit figurément, et seulement en parlant des personnes, d'un ramassis de gens vils et méprisables. (V. DÉCHET.)

V. aussi REFUS.

rebuter. V. REPOUSSER.

Se rebuter. V. DÉCOURAGER (SE).

récalcitrant. V. INDOCILE.

recalé. V. REFUSÉ.

récapituler. V. RÉSUMER.

recéler. V. CACHER et CONTENIR.

récemment, qui s'oppose à « autrefois » et signifie *il n'y a pas longtemps,* suppose un intervalle plus long que **depuis peu,** lequel indique un très court moment. **Nouvellement** s'applique à quelque chose de nouveau, qui vient de paraître pour la première fois : *Une personne est revenue chez elle récemment ou depuis peu, et elle est nouvellement arrivée dans un pays qu'elle n'a jamais habité, écrit Lafaye.* **Fraîchement,** lorsqu'il n'emporte pas l'idée de fraîcheur due à son étymologie, est d'un usage familier dans ce sens accessoire : *Des fleurs fraîchement coupées; Etre tout fraîchement arrivé.* **Naguère** (contraction des mots *n'a guère,* il n'y a guère) est plutôt du style soutenu ou du langage poétique.

recensement. V. DÉNOMBREMENT.

récent ne peut se dire des personnes; il ne s'applique qu'aux choses qui arrivent et qu'il présente comme n'étant pas anciennes : *Une pensée est récente par le temps de sa production.* **Frais,** qui se dit des choses récemment produites ou fabriquées, lesquelles — par leur nature même — se dessèchent assez vite, s'emploie parfois aussi, par ext. et familièrement, comme syn. de *récent Des nouvelles fraîches.* **Moderne** convient aussi bien aux personnes qu'aux choses — et se dit essentiellement de ce qui est considéré comme appartenant à l'histoire du siècle actuel ou de ceux qui ne remontent pas très loin de nous : *Un poète moderne est celui qui a composé ses ouvrages depuis que la langue est arrivée à l'état où nous la voyons de nos jours.* (V. NOUVEAU et ORIGINAL.)

récépissé. V. REÇU.

réception. V. ACCUEIL.

recette est le terme général qui sert à désigner ce qui est reçu, ce qui rentre en espèces, en valeurs. **Produit** s'applique aussi bien à ce qui est rapporté en argent, en droits, qu'en denrées, etc., et surtout en parlant d'une charge, d'une terre, d'une ferme, d'une maison. **Revenu** se dit plus particulièrement du produit annuel d'un fonds, d'un capital : on emploie aussi parfois ce terme, par opposition à « rente », pour désigner toute recette, quelle qu'en soit la provenance et quelque variable qu'elle puisse être. (V. RENDEMENT.)

recevoir, c'est, en parlant des personnes, leur donner accès chez soi, sans autre idée accessoire. **Accueillir** emporte généralement un sens favorable, surtout employé absolument ; il suppose en outre plus facilement un accueil extérieur : *On reçoit quelqu'un dans sa demeure, mais on l'accueille sur le seuil.* **Héberger,** c'est non seulement recevoir chez soi, mais encore loger et nourrir. **Traiter,** c'est, en parlant d'un hôte, le recevoir à déjeuner, à dîner.

Recevoir, c'est aussi se voir adresser quelque chose, être l'objet d'un envoi, d'un don, etc., que l'on nous remet entre les mains, qui parvient jusqu'à nous. **Réceptionner** est essentiellement un terme commercial qui suppose non seulement la réception de marchandises, mais encore leur vérification, afin de s'assurer que celles-ci sont bien conformes aux conditions du marché.

Recevoir, lorsqu'il s'agit, dans un sens particulier, de quelque chose de désagréable ou de fâcheux qui nous frappe, s'emploie en parlant de choses physiques ou morales. **Souffrir** suppose essentiellement une peine, une douleur morale, que l'on ressent et qui touche surtout la sensibilité : *On reçoit de mauvais traitements, un affront; On souffre d'une injustice.* **Essuyer** implique quelque chose, contre lequel nous ne pouvons rien, qui nous surprend et nous attaque : *On essuie une tempête, le feu d'une batterie, des revers, des dommages.* **Subir** (du lat. *sub,* sous, et *ire,* aller) suppose l'action d'un supérieur qu'il faut supporter : *On essuie le mépris de la part de tout le monde, mais on subit le mépris d'un homme auquel on est subordonné* (*Lafaye*). **Eprouver** emporte l'idée d'un mal ressenti et suppose plus particulièrement des changements, des variations, des altérations : *Il est rare qu'un navire n'éprouve pas, pendant une tempête, quelques avaries.*

V. aussi ACCEPTER et TOUCHER.

réchapper. V. ÉCHAPPER.

rêche. V. RUDE et RUGUEUX.

recherche, qui implique un effort de l'intelligence, un travail de l'esprit, est le terme général, du lang. ordin., qui sert à désigner l'action de chercher avec soin. **Investigation** (du lat. *investigo,* suivre à la trace), qui est plutôt du style relevé, enchérit sur *recherche;* il suppose une recherche non seulement attentive, mais aussi approfondie et suivie. **Disquisition** est un syn. peu employé de *recherche* et d'*investigation.* (V. ENQUÊTE.)

V. aussi AFFECTATION

recherché. V. AFFECTÉ.

rechercher, lorsqu'il signif. chercher à atteindre, à obtenir, à posséder, a pour syn. **poursuivre** qui suppose des soins plus assidus et ajoute une idée d'ardeur.

Rechercher, dans le langage judiciaire, n'implique pas forcément le même caractère légal que **perquisitionner;** il suppose le plus souvent, à l'inverse de ce terme, des recherches faites sans formalités : *On recherche un délinquant, des objets volés partout où ils peuvent se trouver; On perquisitionne en visitant minutieusement un local pour y rechercher des documents, des objets, parfois même des personnes.* **Enquêter,** c'est rechercher surtout à l'aide de témoignages : *On enquête dans l'entourage du criminel.* (V. ENQUÉRIR [S'] et FOUILLER.)

V. aussi CHERCHER.

rechigné. V. BOURRU.

rechigner, c'est témoigner par l'air de son visage la mauvaise humeur où l'on est, le chagrin, la répugnance qu'on éprouve. **Renâcler** est familier et ajoute souvent à l'idée de répugnance celle d'un mécontentement non dissimulé. **Bouder** est plus général et n'est pas essentiellement dominé par l'idée de véritable répugnance; c'est simplement témoigner du dépit, de la mauvaise humeur, voire du ressentiment contre quelqu'un, par son silence, par ses actions, par l'expression de sa physionomie. (A noter que ce terme s'emploie plus particulièrement en parlant des enfants, lorsqu'ils ont quelque petit chagrin et qu'ils ne le témoignent que par la mine qu'ils font.) **Renifler sur,** syn. de *rechigner,* est très familier; il implique une grande répugnance. (V. MURMURER.)

rechute est un terme de médecine ou de morale religieuse qui désigne le retour du même mal ou de la même faute; il marque ce qu'il y avait d'incomplet dans la guérison ou la faiblesse du repentir — et suppose un état plus grave, plus dangereux que celui dont il exprime le retour. **Récidive** est surtout un terme de jurisprudence ou de morale purement humaine qui indique un second délit semblable au premier, mais réclamant une punition plus sévère; en pathologie, il implique la réapparition d'une maladie, surtout d'une maladie infectieuse, survenant après que le sujet a recouvré la santé: *Une rechute suppose la reprise ou l'aggravation d'une maladie non guérie encore, alors qu'une récidive implique une nouvelle attaque après guérison.*

récidive. V. RECHUTE

récidiver. V. REFAIRE.

récif. V. ÉCUEIL.

récipient (du lat. *recipiens,* qui reçoit) est le terme général qui sert à désigner, dans le langage ordinaire, toutes sortes d'ustensiles qui, plus particulièrem. faits pour recevoir, contenir un liquide, un fluide, peuvent cependant servir aussi à tout autre usage. **Vase** est vieilli dans le sens général de *récipient;* il se dit surtout auj. d'un petit récipient artistique servant à contenir des fleurs ou bien à orner une maison, un jardin. **Pot** désigne un récipient de terre ou de métal servant à divers usages, généralem. pratiques. **Vaisseau** est un terme vieilli; il se disait le plus souvent d'un grand récipient, tels une cuve, un tonneau, destiné à contenir longtemps le liquide dont on le remplissait.

réciproque, qui concerne deux personnes, deux objets, et suppose l'action de rendre la pareille, de rendre selon ce qu'on a reçu, semble toutefois indiquer qu'il n'y a spontanéité que d'un seul côté, et que, de l'autre côté, il y a simplement désir de donner quelque chose en retour. **Mutuel,** qui est relatif à deux comme à plusieurs personnes ou objets n'emporte pas l'idée de retour en quelque sorte imposé, obligatoire, comme *réciproque;* il implique un échange et suppose des actions simultanées provenant de la spontanéité de l'une et de l'autre partie : *L'amour réciproque, dit Lafaye, est dans chacun en considération et en conséquence de ce qu'il est dans l'autre; l'amour mutuel naît de lui-même de part et d'autre.* (A noter que seul *mutuel* se dit de tout ce qui a rapport à l'état, à la manière d'être : *Les parties d'un corps ont entre elles une mutuelle correspondance; Des besoins mutuels.*) **Bilatéral** et **synallagmatique** sont des termes de jurisprudence qui s'appliquent particulièrement à un contrat engageant réciproquement des parties les unes envers les autres : *La vente, l'échange, le louage, sont des contrats bilatéraux ou synallagmatiques.*

récit est le terme le plus général qui, désignant l'action de rapporter de vive voix (ou par écrit) un événement, convient quelle que soit la chose racontée, et se dit souvent quand la personne qui raconte est présente et que ses paroles viennent frapper nos oreilles. **Relation** s'emploie surtout quand on parle de ce que les voyageurs ont vu dans des pays lointains et de ce qu'ils ont raconté soit dans des livres, soit dans leur correspondance. **Narration,** lorsqu'il ne s'applique pas à un simple récit fait en conversation (généralem. avec une nuance d'ironie), se dit plus spécialement d'un récit historique, oratoire ou poétique; c'est aussi d'ailleurs le terme qu'on emploie, dans l'enseignement, pour désigner un récit dont le sujet est donné à développer aux élèves. **Histoire,** dans ce sens, se dit d'un récit quelconque d'actions, d'événements, de circonstances, qui offrent plus ou moins d'intérêt; appliqué au récit de quelque aventure particulière, ce terme est assez familier. (V. RELATION.)

récital. V. CONCERT.

réciter, c'est simplement dire par cœur. **Débiter,** c'est réciter vivement ou fréquemment; il est souvent péjoratif : *Un enfant récite sa leçon; Un camelot débite son boniment.* **Déclamer,** c'est réciter à haute voix, d'un ton oratoire, avec des gestes convenables : *Un acteur déclame une tirade.* **Prononcer** n'implique pas forcément l'idée de connaissance par cœur; c'est simplement dire en public ce qu'on a plus ou moins préparé ou même ce que l'on improvise complètement : *On prononce une harangue.* **Psalmodier,** proprement réciter des cantiques religieux à l'église, sans inflexion de voix, s'emploie parfois aussi comme syn. de *débiter* et implique alors un débit monotone : *Juge qui psalmodie un arrêt.*

réclame. V. PUBLICITÉ.

réclamer se différencie de **demander** comme de **redemander** qui affirment seulement le désir qu'on a de se voir rendre ce qui nous appartient et dont la propriété ne nous est pas contestée, en ce qu'il emporte souvent, au contraire, l'idée d'une résistance rencontrée; il implique non seulement une demande, mais encore des raisons données pour prouver le droit qu'on a de la faire. **Exiger** suppose de l'autorité, une demande impérative, en vertu d'un droit légitime ou prétendu tel. **Requérir,** employé comme syn. de ces termes, est plutôt du style relevé. **Revendiquer** marque le plus souvent et plus spécialement un appel à l'action judiciaire en vue de rentrer en possession d'un objet qu'un autre possède illégalement; ce peut être aussi simplement, par ext., figurément ou non, réclamer comme sien. (V. SOLLICITER.)

V. aussi PROTESTER.

reclure. V. ENFERMER.

réclusion. V. EMPRISONNEMENT.

recoin se dit figurément de ce qu'il y a de plus caché, de plus secret dans une chose, seulement en parlant de l'âme, de la conscience, du cœur. **Repli** suppose un effort pour tenir caché qui n'est pas dans *recoin;* c'est souvent l'effet de la duplicité, quelque chose d'artificieux, des détours, ainsi que le note Lafaye.

V. aussi COIN.

récoler. V. VÉRIFIER.

récolte. V. RENDEMENT.

récolter, terme propre à l'économie rurale, qui s'applique plus spécialement aux produits de la terre qu'on enlève en masse quand ils sont arrivés à leur maturité, est d'un emploi assez familier au figuré. **Recueillir** est un terme plus général qui s'applique à tout ce qui peut être rassemblé ou même simplement reçu, mais sans présenter à l'esprit l'idée d'un travail réglé ni général : *Les moissonneurs récoltent le blé, et, après eux, les glaneurs en recueillent encore des épis; On recueille aussi des biens, une succession, des suffrages.* **Moissonner,** plus particulier, ne se dit que des céréales qu'on fauche et récolte à la fois; au fig., c'est récolter, recueillir en quantité : *On moissonne du blé, de l'orge, du seigle; On moissonne des palmes, des lauriers.* **Ramasser,** c'est, dans ce sens, recueillir seulement ce qui est à terre : *On ramasse des pommes de terre, des champignons.* **Cueillir,** c'est proprement récolter, recueillir, en détachant de sa branche ou de sa tige : *On cueille des fruits, des fleurs.*

recommandable. V. ESTIMABLE.

recommandation se dit spécialement de l'action de recommander, c'est-à-dire de désigner particulièrement une personne à l'attention, à la bienveillance, à la protection d'une autre : *Solliciter la recommandation d'un ministre.* **Apostille** est plus partic.; il désigne seulement une courte recommandation écrite que l'on ajoute à une lettre et surtout à une pétition : *Il n'est pas de député qui n'accorde chaque jour plusieurs apostilles.* **Piston,** syn. de *recommandation,* est familier : *Le piston fait souvent plus pour l'avancement que le mérite personnel.* (V. APPUI et AUSPICES.)

recommander, c'est exhorter vivement une personne à quelque chose. **Conseiller** dit moins et n'emporte pas l'idée d'insistance qui est souvent dans *recommander;* c'est seulement indiquer quelque chose à quelqu'un. **Préconiser,** c'est surtout recommander publiquement et avec fougue. **Prêcher,** c'est recommander partout où on le peut, généralement avec le désir de faire des prosélytes.

Recommander, comme **conseiller,** s'emploie aussi en parlant de l'action d'indiquer, de désigner particulièrement une personne à l'attention bienveillante d'une autre personne, le premier de ces termes enchérissant sur le second quand à l'insistance, à la chaleur mise dans cette action.

recommencer. V. REFAIRE.

récompense est un terme général qui s'applique à tout ce qui peut être considéré comme donné ou obtenu en retour du bien qu'on a fait, et même en retour du mal, et alors le mot se rapproche de « punition ». **Prix** n'emporte pas l'idée de spontanéité, de non-obligation qui est généralement dans *récompense;* il se dit d'une récompense promise d'avance, afin d'exciter l'émulation entre plusieurs concurrents : *Une récompense est variable et plus ou moins arbitraire : c'est affaire d'équité ou de générosité; Un prix est débattu ou réglé : c'est affaire de justice.* (A noter que si *récompense* désigne ce que la chose mérite, *prix* se dit, dans son sens rigoureux, de ce que la chose vaut : *Une gratification est la récompense de l'assiduité d'un ouvrier; son salaire est le prix de son travail.*) **Prime** est plus partic.; il désigne une récompense, un prix accordé à titre d'encouragement par le gouvernement ou certaines associations pour une opération d'agriculture, de commerce ou d'industrie (v. aussi GRATIFICATION). **Rétribution** exprime, comme *récompense,* une idée de retour, un rapport entre l'action et ce qui en est comme le salaire : un salaire qui est ici précis, mesuré avec une certaine exactitude d'après la nature même de l'action : *A chaque vertu une rétribution présente ou future* (*Lamennais*). **Tribut,** syn.

de *récompense,* de *prix,* de *rétribution,* est du style recherché : *Tirer de son travail un tribut légitime.* **Rémunération,** lorsqu'il ne s'applique pas spécialem. au prix d'un travail, d'un service rendu (pour ce sens, V. RÉTRIBUTION), est beaucoup moins us. que *récompense* et *prix;* désignant l'action même de récompenser ou de recevoir une récompense, et plus rarement la récompense elle-même, il ne s'emploie guère que dans le style soutenu, en théologie, par exemple, ou en morale : *Attendre de Dieu la rémunération de ses bonnes œuvres.*

V. aussi COMPENSATION.

récompenser, c'est donner une récompense, faire du bien à quelqu'un en remerciement de quelque service ou en faveur de quelque bonne action. **Payer,** c'est surtout récompenser pour des services ou des soins rendus : *On récompense une personne de son zèle, mais on la paie pour son travail.* **Reconnaître,** qui ne s'applique jamais aux personnes et est relatif au sujet, suppose que ce dernier sait ce qu'il doit et s'en montre obligé, reconnaissant ; il revient, nous dit Lafaye, à *récompenser* ou à *payer* avec une sorte de tendresse ou de souvenir affectueux : *C'est la main qui récompense ou qui paie, mais c'est le cœur qui reconnaît.* (V. RÉCOMPENSE.)

réconcilier, c'est rétablir de nouveau l'harmonie entre les personnes séparées par de sérieuses inimitiés, en supprimant la haine ou les désirs de vengeance. **Accorder,** c'est seulement faire cesser de simples contestations, en recourant surtout, nous dit Guizot, aux règles de l'équité ou aux maximes de politesse. **Raccommoder** est familier et concerne plutôt des personnes simplement brouillées à qui l'on fait valoir les avantages de la paix et de l'union : *On réconcilie ceux que les mauvais services ont rendus ennemis ; On accorde les personnes qui sont en dispute pour des prétentions ou des opinions ; On raccommode les gens qui se querellent, ou qui ont des différends personnels.* (*Guizot.*) **Rabibocher** et **rapapilloter,** syn. de *réconcilier,* sont populaires, et **rapatrier** et **rappointer** vieux.

V. aussi ACCORDER.

réconfortant. V. FORTIFIANT.

réconforter. V. CONSOLER et REMONTER.

reconnaissance. V. GRATITUDE et REÇU.

reconnaître, c'est accepter publiquement comme vraie, comme incontestable une chose que souvent l'on méconnaissait jusqu'alors. **Admettre,** c'est reconnaître pour vrai, pour valable, au moins dans son esprit : *Tout en admettant en soi-même le bien-fondé d'une réclamation, on peut hésiter à la reconnaître publiquement;* disant moins que *reconnaître, admettre* peut même d'ailleurs ne supposer qu'une concession sans conviction : *En admettant que vous ayez raison, nous pourrions alors agir comme vous le proposez.* **Convenir** réclame un accord quant à la réalité, quant à la vérité d'une chose discutée ou reprochée ; c'est presque AVOUER (v. ce terme) : *Qui convient de ses torts commence à en avoir moins, dit Boiste.*

Reconnaître, c'est aussi mettre de nouveau dans son esprit l'idée, l'image d'une personne, d'une chose, quand on vient à la revoir ou à l'entendre. **Identifier** est surtout un terme de droit ou d'administration judiciaire ; c'est reconnaître une personne ou une chose, en prouvant qu'elle est bien celle qu'on recherche : *On reconnaît un artiste, mais on identifie un criminel.* **Remettre** ne s'emploie qu'en parlant d'une personne que l'on reconnaît, dont on se rappelle les traits, la physionomie.

V. aussi AVOUER et RÉCOMPENSER.

reconsidérer. V. REVOIR.

reconstituant. V. FORTIFIANT.

record. V. PERFORMANCE.

recorder. V. RÉPÉTER.

recourbé. V. COURBE.

recours. V. APPEL et RESSOURCE.

recouvrer. V. RETROUVER et TOUCHER.

recouvrir, lorsqu'il signifie couvrir entièrement, a pour syn. **joncher** qui suppose toutefois un certain éparpillement de choses généralement tombées : *La neige recouvre le sol, les feuilles mortes le jonchent.* **Parsemer** diffère de *joncher* en ce sens qu'il admet plus de régularité, voire une intention décorative, un dessin ; il implique le plus souvent des choses jetées, répandues çà et là, pour orner, pour embellir : *Ce qui parsème peut être fixé, jamais ce qui jonche; On jonche un chemin de fleurs, on parsème un habit de pierreries.*

V. aussi DÉGUISER.

récréation se dit d'un délassement de peu de durée, qui a pour but de distraire l'esprit occupé de ses fatigues. **Amusement** désigne une occupation, un **passe-temps** facile et agréable que l'on se crée pour échapper à l'ennui. **Distraction** convient bien en parlant d'un amusement présentant un certain caractère intellectuel; c'est généralement un amusement intelligent : *Les jouets servent à l'amusement des enfants, la lecture et le théâtre de distraction aux parents.* **Divertissement** et **réjouissance** impliquent des amusements publics ou collectifs, le second supposant des manifestations de joie extérieures et bruyantes. **Fête** se dit de réjouissances publiques qui se font en certaines occasions extraordinaires, et dans ce sens on l'emploie souvent au plur. — ou tout simplement de réjouissances familiales ou amicales. **Plaisir** et **jeu** désignent simplement les choses dont on se sert pour se récréer, s'amuser, se distraire, se divertir, se réjouir, le premier étant beaucoup plus général que le second qui comprend essentiellement les exercices de l'esprit et du corps : *Il y a bien des plaisirs, nous dit Lafaye, qui ne consistent pas en jeux, ou qui ne dérivent pas du jeu, comme les plaisirs des sens ou du cœur, les plaisirs de la table ou du repos, la plupart des plaisirs de la campagne, etc.* **Partie** se dit particulièrement d'un amusement, d'un divertissement que plusieurs personnes conviennent de prendre en commun : *Une partie de cartes, de chasse.* **Partouse,** syn. de *partie,* est un terme d'argot. **Déduit,** syn. de *divertissement,* est vieux.

récréer. V. AMUSER.

récrier (se). V. PROTESTER.

récrimination. V. REPROCHE.

récriminer. V. RÉPONDRE.

récrire. V. COPIER.

recroqueviller (se). V. RESSERRER (SE).

recru. V. LAS.

recrudescence, terme de pathol. qui suppose une intensité plus grande des symptômes d'une maladie, des ravages d'une épidémie, après une rémission temporaire, se dit aussi, figurément et par ext., d'un retour à un état antérieur avec augmentation d'intensité, cela souvent en parlant d'une chose mauvaise, d'un mal. **Regain,** proprement herbe qui repousse dans les prés après qu'ils ont été fauchés, s'emploie particulièrement bien, figurément, en parlant d'une recrudescence inattendue, inespérée, et toujours d'une chose bonne, d'un bien : *La recrudescence de l'agitation populaire, des troubles populaires; Un regain de chance, de succès.* (V. AUGMENTER.)

V. aussi EXACERBATION.

recrue. V. MEMBRE, PARTISAN et SOLDAT.

recruter. V. ENGAGER.

rectifier. V. REDRESSER et REVOIR.

rectitude s'emploie seul auj. au propre, par opposition à « courbure ». — Au fig., RECTITUDE s'applique surtout à l'esprit, au jugement, à l'intelligence, lorsque ceux-ci se conforment à la règle droite, à la saine raison, aux vrais principes. **Droiture** concerne plutôt l'âme, le cœur, et marque essentiellement la probité, la bonne foi, des vues honnêtes et pures : *La rectitude est d'un bon esprit; la droiture, d'un cœur honnête.*

reçu est le terme général qui sert à désigner un écrit sous seing privé constatant une remise d'objets et surtout d'espèces. **Quittance** se dit d'un reçu qui constate la libération, partielle ou complète, d'un débiteur envers son créancier. **Décharge** est surtout un terme de jurisprudence qui désigne l'acte par lequel on déclare une personne quitte ou libérée d'une dette, d'un dépôt, etc. **Acquit,** terme de comptabilité, s'applique particulièrement à la signature ou à une valeur abstraite; il suppose généralement la décharge complète d'un engagement. **Reconnaissance** est le nom que l'on donne plus spécialement à l'acte par lequel on reconnaît avoir reçu quelque chose, soit par emprunt, soit en dépôt, ou, d'une façon plus générale, que l'on est obligé à quelque chose. **Récépissé,** terme de commerce ou d'administration, désigne un écrit contenant reconnaissance d'avoir reçu des objets mobiliers, des valeurs ou des documents quelconques.

recueil. V. COLLECTION.

recueillir. V. ASSEMBLER et RÉCOLTER.

Se recueillir. V. PENSER.

recul est le nom que l'on donne au mouvement accompli par ce qui va en arrière; il suppose uniquement une direction contraire à la direction ordinaire et naturelle de la marche. **Rétrogradation** implique aussi qu'on recule, qu'on va en arrière, mais seulement après avoir auparavant avancé. **Régression,** syn. de *rétrogradation,* est didactique. **Retraite** est plus partic.; c'est surtout un terme du langage militaire qui désigne la marche rétrograde d'un corps de troupe, après un combat malheureux ou devant la pression de l'ennemi. **Repli,** terme militaire aussi, n'emporte pas la nuance péjorative qui s'attache à *retraite;* il suppose un recul en bon ordre sur une position établie en arrière.

reculé. V. ÉLOIGNÉ.

reculer, proprement aller en arrière (V. RECUL), c'est aussi, figurément, revenir sur ce qu'on a résolu, ne plus exécuter ce que l'on avait décidé de faire. **Lâcher pied,** proprement cesser de tenir de pied ferme contre l'adversaire, s'emploie parfois dans le sens fig. de *reculer,* avec l'idée très marquée d'abandon; on dit aussi dans ce sens, au propre comme au figuré, **battre en retraite. Flancher** est familier; c'est lâcher pied, ne pas persister. **Caler** et **caner,** syn. de *reculer,* avec aussi une idée d'abandon, sont populaires. (V. ABANDONNER et RENONCER.)

V. aussi RETARDER.

récupérer. V. RETROUVER.

récurer. V. NETTOYER.

récuser. V. REPOUSSER.

rédacteur. V. JOURNALISTE.

rédaction est le terme du langage général qui se dit de l'action de rédiger, c'est-à-dire de mettre par écrit, en bon ordre, dans un style clair et convenable, comme du résultat de cette action; c'est aussi, dans le langage scolaire, l'exercice par lequel on enseigne aux enfants à rédiger. **Composition,** qui se dit de l'action de faire ou de produire une œuvre intellectuelle, désigne plus spécialement, en termes d'enseignement, un exercice littéraire destiné à apprendre aux élèves l'art d'ordonner et d'exprimer leurs idées, généralem. pour un concours. **Dissertation** suppose un examen critique et détaillé, un développement sur une question, un point de doctrine; c'est spécialement en outre l'exercice littéraire donné, dans les lycées et les collèges, aux élèves des classes supérieures et consistant dans une composition en français (autref. en latin aussi) sur un sujet déterminé, le plus souvent d'après un cours ou des indications détaillées. **Narration** implique, d'une façon générale, un récit développé, un exposé de faits; exercice scolaire, il se dit du récit que doit faire un élève sur un thème donné. **Rédigé,** syn. de *rédaction,* est moins usité; **narré,** syn. de *narration,* vieillit. (V. TEXTE.)

reddition. V. CAPITULATION.

redemander. V. RÉCLAMER

rédemption. V. RACHAT.

redevance. V. CHARGE.

rédigé. V. RÉDACTION.

rédiger. V. ÉCRIRE.

rédimer. V. AFFRANCHIR.

redire. V. RÉPÉTER.

redire (trouver à). V. CRITIQUER.

redite. V. RÉPÉTITION.

redondance. V. ABUS.

redonner, c'est donner de nouveau un objet qui avait été pris ou remplacer celui qui avait été perdu, sans faire entendre toutefois qu'on ait aucun droit de posséder cet objet. **Rendre** marque simplement la rentrée en possession de celui qui n'avait plus une chose; comme *restituer* et *remettre,* il exprime un acte de justice et suppose un droit chez celui qui reçoit. **Restituer** implique la réparation d'un tort causé. **Remettre,** qui ne peut se dire que des objets matériels, exprime formellement l'action de livrer ceux-ci à une personne, sans supposer nécessairement une possession antérieure. **Rembourser** est plus partic.; il ne s'emploie qu'en parlant d'argent que l'on a fait débourser ou qu'on a emprunté et que l'on rend : *On redonne ce qui manque; On rend ce qu'on nous a prêté ou donné; On restitue ce que l'on détient; On rembourse ce que l'on doit.* (A noter que *remettre* exprime quelquefois l'action de livrer un objet à celui qui doit le garder comme un dépôt, et alors il ne suppose pas un droit, mais un titre à la confiance : *On remet ce qui vous avait été confié pour un temps.*) [V. DONNER et RÉTROCÉDER.]

redoublement. V. EXACERBATION.

redoubler. V. AUGMENTER.

redoutable. V. TERRIBLE.

redoute. V. BAL.

redouter. V. CRAINDRE.

redresser, c'est, proprement comme figurément, rendre droit ce qui l'avait été auparavant ou ce qui devrait l'être. **Rectifier,** c'est rendre droite une chose, la mettre dans l'état, dans l'ordre où elle doit être, alors qu'elle n'y a jamais été.

V. aussi CORRIGER et LEVER.

réduction. V. DIMINUTION.

réduire, c'est, d'une façon générale, ramener à des proportions plus petites, moindres. **Amoindrir,** c'est rendre moindre plutôt en qualité qu'en quantité. **Diminuer,** c'est réduire surtout par le retranchement de quelque partie. **Restreindre,** c'est réduire en limitant. **Raréfier,** proprem. terme de physique signifiant diminuer la densité, s'emploie aussi parfois, dans le langage courant et familier, au sens de diminuer en réduisant la quantité, le nombre à l'extrême, en rendant plus rare. **Minimiser,** c'est réduire au minimum, c'est-à-dire au plus petit degré.

V. aussi SURMONTER.

Réduire à. V. OBLIGER.

réduit, nom donné à un lieu, à un local retiré et de petites dimensions, a pour syn. familier **cagibi,** qui enchérit plutôt sur lui quant à l'idée de petitesse et d'exiguïté.

réel (du lat. *res,* chose) se dit de ce qui est véritablement dans la nature, sans fiction ni figure. **Effectif** (dér. du lat. *facere,* faire) s'applique à une chose qui existe réellement parce que faite, exécutée : *Le monde est réel; une intervention, effective.* **Positif** (du lat. *positus,* placé, établi) se dit de ce qui est réel surtout par opposition à « théorique » ou « chimérique » : *Ce qui est positif est solide, incontestablement existant.* **Tangible** (du lat. *tangere,* toucher) est un terme didactique qui s'applique à ce qui est réel parce que tombant sous le sens du toucher ou, figurém., très apparemment sensible : *Les corps tangibles; L'or est le signe tangible de la richesse.* **Concret** (du lat. *concrescere,* se solidifier) s'oppose à « abstrait » et est essentiellement un terme de logique; il exprime quelque chose de réel parce que matériel ou vivant : *Ce qui est concret se voit, se touche, n'est pas abstraction.*

Réel, lorsqu'il désigne ce qui est, indépendamment de notre intelligence, a pour synonyme, dans une opération de l'esprit, **vrai** qui suppose la chose exprimée représentée fidèlement telle qu'elle est, et **certain** qui réclame la croyance et interdit le doute : *Il y a probablement dans la nature, observe Lafaye, une foule de choses réelles qui ne peuvent être dites ni vraies, ni certaines, parce que notre esprit n'étant jamais arrivé jusqu'à elles n'a pu s'en faire ni une idée ni une opinion.* (V. ÉVIDENT.)

réemption. V. RACHAT.

réexpédier. V. RETOURNER.

refaire, c'est exécuter de nouveau ce que soi-même ou d'autres ont déjà fait, le plus souvent avec l'idée de mieux faire; il suppose généralement l'action en train de se faire. **Recommencer** attire plutôt l'attention sur la décision de refaire et le « commencement », le début de l'action. **Répéter** s'emploie bien dans le style didactique en parlant d'observations, d'exercices, d'expériences que l'on refait parfois même plusieurs fois. **Renouveler,** c'est refaire ce qui est vieilli, ce qui était oublié, ce qui n'avait pas réussi; il suppose souvent non seulement l'action de refaire mais encore le désir de rappeler ce qui a déjà été fait. **Récidiver** est péjoratif et partic.; c'est refaire la même faute, commettre le même délit, le même crime; c'est aussi recommencer en parlant d'une maladie. **Réitérer,** syn. de *refaire,* est du langage recherché. **Rebiffer** et **remettre ça,** pris absolument, sont des synonymes populaires de *recommencer,* de *récidiver;* **repiquer au truc** est une expression d'argot.

V. aussi RÉTABLIR.

réfectoire est le nom que l'on donne à une salle où les membres d'une communauté, les élèves d'un lycée, les soldats, etc., prennent leurs repas en commun. **Cantine** se dit du lieu où, dans les ateliers, les écoles, les prisons, on vend à boire et à manger : *Un réfectoire est une salle à manger commune; Une cantine est une buvette ou un restaurant réservé à une catégorie déterminée de personnes.* **Mess** (mot angl. dérivé du vx français *mes,* mets) est plus partic.; il désigne la salle où les officiers ou les sous-officiers d'un même corps se réunissent pour prendre leurs repas en commun. **Popote** est populaire; il s'applique, en termes militaires aussi, à l'endroit où l'on prend des repas en commun. **Cambuse** est un synonyme familier peu usité de *cantine,* cependant que **cantoche** est populaire.

référendum. V. VOTE.

référer. V. IMPUTER.

réfléchi. V. POSÉ et PRUDENT.

réfléchir. V. PENSER et RENVOYER.

reflet, terme général qui désigne toute réflexion (v. art. suivant) quelque peu affaiblie de la lumière, de la couleur, se dit aussi, par ext., mais plus particulièrem., d'une teinte lumineuse qui se joue sur des fonds différents : *Les cheveux très noirs ont des reflets bleus.* **Chatoiement** suppose un reflet brillant et changeant qui, suivant le jeu de la lumière, va parfois jusqu'à donner l'impression d'un changement complet de couleur : *Les chatoiements d'une pierre, d'une étoffe.* (V. BRILLER, ÉTINCELER et FLAMBOYER.)

réflexion désigne le phénomène par lequel les rayons lumineux, caloriques, sonores, rencontrant un obstacle, sont renvoyés dans une autre direction. **Réverbération,** qui ne se dit auj. que de la réflexion de la lumière et de la chaleur, s'est cependant appliqué aussi autref. au son.

V. aussi ATTENTION.

Réflexions. V. PENSÉES.

refluer. V. REVENIR.

reflux, ou plus communément **marée basse,** est le nom que l'on donne au mouvement réglé de la mer, quand elle se retire du rivage, après le flux. **Jusant,** comme **perdant de la marée,** ou absolument PERDANT, est essentiellement un terme de marine. **Ebe** (ou EBBE) est le nom du reflux de la mer en Normandie. (V. FLOT.)

réforme. V. CHANGEMENT.

réformé. V. PROTESTANT.

réformer. V. CORRIGER.

refouler. V. CHASSER. POUSSER et REPOUSSER.

réfractaire. V. INDOCILE.

refrain. V. RÉPÉTITION.

refréner. V. ENRAYER.

réfrigérateur. V. GLACIÈRE.

réfrigérer. V. FRIGORIFIER.

refroidir, c'est rendre plus froid ou moins chaud. **Tiédir,** c'est rendre mi-chaud mi-froid en refroidissant légèrement ou en chauffant quelque peu, suivant le cas. **Attiédir,** syn. de *tiédir,* est moins usité. **Rafraîchir,** c'est seulement rendre plus frais, c'est-à-dire moins chaud ou moins tiède.

refuge. V. ABRI, FUITE et RESSOURCE.

refus est le terme général qui désigne l'action de rejeter une offre, de ne pas accorder ce qui est demandé. **Rebuffade,** qui implique toujours un mauvais accueil, suppose toujours un refus brutal, c'est-à-dire accompagné de paroles dures. **Rebut,** moins us. auj., se dit simplement d'un refus d'accueillir, sans idée accessoire : *Les rebuts, a écrit Condillac, sont des obstacles qu'on nous oppose, parce qu'on ne fait pas de cas de nous, et qui nous mortifient; les rebuffades sont les refus qu'on nous fait avec mépris, et qui nous humilient.*

refusé est le nom que l'on donne à un candidat qui a échoué, qui n'a pas été reçu à un examen; il se dit aussi d'un artiste dont l'œuvre n'a pas été admise au Salon. **Recalé,** syn. de *refusé,* est un terme d'argot scolaire, ainsi que **retapé** ou **retoqué** (qui vieillissent). **Blackboulé** est familier en parlant d'un candidat refusé à un examen; il désigne plus spécialement un candidat évincé par un vote : on dit aussi, dans ce sens, **battu,** lequel n'a rien de familier et n'emporte pas la même nuance péjorative que *blackboulé.*

refuser, c'est simplement ne pas donner, ne pas accorder, et cela de la façon la plus générale. **Dénier** est plus partic.; c'est seulement refuser quelque chose que la bienséance, l'honnêteté, l'équité, la justice exige qu'on accorde. V. aussi REPOUSSER.

réfuter. V. CONTREDIRE.

régal. V. FESTIN et PLAISIR.

régaler. V. AMUSER et MALMENER.

Se régaler. V. DÉLECTER (SE).

regard est le terme général qui exprime l'action physique de tourner les yeux vers un objet pour le voir ; joint à des modificatifs convenables, il peut exprimer toutes sortes de sentiments, d'affections, de passions. **Œil** ou **yeux,** pris pour le fait de porter la vue quelque part, exprime, nous dit Lafaye, une action fortuite, vague, involontaire, et non pas active, énergique, attentive, comme est celle désignée par *regard,* action de prendre garde : *Qui jette les yeux sur une personne ou une chose la voit; qui jette ses regards sur elle la voit parce qu'il fait effort, en fait l'objet de sa contemplation, de son étude.* **Coup d'œil** se dit d'un regard prompt, à peine sensible et jeté comme en passant, soit pour regarder légèrement un objet, soit pour avertir quelqu'un de cesser de faire ce qu'il fait ou de dire ce qu'il dit, ou de commencer à faire ou à dire quelque chose. **Œillade** suppose un regard expressif, jeté comme furtivement, avec dessein et avec une expression marquée, inspiré le plus souvent par une passion réelle ou feinte, ou par le désir d'exciter l'amour.

V. aussi VUE.

regard de (au). V. COMPARAISON (EN).

regard (en). V. VIS-À-VIS.

regardant. V. CHICHE.

regarder indique l'action voulue, volontaire de **voir** : *On voit en même temps toutes les choses qui font à la fois impression sur la vue, et on regarde un objet sur lequel on dirige ses yeux pour le voir exclusivement.* **Considérer** suppose qu'on arrête son esprit sur la chose regardée, afin de la bien connaître en elle-même, telle qu'elle est : *On considère un portrait, les traits d'une personne.* **Admirer,** c'est considérer avec le ravissement de l'âme que provoque le beau, le bon ou le bien: *On admire la nature, l'immensité du ciel, la vertu.* **Contempler,** c'est regarder, admirer longuement, en s'absorbant dans la vue de l'objet ; il réclame, comme l'a noté justement Georges Duhamel, un certain état de réceptivité, voire un certain état de grâce : *Que l'homme contemple donc la nature entière dans sa haute et pleine majesté,* a dit *Pascal.* **Examiner** renferme l'idée d'épreuve, de vérification : *On examine pour voir si l'objet à toutes les qualités requises.* **Observer,** qui suppose une attention particulière, un travail de l'esprit, une étude, marque l'intention d'examiner de loin ou en évitant d'intervenir : *On observe pour pouvoir ensuite communiquer à d'autres les résultats de son observation.* **Envisager,** proprem. regarder au visage, s'emploie surtout figurém. ; c'est regarder en face, sans crainte, ou bien regarder sous une certaine face, sous un point de vue particulier : *On envisage nettement et franchement ce qui se présente à nous.* **Dévisager,** c'est familièrem. regarder avec insistance et seulement en parlant d'une personne : *L'habitude de dévisager les gens marque une détestable éducation.* **Toiser,** familier aussi et toujours appliqué aux personnes, c'est regarder, examiner avec une attention nuancée de dédain, voire d'hostilité : *On toise quelqu'un de la tête aux pieds.* **Mirer** est vieilli dans le sens de regarder attentivement ; on l'emploie surtout pronominalement dans le sens de se regarder avec complaisance dans un miroir, une surface qui réfléchit son image : *Les coquettes ne cessent de se mirer dans leur glace.* **Lorgner,** c'est regarder du coin de l'œil, souvent en guettant, ou bien regarder avec une lorgnette : *Chat qui lorgne une souris; Lorgner un acteur.* **Reluquer,** regarder curieusement, est populaire. **Piger, ribouler, viser** et **zyeuter,** syn. de *regarder,* sont argotiques. (V. ÉPIER, VISER et VOIR.)

V. aussi CONCERNER.

régénération. V. RENAISSANCE.

régénérer. V. CORRIGER.

régenter. V. COMMANDER et DIRIGER.

regimbement. V. RÉSISTANCE.

regimber. V. RÉSISTER et RUER.

regimbeur. V. INDOCILE.

régime. V. GOUVERNEMENT.

régiment. V. MULTITUDE et TROUPE.

région. V. PAYS.

régir. V. DIRIGER.

règle est le terme général qui désigne ce qui doit diriger les actions, comme les pensées des hommes ; c'est ce qui, provenant d'une autorité supérieure, prescrit ce qu'on doit faire. **Règlement** regarde la manière dont on doit faire ce qui est prescrit par la règle; il suppose quelque chose de plus variable que *règle,* et qui peut être changé quand l'expérience en a fait connaître les imperfections : *On ne prescrit les règlements que pour ceux qui s'écartent des règles, a écrit Condillac.* **Loi** se dit, d'une façon générale, d'une règle obligatoire ou nécessaire : *On doit toujours se soumettre à une loi, qu'elle soit naturelle ou due aux hommes.* **Norme** est un terme didact. plus partic. que *règle,* qui suppose un principe servant de règle : *Œuvre exécutée selon la norme.*

Règle, lorsqu'il désigne plus particulièrement la loi qui doit diriger notre conduite, se rapporte surtout à la pratique, qu'il présente comme obligatoire et constante. **Principe** a plus généralem. trait à la théorie qui mène à telles ou telles conséquences, acceptées ou non : *On peut ne pas respecter les règles que nous imposent les principes qu'on défend.* **Système** s'applique à l'ensemble des principes vrais ou faux mis dans un certain ordre et enchaînés ensemble, de manière à en tirer les conséquences et à s'en servir pour établir une opinion, une doctrine, un dogme, un tout scientifique : *S'il est utile d'avoir un système, il ne faut pas toutefois se laisser dominer par lui.* **Maxime** est le nom que l'on donne parfois à une règle de conduite usuelle, laquelle ne présente pas cependant une force aussi absolue et universelle que la règle générale; c'est moins, dit Lafaye, un précepte qui commande à tous que la manière de voir de quelqu'un, celle qu'il suit habituellement et en particulier dans ses actions : *La prudence a ses règles qu'il faut suivre; Un homme prudent a ses maximes.*

Règle, appliqué à la sage disposition des choses, a généralement rapport à l'action. **Ordre,** dans ce sens, concerne plutôt l'état : *Les choses se font selon la règle; elles sont dans l'ordre.*

V. aussi EXEMPLE et RÈGLEMENT.

Règles. V. MENSTRUES.

réglé, qui se rapporte aux mœurs, à la conduite, s'applique à celui qui, connaissant la règle que prescrit la sagesse, s'y conforme exactement. **Rangé** a plus généralement trait aux occupations, aux affaires, à la dépense; il se dit bien de celui qui ne se laisse pas entraîner à perdre son temps ou à dissiper sa fortune : *L'homme réglé ménage sa réputation et sa personne; L'homme rangé ménage son temps et son bien.* **Ordonné** concerne la vie courante; il désigne familièrement celui qui est rangé surtout parce que, dans ses actes habituels, il sait donner à chaque chose la place qui lui convient par rapport aux autres. **Méthodique** enchérit sur *ordonné;* il suppose essentiellement une manière de conduire sa pensée ou son action conformément à des règles, à des principes préalablement fixés en vue d'atteindre un but déterminé : *L'homme ordonné n'aime pas la confusion, l'homme méthodique recherche et applique des moyens propres à l'empêcher.* **Systématique,** qui s'emploie souvent péjorativement, implique des actions réglées, décidées d'avance rigoureusement : *Les hommes systématiques sont généralement ennuyeux.*

V. aussi RÉGULIER.

règlement désigne, d'une façon générale, l'acte qui détermine ce qu'on doit faire. **Prescription** convient bien en parlant d'un règlement formel, auquel il est enjoint de se conformer strictement. **Ordonnance,** qui se dit d'une prescription émanant d'une autorité supérieure, est le nom donné aussi, plus particulièrement, à une prescription médicale. **Loi,** pris dans son sens général, désigne la prescription d'une autorité souveraine, qui règle, ordonne, permet ou défend; plus spécialement, c'est une prescription écrite émanant d'un législateur et établie pour le maintien de la société. **Arrêté** s'applique à la prescription d'une autorité administrative (ministre, préfet, gouverneur des colonies, maire, etc.), prescription qui indique ordinairement les lois législatives auxquelles elle se réfère, et qui, dans certains cas, peut être sanctionnée par des pénalités. **Code** est le nom donné à un ensemble de règlements ou de lois régissant une matière spéciale. **Statut,** ensemble de règlements, de lois spécialement applicables soit à des personnes, soit à des biens, s'emploie plus ordinairement au pluriel pour désigner le règlement établi pour la conduite d'une communauté, d'une compagnie, d'un ordre, d'une société; c'est essentiellement un terme de droit. **Charte** est le nom donné à un écrit authentique, destiné à consigner des droits ou à régler des intérêts; ce peut être aussi, par ext., l'acte d'un souverain servant de base à la constitution, voire les lois constitutionnelles d'un pays, d'un Etat. **Constitution** désigne proprement l'ensemble des lois qui déterminent la forme du gouvernement et qui règlent les droits politiques des citoyens, et, par ext. seulement, le règlement fondamental d'un ordre quelconque, entre autres en termes de législation ancienne ou en matière ecclésiastique. — **Canon** est beaucoup plus partic.; il ne désigne proprem. que les lois de la discipline ecclésiastique et les décisions des conciles, cependant que **règle** se dit des statuts d'un ordre religieux. (V. LOI.)

régler. V. PAYER et RÉSOUDRE.

regorger. V. ABONDER et VOMIR.

régression. V. RECUL.

regret. V. REPENTIR.

regrettable. V. DÉSAGRÉABLE et PITOYABLE.

regretter, c'est être fâché, être affligé d'avoir perdu quelqu'un ou quelque chose ou pour toute autre raison : *Un parfait indifférent ne regrette jamais rien.* **Déplorer** enchérit sur *regretter;* c'est regretter avec grande pitié, avec compassion extrême, avec regret amer, voire avec larmes : *On déplore la conduite du gouvernement, la mort d'un compagnon.* **Geindre,** déplorer en gémissant, n'est guère employé sous cette forme transitive : *Le peuple geint lamentablement sa misérable vie.* **Plaindre**, peu us. aussi auj. dans ce sens, suppose de la mauvaise volonté, de la répugnance, et regarde mieux le présent et l'avenir que le passé : *Les gens intéressés plaignent tous les actes qui ne mènent à rien.*

régularité. V. EXACTITUDE.

régulier, qui se dit de ce qui est fait selon une règle essentiellement raisonnable et bonne, marque une qualité propre, une manière d'être en quelque sorte naturelle. **Réglé** s'applique à ce qui est fait d'après une règle quelconque, bonne ou mauvaise, générale ou spéciale, constante ou variable; il marque de plus l'état qui résulte de l'action même de soumettre à une règle : *Tout ce qui est régulier est conforme à la règle; ce qui est réglé n'est soumis à une règle que par un choix libre.* **Normal** se dit de ce qui est régulier par rapport à une règle habituelle.

réhabiliter. V. RÉTABLIR.

rehausser. V. HAUSSER et VANTER.

rein, nom donné au singulier au viscère double, organe sécréteur ou excréteur de l'urine, désigne, d'une façon plus générale et au pluriel, la partie inférieure du dos considérée souvent quant à la force. **Lombes** est un terme surtout scientif. désignant la partie du dos derrière le ventre et qui comprend les reins. **Râble,** partie du dos de certains mammifères, lièvre, lapin, qui s'étend du bas des épaules à la queue, se dit parfois aussi, familièrement, de la partie du bas du dos de l'homme correspondant aux reins. **Rognon** ne s'applique qu'au rein d'un animal comestible. (V. DOS.)

réintégrer. V. RÉTABLIR.

réitérer. V. REFAIRE et RÉPÉTER.

rejaillir. V. JAILLIR.

rejeter. V. JETER, POUSSER et REPOUSSER.

rejeton. V. FILS.

rejoindre, c'est retrouver des gens dont on était séparé, et, en termes militaires ou d'administration, retourner à son corps ou à son poste. **Rattraper,** c'est rejoindre en route quelqu'un qui est parti avant nous. **Atteindre,** c'est rejoindre, rattraper ce qu'on suit ou poursuit. **Contacter,** c'est entrer en contact, atteindre quelqu'un. **Joindre,** syn. de ces termes, est d'un usage moins commun. **Rallier** s'emploie surtout l'orsqu'on rejoint le chef, l'unité ou le poste, dont on était séparé ou détaché.

réjoui. V. GAI.

réjouir. V. AMUSER.

réjouissance. V. RÉCRÉATION.

relâche, qui se prend en bonne part, suppose la suspension d'un travail habituel, le plus souvent afin de réparer ses forces. **Relâchement** emporte au contraire toujours un sens péj.; il suppose moins d'activité, moins d'empressement, moins d'habileté chez celui qui jusqu'alors travaillait avec ardeur, remplissait sa tâche avec zèle ou tout au moins très correctement : *Un théâtre fait relâche quand il suspend ses représentations pour permettre aux acteurs de se reposer; Un acteur montre du relâchement dans son jeu quand il s'applique moins à faire valoir toutes les finesses ou toutes les beautés de son rôle.* (V. NÉGLIGENCE.)

V. aussi REPOS.

relâche (sans). V. TOUJOURS.

relâchement. V. RELÂCHE.

relâcher se différencie de **lâcher,** qui est simplement donner la liberté, en ce qu'il implique un retour à un état de liberté : *On lâche un oiseau qui a toujours vécu en cage, dit Lafaye, et on relâche celui qu'on avait pris et privé de la liberté.* **Elargir,** c'est essentiellement, dans ce sens, mettre hors de prison : *On élargit un détenu.* **Libérer** et **relaxer,** syn. d'*élargir,* sont surtout des termes de jurisprudence : *Relaxer un prisonnier, c'est le laisser libre parce qu'on renonce à le poursuivre, à le juger; le libérer, c'est le relâcher à la fin de sa peine ou à la suite d'une commutation de peine.*

relaps. V. APOSTAT.

relation désigne le récit verbal ou écrit que l'on fait d'une chose qui s'est passée ou que l'on a vue ou entendue; il est plutôt du style relevé. **Compte rendu** est un terme d'administration ou de journalisme qui s'applique à la relation de certains faits particuliers. **Exposé** suppose des explications assez détaillées. **Historique** implique un exposé présenté suivant l'ordre chronologique. **Rapport** se dit surtout du compte rendu que l'on fait d'une chose dont on a été chargé. **Procès-verbal,** proprem. acte d'un officier de justice constatant un délit, s'applique aussi, par ext., à la relation que fait une personne, ayant droit ou qualité, de ce qui a été fait, vu ou entendu par elle; c'est encore, plus spécialement, la relation de ce qui s'est passé dans une réunion, une assemblée. **Factum** (mot lat. signif. chose faite) est le terme de l'ancien droit employé pour désigner l'exposé des faits d'un procès.

V. aussi AMI, RAPPORT et RÉCIT.

Relations désigne, d'une façon générale, les personnes avec lesquelles on est en rapport, quelles qu'en soient les raisons. **Fréquentations** est plus partic.; il ne se dit que des relations habituelles de société : *On a pour relations les gens que l'on connaît et qu'on voit occasionnellement ou dans un but déterminé — et pour fréquentations ceux avec lesquels on se rencontre sans cesse, qui sont presque des amis.* **Connaissances** désigne des relations de société familières, intimes : *Ecrire à ses amis et connaissances.*

relaxation. V. REPOS.

relaxer. V. RELÂCHER.

relayer. V. REMPLACER.

reléguer. V. CONFINER et DÉPORTER.

relent. V. ODEUR.

relevé. V. COMPTE et ÉLEVÉ.

relever, lorsqu'il signifie faire remonter le bas vers le haut, en retournant, a pour syn. **retrousser,** qui suppose généralement que l'on relève assez haut ou avec vivacité. **Trousser** s'emploie le plus souvent en parlant des vêtements que l'on a sur soi et que l'on relève. **Soulever,** c'est relever une chose qui en cache une autre.

V. aussi APPRÊTER, CORRIGER, DÉPENDRE DE, LEVER, RAMASSER, REMPLACER, RÉTABLIR et SOULIGNER.

relief. V. BRILLANT.

Reliefs. V. RESTES.

religieux est le nom que l'on donne à celui qui, engagé ou non dans les ordres sacrés, prononce les vœux solennels de chasteté, de pauvreté et d'obéissance à une règle approuvée par le Saint-Siège. **Moine** désigne un religieux qui vit enfermé dans la clôture d'un monastère : bénédictin, chartreux, trappiste, — et c'est seulement par ext. que le même nom est donné aux RELIGIEUX MENDIANTS : dominicains, franciscains, augustins, carmes. **Clerc régulier** se dit aussi bien d'un religieux que d'un moine qui unit la vie active à la vie ascétique, et se livre à tous les travaux extérieurs du ministère sacerdotal, tels les jésuites, les théatins, les maristes, etc. **Congréganiste,** s'il désigne, dans le lang. de la jurisprudence civile, les religieux ou religieuses de toute espèce, ne doit proprem. s'appliquer qu'à celui qui, n'ayant pas fait les trois vœux solennels de la religion, n'est lié que par des vœux simples, ou même par un engagement qui ne va pas jusqu'au vœu : oratorien, sulpicien, etc. : *Les femmes vouées à la vie ascétique sont ou des religieuses ou des congréganistes, suivant qu'elles font partie d'un ordre religieux ou d'une simple congrégation.* **Cénobite,** moine qui vit en communauté, est le terme réservé d'ordinaire pour désigner les religieux des premiers siècles chrétiens. (A noter que ce mot s'oppose à « anachorète », celui qui vit retiré, et que c'est par erreur qu'on lui a donné le sens de « solitaire ».) **Penaillon,** syn. familier de *moine,* est péjoratif et peu usité aujourd'hui. **Frocard,** péjoratif aussi, est un terme d'argot.

V. aussi CROYANT.

religion se dit d'une disposition morale de l'âme qui, sans paraître au-dehors, fait qu'on remplit tous ses devoirs envers Dieu. **Piété** implique un zèle sincère, sans outrance, dans l'exercice de la religion, zèle qui est à la fois intérieur et extérieur. **Dévotion,** qui signif. proprem. dévouement, suppose une attention constante à tout faire en vue de Dieu, laquelle paraît surtout au-dehors, et peut être seulement une apparence s'appuyant sur des sentiments d'hypocrisie.

V. aussi ADORATION.

reliquaire est le nom que l'on donne à une sorte de boîte, de coffret, où l'on conserve des reliques (v. ce mot) d'un saint. **Châsse** désigne plus rigoureusement un reliquaire de grandes dimensions gardant la forme primitive du cercueil. **Fierte,** syn. de *châsse,* est un terme d'archéologie. (Surtout en usage dans le nord de la France, en Normandie et en Angleterre, *fierte* s'applique particulièrement à la châsse de l'archevêque de Rouen saint Roman.)

reliquat. V. RESTE.

reliques, qui désigne proprement ce qui reste du corps d'un saint personnage, des objets ayant été à son usage ou ayant servi à son supplice, et que l'on conserve religieusement, se dit parfois encore, poétiquement, des restes mortels. **Cendres** est le nom que l'on donne aussi, poétiquement ou dans le style élevé, aux restes de ceux qui ne sont plus, par allusion à la coutume que les Grecs et les Romains avaient de brûler les morts et d'en recueillir les cendres dans des urnes. **Ossements,** qui ne se dit que des os décharnés des personnes mortes, emporte une idée plus macabre, moins religieuse, que *reliques* et *cendres,* termes essentiellement dominés par l'idée de respect dû aux morts.

reluire. V. BRILLER.

reluquer. V. REGARDER.

remâcher, c'est simplement mâcher (c'est-à-dire briser, broyer les aliments sous les dents) une seconde fois. **Ruminer,** syn. au propre de *remâcher,* ne se dit que de certains animaux à plusieurs estomacs qui font revenir à leur bouche les aliments qu'ils ont avalés, pour les mâcher de nouveau. — Au fig. et familièrement, REMÂCHER, c'est repasser plusieurs fois dans son esprit, alors que RUMINER, c'est plutôt penser et repenser à une chose, la tourner et la retourner dans son esprit : *On rumine ce que l'on pourrait dire; On remâche ce que l'on a décidé de dire.*

remanier. V. REVOIR.

remarquable se dit de ce qui est particulièrement digne d'attirer l'attention. **Marquant** désigne ce qui, étant remarquable, se fait en outre distinguer : *On peut ignorer ce qui est remarquable, mais on connaît toujours ce qui est marquant.* **Notable** s'applique bien à ce qui est remarquable plutôt par rapport à autre chose que seulement par lui-même : *Une chose remarquable l'est en elle-même; Une chose notable ne l'est qu'en fonction d'autres choses.* **Insigne,** qui se dit de ce qui s'impose à l'attention par son caractère, est à **signalé** ce que *remarquable* est à *marquant : Un malheur insigne peut être aussi grand qu'un malheur signalé, mais il peut n'être connu que de peu de personnes, voire d'une seule, alors que le malheur signalé a nécessairement attiré l'attention de beaucoup de monde.*

V. aussi DISTINGUÉ.

remarquer, c'est simplement porter son attention sur quelqu'un, sur quelque chose, pour une raison ou une autre, bonne ou mauvaise, et qui, sans être forcément propre au sujet, peut nous être seulement personnelle. **Distinguer,** c'est reconnaître une personne, une chose d'une autre par quelque trait qui lui est distinctif : *On peut remarquer une chose insignifiante; On* *distingue seulement une chose présentant un caractère particulier.*

V. aussi PERCEVOIR et VOIR.

remarques. V. PENSÉES.

rembarrer. V. REPOUSSER.

remblai. V. TALUS.

remède est le terme général qui désigne figurément ce qui sert à guérir les maladies de l'âme comme ce qui sert à prévenir, à surmonter, à faire cesser quelque malheur, quelque inconvénient, quelque disgrâce : *La sagesse est un remède contre les accidents de la vie.* **Panacée** (grec *panakeia;* de *pan,* tout, et *akos,* remède) dit à la fois plus et moins; c'est le nom que l'on donne figurément à un remède que l'on prétend universel contre tous les maux physiques ou moraux, mais qui, précisément à cause de cette exagération, n'a évidemment jamais un tel effet. **Antidote,** proprement contrepoison, s'emploie parfois aussi figurément, dans le langage recherché, pour désigner le remède d'un mal moral, un moyen par lequel on combat une fâcheuse influence : *Le travail est un antidote contre l'ennui.* **Préservatif** n'emporte pas, comme les termes précédents, l'idée de combat; c'est seulement ce qui a la vertu de garantir de l'attente d'un mal possible, redouté : *De grandes lumières ne sont pas toujours un préservatif contre les grandes erreurs.*

V. aussi MÉDICAMENT.

remédier à, c'est combattre un mal quelconque par une contre mesure propre à en atténuer ou à en supprimer les effets. **Suppléer à** est plus dominé par l'idée de remplacement que par celle de remède; c'est réparer le manquement, le défaut de quelque chose, en mettant à la place qu'elle devrait occuper une chose qui en tient lieu : *On remédie à ce qui est mauvais; On supplée à ce qui manque.* — PALLIER À, désapprouvé par les grammairiens, est souvent employé cependant aujourd'hui, dans le langage courant, avec le sens de porter remède d'une façon provisoire et incomplète; il ne reste pas moins un barbarisme à éviter.

remembrance. V. MÉMOIRE.

remémorer (se). V. RAPPELER (SE).

remener. V. AMENER.

remercier. V. CONGÉDIER.

réméré. V. RACHAT.

remettre. V. RECONNAÎTRE, REDONNER, RÉTABLIR et RETARDER.

Se remettre. V. GUÉRIR.

remise est le nom que l'on donne à un local fermé destiné surtout à mettre des voitures à couvert. **Hangar** est plutôt un terme d'économie rurale, qui sert à désigner une construction en appentis ou isolée, formée d'un toit supporté par des piliers ou des poteaux, généralem. ouverte, et destinée à servir d'abri à des voitures, à des instruments agricoles, à des récoltes, etc.; c'est aussi le nom que l'on donne auj. à la construction aménagée pour servir d'abri à des avions ou des dirigeables. **Garage** désigne surtout une remise de bicyclettes ou d'automobiles.

V. aussi COMMISSION, DÉLAI et DIMINUTION.

remiser. V. REPOUSSER.

rémission. V. PARDON.

remmener. V. AMENER.

remontant. V. FORTIFIANT.

remonter, c'est redonner physiquement des forces, ou relever le moral ou le courage qui était abattu. **Réconforter,** syn. de *remonter,* est moins du langage ordinaire, **requinquer,** par contre, est familier. **Revigorer,** donner une nouvelle vigueur à ce qui semblait faible, exténué, est du langage soutenu, **ravigoter** étant familier. **Ragaillardir,** familier aussi, c'est rendre des forces, physiquement ou moralement, mais aussi de l'entrain, de la gaieté. (V. AFFERMIR.)

remontrance. V. REPROCHE.

remontrance (faire une). V. RÉPRIMANDER.

rémora. V. COMPLICATION.

remords. V. REPENTIR.

rempart, terme de fortification désignant une masse de terre élevée derrière l'escarpe, pour soutenir le parapet, est le nom que l'on donne aussi aux murs épais dont on entourait autref. les places de guerre et les châteaux forts. **Avant-mur,** mur adossé à un autre mur, est parfois employé aussi comme syn. de *rempart* pris dans sa première acception. **Enceinte,** comme **muraille** (employé surtout alors au plur.), s'applique seulement à l'ensemble des remparts qui entourent une ville, une forteresse. **Boulevard** (on écrivait autref. BOULEVART) est vieux dans ce sens; il désignait surtout le terre-plein d'un rempart.

Rempart, au fig., désigne ce qui sert de défense contre toutes sortes de dangers, existants ou possibles, et cela d'une manière complète et sûre. **Bouclier,** dans ce sens figuré, suppose une défense plus fragile contre une attaque directe, immédiate.

remplacement désigne, d'une façon générale, le résultat de l'action par laquelle on met une personne ou une chose à la place d'une autre. **Substitution,** syn. de *remplacement,* est moins du langage courant; c'est plutôt un terme didactique. **Subrogation** est un terme de droit qui désigne l'acte par lequel une personne ou une chose est substituée à une autre dans un rapport juridique. **Commutation** est us. surtout en matière criminelle, dans la loc. : *Commutation de peine,* substitution d'une peine à une autre moins grave.

remplacer est le terme général signifiant se mettre ou être mis à la place de quelqu'un, ou mettre quelque chose à la place d'une autre. **Relayer** est plus partic.; c'est essentiellement remplacer, dans son travail, dans son occupation, quelqu'un qui généralement est fatigué, las. **Relever** se dit surtout en parlant du remplacement d'une troupe de soldats, d'une équipe d'ouvriers, par une autre troupe, une autre équipe équivalente. **Succéder à,** c'est remplacer définitivement en venant, sans qu'il y ait interruption, après quelqu'un ou quelque chose. **Suppléer** suppose le plus souvent quelque chose de passager, d'accidentel; c'est remplacer quelqu'un, tenir sa place, le représenter, faire ses fonctions, généralement pour un temps seulement. **Supplanter** emporte une nuance défavorable; c'est remplacer quelqu'un non seulement en prenant sa place, mais encore en faisant perdre crédit, faveur ou autorité. (V. REPOUSSER.)

rempli. V. PLEIN.

remplir. V. EMPLIR et OCCUPER.

remue-ménage. V. CONFUSION.

remuer, c'est, en parlant d'une personne, faire quelque mouvement ou changer de place. **Bouger,** c'est remuer légèrement en s'agitant sur place; il s'emploie le plus souvent avec la négation. **Grouiller** est populaire, ainsi que **gigoter** qui se dit surtout lorsqu'on remue fréquemment et vivement les jambes. (V. FRÉTILLER.)

V aussi AGITER et ÉMOUVOIR.

remugle. V. ODEUR.

rémunération. V. RÉCOMPENSE et RÉTRIBUTION.

rémunérer. V. PAYER.

renâcler. V. ASPIRER et RECHIGNER.

renaissance est le terme du langage ordinaire qui désigne, en bonne ou en mauv. part, tout ce qui renaît ou se renouvelle. **Résurrection,** proprement retour de la mort à la vie, suppose figurém. une renaissance surprenante, inattendue. **Régénération** est surtout un terme de médecine ou de théologie impliquant un travail intérieur qui purifie, qui ramène la santé du corps ou de l'âme. **Palingénésie** (du grec *palin,* de nouveau, et *génésis,* naissance) est un terme de philosophie ancienne ou mystique.

renaître. V. REVIVRE.

renard, nom donné au quadrupède carnassier, du genre chien, à museau fin et à longue queue touffue, a pour syn. vieilli, quoique encore employé dans le style littéraire, **goupil.**

renauder. V. MURMURER.

renchéri. V. FIER.

rencontre. V. COÏNCIDENCE, DUEL et ÉCHAUFFOURÉE.

rencontrer. V. TROUVER.

rendement désigne, d'une façon générale, ce que rend, ce que produit une chose, surtout considéré relativement au travail effectué ou au bénéfice fait. **Production** se dit de ce que produit la nature, l'art, l'esprit, considéré quant à l'effort fourni et à l'évaluation de la quantité. **Récolte** s'applique essentiellement à la production de la terre. **Rapport** attire l'attention sur le revenu que donne la chose qui produit, en dehors de toute idée de travail accompli : *Le rendement d'une usine, d'un ouvrier; La production d'une machine; La récolte d'un champ; Le rapport d'une maison de commerce.*

rendez-vous désigne la convention que deux ou plusieurs personnes font de se trouver ensemble en certain temps, à certaine heure, en un lieu désigné. **Rencard,** syn. de *rendez-vous,* est un terme d'argot. **Assignation,** qui est un syn. vieilli de *rendez-vous,* s'emploie encore dans le langage juridique avec le sens de « convocation ». (V. CONVOQUER.)

rendre. V. REDONNER et VOMIR.

Se rendre. V. ALLER et CÉDER.

rendre l'âme, le dernier soupir, l'esprit. V. MOURIR.

rendu. V. LAS.

rêne désigne la courroie fixée au mors du cheval, et que le cavalier tient en main pour diriger sa monture. **Guide,** qui s'emploie presque toujours au plur., est le nom que l'on donne à la courroie qu'on attache au mors d'un cheval attelé, et qu'on tient dans les mains pour diriger l'animal : *Un cheval de selle a des rênes, un cheval de voiture a des guides, note Littré.* **Bride,** partie du harnais de tête d'un cheval qui sert à le conduire et qui comprend une monture à laquelle sont fixés le mors et les rênes ou les guides, désigne aussi parfois des rênes seules. — **Licou** (ou LICOL) dit beaucoup moins; c'est seulement la courroie, voire la simple corde qu'on met autour du cou des bêtes de somme, pour les promener ou même les attacher à l'écurie. **Chevêtre,** syn. de *licou,* est vieux.

renégat. V. APOSTAT et DÉLOYAL.

renfermer. V. CONTENIR, ENFERMER et ENTOURER.

renforcer. V. AFFERMIR.

renfrogné. V. MAUSSADE.

rengaine. V. RÉPÉTITION.

rengorger (se). V. POSER.

renier se prend toujours en mauv. part; c'est abandonner par faiblesse, par lâcheté ou par intérêt, ce qu'on respecte au fond de sa conscience, ce à quoi l'on devrait rester fidèlement attaché. **Renoncer,** qui est peu us. dans ce sens, s'emploie au contraire en bonne part; dominé par l'idée de sacrifice, il suppose qu'on abandonne avec peine un avantage présent ou futur : *Un fils renie son père par lâcheté ou par intérêt : c'est de sa part une infamie; Un père renonce son fils, malgré la plus tendre affection : c'est pour lui une chose douloureuse* (*Lafaye*). **Abjurer,** c'est renoncer publiquement, solennellement à une croyance, à des maximes dont on faisait profession et qu'à tort ou à raison on a reconnues fausses : *Saint Pierre renia son maître par trois fois; Henri IV abjura le protestantisme.* **Apostasier,** c'est renoncer à sa foi, surtout en parlant de la religion chrétienne — et, par ext., abandonner une doctrine, un parti, dans un but d'ambition, de fortune, etc. : *Julien fut justement nommé l'Apostat parce qu'il avait apostasié l'avenir, après l'avoir compris, a écrit Ballanche.*

renifler. V. ASPIRER, BOIRE et RECHIGNER.

renom. V. RÉPUTATION.

renommé. V. ILLUSTRE.

renommée. V. RÉPUTATION.

renoncement désigne l'acte de volonté intérieure par lequel on se prive volontairement de certains biens, cela généralement pour des motifs religieux. **Renonciation** est plus un terme du langage courant ou juridique; il s'applique à l'acte extérieur qui a pour effet d'aliéner les droits qu'on avait sur certaines choses. **Résignation,** aussi terme de jurisprudence, se dit d'une renonciation à un droit, à une charge, en faveur de quelqu'un. **Abandon,** qui s'emploie bien au sens moral et suppose alors un oubli blâmable de soi, de ses intérêts, voire de ses devoirs, désigne aussi, par ext., une renonciation à la possession, à la jouissance d'une chose. **Concession,** pris dans son sens fig., est plus partic.; il suppose l'abandon de droits, de prétentions, accepté lors d'une contestation, d'un débat. (V. CESSION et SACRIFICE.)

renoncer, c'est ne pas continuer, ne plus s'occuper, ne plus demander ou espérer une chose, et cela volontairement; il indique une idée de regret ou de sacrifice — et présente parfois l'action comme le résultat d'une sorte de violence qu'on se fait à soi-même, ou comme ayant un certain caractère de publicité. **Abandonner,** c'est ne pas garder près de soi, ne plus faire usage; il emporte souvent un sens péjoratif, en supposant délaissement, négligence ou froideur. **Abdiquer,** c'est renoncer à un droit, à un pouvoir, que l'on possédait jusqu'alors. **Se désister** est essentiellement un terme de jurisprudence ou d'administration; c'est renoncer à une poursuite, à une instance, à une candidature, à un poste. **Se départir** est peu us., sauf dans quelques loc. telles que : *Se départir de son calme, de son silence,* etc. (V. QUITTER et RECULER.)

V. aussi RENIER.

renonciation. V. RENONCEMENT.

renouveler. V. REFAIRE.

renouvellement est surtout l'état de la chose renouvelée — et quand on entend par là l'action même de renouveler, on présente toujours cette action comme tendant au résultat dont l'idée se présente en même temps que celle de l'acte. **Rénovation** désigne l'action de celui qui renouvelle, considérée dans les difficultés qu'elle présente, dans les formalités qu'elle exige, afin d'aboutir à une amélioration : *Le renouvellement suppose surtout la répétition d'une chose déjà faite et que l'on veut rappeler, tandis que la rénovation indique une refonte, un rajeunissement, un changement en mieux.* (A noter que *rénovation* est moins du langage ordinaire que *renouvellement.*)

rénovation. V. RENOUVELLEMENT.

renseigner, c'est simplement fournir des indications, des éclaircissements sur quelqu'un ou quelque chose. **Edifier,** c'est renseigner afin de mettre quelqu'un à même d'apprécier une personne ou une chose. **Initier,** c'est renseigner sur des choses inconnues ou secrètes. **Rencarder** et **tuyauter,** syn. de *renseigner,* sont des termes d'argot. (V. APPRENDRE.)

Se renseigner. V. ENQUÉRIR (S').

rente. V. REVENU.

rentrée. V. RETOUR.

rentrer. V. REVENIR.

renversant. V. ÉTONNANT.

renversé. V. SURPRIS.

renversement. V. CHUTE.

renverser, c'est faire tomber par terre ce qui était sur pied. **Abattre,** c'est renverser, en le frappant, ce qui était élevé. **Faucher,** proprem. couper avec la faux, s'emploie parfois aussi figurém. dans le sens d'abattre en grand nombre. **Jeter à bas,** c'est renverser, abattre au moyen de violences et d'efforts. **Mettre à bas** n'emporte pas, par contre, cette idée d'efforts. **Terrasser** ne se dit qu'en parlant d'êtres animés; il suppose une lutte à la suite de laquelle, on jette de force à terre. **Colleter,** c'est seulement, dans ce sens, chercher à terrasser : *Chien qui collette un loup.*

Renverser, c'est aussi mettre à l'envers, sens dessus dessous, ou même simplement sur le côté. **Bouleverser** enchérit sur *renverser;* il s'applique bien à des choses multiples et suppose un plus grand désordre. **Saccager,** qui est fam. dans ce sens, dit à son tour plus que *bouleverser;* c'est bouleverser complètement, en abîmant, en détruisant. **Subvertir,** qui ne s'emploie qu'au figuré, s'applique seulement aux choses importantes : la morale, la foi, l'Etat. **Chambarder** et **chambouler,** syn. de *bouleverser,* de *saccager,* sont populaires.

V. aussi VERSER.

renvoi est le terme du langage courant qui sert à désigner une émission bruyante ou non, par la bouche, de gaz provenant de l'estomac. **Eructation,** qui implique un renvoi bruyant, est du langage relevé, alors que **rot** est du langage vulgaire. **Rapport** est peu usité; il ne se dit que d'un renvoi non bruyant : c'est plutôt une vapeur désagréable, gênante, qui monte de l'estomac à la bouche.

renvoyer, c'est envoyer en sens contraire, de la façon la plus générale. **Réfléchir** (lat. *reflectere,* fléchir de nouveau, faire tourner, d'où le sens optique, acoustique en français) convient plus particulièrement en parlant de tous les corps qui renvoient la chaleur, le son et surtout la lumière qu'ils ont reçus. **Répercuter** (lat. *repercutere,* de *percutere,* frapper violemment) se dit de la chaleur et plus encore du son. **Faire écho** (du grec *ekho,* son) ne s'applique qu'au renvoi plus ou moins distinct d'un son répercuté par un corps; on dit aussi d'ailleurs parfois, dans ce sens et dans le langage ordinaire, simplement **répéter** (lat. *repetere,* revenir à).

V. aussi CONGÉDIER, RETARDER et RETOURNER.

repaire. V. GÎTE.

repaître. V. PAÎTRE.

répandre. V. DISPERSER, PROPAGER et VERSER.

réparation. V. RAISON.

réparer, c'est remettre en état ce qui a été endommagé dans certaines parties, soit en rendant celles-ci meilleures, soit même en les remplaçant par d'autres. **Restaurer,** c'est plutôt rendre son éclat, sa beauté, sa vigueur, non pas seulement dans quelques parties, mais dans son ensemble. **Arranger** suppose souvent une réparation plus improvisée, plus hâtive, moins parfaite, que *réparer*. **Raccommoder,** syn. de *réparer,* ne se dit plus guère que des réparations à l'aiguille ou faites à des objets de petites dimensions. **Retaper,** c'est remettre en état ce qui a été froissé, bossué, détérioré. **Réviser** est un terme de techn.; c'est réparer un organe mécanique de telle façon qu'il soit remis à l'état de neuf. **Rhabiller,** syn. de *réparer,* s'emploie surtout en horlogerie. **Rafistoler** est familier; c'est réparer grossièrement. **Rabibocher,** syn. de *réparer,* est populaire. (V. RACCOMMODER et RÉTABLIR.)

repartir, c'est simplement aller, partir de nouveau. **Retourner,** c'est aller de nouveau en un lieu où l'on a déjà été : *On repart vers d'autres lieux, mais on retourne à l'endroit d'où l'on vient.* V. aussi RÉPONDRE.

répartir. V. DISTRIBUER.

répartition désigne l'action de partager entre plusieurs en attribuant à chacun ce qui lui revient. **Contingentement** emporte une idée de loi, de décret, qui n'est pas forcément dans *répartition;* c'est une répartition officiellement déterminée. **Péréquation** (du lat. *peraequare,* rendre égal) est un terme d'administration qui désigne la répartition égale des charges, des impôts, des traitements. (V. DISTRIBUER.)

repas est le terme général qui sert à désigner la nourriture que l'on prend chaque jour et à des heures réglées, principalement en parlant du **déjeuner,** repas de midi, et du **dîner,** repas du soir. **Souper** s'applique surtout auj. à un repas fait à une heure avancée de la nuit, après le bal, le théâtre, etc. (A noter d'ailleurs qu'autref. — et encore auj. dans certaines provinces — on appelait *déjeuner* le repas du lever, *dîner* le repas de midi, et *souper* celui du soir.) **Dînette,** familièrement petit repas, se dit plus spécialement d'un petit repas simulant un repas de grandes personnes, que les enfants font ensemble ou avec leurs poupées. **Lunch,** nom donné en Angleterre à un repas léger, à une sorte de goûter substantiel pris entre le déjeuner et le dîner, s'emploie souvent aussi en France pour désigner un repas où l'on sert des mets froids, des friandises, etc., que l'on mange debout; certains restaurateurs emploient aussi *lunch* pour désigner le *déjeuner.* **Pique-nique** se dit d'un repas pour lequel chacun paie son écot ou apporte son plat. **Banquet** désigne un repas environné d'une certaine solennité, qui rassemble les membres d'une même société, d'un même parti, à effet de célébrer une fête, de commémorer une date, de donner de la publicité à un discours politique important. **Agapes,** repas que les premiers chrétiens faisaient en commun dans les églises, se dit aussi auj., par ext. et familièrement, du repas que font entre eux des amis ou des gens associés pour un dessein commun. **Réfection,** syn. de *repas,* n'est usité que dans les communautés religieuses. **Repue** est vieux, ainsi que **dînée,** repas fait à dîner en voyageant. (V. FESTIN.)

repasser. V. AFFILER, RÉTROCÉDER et REVENIR.

repentance. V. REPENTIR.

repentant. V. FÂCHÉ.

repentir suppose le désir volontaire de réparer sa faute, ainsi que la résolution de ne plus en commettre de semblable. **Remords** suppose un sentiment pénible qui naît de lui-même dans le cœur du coupable, et qui, ne pouvant être évité par ce dernier, l'oblige à expier sa faute par un tourment intérieur. **Regret,** qui est le seul de ces mots qui puisse exprimer la peine qu'on éprouve par la pensée d'un mal physique, par le souvenir d'une perte matérielle, ne devient leur syn. que lorsqu'il se dit, par ext., des actions contraires au devoir, et il en diffère alors en ce qu'il marque un sentiment beaucoup plus faible. **Résipiscence** implique un repentir avec amendement et retour au bien; il est plutôt du style recherché et s'emploie surtout dans les loc. : *Ame-*

ner, venir à résipiscence. **Attrition** est un terme de théologie qui désigne le regret d'avoir offensé Dieu, regret causé surtout par la crainte du châtiment. **Contrition** se dit de l'attrition parfaite; c'est avant tout le regret, la douleur profonde d'avoir offensé Dieu, et le ferme propos de ne plus commettre à l'avenir le péché. (Il s'emploie aussi parfois comme syn. familier de *repentir* pris dans son sens général.) **Componction** fait surtout penser au sentiment d'humilité produit par le regret d'avoir offensé Dieu. (Dans le langage ordinaire, ce terme s'emploie ironiquement pour exprimer un air de regret fait de gravité et de recueillement apparent.) **Repentance,** qui marque une sorte de continuité dans le repentir, est peu usité. **Repentailles,** syn. de *repentir,* de *regret,* est vieux.

répercuter. V. RENVOYER.

repère. V. MARQUE.

repérer. V. VOIR.

répertoire. V. CATALOGUE et TABLE.

répéter, c'est dire à nouveau ce que soi-même ou un autre a déjà dit. **Redire,** c'est répéter à plusieurs reprises, ou seulement répéter après un autre. **Rapporter,** c'est répéter, redire par flatterie, indiscrétion ou malice, ce qu'un autre a dit; il emporte souvent une idée péjorative. **Réitérer,** c'est répéter ce qu'on a déjà dit soi-même; il emporte souvent une idée d'insistance. **Bisser,** répéter ou faire répéter une seconde fois, ne s'emploie qu'en termes de théâtre. **Seriner** est familier; c'est répéter continuellement une chose à quelqu'un pour la lui apprendre. **Ressasser,** c'est, péjorativement, redire sans cesse les mêmes choses, revenir sur les mêmes idées. **Rabâcher,** comme **radoter** (plus péj. encore), c'est se répéter d'une façon fastidieuse, insipide, lassante. **Recorder,** qui est vieux, est plus partic.; c'est répéter quelque chose afin de l'apprendre par cœur.

V. aussi REFAIRE et RENVOYER.

répétiteur. V. SURVEILLANT.

répétition désigne, d'une façon générale, l'action de reproduire plusieurs fois, dans un discours, un livre, etc., le même mot, la même idée. **Redite** s'applique plus spécialement à une répétition vicieuse, redondante. **Refrain,** qui désigne proprement le retour d'un même vers ou d'un même groupe de vers dans le cours ou à la fin d'une pièce lyrique, se dit aussi, par analogie et familièrement, de ce qu'on répète souvent, de ce qu'on ramène sans cesse, à toute occasion, dans ses propos. **Ritournelle,** courte phrase musicale placée, en guise de prélude, au début d'un morceau de chant, et souvent aussi à la fin, en forme de conclusion complète, s'emploie en outre, figurément et familièrement, souvent dans un sens ironique, pour désigner la répétition fréquente de mêmes choses, de mêmes idées dans le discours. **Antienne,** sorte de verset que le prêtre ou le chantre dit, en tout ou en partie, dans l'office de l'Eglise, avant un psaume ou une hymne, et qui se répète après tout entier, est péjoratif dans le langage courant, où il a le sens de répétition, redite ennuyeuse. **Leitmotiv** (mot allemand signif. *motif conducteur*), terme de musique désignant un thème qui revient fréquemment dans une partition, se dit aussi, par ext., d'une phrase ou formule répétée souvent par un orateur ou un écrivain. **Allitération** (du lat. *ad,* à, et *littera,* lettre) est assez partic.; c'est un terme de style qui désigne la répétition, voulue ou non, des mêmes lettres, des mêmes syllabes, dont la consonance produit un effet heureux, ou imprévu et cacophonique. **Rengaine** s'applique familièrement à un propos répété à satiété. (Ce terme désigne encore, toujours familièrement, un air de musique, un refrain devenu banal à force d'être répété.) **Scie** est populaire; il suppose une répétition, un refrain, une rengaine qui ennuie par sa répétition monotone.

répit. V. DÉLAI et REPOS.

replacer. V. RÉTABLIR.

replet. V. GRAS.

repli. V. RECOIN et RECUL.

répliquer. V. RÉPONDRE.

répondant. V. GARANTIE.

répondre, c'est, de la façon la plus générale et la plus simple, adresser à quelqu'un dont on a reçu une demande, une question, une accusation, etc., ce qu'on a à dire en retour. **Repartir,** c'est répondre d'une manière vive, spirituelle, courte, qui étonne et réduit au silence ceux dont on pourrait craindre les critiques. **Riposter,** c'est répondre, repartir vivement à une raillerie, à une attaque injuste. **Répliquer** ne peut se dire que lorsqu'on répond à celui qui lui-même a déjà fait une réponse, ou lorsqu'on oppose des raisons à celui qui avait donné un ordre ou qui avait adressé une réprimande. **Raisonner,** c'est répliquer, c'est alléguer des excuses, discuter, au lieu de recevoir docilement des ordres ou des réprimandes. **Objecter,** c'est répondre en opposant un argument, une affirmation. **Rétorquer,** c'est répondre en retournant contre son adversaire les arguments, les raisons dont il s'est lui-même servi. **Récriminer,** c'est répondre à des reproches, à des accusations, à des injures, par d'autres reproches, d'autres accusations, d'autres injures.

V. aussi AFFIRMER et CONCORDER.

répons. V. CANTIQUE.

reporter. V. PORTER.

repos implique, de la façon la plus générale, une cessation de travail ou d'effort. **Relâche** fait surtout penser au repos que procure l'arrêt momentané d'un travail habituel. **Détente** suppose un repos survenant après une tension physique, morale ou intellectuelle; il emporte l'idée de calme après l'action. **Décontraction** concerne surtout la détente des muscles, alors que **relaxation** réclame une détente à la fois des muscles et de l'esprit. **Répit** implique le plus souvent un repos momentané, obtenu non sans peine. **Trêve,** syn. de *répit,* suppose généralement plus une suspension d'action qu'un repos certain. **Cesse,** syn. de *répit,* de *trêve,* s'emploie toujours sans article et seulement dans quelques locutions telles que : *Sans cesse; Point de cesse; Ni repos ni cesse.* **Respiration,** syn. de *repos,* est VX. (V. TRANQUILLITÉ.)

V. aussi CONGÉ.

repousser, c'est éloigner de soi, en poussant en arrière. **Refouler,** c'est repousser en exerçant une forte pression. **Rejeter,** c'est repousser violemment, en parlant de ce qu'on ne veut pas garder. **Répudier,** proprem. renvoyer sa femme suivant les formes légales, s'emploie parfois aussi comme syn. de *repousser,* de *rejeter,* surtout en parlant des idées, des opinions. — **Ecarter** (proprem. repousser dans un « quart » d'espace), c'est repousser à distance ce qui gêne. **Eliminer,** c'est écarter en mettant dehors ce qui était dedans. **Exclure,** c'est repousser, écarter ce dont on ne veut pas ou plus; ce peut être aussi, plus particulièrement, rejeter une chose comme incompatible avec une autre, retrancher d'un ensemble. **Bannir,** employé figurément dans ce sens, c'est exclure sans retour, et **proscrire,** exclure en interdisant, en condamnant. **Ostraciser,** syn. d'*exclure,* de *bannir,* est du style recherché ; on emploie surtout son substantif OSTRACISME. **Evincer,** c'est écarter par intrigue, seulement en parlant des personnes. **Supplanter,** c'est évincer pour prendre soi-même la place; il emporte souvent une nuance défavorable (V. REMPLACER). — **Refuser** est plus partic.; c'est repousser, ne pas accepter une chose offerte. **Dédaigner,** c'est refuser avec mépris ce que l'on considère comme au-dessous de soi, comme indigne de ses désirs. **Récuser,** c'est, en termes de droit, refuser d'accepter pour juge, témoin, tribunal; ce peut être aussi, d'une façon plus générale, rejeter, refuser, ne pas admettre l'autorité, le témoignage de quelqu'un. **Décliner,** c'est repousser, écarter, refuser ce que l'on considère comme non acceptable; il est soit du langage juridique, soit du langage recherché. — **Rebuter,** c'est repousser, rejeter avec dureté, avec rudesse, mais seulement par des paroles. **Rabrouer,** syn. de *rebuter* appliqué aux personnes, s'emploie bien quand il s'agit de propositions que l'on désapprouve. **Rembarrer** est familier; c'est repousser, reprendre vivement ce que dit ou fait quelqu'un. **Envoyer bouler, envoyer promener,** sont des syn. populaires de *rembarrer.* **Moucher** et **remiser,** rembarrer en remettant à sa place, sont populaires aussi; **remoucher** est moins usité. **Rebuffer** (on emploie surtout le substantif REBUFFADE) implique à la fois un mauvais accueil et un refus brutal, accompagné de paroles méprisantes; il est vieilli.

V. aussi POUSSER.

répréhensible. V. BLÂMABLE.

reprendre. V. RÉPRIMANDER et RETROUVER.

représaille. V. VENGEANCE.

représentant, abréviation courante de REPRÉSENTANT DE COMMERCE, est le terme général qui sert à désigner, dans le langage commercial, la personne qui vend des marchandises au nom et pour le compte d'une ou plusieurs maisons, soit dans la même ville, soit en province ou même à l'étranger. **Placier** est le nom donné à celui qui s'occupe de placer, de vendre — en faisant l'article — des marchandises pour le compte d'une ou de plusieurs maisons de commerce, et seulement dans la ville où il est installé : *Le représentant peut attendre la clientèle chez lui, alors que le placier est toujours obligé de se déplacer pour présenter sa marchandise.* **Voyageur,** abréviation de VOYAGEUR DE COMMERCE, se dit au contraire du représentant qui voyage en province, à l'étranger, pour les affaires d'une ou de plusieurs maisons de commerce, afin de faire connaître leurs articles et prendre des commandes. **Commis voyageur,** syn. de *voyageur de commerce,* est d'un usage moins courant aujourd'hui. (V. INTERMÉDIAIRE.)

V. aussi ENVOYÉ.

représentation désigne la figuration d'une chose par des moyens graphiques ou plastiques. **Image** implique une représentation très proche de la vérité, comme celle que reflète un miroir. **Tableau** se dit de la représentation d'un ensemble de choses associées les unes aux autres.

V. aussi MAINTIEN, REPROCHE et SPECTACLE.

réprimande. V. REPROCHE.

réprimander, c'est adresser avec autorité une observation, un blâme à quelqu'un, le rappeler à son devoir. **Reprendre** dit moins; c'est simplement avertir de la faute. **Gronder,** c'est réprimander avec humeur ceux dont on est en droit d'attendre de la déférence, ou, plus particulièrement, réprimander des personnes intimes, spécialement des enfants. **Attraper,** c'est, familièrement, gronder assez sévèrement. **Houspiller,** c'est réprimander avec aigreur ou avec malice. **Morigéner,** c'est surtout réprimander avec insistance et affectation, parfois même avec une sorte de pédantisme. **Faire une remontrance** convient bien en parlant d'un avertissement touchant une faute, qu'un père donne à son enfant ou un supérieur à son inférieur, pour l'obliger à se corriger. **Tancer,** c'est réprimander avec sévérité et vigueur. **Fustiger,** proprement battre à coups de bâton, de fouet, etc., s'emploie aussi figurément, dans le langage recherché, comme syn. de *réprimander,* de *tancer,* en supposant l'intention d'infliger verbalement ou par écrit une correction, de châtier; il implique une idée de force, de vigueur dans la réprimande qui condamne. **Admonester,** syn. de *tancer* dominé par l'idée d'avertissement sévère, est plutôt moins usité. **Chapitrer,** c'est non seulement réprimander, remontrer la faute en termes assez sévères, mais encore faire sérieusement la leçon. **Sermonner,** syn. de *chapitrer,* emporte souvent l'idée de remontrances ennuyeuses et hors de propos. **Gourmander,** comme **gourmer** (moins us.), c'est réprimander avec rudesse, sans le moindre ménagement. **Quereller,** c'est réprimander avec aigreur, en adressant de vives plaintes, de nombreux reproches, comme si l'on cherchait une querelle, une dispute; on dit couramment aussi d'ailleurs, dans ce sens, mais familièrement, **disputer. Secouer,** syn. de *gourmander,* est familier. (On dit souvent aussi, populairement, **secouer les puces** à quelqu'un, ou bien encore lui **sonner les cloches.**) **Savonner la tête** à quelqu'un (ou simplement **savonner**), comme **donner** ou **passer un savon,** est familier; c'est réprimander vertement. **Moucher,** réprimander vivement, **remettre à sa place,** et **sabouler,** tancer sans ménagement sont aussi familiers. **Semoncer,** syn. de *réprimander,* vieillit, alors que **mercurialiser** et **semondre** ne sont plus usités, de même que **ramoner,** syn. familier de *gronder*. **Engueuler** est triv. et ajoute à l'idée de réprimande celle d'injures. **Enguirlander** est un euphémisme d'*engueuler,* et **emballer** un terme d'argot. (V. CHICANER, CONDAMNER, CRITIQUER et DÉSAPPROUVER.)

réprimer. V. ENRAYER.

repriser. V. RACCOMMODER.

reproche désigne, d'une façon générale, ce qu'on dit à une personne pour lui exprimer son mécontentement et lui faire honte, cela en lui remettant en quelque sorte devant les yeux une chose qu'on croit devoir lui causer quelque regret. **Remontrance** s'applique au reproche que l'on fait de son tort à un inférieur. **Réprimande** suppose un reproche, une remontrance formulés avec autorité. **Mercuriale** est un syn. moins us. de *réprimande*. **Représentation** implique plutôt un simple conseil, un avertissement au sujet d'une chose qui est à faire et des inconvénients qu'elle comporte. **Semonce** se dit d'un avertissement mêlé de réprimande. **Objurgation** qui suppose le plus souvent un reproche violent, s'emploie surtout au plur. en parlant de paroles vives par lesquelles on essaie de détourner quelqu'un d'agir comme il se propose de le faire; il concerne l'avenir et non le passé. **Observation** dit moins encore; c'est une remarque nuancée de reproche que l'on fait à quelqu'un sur sa manière d'agir, de se conduire. — **Plainte** exprime, dans ce sens, un reproche motivé surtout par le désagrément que cause ce qui a été fait. **Grief** fait penser au sujet de la plainte que l'on croit devoir exprimer pour un dommage reçu. (A noter qu'une *plainte* ou un *grief* peuvent ou non être exprimés, suivant que l'on a ou non la force ou le droit de le faire.) **Récrimination** désigne le reproche qu'on oppose à un autre reproche, en emportant l'idée de plainte verbale. **Savon,** verte réprimande, est familier. — **Accusation** enchérit sur ces termes; c'est le reproche précis et généralement véhément que l'on fait à une personne de quelque faute, de quelque erreur, de quelque fait plus ou moins blâmable. **Imputation** convient particulièrement bien en parlant d'un reproche qui ne s'appuie sur aucune preuve certaine; c'est souvent une accusation toute gratuite. **Réquisitoire,** terme de jurisprudence désignant la réquisition que fait par écrit celui qui remplit dans un tribunal les fonctions du ministère public, se dit parfois aussi dans le langage courant, par ext., d'un ensemble de reproches que l'on accumule contre quelqu'un. (V. ACCUSER et RÉPRIMANDER.)

reprocher, c'est dire à quelqu'un, lui remettre en quelque sorte devant les yeux une chose plus ou moins secrète qu'on croit devoir lui causer quelque regret, quelque honte. **Accuser,** c'est reprocher publiquement quelque chose d'effectif et de manifeste : *On reproche des défauts, des vices, mais on accuse d'injustices ou de crimes.* **Taxer** dit moins que *reprocher;* il suppose un fait moins établi et implique une simple allégation, sans idée d'ailleurs de désaveu : *On reproche à quelqu'un sa paresse, en l'en blâmant; on le taxe d'être paresseux en prétendant qu'il en est ainsi.*

reproduction, lorsqu'il désigne l'action de reproduire, d'imiter fidèlement par un procédé artistique ou mécanique, se dit aussi de l'objet qui a été ainsi reproduit, lequel peut être de la même main que l'original. **Copie** suppose plus généralement une main qui n'est pas celle de l'auteur de l'original. **Fac-similé** est plus partic.; expression latine (de *facere,* faire, et *simile,* chose semblable), il se dit seulement de la reproduction exacte, imprimée, gravée ou photographiée, d'une pièce d'écriture, d'une signature, d'un dessin : *Un sculpteur travaille à la reproduction d'une de ses statues; Un peintre fait la copie d'un tableau du Louvre; Un photographe donne le fac-similé de l'écriture d'un auteur.*

réprouvé, nom donné proprement à celui que Dieu a rejeté et maudit, se dit aussi, par ext., de celui que la société rejette et avec laquelle il entre alors bien souvent en lutte ouverte ou non. **Hors-la-loi** est plus péjoratif; il désigne celui qui non seulement est réprouvé par la société, mais est en outre soustrait à la protection de ses lois, cependant que déclaration est faite qu'on lui infligera sans jugement telle peine dès que son identité aura été reconnue. **Outlaw** (mot angl. signif. *hors la loi*) est du style littéraire ou pédant. **Maudit,** syn. de *réprouvé* pris dans son sens propre, enchérit sur ce terme pris dans son sens étendu, par le fait qu'il y ajoute implicitement l'idée de malédiction. **Damné,** qui désigne, en théologie, celui qui est condamné aux supplices de l'Enfer, emporte, dans son sens étendu, l'idée d'un état définitif qui n'est pas toujours dans *réprouvé* et *maudit.* (V. DÉCHU.)

réprouver. V. CONDAMNER et DÉSAPPROUVER.

repu. V. RASSASIÉ.

répudiation. V. DIVORCE.

répudier. V. REPOUSSER.

répugnance, qui se rapporte en général aux choses dont on n'a pas encore goûté, aux personnes avec lesquelles on n'a pas encore été en relation, suppose que les unes comme les autres inspirent cependant un recul instinctif. **Répulsion** enchérit sur *répugnance;* c'est une répugnance quasi insurmontable, et que l'on ne peut dissimuler. **Dégoût,** qui implique que l'on a goûté de quelque chose, qu'on en a fait usage plus ou moins longtemps, suppose que l'on n'en veut plus, qu'on en est las jusqu'à l'écœurement; il en va de même pour les personnes que l'on ne veut plus voir, justement parce qu'on les connaît trop bien. **Nausée** s'applique parfois figurém. à un profond dégoût moral. **Antipathie** implique qu'on évite les choses ou les gens, et qu'on en regarde la présence comme quelque chose de fort désagréable. **Aversion** emporte l'idée d'une antipathie extrême.

répugnant. V. MALPROPRE.

répulsion. V. RÉPUGNANCE.

réputation est le terme du langage courant qui sert à désigner en général ce qu'on dit d'une personne, soit en bien, soit en mal, et quand on ne veut parler que de la moralité, sans allusion à la gloire; il est le mot propre. **Considération** exprime quelque chose qui tient de plus près à la personne; il implique des égards, des respects même, ou du moins quelque chose qui en approche : *La réputation est surtout le fruit des talents, du savoir, d'actions qui attirent les regards; la considération résulte du rang qu'on occupe, des services qu'on peut rendre, soit parce qu'on est puissant, soit parce qu'on est riche.* — **Célébrité** dit plus; c'est l'éclat qui s'attache aux talents ou aux faits historiques importants, et qui attire l'attention des classes éclairées ou fixe le souvenir de la postérité. (A noter qu'employé seul, *réputation* approche souvent, par le sens, de *célébrité;* s'il ne suppose pas l'admiration publique, il implique au moins, en effet, que le public s'occupe de la personne dont il s'agit, qu'il y pense, qu'il en parle souvent.) **Notoriété** désigne la réputation d'une personne publiquement et avantageusement connue : *La notoriété approche de la célébrité, mais reste bien loin de la gloire.* **Nom** suppose simplement qu'on s'est fait connaître, qu'on a acquis une certaine célébrité. **Renom** enchérit sur *nom;* il implique qu'on fait du bruit, qu'on a de la vogue, qu'on est nommé par beaucoup de monde, et souvent : c'est une véritable célébrité, mais une célébrité actuelle, dans le temps présent plutôt que dans le futur. **Renommée** diffère de *renom* en ce qu'il ne représente pas seulement le bruit, l'éclat, mais qu'il fait penser à toutes les choses qui se disent : *Le renom augmente par cela seul que le nom est prononcé plus souvent; la renommée s'étend quand on en dit plus long, quand les faits que l'on raconte deviennent plus importants, plus considérables.* **Popularité** désigne la renommée obtenue auprès du peuple : *La popularité est la chose la plus douce qu'il y ait au monde, prétendait Victor Cousin.* **Gloire** se dit plus particulièrement d'une grande réputation, d'une renommée brillante méritée par les vertus, les actions d'éclat, les talents extraordinaires, les grandes œuvres : *La gloire des grands hommes, a écrit La Rochefoucauld, se doit toujours mesurer aux moyens dont ils se sont servis pour l'acquérir.*

requérir. V. RÉCLAMER.

requête, demande écrite ou verbale, se dit plus spécialement, en jurisprudence, d'une demande par écrit, présentée à qui de droit et suivant certaines formes établies. **Pétition** se dit d'une requête par écrit adressée à une autorité — et qui est le plus souvent signée par plusieurs personnes. **Supplique** désigne une requête écrite pour solliciter une grâce, une faveur, d'un chef d'Etat, d'un personnage important. **Placet,** syn. de *supplique,* qui n'est plus usité auj., supposait toujours une demande succincte par écrit.

V. aussi PRIÈRE.

requinquer. V. REMONTER.

réquisitoire. V. REPROCHE.

rescapé. V. SAUF.

rescinder. V. ANNULER.

rescision. V. AMPUTATION.
rescousse. V. APPUI.
rescrit. V. BREF.
réseau. V. FILET.
résection. V. AMPUTATION.
réserve désigne, d'une façon générale, tout ce que l'on met de côté : chose ou argent, personne même, en prévision de besoins futurs ou en vue d'éventualités imprévisibles ou qu'on ne veut pas préciser. **Provision** se dit surtout d'une réserve de produits alimentaires, de matières premières destinées à la consommation, à la fabrication; en termes de banque, c'est plus spécialement l'argent qui doit couvrir le règlement des chèques. **Stock,** syn. de ces termes, est du langage commercial; il suppose une réserve importante.

V. aussi CIRCONSPECTION et RÉSERVOIR.
réserve de (à la). V. EXCEPTÉ.
réservé. V. MODESTE.
réserver. V. CONSERVER, DESTINER et RETENIR.
réservoir, nom donné, d'une façon générale, à un lieu fait ou aménagé pour accumuler et conserver certaines choses en réserve, désigne plus spécialement un bassin ou grand récipient en tôle, maçonnerie, etc., où l'on amasse des eaux. **Citerne** se dit surtout d'un réservoir, généralement sous terre, où l'on recueille et conserve les eaux de pluie ou un liquide quelconque (essence, par exemple) en réserve. **Château d'eau** est un terme d'hydraulique qui désigne un grand réservoir surélevé servant à la distribution d'eau sous pression (à une ville, une usine, une gare, etc.). — A noter que lorsqu'en termes de pêche, RÉSERVOIR désigne un bassin rempli d'eau dans lequel on conserve des poissons ou des crustacés vivants, il a pour synonyme **réserve.**
résidence. V. DEMEURE.
résider, lorsqu'il signifie demeurer dans le lieu où se trouvent ses occupations, ses fonctions, a pour syn. **siéger** qui s'applique plus spécialement à des fonctionnaires publics revêtus d'une autorité importante et tenant des audiences, le premier faisant essentiellement penser au lieu où l'on est fixé, le second à celui où l'on exerce ses fonctions. (Ces termes se disent bien aussi, dans un sens analogue, lorsqu'il s'agit d'un gouvernement, d'une administration, d'un tribunal, d'une cour.) — Par ext., SIÉGER, comme RÉSIDER, s'emploie en outre en parlant de certaines choses établies, ayant leur « siège », leur centre d'action dans un point qui se détermine, *résider* étant alors d'un usage plus courant : *La première tâche du médecin est de déterminer où réside, où siège le mal.*

V. aussi CONSISTER.
résidu. V. DÉCHET et LIE.
résigné. V. SOUMIS.
résigner. V. ABDIQUER.
résilier. V. ANNULER.
résille est le nom donné à une sorte de tissu de mailles dont on enveloppe les cheveux longs, et qu'on appelle aussi simplement **filet. Réticule** est vieux.
résine, produit d'exsudation de certains végétaux, est le nom que l'on donne plus spécialement à la matière provenant des pins ou des sapins, appelée également **gemme. Baume** est le nom commun à plusieurs résines odorantes, fournies par divers végétaux, et qu'on emploie souvent en médecine (benjoin, styrax, tolu, etc.). **Laque** désigne une résine, d'un rouge brun, qui sort liquide des branches de plusieurs arbres de l'Inde et du Tonkin, et qui sert à vernir.
résipiscence. V. REPENTIR.
résistance, lorsqu'il désigne l'obstacle qui est mis à quelque chose, suppose généralem. une action défensive. **Opposition** emporte plus une idée d'offensive que de simple défensive; il implique en outre une certaine initiative de la part de celui qui fait ainsi obstacle : *Un maître absolu hait la résistance, il faut qu'on lui obéisse; Un homme décisif hait l'opposition, on ne peut rien lui objecter.* (V. COMPLICATION, DIFFICULTÉ et EMPÊCHEMENT.)

Résistance, appliqué au physique, indique une force naturelle qui permet de supporter la fatigue, les privations. **Endurance** suppose un certain entraînement; c'est une résistance préparée contre soi-même : *La résistance est le propre de l'homme fort; L'endurance est une des qualités du sportif.*
résistant se dit de tous les corps considérés comme opposant leur masse

et leur cohésion aux efforts exercés sur eux. **Solide,** qui s'oppose à « fragile », fait moins penser à l'action de destruction supportée qu'à l'état présent de résistance supposée : *Une chose apparemment solide ne s'affirme résistante qu'à l'usage.* **Tenace** implique une forte adhésion de toutes les parties d'un corps entre elles, qui empêche celui-ci de se rompre et lui permet de bien résister à toutes les tractions : *Le chanvre est plus tenace que le coton et la laine; Métal tenace.* — Au fig., ces termes emportent des nuances analogues; appliqués aux personnes, on peut y ajouter, employé adjectivement ou substantivement, **dur à cuire,** qui est familier et se dit de l'individu aguerri, endurci par un long exercice, et dont la volonté forte permet d'opposer à tout une inébranlable résistance.

V. aussi FORT.

résister (du lat. *resistere,* se tenir ferme), c'est, en parlant des personnes, tenir ferme, en opposant la force à la force, cela parce qu'on ne veut pas céder. **Se défendre** (du lat. *defendere,* heurter, repousser) dit plus et suppose généralement un danger; c'est non seulement tenir ferme contre la force qui nous est opposée, mais encore s'efforcer de la repousser : *On résiste en ne reculant pas, alors qu'il arrive souvent qu'on avance en se défendant.*

Résister, c'est aussi, au sens moral, s'opposer aux desseins, aux volontés de quelqu'un, tenir ferme contre quelque chose de fort, de puissant. **Réagir contre,** c'est bien souvent non seulement résister, mais encore prendre le contre-pied de ce qu'on voulait nous imposer. **Regimber** (de l'anc. franç. *regiber,* comp. de *giber,* secouer), c'est résister, surtout en refusant d'obéir; il suppose généralement de l'humeur et une certaine opiniâtreté dans la résistance. **Récalcitrer** (du lat. *recalcitrare,* ruer), syn. de *regimber,* est peu usité. **Se rebéquer** et **se rebiffer** sont fam.; c'est regimber en répondant avec brusquerie, généralement par fierté ou orgueil. **Faire du rébecca,** résister, regimber avec violence, est une expression d'argot.

résolu, part. passé ordinaire de « résoudre », s'emploie dans tous les sens qui conviennent au verbe, et, quoiqu'il puisse exprimer un état, il ne le fait qu'en rappelant à l'esprit l'idée de l'action dont il est le résultat. **Résous** ne peut se dire que des corps qui se sont convertis en d'autres par un changement tout physique, et il marque purement et simplement le changement d'état.

V. aussi HARDI.

résolution suppose un dessein formé, arrêté, une décision prise après hésitation, délibération peut-être, parfois même en se faisant violence, mais toujours avec la volonté d'agir dès lors quoi qu'il advienne. **Parti** emporte surtout l'idée d'utilité; il suppose que l'on s'est décidé à agir d'une certaine manière après avoir évalué et les avantages et les inconvénients de sa résolution. **Propos,** qui ne s'emploie guère, dans ce sens, que dans le langage des théologiens, marque la volonté que forme le pécheur, les efforts qu'il se propose de faire pour ne plus offenser Dieu; il est presque toujours accompagné des adj. « bon » ou « ferme ». (V. DÉCIDER et VOLONTÉ.)

V. aussi ÉNERGIE.

résonnant. V. SONORE.

résonner, c'est renvoyer le son en augmentant son intensité ou sa durée. **Retentir** emporte toujours l'idée d'un son éclatant, renvoyé très loin, que n'implique pas forcément *résonner* qui peut fort bien s'appliquer à un son faible se faisant seulement entendre près. (A noter encore, après Lafaye, que si *résonner* s'applique particulièrement bien en parlant des sons mesurés, *retentir* convient mieux quand il est question de cris confus, de clameurs, de bruits de toutes sortes : *Un instrument de musique résonne; Des éclats de rire retentissent.*) — Au fig., ces termes supposent la même différence, RETENTIR enchérissant sur RÉSONNER.

résoudre, c'est décider un cas douteux, une question, dégager de ce qui embarrasse, trouver une solution. **Régler,** c'est résoudre d'une façon ferme et définitive; il suppose une résolution prise avec autorité. **Solutionner** est un néologisme synonyme de *résoudre* absolument inutile à notre avis. (V. JUGER.)

V. aussi ANNULER, DÉCIDER et DISSOUDRE.

résous. V. RÉSOLU.

respect est le terme ordinaire dont on peut se servir dans toutes les circonstances où il faut exprimer une grande déférence pour les personnes ou pour les choses, surtout lorsque cette déférence est marquée par des témoignages extérieurs. **Vénération** implique un grand respect qui remplit l'âme tout entière et lui fait considérer une personne ou une chose comme sainte et auguste. **Révérence** désigne aussi un grand respect, mais un respect mêlé d'une sorte de crainte.

V. aussi ÉGARD.

Respects. V. HOMMAGES.

respecter. V. HONORER.

respirer, c'est attirer l'air dans sa poitrine et le repousser dehors, l'inspirer puis l'expirer. **Soupirer** suppose une inspiration longue et profonde, suivie d'une expiration assez prompte, généralement accompagnée d'un gémissement exprimant un sentiment douloureux ou passionné. **Souffler,** c'est respirer avec effort. **S'ébrouer,** proprem. souffler de frayeur, en parlant d'un cheval, s'applique parfois aussi familièrem. aux personnes qui soufflent bruyamment, par impatience, émotion. **Haleter,** c'est respirer avec force et violemment, comme un homme essoufflé, hors d'haleine. **Panteler,** haleter convulsivement, avoir la respiration embarrassée et pressée, est peu usité, sauf au part. prés. (V. ASPIRER et EXPIRER.)

V. aussi SOUFFLER.

resplendir. V. FLAMBOYER.

responsable. V. COMPTABLE.

resquiller. V. GLISSER (SE).

ressaisir. V. RETROUVER.

ressasser. V. RÉPÉTER.

ressaut. V. SAILLIE.

ressemblance désigne la qualité qui fait qu'une personne ou une chose est plus ou moins semblable à une autre. **Image** enchérit sur *ressemblance* en impliquant une conformité plus achevée, moins relative, une copie exacte et terminée : *Dieu dans les premiers âges du monde, ne put souffrir, a dit Bourdaloue, qu'une créature formée à sa ressemblance défigurât son image par des honteux excès.*

V. aussi ANALOGIE.

ressemblant. V. SEMBLABLE.

ressentiment désigne le souvenir d'un mal vivement « ressenti », d'une injure, d'une injustice, généralem. avec désir de s'en venger. **Rancune,** qui est plus du langage ordinaire, implique de la dissimulation, une certaine sournoiserie dans le ressentiment ; il suppose un sentiment durable et bas, et emporte une idée péjorative. **Malveillance,** qui s'oppose surtout à « bienveillance », n'emporte pas autant l'idée de vengeance ; c'est seulement, comme le note Lafaye, une simple disposition à vouloir du mal, une passion honteuse comme l'envie, à laquelle elle ressemble beaucoup, en cherchant, comme elle, à se satisfaire par des moyens détournés et de sourdes menées. **Animosité** implique une sorte de colère croissante contre quelqu'un, une malveillance qui n'attend qu'une occasion pour éclater. **Inimitié** s'oppose à « amitié » ; c'est un désaccord visible, déclaré, qui, dans le monde social, est la source des démêlés, des divisions, des injustices. **Hostilité** suppose une inimitié active ; il implique une disposition à faire des actes d'inimitié. **Haine,** qui s'oppose à « amour », est très général ; c'est une véritable passion, plus ou moins cachée, qui, poussant à chercher à nuire à celui qui en est l'objet, ou à lui souhaiter du mal, apporte en outre dans l'âme le trouble, l'agitation et le désordre. **Animadversion** n'emporte pas forcément le caractère immoral et odieux qui est dans *haine;* il suppose un ressentiment durable souvent justifié par des motifs graves et légitimes, ou réputés légitimes de bonne foi. (V. DÉTESTER.)

ressentir. V. SENTIR.

Se ressentir. V. SENTIR (SE).

resserrer. V. DIMINUER et ENFERMER.

Se resserrer, c'est, d'une façon générale, devenir plus étroit, réduire son volume. **S'étrangler,** c'est, dans ce sens, se resserrer, au point de ne plus avoir la largeur, l'étendue nécessaire, par compression dans une partie qui devient trop étroite par rapport au reste. **Se rétrécir,** c'est se resserrer suivant une ou deux dimensions, en parlant surtout d'une étendue superficielle. — **Se contracter,** c'est se resserrer, réduire à un volume moindre, sans que la masse diminue ; il implique le rapprochement des parties constitutives, ou des fibres lorsqu'il s'agit plus spécialem. des muscles et des nerfs qui se raccourcissent et se resserrent. **Se recroqueviller,** c'est — comme **se ratatiner** — se contracter en se desséchant, en vieillissant.

ressort. V. FORCE.

ressortir. V. DÉPENDRE et RÉSULTER.

ressource est le terme général qui désigne tout ce qu'on emploie, tout ce à quoi l'on fait appel dans une extrémité fâcheuse, pour se tirer d'embarras, pour vaincre des difficultés. **Refuge** se dit parfois, figurément, d'une personne ou d'une chose dont on attend, dont on implore l'aide, la protection, le secours. **Recours,** syn. de *refuge* dans ce sens, est plutôt du style relevé. (V. APPUI.)
V. aussi EXPÉDIENT.

ressouvenance, ressouvenir. V. MÉMOIRE.

ressusciter. V. REVIVRE.

restant. V. RESTE.

restaurant désigne un établissement public où l'on sert à manger moyennant paiement. **Brasserie** est le nom donné à certains restaurants où l'on consomme surtout de la choucroute, des viandes froides, des salaisons, et où l'on boit principalement de la bière. **Buffet** se dit d'un restaurant installé, à l'usage des voyageurs, dans les gares importantes de passage ou de bifurcation, et où l'on peut trouver des repas tout prêts. (A noter qu'à côté du *buffet* et dans un local distinct, le tenancier doit installer une salle plus modeste, dite **buvette,** où les repas et consommations sont d'un prix inférieur et d'ailleurs tarifé.) **Grill-room** (mot angl. signif. *salle du gril*) est le nom donné à un restaurant où les viandes et poissons sont grillés sous les yeux des consommateurs. **Cabaret,** nom donné, avec un sens péjoratif, à un débit où l'on boit et mange, désigne souvent aussi auj., par antiphrase, un restaurant élégant à la mode. **Taverne** désigne aussi auj. un café-restaurant plus ou moins luxueux et souvent décoré d'œuvres artistiques. **Guinguette** se dit d'un restaurant, d'un cabaret de banlieue où le peuple va boire, manger et danser les jours de fête. **Gargote** est toujours péjoratif; c'est un restaurant d'apparence médiocre où l'on mange à bas prix. (V. RÉFECTOIRE.)

restaurateur désigne particulièrement celui qui tient un restaurant (v. art. précéd.). **Traiteur** se dit de celui qui donne habituellement à manger pour de l'argent, ou qui entreprend de grands repas, tels que les repas de noces, lesquels peuvent être d'ailleurs servis chez le client.

restaurer. V. NOURRIR, RÉPARER et RÉTABLIR.

reste désigne, de la façon la plus générale, au moral et dans le sens fig. comme au propre, ce qui existe encore d'un tout, d'une quantité plus grande. **Restant** ne se dit absolument que des choses matérielles, que de ce qui reste d'une quantité ou d'une chose exacte, et que l'on se représente comme occupant un lieu distinct, comme formant une masse déterminée : *Le résultat d'une soustraction purement arithmétique est un reste; Lorsqu'on a pris dans son porte-monnaie l'argent nécessaire à des dépenses indispensables, on peut donner le restant aux pauvres.* (A noter qu'en termes d'arithmétique et appliqué au résultat de la soustraction, *reste* a aussi pour syn. **différence.**) **Solde** est plus partic.; c'est un terme de commerce et de comptabilité qui désigne ce qui reste, la balance faite d'un compte, soit au crédit, soit au débit. **Reliquat** (du lat. *reliqua,* choses restantes), aussi terme de commerce et de comptabilité, désigne seulement ce qui reste dû après l'arrêté d'un compte.

Restes désigne particulièrement ce qu'on relève de table, ce qui reste des mets servis. **Rogatons,** nom donné à des débris de mets, se dit aussi d'un plat composé des restes d'autres plats. **Reliquats,** syn. de *restes,* est familier et d'ailleurs peu usité dans ce sens, **arlequins** est populaire, et **reliefs** vieilli.
V. aussi MORT et RUINES.

reste (au et du). V. AILLEURS (D').

rester. V. DEMEURER et SUBSISTER.

restituer. V. REDONNER et RÉTABLIR.

restreindre. V. LIMITER et RÉDUIRE.

résultante. V. RÉSULTAT.

résultat est le terme général qui désigne ce qui s'ensuit d'une délibération, d'une conférence, d'un principe, d'une cause, d'un événement, d'une affaire, d'une opération, etc. **Dénouement** convient bien en parlant surtout d'une affaire difficile, d'une action dramatique, d'une intrigue — et implique une fin, quelque chose de définitif, qui n'est pas forcément dans *résultat.* (On dit aussi parfois d'ailleurs, dans ce sens, tout simplement **fin.**) **Conclusion,** lorsqu'il désigne un résultat final, suppose souvent une décision prise. **Solution** s'applique essentiellement au dénouement d'une difficulté. **Issue** désigne un événement final, et fait généralem. penser à la manière dont on sort d'embarras. **Aboutissement** et **terminaison** impliquent une fin, un résultat définitif : logique, inévitable, en dehors de la volonté humaine, pour le premier; souvent influencé par l'homme, pour le second. **Résultante,** proprem. terme de mécanique désignant la force unique représentant la composition de plusieurs forces appliquées à un point donné, s'emploie aussi, dans le langage ordinaire comme syn. de *résultat;* il suppose alors le résultat de plusieurs choses : *La crise actuelle est la résultante des fautes passées.* **Réussite,** syn. de *résultat,* d'*issue,* pris dans leur sens général, est vx; il ne se dit plus auj. que d'un résultat heureux favorable. (V. SUITE.)

V. aussi PRODUIT.

résulter (qui n'est us. qu'à l'infinitif, au participe, et aux troisièmes personnes) suppose une conséquence qui ne devient patente que par le moyen d'un raisonnement ou d'une opération quelconque. **S'ensuivre** et **suivre** (ce dernier pouvant être seul suivi d'un complément) expriment une conséquence naturelle, simple, plus directe, qui se tire en quelque sorte d'elle-même. **Ressortir,** syn. de *résulter,* est moins usité. (V. DÉCOULER, TENIR À, VENIR.)

résumé. V. ABRÉGÉ.

résumer (du lat. *resumere,* reprendre), c'est resserrer et rendre en peu de paroles, de mots, ce qu'il y a de plus important dans un discours, un écrit, un argument, une discussion. **Récapituler** (du lat. *recapitulare,* proprem. revenir sur les points principaux), c'est résumer point par point ce qu'on a déjà dit; il suppose le rappel des points principaux que l'on a traités, quelque chose de moins vague, de moins général, de plus précis que *résumer.*

résurrection. V. RENAISSANCE.

rétablir, c'est, au sens propre et d'une façon générale, remettre une chose dans son premier état. **Relever** s'emploie bien comme syn. de *rétablir,* en parlant de ce qui était tombé, ruiné ou abandonné. **Refaire** fait surtout penser au travail nécessaire, à la remise en état. **Restituer** a aussi le sens de *rétablir,* mais seulement en termes de littérature ou de beaux-arts. **Réfectionner** est un barbarisme, syn. de *refaire,* qui semble vouloir indiquer plutôt une réparation qu'une construction nouvelle. (V. RÉPARER.)

Rétablir, c'est aussi, par analogie, rendre son rang, son emploi à quelqu'un. (On dit aussi dans ce sens, plus simplement **remettre** ou **replacer.**) **Restaurer,** c'est rétablir un prince, une dynastie détrônés. **Ramener,** c'est rétablir celui qui s'en était allé. **Restituer** est un terme de droit; c'est remettre une personne dans l'état où elle était avant un acte ou un jugement qui est annulé. **Réhabiliter,** c'est rétablir en rendant l'estime et le crédit perdus. **Réintégrer,** c'est rétablir en remettant en possession intégrale, complète, de tout ce qui avait pu être enlevé.

Se rétablir. V. GUÉRIR.

rétablissement. V. CONVALESCENCE.

retaper. V. RÉPARER.

retarder implique, comme **tarder,** un défaut d'activité qui peut être funeste, en ajoutant toutefois à son syn. l'idée d'une volonté réfléchie et motivée par des obstacles auxquels on ne s'attendait pas ou par la conscience de son impuissance. **Reculer,** c'est retarder l'exécution de ce qu'on voudrait bien ne pas faire, dans l'espoir secret que les circonstances futures offriront le moyen de s'en dispenser. **Différer,** c'est retarder l'exécution de ce qu'on a l'intention de faire dans un moment plus favorable, qui ne peut être précisé. **Temporiser,** c'est retarder, différer, avec l'espoir d'un meilleur temps. **Remettre** ne suppose aucune hésitation et fait essentiellement penser au temps futur où l'action pourra avoir lieu; il marque seulement qu'on n'est pas disposé à faire la chose actuellement. **Surseoir,** syn. de *différer,* de *remettre,* ne se dit guère qu'en parlant des affaires, des procédures. **Renvoyer** ajoute parfois à l'idée exprimée par *remettre* celle d'une certaine brusquerie ou de mauvaise volonté. **Ajourner,** c'est remettre ou renvoyer à un autre jour, à une autre session (v. SUSPENDRE). — **Atermoyer,** employé le plus souvent intransitivem., signifie retarder en allant de délai en délai, en cherchant à gagner du temps. **Lanterner** est familier et péjoratif dans ce sens; c'est remettre de jour en jour, en tenant en suspens par de vaines promesses.

retenir marque surtout, au propre comme au fig., l'effort fait pour modérer ou retarder un mouvement esquissé; c'est suspendre le libre jeu. **Tenir** n'emporte pas la même idée d'effort; c'est simplement faire demeurer en un certain état : *On tient l'échelle à celui qui monte, de peur d'accident; On retient l'échelle qui branle ou qui va tomber; — On tient dans l'obéissance un peuple qu'on gouverne paisiblement; On retient dans l'obéissance celui qui remue, qui fait effort pour secouer le joug* (*Lafaye*). **Maintenir,** c'est tenir fixe, en état de stabilité : *On maintient une échelle en l'empêchant de bouger; On maintient dans l'obéissance en empêchant de désobéir.* **Contenir,** c'est mettre une digue ou des bornes : *On contient une chose en réglant son cours pour empêcher qu'elle ne s'écarte, qu'elle aille où elle ne doit pas aller.*

Retenir, c'est aussi s'assurer d'avance et par précaution ce qu'un autre aurait pu prendre : un fauteuil au théâtre, une place dans le train, un domestique, etc. **Réserver,** c'est retenir quelque chose d'un tout, une chose entre plusieurs autres; il suppose que l'on met à part, pour avoir une chose qui peut d'ailleurs fort bien être déjà à soi. **Arrêter** suppose une action plus absolue; c'est retenir généralement d'une façon définitive.

V. aussi GARDER.

retentir. V. RÉSONNER.

retentissant. V. SONORE.

retentissement. V. SON.

retenue suppose quelque chose d'essentiellement négatif; il fait uniquement penser à ce qu'on s'empêche de faire : *Une retenue excessive ressemble beaucoup à de la timidité.* **Modération** n'implique pas le même refus d'agir, mais simplement le désir de renfermer l'action dans de justes limites : *La modération tient au caractère; c'est une qualité intime qui se manifeste ordinairement dans toute la conduite.* **Mesure** suppose un certain calcul; c'est une règle extérieure qu'on s'impose et qui est presque uniquement basée sur une juste appréciation des circonstances : *L'observation de la mesure fait l'homme sage.* **Pondération** implique surtout le besoin de respecter un juste équilibre : *La pondération fait agir lentement et seulement après réflexion.* **Tempérance,** pris dans un sens très général, désigne la vertu qui consiste à modérer les désirs, les passions : *La tempérance, disait un Ancien, est la meilleure ouvrière de la volupté.* **Sobriété,** employé figurément, enchérit sur ces termes, en impliquant que l'on reste en deçà de ce que l'on pourrait faire sans excès : *La parfaite raison fuit toute extrémité, — Et veut que l'on soit sage avec sobriété* (*Molière*). [V. DÉCENCE.]

V. aussi CIRCONSPECTION.

réticence. V. CIRCONSPECTION.

réticule. V. RÉSILLE et SAC.

rétif. V. INDOCILE.

retiré. V. ISOLÉ.

retirer. V. ÔTER et TOUCHER.

Se retirer. V. PARTIR et RENONCER.

rétorquer. V. RÉPONDRE.

retors. V. MALIN.

retoucher. V. REVOIR.

retour désigne, de la façon la plus générale, l'action de revenir. **Rentrée** est plus partic.; il convient bien en parlant du retour d'une personne dans un lieu après une sortie ou une absence assez longue. **Réapparition** suppose un retour brusque, généralem. inattendu et souvent de courte durée.

retourner, c'est faire parvenir à quelqu'un ce qu'il avait déjà lui-même envoyé. **Renvoyer,** c'est soit retourner à l'envoyeur, soit envoyer à son tour ce qu'on vient de recevoir à une tierce personne. **Réexpédier,** c'est renvoyer, faire partir de nouveau quelque chose pour une certaine destination; il suppose le plus souvent un envoi par la poste, le chemin de fer ou tout autre moyen de transport.

V. aussi ÉMOUVOIR, REPARTIR et REVENIR.

S'en retourner. V. PARTIR.

retracer. V. CONTER et RAPPELER.

rétractation désigne l'acte par lequel on retire de la façon la plus formelle, la plus catégorique, ce qu'on avait dit ou fait précédemment. **Désaveu** se dit bien de l'acte par lequel on retire, on désavoue aussi bien ce qu'on a fait soi-même que ce qu'un autre a fait en notre nom. **Palinodie,** rétractation, désaveu de ce qu'on a dit auparavant, emporte généralement une nuance péjorative.

rétracter (se). V. DÉDIRE (SE).

retraite désigne aussi bien l'action de quitter la société, le monde, les affaires, les occupations, la vie active, que le lieu même où l'on se retire. **Solitude** se dit soit du lieu éloigné du commerce, de la vue, de la fréquentation des hommes, soit de l'état d'une personne qui vit loin du commerce du monde. **Thébaïde** (nom d'un pays de l'Egypte où se retirèrent nombre d'ascètes chrétiens) s'emploie parfois aujourd'hui, dans le langage recherché, pour désigner un lieu désert servant de retraite solitaire.

V. aussi ABRI, RECUL et REVENU.

retrancher, c'est, de la façon la plus générale, séparer une partie du tout, ôter quelque chose d'un tout : *On retranche deux centimètres à une jupe, un plat à un déjeuner, une somme d'une autre.* **Soustraire** est surtout syn. de *retrancher* en termes d'arithmétique : *On soustrait un nombre d'un autre.* **Déduire** est plutôt un terme de comptabilité ; c'est soustraire d'une somme à payer telle ou telle fraction qui n'est pas à verser : *On déduit les acomptes payés.* **Défalquer,** c'est soustraire dans une supputation telle ou telle fraction d'une somme ou d'une quantité : *On défalque les frais généraux, le poids d'une caisse.* — **Rogner** est plus partic. ; c'est proprement retrancher, ôter quelque chose sur les extrémités, sur les bords d'une étoffe, d'un morceau de bois, de cuir, etc., — et, figurément et familièrement, retrancher, ôter à quelqu'un une partie de ce qui lui appartient, de ce qui lui revient. (V. ÔTER.)

rétréci. V. BORNÉ et ÉTROIT.

rétrécir (se). V. RESSERRER (SE).

rétribution est le terme général qui sert à désigner la récompense du travail qu'on fait, de la peine qu'on a prise pour quelqu'un, ou du service qu'on lui a rendu. **Rémunération** se dit ordinairem. du prix dont on paie un travail, un service ; on dit aussi parfois, dans le langage ordinaire, tout simplement **gain. Appointements** désigne la rémunération en espèces, fixe et généralem. mensuelle ou annuelle, attachée à une place, à un emploi, et payée à des époques régulières, particulièrement en parlant des employés du commerce et de l'industrie. **Salaire** s'emploie lorsqu'il s'agit d'une rémunération convenue d'avance et constituant le paiement du travail fourni par un employé et surtout un ouvrier. **Paye** (ou PAIE) ne se dit aujourd'hui que du salaire d'un ouvrier. **Gages** est le nom donné à la rémunération fixe d'un domestique. **Traitement** s'applique surtout aux appointements d'un fonctionnaire ou d'un officier supérieur. **Solde** désigne la rémunération que l'on donne aux soldats, aux militaires et, par ext., à certains fonctionnaires qui leur sont assimilés. (On a dit aussi autrefois *paie,* dans ce sens.) **Honoraires** désigne la rétribution variable des médecins, des avocats, des notaires, etc. **Emoluments** concerne la rémunération attachée à une fonction, à une charge, à un emploi ; en termes d'administration publique, c'est (cf. « Dictionnaire de l'Académie française ») l'ensemble des sommes que touche un fonctionnaire quand, à son traitement fixe, soumis à une retenue pour pension civile, viennent s'ajouter des indemnités, des allocations non soumises à cette retenue. (A noter qu'on n'emploie jamais ce mot quand on parle seulement d'un traitement fixe.) **Vacations** s'applique aux émoluments dus aux gens de loi et de justice, à raison de chacun des espaces de temps de travail qu'ils sont appelés à consacrer, par ordre de justice, à une affaire. **Jeton de présence,** jeton de métal que l'on donne dans certaines sociétés ou compagnies à chacun des membres qui sont présents à une séance, une assemblée, désigne aussi cette rétribution elle-même. **Cachet** est le nom donné à la rétribution d'un artiste lyrique ou dramatique, par représentation, d'un professeur pour des leçons en ville. **Pige** s'applique, dans le langage des journalistes, à la rétribution à l'article. (V. COMMISSION, GRATIFICATION et REVENU.)

V. aussi RÉCOMPENSE.

rétrocéder, c'est remettre à quelqu'un ce qui nous avait déjà été cédé, abandonné, donné; ce peut être aussi céder une chose achetée pour soi-même. **Repasser** est familier et **refiler** argotique. (V. DONNER et REDONNER.)

rétrogradation. V. RECUL.

retrousser. V. RELEVER.

retrouver, c'est, de la façon la plus générale, trouver ce qu'on avait perdu, oublié. **Recouvrer,** c'est retrouver en rentrant en possession, acquérir de nouveau une chose qu'on avait perdue. **Récupérer** a un sens plus matériel : *Un Etat recouvre son indépendance; on récupère son argent.* **Reprendre** et surtout **ressaisir** supposent une action vive, énergique, un acte de volonté qui n'est pas forcément dans *recouvrer.*

rets. V. FILETS.

réunion, terme général qui désigne le rassemblement de plusieurs personnes dans un même lieu et pour un but déterminé, convient particulièrement bien en parlant d'un rassemblement de parents, d'amis, d'hommes politiques qui partagent la même idée. **Assemblée** suppose généralement un nombre de participants plus considérable que *réunion,* participants qui peuvent être d'ailleurs des adversaires, voire des ennemis. **Congrès,** nom donné à une assemblée de plusieurs représentants de diverses puissances qui se sont rendus dans un même lieu pour y conclure la paix ou pour y concilier les intérêts généraux de leurs gouvernements, désigne aussi une réunion de gens qui délibèrent sur des intérêts communs, des études communes. **Meeting** (mot angl. dérivé de *to meet,* réunir) est un terme couramment employé auj. pour désigner une réunion populaire, politique, religieuse ou autre, dans un pays quelconque. **Comice** (lat. *comitium,* assemblée du peuple), qui, au pluriel, s'appliquait dans l'Antiquité romaine, aux assemblées du peuple réunies pour élire des magistrats ou traiter des affaires publiques, s'est aussi employé, par analogie, mais au sing., pour désigner, au XIXe s. surtout, la réunion d'électeurs appelés à nommer les membres des assemblées délibérantes; auj. on l'emploie généralement, au sing. comme au plur., en parlant d'une assemblée pour le perfectionnement de l'agriculture. **Concile** (du lat. *concilium* assemblée), proprem. assemblée d'évêques et de théologiens, qui décide de questions de doctrine et de discipline ecclésiastique, s'emploie aussi familièrement, et souvent avec une nuance ironique, en parlant d'une réunion, d'une assemblée quelconque. **Conciliabule,** nom donné à un concile prétendu, considéré par l'Eglise comme hérétique ou schismatique, se dit aussi, par extension, d'une réunion de gens poursuivant un but illégal, illicite, d'une réunion tenue en vue de comploter. **Consistoire** (du lat. *consistorium,* lieu de séjour), assemblée de ministres d'une religion réunis pour discuter les intérêts de leur Eglise, et plus spécialement assemblée de cardinaux convoqués par le pape, s'emploie aussi parfois familièrement en parlant d'une réunion quelconque de gens d'une certaine qualité. (V. SÉANCE.)

réunir. V. ASSEMBLER.

réussir, c'est, en parlant des personnes et de la façon la plus générale, obtenir le succès que l'on recherchait. **Percer,** c'est réussir en sortant de la foule, en se faisant connaître; il implique des efforts qui permettent d'avancer dans une profession, d'acquérir de la réputation. **Parvenir** fait surtout penser à une élévation en dignité ou à un enrichissement; il emporte souvent une nuance péjorative et suppose alors l'emploi de moyens discutables pour réussir **Arriver,** syn. de ces termes, est plutôt du langage familier.

Réussir, lorqu'on parle de choses qui réussissent, qui ont un heureux succès, attire l'attention surtout sur l'issue finale. **Prospérer** implique une réussite progressive. **Fleurir** est plutôt du style littéraire; c'est prospérer, être en progrès ou en honneur, en réputation (à noter qu'en ce sens, ce verbe fait *florissait* à l'imparfait de l'indicatif et *florissant* au participe présent ou comme adjectif verbal, l'un et l'autre étant empruntés au verbe inusité (**florir**).

Réussir à, dans le sens d'arriver à faire une chose avec succès, marque uniquement l'efficacité des moyens employés. **Parvenir à** suppose la rencontre d'obstacles que l'on brise par des efforts qui entraînent la réussite. **Venir à bout de** est plutôt dominé par l'idée de longueur, de durée, que par celle de difficulté; il suppose essentiellement de la patience : *Pour réussir, dit Lafaye, il n'est besoin de rien d'extraordinaire, il suffit quelquefois d'avoir du bonheur, mais on ne parvient pas sans peine, sans courage et sans moyens puissants, et pour venir à bout il faut du temps et de la persévérance.*

réussite. V. SUCCÈS.

revaloriser. V. MAJORER.

rêvasser. V. PENSER.

rêvasserie. V. RÊVE.

rêve suppose une suite d'images qui, lorsqu'on dort, se présentent à l'esprit sans ordre et sans que la volonté y ait aucune part; ces images sont alors si vagues, si incohérentes, qu'elles ne laissent dans la mémoire qu'un souvenir confus qui ne peut servir de base à un récit suivi. **Songe** implique au contraire une suite, un certain ordre dans les images, si bien que celles-ci vont jusqu'à ressembler à quelque chose de réel et peuvent être racontées : *Plus sentis, plus liés, moins décousus que les rêves, les songes présentent une certaine coordination d'idées, laissent dans le cerveau des traces plus profondes.* **Cauchemar** ne se dit que d'un rêve pénible ou effrayant, qui produit de l'angoisse et amène généralement le réveil : *Le cauchemar est souvent l'effet d'une digestion difficile, d'une position pénible du corps; d'autres fois, il survient à la suite d'affections morales tristes, d'une grande contention d'esprit, de toute émotion qui a exalté la sensibilité cérébrale* (*Nysten*). **Rêverie** est assez différent; il suppose une action à moitié volontaire qui est le résultat d'une imagination qui divague et qui souvent se plaît à divaguer : *La rêverie se produit dans un état qui n'est ni la veille ni le sommeil, mais qui rend notre esprit étranger à toutes les réalités environnantes.* **Rêvasserie** convient bien en parlant de rêveries incohérentes traversant un sommeil inquiet, agité : *Les rêvasseries de la fièvre.* — Au fig., RÊVE se dit d'une chose ridicule, invraisemblable, que l'homme de bon sens repousse comme indigne de fixer son attention. SONGE s'applique à quelque chose qui manque de réalité ou qui passe vite; c'est une chose vaine, illusoire, qui n'a ni solidité, ni durée : *Nos projets sont le plus souvent des rêves, et notre vie n'est qu'un songe.* CAUCHEMAR suppose essentiellement une chose affligeante et importune : *La vie est un cauchemar pour le malade qui souffre sans cesse.*

V. aussi ILLUSION.

revêche. V. ACARIÂTRE et RUDE.

réveiller. V. ÉVEILLER et RANIMER.

révéler, c'est faire connaître par quelque signe extérieur ce qui était inconnu, secret ou comme voilé. **Prouver,** c'est montrer de façon indéniable une vérité, une réalité qui pourrait être discutée. **Témoigner de,** c'est simplement montrer, servir de témoin, de preuve, pour une affirmation.

V. aussi DIVULGUER.

revenant. V. FANTÔME.

revendiquer. V. RÉCLAMER.

revenir, c'est se rendre au lieu d'où l'on était parti. **Retourner,** qui peut marquer la même action que *revenir,* signifie bien aussi se rendre une seconde fois au lieu où l'on était allé : *On revient dans sa patrie; On retourne dans son exil.* **Rentrer,** c'est surtout revenir, entrer de nouveau après être sorti : *Il ne fut pas plus tôt sorti qu'il rentra.* **Refluer,** qui concerne proprement le mouvement des fluides qui retournent vers le lieu d'où ils ont coulé, ou qui, pressés dans un endroit, se portent dans un autre, s'emploie aussi parfois, par analogie, comme syn. de *revenir;* il implique alors une multitude qui revient vers son point de départ : *Emigrants qui refluent vers la mère patrie.* **Repasser,** syn. de *revenir,* est plutôt du langage familier : *Repassez me voir demain, je vous attendrai.*

V. aussi PLAIRE.

revenu et **rente** désignent une recette annuellement, périodiquement renouvelée, *rente* supposant plus rigoureusement quelque chose de réglé, qu'on reçoit chaque année et que certaines personnes se sont engagées à payer d'une manière plus ou moins obligatoire, alors que *revenu* se dit aussi bien de l'argent que l'on reçoit que de tout autre profit : fruits de la terre et des récoltes, par exemple : *On touche des rentes sans se livrer à aucun travail, uniquement par le droit qu'on a acquis en confiant à d'autres la gestion de ses capitaux ou de ses biens; on se fait des revenus en exerçant une profession, en cultivant ses terres, en gérant soi-même ses biens, ses propriétés.* (A noter encore que *revenu,* qui prend souvent un sens des plus généraux en désignant toute recette quelle qu'en soit la provenance et quel qu'en soit le caractère irrégulier et variable, s'oppose alors en quelque sorte à *rente.*) **Pension** est plus partic.; il se dit de la rente payée annuellement à quelqu'un, autrefois par un prince, un souverain, aujourd'hui par un Etat, un département, une commune, un particulier, pour le récompenser de ses services, de ses travaux, voire par magnificence, par libéralité. **Retraite** désigne la pension annuelle que reçoit un fonctionnaire, civil ou militaire, ou un salarié quelconque, lorsqu'il a quitté son service après un nombre d'années déterminé. **Prébende,** proprem. revenu ecclésiastique attaché ordinairement à une chanoinie, se dit aussi, par ext., du revenu attaché à quelque charge lucrative sans aucun caractère ecclésiastique; il emporte souvent alors une nuance péjorative. (V. RÉTRIBUTION.)

rêver. V. PENSER.

Rêver de. V. BRÛLER DE.

réverbération. V. RÉFLEXION.

révérence. V. RESPECT et SALUT.

révérer. V. HONORER.

rêverie. V. ILLUSION et RÊVE.

revers désigne le côté d'une chose opposé à celui que l'on regarde et qui se présente d'abord. **Envers,** qui s'oppose à « endroit », s'applique au côté d'une chose qui n'est pas destiné à être vu : *On utilise souvent le revers d'une chose, alors qu'on s'efforce toujours de cacher son envers.* **Verso,** terme empr. du lat. (de *vertere,* tourner), ne se dit que du revers d'un feuillet, d'une page, par opposition à « recto ».

Revers est le nom que l'on donne aussi à la partie d'un vêtement qui est ou qui semble repliée en dessus de manière à montrer une partie de l'envers ou de la doublure du vêtement. **Parement** se dit plus particulièrem. du revers qui se trouve à l'extrémité de la manche d'un vêtement. **Rebras,** syn. de *parement,* est vieux.

V. aussi AVENTURE et ÉCHEC.

revêtir. V. VÊTIR.

rêveur désigne celui qui se plaît à former de vagues projets d'avenir, à se figurer d'avance des événements qui ne se réaliseront peut-être jamais. **Pensif** se dit plutôt de celui qui, étant assailli par certains souvenirs du passé, a des inquiétudes particulières. **Penseur** s'applique bien à un philosophe qui approfondit les questions pour communiquer au public le fruit de ses recherches. **Méditatif** suppose des pensées profondes, abstraites, qui font que l'homme vit en lui-même et se détache de tous les intérêts extérieurs.

revigorer. V. REMONTER.

revirement. V. CHANGEMENT.

réviser. V. RÉPARER et REVOIR.

réviseur. V. CORRECTEUR.

revivifier. V. RANIMER.

revivre, proprement revenir à la vie après un état de mort apparent, c'est aussi, en parlant des choses, les renouveler. **Ressusciter,** c'est revenir à la vie après être réellement mort, et, figurément, faire revivre dans l'esprit ce qui était oublié. **Renaître,** c'est naître de nouveau, commencer une existence nouvelle.

revoir, c'est examiner de nouveau quelque chose pour s'assurer si tout est comme il doit être, pour trouver des fautes s'il y en a et pour y remédier, pour rendre plus parfait ce qui peut laisser à désirer; il suppose souvent plus l'intention d'améliorer par la suite que l'idée formelle d'amélioration immédiate. **Retoucher** est un peu plus précis; il annonce un second travail ayant pour objet d'améliorer le premier, mais sans préciser toutefois sous quel rapport. **Remanier** dit plus; c'est retoucher en modifiant. **Corriger** fait penser à l'ouvrage qui doit être rendu plus correct, afin qu'il n'y ait plus rien à reprendre. **Réviser,** c'est corriger ce qui est signalé comme fautif, et parce qu'on a le pouvoir de redresser les erreurs commises. **Rectifier,** c'est corriger une chose afin de la remettre dans l'état, dans l'ordre où elle devrait être, mais où elle n'a jamais été encore. **Raboter,** qui est familier, ne se dit que des ouvrages peu importants qui ont d'abord été faits à la hâte ou grossièrement et dont on enlève les aspérités les plus saillantes. — **Reconsidérer** est un néologisme couramment employé auj. dans le sens de *revoir,* d'examiner, d'étudier de nouveau, cela avec une idée assez marquée de complète impartialité et plus lorsqu'il s'agit de théorie que de pratique. (V. PARFAIRE.)

revoir (au). V. ADIEU.

révolte marque proprement et de la façon la plus générale le refus d'obéir aux lois ou aux ordres reçus; il implique généralement la résolution subite de résister par la violence, voire le désir de renverser, de détruire. **Rébellion** emporte l'idée d'un état de guerre ouverte et suppose souvent des actes de violence de part et d'autre. **Insurrection** implique surtout le refus de reconnaître comme légitime l'autorité à laquelle on était jusqu'alors soumis et contre laquelle on se lève et s'arme. **Soulèvement** marque surtout le commencement ou la formation de la révolte, de la rébellion, de l'insurrection. **Révolution** est plus partic.; il se dit, dans ce sens, d'une révolte, d'une insurrection, entraînant le renversement brusque d'un régime politique et suppose alors la participation d'un nombre assez considérable de personnes. **Guerre civile** (ou **intestine**), qui implique une lutte à main armée entre citoyens d'un même Etat, est du style littéraire. (V. COUP D'ÉTAT, DISSIDENCE et ÉMEUTE.)

révolté. V. OUTRÉ et RÉVOLUTIONNAIRE.

révolu, lorsqu'il est appliqué à une période de temps, signifie achevé, complet, et a pour synonyme familier **sonné.** (On dit aussi parfois, dans ce sens, **accompli.**).

révolution. V. CHANGEMENT et RÉVOLTE.

révolutionnaire est le nom que l'on donne au partisan de la révolution, c'est-à-dire d'un changement violent dans le gouvernement d'un Etat. **Révolté,** s'il suppose un objet moins général, plus déterminé que *révolutionnaire,* implique par contre une action effective : *On surveille des révolutionnaires; on réduit des révoltés.* **Insurgé** et **rebelle,** v. *insurrection* et *rébellion* à RÉVOLTE. **Agitateur,** comme **meneur** dans ce sens, est plus partic.; c'est le nom que l'on donne à celui qui fomente, qui prépare une révolte. **Factieux,** syn. d'*agitateur,* est moins usité dans le langage courant. **Trublion** (mot créé par A. France, d'après le sens de *troubler* et le gr. *trublion,* gamelle, surnom populaire du duc d'Orléans, prétendant au trône de France, dont les partisans étaient alors très agités) continue depuis à s'employer pour désigner un agitateur plus ou moins brouillon qui s'efforce de semer le trouble. (V. ÉMEUTE et RÉVOLTE.)

révolutionner. V. ÉMOUVOIR.

revolver. V. PISTOLET.

révoquer. V. ABOLIR et DESTITUER.

revue désigne, de la façon la plus générale, l'action d'examiner avec soin. **Inspection** suppose que l'on passe en revue surtout ce que l'on a la fonction de surveiller : *Un professeur fait la revue de ses livres et l'inspection des cahiers de ses élèves.*

Revue, employé dans son sens militaire, s'applique surtout à l'inspection plus spectaculaire qu'administrative de troupes que l'on fait manœuvrer et passer devant des personnalités civiles et militaires. **Défilé** n'emporte pas forcément la même idée de parade qui est le plus souvent dans *revue;* ce peut être simplement la marche par colonnes d'une troupe devant un chef ou des spectateurs. **Parade,** qui s'est dit de la revue des troupes allant monter la garde, s'emploie parfois aussi aujourd'hui comme syn. de *revue.*

Revue, en termes d'édition, désigne une publication périodique, comportant plusieurs feuilles d'impression et dans laquelle on traite avec une certaine ampleur des questions diverses : politiques, littéraires, artistiques, scientifiques, et où l'on publie souvent aussi des nouvelles ou des chapitres de roman. **Magazine** (mot angl. tiré du franç. *magasin*) présente généralement à l'esprit l'idée de quelque chose de plus varié, de plus vulgarisateur et de plus illustré surtout que la revue proprement dite. (En francisant ce terme et en l'employant avec une majuscule, surtout comme titre, on a dit aussi, dans ce sens, simplement **Magasin** : « *Le Magasin de librairie* » ; « *Le Magasin pittoresque* ».) **Organe,** employé dans le sens de *revue,* attire l'attention sur l'instrument, le moyen d'action que la publication représente pour exprimer des volontés, des opinions.

rhabiller. V. RÉPARER.

rhéteur. V. ORATEUR.

rhum est le nom donné à l'eau-de-vie obtenue par la distillation de la mélasse de canne à sucre, alors que **tafia** désigne plutôt l'eau-de-vie fabriquée avec du sirop d'écume et de débris de sucre de canne.

riant. V. AIMABLE.

ribambelle. V. SÉRIE.

ribaude. V. PROSTITUÉE.

ricaner. V. RIRE.

riche, en parlant des personnes, désigne, de la façon la plus générale, celui qui a beaucoup d'argent, qui possède de grands biens. **Aisé,** s'il dit moins que *riche* et ne s'emploie qu'adjectivement, suppose toutefois une condition de fortune qui permet de vivre largement, sans gêne : *On est aisé quand on a tout ce qu'il faut pour bien vivre : nécessaire et superflu.* **Cossu** est familier et ne s'emploie aussi qu'adjectivement ; s'il n'implique pas forcément une immense richesse, il suppose au moins une très large aisance. **Huppé,** aussi adj. fam., ajoute généralement à l'idée de richesse celle de haut rang, les personnes de distinction portant autrefois des plumes à leur chapeau. **Fortuné,** qui désigne proprem. celui que la fortune, la chance comble de ses faveurs, est employé parfois aussi adjectivement, par un abus incorrect, comme syn. de *riche.* **Richissime,** superlatif de forme latine du mot *riche,* s'applique à celui qui est extrêmement riche. **Crésus,** qui ne s'emploie que substantivement, désigne un homme extrêmement riche, par allusion à un roi de Lydie qui portait ce nom et possédait de grandes richesses. **Nabab** (d'un mot arabe signif. *lieutenant* et qui est le titre des princes de l'Inde musulmane) est le nom que l'on donne aussi parfois, familièrement, à une personne riche qui vit dans le faste. **Parvenu,** qui se dit de celui qui de pauvre est devenu riche, sans avoir acquis l'esprit, les manières qui conviendraient à son nouveau milieu, est toujours péjoratif ; on dit aussi, dans ce sens et depuis la guerre de 1914-1918, **nouveau riche. Capitaliste** désigne l'homme riche parce que possesseur de sommes d'argent considérables, qu'il fait valoir dans des entreprises industrielles, commerciales, agricoles, ou dans des opérations de finance ; il est souvent péjoratif. **Ploutocrate** (du grec *ploutos,* richesse, et *kratos,* pouvoir) est plus partic. ; il se dit d'un homme très riche qui s'efforce d'exercer une influence politique par son argent, souvent aussi avec une nuance nettement péjorative. **Richard** est familier et généralement péjoratif. **Pécunieux,** fam. aussi, implique beaucoup d'argent liquide, la possession numéraire. **Galetteux** et **rupin** sont populaires, comme **nanti** et **possédant** qui, toujours empl. en mauv. part, s'appliquent à une personne riche, par opposition à ceux qui n'ont rien, aux prolétaires. **Argenteux,** appliqué à celui qui a de l'argent, est vieux. (V. RICHESSE.)

V. aussi FERTILE.

richesse suppose la possession de capitaux importants ou de biens considérables dont on a la faculté de jouir. **Argent** est employé aussi dans ce sens en tant que terme exprimant le symbole de tous les signes qui représentent la richesse ou la possession numéraire, valeurs de toute sorte, etc. **Aisance** suppose simplement une situation pécuniaire suffisante pour pouvoir se procurer les commodités de la vie. **Prospérité** fait penser à un état de richesse qui permet une situation heureuse. **Fortune** attire aussi l'attention sur l'état de prospérité, de sécurité matérielle qui résulte de la richesse. **Abondance,** qui implique l'affluence de toutes sortes de biens, ne désigne que le nombre des moyens de jouissance, que l'on ait ou non la faculté d'en jouir. **Opulence** suppose une très grande richesse dont on profite.

Richesses s'emploie au pluriel quand on veut exprimer une quantité considérable de choses précieuses de diverses natures. **Biens** se dit plutôt d'objets et de propriétés. **Fortune** fait penser là encore à l'état heureux, à la prospérité qui résulte de la possession de richesses et de biens. **Moyens** s'emploie aussi quelquefois comme syn. de *richesses,* en tant que facultés matérielles.

ricochet. V. SAUT.

rictus. V. GRIMACE et RIS.

rideau est le terme général qui sert à désigner soit une pièce d'étoffe, soit un dispositif en bois ou métallique, que l'on place devant une ouverture pour intercepter la vue ou le jour, à moins que ce ne soit pour cacher ou préserver quelque chose. **Store** se dit d'un rideau fait d'étoffe, de lames de bois, etc., qui se lève et se baisse par le moyen d'un ressort ou d'un cordon, et qu'on met devant une fenêtre, une portière de voiture, pour se garantir du soleil ou de la poussière. **Banne** désigne seulement une grosse toile tendue devant un magasin, un café, etc., pour préserver du soleil ou de la pluie.

ridicule, qui se prend toujours en mauv. part, se dit de ce qui est digne d'exciter la risée : *Un objet est ridicule par un constraste frappant entre la manière dont il est et celle dont il devrait être, selon le modèle donné, la règle, les bienséances, les convenances.* **Risible** se prend tantôt en bonne part, tantôt en mauv. part ; c'est soit ce qui fait rire et peut plaire par cela même, soit ce qui provoque la moquerie ; dans ce second sens, il a bien moins de force que *ridicule,* et se rapporte toujours à quelques défauts plus extérieurs que réels : *Un homme ridicule est un sot, un être difforme qui a ce qu'il faut pour que les autres se moquent de lui; Un homme risible peut n'être tel qu'à cause des circonstances où le hasard l'a placé.* **Grotesque** enchérit sur *ridicule* quant à l'idée de bizarrerie, d'extravagance : *Un objet est d'autant plus grotesque qu'il est outré et contrefait.* **Burlesque,** lorsqu'il est employé dans le sens péjoratif de *grotesque,* emporte une idée de ridicule outré jusqu'à l'invraisemblance : *Ce qui est burlesque ne mérite même pas de retenir un instant l'attention.* (V. COMIQUE.)

V. aussi ABSURDE.

rien (du lat. *rem,* accusatif de *res,* chose), qui signifie nulle chose, ou même simplement pas grand chose, est relatif et se joint presque toujours à la négation « ne ». **Néant** (du lat. *ne,* non et *ens, entis,* être), qui est absolu et enchérit sur *rien,* nie tellement bien toute existence par lui-même, que l'emploi de la négation « ne » est inutile; c'est rien du tout, absolument rien, le non-être, la non-existence. (A noter encore, d'après Lafaye, que *rien* se met quelquefois avec l'article indéfini « un », mais jamais avec l'article défini « le », ce qui lui donnerait un sens entièrement général qui ne convient qu'à *néant.*) **Zéro** s'emploie parfois absolument et familièrement dans le sens de *néant,* particulièrement en parlant de ce qui est susceptible d'être compté.

Rien s'applique aussi, au sing. comme au plur., à une ou des choses sans importance, dénuées de valeur, n'ayant que peu d'intérêt. **Bagatelle** désigne des choses qui, sans être d'une valeur absolument nulle, ne sont pas moins de si peu d'importance, que l'on ne s'en occupe qu'un instant. **Babiole,** proprement jouet d'enfant, se dit aussi figurément et familièrement de choses de peu de valeur et souvent puériles. **Minutie** s'applique à une petite chose, à un petit détail dont il vaudrait mieux ne pas s'occuper. **Misère** se dit d'un petit mal trop léger pour qu'on s'en plaigne, ou d'une chose dont on ose à peine parler. **Niaiserie** convient bien en parlant d'une chose sans importance ou de peu d'importance dont peut seul s'occuper un « niais », un homme de peu d'esprit. **Vétille** désigne une petite chose tellement insignifiante qu'elle ne mérite pas qu'on s'y arrête. **Broutille** se dit familièrement d'une petite chose de peu de valeur, inutile et négligeable. **Fifrelin** (ou FIFERLIN) désigne une chose sans aucune valeur, valant moins que rien. **Fichaise, foutaise, gnognote,** syn. de *bagatelle,* sont populaires. **Bibus,** syn. de *babiole,* est peu usité.

rifle. V. FUSIL.

rigide. V. AUSTÈRE et RAIDE.

rigole est le nom donné à un petit canal creusé dans le sol pour conduire les eaux. **Caniveau** se dit d'une rigole pavée en forme de V très évasé, qui longe les bords d'une chaussée et sert à l'écoulement des eaux. **Ruisseau,** dans ce sens, désigne un petit canal ménagé dans une rue, pour conduire les eaux ménagères et les eaux de pluie, et qui peut être au milieu de la chaussée. **Fossé** se dit d'un petit canal plus profond qu'une rigole ou un caniveau, pratiqué dans la terre, de chaque côté d'une route, pour l'écoulement des eaux. **Cassis** est le nom donné à une rigole pour l'écoulement des eaux traversant une route perpendiculairement à sa direction, à l'intersection d'une pente et d'une rampe.

rigoriste. V. AUSTÈRE.

rigoureux, en parlant de la température, suppose que celle-ci est dure, difficile à supporter. **Inclément** suppose quelque chose de plus passager que *rigoureux;* il n'emporte pas l'idée d'une température aussi complètement insupportable. **Rude,** qui s'oppose surtout à « doux », attire plutôt l'attention sur l'incommodité causée par la rigueur de la température. **Apre** enchérit sur *rude* et fait surtout penser à l'action de la température rigoureuse sur le corps humain.

V. aussi AUSTÈRE, PRÉCIS et SÉVÈRE.

rimailleur, rimeur. V. POÈTE.

rincer. V. LAVER et TREMPER.

ripaille. V. FESTIN.

ripopée. V. MÉLANGE.

riposter. V. RÉPONDRE.

rire, c'est marquer un sentiment de gaieté soudaine et spontanée par une contraction plus ou moins vive des muscles du visage, accompagnée d'expirations plus ou moins saccadées et bruyantes. **Sourire** suppose une action volontaire que n'implique pas *rire;* c'est rire légèrement et sans bruit, par un simple mouvement des lèvres et des yeux, sans contractions musculaires excessives. **S'esclaffer,** comme **pouffer,** c'est au contraire éclater de rire bruyamment. **Se désopiler,** comme **se dilater la rate** (plus fam.), c'est, figurément, rire de bon cœur, franchement, en toute gaieté. **Glousser,** c'est, familièrement, rire en poussant de petits cris. **Ricaner,** rire à demi, par sottise et avec une affectation moqueuse, est péjoratif. **Rioter,** rire à demi, est familier et peu usité; **riocher** est dialectal. **Rigoler,** comme **rigolbocher** (moins us.), syn. de *rire,* est populaire. **Se tordre, se gondoler, se bidonner** et **se tirebouchonner,** c'est, populairement aussi, rire convulsivement. **Se marrer** et **se poiler** sont des termes d'argot. (V. AMUSER.)

V. aussi RIS.

ris présente surtout substantivement l'action de rire (v. l'art. précéd.) prise dans un cas particulier et variant suivant les occasions; il est d'ailleurs peu usité auj. **Rire** fait essentiellement penser au contraire au genre, à la manière habituelle et involontaire de rire : *On fait des ris, et l'on a le rire agréable.* **Sourire** suppose un rire volontaire, léger, silencieux, discret, exprimé par un simple mouvement de la bouche et des yeux, sans contractions musculaires exagérées. **Risette,** qui est assez familier, se dit d'un petit sourire enfantin et gracieux. **Risée** est plus partic.; il désigne le grand et bruyant éclat de rire que font plusieurs personnes ensemble pour se moquer de quelqu'un ou de quelque chose. **Rictus** est péjoratif et fait penser plus à une grimace qu'à un véritable rire; c'est l'aspect du rire forcé que donne au visage la contraction spasmodique des muscles de la peau, et qui est généralement observée dans la jalousie, le dépit, la colère.

risée. V. BOURRASQUE, RAILLERIE et RIS.

risette. V. RIS.

risible. V. COMIQUE et RIDICULE.

risque. V. DANGER.

risquer. V. HASARDER.

ristourne. V. DIMINUTION.

rite. V. HABITUDE.

ritournelle. V. RÉPÉTITION.

rivage. V. BORD.

rival (du lat. *rivalis,* riverain, d'où, comme les riverains se disputent souvent entre eux, *rival*), nom donné à celui qui entre en conflit avec un autre pour la possession d'un objet ou d'une personne, présente généralement d'une manière odieuse et comme participant plus ou moins de la jalousie un état de lutte habituel, l'envie de surpasser, non seulement dans une circonstance particulière, mais pour acquérir une supériorité durable. **Concurrent** (du lat. *concurrere,* courir avec) est moins péj.;

c'est, à proprement parler, celui qui court avec, qui est sur les rangs, pour obtenir quelque chose, par allusion aux jeux anciens, où une récompense était promise comme prix de la course. **Compétiteur** (du lat. *competere,* rechercher, briguer) s'emploie quand le but à atteindre est une chose susceptible d'être briguée, quand celui qui y tend commence par poser sa candidature. **Contendant** (du lat. *contendere,* prétendre) suppose la discussion, le débat entre les juges à convaincre par la force des arguments; il est vieux. (V. ÉMULE et ENNEMI.)

rivaliser. V. LUTTER.

rive. V. BORD.

rivière. V. COURS D'EAU.

rixe. V. BAGARRE.

robe. V. POIL et VÊTEMENT.

roboratif. V. FORTIFIANT.

robot. V. AUTOMATE.

robuste. V. FORT.

roc, nom donné à une masse de pierre qui tient au sol, attire surtout l'attention sur la dureté, la solidité de la pierre : *On dit qu'une grotte est taillée dans le roc pour montrer combien il a fallu d'efforts et de temps pour la creuser, comme on dit bâtir sur le roc, par opposition à bâtir sur le sable.* **Roche** fait considérer la pierre — laquelle peut être dure ou tendre — sous tous les points de vue divers qu'elle peut offrir : *On détache une roche de la montagne, on la taille, on fait des pavés avec ses fragments; elle contient des cristaux, elle donne naissance à des sources,* etc. **Rocher** emporte l'idée d'élévation et suppose généralement un accès assez difficile, voire dangereux : *Le rocher est dur et inébranlable comme le roc, mais il est isolé et toujours proéminent, tandis que le roc reste souvent caché sous la terre.*

rocambolesque. V. INVRAISEMBLABLE.

roche, rocher. V. ROC.

rococo. V. DÉSUET.

rôdailler, rôder. V. ERRER.

rôdeur. V. MALFAITEUR.

rodomont. V. BRAVACHE.

rodomontade. V. FANFARONNADE.

rogner. V. MURMURER et RETRANCHER.

rognon. V. REIN.

1. **rogue.** V. ACARIÂTRE et INSOLENT.

2. **rogue.** V. APPÂT.

roi. V. MONARQUE.

roide. V. ESCARPÉ et RAIDE.

rôle. V. LISTE et PERSONNAGE.

roman. V. CONTE.

romance. V. MÉLODIE.

romanesque. V. TENDRE.

romanichel. V. BOHÉMIEN.

rompre. V. CASSER.

Se rompre se dit bien en parlant d'une chose qui se brise, se sépare, se divise elle-même; il suppose souvent alors divers morceaux dont les parties s'entrelacent, s'engrènent, s'enchaînent les unes dans les autres. **Se fendre** n'emporte pas cette idée d'éclats qui est souvent dans *se rompre;* c'est plutôt simplement s'entrouvrir en long ou en large, ou de toute autre manière. **Se fêler** dit moins encore; c'est se fendre sans qu'il y ait disjonction des parties. **Craquer** fait surtout penser au bruit qui annonce une rupture imminente; on l'emploie aussi, dans le langage ordinaire, à peu près comme syn. de *se rompre.* **Claquer,** c'est se rompre brutalement et d'une manière nette, le plus souvent en faisant du bruit. **Éclater** enchérit sur ces termes; c'est se rompre soudainement et généralement en projetant des fragments. **Crever,** c'est se rompre sous un effort violent. **Péter,** c'est crever avec explosion; il est très familier.

rompu. V. LAS.

ronchon, ronchonneur. V. BOUGON.

ronchonner. V. MURMURER.

rond est le terme général qui sert à désigner toute figure circulaire. **Cercle** est essentiellement un terme de géométrie qui se dit d'une surface plane limitée par une ligne courbe et fermée que l'on nomme « circonférence » et dont tous les points sont également distants d'un même point intérieur appelé « centre ». (A noter que *cercle* désigne aussi, improprement d'ailleurs, cette ligne circulaire ou **circonférence,** cependant que *rond* s'applique aussi bien à l'un qu'à l'autre.) **Orbe** (lat. *orbis,* rond, cercle), syn. de *cercle,* s'emploie particulièrem. en termes d'astronomie pour désigner l'espace que circonscrit une planète dans toute l'étendue de son cours. **Orbite** est à *orbe,* dans ce sens, ce que *circonférence* est à *cercle : L'orbe est la surface circonscrite par l'orbite d'un corps céleste.* **Cerne,** syn. de *rond* comme de *cercle,* est vieux ; on ne l'emploie guère qu'en parlant des couches concentriques d'un arbre coupé en travers, ou bien du cercle bleuâtre qui se forme autour des yeux battus.

V. aussi FRANC.

rond-de-cuir. V. BUREAUCRATE.

rondelet. V. GRAS.

rondelle. V. TRANCHE.

rondeur marque simplement la forme ronde. **Rotondité** ajoute à l'idée de rondeur celle de grosseur, de capacité : *Si l'on peut dire la rondeur et la rotondité de la terre, d'une boule, on peut seulement parler de la rondeur d'une roue, d'une pièce de monnaie, d'une médaille, ces corps plats, minces, ayant peu de volume et donc aucune rotondité.*

rondouillard. V. GRAS.

rond-point. V. CARREFOUR.

ronflant. V. AMPOULÉ et SONORE.

ronfler. V. BOURDONNER.

ronger, c'est entamer, déchiqueter avec les dents ou le bec à plusieurs et fréquentes reprises. **Grignoter,** c'est non seulement ronger, mais encore manger doucement, petit à petit.

Ronger s'emploie aussi figurément en parlant des choses qui en attaquant, en entamant, en usent d'autres peu à peu, cela parfois jusqu'à destruction complète. **Corroder,** ronger, entamer progressivement, s'emploie particulièrement bien en parlant des substances qui, par leur qualité caustique ou par un effet chimique, rongent, brûlent, consument quelque partie d'un corps vivant ou de quelque autre corps solide.

roquet. V. CHIEN.

rosaire. V. CHAPELET.

rose. V. DIAMANT.

rosier, rosière. V. VIERGE.

rosse. V. CHEVAL et MÉCHANT.

rossée. V. VOLÉE.

rosser. V. BATTRE et VAINCRE.

rosserie. V. MALICE.

rot. V. RENVOI.

rôt. V. RÔTI.

rôti, s'il s'applique parfois au service consistant en viandes rôties, est le terme couramment employé surtout pour désigner en particulier tel ou tel plat de viande cuite à la broche ou au four, pourvu qu'on n'y ait joint aucune espèce de sauce. **Rôt,** peu usité auj. dans ce sens, ne se dit plus guère qu'en parlant de la partie du repas où l'on met sur la table et où l'on mange des viandes rôties. **Grillade,** V. GRILLER à RÔTIR.

rôtie. V. TARTINE.

rôtir, c'est, de la façon la plus générale, faire cuire à feu vif. **Griller,** c'est rôtir sur le gril ou dans une poêle, en saisissant et dorant à la chaleur du feu. **Brasiller,** c'est faire griller rapidement sur la braise. — Au fig., GRILLER, comme RÔTIR (plus familier dans ce sens), fait penser à l'effet que cause la trop grande chaleur du feu ou du soleil : *On se grille, on se rôtit les jambes près d'un feu de bois, sur une plage.* **Brûler,** syn. de ces termes, ne s'emploie guère qu'en parlant de la chaleur solaire, lorsque celle-ci étant très forte consume et dessèche : *Le soleil ardent de l'été brûle la campagne.*

rotondité. V. RONDEUR.

roture. V. POPULACE.

roturier. V. PAYSAN.

roublard. V. MALIN.

roucouler. V. CHANTER.

roué. V. MALIN.

rouelle. V. TRANCHE.

rouer. V. BATTRE.

rouerie. V. RUSE.

rouge est le mot ordinaire qui s'emploie dans toutes les circonstances possibles pour qualifier les objets où nos yeux reconnaissent la couleur qu'il caractérise. **Incarnat** désigne un rouge de chair. **Vermeil** se dit d'un rouge un peu plus foncé que l'incarnat, et qui est la couleur du sang, du feu, etc. **Ecarlate** implique un rouge vif.

Vermillon, nom donné au cinabre ou sulfure rouge de mercure pulvérisé, se dit aussi, par ext., d'une couleur d'un rouge très vif, semblable à celle du cinabre : *Le vermillon des joues.* **Pourpre** s'applique à un rouge éclatant, semblable à la matière colorante ainsi nommée que les Anciens tiraient d'un coquillage dit « murex ». **Cramoisi** désigne, au contraire, un rouge foncé, tirant sur le violet. **Rubicond,** syn. de *rouge,* ne se dit que du visage et du teint, comme **rougeaud,** plus familier, qui suppose un teint habituellement rouge. **Vultueux** (du lat. *vultus,* visage) ne concerne aussi que le visage, lorsque celui-ci est non seulement rouge, mais encore gonflé; c'est un terme de médecine ou du langage littéraire.

V. aussi ROUGEUR.

rougeaud. V. ROUGE.

rougeur, qui désigne la teinte rouge passagère qui apparaît sur la peau du visage et révèle une émotion, a un sens plus précis, plus spécial que **rouge,** lequel s'emploie d'une manière plus générale, moins particularisée sous le rapport de la personne ou du sentiment. (A noter en outre que, lorsque la couleur du visage provient d'une cause physique, *rougeur* est le seul mot dont on puisse se servir.) **Pourpre,** syn. de ces termes, est du style soutenu ou poétique.

rouler. V. BALANCER, GLISSER, TOMBER, TOURNER, TROMPER et VAINCRE.

rouspéter. V. PROTESTER.

roussin. V. CHEVAL.

route. V. VOIE.

routier. V. BANDIT.

routine se prend toujours en mauv. part; il désigne l'habitude de ne pas quitter les chemins battus, de faire une chose toujours de la même manière. **Trantran** (ou, par déformation, TRAINTRAIN) est un mot familier qui se dit surtout de l'allure lente et routinière, monotone, des choses, dans le cours de la vie quotidienne ou dans une affaire, une administration. **Ornière** s'emploie parfois figurém. pour désigner la routine, la manière de penser, d'agir, de se conduire du plus grand nombre : *L'ornière des préjugés.* (V. HABITUDE.)

royaliste, nom donné à toute personne qui soutient les droits et les intérêts du roi, qui est attachée au parti du roi, fait penser plutôt au dévouement à l'égard de la personne du souverain. **Monarchiste,** par contre, attire plus l'attention sur les institutions dont on est partisan que sur le souverain lui-même. **Ultra,** abrév. d'ULTRA-ROYALISTE, désignait, sous la Restauration, tout royaliste partisan intransigeant de l'Ancien Régime et adversaire de la Charte. **Légitimiste** s'est dit spécialement en France, de 1830 jusqu'à la mort du comte de Chambord, par opposition à **orléaniste,** des partisans du droit au trône de la branche aînée des Bourbons, détrônée au profit de la branche d'Orléans.

royauté. V. SUPÉRIORITÉ.

ru. V. COURS D'EAU.

rubicond. V. ROUGE.

rude (du lat. *rudis,* brut, grossier) se dit des choses qui, n'ayant pas une saveur douce, passent avec peine. **Apre** (du lat. *asper,* qui a du relief, raboteux) s'applique aux choses qui raclent la bouche, comme certains fruits sauvages. **Rêche** (origine obscure), qui se dit surtout de ce qui est rugueux au toucher, s'emploie parfois aussi, familièrem. plutôt, pour désigner ce qui est rude ou âpre au goût. **Revêche** (origine obscure) n'est plus guère usité dans ce sens. (V. AIGRE.)

V. aussi AUSTÈRE, DIFFICILE, RIGOUREUX et RUGUEUX.

rudiment. V. PRINCIPE.

rudimentaire. V. SIMPLE.

rudoyer. V. MALMENER.

rue est le nom donné à un chemin public bordé de maisons ou de murs, dans une ville, un bourg, un village. **Ruelle** se dit seulement d'une rue très étroite. **Venelle** s'applique à une petite rue, une ruelle dans la campagne, entre des murs, des haies; il est peu us. auj. **Passage** désigne une petite rue étroite, où ne passent généralement pas les voitures; il se dit aussi d'une **galerie** couverte réservée seulement aux piétons et renfermant ordinairement des boutiques de tous genres, qui sert de dégagement aux rues voisines. (V. AVENUE, CHEMIN, IMPASSE et VOIE.)

ruelle. V. RUE.

ruer se dit d'un animal qui jette le pied ou les pieds de derrière en l'air avec force et en baissant l'encolure. **Regimber,** c'est, en parlant seulement d'une bête de monture, comme le cheval, le mulet, etc., ruer sur place au lieu d'avancer, lorsqu'on la touche de l'éperon ou de la houssine. **Récalcitrer,** regimber en parlant du cheval, est à peu près inusité.

Se ruer. V. ÉLANCER (S').

rugir. V. CRIER.

rugueux (du lat. *rugosus,* proprem. ridé) suppose une surface mal polie, inégale, présentant des aspérités. **Rude** se dit d'une surface qui, sans présenter de vraies aspérités, n'est cependant pas lisse, polie. **Raboteux** s'applique surtout, dans ce sens, au bois, lorsque celui-ci est noueux, inégal. **Rêche** désigne bien ce qui est rugueux au toucher.

ruine, qui se dit, d'une façon générale, de la perte complète des biens, de la fortune, a pour syn. **déconfiture,** plus familier, qui désigne particulièrement la ruine d'un négociant, d'un homme d'affaires, d'un banquier. (V. FAILLITE.) V. aussi CHUTE.

Ruines désigne ce qui reste d'un édifice d'une certaine importance, abattu ou écroulé en partie, et qui en donne encore l'idée; ce peut être aussi bien la conséquence de l'action destructive du temps que de toute autre destruction. (On dit aussi parfois, dans ce sens, simplement **restes.**) **Décombres** est un terme plus vulgaire qui s'applique proprem. aux matériaux de démolition qui encombrent et qu'il faut faire enlever. **Débris** désigne les restes, les morceaux, les fragments d'une chose (souvent petite) brisée, mise en pièces ou simplement en partie détruite : restes, morceaux, fragments dont on peut parfois se servir pour réparer ou même pour faire une œuvre nouvelle. **Plâtras** est le nom donné aux débris d'ouvrages de plâtre. **Gravois** (ou **gravats**), qui désigne proprement la partie grossière du plâtre ne traversant pas le crible, se dit aussi, par ext., des menus décombres de démolition. **Vestiges,** syn. de RUINES, est du style relevé.

ruiné, qui désigne celui qui a perdu sa fortune, a pour syn. populaire **fauché,** lequel peut supposer simplement un état de gêne, de misère momentanée. (V. MISÉRABLE et PAUVRETÉ.)

ruiner. V. ABATTRE et RAVAGER.

ruineux. V. COÛTEUX.

ruisseau. V. COURS D'EAU.

ruisseler. V. COULER.

rumeur. V. TAPAGE.

ruminer. V. RÉFLÉCHIR et REMÂCHER.

rupture. V. MÉSINTELLIGENCE.

rural. V. CHAMPÊTRE et PAYSAN.

ruse suppose de l'esprit, une imagination ingénieuse, qui permet de tromper; il se dit de la conduite comme de l'acte. **Finesse,** s'il n'emporte pas un sens aussi péj. que *ruse,* implique toutefois une subtilité d'esprit qui permet d'arriver habilement à ses fins. **Artifice** se dit d'une ruse conduite méthodiquement et avec art. **Stratagème,** proprem. ruse de guerre, se dit aussi, mais seulement en parlant de l'acte lui-même, d'une ruse combinée pour tromper un adversaire. **Astuce** implique une ruse, une finesse calculatrice et dissimulée. **Perfidie** ajoute à *astuce* une idée de déloyauté, d'abus de confiance. **Machiavélisme,** qui s'applique seulement à la conduite, suppose essentiellement non seulement ruse et perfidie, mais encore absence de tout scrupule; il est du style littéraire. **Finasserie** est familier et se dit d'une mauvaise petite finesse. **Matoiserie** exprime, comme nous le dit Lafaye, une finesse de vieux routier, une aptitude, acquise par une longue expérience, à avoir toujours des expédients tout prêts; on dit aussi plus souvent auj., dans ce sens, **rouerie,** à la fois moins archaïque et moins familier. **Roublardise,** syn. de *rouerie* est populaire. (V. MALICE, PIÈGE et SOURNOIS.)

rusé. V. MALIN.

rustaud. V. LOURD.

rusticité. V. SIMPLICITÉ.

rustique. V. CHAMPÊTRE et PAYSAN.

rustre. V. GROSSIER et PAYSAN.

rutiler. V. FLAMBOYER.

rythme est le terme général qui sert à désigner tout mouvement réglé ou mesuré, qu'il s'agisse de musique ou de danse, de poésie ou de prose. (En musique, *rythme* s'applique à la succession régulière des temps forts et des temps faibles.) **Mesure** se dit du rythme divisant la durée d'une phrase musicale en parties ordinairement égales, qui sont indiquées d'une manière plus ou moins sensible dans l'exécution, et qui règlent celle-ci. **Cadence,** nom donné au repos marqué et amené de la voix ou de l'instrument à la fin d'une période, d'un vers, d'un hémistiche ou d'une phrase musicale, se dit aussi du rythme régulier et mesuré qui résulte d'une telle accentuation symétrique, et qui caractérise l'œuvre; en chorégraphie, c'est le nom donné à la mesure qui règle le mouvement de celui qui danse.

S

sabbat. V. CHAHUT.

sabir. V. JARGON.

sable est un terme de géologie désignant, dans le langage courant, une sorte de poudre minérale, provenant de la désagrégation de certaines pierres. **Gravier** est le nom donné à un gros sable mêlé de petits cailloux. **Sablon** se dit au contraire d'un sable fin, très menu. **Arène** est le synonyme poétique ou élégant de *sable.*

sabler. V. BOIRE.

sabot est le nom donné à une chaussure grossière faite d'une seule pièce de bois, ou d'un dessous de bois et d'un dessus sommaire de gros cuir. **Galoche** se dit seulement d'une chaussure de cuir à semelle de bois. **Socque** désigne une sorte de chaussure sans quartier et le plus souvent à semelle de bois. (V. CHAUSSURE.)

V. aussi TOUPIE.

saboter. V. DÉTÉRIORER et GÂCHER.

sabouler. V. RÉPRIMANDER et SECOUER.

sabre. V. ÉPÉE.

sabrer. V. EFFACER.

1. **sac** désigne, d'une façon générale, un morceau de cuir ou d'étoffe, de toile, etc., mis en double, fermé en bas et sur les côtés, avec une ouverture en haut pour y introduire les objets. **Bissac** est le nom donné à un sac de toile fendu en long par le milieu et dont les extrémités forment deux poches. **Besace** se dit d'un bissac porté sur l'épaule surtout par les mendiants, les religieux vivant d'aumônes. **Havresac** est plus partic.; il désigne soit le sac que les soldats portent sur le dos et qui contient ou supporte ce dont ils ont besoin en campagne, soit le sac que les gens de métier portent au dos et où ils mettent leurs outils, provisions, etc. (V. GIBECIÈRE.)

Sac, pris dans son sens particulier de **sac à main,** désigne une sorte de poche en cuir ou en tissu que les femmes portent à la main ou suspendue au bras, et dans laquelle elles mettent les menus objets dont elles peuvent avoir besoin : mouchoir, porte-monnaie, poudrier, etc. **Réticule,** qui est vieilli, est le nom qui fut longtemps donné à un petit sac en filet — appelé aussi, par plaisanterie d'abord, par corruption ensuite, **ridicule** — que les femmes portaient autrefois à la main; on emploie encore quelquefois auj. ce terme comme syn. de *sac,* mais avec une nuance ironique, voire péjorative.

2. **sac.** V. PILLAGE.

saccade. V. SECOUSSE.

saccage, saccagement. V. PILLAGE.

saccager. V. RAVAGER.

sacerdoce est un terme générique et du style relevé qui sert à désigner le ministère, la dignité de prêtre, quelle que soit la religion, et cela en imprimant à l'état du prêtre quelque chose de sacré. **Prêtrise** est du style ordinaire et ne s'emploie auj. qu'en parlant d'un prêtre catholique, sans ajouter à sa fonction rien qui la relève. (Dans la religion catholique, *prêtrise* s'applique au rang inférieur dans la hiérarchie ecclésiastique, *sacerdoce* au haut clergé, particulièrement, aux évêques, aux cardinaux et, à plus forte raison, au pape, qui peuvent seuls conférer tous les sacrements, à moins que, parlant du simple prêtre, on veuille montrer sa fonction ou son caractère sous un point de vue qui commande un grand respect.) — Quand il s'agit des Anciens, *sacerdoce* désigne la dignité de prêtre en général, cependant que *prêtrise* ne s'emploie que lorsqu'on nomme spécialement le dieu au culte duquel était attaché le prêtre : *César se présenta devant une assemblée du peuple pour lui demander la prêtrise de Jupiter.*

sacoche. V. GIBECIÈRE.

sacré fait surtout penser à la vénération qui est due à ce qui sert au culte. à ce qui concerne le culte, la religion; il emporte souvent l'idée d'une consécration. **Saint** se dit de ce qui appartient à la religion, qui est dédié à des usages sacrés, et attire principalement l'attention sur l'objet lui-même.

Sacré s'emploie aussi, d'une façon plus générale, en parlant des personnes ou des choses qui, inspirant ou devant inspirer un respect religieux, une profonde vénération, ne sauraient être touchées, auxquelles on ne peut attenter. **Inviolable** fait moins penser à la personne ou à la chose sacrée qu'à ce qui y tient ou en dépend; il ajoute en outre à l'idée de *sacré,* comme le note Lafaye, celle d'une conséquence relative à la conduite que les hommes doivent tenir : *Les souverains, a écrit Bossuet, ne voient rien de plus grand que leur sceptre, rien de plus sacré que leur personne, rien de plus inviolable que leur majesté.* **Intangible** dit moins; s'appliquant proprement à ce qui échappe au toucher, il désigne figurément ce qui doit rester intact, ce qu'on ne peut pas ou ce qu'on ne doit pas changer, modifier : *Les principes de la liberté sont intangibles.* **Tabou,** mot d'origine polynésienne qui désigne, chez les peuples primitifs, chez les sauvages, les êtres et les choses auxquels il n'est pas permis de toucher, s'emploie aussi souvent, adjectivement, comme syn. de *sacré,* d'*inviolable* dans le langage familier : *Un lieu, un personnage tabou.*

sacrer est absolu; il marque une cérémonie religieuse par laquelle on confère un caractère sacré à quelqu'un : *On sacre un roi, un évêque, on ne le sacre pas à quelque chose.* **Consacrer** est relatif et presque toujours suivi du nom de l'objet auquel on consacre, à moins qu'il n'en appelle l'idée dans l'esprit : *On consacre à Dieu; On consacre un prêtre, c'est-à-dire qu'on le voue aux fonctions sacerdotales.* (A noter que si l'on dit absolument qu'une hostie est consacrée, le mot prend alors une signification différente, puisqu'il implique l'idée d'un changement de substance.) **Oindre,** proprement frotter d'huile ou de quelque autre matière grasse, s'emploie plus spécialement dans le sens de consacrer en frottant avec de l'huile sainte, dans certaines circonstances : *Les rois de France étaient oints au sacre de Reims.*

V. aussi BÉNIR.

sacrifice désigne l'abandon de quelque chose de considérable, la privation que l'on s'impose ou à laquelle on se résigne, pour l'amour de Dieu ou d'une personne, ou en considération de quelque chose; il suppose un acte qui coûte plus que l'abandon pur et simple. **Dévouement** fait essentiellement penser au sacrifice de soi-même que l'on consent en faveur d'autrui, d'une idée, d'un sentiment. **Abnégation** enchérit sur *dévouement* quant à l'étendue du sacrifice consenti. **Holocauste,** qui est du style relevé ou littéraire, dit plus à son tour, en supposant une abnégation qui va jusqu'au sacrifice complet, à la destruction de soi-même. (V. RENONCEMENT et SACRIFIER.)

sacrifier, au sens propre, donc religieux, c'est seulement offrir une chose ou toutes sortes d'objets à la divinité, s'en priver volontairement pour elle, généralem. dans le but de l'honorer. **Immoler** ne s'applique qu'à des êtres animés, des victimes que l'on tue, que l'on égorge en l'honneur d'une divinité; il implique une idée de destruction qui n'est pas dans *sacrifice : Les persécuteurs du christianisme naissant obligeaient les chrétiens à sacrifier aux faux dieux, non en leur faisant immoler des animaux, mais seulement en exigeant d'eux un acte de culte, comme de brûler de l'encens, de goûter des viandes consacrées, etc.* (A noter que si *sacrifier* signifie quelquefois faire périr, l'immolation étant souvent la conséquence du sacrifice, cette signification n'est pas cependant essentielle, et même alors *sacrifier* adoucit l'idée propre d'*immoler.*) — Au fig., ces termes conservent des différences analogues, SACRIFIER impliquant toujours quelque chose de moins complet qu'IMMOLER : *On sacrifie sa vie à quelqu'un en la lui dévouant tout entière; on s'immole pour lui en perdant la vie pour le sauver.* (V. RENONCEMENT et SACRIFICE.)

sacrilège. V. PROFANATION.

sacripant. V. VAURIEN.

sadique. V. LUXURIEUX.

sadisme. V. BRUTALITÉ.

sagacité. V. CLAIRVOYANCE.

sagaie. V. FLÈCHE.

sage. V. CHASTE et PRUDENT.

sage-femme, nom donné à la femme dont la profession est de faire des accouchements, a pour synonyme moins usité **accoucheuse. Matrone,** synonyme de *sage-femme,* est vieilli, ainsi que **ventrière.**

sagesse. V. SENS.

sagette. V. FLÈCHE.

sagouin. V. MALPROPRE.

saignant. V. ENSANGLANTÉ.

saillie. V. MOT D'ESPRIT.

saillir. V. ACCOUPLER (S'), DÉPASSER et JAILLIR.

sain, appliqué à ce qui intéresse la santé, se dit simplement de ce qui ne nuit pas : *Les établissements publics doivent être dans une situation saine.* **Salubre** enchérit sur *sain,* en ce qu'il s'applique à ce qui non seulement ne fait pas de mal, mais fait du bien; il s'emploie souvent en parlant de ce qui contribue à la santé par une influence constamment hygiénique : *Il est bon que l'alimentation de la jeunesse soit plutôt salubre que délicate.* **Salutaire** dit plus encore; c'est ce qui sauve de quelque danger, de quelque mal, de quelque dommage : *Un médecin doit administrer les remèdes les plus salutaires.* — Au fig., SAIN se distingue par un caractère de constance que n'implique pas SALUTAIRE, qui généralement a seulement rapport à un cas particulier; en outre, si l'un a trait à la nature même de l'objet, l'autre attire plutôt l'attention sur son effet : *Une saine doctrine morale ne peut donner que des instructions salutaires.* SALUBRE est inusité.

V. aussi VALIDE.

sain et sauf. V. SAUF.

saindoux. V. GRAISSE.

saint est le nom donné, en théologie catholique et dans un sens large, à tous les morts qui possèdent déjà le bonheur du Ciel, et surtout, dans un sens restreint, à ceux à qui l'Eglise rend les honneurs publics. **Bienheureux** dit moins; il s'applique seulement au personnage dont l'Eglise, par l'acte solennel de la béatification, a reconnu la sainteté, sans l'admettre cependant encore aux honneurs du culte universel. **Elu** est plus général; c'est le nom donné à tous ceux qui sont choisis par Dieu pour jouir de la félicité éternelle. **Célicole,** proprement habitant du Ciel, est le nom que les païens donnaient à leurs dieux, et que les chrétiens ont donné quelquefois aux saints.

V. aussi SACRÉ.

saint-père. V. PAPE.

saisi. V. SURPRIS.

saisie, qui a désigné, dans le langage ordinaire, l'action de s'emparer d'une chose, s'applique surtout auj., en termes de procédure, à l'acte par lequel une autorité publique appréhende un bien dont la propriété est revendiquée, ou sur lequel un créancier veut se faire payer, ou qui a été l'occasion d'une infraction pénale ou fiscale. **Mainmise,** terme de jurisprud. ancienne, s'emploie parfois encore comme syn. de *saisie,* dans le langage actuel. **Confiscation** désigne, dans le langage juridique, l'action d'adjuger des biens au fisc pour cause de crime, ou pour cause de contravention et délit.

saisir. V. ATTRAPER, COMPRENDRE, PERCEVOIR et PRENDRE.

Se saisir. V. PRENDRE.

saisissement. V. ÉMOTION.

saison. V. ÉPOQUE.

salace. V. LUXURIEUX.

salaire. V. RÉTRIBUTION.

salamalec. V. SALUT.

salarié. V. TRAVAILLEUR.

salaud. V. MALPROPRE.

sale. V. MALPROPRE, MÉPRISABLE et OBSCÈNE.

saleté. V. VILENIE.

saligaud. V. MALPROPRE.

salir est le terme général qui désigne l'action de rendre sale, d'enlever la netteté. **Souiller** (du lat. *suculus,* dimin. de *sus,* cochon) enchérit sur *salir;* c'est couvrir de saletés (comme le fait un cochon qui se vautre dans la fange), gâter, détériorer par un contact impur. **Tacher,** c'est salir seulement par places, à quelque endroit. **Encrasser,** c'est salir progressivement; il suppose de la saleté amassée. **Graisser,** c'est soit salir de graisse, soit rendre sale et crasseux. **Maculer,** syn. de *tacher* en parlant des feuilles imprimées et des estampes, s'emploie parfois aussi auj. au sens général. **Barbouiller,** lorsqu'il signifie salir en enduisant, se dit surtout du visage. **Polluer,** c'est souiller par des ordures, des corps étrangers. **Souillonner,** syn. de *salir,* est familier; **margouiller** est dialectal et vieux. **Culotter,** familier aussi, c'est salir, noircir par l'usage.

V. aussi SOUILLER.

salive est le nom que l'on donne, d'une façon générale, au produit de la sécrétion des glandes salivaires, qui se déverse dans la bouche. **Ecume** désigne la salive mousseuse de quelques animaux, lorsqu'ils sont échauffés ou irrités; on le dit parfois aussi, dans un sens analogue, en parlant des personnes. **Bave** se dit de la salive visqueuse mais non mousseuse qui découle de la bouche, surtout des petits enfants; c'est le nom que l'on donne aussi d'ailleurs à l'espèce d'écume qui s'échappe de la gueule de certains animaux (chien, par ex.) et même de la bouche de l'homme dans certaines maladies (épilepsie, rage, etc.).

salle. V. AUDITOIRE et PIÈCE.

salmigondis. V. MÉLANGE.

salon. V. PIÈCE.

salop, salope, salopiat, salopiaud. V. MALPROPRE.

saltimbanque, comme **bateleur** (moins us. auj.), est le nom générique englobant tous ceux qui, dans les foires, sur les places publiques, amusent le public par des tours de force ou d'adresse : **baladin, banquiste, charlatan, farceur, opérateur, paradiste,** etc. **Forain,** plus employé auj. que *saltimbanque* ou *bateleur,* n'emporte pas la nuance péjorative qui s'attache à ces termes; il se dit d'ailleurs aussi bien des acteurs de foire ou de fêtes foraines, que des marchands nomades qui parcourent les foires, les marchés, les villes, les campagnes. (V. NOMADE.)

salubre. V. SAIN.

salubrité. V. HYGIÈNE.

salut désigne l'acte même de saluer considéré comme frappant la vue; c'est une démonstration extérieure de civilité par parole ou par geste, qu'on fait à quelqu'un en le rencontrant, en l'abordant, en le quittant. **Salutation** se dit proprement de la manière de saluer ou de l'action considérée par rapport à celui qui salue; il suppose un geste plus démonstratif, plus animé, plus particulier que *salut : La politesse exige qu'on rende le salut à celui de qui on l'a reçu; Une salutation peut être froide, profonde, respectueuse.* (A noter que si le *salut* et la *salutation* peuvent être des marques de respect, ils n'indiquent cependant, le plus souvent, que de la politesse.) **Révérence** marque toujours au contraire un grand sentiment de respect, vrai ou simulé, qui fait rendre un hommage particulier; il implique un mouvement du corps qu'on fait pour saluer, soit en s'inclinant beaucoup, soit en pliant les genoux : *Les femmes font la révérence en pliant les genoux.* **Courbette,** familier et péjoratif, se dit d'un salut exagéré, d'une révérence obséquieuse : *Les grands aiment les courbettes.* **Salamalec,** forme francisée de la formule musulmane de salut *salâm 'alaïk',* paix sur toi, se dit bien, familièrement, d'une révérence profonde, accompagnée de politesses exagérées; il s'emploie par plaisanterie : *D'interminables salamalecs.*

salutaire. V. PROFIT et SAIN.

salutation. V. SALUT.

sanatorium (du lat. *sanatorius,* propre à guérir) est le nom donné à un établissement de cure, surtout hygiénique, pour les malades et les sujets fatigués, et plus spécialement les tuberculeux. **Préventorium** (dériv. sav. tiré du lat. *praeventus,* devancé, d'après *sanatorium*) désigne un établissement analogue au sanatorium, mais destiné plus à prévenir la maladie qu'à la guérir. **Solarium** est le nom donné à un établissement installé pour soigner les malades par la lumière solaire. (V. HÔPITAL.)

sanctifier. V. FÊTER.

sanction. V. APPROBATION et PUNITION.

sanctionner exprime l'action d'**approuver,** c'est-à-dire de tenir pour acceptable ou valable, comme présentée avec autorité et énergie. **Confirmer,** c'est généralement, dans ce sens, sanctionner par un acte officiel. **Ratifier,** c'est approuver, confirmer dans la forme requise ce qui a été fait ou promis. **Entériner,** c'est ratifier un acte qui ne pourrait valoir sans cette formalité. **Homologuer,** c'est, en droit, confirmer par autorité de justice les actes de simples particuliers, — et, en termes de sports, lorsqu'il s'agit d'un record, confirmer celui-ci en le reconnaissant officiellement.

sandale. V. CHAUSSURE.

sang. V. RACE.

sang-froid. V. ASSURANCE.

sanglant. V. ENSANGLANTÉ.

sangle. V. BANDE et COURROIE.

sanglot. V. SOUPIR.

sangloter. V. PLEURER.

sang-mêlé. V. MÉTIS.

sanguinolent. V. ENSANGLANTÉ.

sanie. V. PUS.

sans-cœur. V. MÉCHANT.

sans-Dieu. V. IRRÉLIGIEUX.

sans-patrie, terme du langage ordinaire, est la traduction française du mot allemand **Heimatlos,** employé dans le langage juridique pour désigner celui qui n'a pas légalement de patrie. **Apatride,** répandu après la Première Guerre mondiale, est aujourd'hui d'un emploi plus courant que *heimatlos.*

sape. V. TRANCHÉE.

saper. V. MINER.

sapidité. V. SAVEUR.

sapience. V. SENS.

sarcasme. V. RAILLERIE.

sarcastique. V. SARDONIQUE.

sarcophage. V. CERCUEIL et TOMBE.

sardonique ne se dit que du rire lorsque celui-ci donne à la bouche une expression de moquerie acerbe et qui se traduit par une contraction dans les muscles du visage; c'est un terme de tous les langages qui distingue le rire surtout par la nature du sentiment qui l'inspire. **Sardonien** est beaucoup plus particulier; il est employé seulement dans les traités de médecine pour distinguer le rire convulsif auquel il s'applique du rire ordinaire, à un point de vue purement physiologique. **Sarcastique,** s'il s'applique bien au rire et est alors à peu près syn. de *sardonique,* est toutefois d'un emploi plus large et se dit aussi bien, par exemple, du ton d'une personne qui fait usage du *sarcasme* (v. ce mot à RAILLERIE).

sasser. V. TAMISER.

satire se dit de tout écrit ou discours dans lequel on tourne quelqu'un ou quelque chose en ridicule, cela de façon piquante et mordante. **Epigramme,** proprement courte pièce de vers d'intention satirique qui se termine généralement par un trait piquant, se dit aussi, par ext., de tout mot satirique, de tout trait mordant qui, dans un écrit ou dans la conversation, exprime une critique, une raillerie spirituelle. **Diatribe,** plus péjoratif, s'applique à une satire amère et violente et suppose le plus souvent, surtout lorsqu'il s'agit d'un discours, un ton plus ou moins injurieux. **Pamphlet** ne se dit que d'un écrit qui, satirique et violent, est toujours bref et généralement politique; il s'emploie d'ordinaire dans un sens défavorable. **Libelle** s'applique aussi à un écrit de peu d'étendue, souvent satirique, mais surtout injurieux et diffamatoire. **Factum** désigne un écrit violent, excessif, qu'une personne publie pour attaquer ou se défendre. (En termes de palais, il se dit simplement d'un mémoire qui expose les faits d'un procès.) **Philippique** désigne aussi parfois familièrement une satire violente, par allusion aux « Philippiques » de Démosthène et de Cicéron. **Pasquin** s'est dit autrefois d'un écrit satirique, d'une épigramme malicieuse. (V. ESPRIT, MOT D'ESPRIT, PLAISANTERIE et RAILLERIE.)

satirique. V. MORDANT.

satiriser. V. RAILLER.

satisfaction. V. JOIE et RAISON.

satisfaire, c'est mettre quelqu'un dans un état agréable, en accomplissant ce qu'il attend, ce qu'il désire, pour le moment du moins. **Contenter,**

c'est faire ce qu'il faut pour qu'une personne ne souhaite rien de plus ou de mieux; il suppose souvent une plénitude de jouissance plus complète que *satisfaire*. **Exaucer,** c'est satisfaire un souhait, un vœu, une prière. **Combler,** c'est satisfaire pleinement, presque plus qu'il ne fallait même, un désir, une espérance, un vœu ou un souhait. (V. APAISER et ASSOUVIR.)

V. aussi PLAIRE.

satisfait. V. CONTENT.

saturé. V. RASSASIÉ.

satyre. V. OBSCÈNE.

saucer. V. TREMPER.

1. **sauf** s'applique aussi bien aux personnes qu'aux choses pour indiquer qu'elles sont hors de péril et aucunement endommagées. **Indemne,** terme de droit signifiant qui a été indemnisé, dédommagé, s'emploie aussi, couramment et d'une façon générale, pour désigner ce qui n'éprouve ou n'a éprouvé aucun dommage. **Intact** ne se dit que des choses, lorsque celles-ci n'ont pas subi de dommage ou souffert d'altération, qu'elles l'aient risqué ou non. **Sain et sauf** est une expression couramm. employée pour renforcer le sens de *sauf*. **Rescapé** (forme picarde altérée de *réchappé*) est plus partic.; il ne s'applique, adjectivement et substantivement, qu'aux personnes sorties saines et sauves d'un danger ou d'une catastrophe. (Ce terme s'est dit à l'origine des mineurs qui purent échapper à l'explosion de grisou de Courrières, en 1906.) [V. ÉCHAPPER.]

2. **sauf.** V. EXCEPTÉ.

sauf-conduit. V. LAISSEZ-PASSER.

saugrenu. V. ABSURDE.

saumâtre. V. DÉSAGRÉABLE.

saut désigne, de la façon la plus générale, l'action de s'élever verticalement à une certaine distance au-dessus du sol, ou de franchir, soit en avant, soit en arrière, un espace plus ou moins étendu en décrivant une sorte de courbe parabolique. **Bond** se dit soit du saut que fait un corps élastique qui vient de heurter un obstacle, ou un corps quelconque qui vient de heurter un corps élastique, soit du saut que fait une personne ou un animal en s'élevant brusquement de terre. **Sautillement** implique de très petits sauts, nombreux et redoublés. **Soubresaut** désigne un saut brusque, inopiné, à contresens. **Sursaut,** appliqué aux êtres animés, se dit d'un mouvement brusque occasionné par une sensation subite et violente, plus que d'un véritable saut (v. TRESSAILLIR). **Ricochet** est très partic.; il désigne le bond que fait une pierre jetée obliquement sur la surface de l'eau, un projectile qui frappe un corps dur, etc. (V. CABRIOLE.)

V. aussi CHUTE.

sautillement. V. SAUT.

sauvage. V. BRUTE, FAROUCHE et INHABITÉ.

sauvagerie. V. BRUTALITÉ.

sauvegarde. V. AUSPICES et GARANTIE.

sauve-qui-peut. V. FUITE.

sauver. V. PROTÉGER.

Se sauver. V. FUIR.

sauveur. V. LIBÉRATEUR.

savant est le terme le plus usité et le plus général; il s'applique à toutes les branches des connaissances humaines et marque plus que la simple étendue des connaissances. **Erudit** ne concerne au contraire que certaines manifestations des connaissances humaines, particulièrement la philosophie, l'histoire, la littérature, et ne souligne souvent que la simple étendue des connaissances, approfondie il est vrai. **Docte** ne s'emploie guère qu'en parlant des Anciens ou de ceux dont les travaux ou les études se rapportent à l'histoire ancienne, et, dans ce dernier cas, il se prend souvent ironiquement. (A noter que par une extension fort naturelle, *savant, érudit* et *docte* s'emploient en parlant des ouvrages aussi bien que des personnes : *Les savants, les doctes travaux sont le fruit de longues méditations; Un ouvrage érudit ne demande que beaucoup de lecture, de la mémoire et de la sagacité.*) **Lettré,** qui ne se dit que des personnes, a essentiellement rapport à la littérature. **Puits de science** sert parfois à désigner, substantivement et familièrement, un homme extrêmement savant; on dit aussi **puits d'érudition** en parlant d'un homme d'une érudition profonde et comme inépuisable. **Omniscient** (du lat. *omnis,* tout, et *sciens, entis,* sachant), qui ne s'emploie qu'adjectivement, enchérit sur tous ces termes, en s'appliquant à celui qui sait tout, qui possède la science universelle : *Dieu est omniscient* (*Voltaire*). [V. INSTRUIT.]

savate. V. CHAUSSON.

saveter. V. GÂCHER.

savetier. V. CORDONNIER.

saveur désigne aussi bien l'impression que certains corps exercent sur l'organe du goût, que la qualité des corps en vertu de laquelle ces derniers produisent cette impression. **Sapidité** attire seulement l'attention sur la propriété même des corps, des substances qui font impression sur le sens du goût. **Goût,** qui désigne d'abord le sens par lequel on perçoit les saveurs, s'emploie aussi, par ext., comme syn. de *saveur,* surtout en parlant des aliments.

savoir, qui indique plutôt la connaissance des choses que celle des livres, est absolu, général dans sa signification. **Science** est plus précis que *savoir* et suppose une étude plus approfondie, une spécialisation de l'esprit : *Un homme a beaucoup de savoir quand il a appris beaucoup de choses, quand aucune branche des connaissances humaines ne lui est étrangère; pour arriver à la science, il faut creuser plus avant, et, par conséquent, borner le champ de ses études.* **Erudition** se dit de la connaissance acquise non seulement par la lecture des auteurs anciens et modernes, mais encore par celle des commentaires qu'on en a fait, par la comparaison des diverses éditions et la connaissance du temps où vivaient les auteurs, des sources où ils ont puisé, etc. : *Peu de philosophie mène à mépriser l'érudition, beaucoup de philosophie mène à l'estimer, a dit Chamfort.* **Connaissance,** qui dans ce sens s'emploie surtout au pluriel, fait essentiellement penser au savoir acquis et déterminé : *On a des connaissances littéraires, artistiques, scientifiques.* **Instruction,** qui s'emploie absolument, s'applique bien à l'ensemble des connaissances acquises par l'étude : *L'homme sans instruction n'a pas atteint le complément de sa nature* (*La Harpe*). **Culture,** ou plus exactement **culture générale,** désigne l'ensemble des connaissances générales que possède, sur la littérature, l'histoire, la géographie, la philosophie, les sciences et les arts, une personne ayant terminé ses études : *Tout ce qui flatte le plus notre vanité n'est fondé que sur la culture que nous méprisons, a dit Vauvenargues.* **Doctrine** (du lat. *docere,* enseigner), peu usité auj. dans ce sens, se dit du savoir, de la science dans les choses d'enseignement, de dogmes, de philosophie; on l'emploie parfois aussi ironiquement et péjorativement : *La science acquise par l'étude montre beaucoup de doctrine et ne fait pas de conversions* (*Fléchier*). **Cognition** est un terme de philosophie qui désigne l'acte intellectuel par lequel on acquiert une connaissance : *Le problème premier et par conséquent fondamental de la métaphysique, si nous en croyons Kant, est de livrer une bonne et scientifique théorie de la cognition humaine, d'expliquer comment l'homme connaît.* **Omniscience** (du lat. *omnis,* tout, et *scientia,* science) est un terme didactique qui enchérit sur tous ces termes, puisqu'il implique la science universelle : *La prescience et l'omniscience de Dieu.* (V. CONCEPTION, CONNAISSANCE et IMAGINATION.)

V. aussi CONNAÎTRE et POUVOIR.

savoir (faire), c'est porter à la connaissance de quelqu'un d'une façon nette et précise. **Faire connaître** présente la même idée avec quelque chose de plus vague, de moins catégorique : *On fait savoir ce qu'on veut qui soit fait; On fait connaître ce que l'on voudrait voir faire.* **Informer,** c'est adresser à quelqu'un un rapport fidèle sur une chose qui l'intéresse beaucoup : *On informe pour satisfaire la curiosité.* **Mander,** c'est faire savoir par lettre ou message : *On mande une nouvelle.* **Apprendre,** c'est initier à quelque connaissance : *On nous apprend ce que nous ignorons.* (V. AVERTIR et PRÉVENIR.)

savoir-faire. V. ADRESSE.

savoir-vivre est le nom que l'on donne à la connaissance des usages du monde et des égards que les hommes se doivent en société. **Politesse** fait penser surtout à la pratique du savoir-vivre dans la manière d'agir et de s'exprimer. **Education** attire plutôt l'attention sur l'acquisition du savoir-vivre relativement au milieu dans lequel on a été élevé. **Correction** indique simplement le respect des convenances; c'est un minimum de politesse qu'on n'a pas le droit de refuser à ceux que nous approchons. **Tact** implique un sentiment délicat de la mesure, des nuances, qui fait que l'on ne commet jamais d'impairs en matière de savoir-vivre. (V. CONVENANCE.)

savourer enchérit sur **goûter** qui exprime simplement l'action d'exercer le sens du goût sur ce qui a de la saveur, en ce qu'il ajoute à cette idée celle de délectation; c'est goûter avec attention et le plus souvent une sorte de lenteur qui prolonge le plaisir. (A noter que ces deux termes s'emploient au propre comme au figuré avec les mêmes nuances.) **Déguster,** c'est goûter surtout pour connaître la qualité de la chose que l'on goûte, seulement en parlant de boissons, de liquides. (Figurément *déguster* est d'un emploi moins courant que *goûter* et *savourer*.) **Tâter,** syn. de *goûter,* vieillit et ne s'emploie guère auj. que par plaisanterie. (V. DÉLECTER [SE].)

savoureux. V. AGRÉABLE.

saynète (de l'espagn. *sainete,* proprem. morceau alléchant), nom donné — dans le théâtre espagnol — à une petite pièce bouffonne, désigne — en France — un petit ouvrage dramatique comprenant une seule scène ou un petit nombre de scènes, où un sujet plus ou moins anodin est développé en dialogue entre un petit nombre de personnages. **Sketch** (mot angl. signif. proprem. *esquisse*) se dit d'une esquisse dramatique, d'une saynète, en général à deux personnages, souvent introduite dans une revue de music-hall. **Intermède** (du lat. *inter,* entre, et *medium,* milieu) désigne aussi bien une saynète ou un sketch, qu'un divertissement, ballet, danse, chœur, etc., interprétés entre les actes d'une pièce de théâtre ou au cours de tout autre spectacle. **Bluette** (de l'anc. franç. *belue,* étincelle) se dit d'un petit ouvrage sans prétention, qu'il soit écrit pour le théâtre ou non, et qui n'est qu'un badinage d'esprit. (V. COMÉDIE et PIÈCE.)

scabreux. V. DIFFICILE.

scandale est le syn. péjoratif d'**éclat,** lorsque ce terme désigne une manifestation soudaine et bruyante; c'est l'éclat fâcheux que fait une action honteuse, en provoquant l'indignation. **Esclandre** est moins employé et plus du style relevé; il implique généralement une indignation bruyante et publique, provoquée moins par une action honteuse que par une impatience, une violence de celui qui en est l'auteur. **Pétard,** syn. de ces termes, est familier. (V. TAPAGE.)

scandalisé. V. OUTRÉ.

scandaliser (se). V. OFFENSER (S').

scarification. V. ENTAILLE.

sceau. V. MARQUE.

scélérat. V. DÉLOYAL et MEURTRIER.

sceller. V. CIMENTER.

scénario. V. PIÈCE et TRAME.

scène. V. SPECTACLE et THÉÂTRE.

sceptique. V. INCRÉDULE.

schéma (ou **schème**). V. CANEVAS.

schismatique. V. APOSTAT.

schisme. V. DISSIDENCE.

scie. V. RÉPÉTITION.

science. V. SAVOIR.

scinder. V. SECTIONNER.

scintiller. V. ÉTINCELER.

scission. V. DISSIDENCE.

scolie. V. NOTE.

scorie. V. DÉCHET.

scribe, scribouillard. V. BUREAUCRATE.

scrupule. V. INDÉCISION.

scrupuleux. V. CONSCIENCIEUX.

scruter. V. EXAMINER.

scrutin. V. VOTE.

sculpteur est le nom donné à l'artiste qui exerce l'art de donner avec le ciseau ou tout autre instrument analogue une forme, une figure, au marbre, à la pierre, au bois, au métal, etc. **Statuaire,** appliqué à celui qui fait des statues, a un sens plus étendu que *sculpteur,* car il désigne aussi celui qui obtient une statue par la fonte et le moule, par exemple. **Modeleur** est le nom donné au sculpteur qui exécute des modèles en terre ou en cire. **Imagier** est vx; il a surtout désigné le sculpteur de statues d'église ou de statues tombales à l'époque gothique, appelé aussi **imagiste** et **imager.**

séance désigne le temps pendant lequel un corps constitué reste assemblé pour s'occuper de ses travaux. **Session** s'applique à un corps délibérant et suppose plusieurs séances. (V. RÉUNION.)

V. aussi SPECTACLE.

séant. V. DÉCENT et DERRIÈRE.

sec. V. ARIDE et MAIGRE.

sécession. V. DISSIDENCE.

sécher exprime simplement l'idée de rendre sec et présente souvent l'objet comme devenant sec par la perte de l'humidité qui lui était nuisible. **Dessécher,** c'est rendre tout à fait sec, en privant de toute humidité, même intérieure : *Après la pluie, le soleil sèche les feuilles; Une feuille desséchée a perdu la sève qui la faisait vivre, elle tombe de l'arbre.* **Racornir,** c'est non seulement dessécher, mais encore rendre dur et coriace : *Le feu racornit le cuir, les viandes.* **Tarir** ne s'applique qu'aux liquides; c'est mettre à sec de façon que la source ne fournisse plus : *On tarit une fontaine, un puits, un étang.* **Déshydrater** est un terme de chimie; c'est sécher un corps hydraté en lui enlevant tout ou partie de l'eau qu'il contient à l'état de combinaison : *On déshydrate de la chaux, du sel.*

second, qui désigne celui qui est immédiatement après le premier, éveille l'idée d'ordre et non celle de série, de suite. **Deuxième,** au contraire, suppose une série et fait songer au troisième : *On parlera du second tome d'un ouvrage qui n'a que deux volumes, et du deuxième tome de celui qui en a plus de deux.* (A noter que cette distinction, propre aux grammairiens, n'a rien d'absolu; pour beaucoup *second* est simplement plus usuel et plus noble aussi d'ailleurs que *deuxième,* surtout dans les locutions consacrées telles que : *En second lieu; De seconde main; Au second tour,* etc.)

V. aussi AIDE et ALLIÉ.

secondaire se dit de ce qui ne vient qu'en second lieu, tout en pouvant avoir cependant une certaine importance propre. **Accessoire** (du lat. *accedere,* se joindre) suppose un rapport avec ce qui est principal que n'implique pas *secondaire,* cela tout en emportant une idée de moindre importance; c'est proprem. ce qui accompagne la chose principale, qui s'y rattache, s'y unit, s'y incorpore, la modifie même, sans lui être toutefois jamais essentiel. **Concomitant** (du lat. *concomitari,* accompagner) est un terme didactique qui se dit parfois d'une chose qui accompagne une autre considérée comme principale : *Faits, sons, symptômes concomitants.*

seconder, c'est ajouter ses efforts à ceux d'une autre personne; il emporte une idée de collaboration. **Aider** présente une action analogue, mais d'une façon plus vague, moins directe souvent aussi que *seconder : On seconde sciemment, alors que l'on peut aider inconsciemment.* **Assister,** c'est seconder, aider, surtout en parlant de certaines fonctions; il s'applique généralem. à l'action d'un inférieur auprès d'un supérieur : *Les internes assistent les chefs de clinique.* **Servir** fait penser aux bons offices rendus à quelqu'un, afin de le seconder, de l'aider : *Il n'est que des amis véritables pour bien nous servir.* (V. COLLABORER et CONTRIBUER À.)

secouer, c'est, d'une façon générale, remuer fortement et à plusieurs reprises, dans un sens ou dans un autre. **Ballotter** (de *ballotte,* petite boule), c'est secouer en tous sens; emportant le plus souvent une idée de heurt qui n'est pas forcément dans *secouer,* il est en outre plus du langage familier. **Sabouler,** c'est secouer sans ménagement; il vieillit au sens propre. (V. BALANCER.)

V. aussi AGITER et RÉPRIMANDER.

secourir. V. AIDER.

secours. V. APPUI, AUMÔNE et SUBSIDE.

secousse est le terme général qui désigne l'agitation violente, le brusque ébranlement de ce qui est remué fortement. **Saccade,** proprement brusque secousse donnée à un cheval en lui tirant les rênes ou les guides, se dit aussi, par ext., soit d'une secousse violente donnée en tirant à soi, soit de toute secousse, de tout mouvement brusque et intermittent.

V. aussi ÉBRANLEMENT (et SÉISME).

secret, employé substantivement, se dit en général de ce qu'il y a de caché dans la conduite, dans les affaires publiques ou particulières, dans le fond du cœur, etc. **Mystère,** qui désigne proprement ce qu'une religion a de plus caché, ce qui n'est connu que des initiés, s'emploie aussi souvent figurément en parlant soit de ce qu'il y a de secret dans les phénomènes de la nature et dans les sentiments de l'homme, soit de ce qu'il y a de secret dans les affaires humaines. **Arcane** (du lat. *arcanum,* mystère), nom donné surtout par les alchimistes à toute opération hermétique dont le secret ne doit être connu que des seuls initiés, s'emploie surtout auj. au pluriel comme syn. de *secret,* de *mystère,* et généralement avec une nuance ironique, voire péjorative. (V. ÉNIGME.)

V. aussi CACHÉ et DISCRET.

secret (en). V. SECRÈTEMENT.

secrètement ajoute à l'idée de **en secret** qui se dit de tout ce qui ne se fait pas publiquement, celle non seulement de se cacher à tous les regards pour faire l'action, mais encore de désirer que les autres ignorent même que cette action a lieu; le premier exprime l'intention de se cacher, le second suppose seulement l'absence de témoins : *Faire une chose secrètement, c'est la faire à l'insu de tout le monde; la faire en secret, c'est la faire à part, en particulier.* **En cachette,** qui enchérit sur *en secret,* implique le plus souvent une idée de dissimulation assez poussée : *Un enfant prend en cachette le livre qu'on lui a interdit.* **A la dérobée** emporte essentiellement non pas tellement l'idée de se cacher que celle d'échapper aux regards, un peu comme le ferait une personne qui se dérobe : *On boit à la dérobée lorsqu'on suppose que personne ne peut alors vous voir.* **Furtivement** implique généralement quelque chose de plus grave qu'*à la dérobée* et n'est pas sans dénoter une certaine adresse, souvent aussi quelque illégalité : *Nombreux sont les hypocrites et les fanfarons qui se glissent furtivement dans le temple de la gloire.* **Sourdement** suppose une action faite soit pour servir, soit pour desservir une entreprise; il implique non seulement le désir de cacher son jeu, mais aussi celui de donner le change : *On intrigue sourdement.* **En sous-main,** qui suppose un double jeu, n'est plus guère usité auj., sauf dans la loc. : *Agir en sous-main.* **En tapinois,** syn. d'*en cachette,* emporte souvent une idée de mouvement qui n'est pas dans ce dernier terme; il est familier comme **à la sourdine,** syn. de *sourdement.* **En catimini,** familier aussi ajoute à l'idée de cachette celle de secret.

sectaire. V. FANATIQUE.

sectateur. V. PARTISAN.

secte. V. PARTI.

sectionner, c'est séparer une chose en plusieurs parties; il emporte généralement une idée de coupure et attire essentiellement l'attention sur l'opération que subit l'objet. **Diviser,** dans ce sens, est plus général, plus vague aussi, et peut-être moins dominé que *sectionner* par l'idée de coupure. **Fractionner,** séparer surtout en brisant, suppose le plus souvent de petites parties et emporte alors une idée de réduction. **Segmenter,** comme **fragmenter,** est plutôt un terme didactique et fait surtout penser à l'objet qui subit l'opération. **Scinder,** syn. de *diviser,* ne s'emploie qu'au figuré. (V. SÉPARER.)

V. aussi COUPER.

séculaire. V. ANCIEN.

sécurité fait essentiellement penser à la confiance intérieure, bien ou mal fondée, résultant de la croyance qu'on n'a pas de danger à craindre ou qu'on a pris du moins toutes les mesures préventives nécessaires. **Sûreté** suppose une sécurité plus certaine, l'éloignement complet de tout péril; c'est aussi l'état de celui qui n'a rien à craindre ou de la chose qui est à l'abri : *Si l'homme recherche sans cesse la sécurité, il n'est cependant nulle part en sûreté.*

sédatif. V. CALMANT.

sédentaire. V. CASANIER.

sédiment. V. LIE.

sédition. V. ÉMEUTE.

séducteur se dit particulièrement de celui qui s'attire les bonnes grâces des femmes ou des jeunes filles, sans toujours emporter une idée défavorable. **Suborneur,** au contraire, est toujours péjoratif; il implique l'idée de dol, de mensonge, de promesses fallacieuses. **Don juan** est une expression auj. consacrée, par allusion au personnage légendaire de la littérature et du théâtre, pour désigner un séducteur émérite, brillant, épicurien et sceptique. **Lovelace,** par allusion au personnage ainsi nommé dans la « Clarisse Harlowe » de Richardson, se dit parfois d'un homme jeune, spirituel, riche, qui met sa gloire à séduire les femmes. **Casanova** (du nom du célèbre aventurier italien) est moins usité. **Tombeur de femmes** (ou simplement TOMBEUR) et **casse-cœur,** dans le sens de *séducteur*, sont très familiers.

Séducteur, employé adjectivement, ne se dit que des personnes ou de leurs actions, de leurs qualités, et il suppose toujours l'intention de séduire par adresse, par artifice : *Des attraits séducteurs sont ceux qu'une femme se donne par la toilette ou la coquetterie.* **Séduisant** désigne, au contraire, tout ce qui séduit par sa nature même, sans effort, sans art : *Des attraits séduisants sont tels parce que la beauté est toujours sûre de plaire.* (V. ATTRAYANT et ENGAGEANT.)

séduire. V. CHARMER, CONQUÉRIR, CORROMPRE et TENTER.

séduisant. V. ATTRAYANT, CHARMANT et SÉDUCTEUR.

segmenter. V. SECTIONNER.

séide. V. FANATIQUE.

seigneur (du lat. *senior,* comparatif de *senex,* vieillard, l'autorité accordée à l'âge ayant fait passer le sens de vieillard à celui de seigneur) désigne, en termes d'hist. féod., le maître, le possesseur d'un pays, d'une terre. **Suzerain** (dér. de l'adv. *sus,* d'après souverain) dit plus ; c'est le nom donné au seigneur qui possédait un fief relevant immédiatement du roi, et duquel d'autres fiefs relevaient directement. **Sire** (qui, venant du lat. vulg. *seior,* forme fam. de *senior,* a la même étymologie que *seigneur*) s'est dit aussi autref. pour *seigneur,* ainsi d'ailleurs que **sieur.**

V. aussi ARISTOCRATE.

sein désigne la partie du corps où sont les mamelles et qui s'étend depuis le bas du cou jusqu'au creux de l'estomac, alors que **giron** se dit de la partie du corps qui s'étend de la ceinture aux genoux, quand on est assis. **Gorge,** dans ce sens, désigne spécialement le cou et le sein d'une femme. **Poitrine,** nom donné à la partie du corps depuis le bas du cou jusqu'au diaphragme, contenant les poumons et le cœur, se dit aussi parfois de la gorge d'une femme. **Avant-cœur** qui, en anatomie, désigne le creux de l'estomac, s'emploie aussi en termes d'argot comme syn. de SEIN. — Au fig., SEIN et GIRON s'emploient bien en parlant de l'Eglise, le second supposant toutefois, si nous en croyons Lafaye, un rapport ou une liaison moins intime que le premier : *On retourne au giron de l'Eglise, mais on rentre dans son sein.*

Sein, lorsqu'il a plus particulièrement rapport à l'organe glanduleux qui, chez la femme, secrète le lait, alors que chez l'homme il est rudimentaire et atrophié, a pour syn. **mamelle** qui, plus général, s'applique aussi aux femelles de certains animaux. **Mamelon** ne désigne que le bout de la mamelle, ainsi que **tétin** qui s'est cependant dit autref. de la mamelle. **Nichon** et **téton,** syn. de *mamelle,* sont familiers. **Nénet** (ou **néné**), **avantages** et **bossoirs** (peu us. d'ailleurs) sont populaires et ne s'emploient qu'au pluriel ; tous ces termes ne s'appliquent qu'aux femmes. **Tétasse,** populaire et péjoratif, désigne une grosse mamelle pendante. **Blague à tabac** se dit, populairement aussi, d'un sein mou et pendant. (V. APPAS et PIS.)

seing. V. SIGNATURE.

séisme (du grec *seismos,* secousse) est le terme didactique qui sert à désigner un **tremblement de terre.** (A noter qu'étant donné l'étymologie de *séisme* et de ses dérivés, c'est à tort que l'on dit aussi trop souvent SECOUSSE SISMIQUE, qui est pléonastique ; il faut dire **phénomène sismique.**) **Cataclysme** (du grec *kata,* sur, et *klugein,* inonder), syn. vieilli de « déluge », se dit proprement auj. de tout bouleversement de la surface du globe, qu'il s'agisse d'une inondation ou bien d'un tremblement de terre.

séjour est le terme général qui sert à désigner l'action de rester un certain temps dans un lieu. **Villégiature** (de l'ital. *villegiare,* aller à la campagne) se dit d'un séjour à la campagne pendant la belle saison, et, par analogie seulement, de tout séjour passager et agréable en dehors de chez soi. — **Stage** est beaucoup plus partic. ; c'est un terme didactique s'appliquant surtout au séjour que doivent faire les aspirants à certaines professions dans les lieux analogues à ceux où ils seront ensuite admis à exercer, et où ils sont astreints à des études, à des travaux, à des obligations les initiant pratiquement à leur tâche future.

V. aussi DEMEURE.

séjourner, c'est, en parlant des fluides liquides ou gazeux, rester plus ou moins longtemps dans un endroit. **Stagner** (du lat. *stagnum,* étang) suppose généralement une suspension de mouvement plus définitive que *séjourner,* auquel il ajoute souvent d'ailleurs l'idée de croupissement. **Croupir** emporte l'idée de décomposition; il se dit de liquides qui sont à la fois en état de repos et de corruption.

sélection. V. ÉLECTION.

sélectionner. V. TRIER.

selle. V. EXCRÉMENT.

selon exprime quelque chose de plus absolu, de plus positif, que **suivant** qui, venant du verbe « suivre », s'emploie bien surtout quand le sens permet de dire *pour suivre, l'on suit,* etc. : *On dira « selon tel historien », c'est-à-dire d'après ce que rapporte tel historien, et l'on dira plutôt « suivant le conseil d'un ami », parce qu'on pourrait dire « pour suivre le conseil ».* **D'après,** c'est en se conformant à ou en se réglant sur, voire simplement à l'imitation de : *D'après lui, ils sont perdus; Peindre d'après nature.* **Conformément à** est plus partic.; ne s'employant qu'en parlant d'actions volontaires ou morales, il est subjectif et a rapport, nous dit Lafaye, au soin qu'on prend et au mérite qu'on a de se conformer, de s'assujettir à quelque chose : *Agir conformément à un usage, à une règle, à la raison, c'est le faire par choix, avec soumission, afin d'être et de manière à être irréprochable.* **Jouxte,** syn. de *conformément à,* est vieux et ne s'emploie plus qu'en termes de procédure : *Jouxte la copie originale.*

semailles. V. ENSEMENCEMENT.

semblable se dit des choses qui sont de même nature, qui ont les mêmes propriétés, les mêmes qualités, la même valeur; il suppose des rapports communs qui peuvent faire comparer, assimiler des choses ensemble, et exprime surtout une conformité interne, un rapport métaphysique ou moral. **Ressemblant** désigne plutôt une conformité extérieure de forme, de figure, d'apparence : *Les hommes sont les semblables les uns des autres, bien qu'ils soient loin d'être ressemblants; Un fils est semblable à son père, lors même qu'il n'aurait avec lui aucune ressemblance de figure, s'il a les mêmes qualités ou les mêmes défauts.* **Analogue** (du grec *analogia,* rapport) suppose simplement une sorte de rapport, de ressemblance dans l'ordre physique, intellectuel ou moral, qui existe à certains égards entre deux ou plusieurs choses différentes: *Un cas analogue ressemble à un autre cas : il ne lui est pas semblable.* **Equivalent** (du lat. *aeque,* également, et *valere,* valoir) ne se dit que de ce qui est semblable quant à la valeur ou au sens : *Héritage équivalent; Expression équivalente.* **Adéquat** (du préf. *ad,* et du lat. *aequare,* égaler) est plus partic. encore; il s'applique à ce qui est équivalent pour l'esprit à l'objet pensé : *Nous n'avons aucune notion adéquate de la Divinité, a dit Voltaire.* **Similaire** (du lat. *similis,* semblable) s'emploie, dans le langage commercial surtout, en parlant d'une chose qui est semblable à une autre, parce que de même nature et pouvant ainsi lui être assimilée, à certains points de vue tout au moins : *Marchand qui vend des cannes, des parapluies et des objets similaires.* **Conforme,** du fait de son étymologie, se dit de ce qui est semblable quant à la forme : *Une copie doit être conforme à l'original.* **Pareil,** qui dit plus que *semblable,* s'applique aux choses qui, sans être les mêmes, sans être rigoureusement égales entre elles, ont néanmoins de si grands rapports qu'elles peuvent être comparées ensemble, ou s'appareiller l'une avec l'autre. **Tel** est plus précis encore; il désigne un objet qui est de même nature qu'un autre, qui a les mêmes qualités et les mêmes rapports, qui approche l'identité : *Un objet semblable à un autre s'y rapporte; Un objet pareil à un autre le vaut, ne lui cède pas; Un objet tel qu'un autre n'en diffère pas.* **Identique** (lat. *idem,* le même) enchérit à son tour sur tous ces termes en s'appliquant à ce qui est exactement, parfaitement, absolument semblable : *Deux choses identiques ne diffèrent en rien.* **Affin,** syn. de *semblable,* est peu us. **Kif-kif,** syn. de *semblable,* de *pareil,* est fam. (V. HOMOGÈNE.)

semblant. V. ASPECT.

semblant (faire). V. FEINDRE.

sembler marque le résultat de la

manière dont nous voyons les choses, lequel peut être tout différent chez des personnes autrement disposées. **Paraître** exprime plutôt le résultat de l'apparence, de l'aspect des choses, apparence et aspect qui sont propres à l'objet plus qu'à notre appréciation : *Un ouvrage semble bien fait après quelque examen; il paraissait bien fait du premier coup d'œil* (*Boiste*). [A noter que lorsqu'on veut adoucir l'expression d'un reproche, on se sert plutôt du verbe *sembler* que du verbe *paraître,* précisément parce que *sembler* n'affirme pas la même réalité de l'apparence, mais seulement celle de notre pensée : *Il est plus poli de dire à quelqu'un : « Il me semble que vous vous trompez », que de lui dire : « Il me paraît que vous vous trompez ».*] **Avoir l'air,** qui ne s'emploie pas, comme *sembler* et *paraître,* d'une manière impersonnelle au commencement d'une assertion (*il semble, il paraît que*), est une expression familière, du langage de la conversation : *Elle a l'air bon; Ces propositions ont l'air sérieuses.*

semence. V. GERME.

semer, épandre de la graine ou des grains sur une terre préparée afin de la faire produire et multiplier, n'est syn. d'**ensemencer** qu'autant que l'action qu'il exprime est considérée absolument ou par rapport à la terre qui reçoit la semence; il s'applique en outre à toutes sortes de terrains et fait surtout penser au grain, alors qu'*ensemencer,* qui attire l'attention sur la terre et suppose des conditions demandant plus d'efforts, plus de méthode aussi, convient mieux en parlant de grandes étendues de terrain préparées par le labourage : *On sème dans les terres et les jardins, mais on n'ensemence que les terres.* (A noter que *semer* s'emploie seul, absolument, au figuré.)

V. aussi PROPAGER.

sémillant. V. AGILE.

semis. V. ENSEMENCEMENT.

sémite. V. ISRAÉLITE.

semonce. V. REPROCHE.

semoncer. V. RÉPRIMANDER.

sempiternel. V. ÉTERNEL.

senestre. V. GAUCHE.

sénile. V. ÂGÉ.

sens désigne la faculté naturelle de voir les choses comme elles sont; c'est la rectitude de l'esprit considéré en lui-même et sans le supposer perfectionné par l'étude ou l'exercice. **Raison** implique, comme *sens,* une faculté naturelle, laquelle est toutefois plus élevée, puisque non seulement elle permet d'éviter l'erreur, mais encore porte à faire le bien et à fuir le mal. **Raisonnement** désigne l'instrument de la raison qui, par le mouvement de la pensée, permet de connaître, de juger. **Sens commun** désigne la faculté de discerner le vrai du faux, en ce que celle-ci a de commun entre tous les hommes. **Bons sens** dit moins que *sens* pour ce qui touche la vérité, mais il se rapproche de *raison* sous le rapport moral; c'est, nous dit justement Lafaye, la raison des bonnes gens : *Un homme de sens est plus clairvoyant qu'un homme de bon sens, mais celui-ci montre davantage sa sagesse dans sa conduite.* **Gros bon sens** suppose une appréciation simple et naturelle essentiellement fondée sur l'instinct de ce qui est vrai ou juste : *Le gros bon sens des paysans vaut souvent mieux que le raisonnement des pédagogues.* **Bon goût** représente la raison comme s'appliquant non pas, tel *bon sens,* aux choses ordinaires de la vie, mais au contraire aux choses d'agrément, aux objets beaux, fins, délicats : *Avec du bon sens, note Lafaye, on sait distinguer le vrai du faux, le bien du mal; avec du bon goût, on sait discerner le beau du laid.* — **Sagesse** désigne, de la façon la plus générale, la saine appréciation des choses, grâce à des lumières naturelles ou acquises. **Philosophie,** employé dans le sens de *sagesse,* implique un système particulier de conduite de la vie par lequel on juge les choses en se mettant au-dessus des intérêts individuels, des accidents de la vie et des fausses opinions du plus grand nombre. **Sapience,** syn. de *sagesse,* est vieux. — **Jugement** se dit du sens exercé, développé par la pratique, lequel donne l'habitude d'apprécier, de juger sainement les choses; supposant raison et sagesse, il s'applique aux choses présentes comme aux choses passées ou futures, et regarde leurs rapports et leurs conséquences, en en prévoyant les suites et les effets : *Lorsqu'il s'agit de faire quelque démarche ou de se déterminer à prendre un parti, il faut suivre le conseil des personnes qui ont du jugement.* **Discernement,** qui ne concerne que les choses présentes, quand on en démêle le vrai et le faux, les perfections et les défauts, les motifs et les prétextes, implique des idées justes et de la netteté d'esprit : *Lorsqu'il est question de choisir ou de juger de la bonté des objets il faut s'en rapporter aux gens qui ont du discernement.* **Jugeote,** syn. de *bon sens,* de *jugement,* est familier. (V. CONCEPTION et ESPRIT.)

V. aussi SIGNIFICATION.

sensation. V. PERCEPTION.

sensationnel. V. ÉTONNANT.

sensibilité, qui désigne, d'une façon générale, la faculté de percevoir les impressions physiques ou morales, s'emploie plus particulièrement en parlant d'une disposition à être ému de compassion, de pitié, de tendresse, etc. **Sensiblerie,** syn. péjoratif de *sensibilité* dans son acception particulière, suppose une sensibilité affectée ou outrée. **Emotivité** est un terme de psychologie et de biologie qui désigne la faculté de s'émouvoir souvent propre aux personnes dont le système nerveux est déséquilibré et répond exagérément aux chocs internes ou externes.

sensible désigne celui qui ressent facilement, vivement, les moindres impressions physiques ou morales. **Douillet** concerne surtout les impressions physiques pénibles. **Impressionnable** convient mieux lorsqu'il s'agit des impressions morales. (V. SUSCEPTIBLE.)

Sensible, en parlant des choses, se dit de ce qui est saisissable, facile à percevoir par les sens ou par l'esprit. **Palpable** suppose figurément quelque chose de plus facilement accessible encore que *sensible;* c'est ce qui est nettement apparent, dont on peut aisément se rendre compte, toucher du doigt la réalité. **Visible,** dans ce sens fig., se distingue plus par l'espèce que par le degré; il tombe, comme le note Lafaye, sous le sens particulier de la « vue », dont l'idée doit toujours être rappelée ou aisée à sous-entendre, quand on emploie ce mot.

V. aussi TENDRE.

sensiblerie. V. SENSIBILITÉ.

sensualité. V. PLAISIR.

sensuel. V. LUXURIEUX.

sente. V. CHEMIN.

sentence. V. JUGEMENT et PENSÉE.

senteur. V. ODEUR.

sentier. V. CHEMIN.

sentiment. V. OPINION et PERCEPTION.

sentimental. V. TENDRE.

sentine. V. CLOAQUE.

sentinelle. V. FACTIONNAIRE.

sentir exprime de la façon la plus simple, la plus générale, le fait de recevoir une impression agréable ou pénible. **Ressentir** veut dire quelquefois sentir de nouveau, et plus souvent sentir par contrecoup, par ricochet, par l'effet d'une cause étrangère : *Une âme tendre sent le besoin de l'affection; elle ressent vivement les effets de la haine.* **Eprouver** (comp. de *prouver* dans l'ancien sens de mettre à l'épreuve), c'est sentir pour la première fois, connaître par expérience : *Je les éprouverai aussi, ces angoisses de la mort que mon père a senties* (*M*[me] *de Staël*).

Sentir, c'est, plus particulièrement, aussi bien percevoir par l'odorat qu'exhaler, répandre une odeur. **Flairer,** c'est seulement appliquer soigneusement le sens de l'odorat, pour distinguer une odeur. **Subodorer,** c'est sentir de loin, à la trace. **Fleurer,** transitivement syn. vieilli de *flairer,* s'emploie aussi, intransitivement, comme syn. de *sentir* pris dans le sens d'exhaler une odeur; il est plutôt alors du style recherché. **Humer** est plus partic.; c'est — seulement en parlant de l'odeur des mets — flairer celle-ci avec complaisance. **Musser** est, intransitivement un synonyme populaire de *sentir.*

Se sentir, c'est éprouver les conséquences d'une chose mauvaise qui vous est propre, dans le moment même : *On se sent des incommodités de la vieillesse.* **Se ressentir** convient mieux en parlant des effets éloignés d'un mal, que l'on doit en outre le plus souvent aux autres : *On se ressent des fautes de ses parents.*

séparation (du lat. *separare,* disposer à part) désigne l'action, judicieuse ou non, d'ôter une chose d'avec une ou plusieurs autres, en l'en éloignant, en la mettant à part. **Distinction** (du lat. *distinguere,* piquer, marquer) fait surtout penser à une absence de confusion, au refus de prendre une chose pour une autre; il suppose généralement une action moins pratique que *séparation : La distinction des plantes est faite par le botaniste, et leur séparation par le pharmacien qui les range séparément dans ses divers bocaux.* (V. DIFFÉRENCE et INÉGALITÉ.)

séparer, c'est, de la façon la plus générale, faire que plusieurs choses ne soient plus ensemble. **Diviser** n'implique, par contre, qu'une chose, que l'on résout en parties. **Partager,** c'est séparer, diviser pour distribuer, ou bien séparer des choses assez importantes. **Dissocier,** c'est séparer des éléments réunis en vue d'un but commun. **Désunir,** comme **disjoindre,** séparer ce qui était uni, joint, est plutôt, au propre, du lang. techn. **Détacher,** c'est séparer d'un ensemble, en disjoignant. (V. DISLOQUER et SECTIONNER.) — Au fig., lorsqu'il s'agit du sens moral, DISJOINDRE et DISSOCIER sont inusités, cependant que SÉPARER, PARTAGER et DÉTACHER emportent une nuance moins défavorable que DIVISER et DÉSUNIR, lesquels sont plus dominés par l'idée de mésintelligence et de discorde que de simple désaccord.

V. aussi ÉCARTER.

septentrion. V. NORD.

sépulcral. V. SOURD.

sépulcre, sépulture. V. TOMBE.

séquestre. V. DÉPÔT.

séquestrer. V. ENFERMER.

sérail. V. HAREM.

séraphin. V. ANGE.

serein. V. CALME.

sérénade. V. CONCERT et TAPAGE.

sérénité. V. TRANQUILLITÉ.

serf. V. PAYSAN.

sergent de ville. V. AGENT DE POLICE.

série enchérit sur **suite,** réunion de choses qui viennent les unes après les autres, en ce qu'il présente celles-ci comme constituant un ensemble, un tout fort long et toujours ininterrompu; il se dit plus spécialem. en outre d'une suite de choses qui se succèdent suivant une loi déterminée. **Succession** est un terme didactique qui désigne une suite de personnes ou de choses qui se succèdent, qui se suivent sans interruption ou à peu d'intervalle, et cela qu'elles aient ou non des rapports entre elles. **Séquelle,** proprement quantité de personnes, de choses, qu'on voit à regret suivre une personne, une chose, s'emploie aussi, dans le langage courant, pour désigner une longue suite quelconque de personnes ou de choses, mais toujours avec une nuance péjorative. **Kyrielle,** qui a signifié autref. « litanie », s'emploie couramment auj., figurément, en parlant d'une longue suite de choses ennuyeuses ou fâcheuses, par allusion au grand nombre d'invocations qui accompagnent la litanie du « Kyrie eleison ». **Ribambelle,** fam., se dit bien d'une longue suite de personnes ou de choses, sans emporter forcément un sens péjoratif; il fait surtout penser au nombre et s'applique plutôt à de petits êtres, à de petites choses, notamment en parlant d'enfants, peut-être sous l'influence de « bambin ». (V. MULTITUDE.)

sérier. V. RANGER.

sérieux. V. GRAVITÉ et IMPORTANT.

seriner. V. ENNUYER et RÉPÉTER.

serment, lorsqu'il désigne une affirmation, une promesse que l'on fait, en prenant à témoin Dieu ou ce que l'on regarde comme sacré, suppose un tiers envers qui l'on s'oblige et qui a droit d'exiger que la promesse soit tenue. **Vœu** implique une obligation qu'on s'impose envers Dieu lui-même dans le but de témoigner son zèle ou pour attirer ses grâces; lorsque, par ext., c'est seulement envers soi-même qu'on s'oblige de la sorte, *vœu* fait penser seulement à une résolution ayant un caractère moral et par laquelle on veut se créer à soi-même un motif immuable de persister. **Jurement** présente l'idée d'un acte moins solennel que *serment;* c'est même le plus souvent un serment fait sans nécessité, dans le cours ordinaire de la conversation ou des affaires.

sermon, nom donné au discours prononcé en chaire sur un sujet religieux, suppose quelque chose de plus préparé et de plus solennel, de plus durable aussi, que **prédication** qui présente surtout ce discours comme un fait : *On lit les sermons de Bossuet, de Bourdaloue, de Massillon; on ne lit pas leurs prédications, mais ceux qui vivaient de leur temps pouvaient aller les entendre.* (A noter encore que *prédication* diffère aussi de *sermon* en ce qu'il signifie souvent l'action de prêcher ou l'art de prêcher : *On exerce les jeunes séminaristes à la prédication, mais on ne les exerce pas au sermon.*) **Prêche** est le nom donné à un sermon prononcé dans un temple protestant. **Exhortation** se dit, dans ce sens, d'un discours pieux, dans le genre simple et familier, qui a pour but d'exciter à la dévotion, de porter à la pratique des devoirs moraux ou religieux. **Homélie,** s'il s'emploie parfois comme syn. de *sermon* en général, convient particulièrement bien en parlant d'un discours ou plutôt d'une instruction familière sur la religion, et principalement sur l'Evangile. (V. DISCOURS.)

serre. V. ONGLE.

serré. V. CHICHE.

serrer, lorsqu'il signifie rapprocher étroitement deux parties, a pour syn. technique **bloquer** qui implique qu'utilisant au maximum un dispositif de manœuvre, l'on serre à fond, afin de ne laisser aucun jeu.

Serrer, en parlant des vêtements qui tiennent à l'étroit et gênent les mouvements, a pour syn. **brider** qui enchérit sur lui et s'applique bien à des vêtements attachés de manière à serrer étroitement. (V. RESSERRER.) — Au fig., lorsque BRIDER signifie empêcher quelqu'un d'agir en toute liberté, il a, au contraire, pour superlatif d'ailleurs très familier SERRER LA VIS qui suppose l'exercice d'une contrainte extrêmement rigoureuse.

Serrer, dans le sens de tenir étroitement dans quelque chose, en liant, en entourant, exprime une action plutôt moins forte, moins vigoureuse qu'**étreindre. Enlacer,** c'est serrer, étreindre, surtout en entourant et parfois même — en parlant des serpents, de lianes, etc. — plusieurs fois. **Embrasser,** c'est serrer dans ses bras, en signe d'affection particulièrement.

V. aussi ENFERMER et PRESSER.

servage. V. SERVITUDE.

servante désigne, d'une façon générale, toute femme ou fille à gages employée aux travaux du ménage, que ce soit à demeure ou occasionnellement. **Domestique,** plus vague, moins défini quant au travail, ne se dit toutefois que d'une servante employée à demeure. **Fille de service,** ou simplement FILLE, est le nom que l'on donne parfois à une servante, une domestique, le service spécial étant souvent désigné par un autre déterminatif : *Fille d'auberge, de basse-cour,* etc. **Femme de chambre,** femme attachée au service particulier d'une personne du sexe féminin, comme **femme de ménage,** femme qui vient faire pendant un temps limité et fixé à l'avance le ménage de quelqu'un, sont des syn. particuliers et nettement déterminés de *servante.* **Soubrette,** nom que l'on donne, au théâtre, aux servantes de comédie, se dit, dans le langage familier, d'une femme de chambre accorte et délurée. **Chambrière,** syn. de *femme de chambre,* est vx; quant à **camériste** ou **camérière** (du lat. *camera,* chambre), femme de chambre des dames de qualité en Espagne, au Portugal et en Italie, il ne s'emploie auj. en France que par plaisanterie et familièrement. **Bonne** est syn. de *servante* dans les villes, et surtout dans les maisons, les établissements où il n'y a pas d'autres domestiques (de là **bonne à tout faire,** servante qui doit s'occuper de tout le travail du ménage) : *Une bonne est généralement couchée, nourrie et blanchie.* **Employée de maison** est le terme générique du langage administratif. **Souillon,** qui s'applique bien, péjorativement, à une *laveuse de vaisselle,* se dit aussi, par ext., d'une servante employée à de vils travaux. **Boniche,** populaire, désigne le plus souvent une jeune bonne, et cela avec une nuance plus ou moins péjorative.

V. aussi SERVEUSE.

serveuse est un néologisme couramment empl. auj. pour désigner la femme ou la fille qui sert les plats ou les consommations dans un restaurant, un café, un bar, qu'elle soit à gages ou rétribuée seulement par les pourboires des clients; on dit aussi, dans ce sens, **servante** qui n'implique généralement pas, comme *serveuse,* le seul service des clients, mais aussi des travaux de ménage. **Maritorne** (de l'espagnol *Maritornes,* nom d'une fille d'auberge dans le « Don Quichotte » de Cervantès) s'emploie parfois péjorativement, dans le style littéraire, pour désigner une servante laide, peu aimable et malpropre. **Barmaid** est une expression anglaise parfois employée en français pour désigner une serveuse de bar, de cabaret élégant. (V. SERVANTE.)

serviable. V. COMPLAISANT.

service exprime tout ce qu'on fait de bon pour quelqu'un, afin de le sortir d'affaire ou d'embarras; c'est un secours par lequel on tire de peine ou l'on contribue à faire obtenir quelque bien : *Le zèle rend des services.* **Bienfait** suppose un acte de générosité d'un supérieur, acte libre qui rend meilleure la condition de celui qui en bénéficie : *La bienfaisance ou la bonté généreuse verse des bienfaits.* **Bon office** est dominé par l'idée de médiation; c'est l'emploi de notre crédit, de notre entremise, de nos moyens, pour faire réussir ou prospérer quelqu'un : *La bienveillance inspire les bons offices.* **Grâce** implique un bien auquel celui qui le reçoit n'avait aucun droit, ou la rémission qu'on fait à quelqu'un d'une peine méritée; il attire essentiellement l'attention sur la puissance de celui qui agit. **Faveur** témoigne surtout du sentiment avec lequel on donne : *On peut accorder une grâce même à son ennemi; on n'accorde des faveurs qu'à ceux qu'on aime.* **Plaisir,** familier dans ce sens, désigne quelque chose qui coûte peu et qui n'est pas d'un grand prix; c'est une de ces choses agréables ou obligeantes que l'occasion nous présente à faire pour autrui, et que nous faisons sans cesse les uns pour les autres dans le commerce de la vie : *La complaisance fait des plaisirs qui causent plus de satisfaction qu'ils ne coûtent d'effort.* **Amitié,** plus familier encore que *plaisir,* exprime quelque chose que l'on accorde à une personne avec laquelle on est lié : *On fait un plaisir à toute personne qu'on oblige; L'amitié est un petit service qu'on fait à un ami, à quelqu'un qu'on connaît bien.*

servile se dit dans le langage courant, de toute personne manifestant un caractère de dépendance qui conviendrait à un esclave, et qui lui fait souvent aller au devant même des désirs de ceux à qui elle veut plaire, généralement par intérêt. **Rampant** enchérirait plutôt, s'il se peut, sur *servile;* il désigne celui qui se montre humble et servile par bassesse naturelle de cœur, plus encore que par intérêt. **Plat,** au contraire, dit moins; il s'applique simplement à celui qui, sans prévenir positivement les désirs d'autrui, ne va toutefois jamais à l'encontre et y acquiesce toujours, apparemment du moins. **Obséquieux** emporte surtout l'idée d'une politesse servile; il se dit bien de celui qui porte à l'excès, autant dire jusqu'à la servilité, les témoignages de respect, les égards, la complaisance, les attentions. — **Pied-plat** ne s'emploie que substantivement et s'applique particulièrement bien à celui qui pousse la servilité jusqu'à la bassesse. **Lèche-cul** est un syn. populaire de *pied-plat* plus péjoratif encore et, en outre, trivial. (V. ABJECT, COMPLAISANT, SOUMIS et SOUPLE.)

servilité. V. OBÉISSANCE.

servir. V. FAVORISER et SECONDER.
Se servir. V. USER.

serviteur désigne celui qui est au service de quelqu'un, sans loger nécessairement à la maison, comme l'implique **domestique** : *Le domestique habite dans la maison de son maître, il est toujours à ses ordres, tandis que le serviteur peut avoir son domicile propre et se trouve par conséquent dans une dépendance moins absolue.* (A noter que ces deux termes n'emportent aucune autre idée défavorable que celle de l'infériorité par rapport au maître.) **Employé de maison** est le terme générique du langage administratif. **Valet** désigne un domestique chargé d'un service particulier (valet de chambre, etc.) ou, le plus souvent, de bas travaux assez serviles (valet d'écurie, d'étable, etc.). **Laquais** se disait autref. d'un valet de livrée, employé principalement à suivre son maître; on dit auj. **valet de pied. Officieux** est le nom par lequel on remplaça, pendant la Révolution française, les termes de *valet,* de *laquais,* etc. **Larbin,** syn. populaire de *domestique,* de *valet,* est péjoratif. (V. CHASSEUR.)

servitude désigne seulement l'état où l'on ne jouit que d'une liberté incomplète, à moins que les circonstances ne montrent clairement qu'on choisit ce mot uniquement pour relever le ton du discours et qu'en fait on le considère comme un syn. parfait d'**esclavage,** terme du langage courant qui implique la perte absolue de la liberté : *La servitude opprime la liberté, l'esclavage la supprime.* **Servage** n'est syn. d'*esclavage* qu'autant que ce terme s'applique plus spécialement à la condition de serf, cela bien qu'en droit ancien le *servage* constituât un état de dépendance distinct de l'*esclavage,* les serfs, à la différence des esclaves, ayant la personnalité juridique et pouvant avoir, par conséquent, une famille et un patrimoine. (C'est ainsi que, figurément, SERVAGE emporte une idée de dépendance, de privation de liberté d'action, moins forte qu'ESCLAVAGE.)

V. aussi SUBORDINATION.

session. V. SÉANCE.

seul, placé après le substantif, veut dire sans compagnon, isolé, tandis qu'**unique** signifie sans égal, sans qu'il y ait rien de semblable : *Un homme seul est éloigné de tous les autres; Un homme unique ne ressemble à aucun autre.* — Placés avant le substantif, SEUL est relatif, et UNIQUE absolu; c'est ainsi qu'on dira : *Ma seule ressource,* pour signifier celle que les circonstances permettent encore d'employer, et : *Mon unique ressource,* pour faire entendre que l'on n'en a jamais eu, que l'on n'en aura jamais d'autre.

seulement. V. UNIQUEMENT.

sévère se dit, de la façon la plus générale, de ce qui est sans indulgence pour les fautes, les faiblesses. **Strict** suppose une sévérité qui ne laisse de latitude ni en deçà ni au-delà de ce qui est exigé. **Rigoureux** implique une sévérité inflexible et souvent difficile à supporter. **Dur** enchérit sur ces termes; il suppose qu'on ne s'ouvre pas aux sentiments de bonté, une sévérité qui va jusqu'à l'insensibilité, voire l'inhumanité.

V. aussi AUSTÈRE.

sévir. V. PUNIR.

sevrer. V. PRIVER.

sibilation. V. SIFFLEMENT.

sibylle. V. DEVIN.

sibyllin. V. CACHÉ.

sicaire. V. MEURTRIER.

sidération. V. DÉPRESSION.

sidéré. V. ÉBAHI.

siéger. V. RÉSIDER.

sieste. V. SOMMEIL.

sifflement (du lat. vulg. *sifilare*) désigne le son aigu que l'on forme en serrant les lèvres en rond de manière à ne laisser qu'un étroit passage à l'air, soit qu'on aspire, soit qu'on pousse son haleine, comme d'ailleurs tout bruit analogue fait par un appareil (sifflet, etc.) et de toute autre manière. **Sibilation** (du lat. class. *sibilare*) est un syn. peu us. de *sifflement.* (On emploie plus, adjectivement, le terme SIBILANT pour désigner, en pathologie, une respiration, un râle sifflant.)

sigisbée. V. CAVALIER.

signal. V. SIGNE.

signalé. V. REMARQUABLE.

signaler, c'est appeler, attirer l'attention de quelqu'un sur une personne ou sur une chose, pour une raison ou pour une autre. **Dénoncer** est plus partic.; c'est essentiellement signaler comme coupable : *On signale le passage d'une personne suspecte à la frontière, mais on dénonce un assassin à la police.*

V. aussi INDIQUER.

signature, nom ou marque que l'on met en bas d'un écrit, pour attester qu'on en est l'auteur ou qu'on en approuve le contenu, fait penser non seulement au nom tracé, mais encore à l'action de celui qui l'a tracé et à la manière dont il l'a fait : *Deux frères signent du même nom, mais ils n'ont pas la même signature.* **Paraphe** (abrév. de *paragraphe,* du grec *paragraphos,* écriture mise à côté) désigne proprement le trait ou les traits de plume ajoutés souvent à la signature, et, par ext., une signature abrégée qui, en certains cas, tient lieu de signature. **Griffe** est syn. de *signature* en termes d'administration, de beaux-arts et de bibliographie; c'est plus particulièrement l'empreinte imitant une signature ou un contreseing manuscrit en bas d'une circulaire, sur les livres ou les gravures d'un éditeur, pour éviter les contrefaçons, etc. (A noter que l'on emploie aussi *griffe,* dans le langage courant et familier, comme syn. de *signature* pris dans son sens général.) **Emargement**

est un terme d'administration qui désigne une signature apposée en marge d'un compte, d'un inventaire, etc. **Seing** est un vieux mot qui n'est usité auj. que dans les loc. : *Blanc seing; Sous seing privé,* et qui considère la signature seulement en elle-même, sans qu'on fasse aucune attention à la manière dont elle est faite. **Contreseing** est partic.; c'est surtout un terme de chancellerie qui désigne une signature apposée à côté d'une autre signature et sans laquelle celle-ci n'est pas valable.

signe désigne ce qui sert, le plus souvent naturellement, à faire connaître une chose à laquelle il nous fait penser, soit parce qu'il la précède, soit parce qu'il l'accompagne; c'est un fait présent et sensible, qui nous en représente un autre absent, éloigné, ou inaccessible à nos sens : *Les mouvements qui paraissent sur le visage sont ordinairement les signes de ce qui se passe dans le cœur.* **Signal** implique quelque chose d'artificiel, d'arbitraire; c'est un signe de convention qui, par lui-même, n'aurait aucun rapport nécessaire avec la chose indiquée : *Le son de la cloche est le signal qui appelle les fidèles à l'église.* **Annonce,** qui désigne proprem. l'avis d'un fait quelconque, supposé ignoré jusque-là, s'emploie aussi parfois, par ext., comme syn. de *signe;* il fait surtout penser alors à ce qui va arriver; c'est un signe précurseur : *En hiver, une élévation soudaine de la colonne thermométrique est souvent une annonce de neige.* (V. INDICE.)

V. aussi SYMPTÔME.

signification est le terme général qui désigne ce que signifie, ce que représente une chose, ce qu'exprime un mot ou une phrase. **Sens** s'applique plus particulièrement à la signification d'un mot, d'une phrase, d'un discours, d'un écrit. **Acception** a moins d'étendue que *sens;* se disant seulement du sens que l'on donne à un mot, de la signification dans laquelle on le prend, il s'emploie surtout pour indiquer chacun des sens dans lesquels on peut prendre un mot.

signifier. V. NOTIFIER.

silence. V. PAIX.

silencieux s'applique à celui qui ne parle pas ou qui parle peu, alors même qu'il pourrait parler; il suppose préoccupation ou réflexion, timidité ou modestie, prudence ou paresse, voire stupidité. **Taciturne** se dit de celui qui ne parle pas, qui garde un silence opiniâtre, même quand il devrait parler; il implique un tempérament mélancolique, une humeur farouche ou difficile : *L'homme silencieux n'aime pas à discourir; l'homme taciturne y répugne.* **Muet** s'applique proprement à celui qui n'a pas l'usage de la parole, soit naturellement, soit par accident; il se dit aussi, par ext., d'une personne que la peur, la honte, l'étonnement ou d'autres causes morales, empêchent momentanément de parler. (A noter que si *silencieux* et *muet* s'emploient aussi en parlant des choses, *taciturne* ne se dit que des personnes : *Les grandes joies sont silencieuses ou muettes aussi bien que les grandes afflictions : elles ne sauraient être taciturnes.*)

silex. V. CAILLOU.

sillon. V. TRACE.

sillonner. V. PARCOURIR.

simagrées. V. MINAUDERIES.

similaire. V. HOMOGÈNE et SEMBLABLE.

similitude. V. ANALOGIE et COMPARAISON.

simple se dit, d'une façon générale, de ce qui n'est pas compliqué : *Une bicyclette est une machine simple.* **Elémentaire** enchérit plutôt sur *simple* et s'applique particulièrement bien à ce qui est peu compliqué dans sa forme ou sa substance : *Une tente est une habitation élémentaire.* **Sommaire** implique une simplicité extrême et emporte le plus souvent même l'idée d'insuffisance, de hâte dans la confection, de provisoire : *On cherche généralement à améliorer une installation sommaire.* **Rudimentaire** suppose moins que *sommaire* un espoir d'amélioration; il s'applique à ce qui n'est guère évolué, civilisé, éduqué : *Une installation rudimentaire ne suffit pas à celui qui est accoutumé au confort.* **Primitif,** qui dit moins encore, s'applique à ce qui a le caractère des premiers âges et emporte généralement une idée d'extrême rusticité : *Une hutte est une habitation primitive.*

V. aussi MODESTE.

simple d'esprit. V. NIAIS.

simplement suppose surtout l'absence de complications, de commentaires, alors qu'**uniment,** d'ailleurs moins usité, insiste plutôt sur l'absence d'ornements, d'enjolivements.

V. aussi UNIQUEMENT.

simplesse. V. CANDEUR.

simplet. V. NIAIS.

simplicité suppose l'absence de recherche et implique qu'on se présente tel qu'on est, sans aucun dessein de séduire. **Naturel,** qui exclut surtout l'idée d'affectation, d'exagération, se dit bien d'une manière de paraître, de parler ou d'écrire, conforme à la réalité et qui peut ne pas être dénuée dès lors d'éclat et de particularités, s'il est dans le sujet d'agir ainsi. **Aisance,** qui suppose toute absence de gêne, fait penser surtout à une facilité dans les actions, les manières, le langage, qui donne au moins une grande impression de naturel, si ce n'est toujours de véritable simplicité. **Naïveté,** qui exclut avant tout l'idée de réflexion, emporte aisément un sens péjoratif; il suppose presque trop de naturel, disons même un excès de simplicité, dont la moindre réflexion ne manquerait pas de modifier, de voiler les formes : *La naïveté n'est guère de mise que chez un enfant ou chez une jeune fille, parce qu'on la regarde alors comme preuve de leur innocence.* **Rusticité** se dit soit, sans nuance défavorable, de la simplicité propre aux gens de la campagne, soit, péjorativement, d'une simplicité allant jusqu'à un certain degré de grossièreté : *Il semble que la rusticité n'est autre chose qu'ignorance grossière des bienséances* (*La Bruyère*).

V. aussi CANDEUR.

simpliste. V. NIAIS.

simulacre. V. FANTÔME.

simulation. V. DISSIMULATION.

simuler. V. FEINDRE.

simultanéité. V. COÏNCIDENCE.

sincère. V. FRANC et VRAI.

sincérité. V. FRANCHISE.

sinécure. V. EMPLOI.

singer. V. IMITER.

singulariser (se) est le syn. en général péjoratif de **se distinguer** lorsque celui-ci signifie s'élever au-dessus des autres, se tirer du commun, se rendre remarquable; c'est se faire remarquer, attirer l'attention par des actions, des opinions, des manières différentes (souvent discutables) de celles de tous les autres : *Mieux vaut avoir une conduite qui nous distingue, qu'une conduite qui nous singularise.* **Se particulariser** est un syn. moins employé de *se singulariser,* dont il n'emporte pas aussi absolument la nuance souvent péjorative; il peut même témoigner d'une certaine originalité qui ne déplaît pas.

singularité. V. AFFECTATION.

singulier. V. BIZARRE et PARTICULIER.

sinistre. V. INCENDIE, INQUIÉTANT, PERTE et TRISTE.

sinueux (du lat. *sinus,* pli), qui se dit de ce qui fait plusieurs tours et détours, se prend souvent en bonne part et s'applique particulièrement bien au mouvement ou aux choses qui se meuvent d'elles-mêmes, rivières, serpents surtout : *Le cours sinueux d'une rivière contribue à rendre un paysage agréable à la vue et pittoresque.* **Tortueux** marque la manière d'être, la forme de tout ce qui n'a pas été fait droit, et offre à l'esprit quelque chose de rude, de plus ou moins difforme : *Un chemin tortueux est accidenté et difficile.* **Méandrique** (du grec *Méandros,* rivière de l'Asie Mineure, au cours très sinueux), syn. de *sinueux,* est du langage recherché. (V. TORDU.) — Au fig., SINUEUX ne marque que la finesse, l'adresse avec laquelle on évite de présenter trop directement ce qui pourrait paraître choquant, alors que TORTUEUX fait penser non seulement à des détours, mais aussi à l'absence de franchise. MÉANDRIQUE est peu usité au fig., alors que *méandre* est facilement employé : *Les méandres de la politique, de la diplomatie.* (V. DÉTOUR.)

sire. V. SEIGNEUR.

siroco. V. VENT.

site. V. VUE.

situation. V. ÉTAT et POSITION.

situer. V. PLACER.

sketch. V. SAYNÈTE.

sleeping-car. V. WAGON-LIT.

slogan. V. EXPRESSION.

snob. V. VANITEUX.

sobriété, que l'on peut opposer à « voracité », désigne le caractère de celui qui, dans le boire comme dans le manger, se contente de peu, c'est-à-dire simplement de ce qu'exige le besoin strict, sans pour cela toujours exclure la friandise ou la recherche. **Frugalité** s'opposerait mieux à « gourmandise »; il se dit bien de la qualité qui fait que l'on se contente de mets simples et communs. **Tempérance,** opposé à « excès », implique une vertu dans le sens le plus absolu du mot, vertu qui impose une règle raisonnable non seulement pour la quantité, mais encore pour le choix, pour la nature des aliments : *La simple raison commande la sobriété; la sage philosophie conduit à la frugalité; la vertu exige la tempérance.* — Au fig., SOBRIÉTÉ et TEMPÉRANCE trouvent seuls leur emploi, le premier dans le sens de retenue, de discrétion, le second pour désigner la vertu qui modère les passions et prévient tout excès dans quelque genre de plaisir que ce soit.

V. aussi RETENUE.

sobriquet. V. SURNOM.

sociable. V. AFFABLE.

socialisme est le terme général et vague qui sert à désigner toute doctrine tendant à une transformation sociale, surtout de la propriété, en vue d'améliorer la condition de la classe ouvrière. **Marxisme** est beaucoup plus partic.; c'est le nom donné à la doctrine de Karl Marx, qui place dans la lutte des classes : prolétariat contre bourgeoisie, pauvres contre riches, le principe moteur de l'évolution sociale qui permettrait à la classe ouvrière de conquérir le bien-être. (V. COLLECTIVISME.)

sociétaire. V. MEMBRE.

société, pris dans son sens commercial, est le nom donné à tout groupement de personnes qui mettent en commun soit des biens, soit leur activité, en vue de réaliser des bénéfices qui seront ensuite partagés entre elles. **Compagnie** désigne une société commerciale comprenant généralement un grand nombre d'associés. **Cartel,** nom donné en économie politique à une association formée entre producteurs pour prévenir la surproduction et empêcher l'avilissement des prix, tend de plus en plus à désigner en fait une entente momentanée de producteurs restreignant entre eux la concurrence, pour s'assurer un plus grand bénéfice. **Consortium** se dit d'une sorte de cartel d'achat. **Trust** se différencie de *cartel* en impliquant la fusion effective et durable des entreprises, fusion grâce à laquelle est remise entre les mains d'un seul groupe de dirigeants la quasi-totalité d'une branche de la production économique. **Holding company** se dit d'un trust qui absorbe le capital de ses membres et leur donne en échange des parts sociales propres. **Corner** implique une entente entre spéculateurs en vue d'accaparer une marchandise et de créer une hausse de prix. **Pool** ne suppose pas, comme *trust,* une coalition durable, mais implique, comme *cartel,* une entente momentanée entre producteurs, en vue notamment de contingenter la production, afin de conserver la maîtrise du marché du produit ; une convention par laquelle des industriels décident de verser dans une caisse commune (*pool*), entièrement ou partiellement, les bénéfices de leurs exploitations, est toujours à la base d'un tel groupement qui a surtout pour but de supprimer la concurrence ou plutôt d'éviter que le public profite de celle-ci. **Hanse** est le nom que l'on donnait au Moyen Age à certaines compagnies de marchands, surtout à la Hanse teutonique, puissante ligue de marchands allemands. (V. COALITION, CORPORATION, FÉDÉRATION et SYNDICAT.)

V. aussi ASSOCIATION et MONDE.

socle. V. PIÉDESTAL.

socque. V. SABOT.

sofa. V. CANAPÉ.

soffite. V. PLAFOND.

soi. V. LUI.

soi-disant. V. PRÉTENDU.

soif désigne proprement le besoin de boire et la sensation que produit ce besoin : *Il est tout à fait normal d'avoir soif lorsqu'on n'a pas bu depuis longtemps.* **Altération** suppose une cause que n'implique pas forcément *soif : La chaleur, la fièvre cause une ardente altération.* **Anadipsie** (du grec *ana,* en haut, et *dipsa,* soif) est un terme de médecine peu usité qui sert à désigner toute soif exagérée qu'on ne peut assouvir, cependant que **dipsomanie** (du grec *dipsa,* soif, et *mania,* folie) se dit de l'impulsion morbide qu'ont certains malades (généralement des dégénérés, à hérédité très chargée) à boire avec excès des boissons alcooliques.

V. aussi DÉSIR.

soigner est le terme général s'appliquant aussi bien aux choses qu'aux personnes, dont on veille au bon état. **Choyer** ne se dit que des personnes et enchérit alors sur *soigner;* c'est soigner avec tendresse, avec affection, le plus souvent en comblant d'attentions. **Dorloter** est familier; c'est soigner délicatement et avec une tendresse complaisante. **Gâter,** c'est, péjorativement, choyer, dorloter, en entretenant par trop de douceur, d'indulgence, les défauts de quelqu'un. **Chouchouter,** syn. de *choyer,* de *dorloter,* est populaire, cependant que **mignoter,** qui vieillit, ne s'emploie plus guère que dialectalement. **Mitonner,** dorloter, traiter tout doucement, entourer de petits soins, est peu usité.

Soigner, c'est aussi, plus spécialement, s'efforcer de guérir une personne malade ou blessée, à la fois par les attentions qu'on a pour la soulager et les remèdes qu'on lui donne, — et cela que l'on soit médecin ou non. **Traiter** ne se dit, par contre, que du médecin qui agit de telle ou telle manière sur un malade pour le guérir.

soin, qui implique un effort de l'esprit ou une peine pour bien faire quelque chose, est dominé par l'idée de scrupule et de conscience. **Attention** suppose surtout la concentration volontaire de l'esprit sur un objet déterminé. **Application** enchérit sur *attention* en impliquant une attention soutenue, suivie, persévérante. **Diligence** emporte l'idée d'un soin, d'une attention, d'une application zélée. **Exactitude** suppose la volonté de ne laisser passer aucun détail, afin de faire aussi bien que possible. **Minutie** fait penser au soin des petites choses, des menus détails, aussi bien d'ailleurs avec une nuance favorable que défavorable. **Vigilance** implique la ferme volonté de ne pas se laisser surprendre ou détourner par quoi que ce soit. **Sollicitude** suppose surtout un soin affectueux à l'égard de personnes à qui l'on veut épargner tout ce qui pourrait leur être nuisible.

V. aussi SOUCI.

Soins. V. TRAITEMENT.

soir, qui est absolu, se dit aussi bien de la seconde partie de l'après-midi, que de la partie du jour qui précède la nuit, ou même de la première moitié de la nuit, tous ces espaces de temps étant considérés en eux-mêmes et exprimant une unité de temps. **Soirée** est relatif et désigne seulement l'espace de temps compris entre le déclin du jour et le moment où l'on se couche, considéré comme divisible et rempli par une succession d'événements : *On s'apprête à huit heures du soir pour aller passer une partie de la soirée au spectacle.* **Après-dîner** et **après-souper,** peu usités auj., sont des mots composés qui s'expliquent d'eux-mêmes. **Veillée,** nom donné au temps qui s'écoule depuis le repas du soir jusqu'au coucher, fait souvent penser à la réunion des personnes qui passent ce temps en causeries, lectures, etc. **Vêpre,** syn. de *soir,* comme **vêprée** ou **vesprée,** syn. de *soirée,* est vieux.

soirée. V. SOIR.

sol. V. TERRE.

solarium. V. SANATORIUM.

soldat, nom donné en général à tout homme appartenant à la profession militaire et incorporé dans une armée régulière, se dit plus particulièrement de celui qui n'a pas de grade. **Militaire,** syn. de *soldat,* s'emploie surtout par opposition à « civil ». **Recrue** désigne un soldat de la nouvelle levée, appelé sous les drapeaux conformément à la loi du recrutement militaire. **Conscrit,** nom donné proprement à celui qui était autref. appelé, par voie de tirage au sort, au service militaire, s'emploie auj., dans le langage courant, comme syn. de *recrue;* il désigne aussi parfois, péjorativement, un soldat inexpérimenté, maladroit, naïf. **Bleu** est le nom que l'on donne familièrement à un soldat qui fait sa première année de service (par opposition à ANCIEN). — **Combattant** se dit d'un soldat qui prend ou a pris part à une campagne, d'un soldat actif, par opposition aux « non-combattants », aux auxiliaires. **Guerrier,** syn. de *soldat* (combattant évidemment), est du style soutenu. **Briscard** s'applique à un vieux soldat chevronné, et, par ext., à un soldat qui a fait de longues années de service, de campagne, et que l'on appelle aussi **vétéran. Grognard,** soldat de la vieille garde sous le premier Empire, se dit aussi parfois, par ext. et plaisamment, d'un vieux soldat en général. **Poilu** est le nom donné au soldat français de la guerre de 1914-1918. — **Mercenaire** désigne un soldat qui sert à prix d'argent un gouvernement étranger; il est souvent péj. **Soudard** (de l'ital. *soldato,* soldat), qui a signifié autref. *soldat,* ne s'emploie plus auj. qu'avec une intention de dénigrement; il s'applique particulièrement à un homme qui a longtemps servi à la guerre et qui est brutal et grossier. **Reître,** nom donné autref. (du XVe siècle à la fin de la guerre de Trente ans) à des cavaliers allemands servant en France, s'emploie parfois encore, familièrement, dans le sens péj. de *soudard.* **Traîneur de sabre** se dit péjorativement d'un soudard, d'un militaire qui affecte des airs tapageurs. — **Troupier,** syn. de *soldat,* est familier. **Fantassin,** qui désigne seulement un soldat d'infanterie, a pour syn. populaires **pioupiou, troufion** et **tourlourou** (qui vieillit). **Biffin** et **griveton** (ou **griffeton**) sont des termes d'argot. **Trainglot** (ou TRINGLOT) désigne familièrement un soldat du train. **Drille,** syn. de *soldat,* et **soudrille,** syn. de *soudard,* sont vieux.

solde. V. RESTE et RÉTRIBUTION.

solde créditeur. V. AVOIR.

solder. V. PAYER.

solécisme. V. BARBARISME.

soleil désigne l'astre qui donne la lumière et la chaleur à la terre et aux autres planètes. **Phébus** (du grec *phoïbos,* brillant), nom d'Apollon, dieu de la lumière, est le nom poétique que l'on donne au soleil. **Bourguignon,** syn. de *soleil,* est un terme d'argot.

solennel. V. IMPOSANT.

solenniser. V. FÊTER.

solide (lat. *solidus,* proprem. ferme, massif, et aussi tout d'une pièce, entier) désigne ce qui n'est pas fluide, et cela d'une façon parfaite, absolue. **Consistant** (du lat. *consistere,* proprem. se tenir ensemble) dit moins; il fait penser plutôt à un commencement de solidité : *Une chose est solide parce que telle est sa qualité; elle est consistante et acquiert quelque degré de solidité dès qu'elle ne coule plus ou qu'elle se fige.* — Au fig., ces termes emportent la même nuance : *Un raisonnement est solide en lui-même; Un bruit de guerre devient consistant dès qu'il persiste et apparaît assuré, solide.*

V. aussi FORT et RÉSISTANT.

solier. V. MANSARDE.

soliloque. V. MONOLOGUE.

solitaire. V. ERMITE et INHABITÉ.

soliveau. V. MOU.

solliciter, c'est demander quelque chose fortement, avec instance; employé absolument, il suppose une faveur attendue d'une personne puissante. **Postuler,** c'est solliciter une place, un emploi, avec souvent l'idée de démarches entreprises en vue d'obtenir satisfaction. **Quêter,** c'est solliciter des aumônes pour d'autres que soi-même. **Mendier,** proprement solliciter une aumône pour soi-même, s'emploie aussi, par ext., en parlant de tout ce que l'on peut solliciter humblement. **Quémander,** c'est, péjorativement, solliciter, mendier à la fois avec insistance et importunité, demander sans cesse. **Mendigoter,** syn. de *mendier,* est populaire et très péjoratif. (V. RÉCLAMER.)

V. aussi ENCOURAGER.

sollicitude. V. SOIN et SOUCI.

solution. V. RÉSULTAT.

sombre ajoute à **obscur,** qui marque simplement le défaut de clarté, l'idée d'une couleur noire ou foncée, telle que celle de l'ombre comparée aux objets éclairés par le soleil : *Un lieu est obscur quand il n'est pas éclairé; Un bois est sombre lorsque l'épaisseur du feuillage, interceptant le jour, n'y laisse pénétrer qu'une faible lumière.* **Ténébreux** emporte l'idée d'une obscurité épaisse, allant généralement jusqu'au manque complet de lumière : *Un antre profond est ténébreux parce que nulle lumière n'y pénètre.*

V. aussi INQUIÉTANT et TRISTE.

sombrer. V. ABÎMER (S') et CHAVIRER.

sommaire. V. ABRÉGÉ, COURT, SIMPLE.

sommation. V. COMMANDEMENT.

1. **somme** est le terme didactique qui sert à désigner la quantité qui résulte de plusieurs quantités additionnées; c'est le mot généralement employé en mathémat. pour désigner le résultat d'une addition. **Total,** qui est souvent employé pour *somme* dans le langage

des affaires et dans la comptabilité, s'applique particulièrement bien au résultat de l'addition de quantités qui sont déjà des sommes obtenues par des additions précédentes. **Montant** est un terme de commerce qui désigne le total d'un compte, d'une recette, d'une dépense, d'une somme quelconque. — Au fig., ou plutôt lorsqu'il s'agit de toute autre chose que de nombres, SOMME annonce seulement qu'on a réuni plusieurs choses en dehors desquelles il peut en rester d'autres semblables, tandis que TOTAL exprime formellement l'idée d'un tout, d'une totalité.

V. aussi ABRÉGÉ et CHARGE.

2. **somme.** V. SOMMEIL.

sommeil exprime proprement l'état de l'homme pendant l'assoupissement naturel de tous ses sens; c'est ainsi qu'on en fait usage avec tous les mots qui peuvent être relatifs à un état, à une situation. **Somme** fait penser principalement au temps que dure le sommeil; présentant celui-ci comme un acte de la vie humaine, il s'emploie bien avec les termes qui se rapportent aux actes : *Nous avons le sommeil agité ou le sommeil paisible, et nous faisons un somme, mais jamais un sommeil.* (A noter que si l'on donne quelquefois le nom de *sommeil* à la simple envie de dormir, à un engourdissement des facultés, *somme* ne peut s'appliquer qu'à un sommeil réel.) **Dormir,** employé substantivement comme syn. de *sommeil,* est peu usité. **Sieste** est plus partic.; c'est le sommeil auquel on se livre après le déjeuner, surtout pendant les chaleurs. **Méridienne** est la sieste que l'on fait vers le milieu du jour, dans les pays chauds. **Roupillon,** syn. de *somme,* est populaire. (V. ASSOUPISSEMENT.)

sommeiller. V. DORMIR.

sommet désigne la partie intégrante la plus élevée d'une chose, d'un corps naturel, d'un arbre, d'un rocher, d'une montagne, quelle qu'en soit la forme. **Sommité** est le nom donné à la même partie considérée d'une manière abstraite, sans autre idée que celle de hauteur : *Un oiseau s'élève jusqu'à la sommité d'une tour, et s'abat sur son sommet.* **Cime** suppose que l'objet se termine en pointe, et s'il s'applique souvent aux plus hautes montagnes, c'est justement parce que celles-ci sont presque toujours terminées de cette manière. **Comble** ne s'applique qu'à des choses construites par l'homme : *Le comble est ce qui couronne l'œuvre et lui sert comme de couverture.* **Pinacle** est un terme d'architecture qui s'applique à un comble décoré et terminé en pointe. **Faîte** désigne la partie la plus haute de la cime, du comble. **Crête** se dit d'une partie saillante étroite, sur la cime d'une montagne, d'une vague, le faîte d'un toit. **Tête,** dans le sens de *sommet,* suppose généralement un sommet arrondi : *La tête d'un arbre.* **Mamelon** désigne seulement le sommet arrondi d'une colline, d'une montagne. **Haut,** syn. de *sommet,* de *faîte,* et **pointe,** syn. de *cime,* sont du langage commun. **Aiguille** désigne le sommet d'une montagne en pointe aiguë. **Table** se dit parfois, en géographie, du sommet d'une montagne formant une sorte de plateau, telle la table du mont Thabor. **Piton** est le nom donné à un petit sommet de montagne, en pointe, aux colonies (particulièrement aux Antilles ou aux Mascareignes). **Culmen** est un mot latin employé parfois pour désigner le point culminant d'un massif montagneux : *Le Sancy est le culmen du Plateau central.* **Croupe** s'applique au sommet d'une montagne qui se prolonge et n'est pas à pic.

V. aussi COMBLE.

sommité. V. PERSONNALITÉ et SOMMET.

somnifère. V. NARCOTIQUE.

somnolence. V. ASSOUPISSEMENT.

somnoler. V. DORMIR.

somptuosité. V. LUXE.

son désigne ce qui frappe l'ouïe, et qui est tel ou tel naturellement et constamment. **Ton** suppose une succession de sons divers et variables, modifiés pour telle ou telle raison : *La flûte a un son très doux, et le musicien qui en joue sait en diversifier les tons suivant les airs, suivant ce qu'il veut exprimer.* (Il en va de même pour le *son de la voix* qui résultant naturellement de la formation des organes de la parole, permet de distinguer la voix d'une personne de celle d'une autre, alors que le *ton de la voix* varie chez une même personne avec les sentiments qu'elle éprouve : il y a le ton de la colère, de la tendresse, de la douleur, etc.) **Tonalité** est essentiellement un terme de musique qui fait penser à la propriété caractéristique d'un ton; c'est la qualité d'un morceau écrit dans un ton bien déterminé, ou bien l'ensemble des sons qui, se succédant par intervalles déterminés, forment une échelle musicale : *La note sensible et l'accord parfait déterminent la tonalité; Par le mot « tonalité » nous n'entendons plus, a écrit d'Ortigue, la prédominance d'un accord sur un autre accord, ni d'un ton sur les autres tons, mais la prédominance de tel ou tel système de musique sur tout autre système dans l'oreille et l'organisation humaine.* **Timbre** est assez partic.; il attire essentiellement l'attention sur la qualité du son, en parlant soit de la voix, soit de cloches ou d'instruments : *Chaque homme a un timbre de voix particulier; Le timbre du violon réunit la douceur à l'éclat* (*J.-J. Rousseau*). — **Bruit** est plus du langage vulgaire et se prend souvent en mauv. part; c'est un son ou un assemblage de sons qui se produisent au hasard et en dehors de toute harmonie régulière : *Dans la déclamation, le bruit des applaudissements agit sur l'âme comme le son de la musique militaire* (*Mme de Staël*). **Eclat** se dit d'un son, d'un bruit plus ou moins violent qui se fait entendre tout à coup : *L'éclat des trompettes, du tonnerre.*

sonder, c'est, figurément, chercher à pénétrer les intentions d'une personne, s'efforcer de connaître sa pensée : *On sonde les dispositions de quelqu'un en l'interrogeant habilement.* **Tâter** est plus du langage commun et suppose une certaine hésitation, moins d'assurance, d'autorité, que *sonder : On tâte les intentions de quelqu'un en essayant, en tentant de savoir ce qu'il veut.*

V. aussi EXAMINER.

songe. V. ILLUSION et RÊVE.

songe-creux. V. VISIONNAIRE.

songer. V. PENSER.

sonné. V. RÉVOLU.

sonner est le terme général qui signifie soit rendre un son, soit faire rendre un son à quelque chose. **Tinter** s'emploie proprem. en parlant d'une cloche qu'on frappe d'un seul côté avec le battant et qui sonne lentement; par analogie il signifie aussi rendre un son en étant frappé comme une cloche : *On fait tinter un verre.* **Bourdonner,** c'est faire résonner une cloche en faisant aller le battant des deux côtés et sans mettre la cloche en branle. **Carillonner,** c'est sonner les cloches en carillon, c'est-à-dire les mettre en branle de manière à ce qu'elles donnent différentes notes de la gamme et jouent ainsi des airs; c'est aussi, par ext., sonner bruyamment, à coups redoublés. **Tintinnabuler** (du lat. *tintinnabulum,* grelot, clochette), c'est tinter en produisant un son aigu et vibrant. **Copter,** syn. de *tinter,* frapper une cloche d'un seul côté avec le battant, est peu usité.

sonnette. V. CLOCHETTE.

sonore se dit, de la façon la plus générale, de tout ce qui rend un son, sans idée péjorative; il suppose même, souvent, un son agréable et éclatant. **Ronflant** désigne ce qui est à la fois sonore et bruyant, presque toujours en mauv. part; il implique plutôt en outre une sonorité sourde et prolongée : *Une voix sonore est plaisante à entendre, alors qu'une voix ronflante fatigue vite.* **Retentissant,** syn. de *sonore,* est nettement dominé par l'idée d'éclat; il suppose un grand son, beaucoup de son : *Une voix retentissante s'entend de fort loin.* **Résonnant** est essentiellement dominé par l'idée de prolongement ou de réflexion du son, soit par les parois d'un corps sonore, soit par les vibrations continuées des cordes d'un instrument, soit encore par la collision de l'air renfermé dans un instrument à vent : *Une voix résonnante se répercute au loin.* **Vibrant,** en parlant d'un son et surtout de la voix, emporte l'idée de force et de puissance : *Une voix vibrante touche tous ceux qui l'entendent.* **Tonnant** et **tonitruant** (du lat. *tonitru,* tonnerre) se disent de ce qui est retentissant comme le tonnerre, le premier faisant penser à l'action et le second à son résultat : *Canons tonnants; Voix, bombardements tonitruants.*

V. aussi AMPOULÉ.

sophisme, nom donné à un argument qui, péchant contre les règles de la saine logique, conduit à une conclusion fausse, implique un abus de raisonnement commis surtout au mépris de la droiture ou de la justice. **Paralogisme,** tout en ayant le même sens que *sophisme,* emporte une nuance moins défavorable en impliquant simplement un raisonnement qui porte à faux, sans autre idée accessoire : *On fait un sophisme quand on cherche à tromper, soit par le désir de voir tomber dans l'erreur, soit pour montrer la subtilité de son esprit; mais si l'on se trompe de bonne foi, si l'on raisonne mal sans le vouloir, par faiblesse d'esprit ou par défaut d'attention, on fait un paralogisme.* (V. SUBTILITÉ.)

sophistiquer. V. FALSIFIER.

soporeux, soporifère, soporifique. V. NARCOTIQUE.

sorcier. V. MAGICIEN.

Sorcière. V. MÉGÈRE.

sordide. V. ABJECT, CHICHE et MALPROPRE.

sornette, ainsi que **calembredaine** (moins us.), est un terme du langage familier qui, s'employant souvent au pluriel, désigne un ou des propos plus ou moins extravagants, ridicules, qui ne méritent pas de retenir l'attention un seul instant. **Baliverne** suppose un propos futile et souvent ennuyeux d'une personne qui parle pour parler, sans avoir rien d'intéressant à dire. **Faribole** convient bien en parlant de propos vains mais plaisants sur des choses imaginées; c'est une sorte de menterie. **Billevesée** implique un propos vain et ridicule, parce que exprimant une idée creuse ou chimérique. **Chanson** suppose, dans ce sens, un propos si peu sérieux qu'il ne saurait avoir plus d'importance qu'une chanson. **Balançoire** se dit bien d'un propos en l'air, d'un **conte à dormir debout,** ainsi d'ailleurs que **coquecigrue,** peu usité aujourd'hui. (V. BÊTISE et FADAISE.)

sort. V. CHARME, DESTIN, ÉTAT et HASARD.

sortable. V. DÉCENT.

sorte. V. CLASSE et ESPÈCE.

sortie, lorsqu'il désigne l'endroit par où l'on passe du dedans au dehors, est considéré surtout par rapport aux personnes qui sortent. **Issue** attire plus l'attention sur le lieu lui-même que sur les personnes; il s'emploie en outre particulièrement en parlant d'une ouverture qui permet de sortir d'un lieu où l'on craignait fort de rester : *La foule s'écoule par la sortie; On recherche une issue.* **Débouché** est plus partic.; il se dit de l'issue d'un défilé, de l'extrémité élargie d'un lieu resserré : *On attend l'ennemi au débouché d'une vallée.*

V. aussi INCARTADE et PUBLICATION.

sortilège. V. CHARME.

sortir, c'est, de la façon la plus générale, passer du dedans au dehors. **Sourdre** (qui ne s'emploie plus guère qu'à l'inf. prés. et à la 3e pers. du sing. et du plur. de l'indicatif prés.), c'est sortir de terre, en parlant des eaux. **Surgir,** c'est, dans ce sens et proprement, sortir en parlant d'une source; pris dans un sens général, c'est sortir brusquement, au moment où l'on ne s'y attendait pas. **Emerger,** proprem. sortir de l'eau, c'est aussi, par ext., sortir d'un milieu où l'on était plongé et paraître à la surface. **Affleurer,** c'est apparaître à la surface, à fleur de terre. (Voir JAILLIR.)

sosie (de *Sosie,* personnage d' « Amphitryon » de Plaute ou de Molière) désigne une personne qui ressemble si parfaitement à une autre qu'on peut la prendre pour celle-ci. **Ménechme** (du titre d'une comédie de Plaute) est du langage recherché.

sot suppose le manque de jugement ou un jugement faux; il se dit bien de celui qui n'ayant guère d'esprit, juge tout de travers, ce qui ne l'empêche pas toutefois d'être souvent fort présomptueux. **Imbécile** suppose surtout un esprit faible, sans énergie, incapable de passer d'une idée à une autre; il est essentiellement dominé par l'idée d'absence de réflexion. **Pauvre d'esprit** est du langage familier et emporte plus souvent une nuance de commisération qu'un sens péjoratif, comme c'est le cas de son syn. *imbécile.* **Bête,** familier aussi, emporte surtout l'idée d'un manque d'intelligence, d'esprit, de bon sens, sans exclure forcément l'idée d'un bon naturel; c'est ainsi que la bêtise peut être la conséquence de la bonté poussée à l'extrême. **Bêta,** syn. de *bête,* est moins péjoratif et peut emporter, surtout appliqué à un enfant, une nuance d'affection. (A noter que l'on forme parfois à ce mot un féminin qui est **bêtasse.**) **Buse,** encore familier, ajoute souvent à l'idée de sottise celle d'ignorance, d'incapacité de comprendre. **Béjaune** se dit familièrement d'un jeune homme sot et inexpérimenté. **Baudet** et **bourrique** sont populaires et s'appliquent injurieusement à une personne non seulement sotte, mais de plus entêtée. **Andouille, cornichon, fourneau, moule, panouille, pochetée** et **tourte,** syn. d'*imbécile,* comme **ballot, baluche, baluchon, bedole, cruche, cruchon, gourde, gourdée** et **gourdiflot,** syn. de *bête,* sont populaires; **couillon** et **trou-du-cul** sont vulgaires, **corniaud** est dialectal et **claude** VX. **Con** et (**du**) **schnoque** sont des termes d'argot triviaux. (V. ABSURDE, BALOURD, BORNÉ, NIAIS et STUPIDE.)

sottise. V. BÊTISE et INJURE.

soubassement. V. FONDEMENT.

soubresaut. V. SAUT.

soubresauter. V. TRESSAILLIR.

soubrette. V. SERVANTE.

souche. V. RACE, RACINE, STUPIDE et TIGE.

souci suppose une disposition mentale qui fait que l'esprit s'affecte à propos d'une personne ou d'une chose à laquelle on porte intérêt. **Contrariété** se dit d'un souci, souvent léger et de courte durée, causé par un obstacle qui empêche d'agir, d'aboutir; il s'emploie généralem. dans ce sens au plur., comme son syn. **ennui** qui s'applique mieux à des choses d'une certaine importance, en quoi il se rapproche plus de *souci,* sans avoir toutefois la même force. **Désagrément** se dit bien d'ennuis causés par des choses qui ne satisfont pas. **Préoccupation** implique un souci qui s'empare de l'esprit, l'absorbe, le possède, de manière que toute sa force soit exclusivement concentrée sur un seul point. **Sollicitude** se dit d'un souci, d'une préoccupation inquiète. **Tracas,** qui est plutôt fam. et désigne surtout un souci qu'on se donne pour les choses ordinaires de la vie, exprime la chose en elle-même, d'une manière passive, sans rapport avec l'agent. **Tracasserie** fait plutôt penser à un souci qu'on nous occasionne volontairement et dans l'intention de nous nuire. **Tourment** dit beaucoup plus; il implique un grand souci qui harcèle et ne laisse pas en paix; c'est une intense préoccupation. **Obsession** désigne un tourment persistant et souvent dû à un état psychique consistant dans la présence dans l'esprit d'une préoccupation, d'un tourment, que la volonté ne parvient pas à écarter. **Embêtement** est familier et suppose un gros et fort ennui, comme **empoisonnement** qui est populaire, et **emmerdement** trivial. **Tintouin,** familier, ajoute souvent à l'idée de souci celle d'embarras matériels. **Aria,** syn. de *tintouin,* est populaire. **Soin,** syn. de *souci,* de *préoccupation,* est vieux. (V. CRAINTE et SUPPLICE.)

soudain marque la nature même d'une chose qui ne pouvait être prévue. **Subit** se dit simplement du fait qui n'était pas prévu et qui surprend, étonne : *Quand une balle vient frapper au cœur un soldat sur le champ de bataille, sa mort est soudaine, mais elle ne surprend pas, tandis que la mort subite d'un homme en bonne santé, frappé de congestion, cause toujours une grande impression sur ceux qui l'apprennent.* **Foudroyant** est du style imagé; il se dit de ce qui frappe d'un coup soudain et irrésistible, comme la « foudre » : *Apoplexie, nouvelle foudroyante.* (V. IMPRÉVU.)

soudard. V. SOLDAT.

soudoyer. V. CORROMPRE.

soue. V. ÉTABLE.

souffle. V. HALEINE.

soufflé. V. GONFLÉ.

souffler, c'est — figurément — prendre quelque relâche, avoir quelque détente au milieu d'un travail pénible, lors de grandes peines. **Respirer** marque plutôt la fin d'une inquiétude morale que d'une fatigue physique.

V. aussi APPROPRIER (S'), EXPIRER, INSPIRER et RESPIRER.

soufflet. V. GIFLE.

souffrance. V. PEINE.

souffrant. V. MALADE.

souffre-douleur. V. VICTIME.

souffreteux. V. MALADIF.

souffrir est le terme qui exprime de la manière la plus générale l'idée de douleur physique ou morale, qu'il présente comme passive en montrant le sujet affecté dans sa sensibilité : *On souffre la faim, un dommage.* **Endurer** présente celui qui souffre comme montrant de la résignation ou comme ayant besoin d'une longue patience, parce que le mal dure, se prolonge : *On endure le froid, la faim, la misère, sans se plaindre.* **Supporter** éveille l'idée de la force, du courage nécessaire pour résister à un poids, à un malheur, sans qu'il y entre, comme dans *endurer,* celle d'une certaine longueur, d'une certaine durée; on dit aussi parfois, dans ce sens, simplement **porter** : *Supporter, porter le joug, les fers; Supporter, porter la peine de ses fautes.* **Subir,** c'est souffrir, supporter quelque chose de pénible, de gré ou de force; il est dominé par l'idée d'une soumission pénible : *On subit les plus grands maux, la loi du vainqueur.* **Pâtir** s'emploie souvent d'une manière absolue et représente le sujet comme manquant du nécessaire ou réduit à un état fâcheux : *Les pauvres pâtissent quand la vie est chère.* **Digérer,** qui est familier, ne se dit que d'une souffrance morale et ajoute à *endurer* comme à *supporter* l'idée de dégoût, d'amertume : *On endure un affront dont on ne se venge pas; On digère un affront auquel on est très sensible, qui est amer, observe Lafaye.*

Souffrir, lorsqu'il signifie ne pas empêcher, est souvent dominé par l'idée de faiblesse, d'impuissance : *On souffre les choses auxquelles on ne s'oppose pas, ne pouvant les empêcher ou faisant semblant de les ignorer.* **Tolérer** implique plutôt une modération qui fait qu'on ne veut pas paraître abuser de sa force : *On tolère certaines choses lorsque, les connaissant et ayant le pouvoir de les empêcher, on les accepte toutefois.* **Permettre** dit plus; c'est accepter formellement, de son plein gré : *On permet les choses lorsqu'on les autorise par son consentement.* (A noter que si *souffrir* et *tolérer* ne se disent guère des choses mauvaises ou qu'on regarde comme telles, *permettre* s'applique au bien comme au mal.) **Supporter,** c'est souffrir avec patience : *Il faut savoir supporter les jeux bruyants des enfants.* **Endurer** enchérit sur *supporter;* c'est supporter avec une patience constante une chose d'une certaine durée, d'une certaine longueur : *Le sage sait endurer la bêtise des sots.* (V. ACCEPTER.)

V. aussi ADMETTRE et RECEVOIR.

souhait fait penser à l'espérance qu'on a, qu'elle soit exprimée ou non, de voir se réaliser, s'accomplir une chose plus ou moins précisée, un peu vague souvent, alors que **vœu** se dit d'un souhait formulé, exprimé à quelqu'un, et toujours précis : *Tous les biens, réels ou chimériques, après lesquels nous soupirons secrètement, écrit Lafaye, sont l'objet de nos souhaits; Une femme est l'objet des vœux des hommes qui la recherchent en mariage.* (V. CONVOITER.)

souhaiter. V. CONVOITER et VOULOIR.

souiller enchérit au figuré, comme au sens propre d'ailleurs, sur **salir** qui fait simplement penser à l'action de rendre impur; c'est salir beaucoup, parfois jusqu'à perdre. **Tacher,** au contraire, dit moins que *salir;* c'est seulement salir par places : *La mémoire d'un homme, dit Lafaye, est salie par toutes ses mauvaises actions, souillée par des crimes ou des lâchetés; pour la tacher, il suffit d'une seule mauvaise action ou de simples fautes.* **Profaner,** c'est souiller une chose précieuse, en faire un mauvais usage : *L'amour aspire au respect de l'objet aimé, et seul il tend sans cesse à le profaner* (*P. Janet*). **Polluer,** syn. de *souiller,* de *profaner,* n'est guère usité qu'en parlant des temples, des églises et de ce qui sert à l'usage des églises : *Polluer des choses saintes.*

V. aussi SALIR.

souillon. V. MALPROPRE et SERVANTE.

souillure. V. TACHE.

souk. V. MARCHÉ.

soûl. V. IVRE et RASSASIÉ.

soulager, c'est atténuer la souffrance, la peine physique ou morale, d'une façon générale et de quelque façon que ce soit. **Alléger** est plus précis; c'est diminuer le poids d'un fardeau, d'une souffrance, en quantité pour ainsi dire déterminée et avec un effet localisé. **Adoucir,** c'est soulager en rendant plus supportable. **Calmer,** c'est produire l'adoucissement d'un trouble. **Apaiser,** c'est calmer, surtout lorsqu'il s'agit de la douleur, de la soif, de la faim.

soulèvement. V. RÉVOLTE.

soulever est un terme assez général au figuré; c'est soit exciter à la rébellion, à la révolte, soit plus simplement exciter des sentiments d'irritation contre quelqu'un ou d'indignation contre quelque chose. **Ameuter,** c'est surtout soulever contre quelqu'un les passions; il emporte l'idée d'un rassemblement hostile. **Agiter,** c'est soulever les passions contre quelqu'un ou quelque chose par des sentiments différents, lesquels causent dans l'âme un trouble, une inquiétude pénible. **Déchaîner,** c'est soulever les passions en incitant à se laisser aller à l'emportement et même à la violence.

V. aussi LEVER.

soulier. V. CHAUSSURE.

souligner, c'est, figurément, signaler à l'attention en insistant, le plus souvent en bonne part. **Relever,** c'est remarquer pour soi ou signaler pour les autres, d'une façon nette et précise et en bonne comme en mauv. part : *On souligne les qualités d'une chose que l'on veut vendre; On relève les défauts de celle qu'on nous propose d'acheter.* **Noter,** proprem. faire une marque, lettre ou signe, prendre note, suppose figurément et plutôt familièrement que l'on relève ce qu'on ne veut pas oublier ou voir oublier dans l'avenir : *On note les qualités ou les défauts d'une chose qu'on a l'intention d'utiliser un jour.*

soumettre, c'est, de la façon la plus générale, mettre sous l'autorité de quelqu'un ou la dépendance de quelque chose, autorité ou dépendance qu'on ne peut éviter ou discuter. **Subordonner** suppose, plus qu'une différence de force ou de puissance, une différence de capacité; il implique en outre une autorité ou une dépendance moins absolue, plus discutable ou provisoire.

V. aussi OFFRIR et OPPRIMER.

Se soumettre, c'est se conduire conformément à ce qu'on exige de nous. **Se conformer,** c'est se conduire conformément à ce qu'on nous demande. **Suivre,** c'est se conduire conformément à ce qui nous est indiqué : *On se soumet à la loi; On se conforme à des instructions; On suit la mode, l'exemple de quelqu'un*

V. aussi CÉDER.

soumis se dit bien de celui qui est disposé à l'obéissance ou qui en a pris le parti après avoir résisté : *Les tribus, hier encore rebelles, et maintenant soumises.* **Résigné** implique une soumission sans révolte préalable : *On ne saurait lutter lorsqu'on est d'avance résigné.* (V. SERVILE et SOUPLE, sens fig.)

soumission. V. OBÉISSANCE.

soupçon, qui désigne le doute désavantageux que l'on conçoit ou que l'on inspire à juste raison ou non, est un terme du langage courant : *Celui contre qui s'élèvent des soupçons est toujours à plaindre, mais le mal qu'il souffre peut n'avoir d'autre cause que le caractère soupçonneux des personnes qui l'entourent.* **Suspicion** est un terme de droit et suppose toujours des raisons, au moins apparentes, pour se mettre en défiance : *La suspicion est un soupçon légitime.*

soupçonner peut signifier simplement avoir l'idée qu'une chose est possible, sans emporter une idée défavorable; même pris en mauv. part, il exprime simplement la défiance, sans dire si la personne qui en est l'objet y a réellement donné lieu. **Suspecter,** à l'encontre de *soupçonner,* s'emploie toujours en mauv. part; il éveille l'idée d'un état qui fait naître naturellement les soupçons, ou plutôt la suspicion (v. l'art. précéd.).

V. aussi PRESSENTIR.

soupçonneux. V. MÉFIANT.

soupe. V. BOUILLON.

souper. V. REPAS.

soupir suppose une respiration profonde et prolongée exprimant un sentiment douloureux ou passionné. **Sanglot,** qui s'emploie surtout au pluriel, dit plus; il implique un soupir redoublé, un spasme de la poitrine qui, contractée par la douleur, laisse échapper des sons entrecoupés.

soupirant. V. AMANT.

soupirer. V. CONVOITER et RESPIRER.

souple désigne proprement une chose qui se plie et replie, cela sans se rompre, sans s'abîmer. **Flexible** se dit seulement de ce qui se courbe, se fléchit aisément, sans opposer de résistance : *Le tissu est souple, l'osier flexible.* **Maniable** s'applique uniquement à ce qui est souple à la main, au toucher : *Le cuir bien apprêté en devient plus maniable.* **Elastique** est très partic.; il se dit d'un corps souple qui a en outre la propriété de résister plus ou moins aux causes qui tendent à le déformer et de reprendre sa forme dès que ces causes ont cessé d'agir : *Une lame d'acier est élastique.*

Souple, lorsqu'il concerne, employé figurément, le caractère, implique qu'on se plie de son plein gré aux volontés d'autrui, qu'on les devine même, pour faire d'avance ce que l'on sait devoir être agréable; il suppose souvent une complaisance qui n'est pas loin d'aller jusqu'à la servilité. **Flexible,** moins usité dans ce sens figuré, emporte l'idée d'une soumission toute passive; il se dit bien de celui qui n'ayant aucune force de résistance, plie sous la volonté des autres parce qu'il ne saurait agir différemment. **Docile,** plus rarement péjoratif, suppose seulement une disposition naturelle à se laisser instruire ou conduire. **Maniable** s'applique à celui qui se laisse aisément mener, diriger, qui acquiesce volontiers à tout ce qui lui est demandé et dont on peut faire ainsi ce que l'on veut. **Obéissant** dit moins et n'est jamais péjoratif; il désigne simplement celui qui exécute ce qui lui est demandé, sans plus. **Ductile,** syn. de *souple,* de *maniable,* dans ce sens figuré, est peu usité dans le langage courant. (V. COMPLAISANT, CONCILIANT, SERVILE et SOUMIS.)

V. aussi AGILE.

souquenille. V. VÊTEMENT.

source désigne l'eau qui « sourd » (sort de la terre) et qui est le plus souvent l'origine d'un cours d'eau, petit ou grand. **Fontaine** implique une eau vive qui s'épanche sur le sol par un cours continu.

V. aussi ORIGINE.

sourd se dit de ce qui est peu sonore et rend un son étouffé : *Un piano, un bruit sourd; Une voix sourde.* **Caverneux** et **sépulcral** ne se disent guère que de la voix, lorsque celle-ci, sourde et rude, semble sortir d'une caverne, d'un tombeau.

V. aussi CACHÉ.

sourdement, sourdine (à la). V. SECRÈTEMENT.

sourdre. V. SORTIR.

sourire. V. PLAIRE, RIRE et RIS.

sournois implique un caractère en dessous et emporte généralem. l'idée de ruse, de malice méchante. **Dissimulé** est plus du langage recherché et souvent dominé par l'idée d'habileté: *On dira du renard qu'il est sournois, et d'un diplomate qu'il est subtil et dissimulé.* **Faux** fait surtout penser à l'affectation de sentiments qu'on n'a pas, dans le dessein de tromper : *Le propre de l'hypocrite est d'être faux.* **Fourbe** enchérit sur *sournois* en impliquant des ruses odieuses, une adresse maligne et perfide : *Le plus savant et le plus éclairé des hommes ne mérite plus d'être cru dès qu'il est fourbe, affirme Diderot.* **Chafouin** (du nom dial. du putois, de la fouine) est familier et il est dominé par l'idée d'apparence grêle jointe à une mine sournoise et rusée. **Archipatelin,** moins usité, suppose une fourberie doucereuse et insinuante. **Sycophante,** proprement délateur, s'emploie quelquefois aussi de nos jours, par ext., comme syn. de *fourbe.* (V. DOUCEREUX, FAUSSETÉ, MALIN, MÉFIANT et RUSE.)

souscrire. V. CONSENTIR.

sous-entendu suppose que, ne voulant pas exprimer nettement ce qu'on a dans la pensée, on le laisse seulement entendre, sans le dire. **Tacite** est plus du langage didactique et, du fait de son étymologie (du lat. *tacere,* se taire), enchérit plutôt sur l'idée de silence : *On peut taire complètement ce qui est tacite, alors que, sans l'exprimer formellement, il faut néanmoins laisser deviner ce qui est sous-entendu.*

sous-fifre. V. INFÉRIEUR.

sous-main (en). V. SECRÈTEMENT.

sous-œuvre. V. FONDEMENT.

sous-ordre. V. INFÉRIEUR.

sous-sol. V. CAVE.

soustraire. V. DÉROBER et RETRANCHER.

sous-verge. V. AIDE et INFÉRIEUR.

souteneur, nom donné au protecteur d'une maison ou d'une personne malfamée, se dit plus spécialement d'un homme qui défend ou qui est censé défendre une fille publique, et qui surtout vit à ses dépens. **Maquereau** et **marlou** sont populaires, comme **alphonse, barbeau, barbillon, chandelier, dos-vert, marle, marloupatte, marloupiat** et **poisson, marloupin,** moins usités. **Mec** est un terme d'argot. **Estafier** est vieux.

soutenir, proprem. tenir par-dessous

ce qui est attaqué, ébranlé, signifie aussi servir de base ou d'appui à ce qui, sans cela, ne pourrait que tomber : *Etais qui soutiennent une maison*. **Supporter,** c'est soutenir par-dessous, sans idée d'ébranlement : *Piliers qui supportent une voûte*. **Maintenir,** c'est soutenir d'une façon fixe et stable ce qui est déjà tenu, mais qu'il faut tenir encore pour qu'il subsiste dans le même état : *On maintient une charpente avec des barres de fer*. **Etayer** est du langage techn.; c'est soutenir quelque construction ou partie de construction qui menace ruine, ou que l'on reprend en sous-œuvre, au moyen de grosses pièces de bois ou de fer appelées « étais ». **Etançonner,** c'est, dans le lang. techn. aussi, soutenir un mur ou un plancher qui menace ruine au moyen de pièces de bois appelées « étançons ». **Accorer** n'est syn. d'*étayer* qu'en termes de construction maritime, cependant qu'**épauler** est peu usité. — Au fig. et dans le sens de subir certaines choses sans faiblir, sans céder, SOUTENIR emporte l'idée de résistance, alors que SUPPORTER suppose surtout que l'on endure : *Ce que nous ne pouvons soutenir nous abat; ce que nous ne pouvons supporter nous accable* (*Lafaye*). — Appliqué au discours, aux idées, SOUTENIR, c'est défendre ce qui est attaqué, en donnant des raisons nouvelles propres, nous semble-t-il, à détruire tous les doutes. MAINTENIR dit moins; c'est simplement continuer d'affirmer ce qu'on a déjà dit.

V. aussi AFFIRMER, AIDER et PROTÉGER.

souterrain est le nom que l'on donne à un passage pratiqué sous terre, généralement voûté, et permettant de communiquer d'un endroit dans un autre. **Tunnel** est un terme de travaux publics qui s'applique au souterrain pratiqué pour donner passage à une voie de communication. **Galerie** désigne surtout le passage souterrain utilisé pour l'exploitation des mines.

soutien désigne proprement ce qu'on met sous un objet pour l'empêcher de s'écrouler. **Support** se dit de ce qui aide à porter une lourde charge, sous laquelle il est toujours placé; c'est souvent aussi une addition faite au soutien, qui concourt à porter la chose. **Appui** désigne ce qu'on place auprès d'une chose qui penche pour l'empêcher de tomber : *En général, on met des appuis pour tenir des choses droites, des supports pour les maintenir à hauteur voulue, et des soutiens pour les consolider*. (V. ÉTAI.)

V. aussi APPUI.

soutirer. V. OBTENIR.

souvenance. V. MÉMOIRE.

souvenir. V. MÉMOIRE.

Souvenirs. V. MÉMOIRES.

Se souvenir. V. RAPPELER (SE).

souvent s'emploie en parlant de faits accidentels, voire habituels, lorsque ceux-ci se renouvellent sans aucune régularité et comme au hasard; il n'indique que la pluralité des actes. **Fréquemment** concerne les actions qui, par leur répétition, constituent une sorte d'habitude volontairement contractée : *On va souvent dans une maison quand on y est appelé par de nombreuses affaires; on y va fréquemment quand les visites sont en quelque sorte réglées, par exemple quand elles ont lieu une ou deux fois par semaine*. **Souventefois** (ou SOUVENTES FOIS) est une vieille forme de *souvent* encore usitée aujourd'hui dans le style archaïque.

souverain, employé adjectivement, éveille l'idée d'une puissance à laquelle rien ne résiste, d'une valeur intrinsèque qui ne peut être augmentée ni surpassée. **Suprême** exprime seulement une idée d'élévation, de prééminence : *Il faut céder à ce qui est souverain et s'humilier devant ce qui est suprême*. **Absolu** est dominé par l'idée d'indépendance et implique un pouvoir, une puissance sans limites, sans contrôle, contre laquelle nul ne s'élève : *La puissance souveraine est au plus haut degré, ne relève d'aucune autre par rapport à laquelle elle soit inférieure; la puissance absolue est sans bornes, arbitraire, affranchie de tout, non comptable* (*Lafaye*).

V. aussi MONARQUE.

souverain pontife. V. PAPE.

spacieux. V. AMPLE.

spadassin. V. BRETTEUR et MEURTRIER.

spasme. V. CONVULSION.

spécial. V. PARTICULIER.

spécialiste se dit de celui qui se cantonne dans une branche particulière d'études ou dans un travail déterminé. **Technicien** désigne le spécialiste d'un art, d'une science, considérés dans leurs réalisations pratiques. **Professionnel** se dit de celui qui pratique par métier une activité ou un sport, afin d'en tirer une rémunération. (V. TRAVAILLEUR.)

spécieux. V. APPARENT.

spécifier. V. PRÉCISER.

spécimen. V. ÉCHANTILLON.

spectacle (du lat. *spectare,* regarder attentivement) désigne, d'une façon générale, toute vue d'ensemble qui attire les regards, arrête la vue ou fixe l'attention, qu'il y ait des personnages ou non. **Scène** (du grec *skênê,* tente, cette partie du théâtre étant couverte d'une tente chez les Anciens) implique le spectacle d'une action offrant quelque chose d'animé, de vif, d'intéressant, d'extraordinaire, et la présence de personnages : *La nature nous offre des spectacles grandioses, l'humanité des scènes diverses.*

Spectacle, dans son sens particulier de divertissement visuel offert au public, a pour syn. **représentation** qui se dit surtout d'un spectacle théâtral ou cinématographique. **Séance** s'applique plutôt à un spectacle non théâtral : cinématographe, prestidigitation, récréations diverses. (A noter que, par ext., on appelle aussi *séance,* et surtout *séance récréative,* un spectacle quelconque, même théâtral, d'un caractère privé, dans un collège, un patronage, etc.)

V. aussi VUE.

spectateur. V. TÉMOIN.

Spectateurs. V. AUDITOIRE.

spectre. V. FANTÔME.

spéculation se dit particulièrement de calculs, de combinaisons, d'opérations aléatoires sur la hausse ou la baisse des valeurs, des matières premières, des marchandises, etc. : *Les spéculations enrichissent ou ruinent rapidement.* **Agiotage** désigne une spéculation de mauvais aloi sur les fonds publics, les changes, les valeurs mobilières quelconques; il implique des actes répréhensibles ou délictueux : *L'agiotage est puni par le Code pénal.* **Boursicotage** ne se dit, avec une nuance défavorable, que de petites spéculations de Bourse.

V. aussi THÉORIE.

spéculer. V. MÉDITER et TRAFIQUER.

speech. V. DISCOURS.

sphère. V. BOULE.

spicilège. V. ANTHOLOGIE.

spirituel désigne celui qui a de l'esprit, ce qui est dit ou fait avec esprit, qui indique, dénote l'esprit ; il suppose beaucoup de spontanéité, de l'à-propos, de l'improvisation. **Ingénieux** enchérit sur *spirituel,* auquel il ajoute l'idée d'invention; il implique plus d'originalité que de vivacité d'esprit : *L'homme spirituel est plutôt, dit Lafaye, celui qui saisit dans les choses ce qu'il y a de fin, de subtil, de délicat, et l'homme ingénieux celui qui imagine des choses fines, subtiles, délicates.* (V. DÉLICAT.)

V. aussi AMUSANT.

spleen. V. CHAGRIN.

splendeur. V. BRILLANT, LUMIÈRE et LUXE.

splendide. V. ADMIRABLE.

spolier. V. DÉPOSSÉDER.

spongieux. V. FLASQUE.

spontané se dit de ce que l'on fait de soi-même, sans y être poussé par autrui; il s'emploie généralement en bonne part. **Naturel,** dans ce sens, s'oppose surtout à l'idée d'artifice, d'affectation. **Primesautier,** employé souvent aussi en bonne part, se dit de ce que l'on fait de prime saut, du premier mouvement. **Impulsif,** qui emporte un sens péjoratif, suppose l'absence de volonté réfléchie et l'obéissance sans résistance à une passion ou à un caprice. (V. INNÉ et VIOLENT.)

sputation. V. CRACHER.

square. V. JARDIN.

squelette. V. CANEVAS et CARCASSE.

stable est un terme didactique qui s'applique à ce qui tend à garder la même place, la même position. **Fixe,** plus du langage ordinaire, enchérit sur *stable;* c'est ce qui est établi, assujetti d'une manière durable à une place déterminée : *Ce qui est stable bouge peu; Ce qui est fixe ne bouge pas.*

V. aussi DURABLE.

stade. V. PHASE.

staff, mélange plastique de plâtre, de ciment, de glycérine, de dextrine, etc.; employé en guise de pierre pour la décoration architecturale des constructions temporaires, est souvent confondu avec

stuc, nom donné à un enduit imitant le marbre et composé ordinairement de chaux éteinte, de poussière de marbre et de craie.

stage. V. SÉJOUR.

stagnation, proprement état de ce qui ne coule pas, s'emploie aussi figurém. en parlant des affaires de commerce ou de banque qui languissent ou sont suspendues. **Marasme,** proprement consomption et, plus ordinairement, affaiblissement des forces morales, est le nom que l'on donne aussi parfois, dans les affaires, à un arrêt d'activité ou tout au moins à un malaise plus ou moins durable. **Stase,** qui se dit proprement, en médecine, de la stagnation du sang ou des humeurs, s'emploie plus rarement, figurément dans le sens de cessation d'activité.

stagner. V. SÉJOURNER.

stance désigne, en littérature, un groupe de vers offrant un sens complet et suivi d'un repos; il implique dans le poème un rythme déterminé. **Strophe,** nom donné proprement aux vers grecs ou latins qui revenaient dans le même ordre, sans qu'il y eût un repos obligé à la fin de la strophe (repos qui caractérise la stance), s'emploie auj., dans la poésie moderne, comme syn. exact de *stance.* **Couplet** se dit d'une sorte de stance faisant partie d'une chanson et se terminant ordinairement par un refrain; c'est de plus le nom donné, dans les chansons de geste, à une suite de vers sur une même rime, appelée aussi **laisse.**

standardisation (de l'angl. *standard,* étalon) est le terme qui sert à désigner, en technique industrielle, l'unification des éléments de construction et de tout ce qui peut faciliter et simplifier les travaux. (C'est le nom que l'on donne aussi, en zoologie, à l'unification des caractères distinctifs d'une race.) **Normalisation** (du lat. *norma,* règle) est un terme de forme française qui tend à remplacer auj. *standardisation* pris dans son sens industriel.

star. V. ACTEUR.

stase. V. STAGNATION.

station. V. PAUSE.

stationner. V. ARRÊTER (s').

statistique. V. DÉNOMBREMENT.

statuaire. V. SCULPTEUR.

statuer. V. JUGER.

stature. V. TAILLE.

statut. V. RÈGLEMENT.

steamboat, steamer. V. BATEAU.

stérile exprime, de la façon la plus simple, qu'une chose ne produit rien, cela sans aucune idée accessoire. **Infécond, infertile** et **infructueux** n'expriment la stérilité que d'une manière indirecte, par la négation de la qualité contraire; souvent même cette négation n'est pas complète et l'objet *infécond, infertile* ou *infructueux* peut produire quelque chose, mais il ne produit que très peu : *Ce qui est infécond manque de la puissance de produire ou n'a cette puissance qu'à un très faible degré; Ce qui est infertile produit peu ou ne produit rien, c'est un fait que l'on constate; Infructueux attire surtout l'attention sur l'absence de fruits, c'est-à-dire sur l'effet même du peu de fécondité.* **Ingrat** fait porter principalement l'attention sur les peines inutiles qu'on s'est données ou qu'on pourrait se donner pour cultiver un terrain, pour préparer une affaire. **Pauvre** se dit seulement, dans ce sens, de ce qui, s'il n'est absolument stérile, est toutefois peu fertile. **Bréhaigne** est très partic.; il ne s'emploie plus guère qu'en parlant des femelles stériles de certains animaux domestiques. (V. ARIDE.)

stérilisation. V. ASSAINISSEMENT.

stérilité. V. IMPUISSANCE.

stick. V. BAGUETTE.

stigmate. V. CICATRICE et TRACE.

stigmatiser. V. CONDAMNER.

stimuler. V. ENCOURAGER.

stipe. V. TIGE.

stipendier. V. CORROMPRE.

stipuler. V. ÉNONCER.

stock. V. RÉSERVE.

stoïcien marque ce qui appartient de fait à l'école philosophique dont Zénon fut le fondateur. **Stoïque** se dit de ce qui est conforme aux maximes de la doctrine stoïcienne : *Une vertu stoïcienne pourrait bien être fausse si le philosophe stoïcien qui l'affiche n'est qu'un hypocrite, alors qu'une vertu stoïque, qui dénote une âme fière et ferme, est toujours solide et forte.* (V. AUSTÈRE.)

stoïque. V. AUSTÈRE et STOÏCIEN.

1. **stopper.** V. ARRÊTER (S').

2. **stopper.** V. RACCOMMODER.

store. V. RIDEAU.

stranguler. V. ÉTRANGLER.

stratagème. V. RUSE.

stratégie est le nom donné à la science du général en chef qui conçoit et forme le plan des opérations de la guerre, en embrasse l'ensemble et détermine leur marche. **Tactique** désigne l'art indispensable à tout chef de troupes, qui enseigne la manière d'exécuter les plans de la stratégie : *La stratégie est l'art de faire la guerre sur la carte, et la tactique celui de la faire sur le terrain.*

strict. V. ÉTROIT et SÉVÈRE.

strident. V. CRIARD.

strophe. V. STANCE.

structure. V. COMPOSITION.

stuc. V. STAFF.

studio. V. APPARTEMENT.

stupéfait. V. SURPRIS.

stupéfiant. V. ÉTONNANT.

stupéfié. V. SURPRIS.

stupide marque un manque d'intelligence qui rend impassible, insensible aux impressions, qui est comme une paralysie de l'âme; il suppose en outre de la lourdeur, l'absence de vivacité. **Abruti** suppose plus l'effet d'une circonstance qu'un état naturel, comme c'est généralem. le cas de *stupide*. **Idiot** implique surtout le manque d'idées, un esprit borné qui ne s'est pas développé ou même totalement privé d'intelligence. **Inepte** se dit bien de l'homme qui n'est bon à rien, qui manque de toutes les qualités nécessaires pour remplir une fonction quelconque et souvent même pour faire les choses les plus ordinaires. **Crétin** est un syn. familier de *stupide* (sur lequel il enchérit plutôt), ainsi que **souche** qui emporte en outre l'idée d'indolence. **Ganache,** populaire, implique à la fois stupidité et manque d'énergie. **Bestiasse,** aussi syn. populaire de *stupide,* est peu usité. (V. ABSURDE, BALOURD, BORNÉ, NIAIS et SOT.)

stupidité. V. BÊTISE.

stupre. V. DÉBAUCHE.

style désigne la manière d'exprimer par écrit les pensées : *Chacun a son style.* **Forme** se rapproche de *style* lorsqu'il désigne la manière d'écrire, de présenter, de traiter un sujet, par opposition à « fond », qui concerne ce qui constitue essentiellement le sujet traité, l'idée exprimée : *La forme ne peut se produire sans l'idée et l'idée sans la forme, a écrit Flaubert.* **Ecriture** et **plume,** syn. de *style,* sont moins employés : *L'écriture naturaliste; L'écriture des décadents; Luther triomphait de vive voix, mais la plume de Calvin était plus correcte* (*Bossuet*).
V. aussi ÉLOCUTION.

stylet. V. POIGNARD.

suaire. V. LINCEUL.

suave. V. AGRÉABLE.

subalterne. V. INFÉRIEUR.

subdivision est le terme général qui désigne la division d'une des parties d'un tout déjà divisé, et qui semble procéder d'un plan préconçu. **Ramification** donne l'idée d'une subdivision naturelle plus ou moins confuse. **Embranchement,** dans le sens de *subdivision,* fait plutôt penser à des groupements assez importants issus d'un tronc commun : *L'embranchement est une grande division primaire qui admet des subdivisions; celles-ci poussées assez loin constituent toutes ensemble des ramifications.*

subir. V. RECEVOIR et SOUFFRIR.

subit. V. SOUDAIN.

subitement. V. COUP (TOUT À).

subjuguer. V. CONQUÉRIR et OPPRIMER.

sublimation. V. VAPORISATION.

sublime. V. ADMIRABLE et ÉLEVÉ.

submerger. V. INONDER.

subodorer. V. PRESSENTIR et SENTIR.

subordination suppose une hiérarchie dans laquelle chacun a un supérieur ou des supérieurs dont il relève : *Les Perses avaient une grande subordination dans tous les emplois* (*Bossuet*). **Dépendance** implique que l'on ne saurait faire quelque chose sans l'aveu, sans la permission d'une personne à la disposition de laquelle on est : *La femme, en violant les droits du mariage, sort de sa dépendance naturelle* (*Montesquieu*). **Sujétion** suppose non une simple tutelle, comme *dépendance,* mais une soumission à des ordres, à des besoins, à des nécessités. **Assujettis-**

sement emporte l'idée d'un ensemble de sujétions différentes qui résultent de la contrainte, de certains besoins, ou de certaines règles ou obligations auxquelles nous sommes soumis : *La nature nous tient dans le plus grand et le plus complet assujettissement par tous les liens qui nous attachent aux hommes et aux choses; et nos besoins sont des sujétions qui nous rappellent sans cesse que notre vie n'est qu'un éternel assujettissement où nous ne faisons que changer de sujétions.* **Servitude** et surtout **esclavage** désignent un assujettissement plus absolu, rappelant les rapports de maître à serviteur ou à esclave (v. SERVITUDE). **Joug** suppose, que ce soit matériellement ou moralement, une sujétion pénible, difficile à supporter pour celui qui la subit : *Le joug romain pesa lourdement sur la Grande-Bretagne; Le joug des lois, des convenances, de la reconnaissance.* **Vassalité,** terme de féodalité désignant la dépendance du vassal par rapport au seigneur, s'emploie figurément, dans le style soutenu, en parlant d'un état de sujétion servile.

V. aussi ORDRE.

subordonné. V. INFÉRIEUR.

subordonner. V. SOUMETTRE.

suborner. V. CORROMPRE.

suborneur. V. SÉDUCTEUR.

subreptice. V. OBREPTICE.

subrogation. V. REMPLACEMENT.

subséquemment. V. PUIS.

subséquent. V. SUIVANT.

subside se dit d'une aide en argent donnée à un particulier. **Secours** (abrév. de SECOURS EN ESPÈCES) est plus du lang. ordin.; il implique en outre une idée de protection, de charité, qui n'est pas dans *subside.* **Subvention,** dans ce sens, suppose quelque chose de plus considérable que *subside;* il se dit des fonds que l'Etat, une société ou un mécène accorde à une entreprise pour la soutenir. **Allocation,** syn. de *subside,* est du langage administratif.

V. aussi IMPÔT.

subsistance. V. ALIMENT.

Subsistances. V. DENRÉES.

subsister, c'est simplement exister encore, continuer d'être, et cela seulement en parlant des choses. **Durer,** c'est, aussi en parlant des choses, subsister plus ou moins longtemps. **Demeurer,** c'est subsister d'une manière permanente. **Rester** est un syn. de *demeurer* de plus en plus usité auj. **Surnager** s'applique figurément à une chose qui subsiste, par opposition à d'autres qui disparaissent ou sont oubliées.

V. aussi ÊTRE.

substance est le syn. didactique de **matière,** qui désigne la partie constitutive d'une chose. **Corps** se dit de toute substance organique ou inorganique considérée par rapport à l'impression qu'elle peut produire sur nos sens (*l'air est un corps gazeux*), et suppose le plus souvent un agrégat d'éléments matériels, **élément** ne se disant que d'un corps simple, formé d'une substance unique.

V. aussi QUINTESSENCE.

substantiel. V. NOURRISSANT.

substantif. V. NOM.

substitution. V. REMPLACEMENT.

subterfuge. V. FUITE.

subtil. V. DÉLICAT et DÉLIÉ.

subtiliser. V. DÉROBER.

subtilité, pris en mauvaise part et employé surtout alors au pluriel, convient bien en parlant de distinctions, de raisonnements qui, étant trop raffinés, échappent à l'intelligence : *Avec des subtilités il n'y a rien qu'on ne puisse obscurcir, a dit Fénelon.* **Argutie,** qui s'emploie ordinairement aussi au pluriel, suppose une finesse outrée et excessive qui conduit souvent à l'emploi d'arguments sophistiques et vains : *On oppose des arguties aux principes comme on jette des pierres contre une montagne, a écrit De Bonald.*

V. aussi FINESSE.

subvention. V. IMPÔT et SUBSIDE.

subvertir. V. RENVERSER.

suc. V. QUINTESSENCE.

succédané, proprem. terme de médecine qui se dit de tout médicament (et par ext. de tout produit) qu'on peut substituer à un autre parce qu'il produit des effets analogues, s'emploie aussi, dans le langage courant, pour désigner tout produit qui peut au besoin en remplacer un autre, sans en avoir forcément toutes les propriétés; on dit également, dans ce sens, **produit de remplace-**

ment ou **produit de substitution. Ersatz** (mot allem. signif. *remplacement*) est un syn. de *succédané* employé le plus souvent en mauv. part; il se dit spécialement d'un produit destiné à en remplacer un autre devenu rare.

succéder à. V. REMPLACER.

succès, dans le sens de résultat heureux, favorable, se dit des grandes et des petites choses; il marque généralem. quelque chose de décisif, de durable, obtenu à la suite d'efforts ou grâce à son mérite. **Réussite** ne concerne que des choses de peu d'importance; il suppose en outre plutôt un effet du hasard ou des circonstances, lequel peut d'ailleurs n'être que momentané. **Avantage,** syn. de *succès,* emporte toujours l'idée de lutte. **Victoire** désigne aussi bien un grand avantage militaire remporté sur l'ennemi que n'importe quel grand avantage remporté sur un adversaire quelconque (au jeu, dans les sports, etc.), voire sur soi-même, ses passions, etc. **Triomphe,** nom donné dans l'Antiquité romaine à l'entrée solennelle d'un général romain qui avait remporté une grande victoire, implique auj., dans le langage courant, un succès éclatant.

succession, qui désigne la chose même sur laquelle le droit de possession est transmis, est le terme de science et de palais qu'on emploie toujours quand on considère les biens transmis comme donnant ou pouvant donner lieu à des contestations judiciaires. **Héritage** est le mot du langage ordinaire. **Patrimoine** désigne plus spécialement l'héritage paternel et maternel. **Hérédité,** dans ce sens, est un terme d'érudition qui ne s'emploie qu'en matière de jurisprudence ancienne et fait plus souvent penser au droit qu'à la chose elle-même : *Il se forma chez les Romains une règle, que l'on ne pourrait ni donner ni transmettre son hérédité que par des paroles de commandement* (*Montesquieu*). **Hoirie,** terme de droit syn. d'*héritage,* est vieux : *Recevoir une terre en avance d'hoirie.*

successivement. V. ALTERNATIVEMENT.

succinct. V. COURT.

succomber. V. FLÉCHIR, MOURIR et PLIER.

succulent. V. AGRÉABLE.

succursale est le nom donné à un établissement auxiliaire, créé par une maison principale dont il dépend plus ou moins complètement, et destiné à étendre le rayon d'action de celle-ci. **Filiale** désigne un établissement nouveau créé par une entreprise, pour réaliser une fabrication semblable ou distincte de la maison-mère, sur laquelle celle-ci a intérêt à s'assurer des droits ou à maintenir un contrôle : *A la différence de la succursale, la filiale jouit d'une grande autonomie et n'a de commun avec la maison-mère que l'origine des capitaux et les directives d'exploitation.* **Annexe** se dit de la partie la moins importante d'un édifice, d'un magasin ou d'un service, placée sous la dépendance de la partie principale et qui est généralement voisine de celle-ci, tout au moins dans la même ville. (V. DÉPENDANCE.)

sucer, c'est soit aspirer, à l'aide des lèvres, le suc, la substance, le liquide que contient une chose : *Les loups sucent le sang des brebis;* soit presser avec les lèvres une substance pour en aspirer le suc : *Sucer un os, une orange.* **Tirer,** moins usité, n'est syn. de *sucer* que dans sa première acception; c'est extraire en suçant : *Les sangsues tirent le sang.* **Téter,** c'est uniquement sucer, tirer le lait (de la mamelle) : *L'enfant tette sa mère.* **Suçoter** est familier; c'est sucer longtemps et à divers reprises: *On suçote un bonbon.*

suçoter. V. SUCER.

sucré. V. DOUX.

sucrer. V. ADOUCIR.

sucreries. V. FRIANDISE.

sud, nom donné au point cardinal qui est opposé au pôle nord, désigne aussi, par ext., la partie du monde ou la partie d'un pays située du côté du sud. **Midi,** point cardinal, désigne le sud pour notre hémisphère, suivant la méridienne, alors qu'en tout lieu, c'est la direction méridienne en tournant le dos au pôle céleste visible en ce lieu; ce terme sert aussi à désigner, par ext., les pays méridionaux, ainsi qu'une exposition qui, étant en face du soleil à midi, reçoit toute la chaleur de ses rayons. — **Méridional** s'applique adjectivement à un point quelconque de la terre situé au sud par rapport à un autre, cependant qu'**austral** ne se dit que de régions de l'hémisphère sud.

suer, c'est rendre par les pores de la peau une humeur aqueuse appelée « sueur ». **Transpirer,** syn. de *suer,* est moins du langage ordinaire.

V. aussi FATIGUER (SE) et SUINTER.

suer (faire). V. ENNUYER.

suffisamment. V. ASSEZ.

suffisance. V. ORGUEIL.

suffisant. V. VANITEUX.

suffoquer. V. ÉTOUFFER.

suffrage. V. APPROBATION et VOTE.

suggérer. V. INSPIRER.

suicider (se). V. TUER (SE).

suinter (de *suint,* dér. de *suer*), proprem. couler comme une matière grasse, se dit d'un liquide, d'une humeur, qui sort, s'écoule d'une manière presque imperceptible : *Eau qui suinte à travers un plafond;* il s'applique aussi, par ext., à tout ce qui laisse s'écouler presque imperceptiblement un liquide, une humeur : *Mur, tonneau, plaie qui suinte.* **Suer** s'emploie parfois aussi en parlant de certaines choses qui suintent, qui se couvrent d'humidité : *Les murailles suent pendant le dégel; Les blés, les foins suent jusqu'à ce que l'humidité qu'ils renferment soit évaporée.* **Exsuder** est un terme didactique; c'est, intransitivement, sortir en manière de sueur, et, transitivement laisser suinter : *Le sang exsude quelquefois par les pores; Arbre qui exsude de la résine.* (On dit aussi parfois, dans ce sens, **transsuder.**) [V. COULER.]

suite est le terme général qui désigne les événements causés par quelque chose qui a précédé, de quelque façon que ce soit, de loin ou de près. **Conséquence** se dit surtout d'une suite considérée intellectuellement, du point de vue de l'esprit, c'est-à-dire, ainsi que le note Lafaye, en tant qu'elle est sue, connue, prévue, pressentie, ou en tant qu'on la fait connaître, qu'on l'expose. **Effet** s'applique à une suite immédiate et définie, et plutôt matérielle que morale: *Les suites de l'ivrognerie sont tous les désordres qu'elle entraîne; ces mêmes désordres, quand on se les représente ou quand on les représente aux autres, sont les conséquences de ce vice; l'effet de l'ivrognerie, c'est, à parler rigoureusement, l'ivresse, écrit Lafaye.* (V. RÉSULTAT.)

V. aussi CONTINUATION, CORTÈGE et SÉRIE.

suite (dans la ou **par).** V. AVENIR (À L').

suite (tout de). V. IMMÉDIATEMENT.

suivant est le terme du langage courant qui sert à désigner ce qui suit, ce qui vient après une ou plusieurs choses, et qui regarde l'ordre dans lequel les choses sont rangées : *Le jour suivant; Les générations, les pages suivantes.* **Subséquent** (du lat. *subsequens,* part. prés. de *subsequi,* suivre de près) est un terme didactique qui s'emploie bien en matière d'histoire naturelle, de métaphysique, de jurisprudence : *Acte, traité subséquent; Un testament subséquent annule le premier.* **Postérieur** (lat. *posterior,* comparatif de *posterus,* qui vient après) s'applique surtout à une action passée et désigne ce qui a été après ce qui avait été. **Ultérieur** (du lat. *ultra,* au-delà) convient mieux en parlant d'une action future; il se dit de ce qui sera après ce qui est actuellement : *Nous étions bien ensemble dans notre jeunesse; des démêlés postérieurs nous ont divisés; aucun événement ultérieur ne nous divisera* (*Lafaye*).

V. aussi SELON.

suivre, c'est aller, venir après quelqu'un qui nous conduit : un guide, un chef, un maître. **Accompagner** (de *ad,* après, et *compagnon*), c'est aller de compagnie, pour toutes sortes de motifs, pour profiter de la société d'une personne ou bien lui faire honneur, pour la protéger ou bien partager son sort, etc. : *Des généraux de Napoléon l'accompagnèrent dans son exil; quelques-uns de ses serviteurs l'y suivirent.* **Escorter** (de l'ital. *scorta,* proprement action de guider), c'est accompagner pour protéger ou surveiller; il implique généralement une suite, une escorte militaire : *On accompagne par égard ou par amitié; on escorte par précaution.* **Convoyer,** syn. d'*accompagner, d'escorter,* n'est guère usité qu'en termes de marine et de guerre : *Convoyer des navires marchands, un train d'artillerie.* **Cortéger,** accompagner à plusieurs et avec cérémonie, est du style burlesque. — **Chaperonner** est très partic.;

c'est accompagner en qualité de « chaperon » (v. ce terme à l'article GOUVERNANTE).

Suivre, c'est aussi, plus particulièrement, aller après pour atteindre et pour prendre, voire simplement, en parlant d'une personne, pour savoir où va celle-ci : *On suit un lièvre, un espion.* **Filer** ne s'applique qu'à une personne qu'on suit continûment, sans la perdre de vue: *On file un voleur.* **Pister** est fam.; c'est suivre à la trace, en guettant, en surveillant sans cesse : *Policier qui piste un cambrioleur.* (V. POURSUIVRE.)

V. aussi RÉSULTER.

sujet. V. LIEU, MATIÈRE et OBJET.

sujétion. V. SUBORDINATION.

summum. V. APOGÉE.

superbe. V. ADMIRABLE, FIER, ORGUEIL et VANITEUX.

supercherie. V. TROMPERIE.

superfétation. V. ABUS.

superficie. V. SURFACE.

superficiel. V. LÉGER.

superflu. V. INUTILE.

supérieur est le terme qui sert à désigner, d'une façon générale, tout ce qui est situé au-dessus, de n'importe quelle façon que ce soit, par opposition à « inférieur ». **Magistral** suppose une supériorité due à la maîtrise: *Une œuvre magistrale.* **Extra,** terme du langage commercial surtout, ne s'applique qu'à la qualité, lorsque celle-ci est supérieure, et s'oppose plutôt alors à « ordinaire » : *Marchandises, mets extra.* **Fameux** se dit familièrement de ce qui est supérieur en son genre, que ce soit en bonne ou en mauvaise part : *Vin fameux; Un fameux gredin.*

supériorité renferme une idée d'excellence et a surtout rapport à la puissance ou à la valeur : *La supériorité donne le pouvoir de surpasser les autres, ou le droit de les commander.* **Préexcellence** enchérit sur *supériorité;* il implique une supériorité nettement marquée, indiscutable, et convient bien en parlant de la qualité qui l'emporte sur tout : *La préexcellence d'un diplomate, c'est d'être sagace.* **Prééminence** emporte une idée de préséance due à l'excellence; il désigne une prérogative de rang, de dignité, de droit, de degré : *Nous venons au monde, a dit Alibert, avec le désir insurmontable de la prééminence sur nos semblables.* **Primauté** enchérit sur *prééminence* en impliquant toujours le premier rang : *La primauté du spirituel sur le temporel.* **Prépotence** (du lat. *praepotentia,* excès de puissance), qui implique une supériorité de puissance, suppose le plus souvent un pouvoir dont on abuse : *La prépotence du sexe masculin.* **Prépondérance** emporte l'idée d'une supériorité d'autorité, de crédit, de considération : *Etat qui a la prépondérance sur ses voisins.* **Suprématie** implique une supériorité due à une situation qui élève au-dessus de tout : *Suprématie économique, navale.* **Hégémonie** (du grec *hégémon,* conducteur) est plus partic.; désignant, dans l'Antiquité grecque, la prépondérance politique et la direction militaire d'un Etat grec dans une confédération, il se dit auj. encore de la suprématie d'une puissance moderne : *L'hégémonie de la Prusse sur l'Allemagne.* **Royauté** s'emploie parfois aussi, figurément, dans le sens d'influence souveraine, c'est-à-dire de *prééminence : La royauté des salons n'existe plus autant que par le passé.* **Précellence,** syn. de *supériorité,* de *préexcellence,* est vieux. (V. AVANTAGE.)

supplanter. V. REMPLACER et REPOUSSER.

suppléer. V. COMPLÉTER, REMÉDIER et REMPLACER.

supplément désigne ce qu'on ajoute à une chose qui paraissait déjà complète à un certain point de vue, mais qu'on juge convenable d'étendre encore : *Le supplément n'est qu'un accessoire; il n'est pas d'une nécessité indispensable, au moins pour tout le monde.* (A noter qu'à l'adj. SUPPLÉMENTAIRE, il convient d'ajouter son syn. SUPPLÉTIF, qui est d'un usage plus didactique.) **Complément** est le nom que l'on donne à ce qui est ajouté à une chose incomplète, pour qu'elle soit entière, pour qu'il n'y manque rien : *Le complément est une partie essentielle qui se place après toutes les autres.* — **Surcroît** n'est syn. de *supplément* qu'autant qu'il s'applique à ce qui est ajouté à quelque chose pour en accroître le nombre, la quantité, la force : *Recevoir un surcroît de provisions; Un surcroît de malheurs.* **Rabiot**

est très familier; après avoir désigné un excédent de vivres dans le langage militaire, il s'emploie couramment auj. en parlant de n'importe quel supplément dans une distribution quelconque. (C'est aussi le terme dont on se sert pour désigner le temps supplémentaire que doit accomplir un soldat puni de prison.)

supplémentaire, supplétif. V. SUPPLÉMENT.

supplication. V. PRIÈRE.

supplice, qui désigne proprement une peine corporelle extrêmement douloureuse, entraînant ou non la mort, et ordonnée par arrêt de justice, fait surtout penser au fait lui-même : *Le supplice de la roue, du gibet, de la croix, du fouet.* (Il en va de même lorsque ce terme s'applique, par ext., à tout ce qui cause une vive douleur du corps, et qui dure quelque temps : *La goutte, la paralysie sont des supplices cruels.*) **Tourment** attire surtout l'attention sur la violence du supplice, et fait penser au résultat d'une action : *Condamner quelqu'un à d'horribles tourments; Souffrir des tourments insupportables par suite d'une opération.* **Torture** implique des tourments nombreux et convient bien en parlant d'une action faite à dessein et avec art : *Autrefois, les supplices étaient un but, une peine, cependant que la torture n'était qu'un moyen, un mode d'interrogatoire* (à noter d'ailleurs que, dans cette acception, on se servait plus ordinairement du mot **question**) : *La Providence nous met quelquefois à la torture, en y employant la pierre, la gravelle, la goutte, le déchirement d'entrailles, les convulsions et autres exécutions de ses vengeances* (*Voltaire*). **Martyre,** proprement mort ou tourments endurés pour la défense d'une religion, particulièrem. de la religion chrétienne, s'emploie aussi, par anal. et par exagération, pour désigner toutes sortes de peines physiques ou d'esprit : *La couronne du martyre; Mal de dents qui fait souffrir le martyre; Conversation qui est un martyre.* **Géhenne** s'est dit autrefois pour *torture, question,* bien que, dans ce sens, on ait écrit plus souvent **gêne** (du verbe ancien *gehir,* faire avouer par la torture) ; employé aussi figurément pour désigner une grande torture morale, il n'est guère usité auj. : *Mettre un coupable à la géhenne; Tout homme a sa géhenne en ce monde, a dit Montaigne.* — Au fig., et appliqué à tout ce qui cause une peine, une affliction, une inquiétude violente et de quelque durée, SUPPLICE peut avoir une signification affaiblie que n'ont jamais ses synonymes; c'est ainsi qu'on parlera du supplice de l'attente ou de l'absence, et non de leur tourment, torture, martyre ou géhenne. (V. PEINE et SOUCI.)

supplicier. V. TUER.

supplier. V. PRIER.

supplique. V. PRIÈRE et REQUÊTE.

support. V. SOUTIEN

supporter. V. SOUFFRIR et SOUTENIR.

supposé, en parlant d'un écrit ou d'un auteur, laisse généralement entendre soit que l'écrit est faux, soit que l'auteur n'est pour rien dans l'œuvre qu'on lui prête. **Apocryphe** (du grec *apokruptein,* cacher) se dit de ce qui n'est ni prouvé ni authentifié, mais peut cependant être vrai : *Tenez pour suspect un écrit apocryphe, et pour faux un écrit supposé, conseille Lafaye.* (A noter d'ailleurs que, dans la littérature moderne, on ne parle guère de livres *apocryphes;* il n'y a en général que des livres *supposés :* tel est le fameux « Ossian », inventé par Macpherson, ou le « Théâtre de Clara Gazul », imaginé par Mérimée.) [V. FAUX.]

supposer, c'est admettre quelque chose pour vrai sans contrôle, sans vérification, sciemment ou inconsciemment, et qu'il s'agisse du passé ou du futur. **Présupposer,** c'est supposer involontairement et par avance ce qui se passera dans le futur. **Poser,** c'est supposer pour un moment; il s'emploie surtout en parlant de choses dont on ne demeure pas d'accord, mais que l'on veut bien supposer, afin de pouvoir procéder à la discussion du reste : *Posons qu'il en soit ainsi... Et alors?* **Présumer,** c'est supposer en jugeant sur des probabilités : *Les législateurs doivent supposer les hommes méchants, et présumer le mal, afin de le prévenir.* (V. AUGURER et CROIRE.)

supposition est le terme du langage ordinaire qui se dit d'une proposition qu'on pose comme vraie ou au moins comme possible, et dont on tire des inductions. **Hypothèse** (du grec *hupo,* dessous, et *tithêmi,* je place) appartient au langage savant et s'applique à une proposition purement idéale et imaginaire dont on tire une conséquence, et qui peut parfois embrasser tout un système d'idées fort compliquées : *J'appellerai hypothèses, dit Condillac, les systèmes qui n'ont que des suppositions pour fondements.* **Conjecture,** qui suppose essentiellement une inclination à croire d'après les apparences, convient en parlant d'une supposition fondée sur des données incertaines. **Présomption** (du lat. *praesumptus,* pris d'avance) implique une croyance incomplète qui s'impose à nous par la force des choses; c'est une conjecture fondée sur des faits certains ou des vérités connues, sur des commencements de preuves : *On a souvent condamné des accusés dont le crime n'était pas prouvé d'une manière complète, mais contre qui les circonstances élevaient de fortes présomptions; ce serait une monstrueuse injustice de condamner sur de simples conjectures.*

suppôt. V. PARTISAN.

supprimer. V. ANNULER et TUER.

Se supprimer. V. TUER (SE).

supputer. V. ESTIMER.

suprématie. V. SUPÉRIORITÉ.

suprême. V. DERNIER et SOUVERAIN.

sur. V. AIGRE.

surabondance. V. ABONDANCE et ABUS.

suranné. V. DÉSUET.

surbaisser. V. BAISSER.

surcharger. V. ACCABLER.

surcroît. V. SUPPLÉMENT.

surdent. V. DENT.

sûrement. V. ASSURÉMENT.

surenchère. V. ENCHÈRE.

sûreté. V. ASSURANCE, GARANTIE et SÉCURITÉ.

surexcité enchérit, quant à l'idée d'excès, sur **excité** qui suppose pourtant déjà un état de nervosité portant très loin les divers sentiments de l'être humain. **Exalté** emporte aussi, dans ce sens, une nuance de critique, et implique une excitation, une surexcitation de l'esprit qui jette comme dans une sorte de délire, éloignant dangereusement de la froide raison. (V. FANATIQUE et FURIEUX.)

surface, terme du langage courant qui désigne le dessus d'un corps, sa couche extérieure considérée quant à sa nature matérielle, s'applique, en termes de géométrie, à l'espace compris entre des lignes qui se rencontrent, c'est-à-dire à l'**étendue** considérée comme n'ayant que deux dimensions, longueur et largeur, abstraction faite de la profondeur ou de l'épaisseur. **Superficie** appartient plutôt au langage savant et s'emploie particulièrem. bien en termes de géométrie ou d'arpentage ; il désigne seulement le dessus d'un corps considéré quant à son étendue. **Aire** se dit plus spécialement de l'étendue superficielle, c'est-à-dire de l'évaluation numérique d'une surface considérée géométriquement, cependant que **contenance,** dans ce sens, s'applique surtout aux terrains ou aux choses analogues.

surfil. V. SURJET.

surgir. V. PARAÎTRE, SORTIR et VENIR.

surjet est un terme de couture qui désigne un point à cheval employé pour l'assemblage de deux lisières ou de deux replis d'étoffe : *Le point de surjet se fait de droite à gauche.* **Surfil** se dit d'un point analogue, mais très lâche et écarté, que l'on exécute sur les bords d'une couture pour éviter l'effilochage : *Le point de surfil se fait de gauche à droite.*

sur-le-champ. V. IMMÉDIATEMENT.

surmener (se). V. FATIGUER (SE).

surmonter, c'est, figurément, passer par-dessus ce qui s'oppose à notre route, ce qui est inerte et barre le passage, en formant un obstacle considérable. **Vaincre,** c'est l'emporter sur quelqu'un ou quelque chose dans une lutte ; il suppose le combat, la résistance. **Triompher de,** c'est remporter une éclatante victoire, vaincre magnifiquement. — **Dompter,** qui s'applique proprem. aux animaux sauvages, est us. aussi figurém. en parlant des hommes farouches, comme de tout ce qui est fier, intraitable, que l'on range sous son obéissance. **Maîtriser,** c'est vaincre, dompter par la force. **Réduire** suppose, davantage que *dompter,* une révolte ; c'est ramener au devoir, à la soumission ce qui s'en écarte. **Mater,** c'est, figurément, dompter en mettant hors d'état de résister, l'humeur, le caractère.

surnager. V. SUBSISTER.

surnom désigne un nom ajouté au nom de quelqu'un, ou bien le remplaçant, et tiré soit de son métier, soit d'un trait caractéristique de sa personne ou de sa vie : *Scipion reçut le surnom d'Africain.* **Sobriquet** se dit d'un surnom donné soit par dérision, soit à cause de quelque particularité physique ou autre : *Guise illustra le sobriquet de « Balafré ».* **Pseudonyme** est plus partic. ; c'est le nom supposé que se donne un écrivain, un journaliste, un artiste, etc. : *Molière est le pseudonyme de Poquelin et Voltaire celui d'Arouet.*

surnommer. V. APPELER.

surpasser, c'est, figurément et d'une façon générale, être au-dessus de, soit en bien, soit en mal ; il attire l'attention sur le fait en soi, sans idée accessoire. **Dépasser** emporte généralement une idée de concurrence, d'émulation, de lutte. **Devancer,** syn. de *dépasser,* est moins du langage courant. **Primer,** intransitivement tenir la première place, avoir l'avantage sur les autres, est moins usité transitivement, dans le sens de *surpasser,* de *dépasser.* **Enfoncer,** syn. de *dépasser,* est familier, **dégoter** est populaire. (V. PRÉVALOIR.)

V. aussi PASSER.

surplomber. V. DÉPASSER.

surplus. V. EXCÈS.

surplus (au). V. AILLEURS (D').

surprenant. V. ÉTONNANT.

surprendre. V. TROMPER et VOIR.

surpris marque de la façon la plus faible l'idée que l'on a été pris au dépourvu, qu'on ne s'attendait pas à ce qui est arrivé. **Etonné** ajoute à l'idée de surprise celle d'une impression forte, voire — étymologiquement du moins — d'un ébranlement qui étourdit comme un coup de « tonnerre » et fait qu'on ne comprend pas ce qui s'est passé ; dans le langage courant, on l'emploie plus simplement pour indiquer seulement une vive surprise. **Stupéfait** suppose une surprise qui met dans un état d'insensibilité, d'immobilité. **Stupéfié,** syn. de *stupéfait,* rappelle l'action de la cause qui a produit l'état de stupéfaction. **Saisi,** syn. de *surpris,* ne s'emploie qu'absolument. **Frappé** suppose que l'on est surpris, saisi par quelque chose qui fait surtout une forte impression. **Renversé** est familier ; il implique que l'on est profondément étonné, stupéfié. (V. DÉCONCERTÉ et ÉBAHI.)

sursaut. V. SAUT.

sursauter. V. TRESSAILLIR.

surséance. V. DÉLAI.

surseoir. V. RETARDER.

sursis. V. DÉLAI.

surtout, qui signifie plus que toute autre chose, est absolu pour le fond comme pour la forme et dit plus que son syn. **principalement,** lequel est relatif et n'emporte qu'une excellence générale, convenable à toute espèce : *Il faut principalement et surtout se garder de faire une chose, c'est-à-dire, dans le premier cas, donner une très grande attention, et, dans le second, donner sa plus grande attention, en négligeant tout le reste, si besoin est, à ne la point faire* (*Lafaye*).

surveillant, terme général qui désigne toute personne chargée d'une surveillance déterminée, se dit plus spécialem. de celui qui est chargé, dans une maison d'instruction, de la surveillance des élèves pendant les heures de travail et de récréation. **Maître d'étude** est le nom donné au maître chargé de la surveillance des élèves en dehors des classes, et qui peut aussi leur faire répéter leurs leçons ; on l'appelle du reste plus souvent auj., surtout dans les lycées et collèges, **répétiteur. Préfet d'étude** (ou PRÉFET) est un synonyme ancien de *maître d'étude.* **Pion,** syn. de *surveillant,* de *répétiteur* est un terme d'argot scolaire qui emporte généralement un sens péjoratif. (V. MAÎTRE.)

surveiller, c'est, de la façon la plus générale, examiner, contrôler avec attention. **Observer,** c'est simplement avoir la vue sur quelqu'un ou quelque chose, afin de ne rien ignorer de ce qui est fait. **Suivre,** c'est observer continûment dans sa marche, son évolution, son développement. (V. ÉPIER.)

V. aussi VEILLER SUR.

survenance. V. ARRIVÉE.

survenir. V. VENIR.

susceptible, qui désigne proprement et absolument ce qui a une disposition à se ressentir facilement des influences extérieures, se dit figurément de ce qui se blesse, s'offense aisément, et le laisse paraître. **Ombrageux** suppose une susceptibilité telle qu'un rien fait se cabrer, s'offusquer ; il implique de la méfiance, la crainte d'être éclipsé par d'autres. **Irritable** suppose une grande sensibilité qui fait non seulement qu'on s'offense facilement, mais encore qu'on se met en colère, cela pour une raison le plus souvent extérieure. **Chatouilleux,** syn. de *susceptible,* est familier. (V. COLÉREUX et SENSIBLE.)

Susceptible et **capable** ne sont syn. que dans la mesure où l'on donne abusivement au premier de ces termes une possibilité active qui ne devrait être réservée qu'au second : *Un commandant peut être capable de devenir colonel, à moins que les règlements militaires ne le rendent pas susceptible de cet avancement.*

susciter. V. OCCASIONNER.

suspect est le terme général qui, se disant des personnes comme des choses, s'applique à ce qui est soupçonné ou mérite de l'être ; il est essentiellement dominé par l'idée de défiance. **Douteux** se dit de ce qui est suspect parce que pas sûr. **Interlope** ajoute à l'idée de suspect celle de fausse ou de mauvaise apparence. **Equivoque** se dit de ce qui est suspect, parce que d'une sincérité ou d'une honorabilité douteuse, à laquelle on ne peut se fier. **Louche,** qui est plus du langage ordinaire, désigne surtout ce qui est suspect, équivoque dans l'intention.

suspecter. V. SOUPÇONNER.

suspendre. V. ACCROCHER et INTERROMPRE.

Se suspendre. V. ATTACHER (S').

suspension d'armes. V. TRÊVE.

suspicion. V. SOUPÇON.

sustenter. V. NOURRIR.

susurrer. V. MURMURER.

suzerain. V. SEIGNEUR.

svelte. V. DÉLIÉ et MINCE.

sycophante. V. ACCUSATEUR, ESPION et SOURNOIS.

sylve. V. BOIS.

sylviculteur. V. PÉPINIÉRISTE.

symbole désigne une image qui, en plaçant sous les yeux quelque objet matériel, rappelle à l'esprit une idée liée à cet objet par des analogies réelles, naturelles, ou des rapports conventionnels relativement faciles à saisir. **Emblème** suppose un choix particulier qui demande le plus souvent un effort d'intelligence pour être compris, attendu qu'il peut associer plusieurs idées différentes : *La tortue est le symbole de la lenteur, un flambeau allumé celui de la vie; mais si, pour représenter la paix succédant à la guerre, on peignait une colombe faisant son nid dans un casque, ce serait un emblème.* **Attribut** se dit, dans ce sens, d'un objet qui accompagne ordinairement, plutôt qu'il ne représente, certaines personnes et certaines choses, et qui figure le plus souvent dans un ensemble artistique : *Le caducée est l'attribut de Mercure; le thyrse celui de Bacchus; la houlette et la musette sont ceux des bergers; le bandeau, la balance et le glaive ceux de la justice.*

sympathie désigne le penchant instinctif qui attire deux personnes l'une vers l'autre ; il appelle un rapport d'humeur, d'inclination : *On peut éprouver de la sympathie pour une personne jusqu'alors inconnue.* **Estime** implique un sentiment plus raisonné que *sympathie,* puisque essentiellement fondé sur la connaissance du mérite, des bonnes qualités, des vertus d'une personne, et qui fait qu'on se sent attiré vers elle; il suppose avant tout de la considération : *On peut avoir de l'estime pour un voisin méritant, même sans éprouver de la sympathie pour lui.* **Intérêt** se dit du sentiment qui nous fait prendre part à ce qui regarde une personne, à ce qui lui arrive d'agréable ou de fâcheux ; il réclame de l'affection ou du moins de la bienveillance : *On peut fort bien porter de l'intérêt à une personne dans le besoin, sans avoir véritablement pour elle sympathie ou estime.*

sympathiser. V. ENTENDRE (S').

symptôme (du grec *sun,* avec, et *piptein,* tomber, arriver) est un terme de médecine désignant toute modification dans la constitution matérielle d'un organe ou dans les fonctions organiques, qui se trouve liée à la présence d'une maladie. **Signe** se dit de la conclusion que l'esprit tire des symptômes observés : *C'est par l'ensemble* *et la succession des symptômes que la maladie se révèle, mais il faut une opération intellectuelle du médecin pour transformer les symptômes en signes.* **Syndrome** (du grec *sundromê,* concours) désigne l'ensemble des symptômes qui peuvent suffire à caractériser une affection ou une maladie : *Les syndromes de la méningite.* **Prodrome** (du grec *pro,* en avant, et *dromos,* course), qui sert à désigner le signe avant-coureur d'une maladie, implique généralement un état d'indisposition, de malaise. — Au fig. et dans le langage courant, SYMPTÔME, comme SIGNE, se dit d'un indice révélateur d'une situation matérielle ou d'un état d'esprit, cependant que PRODROME s'applique bien à un fait présageant quelque événement.

synallagmatique. V. RÉCIPROQUE.

syncope. V. ÉVANOUISSEMENT.

syndicat désigne un groupement de plusieurs personnes pour la défense d'intérêts communs, généralement professionnels et matériels, et jouissant d'une certaine capacité juridique et commerciale : *Syndicats professionnels, agricoles,* etc. **Union** est le nom souvent donné, en termes de commerce et d'économie politique, à un syndicat établi dans un but de protection et de défense, ou bien dans un but d'accaparement et de spéculation : *Union de producteurs, de banquiers.* **Mutuelle** s'applique à un groupement de plusieurs personnes réunies pour se garantir, s'assurer les unes les autres contre certains risques. **Compagnonnage,** association entre ouvriers d'un même corps d'état dans un but d'instruction professionnelle et d'assistance mutuelle, est un terme peu us. auj. **Trade-union** (de l'angl. *trade,* industrie, et *union,* union) est très partic. ; c'est le nom que l'on donne en Angleterre à une association de salariés se proposant de défendre ou d'améliorer les conditions de leur vie laborieuse. (V. CORPORATION, FÉDÉRATION et SOCIÉTÉ.)

syndrome. V. SYMPTÔME.

synode. V. CONCILE.

synonyme se dit des mots qui ont entre eux une analogie générale de sens, mais avec des nuances différentes d'acception. **Equivalent** implique plus de similitudes ; il convient bien en parlant d'une locution qui remplace exactement un mot, ou vice versa, tel est le cas lorsqu'on met la définition au lieu du terme lui-même. **Adéquat** (du préf. *ad,* et du lat. *aequare,* égaler), qui ne s'emploie qu'adjectivement, se dit de ce qui est équivalent à l'objet pensé, particulièrement en parlant des expressions.

synopsis. V. PIÈCE et TRAME.

syntaxe est le nom que l'on donne à la partie de la grammaire qui a pour objet la manière de rendre les divers rapports qui existent entre les idées. **Construction** fait penser seulement à l'arrangement des mots entre eux et à la coordination des phrases et des périodes : *La syntaxe considère la forme des mots et règle les modifications qu'ils doivent subir pour entrer dans une phrase correcte, cependant que la construction considère uniquement l'ordre des mots.*

systématique. V. RÉGLÉ.

système. V. ENSEIGNEMENT, MÉTHODE et RÈGLE.

T

tabac est le nom donné à une plante de la famille des solanacées, originaire d'Amérique, dont on prépare la feuille de diverses manières pour fumer, priser ou chiquer. **Herbe sainte, herbe à tous les maux, panacée antarctique, herbe à la reine, herbe catherinaire, médicée, herbe à l'ambassadeur, nicotiane,** sont d'anciennes dénominations du tabac considéré comme un remède, **pontiane** étant un terme de botanique. **Herbe**

à Nicot et **petun** sont aussi des syn. vieillis de *tabac* employés parfois encore auj. plaisamment. **Perlot** est un terme d'argot.

tabagie. V. CABARET.

tabatière. V. LUCARNE.

tabellion. V. NOTAIRE.

table est le nom donné à la liste des matières ou des illustrations qui sont dans un livre, et qui renvoie aux pages où se trouvent ces matières ou ces illustrations. **Répertoire,** dans ce sens, s'applique plutôt à la table, souvent alphabétique, d'écrits proprement dits, de papiers, de registres. **Index** désigne une table qui, placée à la fin d'un ouvrage, donne la liste alphabétique de certains mots employés par l'auteur, ou bien de noms cités par celui-ci, avec l'indication des pages ou des paragraphes où ils se trouvent.

V. aussi SOMMET.

table (se mettre à) exprime simplement l'action habituelle de prendre place pour manger. **S'attabler,** c'est s'installer commodément autour d'une table et se disposer à y passer un temps assez long pour boire, manger, jouer ou causer : ce verbe a volontiers un sens dépréciatif.

tableau est le terme général qui sert à désigner tout ouvrage de peinture exécuté sur un panneau de bois, sur une feuille de papier, sur une toile tendue sur un châssis, etc.; on dit aussi, dans ce sens, simplement **peinture. Toile** ne se dit évidemment que d'un tableau peint sur une toile. **Pochade** désigne une peinture faite rapidement et sans études, mais qui — à la différence de l'**esquisse** (v. ce mot à CANEVAS) — n'est pas moins pour cela un tableau achevé, dont le dessin quelque peu incorrect et le modelé peu soigné sont compensés par le mouvement, la chaleur, les tons justes et la touche généralement spirituelle de l'œuvre. **Croûte** et **navet** sont familiers et péjoratifs; ils ne s'appliquent qu'à un mauvais tableau.

V. aussi IMAGE, LISTE et REPRÉSENTATION.

tabler sur. V. ESPÉRER.

tabou. V. SACRÉ.

tache est le terme qui sert à désigner proprement, et d'une façon générale, toute marque qui salit. **Souillure** est dominé par l'idée d'un contact malpropre qui salit. **Macule,** syn. de ces termes, est moins du langage ordinaire. **Bavure,** nom donné à la trace saillante laissée sur une pièce moulée à l'endroit des joints du moule, se dit aussi, par analogie, d'une macule dans une impression, dans une épreuve d'imprimerie, dans une empreinte, etc., quand elle déborde d'un contour. **Pâté,** plus particulier encore, s'applique seulement à une tache d'encre de forme arrondie. — Au fig., TACHE désigne tout ce qui blesse l'honneur, la réputation. SOUILLURE, syn. de *tache,* emporte l'idée de contact impur. MACULE n'est guère usité.

tâche. V. TRAVAIL.

tacher. V. SALIR et SOUILLER.

tâcher de. V. ESSAYER.

tâcheron. V. TRAVAILLEUR.

tacheter. V. MARQUETER.

tacite. V. SOUS-ENTENDU.

taciturne. V. SILENCIEUX.

tact désigne le sens qui reçoit l'impression des objets, comme la vue, l'ouïe, le goût, l'odorat : *Le tact est répandu dans toutes les parties du corps, mais plus sensible dans les mains* (*Voltaire*). **Toucher** est le nom donné à l'exercice du tact qui permet de recevoir l'impression de la forme solide, de la résistance, de la température, etc., des corps : *Si le sens du toucher ne rectifiait pas le sens de la vue, dans toutes les occasions, nous nous tromperions sur la position des objets* (*Buffon*). **Attouchement** s'applique à l'action de toucher, principalement avec la main, laquelle est légère, et qui nous fait distinguer les circonstances particulières de tel acte relativement à tel objet : *Les accusés autrefois étaient admis à prouver leur innocence par l'attouchement d'un fer chaud; Jésus guérissait les malades par un simple attouchement.* **Contact** ne se dit que de deux corps insensibles qui se touchent : *Le toucher n'est qu'un contact de superficie* (*Buffon*).

V. aussi SAVOIR-VIVRE.

tactique. V. STRATÉGIE.

tafia. V. RHUM.

taillade. V. ENTAILLE.

taillader. V. COUPER.

taillant. V. TRANCHANT.

taille, qui désigne la hauteur du corps humain, se dit aussi par rapport aux animaux. (A noter qu'en parlant des hommes, *taille* peut renfermer aussi dans sa signification non seulement la hauteur, mais la grosseur et même la conformation générale du corps.) **Stature** ne s'applique ordinairement qu'à l'homme ; il désigne proprement la hauteur du corps de celui-ci quand il se tient debout, surtout lorsque cette hauteur dépasse la mesure ordinaire : *On est d'une taille ou d'une stature haute, moyenne ou petite, mais la taille est noble ou fine, belle ou difforme, bien ou mal prise, svelte ou lourde, etc., ce qui ne peut se dire de la stature.*

Taille se dit aussi, dans un sens plus restreint, de la partie rétrécie du corps située entre les hanches et le bas de la poitrine, appelée plus communément **ceinture,** parce que c'est l'endroit du corps où l'on place la « ceinture ».

V. aussi TRANCHANT.

tailler. V. COUPER et ÉLAGUER.

tailler en pièces. V. VAINCRE.

taillis. V. BUISSON.

taire signifie simplement ne pas dire, sans autre idée accessoire. **Cacher,** c'est taire ce que l'on veut tenir secret, s'abstenir avec soin de parler de tout ce qui pourrait permettre de deviner ou même de soupçonner une chose qui n'est pas connue. **Celer** exprime la même idée que *cacher,* mais un peu moins fortement et en y ajoutant celle d'un défaut de franchise : *Pour taire une chose, il suffit de ne pas la dire; pour la cacher, on est obligé de la renfermer dans le fond de son cœur; pour la celer, il faut une intention formelle de ne point la manifester.* **Dissimuler,** c'est taire en niant ce qui est ou en disant nettement qu'il y a autre chose. **Voiler,** c'est taire ce qui permettrait de bien comprendre. (V. DÉGUISER.)

talent. V. CAPACITÉ.

taler. V. MEURTRIR.

talisman. V. AMULETTE.

taloche. V. COUP et GIFLE.

talonner. V. POURSUIVRE et TOURMENTER.

talus est le nom donné, d'une façon générale, à un terrain en pente très inclinée, résultant d'ordinaire d'un travail de terrassement, et bordant une tranchée, un fossé, une voie de chemin de fer, etc. **Remblai** ne se rapproche de *talus* qu'autant qu'il se dit d'une masse de matière rapportée dans le but d'élever un terrain dès lors surélevé et s'achevant par des pentes inclinées ou à pic : *Le talus résulte d'un déblaiement, d'une entaille; le remblai est toujours rapporté.* **Glacis,** nom donné à un talus en pente douce et unie, s'emploie plus spécialement en termes de fortification pour désigner un terrain en pente douce, ménagé en avant d'un ouvrage de défense, et par lequel la crête du chemin ou du fossé se raccorde au sol. (V. BUTTE et PENCHANT.)

tambour, nom donné à une caisse cylindrique dont chaque fond est une peau tendue, sur l'une desquelles on frappe avec des baguettes pour en tirer des sons, attire l'attention aussi bien sur l'instrument lui-même que sur le bruit qu'il rend, alors que **caisse,** employé absolument dans ce sens, a seulement rapport à l'instrument. **Tambourin** désigne une sorte de tambour plus haut mais de diamètre plus petit que le tambour ordinaire, sur lequel on frappe avec une seule baguette, et qui accompagne généralement les sons du galoubet ou du flûtet joué par le même exécutant. **Timbale** se dit d'une sorte de tambour composé d'un demi-globe de métal sur lequel est tendue une peau. **Tam-tam** est le nom donné au tambour primitif en usage chez les tribus nègres de l'Afrique centrale.

Tambour, lorsqu'il désigne celui qui bat du tambour, a pour synonyme d'argot militaire **tapin.**

tambourin. V. TAMBOUR.

tambouriner. V. BATTRE, FRAPPER et RÉPANDRE.

tamiser, c'est épurer des matières en poudre ou des liquides troubles en les faisant couler au travers d'un « tamis », instrument formé d'une tôle perforée ou d'un tissu serré de crin, de fils de soie ou de fer, fixé sur un cadre carré ou cylindrique. **Cribler** et **sasser** supposent une opération analogue effectuée à l'aide d'instruments appelés « crible » et « sas ». **Vanner** est uniquement un terme d'économie rurale; c'est chasser la poussière et autres impuretés des grains en secouant ceux-ci sur le « van », sorte de panier plat en avant, ayant un rebord en arrière, et muni de deux anses latérales pour le manœuvrer. **Bluter,** c'est seulement tamiser la farine dans le « blutoir », pour en séparer le son. **Passer** est le terme général qui peut remplacer indifféremment les mots précédents. (V. TRIER.)

tamponner. V. HEURTER.

tam-tam. V. TAMBOUR et TAPAGE.

tancer. V. RÉPRIMANDER.

tandem. V. BICYCLETTE.

tandis que. V. LIEU QUE (AU) et PENDANT QUE.

tangible. V. RÉEL.

tanguer. V. BALANCER.

tanière. V. GÎTE.

tanner. V. BATTRE et ENNUYER.

tantôt. V. APRÈS-MIDI.

tapage suppose un assemblage de sons discordants accompagnés le plus souvent de scènes de trouble ou de désordre, et que l'on doit surtout à des personnes. **Tintamarre** a le même sens, mais s'applique plutôt aux choses : *On parlera du tapage que font des enfants, et du tintamarre des rues de Paris.* **Bruit** suppose proprement des sons discordants sans impliquer forcément l'idée de désordre ou de dégât ; ce peut être aussi cependant, et plus particulièrem., un tapage spontané ou organisé : *Il y aura du bruit à cette réunion.* **Fracas,** qui ajoute à l'idée de bruit celle de quelque chose qui se brise ou qui menace de se briser, se dit aussi, par analogie, d'un tintamarre remarquable par sa violence, sa force, son éclat. **Vacarme** convient bien en parlant d'un bruit d'enfants, de gens du peuple qui font tapage en jouant à des jeux bruyants ou en se querellant. **Boucan** se dit familièrement d'un vacarme assourdissant, voulu ou non. **Charivari** et **carillon** (moins us.) se disent d'un grand bruit, accompagné le plus souvent de huées — et font uniquement penser aux sons perceptibles à l'ouïe ; on dit aussi parfois, familièrement et par plaisanterie, **sérénade. Hourvari,** qui désigne le cri du chasseur rappelant les chiens sur leurs premières voies, s'emploie parfois aussi familièrement dans un sens voisin de *charivari*. **Rumeur** se dit plutôt d'un bruit confus de voix ; ce peut être aussi un bruit sourd, général et menaçant. **Brouhaha** (onomatopée) est le nom que l'on donne surtout à un bruit confus qui s'élève dans les assemblées nombreuses, particulièrement dans les spectacles, en témoignage d'approbation ou d'improbation de ce qui vient d'être dit ou fait ; il est familier. **Bousin, pétard, potin, raffut, tam-tam,** syn. de *tapage,* sont populaires ; **baroufle, chabanais** et **ramdam** sont des termes d'argot. (V. CACOPHONIE, CHAHUT, SCANDALE et TUMULTE.)

tape. V. COUP et GIFLE.

tapé. V. FOU.

tapée. V. MULTITUDE.

taper. V. BATTRE et FRAPPER.

tapinois (en). V. SECRÈTEMENT.

tapir (se). V. BLOTTIR (SE).

tapis désigne le tissu en lui-même propre à être étendu, à couvrir, à orner un objet, abstraction faite de toute autre considération. **Tapisserie** attire par contre spécialement l'attention soit sur l'idée du travail, de l'art que l'ouvrier a déployés dans la fabrication du tapis, soit sur l'idée décorative de ce dernier. **Tenture** s'applique seulement à une tapisserie, généralement d'un dessin uniforme, qui revêt et pare un mur, et considérée surtout quant à la manière dont elle est disposée, l'effet qu'elle produit : *On appelle simplement tapisserie la tenture de tapisserie qui revêt les murs d'un salon, d'une chambre, parce qu'elle a pour objet de décorer cette pièce; mais on dit que les planchers sont couverts de tapis, parce que cet emploi de la tapisserie a principalement pour objet le confortable, et que les espèces de tapis usitées à cet effet sont en général travaillées avec moins d'art que les tapis pour tenture.* (A noter que si *tapisserie* se dit aussi du papier, du cuir servant à couvrir, à « tapisser » les murs d'une chambre, et que *tenture* s'emploie aussi dans le même sens, on voit surtout alors la nature de la chose dans *tapisserie* et l'effet produit dans *tenture.*) **Carpette** est le nom donné au tapis mobile qui ne recouvre qu'une partie du parquet d'une pièce. **Moquette** désigne une étoffe veloutée en laine employée comme tapis.

tapisserie. V. TAPIS.
tapoter. V. FRAPPER.
taquiner, c'est contrarier ou chicaner légèrement pour des vétilles et par malin plaisir, sans y mettre une véritable méchanceté, par simple plaisanterie. **Agacer** enchérit sur *taquiner;* c'est taquiner jusqu'à énerver, irriter. **Lutiner,** syn. de *taquiner,* s'emploie particulièrement bien à propos de taquineries galantes. **Picoter,** c'est taquiner vivement et d'une façon répétée. **Mécaniser,** syn. de *taquiner,* est populaire. (V. TOURMENTER.)
tarabiscoté. V. AFFECTÉ.
tarabuster. V. MALMENER et TOURMENTER.
tarauder. V. BATTRE, PERCER et TOURMENTER.
tarder. V. RETARDER.
tardif. V. LENT.
tare. V. DÉFAUT.
tarer. V. AVARIER et GÂTER.
targuer (se). V. FLATTER (SE).
tarir, c'est mettre à sec, cela considéré relativement à l'effet. **Épuiser** représente à la fois l'effet et la manière dont la chose se produit : *Une source se tarit lorsqu'elle cesse de couler; on l'épuise lorsqu'on enlève toute l'eau qu'elle fournit.* — Au fig., ces termes emportent la même nuance : *On tarit la source des maux, des pleurs, des grâces, parce qu'il ne s'en produit plus; On épuise ses ressources, son esprit, par le trop grand usage, la patience de quequ'un, par l'abus qu'on en fait* (*Condillac*).
tarte. V. GIFLE.
tartine désigne une tranche de pain recouverte de beurre, de miel, de confiture, etc. **Beurrée** ne se dit évidemment que d'une tartine sur laquelle on a étendu du beurre. **Biscotte** (de l'ital. *biscotto,* biscuit) est le nom donné à une tranche de pain (parfois au lait) séchée au four, et que l'on mange seule ou recouverte de beurre, de confiture, etc. **Rôtie** désigne une tranche de pain qu'on fait rôtir sur le gril ou devant le feu, plus spécialement servie avec le café au lait, le thé, le chocolat. **Toast** est un mot angl. que l'on emploie couramment en France pour désigner une rôtie de pain beurrée. (V. TRANCHE.)
V. aussi TIRADE.
tartufe. V. BIGOT.
tartuferie. V. FAUSSETÉ.
tas. V. AMAS.
tasser. V. PRESSER.
tâter. V. SAVOURER, SONDER et TOUCHER.
Se tâter. V. HÉSITER.
tatillon. V. CONSCIENCIEUX.
tâtonner. V. ESSAYER, HÉSITER et TOUCHER.
taudis. V. APPARTEMENT.
taupinée, taupinière. V. BUTTE.
taure. V. VACHE.
tautologie. V. PLÉONASME.
taux, qui désigne, d'une façon générale, un prix fixé, réglé par une convention ou par l'usage, s'applique surtout auj. au revenu de valeurs, à l'intérêt versé pour un emprunt, une assurance, etc. **Taxe** se dit seulement du prix fixé officiellement pour la vente de certains produits, pour l'exécution de certains services publics. **Taxation** se dit de l'action de fixer un prix, de taxer.
taveler. V. MARQUETER.
taverne. V. CABARET, CAFÉ et RESTAURANT.
taxation. V. TAUX.
taxe. V. IMPÔT et TAUX.
taxer de. V. REPROCHER.
technicien. V. SPÉCIALISTE.
technique. V. MÉTHODE.
tect. V. ÉTABLE.
tégument. V. PEAU.
teint, teinte. V. COULEUR.
tel. V. SEMBLABLE.
télescope. V. LUNETTE.
télescoper. V. HEURTER.
témérité. V. HARDIESSE.
témoignage, lorsqu'il désigne ce qui sert à faire connaître, ce qui affirme d'une façon précise un fait quelconque, spécialem. un sentiment, a pour syn. **marque** qui suppose souvent la manifestation extérieure, nettement apparente, d'un état : *On donne des témoignages d'amitié, d'affection, de bienveillance, d'estime; On donne des marques de grandeur d'âme, de courage, de lâcheté, d'ignorance.* **Preuve,** syn. de *témoignage,* implique le désir d'établir la vérité d'un fait que l'on ne saurait voir discuter : *On donne des preuves de sa capacité, de son savoir, de son intérêt.* **Signe,** s'il suppose un

témoignage moins probant, réclame au moins un indice apparent : *On laisse apparaître des signes de mécontentement, de fatigue.* **Témoin,** syn. de *témoignage,* de *preuve,* s'applique plutôt à des choses concrètes : *Le Colisée est un témoin de la grandeur romaine.*

V. aussi DÉMONSTRATION.

témoigner de. V. RÉVÉLER.

témoin se dit non seulement d'une personne qui rapporte ce qu'elle a vu ou entendu, en le certifiant, mais aussi d'une personne qui entend ou voit quelque chose, qui en est le simple **spectateur** : *Dispute qui a pour témoins, pour spectateurs, un grand nombre de personnes.*

tempérament. V. NATURE.

tempérance. V. SOBRIÉTÉ.

tempérant. V. CHASTE.

température. V. CLIMAT et TEMPS.

tempérer. V. MODÉRER.

tempête, proprement tourmente atmosphérique, se dit plus spécialement d'une furieuse tourmente sur la mer, qui soulève les flots ; on dit aussi d'ailleurs dans ce sens, **tourmente,** qui est plus du langage relevé. **Raz de marée** implique un soulèvement soudain et puissant des eaux de la mer produit par des lames sourdes qui se forment sans raison apparente, grossissent rapidement et se brisent sur les côtes en élevant considérablement le niveau des eaux. **Grain** dit beaucoup moins ; c'est seulement, en termes de marine, un tourbillon de vent qui se forme tout à coup et qui, suivant sa violence, secoue plus ou moins les navires. (V. VENT.)

V. aussi BOURRASQUE.

tempêter. V. INVECTIVER.

temple. V. ÉGLISE.

temporaire. V. PASSAGER.

temporiser. V. RETARDER.

temps, qui désigne aussi bien l'état du ciel que celui de l'air, lequel d'ailleurs peut être éphémère, est le seul mot auquel on puisse joindre les adjectifs « clair », « sombre », « nuageux », « orageux », etc. **Température,** par contre, n'a rapport qu'à la chaleur ou au froid, à l'humidité ou à la sécheresse, cependant qu'il s'applique plutôt à un état réglé qui dure, qui persiste ; c'est ainsi que lorsqu'on veut peindre le climat propre à un pays, *température* peut seul servir : on dit la température de la France, et l'on ne dirait pas le temps de la France. (V. CLIMAT.)

V. aussi DURÉE et ÈRE.

temps (de notre). V. ACTUELLEMENT.

temps en temps (de). V. QUELQUEFOIS.

tenace. V. RÉSISTANT et TÊTU.

tenailler. V. TOURMENTER.

tenancier, lorsqu'il désigne celui qui tient, qui gère certains établissements, tels les hôtels, les bars, les maisons de jeu, etc., emporte souvent un sens péjoratif qui n'est pas dans son synonyme familier **patron.**

V. aussi FERMIER.

tenant. V. DÉFENSEUR.

tendance est le terme général qui désigne proprement l'action, la force par laquelle un corps tend à se mouvoir vers quelque chose. **Propension** est surtout un terme scientifique qui convient bien en parlant de la tendance naturelle d'un corps vers un autre corps ou un point quelconque.

V. aussi PENCHANT.

tendelet. V. TENTE.

tendon est un terme d'anatomie qui sert à désigner un cordon ou faisceau fibreux, d'un blanc nacré, situé à l'extrémité des muscles, et servant à les relier aux os ou à d'autres parties. **Ligament** est le nom donné au faisceau fibreux, blanchâtre et très solide, servant à fixer les os ou les viscères. **Nerf,** qui désigne proprement chacun des petits cordons blanchâtres conducteurs des incitations sensorielles, se dit aussi parfois improprement, dans le langage vulgaire, des tendons ou ligaments : *Un nerf foulé ; Le nerf du jarret.*

tendre désigne celui qui cède facilement aux impressions, que la moindre chose touche, émeut ; il suppose un sentiment actif, par sa nature même. **Sensible** se dit de celui qui se laisse gagner par l'affection qu'on lui témoigne ou toucher par la souffrance des autres ; il implique un sentiment passif qui doit être provoqué par quelque chose d'extérieur : *Une personne tendre recherche l'affection, une personne sensible répond à celle qu'on lui porte.* **Senti-**

mental se dit de celui qui a ou qui affecte une sensibilité du cœur ou de l'esprit un peu **romanesque,** c'est-à-dire exalté, chimérique, comme certains héros de roman : *Jeune fille sentimentale et romanesque.*

V. aussi AIMANT.

tendre à, c'est, en parlant des personnes comme des choses, se porter vers un but, cela naturellement ou volontairement. **Prétendre à,** qui ne s'emploie qu'appliqué aux personnes, est seul comparatif : *La chose à laquelle on tend peut n'être pas facile à atteindre, et pour y parvenir, dit Lafaye, il faut surmonter des obstacles; la chose à laquelle on prétend est disputée, et on ne l'obtiendra qu'autant qu'on l'emportera sur les autres « prétendants », sur ses « contendants ».* **Viser à** dit moins; marquant seulement une visée, un dessein il fait penser plus à la pensée, à l'intention, qu'à la réalisation : *Nombreux sont ceux qui visent à un but qu'ils se savent au fond d'eux-mêmes incapables d'atteindre.* (V. ESSAYER.)

tendresse. V. AFFECTION.

tendron. V. FILLE.

ténèbres. V. OBSCURITÉ.

ténébreux. V. MÉLANCOLIQUE, OBSCUR et SOMBRE.

teneur. V. COMPOSITION et TEXTE.

tenir. V. RETENIR.

Tenir à, c'est être attaché, lié, adhérent, en parlant de ce qui est arrivé ou constant. **Dépendre de** (du lat. *dependere,* proprement, être suspendu) a rapport à quelque chose de « pendant », d'éventuel : *La mauvaise humeur de cet homme tient à sa santé; l'humeur dépend de la santé.* (V. DÉCOULER, RÉSULTER et VENIR.)

tension d'esprit. V. ATTENTION.

tentation. V. DÉSIR.

tentative est le terme général qui sert à désigner toute action par laquelle on s'efforce, en fonction de ses possibilités, de réussir dans quelque chose, cela souvent en dépit d'obstacles, de chances contraires. **Essai,** dans ce sens, fait penser plus à la personne elle-même qui agit qu'à ses possibilités. **Avance** est plus partic.; employé généralement au pluriel, il s'applique à des tentatives faites en vue d'une réconciliation, d'un accord, d'une liaison d'amour ou d'amitié.

tente est le nom donné à une sorte de logement portatif fait d'une étoffe tendue, le plus souvent en grosse toile, qu'on dresse en plein air, pour se mettre à l'abri. **Chapiteau** se dit spécialement de la tente conique d'un cirque. **Pavillon** est vieux; c'était le nom donné autref. à une sorte de tente de forme ronde ou carrée, et ordinairement en coutil, qui servait au campement des gens de guerre. **Tabernacle,** syn. de *tente,* de *pavillon,* est un terme d'histoire juive. **Guitoune** est syn. de *tente* en argot militaire.

Tente désigne aussi une toile ou autre étoffe simplement tendue pour servir d'abri. **Tendelet** (ital. *tenduletto,* diminutif de *tendula,* grande tente) est le nom donné, en termes de marine. à une tente servant à protéger une embarcation. **Velum** (mot lat. signif. *voile*) se dit d'un grand voile couvrant un amphithéâtre, un cirque, un atelier, etc. **Velarium** (mot lat. dérivé de *velum*) est un terme de l'Antiquité qui désignait la grande tente que l'on étendait au-dessus des spectateurs dans les théâtres et les amphithéâtres, pour les mettre à l'abri du soleil et de la pluie. (V. DAIS.)

tenter, c'est, de la façon la plus générale, donner, inspirer le désir, la convoitise. **Séduire** enchérit sur *tenter;* c'est tenter d'une façon irrésistible. **Attirer,** c'est tenter en faisant venir à soi. **Allécher,** c'est proprement attirer, séduire par les choses qui ont rapport au goût, à l'odorat, et, figurément, attirer par l'espérance, le plaisir.

Tenter de. V. ESSAYER.

tenture. V. TAPIS.

ténu. V. MENU.

tenue. V. MAINTIEN et VÊTEMENT.

tépidité. V. ATTIÉDISSEMENT.

tergiverser. V. BIAISER.

terme désigne le point où il faut s'arrêter. **Limite** suppose une ligne tracée pour marquer l'étendue dans laquelle il faut se renfermer. **Borne** se dit d'un obstacle placé par la nature ou les hommes pour empêcher d'aller au-delà, de passer outre : *Le terme et les limites finissent la chose; les bornes la contiennent dans sa sphère.* **Confins,** toujours employé au pluriel, désigne, au propre comme au figuré, une limite, une borne extrême : *Les confins de la Gaule; Il n'est donné à personne d'arriver aux confins de la science, a dit J.-B. Say.*

V. aussi BOUT et MOT.

terminaison, lorsqu'il désigne, en termes de grammaire, la dernière partie d'un mot, a pour syn. **désinence** (du lat. *desinere,* finir) plus spécialement employé en parlant de la terminaison qui exprime les flexions : *Il y a deux sortes de désinences : les désinences casuelles, qui, dans la déclinaison des noms, servent à marquer les cas, le genre et le nombre; les désinences personnelles, qui, dans la conjugaison des verbes, indiquent les personnes, la voix et le temps.*

V. aussi RÉSULTAT.

terminer. V. FINIR.

Se terminer, c'est s'arrêter à un certain terme, à une certaine limite, sans autre idée accessoire. **Aboutir** ajoute à *se terminer* l'idée d'un résultat obtenu : *On dira d'un chemin qu'il se termine en cul-de-sac, et d'une rue qu'elle aboutit à un boulevard.*

terne désigne, au propre comme au figuré, ce qui n'a pas d'éclat, ou ce qui n'a pas l'éclat qu'il doit avoir. **Effacé** s'applique surtout, dans ce sens, à une chose colorée qui a perdu de son éclat. **Mat,** qui ne s'emploie qu'au propre, est usité en parlant soit d'un objet de métal qui n'a pas d'éclat par ce que n'ayant pas reçu le poli définitif ou parce qu'on lui a donné une patine spéciale, soit d'une couleur, d'un coloris qui n'a pas d'éclat. **Embu** ne s'applique qu'aux choses dont les couleurs sont ternes. (V. USÉ.)

terrain. V. TERRE.

terrasser. V. RENVERSER.

terre est le nom donné à la planète habitée par l'homme et qui tourne en 365 jours et un quart autour du soleil. **Monde** se dit de la terre considérée surtout comme séjour de l'homme. **Globe terrestre,** ou absolument GLOBE, est un syn. moins usité de *terre* qui fait essentiellement penser à la planète et à sa forme ronde. **La boule, notre boule** sont des locutions familières qui servent à désigner parfois la terre, supposée ronde comme une boule; on dit aussi parfois, familièrement et plaisamment, **notre planète.**

Terre désigne aussi, plus spécialement, ment, la matière dont est faite la surface solide du globe terrestre, sur laquelle on marche, on bâtit, et qui produit des végétaux. **Terrain** se dit de la terre considérée dans les qualités qui la rendent propre ou impropre à produire, soit aussi par rapport à quelque ouvrage qu'on y fait, ou qu'on pourrait y faire, comme une maison, une usine, etc., soit par rapport à quelque action qui s'y passe; c'est un espace de terre considéré comme propre à un usage déterminé. **Terroir** s'applique plus spécialement à la terre considérée par rapport à l'agriculture et relativement à ses produits particuliers. **Sol** fait surtout penser à la partie superficielle de la terre sur laquelle on marche, on bâtit; en agriculture, c'est le terrain considéré quant à sa nature ou à ses qualités productives. **Glèbe** se dit de la terre, du sol en culture, considéré surtout par rapport au travail fourni. **Humus** (qui, en lat., veut dire proprem. *terre, sol*) est très particulier; il désigne spécialement la matière de couleur brune qui résulte de la décomposition spontanée des espèces végétales sous l'influence de l'air humide, et qui constitue une partie plus ou moins importante de la terre végétale, considérée eu égard à sa fertilité. — **Champ** et **fonds** sont les noms donnés à un terrain, à une portion de terre, de sol, considérée comme propriété de celui qui l'exploite ou la fait exploiter; ils emportent, le premier l'idée d'étendue et de culture, le second celle de revenu. **Clos** est plus particulier encore; il se dit seulement d'un espace de terre, d'un terrain cultivé et fermé de murs, haies ou fossés, et plus spécialement en parlant d'un vignoble. **Closeau,** s'applique à un petit clos. (V. JARDIN, PÂTURAGE et VIGNE.)

terreur. V. ÉPOUVANTE.

terreux. V. PÂLE.

terrible (lat. *terribilis;* de *terrere,* épouvanter) se dit de ce qui inspire une peur violente, de ce qui frappe et saisit; il est dominé par l'idée de force et de menace : *Bruit, cri, fléau terrible.* **Formidable** (du lat. *formidari,* craindre) s'applique à ce qui provoque une grande crainte, plus par la forme que par la force ; il suppose une puissance qui impose et inquiète vivement du seul fait qu'elle existe et se montre : *Appareil, armée, puissance formidable.* **Redoutable** (du lat. *dubitare,* douter, et « craindre » en bas lat. et aussi en français jusqu'au XVIIe s.) désigne ce qui inspire de la crainte plus peut-être par ses qualités qui ne font généralement pas d'éclat : l'adresse, la ruse, le talent, la méchanceté, le crédit, énumère Lafaye, que par la force ou la puissance apparente : *Ambassadeur, ministre, mystère redoutable.*

V. aussi EFFROYABLE.

terrien. V. PAYSAN.

terrier. V. GÎTE.

terrifié. V. ALARMÉ.

terroir. V. PAYS et TERRE.

terrorisé. V. ALARMÉ.

tertre. V. BUTTE.

tesson. V. MORCEAU.

test. V. ÉPREUVE.

tête est le terme du langage ordinaire qui sert à désigner la partie supérieure du corps de l'homme, ou la partie antérieure du corps de l'animal, contenant le cerveau et les principaux organes des sens. **Chef** est un syn. vieilli de *tête,* qui n'est plus guère usité qu'en parlant de la tête d'un corps saint : *Le chef de saint Jean-Baptiste, de saint Denis;* — ou bien dans le style fam. : *Par mon chef, c'est un siècle étrange que le nôtre!* (*Molière*). **Cabêche, caboche, cafetière, ciboulot, citron** et **coloquinte,** syn. de *tête,* sont populaires. — Au fig., TÊTE convient mieux lorsqu'il est question de place, et CHEF lorsqu'il s'agit d'ordre ou de subordination : *On est à la tête d'une armée que l'on commande en chef; Le chef doit être à la tête de ses troupes.* (A vrai dire d'ailleurs, ces deux termes, employés au fig., ne sauraient être confondus, le premier s'appliquant uniquement — comme l'a justement noté Lafaye — aux choses dont il désigne la partie antérieure, alors que le second se dit seulement des hommes qu'il représente comme étant avant d'autres, comme les conduisant.)

V. aussi CRÂNE, FIGURE et SOMMET.

tête-à-tête. V. CONVERSATION.

téter. V. SUCER.

tétin, téton. V. SEIN.

tétine. V. PIS.

têtu désigne celui qui, par nature, par tempérament, est étroitement attaché à ses opinions, à sa volonté, et n'en veut pas démordre. **Entêté** se dit de celui qui, souvent d'une façon accidentelle, par suite d'une impression, d'une prévention, tient fortement à certaines idées qui sont entrées dans sa tête et qui l'empêchent d'écouter toutes les raisons qu'on peut lui présenter pour soutenir des idées opposées : *Une humeur capricieuse, un goût d'indépendance, font le têtu; Un petit esprit, une tête vaine, l'amour-propre, font l'entêté.* **Entier** s'applique à celui qui, ne voulant rien rabattre de ses prétentions, ne fait jamais la plus petite concession, soit pour ce qu'il regarde comme un droit, soit à l'égard des opinions qu'il a adoptées. **Obstiné** qualifie celui qui persiste dans sa manière d'agir contre toute raison, par caprice, par esprit d'opposition. **Opiniâtre** emporte la même idée de persistance, mais appuyée sur une détermination réfléchie qui, lorsqu'elle est louable, ressemble fort à une fermeté inébranlable. **Acharné** se dit plutôt de celui qui est opiniâtre dans la poursuite d'une action. **Tenace** désigne celui qui est opiniâtre dans ses idées, ses projets, ses prétentions. **Cabochard,** syn. de *têtu,* et **buté,** syn. d'*entêté,* d'*obstiné,* sont familiers. (V. PERSÉVÉRANCE.)

texte est le terme général couramm. employé pour désigner les propres termes d'un auteur, d'une loi, d'un acte, etc. **Contexte** se dit plus spécialement de l'ensemble que forment par leur liaison mutuelle, les différentes parties d'un texte ; c'est aussi, par ext., un texte quelconque considéré surtout par rapport à l'ensemble d'idées qu'il présente, ou au sens que certains passages empruntent de ce qui les précède ou de ce qui les suit : *Isolé de son contexte, il est fréquent que le passage d'un texte devienne obscur.* **Teneur** désigne le texte littéral d'un écrit, ce qui y est contenu mot à mot : *Exécuter un arrêt selon sa forme et teneur.* **Original** n'est syn. de *texte* que par opposition à « traduction » : *Comparer la traduction à l'original.* **Copie** et **ma-**

nuscrit sont les noms donnés à un texte écrit ou dactylographié (auquel cas on pourrait dire **tapuscrit** ou **dactylogramme**) appelé à être imprimé. (V. RÉDACTION.)

texture. V. CONTEXTURE.

thaumaturge. V. MAGICIEN.

théâtre est le terme général qui désigne le lieu, l'édifice où l'on représente des ouvrages dramatiques, et qui comprend aussi bien la partie élevée où jouent les acteurs que la salle où est placé le public. **Tréteaux,** au plur., désigne un théâtre de saltimbanque, de foire, où l'on représente des pièces bouffonnes et populaires : *Les tréteaux de Tabarin.* **Boui-boui** est familier et péjoratif ; il se dit seulement d'un théâtre d'ordre inférieur et mal fréquenté.

Théâtre, lorsqu'il se dit seulement et plus particulièrement de la partie surélevée où jouent les acteurs, a pour syn. **scène,** plus couramment employé auj. dans ce sens. **Planches,** au pluriel, et **plateau,** syn. de *scène,* sont des termes de métier.

thébaïde. V. RETRAITE.

théisme. V. DÉISME.

thème. V. MATIÈRE et TRADUCTION.

théorie (du grec *theôrein,* voir, observer, examiner), qui s'oppose à « pratique », désigne une connaissance ou un ensemble de connaissances purement rationnelles, qu'il représente comme servant de base au système d'un art ou d'une science. **Spéculation** (du lat. *speculari,* observer) ne suppose pas, comme *théorie,* quelque chose d'objectif que l'on considère en soi, mais bien plutôt quelque chose de subjectif considéré par rapport à un sujet ou à ce que fait celui-ci ; il suppose des principes généraux représentés par rapport à l'esprit de celui qui les observe ou qui les cherche : *On dit la théorie du beau, de la musique, de la terre, des planètes, de l'électricité, et c'est un résultat d'études, un système d'idées sur le beau, la musique, la terre, les planètes, l'électricité; mais on dit les spéculations d'un homme, d'un philosophe, d'un savant, et ce sont ses tentatives, ses démarches, ses recherches* (*Lafaye*).

V. aussi DÉFILÉ et MÉTHODE.

thérapeutique. V. TRAITEMENT.

thermes. V. BAIN.

thésauriser. V. AMASSER et MÉNAGER.

thésauriseur. V. AVARE.

thèse. V. OPINION.

thorax. V. POITRINE.

thuriféraire. V. FLATTER.

tiare. V. COURONNE.

tic. V. MANIE.

ticket. V. BILLET.

tiédeur. V. ATTIÉDISSEMENT.

tiédir. V. REFROIDIR.

tierceron. V. MÉTIS.

tige est le nom donné, d'une façon générale, à la partie du végétal qui s'élève le plus souvent hors de terre en ligne droite, et qui pousse des branches, des feuilles, des fleurs, des fruits. **Tronc** désigne la tige principale d'un arbre, depuis la naissance des racines jusqu'à la naissance des grosses branches. **Souche** est plus partic. ; c'est la partie inférieure du tronc d'un arbre qui reste attachée au sol quand l'arbre a été coupé, ou bien encore cette même partie arrachée avec des racines. **Stipe** est un terme de botanique qui sert à désigner la tige ligneuse des plantes monocotylédones arborescentes, des palmiers, des grandes fougères, etc.; c'est aussi — ainsi que **pédicule** — la tige qui supporte le chapeau des champignons. **Chaume,** nom donné à la tige des graminées, désigne plus ordinairement, en termes d'agriculture, la partie de la tige du blé, du seigle, etc., qui reste dans la terre quand on les a coupés. **Chalumeau** est un terme de botanique qui se dit d'une tige simple, herbacée, ne portant des feuilles qu'à l'extrémité, comme la tige des joncs. **Hampe,** aussi terme de botanique, désigne une tige herbacée sans feuilles ni rameaux, et destinée seulement à porter le fruit (ex. jacinthe, pissenlit). [V. BRANCHE.]

timbale. V. GOBELET et TAMBOUR.

timbre. V. CLOCHETTE, MARQUE et SON

timide. V. CRAINTIF et VAGUE.

timidité. V. EMBARRAS et PUDEUR.

timon. V. GOUVERNAIL.

timonier. V. PILOTE.

timoré. V. CRAINTIF.

tine. V. TONNEAU.

tinette. V. FOSSE D'AISANCES et TONNEAU.

tintamarre. V. TAPAGE.

tinter, tintinnabuler. V. SONNER.

tintouin. V. SOUCI.

tiquer. V. TRESSAILLIR.

tirade, qui désigne un morceau écrit ou parlé qui est le développement ininterrompu d'une même idée, emporte souvent un sens péjoratif; il suppose alors un long développement qui n'a généralement qu'un rapport éloigné avec le sujet de l'ouvrage ou du discours. **Tartine,** syn. de *tirade,* est familier et toujours péjoratif. (V. DISCOURS.)

tirage. V. ÉDITION.

tirailler. V. TIRER.

tire-laine. V. MALFAITEUR.

tirelire est le nom donné à un petit récipient de terre, de bois, de métal, etc., affectant des formes diverses, et dans lequel on introduit par une fente des pièces de monnaie pour les mettre en réserve. **Cagnotte** se dit surtout d'une tirelire servant à recevoir les sommes dues par les joueurs qui perdent. **Tronc** est plus partic.; il désigne une boîte fermée et fixe, munie d'une fente ou d'une petite glissière, pour recevoir des offrandes ou des aumônes. **Boîte à Perrette** était le nom donné, au Moyen Âge, à une sorte de **tronc d'hospitalité** où les voyageurs reçus par obligeance dans une maison déposaient le présent qu'ils voulaient faire à leurs hôtes et à leurs domestiques.

tirer, c'est, de la façon la plus générale, mouvoir vers soi, amener à soi quelqu'un ou quelque chose, en totalité ou en partie. **Tirailler** est plus particulier; c'est seulement tirer une personne ou une chose à diverses reprises, en divers sens et avec persistance. **Haler** est essentiellement un terme de marine qui implique que l'on agit en tirant à soi avec force sur un filin, une manœuvre, une amarre; c'est aussi, en termes de techn., élever un fardeau en le tirant à l'aide d'un câble, d'une corde.

Tirer, c'est aussi faire usage d'une arme de trait ou d'une arme à feu, la faire partir. **Tirailler,** c'est tirer fréquemment, sans ordre ou sans effet, avec une arme à feu. **Canarder** est familier; c'est tirer en restant caché, comme l'on fait dans la chasse aux canards. **Mitrailler,** autrefois tirer le canon à mitraille, s'emploie surtout aujourd'hui en parlant des fusils, des mitraillettes ou des mitrailleuses.

V. aussi IMPRIMER, PUISER et SUCER.

tisane est le terme général qui sert à désigner toute boisson produite par la dissolution des principes médicamenteux de plantes (feuille, fleur, tige, racine), soit dans l'eau froide, soit dans l'eau chaude. **Macéré** désigne seulement le produit liquide résultant de la macération, opération qui consiste à verser une substance médicamenteuse dans de l'eau froide, la dissolution des principes actifs se faisant par simple contact, prolongé pendant un temps variable, suivant la substance. **Infusion** est le nom donné à la tisane qu'on obtient en versant sur une substance végétale un liquide bouillant pour qu'il s'imprègne des principes qu'elle contient. **Décoction** se dit d'une composition semblable, obtenue en faisant bouillir la même substance dans le liquide. **Infusé,** syn. d'*infusion,* et **décocté,** syn. de *décoction,* sont moins usités.

tison. V. BRAISE.

tissu désigne, d'une façon générale, la matière cohérente, souple et mince, résultant de l'entrecroisement de fils tendus horizontalement (chaîne) avec des fils qu'on fait passer transversalement (trame), et quel que soit son usage. **Etoffe** est le nom générique de tout tissu de soie, laine, coton, etc., servant à faire des vêtements ou des ameublements.

V. aussi CONTEXTURE.

tissure. V. CONTEXTURE.

titanesque, titanique. V. COLOSSAL.

titiller. V. CHATOUILLER.

titre désigne simplement la distinction essentiellement nominale indiquant un rang, une dignité. **Qualité** suppose quelque chose d'effectif, à quoi sont attachés des devoirs et des droits qui imposent un rôle actif, qui font que l'on agit plus ou moins : *Il ne suffit pas d'avoir le titre de ministre pour en avoir la qualité.*

tituber. V. CHANCELER.

toast. V. DISCOURS et TARTINE.

tocade. V. CAPRICE, FANTAISIE et MANIE.

tohu-bohu. V. CONFUSION.

toile. V. TABLEAU.

toilette. V. VÊTEMENT.

toiser. V. REGARDER.

toison. V. CHEVEUX et POIL.

toit désigne la partie supérieure de la maison qui sert à couvrir cette dernière, et qui est directement exposée à l'air et à l'eau. **Toiture** dit plus; c'est l'ensemble de toutes les pièces nécessaires pour établir le toit. (A noter que si, dans l'usage, ces termes sont souvent employés l'un pour l'autre, le premier ne présente pas moins l'idée d'une manière simple, alors que le second éveille dans l'esprit quelque chose de plus complexe : *Le toit se présente tout d'une pièce; dans la toiture, on voit la multiplicité du travail, la peine qu'il a fallu se donner pour sa construction.*)

toiture. V. TOIT.

tolérant. V. INDULGENT.

tolérer. V. SOUFFRIR.

tollé. V. CRI.

tombe désigne la fosse creusée pour mettre un mort, ou la table de pierre posée sur la terre qui le recouvre. **Caveau** implique une construction funéraire souterraine, renfermant le plus souvent les cercueils des membres d'une ou de plusieurs familles. **Sépulcre,** qui désigne le lieu creusé dans la terre où l'on a déposé le corps d'une personne morte, s'emploie surtout en parlant des Anciens et pour réveiller des idées sombres et lugubres. **Sépulture,** qui s'applique au lieu même où l'on met les morts, a un sens moins précis que *sépulcre;* c'est le lieu destiné à tous les morts d'une famille, ou bien c'est, d'une manière générale, l'emplacement qui contient l'endroit précis où un cadavre a été ou sera placé. — **Tombeau** se dit particulièrement du monument élevé dressé sur la tombe. **Mausolée** désigne un grand et magnifique tombeau. **Cénotaphe** est assez partic.; c'est un tombeau vide élevé à la mémoire d'un mort. **Hypogée** est un terme d'archéologie qui désigne la construction souterraine où les Anciens déposaient leurs morts. **Sarcophage,** nom donné par les Anciens au tombeau dans lequel ils mettaient les morts qu'ils ne voulaient pas brûler, désigne aujourd'hui la partie d'un monument funéraire simulant un cercueil. (V. CERCUEIL.)

tombeau. V. TOMBE.

tombée du jour. V. CRÉPUSCULE.

tomber, c'est, d'une façon générale et dans le langage courant, être entraîné de haut en bas par son propre poids. **S'abattre,** c'est tomber d'un coup. **S'affaisser,** c'est tomber, soit en parlant d'une construction dont la base fléchit, baisse peu à peu, soit en parlant du corps humain qui ne peut plus se porter. **Basculer,** c'est tomber en perdant l'équilibre. **Dégringoler,** c'est tomber précipitamment, souvent par chutes successives. **Rouler,** c'est tomber en tournant sur soi-même. **Débouler,** c'est, très familièrement, rouler du haut en bas, comme une « boule ». **Choir,** syn. de *tomber,* ne s'emploie plus guère qu'à l'infinitif et au participe passé, tandis que **chuter** est familier. **S'étaler,** c'est tomber de tout son long; familier aussi, il ne se dit que des êtres animés, comme **s'affaler,** se laisser tomber. **Se flanquer par terre,** c'est, familièrement, tomber rudement par terre, en parlant d'une personne ou d'un animal. **Se casser la figure** (grossièrement **la gueule**), **casser son verre de montre,** syn. de *tomber,* sont très familiers et ne s'appliquent qu'aux personnes. **Trébucher,** dans le sens de *tomber,* est vieux. (V. CROULER.)

tome. V. LIVRE.

tom-pouce. V. NAIN et PARAPLUIE.

ton, tonalité. V. COULEUR et SON.

tondre, c'est couper de près et uniformément la laine, le poil, les cheveux, l'herbe (le gazon surtout). **Raser,** couper ras le poil, s'emploie plus particulièrement en parlant de la barbe coupée au ras de la peau avec un rasoir.

V. aussi DÉPOSSÉDER et DÉPOUILLER.

tonique. V. FORTIFIANT.

tonitruant. V. SONORE.

tonitruer. V. CRIER.

tonnant. V. SONORE.

tonne. V. TONNEAU.

tonneau est le terme couramment employé pour désigner un grand récipient de bois, à deux fonds ronds, relié de cercles, et de forme à peu près cylindrique, dans lequel on met des liquides ou des marchandises. **Tonne** se dit d'un récipient semblable au tonneau, quoique généralement plus grand et plus renflé par le milieu. **Baril,** comme **tonnelet,** désigne un petit tonneau. **Tine** (du lat. *tina,* vase) est un terme de techn. qui s'applique à une tonne servant à transporter l'eau, la vendange, le minerai, etc. **Tinette** se dit, dans ce sens, d'un tonnelet dont le fond est plus large que le haut, et servant au transport du beurre fondu. **Caque** est le nom donné à un baril pour les harengs fumés ou salés, pour la poudre ou le salpêtre, pour le suif fondu destiné à la fabrication des chandelles. — **Fût,** comme **futaille,** s'applique plus spécialement à un tonneau où l'on met du vin (ou une autre boisson, eau-de-vie, cidre, etc.), dont la capacité est variable d'une région à l'autre, mais à peu près déterminée dans chaque contrée, et que l'on appelle, suivant les provinces, **barrique, pièce, feuillette, muid, demi-muid, quartaut,** etc. **Foudre** désigne un tonneau d'une très vaste capacité (50 à 300 hl), dans lequel on conserve les vins ou alcools que l'on veut laisser vieillir. **Cercles,** a le sens de *tonneau* dans la loc. : *Vin en cercles,* vin en tonneau, par opposition à « vin en bouteilles ».

tonnelet. V. TONNEAU.

tonnelle et **berceau,** lorsqu'ils désignent, en termes de jardinage, un treillage en voûte, s'appliquent aussi bien à l'armature seule qu'à l'ensemble formé par celle-ci et la verdure dont on l'a recouverte. **Pergola** est plus partic.; c'est le nom donné à une sorte de tonnelle constituée par un assemblage de poteaux en bois ou de colonnes et de poutrelles à claire-voie formant toiture, pour servir de support à des plantes grimpantes. (V. BOSQUET.)

tonner. V. CRIER et INVECTIVER.

tonnerre. V. FOUDRE.

tonte. V. POIL.

tontine. V. MUTUALITÉ.

toper. V. CONSENTIR.

topo. V. DISCOURS.

toquade. V. CAPRICE, FANTAISIE et MANIE.

toque désigne une coiffure ronde de drap, de velours, de soie, sans bords ou à très petits bords, à dessus plat, le plus souvent plissée tout autour. **Béret,** espèce de toque ronde et plate, que portent notamment les Béarnais, les chasseurs alpins, les étudiants, les enfants, se dit aussi d'une coiffure de femme, souple, ronde et plate, à l'imitation du béret proprement dit. (V. BONNET et COIFFURE.)

toqué. V. FOU.

toquer. V. FRAPPER et HEURTER.

Se toquer. V. AMOURACHER (S').

torche. V. BRANDON et CHANDELIER.

torcher. V. GÂCHER et NETTOYER.

torchère. V. CHANDELIER.

torchonner. V. GÂCHER et NETTOYER.

tordant. V. COMIQUE.

tordre. V. TOURNER.

tordu, participe passé du verbe *tordre,* présente toujours l'objet sous un point de vue passif; il indique que l'on a employé des efforts pour faire changer à un corps sa direction propre ou naturelle. **Tors,** au contraire, présente l'objet comme il est, sans rappeler positivement à l'esprit une action qui en a changé l'état; il indique simplement la direction d'un corps qui va tournant en long et en biais. **Tortu** marque généralement un défaut, une conformation naturelle ou accidentelle désagréable à la vue. **Cagneux** est très partic.; il se dit surtout des jambes tordues à la hauteur des genoux, ou bien des personnes qui ont ce vice de conformation. **Tortueux** veut dire qu'il y a beaucoup de tours et de retours, que l'objet est tout tortu, et pourtant il se prend quelquefois en moins mauvaise part que *tortu.* **Tortué** présente, comme *tortu,* l'objet sous un point de vue passif, mais il ne se dit que des choses considérées comme ayant besoin d'être redressées pour rester propres à remplir leur destination habituelle. **Tortillé** est un diminutif de *tordu* et de *tortué;* indiquant un objet, un dessein particulier, il exprime une torsion qui peut se redresser elle-même et qui a pour effet d'entourer et de se rouler autour. **Entortillé** se dit d'une chose tournée autour d'une autre, entrelacée avec une autre, ou enveloppée dans une chose tortillée ou mêlée d'une manière confuse. **Vrillé** s'applique à ce qui se tord en se rétrécissant. (V. SINUEUX.)

tornade. V. BOURRASQUE.

torpeur. V. ASSOUPISSEMENT.

torréfier, c'est soumettre des substances végétales à un feu vif qui produit une carbonisation incomplète ayant pour effet soit de détruire un principe nuisible, soit de provoquer la formation d'un principe aromatique, soit de dessécher la substance : *On torréfie le cacao et le café pour détruire une partie de leur matière végétale, et, en même temps, pour leur donner de l'arôme en provoquant la manifestation des huiles aromatiques qu'ils renferment; On torréfie le tabac pour le dessécher et pour exalter les propriétés de la nicotine qu'il renferme.* **Brûler** et **griller,** employés dans le sens de *torréfier,* sont plus du langage ordinaire.

torrent. V. COURS D'EAU

torride. V. CHAUD.

tors. V. TORDU.

torsion est le terme général qui désigne l'action de tordre comme l'état de tout ce qui est tordu, c'est-à-dire tourné, tortillé, par une de ses extrémités, l'autre restant fixe : *La torsion du fil, de la laine; La torsion des artères.* **Tortillement,** qui ne s'applique qu'à l'action de tortiller, implique une torsion à plusieurs tours plus ou moins serrés, et s'emploie surtout en parlant de choses souples : *Le tortillement des câbles est une opération pénible.* **Contorsion,** qui se dit plutôt d'une torsion violente des muscles ou des membres, suppose un mouvement procédant d'une cause intérieure : *La contorsion des bras, de l'épine dorsale.* **Distorsion** désigne la torsion plus ou moins violente, convulsive, des parties des corps organisés, qui résistent ou cèdent plus ou moins à ce mouvement, en raison de leur nature flexible ou inflexible : *La distorsion des régions articulaires.*

tort. V. PRÉJUDICE.

tortillé. V. TORDU.

tortillement. V. TORSION.

tortiller. V. HÉSITER et TOURNER.

tortillonner. V. TOURNER.

tortionnaire. V. BOURREAU.

tortu, tortué, tortueux. V. TORDU.

torture. V. SUPPLICE.

torturer. V. TOURMENTER.

tôt, qui signifie dans peu de temps, s'emploie surtout par opposition à « tard » et est relatif à l'époque : *On part ou on arrive plus tôt que les autres.* **Vite** et **promptement** se rapportent à la durée, le premier exprimant le mouvement et s'appliquant aux êtres animés, comme aux choses inanimées, le second concernant surtout les êtres animés lorsque ceux-ci agissent d'une manière expéditive : *Le temps va vite; On revient promptement à l'endroit d'où l'on était parti.* **Rapidement** enchérit sur *vite* quant à l'idée du peu de durée pour la réalisation du mouvement, de l'action : *Il faut agir très vite pour aller rapidement.* **Dare-dare,** syn. de *promptement,* est familier. **Vitement,** syn. de *vite,* est familier aussi, mais guère usité. (V. VITESSE.)

total. V. ENTIER et SOMME.

totalement. V. ABSOLUMENT.

totalitaire. V. ABSOLU.

toton. V. TOUPIE.

touchant. V. ÉMOUVANT.

touche. V. MAINTIEN.

toucher est un terme très général; c'est aussi bien mettre la main sur quelque chose que se mettre en contact avec un objet de quelque autre manière que ce soit : *On touche une colonne pour savoir si elle est de marbre ou de bois.* **Palper** s'emploie bien quant on décrit des expériences scientifiques; c'est toucher de la main avec une grande attention et à plusieurs reprises : *Un médecin palpe un malade.* **Tâter** est du langage courant et n'implique pas forcément, comme *palper,* une opération répétée : *On peut tâter d'un seul coup.* **Tâtonner** est plus partic.; c'est tâter dans l'obscurité, pour se diriger, pour trouver quelque chose : *L'aveugle tâtonne avec un bâton.* (V. MANIER.)

Toucher, c'est aussi parvenir à un terme, à quelque chose dont on était plus ou moins éloigné, et cela sans idée accessoire. **Atteindre,** syn. de *toucher,* emporte souvent une idée d'effort qui n'est pas implicitement dans ce terme : *On touche le but : c'est un fait; mais on l'atteint parce qu'on a tout fait pour qu'il en soit ainsi.*

Toucher, lorsqu'il s'agit d'argent que l'on nous remet, a pour syn. **recevoir. Percevoir,** c'est recueillir ou toucher de l'argent : revenus d'une propriété, droits, impôts, etc., cela généralem. à la suite de différentes opérations ; il suppose une action voulue que n'impliquent ni *toucher* ni *recevoir*. **Recouvrer,** percevoir une somme due, s'emploie particulièrement en parlant des impôts. **Encaisser** est un terme de commerce et de finance ; c'est mettre dans sa « caisse » de l'argent, des fonds qu'on a reçus, et, par ext., faire toucher le montant d'un effet, d'un papier de commerce. **Retirer** est syn. de *percevoir* en parlant de choses qui produisent un revenu. **Emarger,** c'est — employé absolument — toucher les appointements affectés à un emploi, en signant un acquit en « marge » d'un registre. **Palper,** syn. de *toucher* dans ce sens, est populaire.

V. aussi ABORDER, CONCERNER, ÉMOUVOIR et TACT.

touffe est le terme général qui sert à désigner tout ensemble d'herbes, de fleurs, de poils, de cheveux, etc., naturellement rapprochés. **Toupet** est plus partic. ; il ne se dit que d'une touffe de poils, ou — employé absolument — de la touffe de cheveux qui est au haut du front. **Toupillon** désigne une petite touffe de poils, de plumes, de branches, etc. **Houppe,** qui s'applique proprement à une touffe de cheveux sur le devant de la tête, ou de plumes, sur la tête de certains oiseaux, se dit aussi, figurément d'un assemblage de brins de laine, de soie, etc., en touffe. **Huppe** désigne seulement la touffe de plumes qu'ont certains oiseaux, comme l'alouette, sur la tête. **Aigrette** s'applique au faisceau, au bouquet de plumes effilées et droites qui orne la tête de certains oiseaux, comme le héron.

touffu, qui implique un assemblage de choses réunies et pressées les unes contre les autres pour former comme une sorte de bouquet, enchérit sur **épais** qui a rapport au seul rapprochement de ces choses ; il fait en outre plus considérer la chose par rapport à son aspect qu'à son usage, comme c'est le cas de son synonyme : *Une toison ou une fourrure épaisse se distingue par un caractère d'utilité, elle est chaude ; mais ce qui frappe dans une toison ou une fourrure touffue, c'est quelque chose de visible, son apparence ou sa forme floconneuse.* **Dru** se dit de ce qui est touffu, épais, parce que les parties qui le composent sont en grande quantité et serrées : *Une herbe drue; Une pluie fine et drue.*

V. aussi FEUILLÉ et OBSCUR.

touiller. V. AGITER.

toujours indique une durée ininterrompue : *Toujours il y aura des maux sur la terre, et ces maux doivent être soulagés toujours* (*Lamennais*). **Continuellement** suppose une série d'actions qui se répètent et se succèdent sans intervalle : *Ainsi les morts et les vivants se succèdent et se remplacent continuellement* (*Massillon*). **Constamment** a le même sens, mais insiste sur l'unité de cette série ; il donne l'idée d'une loi qu'on suit invariablement : *La vertu sacrifie constamment à l'ordre et au devoir les inconstances d'une imagination légère et variable* (*Massillon*). **Assidûment** suppose une règle que d'ordinaire on se fait à soi-même, et à laquelle on a soin de se conformer : *Il en coûte à un homme de mérite de faire assidûment sa cour* (*La Bruyère*). **Sans cesse** est relatif à la conduite, à des actions extérieures : *Thalès croyait que l'univers était animé et rempli d'êtres invisibles qui voltigeaient sans cesse de côté et d'autre* (*Fénelon*). **Sans relâche** annonce une action pour laquelle on est plein d'ardeur : *Un ennemi nous poursuit sans relâche.* (V. ÉTERNEL.)

toupet. V. HARDIESSE et TOUFFE.

toupie est le nom donné à un jouet en forme de poire, avec une pointe en métal, qu'on fait tourner à l'aide d'une ficelle enroulée et déployée rapidement, ou au moyen d'un ressort. **Sabot** se dit d'une petite toupie que les enfants font tourner en la frappant avec la lanière d'un fouet. **Toton** désigne une sorte de petite toupie, à tête très courte et à longue queue, que l'on fait tourner avec le pouce et l'index, et qui porte généralement six faces numérotées, celle qui reste à découvert, lorsque la toupie a fini de tourner, indiquant le point amené par le joueur. — Au fig., TOUPIE et TOTON se disent familièrement d'une personne sans volonté, qu'on fait tourner, changer d'avis, à son gré.

toupillon. V. TOUFFE.

tour est le terme du langage ordinaire qui désigne la ligne qu'on décrit en suivant la limite extérieure d'un corps ou d'une étendue, de manière à revenir au point d'où l'on était parti; il s'applique aux plus petits objets comme aux plus grands et marque la direction du mouvement. **Circonférence** est un terme de géométrie qui désigne proprem. la ligne courbe qui enveloppe le cercle; dans le langage ordinaire, il a une certaine noblesse et exprime la longueur exacte d'une ligne qu'on suppose tracée autour d'une ville ou d'un espace quelconque. **Circuit** se rapporte à la marche ou au chemin qu'il faut faire pour parcourir tous les points extérieurs d'un espace; c'est, selon Guizot, la ligne ou le terme auquel aboutissent et dans lequel se renferment les parties d'un corps ou d'une étendue, en s'éloignant de la ligne droite ou en formant des tours, des détours, des retours : *On fait le tour d'une ville, qui enferme plusieurs jardins dans sa circonférence, et l'on en trace le circuit.* **Pourtour,** nom donné au tour, au circuit de certaines choses, désigne aussi la partie qui fait le tour d'un lieu : *Pavillon qui a tant de pourtour; Le pourtour d'une église, d'une salle de théâtre.* **Périmètre** et **périphérie** se distinguent, en termes de géométrie, parce que le premier s'emploie habituellement en parlant des figures polygonales, et le second en parlant des figures curvilignes; par ext., et dans un sens didactique, *périmètre* se dit du tour d'un espace déterminé, et *périphérie* de la circonférence ou de la surface extérieure d'un corps : *Le périmètre du Champ-de-Mars; La périphérie du noyau métallique du globe est recouverte d'une épaisse écorce de terrain vitrifiée* (*Toussenel*).

Tour désigne aussi une promenade, une migration après laquelle on revient au lieu d'où l'on était parti. **Circuit,** dans ce sens, est plutôt du langage touristique (ou sportif) et implique un itinéraire fermé et fixé d'avance. **Circumnavigation** est plus partic.; c'est le nom donné à un voyage maritime autour du globe ou d'un continent. **Périple,** terme de géographie ancienne, désigne un voyage maritime autour d'une mer, d'un pays, d'une partie du monde. **Croisière** est le terme couramment employé auj. pour désigner un voyage maritime — et abusivement terrestre (*la Croisière noire*) — d'études ou d'agrément, à la fin duquel on revient à son point de départ. **Virée,** qui est familier, s'emploie surtout dans l'expression : *Faire une virée,* faire un tour (de ville ou en bateau). [V. PROMENADE et VOYAGE.]

Tour, lorsqu'il se dit au figuré, et en parlant du style, de l'esprit, des affaires, de la manière d'être, de l'état, de la tendance de ceux-ci, a un sens plus général, plus absolu que **tournure** qui a un sens relatif ; *Un tour de phrase est un certain arrangement des mots considéré en lui-même ou relativement à la langue, au genre de style; une tournure de phrase est aussi un certain arrangement des mots, mais considéré par rapport au travail de l'auteur ou à l'effet que cet arrangement produit.*

V. aussi ATTRAPE et EXPRESSION.

tour à tour. V. ALTERNATIVEMENT.

tour d'église. V. CLOCHER.

tour de passe-passe. V. TROMPERIE.

tourbe. V. FOULE et POPULACE.

tourbillon. V. BOURRASQUE.

tourbillonner. V. TOURNER.

touriste. V. VOYAGEUR.

tourment. V. PEINE, SOUCI et SUPPLICE.

tourmente. V. BOURRASQUE et TEMPÊTE.

tourmenter, c'est causer une peine profonde, une douleur qui se renouvelle, qui ne laisse pas un instant de répit. **Inquiéter** dit moins, c'est simplement troubler le repos, interdire la quiétude, la tranquillité. **Préoccuper,** c'est tourmenter, inquiéter en occupant fortement l'esprit d'une idée, le cœur d'un sentiment préconçu. **Travailler,** c'est tourmenter, soumettre à une gêne, une souffrance continue, aussi bien physique que morale. **Tracasser,** c'est tourmenter, inquiéter pour de petites choses. **Poursuivre,** c'est tourmenter avec obstination. **Talonner,** c'est tourmenter, poursuivre, en pressant vivement. **Harceler,** c'est tourmenter par des attaques réitérées. **Assiéger,** c'est tourmenter, inquiéter continuellement et avec insistance. **Obséder,** c'est tourmenter d'une manière persistante et déprimante. **Persécuter,** c'est tourmenter avec opiniâtreté et acharnement, sans qu'on puisse aller contre. **Torturer,** c'est tourmenter vivement, cruellement, soumettre à une souffrance physique ou morale intolérable. **Tenailler,** c'est tourmenter, torturer insidieusement et sans relâche. **Molester** et **vexer,** employés seulement en parlant des personnes, le premier impliquant la mauvaise foi et le second un abus d'autorité, des exigences excessives, ne sont plus guère usités auj. dans le sens de *tourmenter,* de faire souffrir injustement celui qui se trouve obligé de renfermer son mécontentement en lui-même. **Asticoter, chicaner, chiffonner, tarabuster** et **turlupiner,** syn. de *tracasser,* sont familiers — **Tarauder,** syn. de *tourmenter,* est populaire. — **Se biler** et **s'en faire** (s.-ent. **de la bile** ou **des cheveux blancs**) sont des syn. familiers de *se tourmenter.* (V. ALARMÉ et TAQUINER.)

tourmenteur. V. BOURREAU.

tournailler. V. ERRER et TOURNER.

tourné. V. AIGRE.

tournée. V. PROMENADE, VOLÉE et VOYAGE.

tourner, transitivement et en parlant des choses, faire aller dans un autre sens, façonner en rond par un mouvement circulaire, de quelque façon que ce soit, a pour syn. plus particulier **tordre,** tourner un corps par ses deux extrémités en sens contraire, ou par l'une des deux, l'autre étant fixe. **Tortiller,** c'est soit tordre serré et irrégulièrement, soit, par ext., tourner deçà delà, en divers sens et à plusieurs reprises. **Tortillonner,** c'est tortiller en rond. **Tournailler** est familier; c'est tourner et retourner en divers sens et à plusieurs reprises, parfois avec maladresse. **Tourniller,** syn. de *tortiller.* est peu usité.

Tourner, c'est, intransitivement et en parlant des personnes comme des choses, se mouvoir en rond, circulairement. **Tournoyer,** c'est tourner plusieurs fois sur soi-même, faire plusieurs tours de suite et d'une manière irrégulière. **Tourbillonner,** c'est tournoyer rapidement, comme le fait un « tourbillon ». **Virer,** tourner sur soi-même, s'emploie souvent avec *tourner* dont il est cependant exactement syn. (du lat. vulg. *virare,* altération du bas lat. *girare,* tourner), un syn. moins du langage ordinaire toutefois. **Virevolter,** c'est faire rapidement et en tous sens des tours et retours sur soi-même. (On a dit aussi **virevousser, virevouster** et **virevouter.**) **Pivoter,** c'est tourner sur un « pivot » ou comme sur un pivot, c'est-à-dire sur un point fixe. **Tournailler,** c'est faire beaucoup de tours et de détours sans s'éloigner du même lieu, du même point. **Girer,** syn. de *tourner,* est vx. — **Rouler** est très partic.; c'est seulement se mouvoir sur soi-même, faire avancer une chose en la faisant tourner sur elle-même.

V. aussi CINÉMATOGRAPHIER.

tourniller. V. TOURNER.

tournis. V. VERTIGE.

tournoi. V. CARROUSEL.

tournoyer. V. BIAISER, ERRER et TOURNER.

tournure. V. EXPRESSION, MAINTIEN et TOUR.

tourtereau. V. AMANT.

tourterelle, tourtre. V. PIGEON.

toussailler. V. TOUSSER.

tousser, c'est soit avoir un accès de toux, lequel implique une expiration bruyante de l'air, plus ou moins violente et plus ou moins répétée, accompagnée d'un petit mouvement convulsif du larynx, soit faire à dessein le bruit de la toux. **Toussoter,** c'est tousser souvent, mais faiblement. **Toussailler,** c'est soit toussoter sans cesse, d'une manière lassante, soit tousser doucement et souvent pour exprimer son agacement, surtout en parlant d'un auditeur.

toussoter. V. TOUSSER.

tout et **chaque** signifient également que l'on veut parler de la totalité des individus pris un à un, le premier impliquant qu'on ne les considère que par ce qu'ils ont de semblable, tandis que le second fait penser aux différences qui les distinguent : *Tout homme a des passions; chaque homme a sa passion dominante.*

tout à fait. V. ABSOLUMENT.

toutefois. V. CEPENDANT.

toute-puissance. V AUTORITÉ.

toxine, toxique. V. POISON.

trac. V. CRAINTE.

tracas. V. DÉRANGEMENT et SOUCI.

tracasser. V. TOURMENTER.

tracasserie. V. CHICANE et SOUCI.

trace (du lat. *trahere,* traîner, tirer en long) désigne tout signe apparent laissé par une personne, un animal ou une chose, par pression ou par simple contact, et qui permet de reconnaître la direction suivie ou la place occupée; il suppose en général quelque chose de long ou d'étendu. **Vestige** (du lat. *vestigium,* proprement trace de pied), qui s'applique étymologiquement à la trace des pas, du corps d'un être vivant, là où ce dernier a marché, s'est couché, n'est plus guère usité auj. dans ce sens, sauf dans le style soutenu : *Il faut une suite de vestiges pour laisser une trace.* **Marque** se dit d'une trace qui, laissée par une chose sur une autre, sert à la faire reconnaître : *Les marques des roues sur le chemin.* **Stigmate,** qui se disait autrefois de la marque imprimée au fer rouge sur le corps, comme châtiment, s'emploie encore en parlant de la marque durable que laisse une plaie, une maladie : *Les stigmates d'une opération chirurgicale; Les stigmates de la variole.* **Traînée** suppose une longue trace marquée sur une surface ou, par ext., dans l'espace : *Le soleil répand le soir de longues traînées de lumière.* **Empreinte** s'applique surtout à une trace en creux ou en relief; ce peut être toutefois aussi une simple marque obtenue par pression, sans creux ni relief : *Les empreintes des pas dans la neige; Les empreintes digitales.* — **Piste** désigne la suite de traces qu'un homme ou un animal a laissée où il est passé, et qui permet de suivre le trajet qu'il a parcouru : *On suit la piste d'un voleur, d'un lièvre.* **Sillon,** qui désigne proprement la tranchée qu'ouvre dans la terre le soc de la charrue, se dit aussi parfois d'une trace longitudinale quelconque : *Le sillon des roues; Un sillon de feu.* **Ornière** ne s'applique guère, proprement qu'à la trace profonde laissée sur le sol par le passage des roues d'une voiture : *Combler les ornières d'une route.* — Au fig., TRACE exprime quelque chose de plus léger que *vestige;* il suppose des indices vagues et se dit seul des choses abstraites. VESTIGE, qui implique plus de réalité, convient bien en parlant des restes encore matériels et visibles d'une chose qui a existé (v. RUINES) : *Une ville jadis fameuse peut être complètement détruite, et alors il n'en reste plus de vestiges, mais les traces de son existence se trouvent encore et resteront toujours dans l'histoire.* MARQUE implique un signe distinctif qui permet de reconnaître l'influence exercée par une personne sur une chose : *La marque de l'ouvrier sur son œuvre.* EMPREINTE se dit de la marque profonde laissée par une personne sur une autre personne ou sur une chose; il convient bien en parlant du caractère dont un sentiment, une idée marque quelqu'un ou quelque chose : *Tous les ouvrages de la nature portent l'empreinte de la puissance divine.* STIGMATE désigne péjorativement, dans le langage recherché, une marque honteuse, déshonorante : *Les stigmates du vice.*

tract. V. PROSPECTUS.

tractations. V. AGISSEMENTS.

trade-union. V. SYNDICAT.

tradition. V. LÉGENDE.

traducteur est le nom donné à celui qui traduit, qui transpose une langue dans une autre, surtout par écrit, et qu'il s'agisse d'une langue morte ou d'une langue vivante. **Interprète,** syn. vieilli de *traducteur,* s'emploie surtout auj. pour désigner celui qui traduit oralement à une personne, dans la langue vivante qu'elle parle, ce qui a été dit ou écrit par une autre dans une langue différente. **Truchement,** syn. d'*interprète,* est peu usité, tandis que **translateur,** syn. de *traducteur,* est vx. **Drogman** est très partic.; c'était le nom donné autrefois, dans les pays musulmans, aux interprètes chargés officiellement de seconder les agents diplomatiques et consulaires, la qualification d'*interprète* étant réservée aux agents servant en Extrême-Orient.

traduction est le nom donné à l'ouvrage qui en reproduit un autre dans une langue différente, et qui exige tous les changements nécessités par la différence qui peut exister entre le génie des deux langues. **Version** suppose un travail moins complet que *traduction,* travail qui peut consister uniquement dans la substitution de mots à d'autres ayant le même sens dans une langue différente; il désigne aussi, plus particulièrement, les exercices par lesquels les écoliers traduisent en leur propre langue une langue ancienne ou étrangère : *La traduction est plus occupée du fond des pensées, plus attentive à les présenter sous la forme qui peut leur convenir dans la langue nouvelle, tandis que la version est plus littérale, plus attachée aux procédés de la langue originale.* **Thème** se dit de la composition scolaire qui consiste, à l'inverse de la *version,* dans la traduction d'un texte de sa propre langue en une langue étrangère que l'on apprend : *Thème grec, thème anglais.* **Paraphrase** se dit d'une traduction où le texte est amplifié. **Translation,** syn. de *traduction,* est vx.

traduire. V. EXPLIQUER, EXPRIMER et PORTER.

trafic. V. COMMERCE.

trafiquant. V. MARCHAND.

trafiquer est gén. et péj.; c'est tirer de certaines choses un profit illicite, malhonnête. **Spéculer** suppose surtout des combinaisons, des opérations financières, commerciales ou industrielles, à la hausse, à la baisse. **Fricoter** et **tripoter,** syn. de *trafiquer,* sont fam.

tragédie. V. DRAME.

tragique. V. EFFROYABLE et ÉMOUVANT.

trahir. V. DIVULGUER et TROMPER.

trahison désigne l'acte de celui qui abandonne ou livre quelqu'un à qui il doit fidélité ou qui se fiait à lui, et par suite son pays, etc. **Déloyauté** exprime un manque de bonne foi, de probité, une infidélité, qui a quelque chose de lâche. **Félonie,** terme de féodalité désignant la trahison d'un vassal envers son seigneur, s'applique encore, dans le lang. recherché, soit à un manquement à la foi jurée, soit à un acte de déloyauté d'une grande importance. **Forfaiture,** terme de féodalité désignant plus spécialement la violation du serment de foi et hommage prêté par le vassal à son seigneur, se dit aujourd'hui, par ext. et en termes de jurisprudence, de la violation par un fonctionnaire public, un magistrat, des devoirs essentiels de sa charge, caractérisée par certains délits particuliers : attentats à la liberté des citoyens, abus d'autorité, détournements des deniers publics, etc. **Prévarication,** qui, en droit, ne désigne pas un délit bien déterminé, implique, d'une façon générale, l'action de s'écarter de la justice, de manquer aux devoirs de sa charge, aux obligations de son ministère. **Prodition,** syn. de *trahison,* est vieux. (V. CONCUSSION.)

traille. V. BAC.

train. V. ALLURE, BAGAGE et TUMULTE.

traînard. V. LENT.

traînasser. V. TRAÎNER.

traînée. V. TRACE.

traîner, tirer avec soi, implique, à l'encontre d'**entraîner,** l'idée d'une force qui agit avec quelque lenteur, et marque plutôt les conséquences lointaines que les conséquences directes d'un fait, d'une action : *Le ruisseau traîne du sable; le torrent entraîne tout ce qu'il rencontre.* **Trimbaler** (quelques-uns écrivent TRIMBALLER), traîner, mener partout avec soi, est familier, cependant que **trôler** et **traner** (peu us.) sont populaires : *Trimbaler, trôler des enfants partout.* (V. CHARRIER et EMPORTER.) — Au fig., il semble qu'ENTRAÎNER marque au contraire une action plus douce que TRAÎNER; il suppose aussi une collaboration, un accord de celui qu'on entraîne, alors que celui qu'on traîne reste passif : *L'orateur entraîne ses auditeurs par l'onction de sa parole; On traîne dans la boue celui qu'on veut couvrir d'opprobre.*

Traîner, c'est aussi aller, marcher lentement, sans se presser. **Lambiner,** c'est traîner en longueur ce qu'on fait. **Lanterner,** c'est traîner en perdant son temps à des choses vaines; il suppose le plus souvent de l'irrésolution, et est assez familier. **Traînasser,** qui est fam. aussi, c'est traîner en longueur, généralement par langueur ou paresse. (V. ERRER, FLÂNER et MARCHER.)

traîneur. V. LENT.

traîneur de sabre, trainglot. V. SOLDAT.

trait (du lat. *trahere,* tirer en long) désigne le signe graphique léger traçant les contours, la délinéation de ce qu'on veut représenter. **Ligne** (du lat. *linea,* fil de lin) suppose quelque chose d'une précision et d'une étendue plus grandes que *trait;* il marque en outre une rectitude qui n'est pas toujours dans son synonyme. **Raie** et **barre,** dans le sens de ligne tracée sur une surface, impliquent quelque chose de plus grossier, de moins soigné que *trait* et *ligne*, *barre* désignant le trait imitant une « barre » qu'on met sur une chose, et *raie* s'appliquant à un trait profond, plus ou moins creusé : *On fait des barres sur le mur avec un morceau de craie, et des raies sur le sable avec un bâton.* **Linéament** est un terme didactique qui se dit d'une ligne élémentaire indiquant, d'une manière générale, une forme, un contour : *De même qu'une peinture, bien qu'elle représente tous les linéaments de l'original, ne saurait exprimer sa vigueur...* (*Bossuet*).

V. aussi FLÈCHE et MOT D'ESPRIT.

traite. V. COMMERCE et TRAJET.

traité désigne un ouvrage didactique où l'on traite de l'ensemble de quelque art, de quelque science, de quelque matière particulière, dont on examine toutes les diverses parties et cela d'une façon plus positive, plus formelle et plus méthodique, qu'on ne le fait dans un **essai,** qui se dit d'un ouvrage où l'auteur n'approfondit pas la matière qu'il traite, sauf lorsqu'il intitule ainsi son travail par pure modestie. **Etude** est un syn. d'*essai* couramment employé aujourd'hui. **Dissertation** implique un développement moins long que *traité,* développement qui comprend seulement l'examen de quelques questions générales ou particulières. **Mémoire** s'emploie parfois aussi pour désigner une dissertation sur quelque objet de science, d'érudition, de littérature, etc., souvent destinée à être communiquée à une société savante. **Cours** se dit d'un traité renfermant une série de leçons sur la même matière : *Un cours de botanique.*

V. aussi CONVENTION.

traitement désigne spécialement la manière dont un médecin agit sur un malade pour le guérir. **Médication** se dit surtout de l'ensemble des remèdes qui constituent le traitement d'une maladie. **Soins** se dit particulièrement au pluriel non seulement du traitement qu'on fait à un malade et des remèdes qu'on lui donne, mais aussi des attentions qu'on a pour le soulager. — **Thérapeutique** est essentiellement un terme médical; il se dit de la partie de la médecine qui s'occupe de la connaissance des agents curatifs et de leur emploi rationnel en vue du traitement des malades.

V. aussi RÉTRIBUTION.

traiter, c'est conclure une convention, surtout politique ou commerciale. **Négocier,** c'est traiter surtout pour d'autres, s'entremettre pour conclure une affaire, quelle qu'elle soit : *Il est fréquent que l'on négocie avant de traiter.* (V. COMPOSER et DÉBATTRE.)

V. aussi APPELER, RECEVOIR et SOIGNER.

traiteur. V. RESTAURATEUR.

traître. V. DÉLOYAL.

trajet, qui est objectif et se rapporte au lieu, désigne l'espace à parcourir pour aller d'un point à un autre; il peut se dire d'un voyage par eau, et quand il s'applique à la terre, il a rapport à la distance parcourue, à celle qui sépare le point de départ du point d'arrivée. **Traite** fait penser au temps que dure une marche, un voyage par terre, considérés comme durant plus ou moins longtemps et effectués sans arrêt; il est essentiellement relatif aux personnes et à leur action : *Le trajet est une certaine quantité de chemin commune et constante d'un lieu à un autre; Une traite est une certaine quantité de chemin d'une personne en particulier et faite dans un cas particulier* (*Lafaye*). **Parcours,** qui désigne le trajet que fait une personne ou que l'on fait faire à une chose, se dit aussi, plus spécialement, d'un trajet déterminé suivi par un véhicule, une eau courante, etc. : *Le parcours d'un chemin de fer, d'une rivière.* **Chemin** se dit de toute ligne ou voie, de tout trajet qu'on parcourt, ou qu'on peut parcourir pour aller d'un lieu à un autre, considérés en eux-mêmes ou relativement à la distance qui sépare deux endroits : *La ligne droite est le plus court chemin d'un point à un autre.* **Traversée** est très partic.; il s'applique spécialement au trajet qui se fait par mer, d'une terre à une autre terre : *Une traversée de plusieurs jours.* **Trotte,** qui est familier, se dit d'une courte traite, et regarde particulièrement les personnes allant à pied.

trame désigne, en termes de littérature, l'enchaînement des faits dans un récit, la disposition de l'action d'une composition littéraire. **Intrigue** se dit de l'ensemble des incidents divers qui forment le nœud plus ou moins compliqué d'un récit ou d'une pièce de théâtre. **Scénario** désigne l'intrigue détaillée d'une pièce, d'un ballet, d'un film, et **synopsis** seulement l'intrigue abrégée d'un film. **Affabulation** et **fabulation,** syn. de *trame,* sont VX. (V. PIÈGE.)

V. aussi INTRIGUE.

tramer. V. OURDIR.

tramontane. V. VENT.

tranchant désigne adjectivement, ce qui coupe net, d'un seul coup, et fait penser surtout à l'effet. **Acéré** est plus du langage relevé et attire l'attention sur l'état de l'objet. **Aiguisé** suppose une opération qui a rendu tranchant. **Affilé** s'applique à l'instrument qu'on a aiguisé en lui donnant du « fil » (v. art. suiv.).

Tranchant se dit aussi, substantivement, du côté coupant d'une lame, appelé souvent aussi d'ailleurs **coupant. Fil** désigne la ligne nette, non ébréchée, du tranchant. **Taille,** nom donné au tranchant d'une épée (par opposition à l'estoc, la pointe), n'est guère usité que dans l'expression : *Frapper d'estoc et de taille.* **Taillant,** syn. de *tranchant,* vieillit.

V. aussi DÉCISIF.

tranche désigne un morceau d'un corps coupé net et un peu mince, en long ou en large. **Rouelle,** tranche de certaines choses (citron, betterave, pomme, etc.) coupée en rond, vieillit; on dit plutôt auj. **rondelle. Darne** (du bas breton *darn,* morceau, tranche) ne se dit que d'une tranche de poisson. **Tronçon** (du lat. *truncus,* tronc), nom donné proprement à un morceau coupé de certains poissons, de certains reptiles qui ont plus de longueur que de largeur, se dit aussi, par ext., d'un morceau coupé ou rompu de quelque objet allongé et à peu près cylindrique ou prismatique. **Taillon,** morceau taillé, *tronçon,* est dialectal. (V. MORCEAU et TARTINE.)

tranchée est le nom donné, en art militaire, à un fossé creusé dans le sol suivant une direction déterminée, et destiné à abriter les défenseurs tout en leur permettant de faire usage de leurs armes. **Sappe** désigne, dans ce sens, un travail de terrassement consistant essentiellement en une tranchée dont le nom varie avec les conditions dans lesquelles elle est creusée : *Sape double, sape volante, etc.* **Boyau** se dit d'un fossé en zigzag permettant de gagner à couvert les parallèles avancées devant une place assiégée, ou d'une tranchée de première ligne sur un champ de bataille, et qu'on appelle aussi, en termes de fortification, **approche** ou **cheminement.**

V. aussi CAVITÉ.

Tranchées. V. COLIQUE.

tranche-montagne. V. BRAVACHE.

trancher. V. CONTRASTER, COUPER et DÉCIDER.

trancher le cou, la gorge, la tête. V. TUER.

tranquille. V. CALME.

tranquilliser. V. RASSURER.

tranquillité, qui s'oppose à « inquiétude » et implique une situation, un état exempt d'agitation et de trouble, qui existe actuellement en soi, indépendamment de toute autre relation, enchérit sur **calme** qui s'oppose à « trouble» et suppose un état plus passager, plus accidentel : c'est, nous, dit Lafaye, une tranquillité de circonstance, un moment de tranquillité. **Paix,** qui s'oppose à « guerre », regarde la tranquillité par rapport au-dehors, à ceux qui pourraient y causer de l'altération : *Les gens inquiets n'ont pas de tranquillité dans leur intérieur; Plus l'orage a été violent, plus on goûte le calme; Les querelleurs ne sont guère en paix avec leurs voisins.* **Quiétude** est un syn. de *tranquillité* employé surtout dans le langage mystique; dans le langage courant, il suppose une tranquillité d'âme : *La bonne conscience ne peut que mettre la quiétude dans le cœur.* **Sérénité** implique la plus grande tranquillité, une extrême quiétude : *La sérénité d'une âme innocente.* **Sécurité** désigne la tranquillité d'esprit de celui qui croit à tort ou à raison n'avoir aucun sujet de crainte ou qui a pris du moins toutes les mesures nécessaires préventives : *Je suis toujours prêt à aller chercher ailleurs non pas le repos, mais la sécurité, disait Voltaire.* (V. REPOS.)

transaction est le terme général par lequel on désigne, dans le langage commercial, l'ensemble des conventions qui peuvent intervenir entre les commerçants, et notamment les achats, les ventes, les échanges, etc., résultant des opérations commerciales. **Marché** concerne la vente, l'achat de marchandises à un prix convenu, la transaction verbale ou écrite entre vendeurs et acheteurs. **Affaire,** au point de vue strictement commercial, se dit de toute transaction ayant un caractère lucratif, qu'il s'agisse d'un achat, d'une vente, d'un échange, d'un marché; dans le langage courant et au pluriel, l'expression LES AFFAIRES s'applique à l'ensemble de l'activité commerciale et industrielle, ce qu'on désignait autrefois du nom de NÉGOCE.

V. aussi CONVENTION.

transatlantique. V. BATEAU.

transcendant. V. ÉLEVÉ.

transcrire. V. COPIER.

transe. V. ANGOISSE.

transfèrement. V. TRANSLATION.

transférer. V. PORTER.

transfert. V. TRANSLATION.

transformation. V. MÉTAMORPHOSE.

transformer, c'est donner, à une personne ou à une chose, une autre forme que celle qui lui est propre ou qu'elle avait précédemment; on dit aussi, dans ce sens, mais plus dans le langage ordinaire, **changer** : *La femme de Loth fut transformée* (ou *changée*) *en une statue de sel.* **Convertir,** dans le sens de *transformer,* se dit d'une chose qu'on change en une autre : *Convertir des raisins en vin.* **Muer** (du lat. *mutare,* changer), employé transitivement, est syn. de *transformer,* de *changer,* dans le langage recherché : *Muer l'eau en vin; Sympathie qui se mue en amitié.* **Transmuer** est un terme didactique, syn. de *transformer,* de *convertir,* qui ne s'applique guère qu'aux métaux : *Les alchimistes prétendaient transmuer les métaux vils en or.* **Transsubstantier** ne s'emploie qu'en termes de théologie, en parlant de l'Eucharistie : *Jésus, d'après l'Evangile, transsubstantia l'eau en vin.*

transfuge. V. DÉSERTEUR.

transgresser. V. DÉSOBÉIR.

transi est le terme du langage recherché qui s'applique à une personne pénétrée et engourdie de froid; il s'emploie aussi figurément à propos d'un état moral comparable à celui d'une personne transie de froid, particulièrem. lorsqu'il s'agit de la peur. **Gelé** est plus du langage ordinaire et n'a rapport qu'au froid. **Glacé** enchérit sur *gelé.* **Morfondu** est moins usité. **Frissonnant** ajoute à l'idée exprimée par *transi* celle de tremblement qui peut être aussi causé par la fièvre. **Grelottant** se dit de celui que le froid ou la fièvre fait trembler d'une façon apparente. **Figé,** syn. de *glacé,* est familier. (V. ENGOURDI et FROID.)

transiger. V. COMPOSER.

transiter. V. TRANSPORTER.

transitoire. V. PASSAGER.

translateur. V. TRADUCTEUR.

translation, qui diffère de **transport** comme *transférer* de *transporter* (V. PORTER), est moins vulgaire que son syn. et s'emploie bien soit en termes de palais ou de rituel, soit lorsqu'on veut donner à l'action de transporter qu'il s'agit d'exprimer un caractère plus frappant, pour le présenter comme ayant quelque chose d'extraordinaire. **Transfert** est admis auj., à côté de son acception de commerce et de finance où il désigne l'acte par lequel on déclare transporter à un autre la propriété d'une marchandise, d'une valeur, d'une rente sur l'Etat, dans le sens relevé de *translation.* **Transfèrement** ne s'emploie qu'en parlant des prisonniers qu'on transfère d'un lieu de détention dans un autre.

V. aussi TRADUCTION.

translucide. V. DIAPHANE.

transmettre, c'est, de la façon la plus générale, faire parvenir d'un lieu à un autre, d'une personne à une autre, sans idée accessoire. **Communiquer,** s'il ne s'applique qu'à la transmission d'une personne à une autre, suppose par contre une participation plus active, une mise en commun : *Si l'on peut transmettre un dossier sans même l'avoir soi-même ouvert, c'est-à-dire comme simple intermédiaire, on ne peut le communiquer qu'après en avoir pris connaissance.* **Passer,** transmettre à une personne, est plus du langage ordinaire et suppose généralement une transmission directe : *On passe un dossier à un collègue en lui remettant de la main à la main.*

transmuer. V. TRANSFORMER.

transmutation. V. MÉTAMORPHOSE.

transparent, terme didactique désignant tout corps qui se laisse traverser par la lumière, fait penser surtout à la visibilité des objets nettement distingués à travers l'épaisseur du corps « transparent ». **Clair,** qui est plus du langage ordinaire, attire seulement l'attention sur la qualité de ce qui laisse passer librement la lumière et permet que l'on voie au travers, sans autre idée accessoire. **Limpide** fait penser surtout à l'absence de tout ce qui pourrait troubler la transparence. **Cristallin** implique une grande transparence, une limpidité semblable à celle du « cristal ». — Au fig., ces termes emportent des nuances analogues et s'emploient pour désigner ce qui se laisse pénétrer, saisir, apercevoir aisément, ce qui est exempt d'obscurité, sans sens caché.

V. aussi DIAPHANE.

transpirer. V. PERCER et SUER.

transport, lorsqu'il désigne figurément une violente émotion, agréable ou désagréable, qui nous met comme hors de nous, est dominé par l'idée de mouvement, d'agitation, souvent même d'exclamations, de cris. **Ravissement,** qui implique toujours un état agréable, pouvant atteindre la plus complète félicité, suppose généralement une émotion sans désordre et toute intérieure. **Extase** enchérit sur *ravissement,* en impliquant une admiration qui va jusqu'à l'émerveillement, presque la stupéfaction, et convient parfaitement dans le langage poétique ou religieux. (V. ENTHOUSIASME et VERTIGE.)

V. aussi DÉLIRE et TRANSLATION.

transporter, c'est, de la façon la plus générale, porter d'un lieu dans un autre, de quelque manière que ce soit. **Transiter** est un terme de commerce international et de douane ; c'est transporter des marchandises d'un pays à un autre, en les faisant traverser un ou d'autres Etats sans acquitter de droits de douane. **Voiturer,** c'est transporter des denrées, des marchandises, par le moyen d'un véhicule à quatre roues destiné à cet effet ; appliqué aux personnes, il est fam. **Véhiculer,** syn. de *voiturer,* est d'usage plus récent (Littré, 1873). **Déménager** est plus partic. ; c'est seulement transporter des meubles, des objets de ménage, d'un logis dans un autre. **Transbahuter,** syn. de *transporter,* de *déménager,* est populaire et emporte généralement une idée d'effort, de peine. (V. CHARRIER.)

V. aussi DÉPORTER, ENTHOUSIASMER et PORTER.

transposer. V. DÉPLACER.

transsubstantier. V. TRANSFORMER.

transsuder. V. SUINTER.

trantran. V. ROUTINE.

trappe. V. PIÈGE.

trapu désigne un homme court, ramassé, mais ayant de bons muscles et ne manquant pas de vigueur. **Râblé** suppose un buste court et puissant, impliquant force et robustesse. **Râblu,** syn. de *râblé,* est un terme de physiologie peu usité. **Courtaud** est familier et ne s'emploie que substantivement ; nom donné à une personne qui est de taille courte, épaisse et ramassée, il emporte souvent l'idée de grosseur. — **Nabot** et **ragot** diffèrent de *trapu* en ce qu'ils sont plus vulgaires et extrêmement péjoratifs, le premier se disant d'une personne non seulement grosse et courte, mais encore petite et faible, et le second (moins us.) joignant à l'idée de petitesse et de faiblesse celle de difformité ridicule (V. NAIN).

traquenard. V. PIÈGE.

traquer. V. POURSUIVRE.

trauma. V. BLESSURE.

travail est le terme général, du langage commun, qui désigne la peine que l'on prend à faire quelque chose. **Labeur,** qui est plus du langage poétique ou du style soutenu, s'applique généralement à un travail laborieux, pénible, long, qui demande beaucoup d'application : *L'homme est né pour le travail ; le malheureux est condamné à un nécessaire labeur.* **Ouvrage** n'attire pas l'attention, comme *travail,* sur l'action ou sur celui qui la fait, mais sur la chose créée ou produite par l'action ; c'est proprement le résultat du travail. (A noter, après Lafaye, que si parfois les deux mots échangent leurs significations, de manière que *travail* se dise pour le résultat, et *ouvrage* pour l'action, ils diffèrent toujours en ce que le travail, et non pas l'ouvrage, suppose du labeur ou de la peine.) **Œuvre,** syn. d'*ouvrage,* est plus du style recherché. **Affaire,** qui s'emploie souvent au pluriel, emporte plus ou moins une idée d'obligation et de soins pour une chose d'une certaine importance qui occupe l'activité et retient l'intérêt. **Occupation** est plus général et suppose quelque chose de plus continuel, de moins restreint qu'*affaire,* et qui peut d'ailleurs ne pas avoir le sérieux qu'impliquent toujours le travail ou les affaires : *Au lieu de faire du jeu une occupation continuelle et de s'y appliquer comme à une affaire importante, on ne doit se le permettre, a dit Bourdaloue, que comme un divertissement passager, frivole en lui-même et propre seulement à remettre l'esprit des fatigues d'un long travail.* **Mission** est du langage recherché et implique quelque chose d'important exigeant un déplacement; il désigne l'œuvre que l'on est chargé d'aller accomplir et suppose un témoignage de confiance, l'octroi de pouvoir, et un objet plus ou moins éloigné : *On accomplit un travail, mais on remplit une mission.* **Tâche** désigne le travail à faire dans un temps déterminé et à de certaines conditions. **Besogne** se dit soit du travail que nous imposent notre métier, nos occupations ou telles circonstances déterminées, soit d'une portion quelconque de travail. **Corvée** s'applique à tout travail, à toute action, soit du corps, soit de l'esprit, qu'on fait à regret, avec peine et souvent sans profit. **Boulot** et **turbin,** syn. de *travail,* comme **business** (mot anglais signifiant *affaires*), syn. d'*affaires,* d'*occupation,* sont des termes d'argot.

travailler, c'est, transitivement, soumettre une matière à une action continue pour la **façonner,** c'est-à-dire pour la transformer en un objet. **Ouvrager,** c'est façonner d'une manière compliquée, travailler avec une grande minutie de détails. **Ouvrer** est moins usité; il vieillit. (V. PRODUIRE.)

Travailler, c'est aussi, intransitivement, faire un effort soutenu pour exécuter quelque chose d'utile, le plus souvent en vue d'un gain précis. **Besogner,** s'occuper au travail que nous impose notre métier, nos occupations, ou telle circonstance déterminée, s'emploie surtout auj., avec une nuance de comique, en parlant d'un travail qui demande plus d'effort qu'il ne donne de résultats. **Œuvrer,** syn. de *travailler,* est du style recherché et suppose un travail d'une certaine importance. **Ouvrer** est vieux. **Bricoler,** c'est travailler à de petites besognes variées et peu durables; il est familier, comme le sont **bûcher** et **buriner** qui, employés absolument, signifient travailler sans relâche. **Trimer** est populaire et suppose généralement une besogne pour laquelle on n'a pas beaucoup de goût et que l'on fait avec effort. **Gratter,** travailler beaucoup, est populaire aussi, ainsi que **chiner** ou **pilonner,** travailler avec acharnement, qui sont peu usités. **Bosser, boulonner, turbiner** sont des termes d'argot qui s'appliquent surtout aux travaux manuels. **Marner,** travailler durement, est aussi un terme d'argot. (V. OCCUPER DE [S'].)

V. aussi AGIR, ÉTUDIER et TOURMENTER.

travailleur, qui désigne, d'une façon générale, toute personne qui travaille, présente surtout celle-ci sous le rapport de la peine qu'elle prend, de ses efforts, de ses fatigues, et s'emploie plus spécialem. en parlant des travailleurs manuels. **Ouvrier** fait considérer le travailleur surtout par rapport à ce qu'il fait : *Un bon travailleur est celui qui ne perd pas son temps, qui travaille avec zèle, avec courage; Un bon ouvrier est celui qui fait bien ce qu'il a appris à faire.* **Mercenaire,** employé pour désigner un ouvrier, une personne quelconque qui travaille pour un salaire convenu, attire surtout l'attention sur le gain recherché. **Salarié** est essentiellement un terme d'économie politique qui s'applique à tout travailleur manuel ou intellectuel lié à un employeur par un contrat de louage de services. **Prolétaire** est le terme du langage politique qui sert à désigner tout travailleur, manuel ou intellectuel, qui n'a pas d'autres ressources que le gain journalier, hebdomadaire ou mensuel de son travail. **Journalier** est le nom donné à celui qui travaille à la journée. **Tâcheron** se dit d'un ouvrier à la tâche, c'est-à-dire chargé de faire un travail généralement facile dans un temps déterminé et à de certaines conditions. **Manœuvre,** pris dans son sens général, désigne un ouvrier à qui l'on demande un travail manuel nécessitant peu d'apprentissage ou d'intelligence. **Manouvrier,** ouvrier qui travaille de ses mains et à la journée, est peu usité auj.; il en est de même de **chambrelan,** nom donné à un ouvrier qui travaille en chambre. **Ménestrel,** qui s'est dit autrefois d'un homme vivant du travail de ses mains, est inusité aujourd'hui. **Prolo,** syn. de *prolétaire,* est populaire.

travaux forcés. V. BAGNE.

travers. V. DÉFAUT.

travers (de), qui se dit proprement de ce qui est de biais, obliquement, avec l'idée péjorative de direction fausse, s'emploie aussi figurément en parlant de ce qui est dans un mauvais sens, **à contresens,** autrement qu'il ne faudrait. **De guingois** est familier et **de traviole** une expression d'argot.

traverse. V. EMPÊCHEMENT.

traversée. V. TRAJET.

traverser suppose généralement une étendue plus grande et souvent même certaines difficultés que n'implique pas **passer** qui signifie simplement aller d'un lieu à un autre, en portant ses pas au-delà d'où l'on est; à noter aussi, d'après Lafaye, que le premier se dit mieux en parlant d'une rivière ou d'un espace liquide quelconque, et le second lorsqu'il s'agit d'une montagne ou d'un espace solide. **Franchir,** c'est passer entre, par-dessus un obstacle, traverser des lieux, des endroits difficiles, de grands espaces; il est toujours dominé par l'idée d'effort.

travestir. V. DÉGUISER.

trébucher. V. BUTER.

trébuchet. V. BALANCE.

treillage, treillis. V. CLÔTURE.

tremblement de terre. V. SÉISME.

trembler, c'est, au sens propre, être agité de petites et fréquentes secousses. **Trépider,** est plus du langage didactique ou technique; il suppose souvent en outre des secousses assez fortes. **Frémir,** c'est trembler en faisant entendre un bruissement : *La terre tremble; Une automobile trépide; Le feuillage frémit.* **Trembloter** est familier; c'est trembler quelque peu : *Le froid fait trembloter.* **Frissonner,** c'est surtout trembler de froid ou de fièvre, en parlant des êtres animés (on dit aussi couramm., dans ce sens, **grelotter,** qui implique généralement d'ailleurs un tremblement plus visible) ; ce peut être aussi toutefois, par ext. et en parlant des choses inanimées, frémir, s'agiter vivement ou légèrement : *Il est naturel de frissonner, voire de grelotter, lorsqu'en quittant un lieu chaud on est saisi par un froid vif ou subit; Le vent fait frissonner les feuilles.* **Trémuler,** qui ne s'emploie que transitivement, est un terme de pathologie qui suppose un tremblement ou une trépidation rapide que l'on observe à la suite d'une contraction musculaire brusque, quand les réflexes sont exagérés : *On trémule les doigts.* — Au fig., TREMBLER, c'est être agité moralement, sous le coup de l'inquiétude, de la crainte, de la peur, et cela parfois d'une façon durable, jusqu'à ce que l'on ait perdu toute raison de trouble. FRÉMIR, c'est être en proie à une vive agitation intérieure, sous le coup de la peur, de la surprise, ou de quelque émotion ou passion violente; on dit aussi, dans ce sens, FRISSONNER, qui est moins du langage relevé et suppose généralement une émotion moindre que *frémir.* (V. TRESSAILLIR.)

V. aussi CHEVROTER, VACILLER et VIBRER.

trembleur. V. CRAINTIF.

trembloter. V. CHEVROTER, TREMBLER et VACILLER.

trémousser. V. FRÉTILLER.

trempe. V. NATURE et VOLÉE.

tremper, c'est imprégner d'un liquide, de quelque façon que ce soit. **Imbiber** est plus du langage didactique, moins du langage ordinaire, que *tremper,* sur lequel il enchérit; c'est tremper en faisant absorber la plus grande quantité possible de liquide. **Mouiller,** c'est imprégner plus ou moins d'un liquide un corps, une surface. **Arroser,** c'est mouiller quelque chose en versant dessus de l'eau ou quelque autre liquide, en gouttes imitant la « rosée ». **Inonder,** proprement submerger un terrain, un pays, par un débordement d'eau, s'emploie aussi, par ext., dans le sens de mouiller beaucoup. **Baigner,** proprement plonger et tenir dans un liquide, s'emploie parfois aussi, par exagération, dans le sens de tremper, de mouiller abondamment. **Doucher** est plus partic.; c'est arroser une partie ou toute la surface du corps au moyen d'une « douche », c'est-à-dire d'un jet d'eau s'échappant suivant une ou plusieurs directions. **Saucer,** proprement tremper dans la « sauce », dans un liquide alimentaire, et, par ext., tremper dans un liquide quelconque, devient familier, ainsi que *doucher* et **rincer** (proprem. laver à plusieurs reprises) dans le sens de mouiller très fort, particulièrement en parlant de la pluie. **Emboire** et **imboire,** syn. d'*imbiber,* sont vieux. (V. ARROSER.)

V. aussi AFFERMIR.

trémuler. V. TREMBLER.

trépas. V. DÉCÈS.

trépassé. V. DÉCÉDÉ.

trépasser. V. MOURIR.

trépidant. V. TURBULENT.

trépider. V. TREMBLER.

trépigner. V. PIÉTINER.

très, particule que l'on place devant les adjectifs, les participes et les adverbes pour porter au superlatif l'idée qu'ils expriment, est absolu et marque simplement ce superlatif sans y ajouter d'autre idée. **Bien** est relatif et ajoute une idée d'approbation, d'admiration. **Fort** est tantôt absolu, tantôt relatif, et ajoute une idée d'intensité : *Un homme très sage est un homme doué de beaucoup de sagesse; Un homme bien sage a une grande sagesse au jugement de la personne qui parle et qui en éprouve de la satisfaction; On dit d'un homme qu'il est fort sage, pour assurer, pour affirmer qu'il l'est à un très haut degré.*

trésor est le nom donné à un amas d'or, d'argent ou d'autres choses précieuses mis en réserve, caché, enfoui. **Magot** (altération de *mugot,* sous l'influence du vx français *magaut,* poche, bourse) est familier et se dit surtout d'une somme d'argent plus ou moins importante mise en réserve et cachée avec soin.

tressaillir, c'est éprouver une secousse physique sous le coup de quelque émotion, agréable ou désagréable. **Sursauter** implique un mouvement brusque, plus visible que *tressaillir,* occasionné par une sensation subite et violente. **Soubresauter,** syn. de *sursauter,* sur lequel à son tour il enchérirait plutôt, est beaucoup moins usité. **Tressauter,** c'est tressaillir, sursauter fortement sous le coup surtout de la surprise ou de la crainte. **Tiquer** est plus partic.; c'est faire involontairement de la tête, des yeux, etc., un mouvement, tout comme si l'on avait un tic; il s'emploie surtout pour marquer l'étonnement ou le mécontentement. (V. TREMBLER.)

V. aussi VIBRER.

tressauter. V. TRESSAILLIR.

tresser, c'est entrelacer des fils, des soies, des pailles, des cheveux, de manière à former une sorte de cordon plat appelé « tresse ». **Natter,** syn. de *tresser,* implique un cordon (appelé « natte ») formé généralement de trois brins entrelacés. (A noter que *tresser* semble impliquer quelque chose de plus fin, de plus régulier, que *natter.*)

tréteaux. V. THÉÂTRE.

trêve est le terme qui sert à désigner la convention par laquelle deux parties belligérantes s'engagent à s'abstenir, pendant un certain temps, de tout acte d'hostilité; il se dit aussi, par ext., du temps même durant lequel a lieu cette suspension. **Suspension d'armes** est le nom donné à une trêve motivée par quelque circonstance spéciale, comme les négociations pour la reddition d'une place, l'inhumation des morts, etc. **Armistice** est le terme employé pour désigner la convention d'un caractère à la fois politique ou économique et militaire par laquelle les belligérants conviennent de suspendre les hostilités, tout en laissant cependant subsister l'état de guerre jusqu'à la signature de la paix qu'elle a généralem. pour but de préparer. **Atenanche** est vx; c'est un terme de droit féodal qui servait à désigner une trêve, une suspension d'hostilités entre les nobles.

V. aussi REPOS.

tribu. V. FAMILLE et PEUPLADE.

tribulation. V. MALHEUR et PEINE.

tribun. V. ORATEUR.

tribunal, lorsqu'il désigne la juridiction d'un magistrat ou la réunion de plusieurs juges qui jugent ensemble, est la dénomination plus spécialement employée pour les juridictions inférieures du premier degré, **cour** s'appliquant aux autres, cependant que **conseil** est réservé soit aux juridictions administratives, soit aux tribunaux militaires. — Lorsque ces termes désignent les magistrats eux-mêmes, ils ont pour syn. plus particulier **parquet,** qui s'applique seulement à l'ensemble des magistrats qui composent, dans les tribunaux de droit commun ou dans les conseils de guerre, le ministère public.

tribune. V. ESTRADE.

tribut. V. IMPÔT et RÉCOMPENSE.

tricher. V. TROMPER.

trier, c'est choisir dans un ensemble, une grande quantité, séparer du reste, répartir suivant la qualité, le genre, etc. **Sélectionner,** qui est plus un terme didactique, suppose un choix, un tri limité, fait entre plusieurs choses de même nature, dont on ne garde qu'un petit nombre pour en rejeter la plupart ; il implique une préférence raisonnée et devrait être surtout employé en parlant d'un choix ayant pour objet l'amélioration des espèces vivantes : *On trie en répartissant; On sélectionne en conservant seulement le meilleur.* (V. CHOISIR et TAMISER.)

trifouiller. V. FOUILLER.

trimardeur. V. VAGABOND.

trimbaler. V. PORTER et TRAÎNER.

trimer. V. MARCHER et TRAVAILLER.

tringlot. V. SOLDAT.

trinquer. V. BOIRE.

triomphe. V. SUCCÈS.

triompher de. V. SURMONTER.

tripe. V. INTESTIN.

tripot. V. CABARET.

tripotages. V. AGISSEMENTS.

tripotée. V. MULTITUDE et VOLÉE.

tripoter. V. MANIER et TRAFIQUER.

trique. V. BÂTON.

triquer. V. BATTRE.

triste est le terme général qui implique l'absence de toute gaieté, en parlant des personnes comme des choses. **Morne** suppose un état de tristesse accablant dû à quelque grand malheur, ou bien un défaut de vivacité, de gaieté propre à inspirer aux autres des idées de tristesse; appliqué aux choses, il s'oppose à « riant ». **Sombre** ajoute à l'idée de tristesse celle d'absence de sérénité; il suppose le plus souvent une tristesse qui inquiète, effraie même. **Lugubre,** comme **funèbre,** se dit de ce qui a le caractère triste, sombre du deuil. **Sinistre** emporte l'idée d'une tristesse qui présage le malheur. (V. MAUSSADE et MÉLANCOLIQUE.)

tristesse. V. CHAGRIN.

triturer. V. BROYER.

trivial. V. REBATTU et VULGAIRE.

troc. V. CHANGE.

trogne. V. FIGURE.

trombe. V. BOURRASQUE.

trompe. V. TROMPETTE.

tromper est le terme générique dont on se sert lorsqu'au moyen d'un déguisement, en usant d'artifice, l'apparence du vrai est donnée au faux. **Induire en erreur,** tromper à dessein, est moins du langage ordinaire. **Donner le change,** c'est tromper en faisant prendre une chose pour une autre ; il suppose de l'adresse, un sens certain de la dissimulation. **Abuser,** c'est tromper en tirant avantage de la faiblesse ou de la crédulité d'autrui. **Amuser,** c'est tromper en faisant perdre le temps. **Attraper,** c'est tromper par un moyen piquant et risible plutôt que nuisible et préjudiciable. **Mystifier,** c'est abuser de quelqu'un pour se divertir à ses dépens. **Enjôler,** c'est tromper, surtout une personne de l'autre sexe, en cherchant à la séduire par des cajoleries, par des douceurs. — **Décevoir,** c'est tromper par quelque chose de spécieux et d'engageant ; il suppose généralement des espérances ou des promesses qu'on ne veut pas réaliser. **Leurrer,** c'est induire en erreur par l'appât de fausses apparences. **Surprendre,** c'est tromper tout à coup celui qui ne s'y attend pas. **Berner,** c'est tromper quelqu'un en lui faisant croire des balivernes. — **Duper,** c'est tromper en causant une perte ou un dommage. **Frauder,** c'est tromper quelqu'un pour se procurer à son détriment quelque avantage. **Trahir,** c'est tromper perfidement, en parlant des personnes, et tromper en rendant vain, lorsqu'il s'agit des choses. **Tricher,** proprement tromper au jeu par de petites manœuvres frauduleuses, s'emploie aussi figurément dans le sens de tromper d'une manière quelconque, mais surtout en parlant de petites choses et par des procédés plus ou moins petits et bas. — **Empaumer,** comme **embobiner** (ou **embobeliner**), est familier ; c'est tromper quelqu'un en se rendant suffisamment maître de son esprit pour qu'il n'agisse plus qu'à notre guise ; il suppose la séduction ou une grande influence. **Embabouiner** est familier aussi et peu usité; c'est tromper quelqu'un qui a la niaiserie et la crédulité d'un enfant. **Bourrer le crâne,** c'est, très familièrement et péjorativement, tromper quelqu'un, un naïf surtout, en cherchant à lui en faire accroire, à lui faire accepter toute une histoire forgée à plaisir; on dit aussi, dans ce sens, familièrement, **monter le cou, monter un bateau,** et, en termes d'argot, **bourrer le mou. Blouser, pigeonner** (peu us.), **piper** et **rouler,** syn. de *tromper,* de *duper,* sont familiers, ainsi que **balancer,** syn. de *mystifier,* cependant que **carotter, couillonner** et **refaire,** syn. d'*attraper* comme de *duper,* sont populaires, *carotter* étant aussi syn. de *tricher.* (V. TROMPERIE.)

Se tromper, tomber dans l'erreur, se faire une fausse idée des choses, en mal juger, est le terme du langage courant. **S'abuser,** c'est se tromper en se faisant illusion, par trop de confiance en soi-même, ou faute de régler, non pas son intelligence, nous dit Lafaye, mais la partie sensible ou appétitive de son être, ses désirs, son imagination, ses espérances. **Se mécompter,** vieilli dans le sens propre de se tromper dans un compte, s'emploie quelquefois encore figurément dans le sens de se tromper en ce qu'on croit ou en ce qu'on espère; il suppose toujours alors une déception. **Se méprendre** implique une alternative; c'est se tromper entre deux choses, deux personnes, prendre l'une pour l'autre. **Prendre le change,** syn. de *se méprendre,* est moins usité et plus du langage commun. **Errer** ne s'emploie dans ce sens figuré que d'une manière absolue et qu'à l'infinitif ou au participe avec « avoir »; c'est se tromper le plus souvent parce qu'on a une fausse opinion, parce que, par malheur ou accident, on s'éloigne de la vérité. **Faillir** est usité dans les mêmes conditions qu'*errer,* mais suppose plutôt un défaut, une imperfection : *Il nous arrive d'errer, faute d'un bon guide, par exemple; C'est une des misères de notre nature ou un dérèglement de notre volonté de faillir.* **Aberrer,** se tromper en s'éloignant de la vérité, est peu usité. **Méjuger,** se tromper dans un jugement, une opinion, juger à faux, est vx. **Se blouser,** syn. de *se tromper,* est familier, ainsi que **se ficher dedans; se foutre dedans** est populaire, cependant que **cafouiller** et **se gourer** sont des termes d'argot. (V. DÉRAISONNER.)

tromperie est le terme général qui désigne toute action qui a pour but de nuire en induisant en erreur par artifice. **Fourberie** se dit d'une tromperie basse et odieuse. **Supercherie** s'applique à la tromperie par laquelle on fait prendre à quelqu'un une personne, une chose pour ce qu'elle n'est pas. **Tour de passe-passe,** proprement tour d'adresse que font les escamoteurs, est usité aussi figurément et familièrement en parlant d'une adroite tromperie. (V. FAUSSETÉ et TROMPER.)

V. aussi ATTRAPE.

trompeter. V. DIVULGUER.

trompette est le nom donné à un instrument de musique à vent, en métal, d'un son éclatant, employé notamment pour les proclamations publiques, et, dans les armées, pour les sonneries de cavalerie. **Clairon** se dit d'un instrument au son aigu et perçant, ayant une forme analogue à celle de la trompette, mais moins allongé et us. surtout dans l'infanterie. **Trompe,** syn. vieilli de *trompette,* s'applique surtout aujourd'hui à la trompette recourbée dont on se sert pour sonner à la chasse.

trompeur est le terme générique et vague qui sert à désigner tout ce qui trompe ou induit en erreur, de quelque manière que ce soit. **Fallacieux** enchérit sur *trompeur;* s'appliquant à ce qui trompe ou jette dans l'erreur avec l'artifice et l'appareil le plus propre à abuser, il implique une fourberie, une fausseté étudiée : *Tous les genres de signes et d'apparences incertains sont trompeurs; Des protestations mensongères, des discours et des raisonnements sophistiques sont fallacieux.* **Insidieux** s'emploie d'une façon plus large que le mot **captieux;** il comporte une nuance plus nette de subtilité pateline et insinuante, et s'applique à toutes les manières d'agir (pratiques, manèges, caresses, flatteries) par lesquelles on dresse des embûches à quelqu'un : *Ce qui est captieux séduit par de fausses apparences et conduit insensiblement la personne séduite à faire de sa propre volonté ce que désire le trompeur; ce* *qui est insidieux cache un piège, conduit la victime à sa perte sans qu'elle s'en aperçoive.* **Menteur** désigne ce qui trompe en donnant apparemment et habituellement comme vrai ce qui est faux : *Le monde est menteur, il promet un bonheur qu'il ne peut donner.* **Mensonger** indique l'état constant de ce qui a la qualité exprimée par le substantif « mensonge », c'est-à-dire qu'il implique une fausseté méditée, composée de manière à tromper, à abuser, à séduire : *Redoutez du moment le conseil mensonger.* (A noter qu'appliqué aux personnes, *menteur* et *mensonger* sont synonymes, le second ne s'employant plus guère et seulement adjectivement.) [V. APPARENT et FANFARON.]

tronc. V. TIGE et TIRELIRE.

tronçon. V. TRANCHE.

tronçonner. V. COUPER.

tronquer. V. MUTILER.

troquer. V. CHANGER.

trotte. V. TRAJET.

trotter. V. MARCHER.

trottin. V. MIDINETTE.

trottiner. V. MARCHER.

trou est le terme couramment employé pour désigner une solution de continuité produite par un percement et qui, s'étendant à peu près également dans tous les sens, offre la faculté de traverser un corps ou d'y pénétrer profondément. **Vide** dit plus; c'est, écrit Lafaye, un espace où il n'y a rien, un contenant qui n'a pas de contenu et qui souvent est propre à en recevoir un. **Ouverture** désigne la solution de continuité, le trou naturel ou accidentel qui permet l'accès, l'entrée. **Orifice,** qui est plus un terme didactique, s'applique à une ouverture qui donne entrée à une cavité. — **Trouée,** beaucoup plus partic., désigne une ouverture naturelle ou artificielle dans une haie, un bois, une palissade, etc.; il suppose un large passage ouvert dans ce qui barre le chemin. **Percée,** trou que l'on fait dans quelque chose, se dit surtout d'une ouverture naturelle ou pratiquée dans un bois pour y faire un chemin ou ouvrir une perspective. **Brèche** est le nom que l'on donne à une ouverture produite par force ou par accident à ce qui sert d'enclos ou d'enceinte. (A noter que *trouée, percée* et *brèche* s'emploient aussi, dans un sens analogue, en termes d'opérations militaires.) **Pertuis,** syn. de *trou,* d'*ouverture,* est vx. — **Creux** dit beaucoup moins que *trou;* il implique simplement une dépression qui se trouve naturellement entre les parties supérieures d'une chose, vue de l'extérieur et considérée quant à la surface : *Quelques oiseaux profitent des creux des arbres pour y placer leur nid, mais le pic fait le sien dans un trou d'arbre qu'il se perce* (*Lafaye*). **Enfonçure,** comme **enfoncement,** exprime plus souvent l'effet d'un *accident.* (V. CAVITÉ et FENTE.)

troubadour (de *trobador,* le trouveur, forme méridionale de *trouvère*) est le nom donné au poète du Moyen Age qui composait dans l'ancienne langue française dite langue d'oc ou langue provençale. **Trouvère** (anc. franç. *trovere,* celui qui trouve) désigne, par contre, le poète qui composait dans l'ancienne langue française du nord de la France, dite langue d'oïl : *Au lieu que les troubadours du Midi allaient ordinairement de cour en cour, séjournant plus ou moins longtemps dans chacune d'elles, selon le succès qu'ils y obtenaient, dans le Nord, au contraire, les trouvères s'attachèrent très tôt à la personne des grands seigneurs.* **Trouveur** est un syn. de *trouvère* moins connu auj. **Jongleur** (d'après l'anc. franç. *jangler,* bavarder) se dit, dans ce sens, de l'ancêtre des troubadours et des trouvères, lequel était un poète récitant les vers d'autrui, puis les siens propres, en s'accompagnant de quelque instrument : *De bonne heure, à l'art de réciter des vers quelques jongleurs joignirent celui d'en composer : ce sont ceux-là qui furent qualifiés « trouveurs ».* **Ménestrel** désigne, d'une façon générale, tout poète ou musicien qui, au Moyen Age, parcourait les châteaux pour y réciter ou chanter ses vers ou ceux des autres : *Il y avait le ménestrel poète et improvisateur et le ménestrel chanteur.* (A noter qu'après le XIVe siècle, le ménestrel se sépara du jongleur et ne fut plus qu'un joueur ambulant d'instrument, appelé aussi [et plus tard exclusivement] **ménestrier,** puis **ménétrier.**) **Félibre** est le nom donné au poète ou prosateur moderne écrivant en langue d'oc. (V. POÈTE.)

trouble. V. CONFUSION et ÉMOTION.

Troubles. V. ÉMEUTE.

troubler, c'est interrompre, suspendre l'exercice, le cours, gêner l'action, les progrès de quelqu'un ou de quelque chose. **Déranger,** c'est troubler dans ce qu'on a l'habitude de faire. **Perturber,** c'est troubler surtout le fonctionnement d'un système, d'un organe, d'un mécanisme. **Dérégler,** c'est troubler en mettant hors de la marche ordinaire, en empêchant d'aller aussi bien. **Détraquer,** c'est déranger un être intelligent dans ses facultés ou une chose organisée dans ses fonctions. **Désorganiser** ne s'applique qu'aux choses; c'est troubler, déranger en enlevant toute coordination à des parties disposées pour fonctionner seulement ensemble. (V. BROUILLER.)

V. aussi INTIMIDER.

trouée. V. TROU.

trouer. V. PERCER.

troupe est le terme général qui sert à désigner la réunion purement locale de plusieurs individus pour aller ensemble, agir de concert. **Compagnie,** qui suppose une masse d'individus moins considérable que *troupe,* ajoute à cette idée de nombre relativement limité celle d'union, de communauté dans la vie intime, d'identité de l'occupation, de l'emploi, de l'intérêt; c'est aussi plus spécialement, en termes d'administr. milit., la fraction d'un **bataillon** (troupe d'infanterie, subdivision du *régiment,* v. plus loin) commandée par un capitaine. (A noter que *compagnie,* qui est plus noble que *troupe,* se différencie par cela même de ce terme lorsqu'on l'applique plus spécialem. aux acteurs d'un théâtre, que l'on veut justement présenter alors sous un jour très favorable.) **Bande,** qui est souvent péjoratif, n'implique pas non plus un nombre considérable et se dit soit d'une portion détachée d'un plus grand nombre, soit d'une troupe dont les individus se suivent. **Caravane,** nom donné proprement en Orient, en Afrique, etc., à une troupe de gens voyageant ensemble pour plus de sûreté et de commodité, s'emploie aussi, par ext. et familièrement, pour désigner une troupe de gens allant de compagnie. — **Armée** est très partic.; il se dit d'un nombre plus ou moins considérable de troupes assemblées en un corps destiné à faire la guerre. **Régiment** désigne un corps de troupes composé d'un certain nombre de bataillons, d'escadrons ou de batteries. **Légion,** terme d'Antiquité romaine désignant un corps de troupes, s'emploie encore auj. pour certains corps de troupes, particulièrement ceux composés de volontaires étrangers. **Cohorte,** nom donné à une des parties de la légion romaine, se dit encore par ext., en style soutenu et surtout au pluriel, de toutes sortes de troupes. **Milice** est le nom donné généralement à un corps de troupes composé de citoyens enrôlés et astreints seulement à des périodes d'exercice déterminées. **Phalange,** terme d'Antiquité grecque désignant un corps de fantassins pesamment armés, s'applique auj. encore à certaines troupes ayant une sorte d'organisation militaire, ou même, poétiquement alors, de tout corps de troupes. **Horde** est péjoratif; nom donné aux tribus errantes de la Tartarie et appliqué plus tard à toute peuplade nomade, il se dit couramm. auj., par ext., de toute troupe d'hommes indisciplinée, malfaisante. **Gang** (mot américain) est du langage politico-financier moderne. (V. GROUPE.)

troupeau. V. FOULE.

troupier. V. SOLDAT.

trousse est le nom donné à une sorte de portefeuille à compartiments, contenant des instruments ou des outils dont on a l'occasion de se servir fréquemment : *Trousse de chirurgien, d'architecte, de coiffeur.* **Nécessaire** se dit d'une trousse, d'un étui, d'une boîte renfermant surtout des ustensiles d'utilité domestique : *Nécessaire de toilette, de voyage.* (V. ENVELOPPE.)

V. aussi BOTTE.

trousser. V. RELEVER.

trouvaille. V. DÉCOUVERTE.

trouver est très général; c'est apercevoir aussi bien ce qu'on cherche que ce qu'on ne cherche pas, c'est-à-dire en se livrant à des recherches ou par hasard. **Découvrir** emporte toujours une idée d'effort que n'implique pas *trouver;* c'est trouver ce qui était couvert, caché ou secret : *On trouve une* *chose simplement égarée lorsqu'on arrive à l'endroit où elle est, mais on ne la découvre pas, parce qu'elle était visible et non cachée.* **Rencontrer,** c'est trouver par hasard généralement ce qui vient en sens contraire; il suppose le plus souvent un accident fortuit ou emporte l'idée d'un double mouvement opposé : *En allant dans une maison, on y rencontre quelqu'un qu'on ne s'attendait pas à y voir, et deux personnes se rencontrent dans la rue, quand elles marchent l'une dans un sens, l'autre dans l'autre.* **Dénicher,** c'est, assez familièrement, trouver en recherchant, découvrir une chose rare ou difficile à trouver : *Dénicher un précieux bouquin, une servante fidèle.* **Pêcher,** syn. de *trouver,* de *découvrir,* est familier, et **dégoter** populaire.

V. aussi INVENTER.

trouver à redire. V. CRITIQUER.

trouvère, trouveur. V. TROUBADOUR.

truand. V. MENDIANT.

trublion. V. RÉVOLUTIONNAIRE.

truchement. V. INTERMÉDIAIRE et TRADUCTEUR.

trucider. V. TUER.

truculent. V. FAROUCHE.

truffer. V. EMPLIR.

truie. V. PORC.

truisme. V. VÉRITÉ.

truiter. V. MARQUETER.

truquer. V. FALSIFIER.

trust. V. SOCIÉTÉ.

truster. V. ACCAPARER.

tube, qui désigne un corps d'une figure cylindrique et creux, est un terme scientifique; c'est seulement celui dont se servent les physiciens, les chimistes, etc. **Tuyau** appartient plus au lang. ordin. et sert à désigner tout objet cylindrique et creux en dedans, dont on fait un usage habituel dans le ménage et dans les travaux journaliers : *Dans le tube, on considère surtout la forme et les propriétés résultant de cette forme même; Dans le tuyau, on considère toujours l'objet matériel et son utilité pratique.* **Conduit** s'applique plus spécialement à un tuyau servant à l'écoulement d'un liquide ou d'un gaz : *Un conduit souterrain.* (V. CONDUITE.)

tuberculose (du lat. *tuberculum,* proéminence) est le terme général qui sert à désigner la maladie infectieuse et contagieuse, commune à l'homme et aux animaux, attribuée au bacille de Koch et aux granulations tuberculeuses. **Phtisie** (du grec *phthisis,* consomption), qui est plus particulier, ne se dit que de la tuberculose pulmonaire.

tuer est le terme générique qui indique simplement le fait de frapper de mort, de quelque manière que ce soit. **Abattre,** syn. de *tuer,* attire l'attention sur la chute du corps de la victime. **Descendre,** c'est sinon tuer immédiatement, du moins atteindre grièvement et le plus souvent mortellement, en faisant tomber. **Assommer,** c'est tuer, abattre par la chute de quelque chose de pesant sur la tête. **Assassiner,** c'est tuer avec préméditation; il implique un meurtre, un attentat, un guet-apens contre la vie de quelqu'un. **Supprimer,** c'est tuer, assassiner avec l'intention de retrancher de la société. **Massacrer,** c'est tuer en frappant avec acharnement, particulièrement en parlant d'une masse de gens qui ne se défendent pas. **Exterminer** implique de nombreuses victimes; c'est massacrer jusqu'au dernier ou en très grande partie. **Décimer,** proprement mettre à mort un sur dix, c'est, figurément et plus couramment, tuer, massacrer, faire périr un très grand nombre de personnes. **Brûler la cervelle, casser, rompre, tordre le cou, couper, trancher la gorge, égorger, empoisonner, étrangler, poignarder** et **supplicier** font considérer l'action de *tuer,* d'*assassiner,* eu égard au procédé ou à l'instrument du meurtre. **Occire,** syn. de *tuer,* ne s'emploie plus que plaisamment, ainsi que **trucider,** tuer avec cruauté, massacrer. **Meurtrir,** tuer par un meurtre, par mort violente, est vx. — **Exécuter,** c'est tuer, mettre à mort un coupable ou quelqu'un que l'on considère comme tel, généralement après un jugement. **Achever,** c'est tuer, exécuter le plus souvent en donnant le coup de grâce, quelqu'un déjà atteint. **Lyncher,** c'est exécuter sans attendre la décision de la justice; il suppose une exécution sommaire par une foule.

Couper, trancher le cou, la tête, décapiter, guillotiner, fusiller, passer par les armes, lapider (du lat. *lapis,* pierre) et **pendre** font essentiellement penser au mode d'exécution. — **Saigner,** tuer un animal par effusion de sang, est populaire appliqué aux personnes. **Démolir** et **ratiboiser,** syn. de *tuer,* et **juguler,** syn. peu usité d'*égorger,* sont familiers. **Buter, crever (la peau, la paillasse), dégeler, rectifier, refroidir** et **zigouiller,** syn. de *tuer,* d'*assassiner,* **dégringoler,** syn. d'*abattre,* de *descendre,* **estourbir,** syn. d'*assommer,* **suriner** et **chouriner,** syn. de *poignarder,* sont des termes d'argot, **bousiller,** syn. de *tuer,* étant plutôt de l'argot militaire.

Se tuer, c'est aussi bien se donner la mort par accident que se donner la mort volontairement. **Se casser, se rompre, se tordre le cou,** c'est seulement, et familièrement, se tuer en tombant. — **Se suicider,** c'est uniquement, par contre, se tuer volontairement, en se donnant soi-même la mort. (A noter à ce propos que, si la forme pronominale est la seule usitée, elle n'en reste pas moins pléonastique, *suicider* voulant déjà dire « se tuer soi-même », lat. *sui,* de soi, et *caedere,* tuer). **Se détruire** et **se supprimer** sont, au sens réfléchi, des synonymes familiers de *se suicider,* cependant que **s'occire,** qui vieillit, s'emploie surtout plaisamment, et que **se zigouiller** est un terme d'argot.

tuerie. V. CARNAGE.

tueur. V. MEURTRIER.

tuile. V. MÉSAVENTURE.

tuméfié. V. GONFLÉ.

tumeur est le terme de médecine qui sert à désigner une éminence, circonscrite et d'un certain volume, qui se développe dans une partie quelconque du corps; c'est la production pathologique formée par un tissu de nouvelle formation, et différente d'un processus inflammatoire. **Kyste** ne se dit que d'une tumeur liquide. **Fibrome** désigne une tumeur constituée par un tissu fibreux, toujours dure, parfois très volumineuse, mais ordinairement non douloureuse. **Cancer** est le terme de pathologie qui sert à désigner une tumeur solide maligne, aux cellules prolifères. **Apostème** (ou APOSTUME) était le nom donné autrefois à toute espèce de tumeur purulente. (V. ABCÈS, FURONCLE et ORGELET.)

tumulte implique un grand mouvement accompagné de bruit et de désordre, tel que celui d'une foule qui se précipite, qui court en sens divers. **Train** est familier, **baroufle, chabanais** et **foin** sont des termes d'argot. (V. CACOPHONIE, CHAHUT et TAPAGE.)

tumultueux. V. TURBULENT.

tunnel. V. SOUTERRAIN.

turbulent suppose une agitation bruyante, désordonnée, fatigante à l'excès, et implique un défaut d'ordre et de tranquillité. **Pétulant** suppose plutôt impétuosité, brusquerie, et implique, en parlant des personnes, que celles-ci ne prennent jamais le temps de réfléchir : *La plupart des enfants sont turbulents, et c'est ce qui les rend parfois insupportables; Une grande jeunesse peut seule excuser les actions pétulantes.* **Tumultueux** fait considérer le défaut exprimé par *turbulent* non pas comme en puissance, mais bien comme actuel : *Ce qui est turbulent n'est pas pacifique, mais propre ou enclin à produire du trouble; Ce qui est tumulteux n'est pas paisible, ne se fait pas paisiblement* (*Lafaye*). **Trépidant** implique simplement une continuelle agitation, que celle-ci soit bruyante ou non : *La vie trépidante des grandes villes.*

turgescent. V. GONFLÉ.

turlupin. V. BOUFFON.

turlutaine. V. MANIE.

turpitude. V. HONTE.

tutélaire. V. PROTECTEUR.

tutelle. V. AUSPICES.

tuyau. V. TUBE.

tuyautage, tuyauterie. V. CONDUITE.

tympaniser. V. DIVULGUER et MALMENER.

type est le terme typographique qui sert à désigner les caractères d'imprimerie : *Des types mobiles; De beaux types.* **Fonte** se dit de l'ensemble de toutes les lettres et de tous les signes d'imprimerie qui composent un caractère complet de grosseur déterminée : *Une fonte de sept, de huit.* (On dit aussi une **police** de caractères.) [V. CARACTÈRE.]

V. aussi ESPÈCE, MODÈLE, ORIGINAL et PERSONNE.

typhon. V. BOURRASQUE.

tyrannie. V. INFLUENCE.

tyrannique. V. DESPOTIQUE.

tyranniser. V. OPPRIMER.

tzigane. V. BOHÉMIEN.

U

ukase. V. COMMANDEMENT.

ulcération est le terme médical qui sert à désigner la perte de substance de la peau ou des muqueuses résultant d'un processus pathologique de destruction moléculaire ou d'une gangrène. **Ulcère** se dit plus spécialement d'une ulcération chronique ayant une tendance marquée à persister longtemps ou même indéfiniment. **Chancre,** petite ulcération ayant tendance à s'étendre et à ronger les parties voisines, s'applique plus spécialement auj., dans le langage courant, à une ulcération d'origine vénérienne. (A noter qu'en termes de médecine le mot *chancre* n'ayant pas une signification précise, on est obligé de le faire suivre d'un qualificatif : *Chancre syphilitique; Chancre mou ou non syphilitique.* **Exulcération** est le nom donné à une ulcération superficielle, peu profonde. **Exutoire** est plus partic.; il désigne une ulcération établie et entretenue artificiellement pour maintenir une suppuration permanente considérée comme un moyen de dépuration de l'organisme malade. **Cautère** se dit d'un petit ulcère artificiel qui sert d'exutoire, et dont on entretient la suppuration. **Corbuche,** syn. d'*ulcère,* est un terme d'argot.

ulcère. V. ULCÉRATION.

ulcérer. V. BLESSER.

ultérieur. V. SUIVANT.

ultimatum. V. COMMANDEMENT.

ultime. V. DERNIER.

ululer. V. CRIER.

un n'est synonyme d'**unique** qu'autant qu'il est considéré comme qualificatif, et non comme déterminatif numéral ou indéfini; il exprime alors l'idée d'unité comme quelque chose d'essentiel, d'immuable, tandis qu'*unique* présente la même idée comme quelque chose d'accidentel : *Dieu est un, parce que son unité résulte de sa nature même; Une chose unique est telle, parce que le cours des choses n'a pas permis qu'elle fût multiple.*

un après l'autre (l'). V. ALTERNATIVEMENT.

uni. V. ÉGAL et LISSE.

uniforme est le terme général qui sert à désigner, le plus souvent avec une nuance défavorable, tout ce qui est **égal,** parce que présentant partout et toujours la même forme, la même manière d'être, dans toute son étendue, pendant toute sa durée; il implique l'absence de toute variété. **Monotone,** qui se dit proprement de ce qui est toujours sur le même ton, de ce qui manque de variété dans les intonations ou les inflexions, s'emploie parfois aussi figurém. en parlant de ce qui est uniforme, sans variété, de ce qui lasse par la répétition des mêmes choses. **Monocorde** est un synonyme familier de *monotone* pris dans son sens propre.

V. aussi VÊTEMENT.

uniment. V. SIMPLEMENT.

union, qui suppose une action concertée, désigne l'association, la combinaison de différentes choses ou personnes, leur liaison intime, de manière qu'elles ne forment plus qu'un tout. **Alliance** marque un rapport moins étroit qu'*union* entre des choses, des personnes différentes, opposées, disparates. **Accord** implique une union entre plusieurs choses différentes, plusieurs personnes qui coopèrent ou conspirent à un même effet, pour un même but. **Concert** emporte aussi la même idée qu'*accord*, mais appliquée plutôt à des parties d'un même tout ou à des choses de même sorte; il suppose un travail, un effort en commun. **Entente,** syn. d'*accord*, s'applique aux personnes, et implique une union basée sur une sorte de convention mutuelle laissant à chacun sa liberté d'agir en dehors de ce qui a été plus ou moins tacitement entendu; il peut supposer aussi simplement le fait d'être en excellents rapports avec quelqu'un, sans forcément partager pour cela toutes ses manières de penser ou d'agir. **Intelligence** désigne l'accord, l'entente, la communauté de vues, d'intentions, existant entre deux ou plusieurs personnes, que cela soit apparent ou secret; il réclame le plus souvent une épithète. **Collusion,** terme de droit qui désigne une entente secrète entre deux ou plusieurs personnes pour agir en fraude des droits d'un tiers, s'emploie aussi, dans le langage courant et péjorativement, en parlant de toute entente secrète qui a pour but de tromper quelqu'un. (V. COMPLICITÉ, LIAISON et RAPPORT.)

V. aussi FÉDÉRATION, JONCTION, MARIAGE et SYNDICAT.

unique. V. BIZARRE, RARE, SEUL et UN.

uniquement enchérit sur **seulement** qui signifie rien de plus : *On songe uniquement à son devoir; On donne seulement la moitié de son héritage.* **Exclusivement** enchérit à son tour sur *uniquement,* en rejetant d'une façon plus absolue encore tout le reste : *On se consacre exclusivement à ses enfants.* **Purement,** qui signifie proprement d'une manière pure, s'emploie parfois aussi, par ext., dans un sens très voisin d'*uniquement : Agir par des motifs purement humains.* **Simplement** est dominé surtout par l'idée d'absence de complication ou de choses multiples : *Se contenter, à son repas, simplement d'un plat.* (A noter que l'on emploie souvent ensemble les deux derniers termes, dans l'expression PUREMENT ET SIMPLEMENT, qui veut dire, d'une façon très affirmée, uniquement, sans réserve ni condition : *Accepter une chose purement et simplement.*)

unir est le terme général qui, indiquant proprem. l'action de joindre deux ou plusieurs choses ensemble, s'emploie aussi figurément en parlant des personnes qui ont des liens entre elles : liens politiques, religieux, commerciaux, etc. **Associer,** c'est aussi bien unir une chose à une autre, qu'unir à quelqu'un en vue de participer à ce que fait ce dernier. **Allier,** c'est unir par engagement mutuel. **Fédérer** concerne soit l'union de plusieurs Etats particuliers en un Etat collectif, soit une union de sociétés qui s'allient dans un but commun. **Confédérer,** c'est réunir en « confédération » (V. ce mot à FÉDÉRATION). **Liguer,** c'est unir dans une même « ligue », une même association, généralem. dans un but de défense ou d'attaque. **Coaliser** suppose une union offensive momentanée de plusieurs peuples ou de plusieurs personnes qui s'entendent pour exercer une pression contre un adversaire commun.

V. aussi ASSEMBLER.

univers désigne la totalité des êtres créés, en y comprenant même ceux qui ne nous sont pas connus. **Monde,** s'il se prend particulièrement pour la terre avec ses différentes parties, se dit aussi de la totalité des hommes, d'un nombre considérable d'hommes, ou même d'une certaine classe de personnes; il évoque l'idée d'un grand ensemble où l'on remarque un arrangement systématique plutôt qu'une universalité : *Il y a l'ancien monde et le nouveau monde, le monde intellectuel, le monde moral, mais il n'y a qu'un seul univers.* **Nature** désigne l'ensemble des êtres et des choses qui composent l'univers; c'est le monde sensible, l'univers physique considérés relativement surtout à leur création : *Dieu est l'auteur, le maître de la nature.* (Ce peut être aussi l'univers considéré par rapport à l'ordre qui y est établi : *Pénétrer dans les secrets de la nature; Les lois, les mystères de la nature.*) **Cosmos** (du grec *kosmos,* monde) est surtout un terme de philosophie qui sert à désigner l'univers, le monde considéré comme un tout organisé et harmonieux.

universel, appliqué à ce qui convient ou est propre à tous, marque toujours l'extension la plus complète, il regarde tous les particuliers ou tout le monde en détail, comme ce qui se trouve en tous lieux. **Mondial,** qui marque surtout la réputation, se dit plus essentiellement de ce qui est répandu dans le monde entier, sur toute la population de la terre. **Général** regarde le plus grand nombre de particuliers ou tout le monde en gros; il marque plus d'indétermination qu'*universel* et, tout en s'appliquant au genre tout entier, peut toutefois laisser supposer des exceptions. **Commun** a beaucoup moins d'étendue que les termes précédents; il se dit simplement de ce qui se trouve chez la plupart, dans le plus grand nombre de lieux seulement.

université désigne un groupe d'écoles chargées chacune, sous le nom de **faculté** ou de **collège** suivant les pays, de donner l'enseignement supérieur d'une matière générale, enseignement qui est sanctionné par des grades : *L'université de Paris comprend les facultés des lettres, des sciences, de droit, de médecine et de pharmacie; Les collèges de l'université d'Oxford sont des fondations privées, dont chacune a sa discipline particulière.* **Académie** dit plus; c'est le terme d'administration qui sert à désigner chacune des dix-sept circonscriptions de l'*Université de France* (absolument L'UNIVERSITÉ), laquelle comprend l'ensemble du corps enseignant choisi par l'Etat pour donner, en son nom, non seulement l'enseignement supérieur (facultés), mais aussi l'enseignement secondaire (lycées et collèges) et l'enseignement primaire (écoles primaires), sous la direction du ministre de l'Education nationale, dit « grand maître de l'Université ». (V. ÉCOLE.)

urbanité. V. AFFABILITÉ.

urgent. V. PRESSANT et PRESSÉ.

uriner, évacuer par les voies naturelles son urine, c'est-à-dire le liquide émis par la vessie et sécrété par le rein, est le terme du langage scientifique. **Pisser** est le terme du langage commun. **Lâcher de l'eau** est un euphémisme. **Pissoter,** c'est uriner fréquemment et par petites quantités. **Compisser,** c'est transitivement, arroser de son urine (en style burlesque), et, intransitivement, uriner souvent. **Faire pipi** est du langage enfantin. **Pissouiller,** syn. de *pissoter,* est très familier.

urinoir est le terme général qui sert à désigner tout endroit disposé pour uriner (v. l'art. précéd.). **Vespasienne** (du nom de l'empereur romain Vespasien, qui avait établi un impôt sur les urinoirs publics) désigne une sorte de guérite à l'usage d'urinoir, dans les rues, sur les places publiques, et qui date du milieu du XIXe siècle, époque où on l'appelait **colonne Rambuteau,** du nom du préfet qui en avait ordonné la construction. **Pissotière** est familier et ne s'applique qu'à un urinoir public. **Pissoir,** syn. d'*urinoir,* est populaire. (V. LIEUX D'AISANCES.)

us. V. HABITUDE.

usage. V. HABITUDE et JOUISSANCE.

usance. V. HABITUDE.

usé est le terme le plus couramment employé pour désigner tout ce qui est marqué, détérioré, diminué par l'usage, le frottement. **Elimé** se dit de ce qui est usé, aminci par l'usage, le frottement, en parlant d'étoffe. **Râpé,** qui est plus familier, enchérit sur *élimé;* il se dit de ce qui est usé jusqu'à la corde. **Fruste** se dit spécialement d'une monnaie, d'une médaille, dont les types et les légendes ont été effacés par l'usage et le frottement, et aussi, par ext., de toute sculpture, de tout relief usé par le temps et le frottement. (V. FANÉ et TERNE.)

V. aussi DÉFORMÉ et REBATTU.

user exprime l'action de faire usage d'une chose selon le droit ou la liberté qu'on a d'en disposer, mais sans spécifier le but ni la manière : *On use de sa chose, de son droit, de ses facultés à sa fantaisie : on en use bien ou mal, selon qu'on en fait un emploi bon ou mauvais, une disposition raisonnable ou déraisonnable.* **Employer,** c'est faire une application particulière d'une chose, selon les propriétés qu'elle a : *On emploie ce qu'on possède, ce qu'on a sous la main, comme une matière dont on peut disposer à son gré, qui peut être mise en œuvre, et on l'emploie de telle façon ou de telle manière, dans telle circonstance déterminée.* **Se servir,** c'est tirer un service d'une chose, selon le pouvoir et les moyens qu'on a de s'en aider : *On se sert d'un agent, d'un instrument, d'un moyen, comme on le peut, comme on le sait : on s'en sert bien ou mal, selon le talent ou l'habileté* *que l'on a.* **Utiliser,** c'est employer utilement, en tirant parti, faire servir à un usage : *On utilise d'autant mieux les talents qu'on excite entre eux une certaine émulation.* — A EMPLOYÉ et UTILISÉ, dérivés de ces verbes, il convient d'ajouter l'adjectif **usité,** terme didactique qui se dit de ce qui est en usage : *Mot peu usité; Cela était fort usité en ce temps-là.*

usine est le nom couramment donné auj. à tout établissement industriel d'une certaine importance, pourvu de machines, de forge, de fonderie, où, au sortir de leur extraction, on traite les matières premières et on les prépare pour les besoins de la fabrication. (Il est toutefois fréquent qu'à l'usine la préparation suffise à rendre les matières premières immédiatement utilisables.) **Fabrique** désigne l'établissement où l'on transforme les matières premières déjà préparées en produits manufacturés susceptibles d'être livrés au commerce. **Manufacture,** terme employé surtout avant le développement du machinisme au début du XIXe siècle, fait penser plus aux produits et au commerce dont ils sont l'objet qu'aux ouvriers et à leur travail, comme c'est le cas d'*usine* et de *fabrique,* mots modernes; représentant, au sens propre et étymologique (lat. *manus,* main, et *facture,* action de faire), un stade de production intermédiaire entre le régime corporatif et le régime de l'industrialisme, caractérisé par l'emploi prédominant du matériel mécanique, *manufacture* n'est plus guère usité d'ailleurs (cf. « Dictionnaire de l'Académie française ») que dans les expressions : *Manufacture de tabacs; Manufacture de glaces, de soieries; Manufacture de drap d'Elbeuf; La manufacture de tapisseries des Gobelins; La manufacture de porcelaine de Sèvres.* **Boîte,** syn. d'*usine* est populaire et souvent péjoratif. (V. ATELIER.)
V. aussi ÉTABLISSEMENT.

usité. V. USER.

ustensile. V. INSTRUMENT.

usufruit. V. JOUISSANCE.

usure. V. INTÉRÊT.

usurier, nom donné à celui qui prête de l'argent à un intérêt supérieur au taux légal, a pour synonymes littéraires, par antonomase, **Shylock** et **Gobseck,** noms de personnages de Shakespeare et de Balzac, devenus les types mêmes de l'usurier dur et rapace. **Juif** et **arabe** (qui est vieilli) sont, employés dans ce sens, du langage familier. **Tire-sous** et **vautour** sont populaires.

usurper, employé intransitivement et avec la préposition SUR, c'est s'emparer injustement, alors qu'on n'y a pas droit, de choses d'une certaine importance : *Usurper sur les droits, sur les possessions de quelqu'un.* **Empiéter,** c'est accroître ce que l'on a déjà en mettant le « pied », en usurpant chez le voisin, en s'arrogeant des droits qu'on n'a pas : *Empiéter sur l'héritage, sur les attributions, sur le terrain d'autrui.* **Anticiper,** c'est empiéter dans le temps ou dans l'espace : *Anticiper sur les revenus; Anticiper sur le champ de son voisin.* **Entreprendre,** dans le sens d'*usurper,* d'*empiéter,* marque surtout le commencement de l'action exprimée par ces termes; de plus, si ces derniers, comme le note Lafaye, ne se disent que par rapport aux biens, *entreprendre* est également usité pour désigner un attentat contre les personnes, contre leur vie ou leur honneur : *Dès qu'un homme entreprend sur la vie des autres, la sienne n'a plus un quart d'heure d'assuré, disait Fénelon.*
V. aussi APPROPRIER (S').

utérus est le terme d'anatomie emprunté du latin qui sert à désigner l'organe de la gestation chez la femme et chez diverses femelles d'animaux supérieurs, et qu'on appelle plus communément **matrice.**

utiliser. V. EXPLOITER et USER.

utilité. V. PROFIT.

utopie. V. ILLUSION.

utopique. V. IMAGINAIRE.

V

vacances se dit surtout d'un temps destiné au repos, au plaisir et pendant lequel les études, les occupations sérieuses sont interrompues. **Vacations** désigne plus spécialement un temps accordé aux officiers publics pour qu'ils puissent s'occuper de leurs propres intérêts après un certain temps d'exercice consacré aux intérêts d'autrui. **Vacuité** est un synonyme vieilli de ces termes.

V. aussi CONGÉ.

vacant est le terme du langage recherché qui sert à désigner ce qui n'est pas occupé par quelqu'un ; il se dit proprement (cf. le « Dictionnaire de l'Académie française ») des maisons, lieux et places qui ne sont pas occupés, et, figurément, des emplois, des places, des dignités. **Inoccupé** est plus du langage ordinaire et s'applique surtout aux lieux, aux places. **Vide** se dit de tout ce dont l'espace n'est pas occupé, spécialement par ce qu'il doit contenir. **Libre** désigne une chose vacante, inoccupée, qui est à notre disposition ; on dit aussi, dans ce sens, disponible. **Vague** (avec un sens dérivé du lat. *vacuus,* vide) ne s'emploie guère qu'en parlant d'un terrain qui, dans une ville, n'est ni occupé, ni construit, ni cultivé.

vacarme. V. TAPAGE.

vacations. V. RÉTRIBUTION et VACANCES.

vacciner. V. INOCULER.

vache est le terme qui sert à désigner couramment la femelle du taureau. **Génisse** (du lat. pop. *junicia,* tiré de *junix, icis,* jeune vache) est le nom que l'on donne à une vache qui n'a pas encore porté ; il se dit aussi poétiquement et par euphémisme d'une vache, en général. **Taure** (du lat. *taura,* fém. de *taurus,* taureau) est le nom vulgaire ou dialectal de la génisse.

vacherie. V. ÉTABLE.

vaciller se dit de la lumière, lorsque celle-ci est remuée par une sorte de tremblement, dans un sens ou dans un autre. **Trembler,** syn. de *vaciller* dans ce sens, est plus du langage ordinaire. **Trembloter,** c'est vaciller, trembler quelque peu et à maintes reprises. **Papilloter** s'applique à une lumière qui tremble, qui n'est pas fixe, constante.

V. aussi CHANCELER.

vacuité. V. VACANCES.

va-et-vient. V. BAC.

vagabond se dit péjorativement d'un individu sans état, sans domicile, qui erre çà et là, et qui souvent mendie. **Chemineau** désigne plutôt un vagabond errant dans les campagnes. **Nomade** s'emploie surtout en parlant de nations, de tribus, de peuplades qui, n'ayant pas d'habitations fixes, errent, vont à l'aventure. **Errant,** employé dans le sens de *vagabond,* de *nomade,* est du langage recherché ou littéraire. **Va-nu-pieds,** syn. de *vagabond,* est familier, ainsi que **galvaudeux** qui se dit plus particulièrement d'un vagabond vivant d'expédients. **Camp-volant** désigne parfois, familièrement, un vagabond, un nomade qui campe au bord des routes. **Clochard, cloclo, clodo, comète** (moins us.) et **trimardeur** sont des termes d'argot. (V. BOHÉMIEN, MENDIANT et MISÉRABLE.)

vagabonder. V. ERRER.

1. **vague** se dit, d'une façon générale, de ce qui est non fixé, non défini, indéfini. **Indéterminé** est plus un terme didactique. **Incertain** s'applique bien à ce qui n'est pas facile à identifier. **Indécis** désigne surtout ce qui n'a pas un aspect, une forme fixe, ce qui est changeant, mouvant. **Imprécis** se dit de ce qui n'est pas strictement circonscrit, délimité. **Vaporeux,** qui s'applique proprement à ce dont l'éclat est voilé quelque peu par la « vapeur », s'emploie parfois aussi figurément en parlant de ce qui a quelque chose d'incertain, d'indécis, voire de nébuleux. **Flou** se dit familièrement d'une chose légèrement indistincte, dont le caractère n'est pas facilement déterminable. **Timide** est syn. de *vague,* d'*indécis,* en termes de littérature et de beaux-arts. (V. INCOMPRÉHENSIBLE et OBSCUR.)

V. aussi VACANT.

2. **vague.** V. FLOT.

vaguer. V. ERRER.

vaillance. V. COURAGE.

vain. V. VANITEUX.

vaincre ajoute l'idée de gloire à **battre,** lorsque ce terme signifie l'emporter sur l'ennemi dans la bataille, être le plus fort dans une circonstance donnée; il suppose souvent aussi un résultat plus décisif. **Défaire,** c'est rompre, désorganiser une armée disposée en bataille, mettre le désordre dans ses rangs et les disperser. **Déconfire,** c'est défaire entièrement, complètement, dans une bataille. **Culbuter,** c'est battre l'ennemi en le repoussant violemment, en le renversant et le débordant. **Ecraser,** c'est battre l'ennemi en détruisant ses forces, tous ses moyens de défense et de résistance; on dit souvent aussi auj., dans ce sens, **anéantir. Tailler en pièces une armée** est une expression imagée, syn. de *déconfire.* **Rouler** est un syn. de *battre,* dans le sens d'être le plus fort, surtout lorsqu'il s'agit de jeux ou d'affaires; il emporte alors une idée d'adresse, voire de ruse. **Brasser,** c'est, familièrement, vaincre, battre de la belle façon. **Rosser,** syn. de *battre,* est populaire.

V. aussi SURMONTER.

vainqueur, qui désigne celui qui a vaincu, appelle seulement l'attention sur la supériorité dans un combat, une lutte. **Victorieux** dit plus; il suppose une suite de victoires, une qualité constante, et emporte une idée de gloire plus marquée. **Gagnant,** employé dans le sens de *vainqueur,* est plus du langage ordinaire et est essentiellement le mot usité en termes de jeux.

vaisseau. V. BATEAU et RÉCIPIENT.

val. V. VALLÉE.

valable est le terme du langage courant qui sert à désigner ce qui a les conditions légales requises pour produire son effet, cela relativement au futur, à l'avenir. **Valide** ne se dit guère que des contrats ou autres actes analogues et des sacrements; il concerne ce qui a la qualité, la valeur requise, cela d'une façon absolue, essentielle, immédiate aussi : *Un acte valable est réputé tel, et devra être admis comme ayant cette qualité : c'est une question de fait à faire admettre; Un acte valide a une valeur de droit, parce qu'il réunit toutes les conditions exigées par la loi : il a dès à présent une valeur qui ne peut être mise en doute* (*A.-L. Sardou*). [A noter que seul *valable* peut s'appliquer à des choses n'ayant aucun rapport avec le droit ou la liturgie, telles que des raisons, des excuses, des conclusions.]

valet. V. SERVITEUR.

valétudinaire. V. MALADIF.

valeur, qui se dit de ce qu'une chose vaut ou coûte, implique qu'on examine ce que la chose est par elle-même, à quoi elle peut servir, quels avantages elle procure. **Prix** implique que l'on sait combien on paie la chose, ou tout au moins que l'on compare celle-ci à d'autres choses pour voir si elle vaut plus ou moins : *Ce n'est pas être connaisseur que de juger de la valeur des choses par le prix qu'elles coûtent.* **Value,** syn. de *valeur,* de *prix,* n'est plus guère usité auj. que dans les expressions *plus-value* et *moins-value.*

Valeur, lorsqu'il se dit de ce que vaut une personne par ses qualités, ses connaissances, a pour syn. **mérite,** qui fait penser surtout à ce qui rend une personne digne d'estime. (V. QUALITÉ.)

V. aussi COURAGE.

valide se dit de celui qui est sans infirmités et capable de vaquer sans difficultés à n'importe quelle occupation, à tout travail. **Ingambe** ne s'applique qu'à celui qui peut marcher sans difficulté : *On peut être ingambe et, ayant un bras cassé, ne pas être valide.* **Sain** fait essentiellement penser à l'organisme, lorsque celui-ci est en bon état; il s'oppose surtout à « malade ». (V. FORT.)

V. aussi VALABLE.

valise. V. MALLE.

vallée désigne un espace assez étendu entre deux montagnes ou deux chaînes de montagnes. **Vallon** se dit d'un espace plus resserré entre deux coteaux, d'une petite vallée : *On ne voit dans la vallée qu'une terre basse, limitée par des montagnes, ordinairement sillonnée par un cours d'eau; Le mot « vallon » rappelle à l'esprit les occupations auxquelles se livrent les habitants, les plaisirs qu'ils y goûtent.* **Val,** syn. de *vallée,* n'est guère usité que dans le style soutenu. **Combe** se dit d'une petite vallée peu profonde. **Cluse** implique une rupture géologique qui établit un passage au niveau de la plaine à travers une chaîne de montagnes. **Valleuse** est très particulier; c'est le nom donné, en Normandie et dans le pays de Caux, à toute vallée sèche entamant le calcaire qui forme le plateau. **Cavée,** syn. de *vallée,* est vieux.

valoriser. V. MAJORER.

value. V. VALEUR.

vampirisme. V. CONVOITISE.

vandalisme. V. BARBARIE.

vanité. V. ORGUEIL.

vaniteux désigne celui qui est fier d'avantages frivoles ou chimériques, de celui qui aime paraître, briller dans un certain cas ou pour certaines choses déterminées. **Vain** exprime le même défaut d'une manière générale et se dit de celui qui est plein de vanité par caractère, parce que c'est là son défaut habituel. **Important** désigne le vaniteux qui se fait paraître plus considérable qu'il n'est. **Avantageux** s'applique à celui qui tire vanité de certains avantages, de certaines qualités qu'il s'attribue. **Poseur** se dit du vaniteux qui cherche à produire de l'effet par ses attitudes, sa manière d'être affectée. **Plastronneur,** qui est familier, désigne le poseur qui bombe la poitrine (en étalant son « plastron » de chemise), qui prend une attitude fière, qui fait le beau. **Snob** est un mot empr. de l'anglais qui désigne le vaniteux affectant les opinions, les manières d'être et de sentir qui ont cours dans certains milieux tenus pour distingués (cf. « Dictionnaire de l'Académie française »). **Paon,** syn. de *vaniteux,* est du style imagé, et **crâneur** familier. **Gobeur** est populaire et se dit de celui qui est infatué de lui-même, qui s'en croit. **Faraud,** nom que l'on donne à une personne du commun endimanchée, fière de ses habits, s'emploie aussi parfois dans le sens plus général de *vaniteux.* **M'as-tu-vu** est une expression ironique qui sert à désigner une personne vaniteuse et sans valeur. — **Orgueilleux, prétentieux, présomptueux, fat, suffisant, outrecuidant, superbe, glorieux,** V. ORGUEIL. (V. FANFARON, FIER et PÉDANT.)

vanné. V. LAS.

vantard. V. FANFARON.

vanter, c'est dire beaucoup de bien d'une personne ou d'une chose, généralement dans un but intéressé. **Louer** dit moins; il s'oppose directement à « blâmer » et signifie simplement qu'on marque son approbation par des paroles. **Célébrer** ajoute à *louer* une idée de solennité; c'est louer publiquement, en vue de rendre célèbre ou d'attirer les hommages. **Rehausser** s'emploie parfois figurément dans le sens de vanter avec excès, de faire beaucoup valoir. **Porter au pinacle,** c'est en parlant d'une personne, la louer extrêmement, la mettre au-dessus de toutes les autres par des louanges. **Préconiser,** c'est parler beaucoup d'une chose en la vantant, attirer l'attention publique sur ce qui souvent ne le mérite guère. **Prôner** présente à peu près le même sens que *préconiser,* avec cette différence qu'il est familier et qu'on y attache quelque chose de risible plutôt que d'injuste. **Prêcher,** employé comme synonyme de ces termes, est aussi familier. (V. FÉLICITER et GLORIFIER.)

Se vanter. V. FLATTER (SE).

va-nu-pieds. V. DÉGUENILLÉ, INDIGENT et VAGABOND.

vapeur se dit d'un fluide dont l'œil perçoit le caractère de liquide transformé par la chaleur. **Exhalaison,** qui emporte souvent un sens péjoratif, se dit d'une émanation parfois fluide qui se dégage d'une cavité, d'une matière en décomposition, et qui affecte surtout l'odorat. **Gaz** s'applique à un fluide, à un corps aériforme qui reste tel à la température et à la pression ordinaires, et qui, s'il n'est pas le plus souvent perceptible à l'œil, l'est fréquemment aussi, par contre, à l'odorat.

V. aussi FUMÉE.

vaporeux. V. FLOU et VAGUE.

vaporisation, pris dans son sens scientifique, désigne l'action de faire passer un corps, généralement liquide, à l'état de vapeurs en agissant sur toute sa masse. **Evaporation** suppose une vaporisation lente qui se produit seulement à la surface libre du liquide. **Volatilisation** implique que le corps, au lieu d'émettre des vapeurs, passe directement à l'état gazeux. **Pulvérisation** se dit de l'action qui consiste non pas à transformer un liquide en vapeurs, mais à le diviser en gouttelettes d'une extrême ténuité. (A noter cependant que, dans le langage courant, on emploie fréquemment *vaporisation* pour *pulvérisation*.) **Sublimation** ne se dit que d'un corps solide que l'on fait directement passer à l'état gazeux.

vaquer. V. OCCUPER DE (S').

varangue. V. VÉRANDA.

varech. V. ALGUE.

variable. V. CHANGEANT.

variation. V. CHANGEMENT et VARIÉTÉ.

varier dit plus que **changer** qui implique simplement que les choses ne sont plus ce qu'elles étaient; il suppose un changement précédé ou suivi de plusieurs autres.

variété désigne l'état, la qualité de ce qui est divers : *La multitude des différents objets fait la variété.* **Variation** se dit de l'action de varier *Les changements successifs font la variation.*

V. aussi DIFFÉRENCE et ESPÈCE.

1. **vase.** V. LIMON.

2. **vase.** V. RÉCIPIENT.

vasistas. V. LUCARNE.

vassalité. V. SUBORDINATION.

vaste. V. AMPLE.

va-t-en-guerre. V. GUERRIER.

vaticinateur. V. DEVIN.

vaticiner. V. PRÉDIRE.

vaudeville. V. COMÉDIE.

vaurien désigne celui qui ne vaut rien, un individu de nulle valeur, paresseux, libertin, vicieux, voire voleur. **Voyou,** qui se dit d'un enfant des rues, grossier et malpropre, s'applique aussi à un homme mal élevé et aux habitudes crapuleuses. **Garnement** (ou MAUVAIS GARNEMENT) est le terme vague qui s'applique à tout mauvais sujet. **Gredin** désigne celui que l'on juge capable de tous les méfaits. **Canaille** se dit de tout homme malhonnête. **Crapule** s'emploie bien en parlant d'une personne qui a les sentiments si bas qu'elle est toujours prête à commettre les pires actions, principalement le vol. **Sacripant,** qui vieillit, se dit d'un vaurien, d'un mauvais drôle, capable de toutes les violences. **Dévoyé** est plus partic.; il désigne celui qui, ayant suivi un temps le droit chemin, l'a quitté pour s'encanailler. **Arsouille** est un syn. moins usité de *voyou.* **Chenapan** et **galapiat** sont des syn. familiers de *vaurien;* **gobet** est peu usité. **Vermine** s'emploie parfois comme syn. populaire de *canaille* en parlant d'une seule personne. **Fripouille,** syn. de *canaille,* est aussi populaire, ainsi que **gouape,** syn. de *voyou.* **Frappe** et **poisse** sont des termes d'argot. **Nervi,** qui a le sens de portefaix en argot marseillais, s'emploie aussi, par ext., comme syn. de *vaurien,* d'homme sans aveu. (V. BANDIT, COQUIN, ESCROC, GALOPIN, MALFAITEUR et VOLEUR.)

vautrer (se). V. ABÎMER (S') et COUCHER (SE).

vedette. V. ACTEUR, CHANTEUR et FACTIONNAIRE.

végétal. V. PLANTE.

végétalien. V. VÉGÉTARIEN.

végétarien est le terme couramment employé pour désigner toute personne qui pratique un système d'alimentation dans lequel on supprime toutes les espèces de viandes ou leurs dérivés immédiats, ou même tous les produits d'origine animale : œufs, etc. (**végétalien**). **Herbivore** est un terme d'histoire naturelle qui désigne un animal qui se nourrit uniquement de substances végétales; il s'emploie parfois aussi plaisamment comme syn. de *végétarien.* **Frugivore** se dit de celui qui se nourrit de fruits, de végétaux.

végétation, lorsqu'il désigne l'ensemble des végétaux (plantes, arbres) qui croissent dans un lieu, a **flore** pour synonyme didactique.

végéter, c'est figurément vivre d'une vie pénible, misérable ou obscure. **Vivoter,** vivre petitement, subsister avec peine, faute surtout de moyens matériels, est familier.

véhémence. V. ÉLOQUENCE et FOUGUE.

véhicule. V. VOITURE.

véhiculer. V. TRANSPORTER.

veillée. V. SOIR.

veiller sur exprime une simple vigilance ou un désir de protéger ceux sur qui l'on veille. **Surveiller** implique une idée de supériorité officielle et presque toujours de défiance : *Celui qui surveille le fait parce que c'est sa fonction spéciale ou son devoir et il a l'au-*

torité nécessaire pour rappeler à l'ordre ceux qu'il trouve en défaut.

veine. V. CHANCE et FILON.

veiner. V. BARIOLER.

vêlage. V. PARTURITION.

vélarium. V. TENTE.

vêlement. V. PARTURITION.

velléité. V. VOLONTÉ.

vélocipède. V. BICYCLETTE.

vélocité. V. VITESSE.

velu. V. POILU.

vénal. V. INTÉRESSÉ.

vendangeoir. V. CAVE.

vendangeur. V. VIGNERON.

vendetta. V. VENGEANCE.

vendeur. V. MARCHAND.

vendre, c'est donner pour de l'argent une chose dont on a la propriété, la libre disposition. **Aliéner,** c'est transférer à un autre la propriété d'un bien d'une certaine importance qu'on lui vend ou qu'on donne, dont on le rend le maître d'une manière ou d'une autre : *Tout ce qui s'apprécie en argent se vend : fonds, mobilier, marchandise, travail, etc.; On n'aliène que des fonds, des droits, une succession, un mobilier de prix qui tient lieu de fonds.* (A noter encore, avec Roubaud, que si on n'aliène que ce qu'on a, on peut fort bien vendre parfois ce qu'on n'a pas, comme, par exemple, son crédit, son honneur, sa conscience, etc., puisque c'est surtout justement quand on n'en a pas qu'on les vend.) **Céder,** c'est, en termes de commerce et de jurisprudence, transporter la propriété d'une chose à une autre personne, lui en donner la propriété : *Céder son fonds de commerce, son étude.* **Se défaire** se dit en parlant d'une chose que l'on aliène, dont on transporte le droit et la possession à un autre, avec l'intention de s'en débarrasser : *Propriétaire qui cherche à se défaire de son domaine.* — **Débiter,** c'est vendre d'une façon continue, répétée, et surtout au détail, des choses d'usage courant : *Débiter du tabac, du vin.* **Brocanter,** c'est vendre aussi bien qu'acheter ou troquer des marchandises au hasard de la rencontre : *On brocante des bijoux, des tableaux, des meubles, des objets de curiosité.* **Bazarder** est un terme d'argot; c'est vendre par les voies les plus rapides et au petit bonheur; il suppose le plus souvent qu'on veut se débarrasser de la chose que l'on vend : *On bazarde des livres, des meubles dont on ne sait que faire.*

venelle. V. RUE.

vénéneux, qui se dit de ce qui renferme un venin, un poison, s'applique principalem. aux plantes, aux minéraux (sels vénéneux) ; lorsqu'il concerne les animaux, il se dit de ceux-ci considérés en tant qu'aliments agissant comme un poison, telles les moules, les huîtres ou toute viande corrompue. **Venimeux** désigne ce qui communique un venin et se dit surtout des animaux, lorsque ceux-ci transmettent eux-mêmes leur venin, ou des organes à l'aide desquels ils le communiquent.

vénération. V. RESPECT.

vénérer. V. HONORER.

vénerie, lorsqu'il désigne l'art de chasser avec des chiens courants toute espèce d'animaux sauvages, tels que le cerf, le daim, le chevreuil, le loup, le sanglier, le lièvre, le renard, a pour synonyme plus imagé **chasse à courre.**

venette. V. CRAINTE.

vengeance se dit de la punition d'une offense, pour satisfaire un ressentiment que l'on a. **Représaille,** terme militaire qui s'emploie surtout au pluriel pour désigner l'action de rendre à l'ennemi mal pour mal, dommage pour dommage, se dit aussi, par ext., de l'action de rendre à quelqu'un injure pour injure, raillerie pour raillerie, etc. **Vindicte** (empr. au lat. *vindicta,* au sens de « vengeance ») est un terme de jurisprudence qui s'emploie surtout dans la locution : *La vindicte publique,* qui désigne la poursuite, la punition d'un crime au nom de la société. **Vendetta** (mot ital. signif. *vengeance*) est très partic.; il s'applique en Corse — à l'état d'inimitié provenant d'une offense ou d'un meurtre, s'étendant et se transmettant à tous les parents de la victime.

venimeux. V. MALFAISANT et VÉNÉNEUX.

venin. V. POISON.

venir, c'est, en parlant d'une personne, d'une chose, se rendre, être porté là où est la personne qui parle, à qui l'on parle. **Arriver,** employé dans le sens de *venir,* est plus du langage familier.

Survenir, c'est venir tout à coup. **Surgir,** c'est survenir à l'improviste, au moment où l'on ne s'y attendait pas. **S'amener,** syn. de *venir,* est très familier. **Débarquer,** familier aussi, convient bien en parlant d'une personne nouvellement arrivée, et qui, ignorant les usages, est embarrassée. **S'abouler,** syn. de *venir,* est populaire. **Radiner** et **rappliquer** sont des termes d'argot.

Venir, c'est encore, figurément, tirer son origine de. **Partir** ajoute à l'idée générale de *venir* celle de mouvement : *Telle façon de parler vient de tel usage ou de tel préjugé; Tel mouvement de compassion part d'un bon naturel* (*Lafaye*). **Naître,** c'est (cf. aussi Lafaye) venir par voie ou comme par voie de génération, ou commencer à voir le jour : *Les sciences ne prospèrent pas toujours dans les pays où elles naissent, c'est-à-dire où elles viennent au monde, où elles commencent à paraître pour croître ensuite et se développer*. (V. DÉCOULER, RÉSULTER et TENIR À.)

venir à bout de. V. RÉUSSIR.

vent est le terme général qui sert à désigner tout déplacement plus ou moins rapide de l'air, dans telle ou telle partie de l'atmosphère. **Brise** est le nom donné à un petit vent frais et doux, ou aussi à tout vent en général, quand celui-ci est peu violent. **Zéphir,** qui désignait dans l'Antiquité le vent soufflant de l'occident, s'applique auj., par ext., à tout vent léger, agréable. **Alizé** (ou ALISÉ) est le nom donné à un vent régulier qui souffle pendant toute l'année, de l'est à l'ouest, dans les régions tropicales au-dessus des océans. **Aquilon** (lat. *aquilonem,* proprem. le vent noir) désigne un vent du nord et, par ext. et poétiquement, tout vent froid et violent. **Bise** se dit du vent sec et froid qui, dans nos climats, souffle du nord-est ; c'est aussi, poétiquement, tout vent d'hiver. **Blizzard** implique un vent glacial accompagné de tourmentes de neige. **Autan** (dérivé du lat. *altanus,* vent de la haute mer) désigne un vent impétueux du sud ou du sud-est. **Norois** s'applique à un vent du nord-ouest. **Auster** (mot lat. formé du grec *auein,* dessécher) se dit parfois poétiquement du vent du midi. **Mistral** est le nom donné à un vent froid et sec, soufflant du nord ou du nord-ouest, dans le midi de la France, et appelé aussi moins couramment **magistral. Tramontane** désigne, sur la Méditerranée, un vent du nord venant de la région qui est au-delà des Alpes. **Siroco** se dit aussi en Méditerranée et sur les côtes d'Afrique, d'un vent brûlant du sud-est. (On écrit aussi SIROCCO, et quelquefois SIROC.) **Mousson** est le nom donné à un vent qui souffle périodiquement dans la mer des Indes, d'orient en occident, durant les six premiers mois de l'année, et en sens inverse durant les six derniers. **Zeph** est une corruption argotique de *zéphir*. (V. BOURRASQUE et TEMPÊTE.)

ventre est le terme du langage courant qui sert à désigner la partie du corps formant la cavité où sont la vessie et les intestins. **Abdomen** n'est syn. de *ventre* qu'appliqué communément, avec toutefois une idée de recherche, au **bas-ventre** ou **hypogastre** (terme anatomique) ; dans le langage anatomique, il désigne la cavité du corps, située entre le thorax et le bassin, qui contient la vessie, les intestins, l'estomac, la rate, le foie, le pancréas et les reins. **Panse,** nom donné proprement au premier estomac des ruminants, s'emploie parfois aussi familièrement, et généralement péjorativement, en parlant du ventre d'une personne. **Bedaine,** syn. de *ventre,* est très familier ; il s'applique particulièrement bien à un ventre rebondi ; on dit aussi parfois, dans ce sens, **bedon. Bide, bidon** et **buffet** sont des termes d'argot. **Fanal** et **paillasse,** populaires, sont peu usités. **Gaster** est vieux et purement littéraire.

ventripotent, ventru. V. GROS.

ventrouiller (se). V. COUCHER (SE).

venue. V. ARRIVÉE.

vénusté. V. CHARME.

véracité. V. FRANCHISE et VÉRITÉ.

véranda est le nom donné à une galerie légère qui règne sur toute la longueur des habitations de l'Inde et de l'Extrême-Orient, et qu'on imite en Europe dans certains édifices et demeures particulières ; il désigne aussi souvent un balcon couvert et fermé par des glaces, que l'on appelle encore **bow-window. Varangue** se dit pour *véranda* dans les colonies françaises.

verbeux. V. DIFFUS.

verbiage, verbosité. V. ÉLOQUENCE.

verdeur. V. FORCE.

verdict. V. JUGEMENT.

verdir, c'est devenir vert, et **verdoyer** être ou apparaître tout vert : *Certains tissus noirs verdissent avec le temps; A la belle saison la campagne verdoie.*

verdoyer. V. VERDIR.

véreux. V. DÉSHONNÊTE.

verge. V. BAGUETTE.

vergogne. V. PUDEUR.

véridicité. V. VÉRITÉ.

véridique. V. VRAI.

vérifier, c'est employer les moyens de se convaincre, ou de convaincre quelqu'un qu'une chose est véritable. **Avérer,** c'est prouver d'une manière convaincante qu'une chose est vraie ou réelle. **Constater,** c'est vérifier ou avérer d'une manière authentique et solide. **Examiner** dit moins; c'est simplement vérifier en observant en détail. **Contrôler,** c'est proprement soumettre à la vérification administrative, et, figurément, soumettre à un examen minutieux. **Récoler** est un terme didactique; c'est vérifier par un nouvel examen.

V. aussi CONFIRMER.

véritable. V. VRAI.

vérité est le terme courant qui sert à désigner une chose conforme à la réalité, un principe certain. **Axiome,** qui s'emploie particulièrement en mathématique, désigne une vérité générale, indémontrable, qui s'impose à l'esprit comme évidente par elle-même. **Truisme** (angl. *truism;* de *true,* vérité) se dit d'une vérité si évidente qu'il semble inutile de l'énoncer; c'est une vérité banale, toute simple, sans portée. **Lapalissade** est familier et péjoratif; il se dit d'une vérité, d'une évidence niaise, comme celles dont est remplie la chanson sur M. de La Palisse.

Vérité désigne aussi la qualité de ce qui est vrai, cela de la façon la plus générale. **Véracité** est un terme didactique qui s'applique soit à la qualité de celui qui dit la vérité, soit à la qualité de ce qui exprime la vérité. **Véridicité,** caractère de ce qui est conforme à la vérité, est peu usité.

vermeil. V. ROUGE.

vermine. V. POPULACE et VAURIEN.

verrat. V. PORC.

verre désigne la matière dure, fragile, transparente, qu'on obtient par la fusion du sable siliceux avec de la potasse ou de la soude. **Cristal** se dit, dans ce sens (cf. « Dictionnaire de l'Académie française »), d'une espèce de verre blanc qui est net et clair comme le cristal de roche et qui se distingue du verre ordinaire par la présence de l'oxyde de plomb.

verrouiller. V. ENFERMER et FERMER.

versatile. V. CHANGEANT.

verser exprime l'idée de pencher un vase de côté afin que le liquide contenu dans ce vase en sorte et tombe soit dans un autre vase, soit sur un point déterminé. **Répandre,** qui suppose que le liquide sort du vase de plusieurs côtés à la fois ou qu'il tombe çà et là, comme au hasard, comporte plus que *verser* une idée d'abondance, de profusion. **Epandre,** c'est répandre abondamment sur une étendue. **Renverser** concerne proprement le récipient et non le liquide; ce n'est qu'abusivement qu'il est employé, très couramment d'ailleurs, dans le sens de verser en retournant, en basculant, volontairement ou par maladresse. — Au fig., il y a entre VERSER et RÉPANDRE la même différence qu'au propre, le premier exprimant toujours plus de choix, de mesure et le second surtout la profusion.

V. aussi CULBUTER et PAYER.

versificateur. V. POÈTE.

version. V. TRADUCTION.

verso. V. REVERS.

vert désigne ce qui est de la couleur particulière produite par la combinaison du jaune et du bleu, couleur très répandue dans la nature végétale. **Glauque** se dit de ce qui est couleur vert blanchâtre ou bleuâtre. **Céladon** s'applique à une couleur vert tendre d'une nuance pâle.

V. aussi AIGRE.

vertical. V. PERPENDICULAIRE.

vertige (du lat. *vertigo,* tournoiement) implique le sentiment d'un défaut d'équilibre dans l'espace, lequel est momentané. **Etourdissement** est plus du langage ordinaire; il suppose une sorte d'engourdissement du cerveau par vertige, commotion, etc. **Vertigo**

est un syn. de *vertige* en art vétérinaire et seulement en parlant du cheval. **Tournis** s'applique aux bêtes ovines et bovines ; il se dit parfois aussi familièrement et plaisamment, comme *vertigo* d'ailleurs, à propos des personnes.

Vertige se dit en outre, figurément, d'un égarement d'esprit momentané. **Ivresse** désigne, dans ce sens, une sorte de vertige mental, un trouble produit dans l'âme par le transport d'une passion, et qui est souvent d'une durée assez longue ; on dit aussi **enivrement,** ces deux termes emportant une idée d'exaltation qui n'est pas dans *vertige,* lequel est surtout dominé par l'idée d'étourdissement, de perte de la maîtrise de soi. (V. ÉMOTION et TRANSPORT.)

vertu. V. QUALITÉ.

vertueux. V. CHASTE et HONNÊTE.

verve. V. ÉLOQUENCE.

vespasienne. V. URINOIR.

vesprée. V. SOIR.

vesse. V. CRAINTE.

vestibule est le nom donné à la pièce par laquelle on passe pour entrer dans un édifice, une maison, et qui sert souvent de passage pour aller aux autres pièces. **Entrée,** qui est plus du langage ordinaire, s'applique bien auj. à une pièce semblable au vestibule, mais de moindre importance. **Galerie** se dit au contraire d'un grand vestibule généralement meublé et orné de tableaux. **Hall** est un mot anglais désignant surtout auj. un grand vestibule dans une habitation particulière ou surtout publique : hôtel, gare, musée, etc. **Antichambre** vieillit ; désignant la première pièce d'un appartement, celle que l'on est obligé de traverser pour entrer dans les autres, il se dit particulièrement par rapport aux courtisans, aux solliciteurs qui attendent dans une pièce voisine avant de pouvoir parler au monarque, au personnage influent. — **Prodromos** (ou **prothyron**) était le nom donné au vestibule par les Grecs qui appelaient plus spécialement **propylée** le vestibule d'un temple ou d'un palais. (V. PASSAGE.)

vestige. V. RUINES et TRACE.

vêtement désigne, d'une façon générale, ce qui sert à couvrir le corps pour le préserver des intempéries ou cacher sa nudité. **Habit,** qui se dit de l'ensemble des pièces qui constituent les vêtements de dessus des hommes, est peu usité auj. au singulier (on dit plutôt **costume**), à moins qu'il ne désigne spécialement le vêtement masculin de cérémonie qui, ouvert par devant et ayant des pans par derrière, était autref. appelé **frac.** (A noter que *costume* est le terme aussi employé pour désigner un vêtement particulier à un pays, une époque, une condition.) **Habillement** désigne l'ensemble des vêtements qui couvrent le corps, et fait penser surtout à la manière de s'habiller en tant que propre à une personne. **Accoutrement** suppose un habillement singulier, bizarre, ridicule. **Toilette** est assez partic. ; désignant l'ensemble des vêtements et des objets que l'on met pour s'habiller et se parer, il concerne surtout les femmes et convient particulièrement bien lorsqu'il s'agit d'un ajustement recherché, élégant. **Robe,** syn. vieilli de *vêtement* pris dans son sens général, ne s'emploie plus guère auj. que pour désigner un vêtement de femme ou de jeune enfant, à moins qu'il s'agisse du vêtement à manches, long et flottant, que portent les hommes de certaines professions (magistrats, avocats, professeurs), soit comme habit de cérémonie, soit comme habit professionnel. **Uniforme** désigne un costume dont la forme, la couleur est la même pour les personnes qui font partie d'un même corps, spécialement militaire. **Tenue,** qui attire l'attention sur la manière d'être habillé au point de vue des convenances, se dit aussi souvent d'un habit de parade ou d'un uniforme. **Défroque** s'applique soit à un vêtement de valeur minime que quelqu'un abandonne ou laisse en mourant, soit à un vêtement qu'on ne porte plus. **Souquenille** désigne un vêtement usé, sale, misérable. **Pelure** est un syn. populaire de *vêtement;* **costar,** syn. de *costume,* est un terme d'argot. — **Effets,** au pluriel, s'emploie souvent comme syn. de *vêtements,* considérés surtout comme objets mobiliers à l'usage d'une personne. **Affaires,** employé aussi au pluriel et avec l'adjectif possessif, est un syn. familier d'*effets.* **Hardes,** ensemble des effets d'habillement servant à l'usage ordinaire, se prend plutôt en mauv. part, et a dès lors comme syn. **nippes** qui se dit surtout auj., populairement, de vieux vêtements. **Fringues** et **frusques,** appliqués à de vieux vêtements, sont aussi populaires. (V. GUENILLE.)

vétéran. V. ANCIEN et SOLDAT.

vétillard. V. VÉTILLEUR.

vétille. V. RIEN.

vétiller. V. CHICANER.

vétilleur se distingue de **vétillard** en ce qu'il se dit de celui qui, ne s'amusant qu'à des minuties, n'est tel que par occasion, alors que le *vétillard* l'est habituellement. **Vétilleux** ajoute à *vétilleur* qu'il peut seul se dire des choses lorsqu'elles exigent des soins minutieux; c'est du reste le terme le plus couramment employé aujourd'hui.

vétilleux. V. VÉTILLEUR.

vêtir, c'est mettre sur soi des vêtements ordinaires, faits pour le besoin et la commodité. **Revêtir** suppose que l'on met un costume qui nous distingue dans l'ordre des emplois, les honneurs et les dignités. **Habiller** indique que l'on est ajusté ou mis de telle façon. **Costumer,** c'est revêtir d'un « costume », c'est-à-dire d'un vêtement particulier à un pays, une époque, une condition. **Affubler** et **fagoter** (familier) font connaître que l'on est étrangement habillé, le premier ne se disant généralement qu'avec indication de la chose, et le second s'employant d'une manière absolue. **Accoutrer,** c'est habiller ridiculement. **Harnacher,** dans son sens figuré, est familier; c'est accoutrer d'une façon lourde. **Caparaçonner** est un syn. ironique d'*habiller,* d'*harnacher.* **Ficeler** est familier aussi et se prend toujours en mauv. part; c'est habiller sans soin ni goût. **Fringuer, frusquer** (moins us.) et **nipper,** syn. de *vêtir,* d'*habiller,* sont populaires.

vétuste. V. ANCIEN.

veule. V. MOU.

veuvage est le terme du langage ordinaire qui désigne l'état d'une personne veuve (c'est-à-dire dont le conjoint est mort), considéré par rapport soit à sa durée, soit à ce qui en résulte, soit à la personne elle-même. **Viduité,** qui est surtout un terme de philosophie, de théologie ou de droit, fait penser à la manière d'être en elle-même, considérée par rapport aux devoirs, aux vertus nouvelles qu'elle impose, et surtout en parlant des femmes.

veuve est le terme du langage courant qui désigne la femme dont le mari est mort, et qui n'est pas remariée. **Douairière** est plus partic.; il s'applique soit à une veuve qui jouit d'un « douaire » (biens assurés par le mari en cas de survie), soit à une veuve de qualité.

vexer. V. FROISSER et TOURMENTER. ***Se vexer.*** V. OFFENSER (S').

viable. V. VIVANT.

viande. V. CHAIR.

viatique. V. PROVISION.

vibrant. V. SONORE.

vibration. V. OSCILLATION.

vibrer, c'est, figurément, être agité, excité, mis en action par certains sentiments. **Palpiter** concerne plus particulièrement des sentiments venus du cœur. **Tressaillir,** c'est surtout éprouver une secousse physique sous le coup de quelque émotion. **Trembler,** c'est être agité physiquement ou moralement par un sentiment de crainte. **Frémir** enchérit sur *trembler;* c'est trembler intensément, jusqu'au plus profond de soi-même.

vicaire. V. PRÊTRE.

vice. V. DÉFAUT.

vicier. V. ALTÉRER.

vicieux se dit de celui qui ayant de mauvais penchants, a laissé ceux-ci prendre sur lui un empire auquel il ne sait résister. **Corrompu** désigne celui qui est devenu mauvais par une longue habitude des actions méchantes; il n'y a plus rien de bon dans son cœur. **Dépravé** s'applique à celui qui s'est fait des principes en opposition avec ceux des honnêtes gens et dont les facultés morales sont tellement altérées qu'il n'a plus de goût pour le bien. **Pervers** se dit de celui qui se plaît à faire le mal, et à le voir faire par les autres; il suppose souvent aussi la propagation de mauvaises doctrines. **Dissolu,** autref. lâche, en parlant d'un tissu, s'emploie auj. figurément et suppose des mœurs relâchées. (V. ÉROTIQUE, LUXURIEUX et OBSCÈNE.)

vicissitude. V. CHANGEMENT.

victime désigne celui qui souffre ou

qui meurt des actions d'autrui, voire des siennes propres. **Martyr** s'applique à celui qui a souffert ou souffre un supplice immérité. — **Proie** se dit figurément d'une victime, d'une personne qu'on exploite ou qu'on tourmente. **Souffre-douleur** est familier; il désigne une personne ou un animal sur qui l'on se décharge des choses les plus pénibles, qui est en butte aux plaisanteries cruelles, aux tracasseries, ou à des mauvais traitements.

victorieux. V. VAINQUEUR.

vidanger. V. VIDER.

vide. V. TROU et VACANT.

vide-gousset. V. VOLEUR.

vider est le terme général et du langage courant; c'est rendre vide, soit un réceptacle, en en retirant ce qu'il contient, soit un lieu, en en sortant soi-même ou en en faisant sortir ceux qui s'y trouvent. **Evacuer,** c'est seulement, mais dans un style plus recherché, faire sortir en masse ceux qui sont dans un endroit. **Vidanger,** c'est vider, en parlant de bouteilles, de fosses d'aisances, de réservoirs d'automobiles ou d'avions. **Nettoyer,** vider complètement, est familier.

vidimer. V. COMPARER.

viduité. V. VEUVAGE.

vie désigne l'espace de temps qui s'écoule entre la naissance et la mort, et durant lequel un être animé, et en partic. l'homme, est au monde, respire et agit. **Existence** se dit de quelque chose de plus extrinsèque, de moins intime, que *vie;* il convient, note Lafaye, en parlant de tout ce qui est, même s'il s'agit d'êtres qui ne sentent ni ne se meuvent. **Jours,** employé au pluriel dans le sens de vie humaine, présente celle-ci comme composée de parties ou relativement aux parties dont elle est composée. **Destinée** est syn. de *vie* surtout dans le style soutenu, ainsi que **destin** qui s'applique à l'ensemble de la vie, de l'existence, tous deux faisant penser à la puissance suprême qui règle le sort de chacun.

V. aussi HISTOIRE.

vieillard est le terme du langage courant qui sert à désigner un homme d'un âge avancé, et cela presque toujours avec une idée de respect. (A noter que si *vieillard* ne s'applique qu'aux hommes, il se dit au pluriel de toutes les personnes d'un grand âge, hommes ou femmes (V. VIEILLE.) **Vieux** s'emploie surtout par opposition à « jeune »; il emporte parfois en outre une nuance péjorative. **Patriarche,** terme biblique désignant un chef de famille dont la vie fut fort longue, s'emploie encore figurément en parlant d'un vieillard vénérable entouré d'une nombreuse famille. **Barbon,** qui se dit d'un homme d'un âge plus que mûr, ne s'emploie qu'avec une intention de dénigrement. **Géronte** s'applique, par allusion à un type de personnage de la comédie classique, à un vieillard de caractère faible, qui se laisse facilement duper. **Grison** implique de la barbe ou des cheveux gris. **Baderne** se dit, par mépris, d'une personne que son âge ou sa santé met hors d'état de rendre des services. **Birbe** (corruption de *barbon*) est populaire. **Vioque,** syn. de *vieux,* est un terme d'argot. (V. ÂGÉ.)

vieille, employé substantivement, se dit, dans le langage très ordinaire, avec une absence complète de correction et moins encore de respect, d'une femme d'un grand âge, d'une **vieille femme. Douairière,** qui s'applique proprement à une veuve de grande famille, jouissant d'un douaire (biens assurés à sa femme par le mari, en cas de survie), sert à désigner aussi parfois, familièrement et par dénigrement, une vieille femme. **Vieille rombière** est une expression d'argot qui s'emploie le plus souvent en mauv. part, en parlant d'une vieille femme quelque peu ridicule. (V. ÂGÉ et VIEILLARD.)

vieillesse désigne, d'une façon générale, la période de la vie au cours de laquelle les fonctions se ralentissent progressivement, avant de s'arrêter; c'est aussi, par ext., l'état d'affaiblissement des forces et des facultés. (Appliqué aux choses, c'est l'état des objets qui existent depuis longtemps.) **Caducité,** qui se dit d'une vieillesse déjà avancée, et qui présente les signes visibles d'une chute, c'est-à-dire d'une fin prochaine, s'applique aussi bien aux choses qu'aux personnes. **Décrépitude,** qui ne s'emploie qu'en parlant des vieillards, enchérit sur *caducité;* c'est le dernier terme de la vieillesse, celle qui succède à la caducité, alors que le vieillard est dans un état de déchéance physique extrême. **Vieillerie** est un syn. populaire et péjoratif de *vieillesse.*

vieillot. V. ÂGÉ, ANCIEN et DÉSUET.

vierge, employé substantivement, désigne une fille qui n'a jamais eu commerce avec un homme. **Pucelle,** syn. de *vierge,* est familier, sauf dans l'expression : *La Pucelle d'Orléans,* appliquée à Jeanne d'Arc. **Rosière,** nom donné à une jeune fille vertueuse à laquelle, dans certaines localités, on décerne solennellement une couronne de roses accompagnée d'une récompense (dot, livret de Caisse d'Epargne, etc.), se dit aussi, par ext. et familièrement, d'une jeune fille vertueuse, d'une vierge, en général. (On emploie quelquefois, par plaisanterie, le masculin **rosier** pour désigner un jeune homme vierge, chaste et vertueux; même observation pour **puceau.**) [V. CHASTE.]

V. aussi PUR.

vieux. V. ÂGÉ, ANCIEN et VIEILLARD.

vif est le terme général qui s'applique à certaines choses, soit physiques, soit morales, pour marquer leur force, la violence de l'impression qu'elles font sur nous. **Mordant** enchérit sur *vif* et emporte l'idée d'une qualité corrosive. **Piquant** se dit de ce qui est vif et semble « piquer », entamer légèrement. **Cuisant** est dominé par l'idée d'une sensation analogue à celle d'une brûlure. **Perçant** marque une action vive qui va droit au but et qui va loin. **Pénétrant** implique une action plus lente, moins directe, mais très profonde. **Aigre** se dit de ce qui est vif surtout parce que sans douceur. **Apre** s'applique à ce qui, étant vif, produit sur nos sens l'impression du rugueux.

V. aussi AGILE, VIOLENT et VIVANT.

vigilance. V. SOIN.

vigne, qui se dit proprement de la plante à tige ligneuse qui produit le raisin, s'applique souvent aussi, par ext., au terrain planté de vignes cultivées : *Un cep de vigne; Un arpent de vigne.* **Vignoble,** par contre, se dit proprement du terrain planté de vignes, et, par ext. seulement, de ces vignes elles-mêmes : *Les vignobles du Bordelais, de la Bourgogne; Des coteaux couverts de vignobles.* (A noter aussi que *vignoble* semble enchérir sur *vigne* quant à l'importance et à la qualité de la vigne cultivée; il suppose souvent en outre un cru d'une certaine renommée : *Le vignoble est une région étendue où l'on cultive surtout la vigne, et jamais une simple parcelle déterminée.*) **Clos,** qui se dit d'un terrain cultivé et fermé de murs, haies ou fossés, s'applique aussi en particulier à certains petits vignobles, dont il sert parfois à composer le nom : *Un clos de vigne; Vin du Clos Vougeot.*

vigneron, qui désigne celui qui se livre à la culture de la vigne, est le terme du langage ordinaire. **Viticulteur** est du style didactique et fait penser à l'art de cultiver la vigne, à ses ressources, à ses possibilités, plus qu'au travail manuel considéré en lui-même. **Vendangeur,** qui dit beaucoup moins et ne concerne que la récolte, attire au contraire l'attention uniquement sur le travail manuel de l'ouvrier qui cueille les raisins et fait le vin.

vignoble. V. VIN.

vigoureux. V. FORT.

vigueur. V. FORCE.

vil. V. ABJECT et AVILI.

vilain, par un passage rare du sens moral au sens physique, se dit couramment auj., et de la façon la plus générale, de tout ce qui est désagréable à voir. **Laid** désigne ce qui a des qualités désagréables à la vue, surtout parce que contraires à l'idée que nous nous faisons de la beauté. **Affreux** enchérit sur ces termes; il s'applique à ce qui est vilain, laid à faire peur. **Hideux** convient bien en parlant de ce qui est laid au point d'être repoussant. **Horrible** dit plus encore; il désigne ce qui est tellement hideux qu'il fait frissonner. **Moche, tarte, toc** et **tocard,** syn. de *laid,* sont des termes d'argot. (Employés au sens moral, tous ces mots emportent des gradations semblables.) **Macaque** et **magot,** noms donnés à des espèces de singe, s'appliquent parfois aussi, figurément et substantivement, à un homme très laid.

V. aussi CHICHE, MÉCHANT et PAYSAN.

vilenie est le terme du lang. recherché qui sert à désigner l'acte, le mauvais procédé d'une personne qui a des sentiments bas et laids. **Méchanceté** est plus du lang. ordin. et se dit de l'acte d'une personne qui veut faire du mal.

Saleté, populaire dans ce sens, s'applique à un acte vil qui blesse la délicatesse, l'honneur. **Crasse, saloperie** et **vacherie,** syn. de *méchanceté,* de *saleté,* sont populaires aussi, les deux derniers étant en outre grossiers.

V. aussi BASSESSE et INJURE.

vilipender. V. MALMENER.

villa est le nom donné couramment aujourd'hui à une maison de plaisance à la campagne. **Pavillon,** proprement petite maison séparée par des jardins d'une maison principale dont elle dépend, s'emploie couramment aussi auj., et par ext., dans le sens de *villa.* **Chalet,** proprement maisonnette en planches servant d'habitation aux paysans suisses dans les montagnes, se dit aussi parfois, par ext., d'une villa, d'une habitation champêtre faite à l'imitation des chalets suisses. **Cottage,** petite maison de campagne d'une élégante simplicité en Angleterre, n'a d'emploi justifié en France que pour désigner une villa d'un aspect spécifiquement anglais. **Bungalow,** habitation basse, généralement en bois, entourée de vérandas, dans l'Inde anglaise, désigne parfois en Europe, particulièrement dans le midi de la France, un genre de construction analogue.

village. V. BOURG.

villageois. V. PAYSAN.

ville est le terme du langage ordinaire qui désigne une réunion considérable de maisons habitées, disposée régulièrement par rues, souvent limitée par une enceinte, et ayant une administration municipale. **Cité,** qui vient du latin *civitas,* a eu d'abord le sens de ce dernier mot, c'est-à-dire qu'il exprimait une idée politique : c'était la réunion des hommes qui jouissaient des mêmes droits et qui avaient une part plus ou moins directe à l'administration de leurs intérêts communs; ensuite le sens du mot s'est modifié pour s'appliquer aux grandes villes, à celles qui jouent un rôle important dans l'histoire, et, dans un sens plus particulier, pour désigner la partie la plus ancienne d'une grande ville, ce qui en a été comme le noyau primitif. **Localité** fait penser au lieu habité et se dit surtout d'une petite ville. **Agglomération** est un néologisme qui attire essentiellement l'attention sur le groupement compact d'habitants qui constitue une ville. (V. BOURG.)

villégiature. V. SÉJOUR.

villeux. V. POILU.

vindicte. V. VENGEANCE.

vinée. V. CAVE.

vinicole. V. VITICOLE.

viol, qui désigne le fait d'abuser par la violence d'une fille ou d'une femme, a pour synonyme ancien **violement.**

violation, action de violer, d'enfreindre, peut seul être employé quand les lois violées sont purement physiques et matérielles. **Violement,** qui ne s'emploie presque plus auj., peut cependant encore servir pour donner un caractère exclusivement intérieur et moral à l'action de violer qu'on exprime : *La violation est un délit; le violement est un péché ou une faute contre le devoir.* **Infraction,** qui se dit de la violation d'un engagement, d'une loi, est essentiellement du langage juridique : *En droit pénal, l'infraction s'appelle contravention, délit ou crime, selon qu'elle est passible de peines de simple police, correctionnelles ou criminelles.* **Manquement,** syn. d'*infraction,* est plus du langage ordinaire : *On réprime les manquements à la discipline.* (V. DÉSOBÉIR.)

violement. V. VIOL et VIOLATION.

violence. V. FOUGUE et GÊNE.

violent attire l'attention sur l'effet extérieur de ce qui a une force impétueuse, alors que **vif** peint l'état de la chose considérée en elle-même : *Une querelle violente amène des violences : coups portés et rendus, membres brisés, etc.; Une querelle vive passionne fortement.* **Ardent** suppose de la chaleur, de la passion : *Zèle, désir, amour ardent.* (V. SPONTANÉ.)

V. aussi EMPORTÉ et EXTRÊME.

violenter. V. OBLIGER.

violer est le terme du langage courant : c'est, d'une façon générale, porter atteinte à quelqu'un, à quelque chose, qu'on est tenu de respecter. **Profaner** est plus du langage recherché; c'est proprement violer la sainteté des choses sacrées, et, figurément seulement, violer le respect dû à quelque chose.

V. aussi DÉSOBÉIR.

virago (mot lat.; de *vir,* homme) est le nom que l'on donne à une femme qui a l'allure et les manières masculines. **Maritorne** (de *Maritornes,* nom d'une fille d'auberge dans « Don Quichotte ») se dit d'une fille non seulement hommasse, mais aussi laide et malpropre. (V. MÉGÈRE.)

virée. V. TOUR.

virer, virevolter. V. TOURNER.

viril. V. MÂLE.

virtuose se dit, d'une façon générale, d'une personne d'un rare talent, en quelque genre que ce soit. **Maître** s'applique à une personne d'un savoir, d'un art supérieur. **As,** terme d'argot synonyme de ces termes, est passé dans le langage populaire et même familier courant. (V. AIGLE.)

V. aussi MUSICIEN.

virulence. V. FOUGUE.

virus. V. POISON.

visage. V. AIR et FIGURE.

vis-à-vis, qui désigne le rapport de deux objets qui, sur le même plan visuel, sont l'un devant l'autre, s'applique aussi bien aux personnes qu'aux choses et n'implique qu'une idée de simple position. **En face** marque essentiellement un rapport de perspective et ne peut se dire qu'en parlant de deux objets considérés comme ayant une face, une façade, une partie antérieure de quelque étendue, et lorsque ces objets sont placés de manière que ces parties se regardent l'une l'autre. **Face-à-face,** qui marque un double rapport de réciprocité et ne se dit que des personnes, implique le plus souvent une opposition, voire une idée d'agression ou de défense. **A l'opposite** ne s'emploie par contre qu'en parlant des choses et suppose que l'on doit se tourner, prendre une position opposée pour porter ses regards d'un objet sur un autre. **En regard,** syn. de *vis-à-vis,* est usité surtout en parlant de textes que l'on écrit ou que l'on imprime vis-à-vis les uns des autres pour en faciliter la comparaison. **Vison-visu** est un syn. familier et vieilli de *vis-à-vis,* d'*en face.*

visée. V. BUT.

viser, c'est, d'une façon très générale, regarder attentivement le but afin de faire ce qu'il faut pour l'atteindre. **Mirer** suppose qu'on dirige un instrument quelconque de manière que la ligne prolongée de sa longueur passe par le but : *On vise et on ne mire pas quand on veut lancer une pierre, frapper avec un bâton, etc.; mais on mire pour tirer un coup de fusil ou de canon.* (A noter d'ailleurs qu'aujourd'hui *viser* s'emploie bien plus que *mirer,* de moins en moins usité dans ce sens.) **Ajuster,** c'est viser juste : *Le gibier est parti trop vite, je n'ai pas eu le temps d'ajuster* (*Acad.*).

Viser à. V. TENDRE À.

visible désigne ce qui tombe sous le sens de la vue. **Perceptible** dit plus; il désigne tout ce qui peut être perçu par les sens, et n'est syn. de *visible* qu'autant qu'il s'applique à la vue. **Percevable** est un syn. moins usité de *perceptible.* **Apercevable** se dit de ce qui commence à être visible. **Apparent** désigne ce qui se montre aux yeux, et, par ext., ce qui attire le regard, l'attention. **Ostensible,** qui se dit de ce qui est fait, préparé avec l'intention d'être montré, s'emploie parfois aussi, par ext., en parlant de ce qui est visible, apparent, parce qu'on ne le cache pas. (V. MANIFESTE.)

V. aussi SENSIBLE.

vision désigne l'illusion par laquelle nous croyons voir quelqu'un ou quelque chose qui n'est pas présent à nos yeux, qui n'a pas de réalité extérieure. **Apparition** s'emploie surtout en parlant d'un objet qui se manifeste spontanément, brusquement, à nos regards, et il est peu us. lorsque le phénomène n'a aucune réalité extérieure : *La vision se passe dans les sens intérieurs, et ne suppose que l'action de l'imagination; l'apparition frappe plus les sens extérieurs, et suppose généralement un objet au dehors.*

Vision, lorsqu'il désigne l'illusion qui nous représente comme réelles des choses qui n'existent que dans notre imagination, a aussi pour syn. **mirage,** qui se dit d'une vision séduisante et trompeuse. **Hallucination** est un terme de méd. qui désigne la perception, par un sujet éveillé, de phénomènes actuels, extérieurs à lui, et qui n'existent pas en réalité. **Phantasme** (ou FANTASME) est un terme de pathol. qui désigne les images et croyances imaginaires, distinctes des hallucinations, qui se produisent chez les névropathes ou chez les femmes nerveuses, et chez les jeunes filles au moment de leur formation. (V. ILLUSION.)

V. aussi VUE.

visionnaire, lorsqu'il désigne figurém. celui qui a des idées folles, des imaginations extravagantes, des desseins chimériques, a pour syn. **illuminé,** qui se dit surtout de celui qui est visionnaire en matière de religion, cependant que **songe-creux** s'applique familièrem. à celui qui, affectant d'avoir des pensées profondes, n'a en réalité que des idées chimériques.

V. aussi DEVIN.

visiter. V. EXAMINER.

visqueux. V. GLUANT.

vital. V. VIVANT.

vite. V. TÔT.

vitesse est le terme général qui, impliquant une économie de temps, s'oppose à « lenteur » et s'emploie particulièrem. bien en physique, en mécanique, en sports. **Rapidité** désigne une grande vitesse qui emporte, entraîne. **Célérité** suppose une grande vitesse, mais sans idée de force et de violence; il s'applique proprem. à un travail, à une tâche, etc., où sont évitées toute perte de temps, toute lenteur. **Promptitude** marque la soudaineté et exclut les délais; il implique l'activité des actions et regarde l'extérieur. **Vivacité** s'oppose à « indolence » et emporte l'idée d'une manière d'agir, de concevoir, de sentir les choses, prompte et animée. **Diligence** implique le choix des voies les plus courtes et des moyens les plus efficaces, ainsi qu'une idée de soin. **Prestesse** suppose de la facilité dans l'exécution et ajoute souvent à l'idée de promptitude, de vivacité, celle d'agilité ou de subtilité. **Hâte** et **précipitation** sont des degrés d'une promptitude extrême pour le premier et excessive pour le second. **Vélocité,** syn. de *vitesse,* de *rapidité,* s'emploie surtout dans le style soutenu.

viticole se dit de ce qui est relatif à la culture de la vigne, et **vinicole** de ce qui concerne la production et la fabrication du vin.

viticulteur. V. VIGNERON.

vitre (du lat. *vitrum,* verre) est le terme technique qui sert à désigner un panneau de verre qu'on place dans un châssis, et qui sert à empêcher l'introduction de l'air extérieur : *Les vitres d'une fenêtre.* **Glace** se dit surtout d'une vitre de bonne qualité et généralement d'une épaisseur qui garantit sa solidité, voire aussi d'une grande étendue : *Les glaces d'une automobile; Les glaces d'une devanture de magasin.* **Carreau** (ou plus exactement CARREAU DE VITRE, qui cependant ne se dit pas), syn. de *vitre,* est plus du langage ordinaire et courant.

vitrine. V. ÉTALAGE.

vituler (se). V. COUCHER (SE).

vitupérer. V. BLÂMER.

vivace. V. VIVANT.

vivacité. V. VITESSE.

vivant exprime la vie comme un fait actuel, alors que **vif** l'exprime plutôt comme une qualité, une manière d'être sans laquelle l'objet ainsi qualifié ne correspondrait plus au point de vue sous lequel on l'envisage. **Viable** se dit de ce qui peut vivre. **Vivace** ne s'entend que de la bonne constitution du corps et de la force du tempérament, qui promettent une longue vie. **Vital** ne s'applique qu'à ce qui sert à la conservation de la vie, et sans quoi l'on ne saurait vivre.

vivement implique une action, une manière d'agir extérieure, prompte et forte. **Ardemment,** qui enchérit sur *vivement,* ne convient qu'à l'égard de l'âme et de ses facultés : *On presse vivement ce qu'on désire ardemment.* (A noter, d'après Lafaye, que lorsque *vivement* se dit de l'âme et de ce qui se passe en elle, il a spécialement rapport au sentiment, à une disposition passive, au lieu qu'*ardemment* est relatif à la passion, à une disposition active : *On partage vivement la joie de quelqu'un dont on souhaite ardemment le bonheur.*)

viveur est le nom que l'on donne à celui qui mène une vie de plaisir. **Noceur** est familier et plus péjoratif encore que *viveur;* il implique une vie extrêmement déréglée, des parties de plaisir et de débauche. **Débauché,** etc., V. DÉBAUCHE. **Badouillard** est un syn. populaire peu usité de *viveur,* de *noceur* (les badouillards étaient les membres d'une joyeuse association d'étudiants, à Paris, sous le gouvernement de Juillet).

vivisection. V. ANATOMIE.

vivoter. V. VÉGÉTER.

vivre, être doué de vie, être en vie, a parfois pour syn., dans le style soutenu, **respirer** (cf. « Dictionnaire de l'Académie française »). [V. VIE et ÊTRE.]

vivres. V. DENRÉE.

vocable. V. MOT.

vocabulaire. V. DICTIONNAIRE.

vocaliser. V. CHANTER.

vocation. V. PENCHANT.

vociférer. V. CRIER.

vœu. V. SERMENT et SOUHAIT.

vogue. V. MODE.

voguer. V. NAVIGUER.

voie, qui désigne un espace qui se prolonge dans une direction menant d'un lieu à un autre, éveille tantôt l'idée d'un passage, tantôt d'un simple chemin, d'une simple route ; il est souvent de plus, par analogie avec les anciennes voies romaines, d'un emploi très relevé. **Route** se dit des grands chemins construits avec art et qui conduisent d'une ville à une autre ; dans un sens plus étendu, il fait penser à la direction, au tracé, aux lieux qu'on traverse : *On va de Paris à Lyon par la route de Bourgogne ou par celle du Nivernais.* **Chaussée,** proprement route maçonnée à la « chaux », se dit aussi soit d'une bande de terrain, souvent empierrée, dominant une rivière, un étang qu'elle longe, un marais qu'elle traverse, et servant de route, de chemin, de passage ; soit du milieu, généralement pavé ou empierré, d'une route, d'une rue, où passent les voitures, par opposition aux trottoirs et bas-côtés réservés aux piétons. **Artère** se dit figurément d'une voie de communication et de circulation importante et très fréquentée. **Trimard,** route, grande route, est un terme d'argot. (V. AVENUE, CHEMIN et RUE.) — Au fig., ROUTE et CHEMIN expriment la direction suivie pour atteindre un but, la direction banale, ordinaire, tracée par d'autres, la *route* étant plus largement tracée et le *chemin* moins facile à connaître. VOIE désigne plutôt la direction, la ligne de conduite que l'on se trace ou qu'on devrait se tracer pour atteindre une fin particulière.

V. aussi MOYEN.

voile désigne figurément l'apparence légère qui dérobe, qui cache la connaissance de la vérité, sans idée défavorable. **Manteau** semble enchérir sur *voile* quant à l'impénétrabilité de la dissimulation, qu'il présente plus comme voulue, recherchée. **Masque,** nettement péjoratif, emporte une idée défavorable de tromperie ; il désigne la fausse apparence dont on se revêt pour dissimuler ce qu'on est en réalité. **Couvert,** dans ce sens figuré, est employé surtout dans l'expression : *Sous le couvert de,* et implique le désir de s'abriter derrière une apparence trompeuse.

voiler. V. CACHER.

voir ne signifie que connaître par les yeux un objet sensible : *Le véritable aveugle ne voit rien.* **Apercevoir** ajoute une idée de difficulté dans l'acquisition de cette connaissance, et parfois d'imprécision dans le résultat : *On aperçoit une montagne dans le lointain.* **Aviser,** c'est apercevoir quelqu'un ou quelque chose qu'on n'avait pas remarqué d'abord : *On avise quelqu'un dans la foule.* **Entrevoir,** c'est voir confusément ou rapidement : *On entrevoit quelque chose dans l'obscurité; On entrevoit un voyageur.* **Percevoir** fait connaître que l'on reçoit l'impression des objets et la sensation qu'ils causent : *Il y a des personnes qui ne perçoivent pas toutes les couleurs.* **Découvrir** marque que l'on connaît l'objet d'une manière facile et manifeste, que la connaissance est pleine et entière : *C'est de là que nous pouvons découvrir des choses qu'il leur était impossible d'apercevoir.* **Repérer,** c'est découvrir en déterminant la position exacte : *On repère une batterie ennemie.* **Remarquer,** c'est voir avec attention, avec préférence, en s'arrêtant à ce que l'on voit : *On remarque plus particulièrement ce qui nous intéresse.* **Surprendre,** c'est remarquer des actions, des gestes qui échappent aux autres : *On surprend des larmes qu'on veut nous cacher.*

V. aussi REGARDER.

voisin. V. PROCHE.

voiture est le nom générique de toute espèce de caisse ou de plate-forme destinée à recevoir des hommes, des animaux ou des marchandises, et montée sur des roues qui facilitent son mouvement de translation. **Véhicule,** pris dans le sens restreint de *voiture,* est moins du langage courant. **Patache** se dit d'une mauvaise voiture, ainsi que **berlingot** qui est familier et peu usité. **Guimbarde** et **tacot** sont familiers et se disent d'une vieille voiture, d'un véhicule d'un modèle ancien, ou d'un fonctionnement défectueux. **Clou,** dans ce sens, est populaire, comme **bagnole** qui n'emporte pas forcément auj. du moins, l'idée péjorative qui est toujours dans *clou.* **Chignole** est argotique.

voiturer. V. TRANSPORTER.

1. **vol.** V. ESSOR.

2. **vol** est le terme général qui sert à désigner l'action de s'approprier par ruse ou par force ce qu'on sait être la propriété d'autrui. **Escroquerie** se dit d'un vol commis à l'aide de moyens frauduleux, en dupant. **Indélicatesse** s'emploie parfois par euphémisme dans le sens de *vol,* d'*escroquerie.* **Larcin** s'applique seulement à un petit vol. **Maraudage** désigne, en parlant des soldats en marche, en campagne, l'action de faire des larcins dans les champs, les fermes, les villages; c'est aussi, par ext., faire des larcins de fruits, de légumes, dans les champs ouverts, voire commettre un petit vol quelconque. (On dit aussi **marauderie,** et plus ordinairem. **maraude.**) **Volerie** est un syn. familier de *vol* qui implique souvent une suite de petits vols. (V. RAPINE.)

volage. V. CHANGEANT.

volatile. V. OISEAU.

volatilisation. V. VAPORISATION.

volée se dit d'un ensemble de coups nombreux et consécutifs dont on frappe une personne. **Bastonnade** ne s'applique qu'à une volée de coups de bâton. **Correction,** pris dans le sens de *volée,* est plus du langage recherché et implique un châtiment. **Fessée** se dit d'une correction appliquée sur les fesses. **Déculottée, dégelée, flopée, frottée, pâtée, peignée, pile, raclée, rossée, secouée, tatouille, tournée, trempe, tripotée,** syn. de *volée,* sont populaires, ainsi que **grattée, roulée, saucée, tannée** et **trépignée,** qui sont moins usités. **Fricassée,** populaire aussi, s'emploie surtout par plaisanterie. **Dérouillée** et **tourlousine** sont des termes d'argot. (V. COUP.)

V. aussi ESSOR.

1. **voler,** c'est se soutenir et se mouvoir dans l'air au moyen d'ailes (comme les oiseaux et la plupart des insectes) ou d'appareils analogues (comme les chauves-souris, les poissons volants, etc.). **Voleter** est un diminutif de *voler;* c'est voler à peine, s'essayer à voler, faire de petites volées interrompues à chaque instant par l'impuissance de voler longtemps. **Voltiger** présente aussi l'action de voler comme fréquemment interrompue, mais c'est moins par l'impuissance d'aller plus loin que par l'inconstance, le besoin de changer de direction.

2. **voler,** c'est s'approprier de toutes manières ce qu'on sait être la propriété d'autrui. **Exploiter,** employé dans le sens de *voler,* suppose des exactions, des profits illicites; c'est voler une personne crédule ou impuissante à se défendre. **Piller,** c'est s'approprier par force, voler avec violence; ce peut être aussi voler par des concussions, des exactions. **Escroquer,** c'est voler quelqu'un par des moyens frauduleux, en le dupant, c'est-à-dire sans violence, mais par des procédés perfides et odieux. **Extorquer,** c'est voler quelque chose à quelqu'un par la violence morale. **Gruger** s'emploie surtout dans la loc. fam. : *Gruger quelqu'un,* qui signifie lui manger son bien, lui extorquer ce qu'il possède, lui faire perdre son argent. **Dépouiller,** c'est voler les vêtements, l'argent, les bijoux, les valeurs, etc., d'une personne, de telle façon que celle-ci n'en possède plus. **Détrousser,** c'est voler quelqu'un en le dépouillant par la violence de ce qu'il porte sur lui ou avec lui, surtout en parlant des voyageurs. **Dévaliser,** proprement voler la « valise » à quelqu'un, s'applique aussi à des vêtements, de l'argent. **Cambrioler** (de l'argot *cambriole,* chambre), c'est voler ce qu'il y a dans une chambre, un appartement, une maison, par effraction, escalade, ou à l'aide de fausses clefs, etc. **Flouer** et **piper,** syn. de *voler,* sont familiers, cependant que **barboter, calotter, chauffer, chiper, choper, empiler, faucher, grincher** et **piquer** sont des termes d'argot ou très populaires comme l'est aussi **carotter,** syn. d'*escroquer.* (V. APPROPRIER [S'], DÉPOSSÉDER, DÉROBER, DÉTOURNER, ENLEVER et PRIVER.)

volerie. V. VOL.

volet est le nom donné à un panneau de bois plein ou de tôle qui sert à garantir les châssis d'une fenêtre et qui s'ouvre ou se ferme à volonté à l'intérieur ou à l'extérieur de l'appartement, chaque vantail se repliant parfois en deux ou trois parties qui se doublent ou se triplent. **Contrevent** se dit seulement d'un volet de bois placé à l'extérieur d'une fenêtre. **Jalousie** est le nom donné à un contrevent formé de minces planchettes parallèles, que l'on peut remonter ou abaisser à l'aide d'un cordon. **Persienne** désigne une espèce de contrevent à jour, de bois ou de tôle, formé de lames minces disposées en abat-jour.

voleter. V. FLOTTER et VOLER I.

voleur est le terme général et du langage courant qui s'applique à toute personne qui s'approprie par ruse ou par force ce qu'il sait être la propriété d'autrui. **Kleptomane** (du grec *klepto,* je vole, et *mania,* manie) est un terme de médecine désignant celui qu'une impulsion ou une tendance morbide pousse au vol : on écrit aussi parfois CLEPTOMANE. **Pickpocket** (mot angl. formé de *to pick,* enlever, et *pocket,* poche) dit beaucoup moins; c'est simplement le nom donné au **voleur à la tire,** celui qu'on appelait jadis un **coupeur de bourse,** et qu'on appelle encore parfois familièrement auj., non sans archaïsme, un **vide-gousset. Escogriffe,** employé dans le sens de *voleur,* est vx. — **Pègre,** terme d'argot, se dit surtout de l'ensemble des voleurs considérés comme formant une classe sociale. (V. ESCROC, MALFAITEUR, PIRATE, sens fig., et VAURIEN.)

volontairement et **de bon gré** indiquent une détermination libre, la première expression marquant plutôt l'absence de toute force brutale, et la seconde l'absence de toute contrainte. **Volontiers** exprime plus l'absence de toute répugnance qu'un sentiment réel de plaisir, une chaude adhésion, comme le fait **de bon cœur. Bénévolement** suppose surtout de la bienveillance, qui fait qu'on se prête volontiers à quelque chose, et souvent aussi, par ext., qu'on agit gracieusement, gratuitement. **De bonne grâce** a rapport aux manières et signifie qu'on agit avec un certain empressement, sans aucun signe de répugnance.

volonté, appliqué à une détermination fixe, laquelle est généralement ferme, arrêtée, suppose surtout des choses dont l'exécution est actuelle ou doit se faire presque immédiatement. **Dessein** concerne des choses qu'on fera plus tard; il suppose qu'on est bien arrêté sur la chose même, qu'on a déjà pensé aux moyens de la réaliser, et qu'on doute seulement du temps où cela devra se faire. **Intention** implique quelque chose de plus indécis; on ne sait comment, ni quand on agira, mais on est porté à agir, et si l'on ne change pas d'avis, il est probable qu'on agira tôt ou tard. (A noter qu'*intention* se dit aussi quelquefois du but secret qu'on se propose en agissant actuellement, et que le mot *dessein* peut lui-même, mais rarement, s'employer dans cette acception; il ajoute alors à l'idée de but celle de préméditation plus calculée.) **Velléité** est péjoratif; il se dit d'une volonté hésitante, imparfaite, sans effet, d'une intention fugitive. **Vouloir,** syn. de *volonté,* est usité surtout dans les loc. : *Bon, mauvais vouloir.* (V. RÉSOLUTION.)

V. aussi ÉNERGIE.

volontiers. V. VOLONTAIREMENT.

volte-face. V. CHANGEMENT.

voltiger. V. FLOTTER et VOLER I.

volubilité. V. ÉLOQUENCE.

volume est le terme du langage didactique qui sert à désigner l'ampleur d'une masse comme l'espace occupé par un corps. **Grosseur** est plus du langage ordinaire; il se dit du volume, même petit, de certains corps.

V. aussi LIVRE.

volupté. V. PLAISIR.

voluptueux. V. LUXURIEUX.

vomir, c'est, en parlant des animaux comme des hommes, rejeter convulsivement par la bouche les matières solides et liquides contenues dans l'estomac. **Rendre,** pris dans le sens de *vomir,* s'emploie par euphémisme. **Regorger,** c'est vomir, rendre ce dont on était gorgé. **Dégorger** et **régurgiter** sont peu usités. **Débagouler, débecqueter, dégobiller, jeter son lest** et **renarder** sont populaires. **Dégueuler** est trivial. (V. MAL DE CŒUR.)

vomitif est le terme du langage courant qui sert à désigner toute substance produisant d'une manière plus ou moins brusque et désagréable les vomissements. **Emétique** est un terme de pharmacie qui, désignant toute préparation médicamenteuse destinée à faire vomir, s'applique plus spécialement cependant à un vomitif dans la composition duquel il entre de l'antimoine.

vorace. V. GLOUTON.

vote désigne, d'une façon générale, l'acte par lequel, dans une assemblée, une réunion où les décisions doivent être prises suivant l'avis de la majorité, chaque membre concourt à la décision à prendre en déposant un bulletin, une boule, etc., indiquant qu'il adopte ou rejette telle mesure. **Suffrage** se dit du vote par lequel quelqu'un fait connaître qu'il est favorable à tel ou tel candidat, à telle ou telle résolution. **Scrutin** est le terme didactique qui sert à désigner un vote émis par bulletins ou boules déposés dans une urne et comptés ensuite. **Référendum,** terme politique qui s'applique au vote par lequel les citoyens d'un pays sont appelés à se prononcer directement sur des questions d'intérêt général, s'emploie aussi, dans un sens plus étendu, en parlant du vote de plusieurs personnes sur une question qui leur est commune. **Plébiscite** est aussi un terme politique qui désigne le vote du peuple par « oui » ou par « non », généralement en faveur d'une personne ou de l'idée, de la politique que celle-ci représente.

vouer, c'est consacrer par un vœu, par une promesse faite à la divinité, et qui ne peut être que le fait d'un homme : *On voue un enfant à la vie religieuse.* **Prédestiner,** c'est proprement, et seulement en parlant du Créateur, destiner par avance, dès avant qu'on existe, à quelque chose : *Un homme peut être prédestiné à son sort de toute éternité.* — Au fig., VOUER et PRÉDESTINER sont à peu près synonymes, le second s'appliquant toutefois davantage à des destinées particulièrem. remarquables : *Individu voué à la misère; Personne prédestinée aux honneurs.*

1. **vouloir,** c'est avoir l'intention déterminée de faire quelque chose ; il a essentiellement rapport à l'action. **Désirer** dit moins et ne concerne que le sentiment ; c'est simplement tendre vers un acte qu'on voudrait faire : : *Qui veut se porte à agir ou ordonne qu'on agisse; Qui désire, éprouve le besoin d'avoir* (*Lafaye*). **Souhaiter** dit moins encore ; c'est désirer vaguement ou secrètement : *L'ambitieux désire; le rêveur souhaite.*

V. aussi CONVOITER.

2. **vouloir.** V. VOLONTÉ.

voûte est le terme d'architecture qui sert à désigner une construction cintrée, représentant une demi-sphère et formée d'un assemblage de pierres taillées en cône tronqué par le bas, qui s'appuient l'une sur l'autre. **Arcade** signifie par rapport à *voûte,* nous dit Lafaye, quelque chose de partiel, quelque chose qui, au lieu d'envelopper de toutes parts l'espace qui est au-dessous et de le couvrir, ne l'enveloppe que d'une portion de cercle, en le laissant ouvert, susceptible d'être traversé : *On est renfermé sous une voûte; on passe sous une arcade.*

voyage est le terme général qui sert à désigner le fait de parcourir un chemin assez long, généralement dans un véhicule, pour aller dans une autre ville, un autre pays ; il suppose le plus souvent des préparatifs, des dispositions préalables spéciales, et une absence d'une certaine durée de son domicile habituel. **Déplacement** se dit d'un voyage ayant le plus souvent un but déterminé (vacances, affaires, etc.) et de courte durée. **Tournée** désigne un voyage où l'on suit un certain itinéraire, en visitant les points principaux par lesquels on passe ; c'est aussi, plus spécialement, le voyage qu'accomplit un inspecteur ou un voyageur de commerce pour examiner ou visiter les principaux établissements de la circonscription ou de la région qui est de son ressort. **Expédition** s'applique, d'une façon générale, à tout voyage entrepris généralem. à plusieurs, dans un dessein scientifique, commercial, industriel. **Exploration,** ou plus exactement VOYAGE D'EXPLORATION, se dit seulement d'un voyage de découverte ; il implique la visite d'une contrée, d'un lieu, en l'étudiant avec soin. **Incursion,** qui désigne proprement une invasion de gens de guerre en pays ennemi, s'emploie parfois aussi dans le sens de voyage de curiosité, d'exploration. **Pérégrination** (du lat. *peregrinari,* voyager à l'étranger), voyage fait dans les pays étrangers, ne s'emploie plus guère qu'au pluriel, en parlant de voyages multiples et compliqués. **Croisière** se dit d'un voyage d'agrément ou d'étude, surtout par mer, dans une zone déterminée. **Pèlerinage** est très partic.; il s'applique seulement à un voyage fait, par piété, à un lieu de dévotion. **Périple** (du grec *periplos,* action de naviguer autour) est un terme de géographie ancienne qui s'applique à un voyage fait autour d'une mer ou autour des côtes d'un pays, d'une partie du monde. (V. PROMENADE.)

voyager, c'est se déplacer en parcourant un chemin assez long, généralement dans un véhicule (moyen de transport par terre, par air ou par eau), pour aller dans d'autres villes, d'autres pays. **Naviguer,** c'est seulement voyager sur mer ou sur les grands fleuves. **Bourlinguer,** terme de marine qui s'emploie en parlant d'un navire qui lutte contre un gros temps ou qui est soumis à des manœuvres pénibles, s'emploie aussi familièrement dans le sens de voyager un peu partout. **Pérégriner,** voyager en pays lointains, est vieux.

voyageur est le nom donné, d'une façon générale, à celui qui voyage (v. art. précéd.). **Touriste** ne se dit que de celui qui voyage pour son plaisir. **Globe-trotter** (mot angl. signif. *coureur sur le globe*) s'applique à celui qui voyage à travers le monde.

voyageur de commerce. V. REPRÉSENTANT.

voyant. V. DEVIN.

voyou. V. VAURIEN.

vrai se dit simplement de ce qui n'est pas faux, de ce qui est conforme à la vérité, à ce qui est. **Véritable** a rapport, comme le note Lafaye, à l'allégation, à l'affirmation, ou au récit qu'on fait d'une chose, ainsi qu'à l'effet produit sur l'esprit de ceux qui l'entendent : *Quelques historiens soutiennent qu'il n'est pas vrai qu'il y ait eu une papesse Jeanne, et que l'histoire qu'on en a faite n'est pas véritable* (*Girard*). **Avéré** implique la constatation de la vérité, après des recherches et un examen sérieux : *La chose est constante, avérée par les plus grands hommes de l'Eglise* (*Voltaire*). **Exact** s'applique à ce qui est rigoureusement conforme à la vérité : *Une définition exacte exprime parfaitement ce qui est.* **Authentique** se dit de ce dont la vérité ou l'autorité ne peut être contestée : *Un fait authentique ne saurait être discuté.* **Juste** désigne ce qui est exactement vrai et, de plus, parfaitement appliqué : *Une pensée juste est une pensée vraie de tous les côtés, et dans tous les jours qu'on la regarde* (*Bouhors*). — **Véridique** ne concerne que le discours et implique essentiellement l'absence de propos mensongers : *On a confiance en ce qui est vrai; on croit ce qui est véridique.* **Sincère** n'est pas relatif, comme *véridique,* à des faits qu'on rapporte, mais à des sentiments qu'on témoigne : *Un pénitent doit être véridique dans l'exposition de ses fautes, et sincère dans l'expression de son repentir.* (V. PLAUSIBLE.)

V. aussi LOYAL et RÉEL.

vraisemblable. V. PLAUSIBLE.

vraisemblance. V. APPARENCE.

vu que. V. PARCE QUE.

vue (substantif participial de *voir*) se dit d'une étendue de pays qu'on peut voir d'un lieu déterminé. **Point de vue** suppose un certain éloignement et le choix de l'endroit précis où il faut se mettre pour bien voir. **Paysage** se dit d'une étendue de pays que l'on voit d'un seul aspect. **Site** désigne la partie pittoresque d'un paysage. **Panorama** (du grec *pan,* tout, et *orama,* vue) s'applique, dans ce sens, à une vaste étendue de pays que l'on voit généralem. d'une hauteur. **Perspective** est plus partic.; il se dit de l'aspect d'un paysage vu de loin.

Vue, appliqué à la perception des objets à l'aide des yeux, diffère d'**aspect** en ce qu'il a un sens actif, et non passif; le premier a rapport à celui qui voit, le second à ce qui est vu : *La vue d'une rivière exprime l'action toute physiologique de la personne qui voit cette rivière; L'aspect d'un beau paysage est vu dans son ensemble par ceux sous les yeux de qui il se présente.* — Au fig., ces deux mots emportent les mêmes nuances : *Les vues peuvent être sages, étroites, fausses, et c'est de nous-mêmes qu'elles tirent leurs qualités ou*